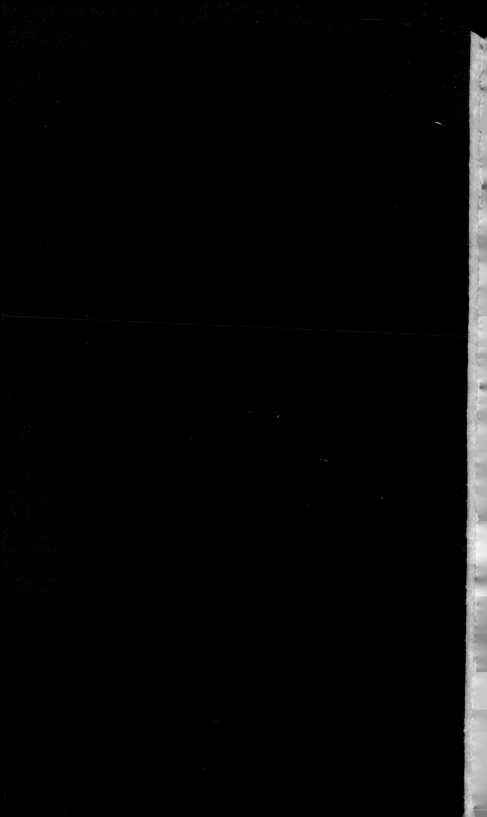

Hans Blumenberg

Arbeit am Mythos

Suhrkamp

Diese Sonderausgabe 1996
folgt der fünften Auflage 1990
Dritte, erneut durchgesehene Auflage 1984
© Suhrkamp Verlag Frankfurt am Main 1979
Alle Rechte vorbehalten
Druck: Ebner Ulm
Printed in Germany

Die Deutsche Bibliothek – CIP-Einheitsaufnahme

Blumenberg, Hans:
Arbeit am Mythos / Hans Blumenberg – 1. Aufl.
Frankfurt am Main: Suhrkamp 1996
ISBN 3-518-40836-4

Inhalt

Erster Teil

Archaische Gewaltenteilung

I

Nach dem Absolutismus der Wirklichkeit

Sie konnten das entscheidend Göttliche gar
nicht weit genug von sich entfernt denken,
die ganze Götterwelt war nur ein Mittel,
das Entscheidende sich vom irdischen Leibe zu
halten, Luft zum menschlichen Atmen zu haben.
Kafka an Max Brod, 7. August 1920

Den dieses Erfolgs Überdrüssigen mag Beherrschung der Wirklichkeit als ein ausgeträumter, des Träumens nie wert gewesener Traum erscheinen. Überdruß und Unbehagen zu kultivieren, geht leicht an, wenn man die Bedingungen als selbstverständlich hinnimmt und nicht mehr notiert, unter denen Leben seine Bedrängnis nur noch in marginalen Problemen erfährt. Kulturen, die zur Beherrschung ihrer Wirklichkeit noch nicht gelangt sind, träumen den Traum weiter und würden seine Verwirklichung denen entreißen, die aus ihm schon erwacht zu sein glauben.

Wendet man den Blick von den professionell oder gar professoral ausgemalten Schrecknissen der Gegenwart und erst recht der Zukunft zurück auf die der Vergangenheit und Vorvergangenheit, stößt man auf die Notwendigkeit, einen Ausgangszustand vorzustellen, der die Erfordernisse jenes alten *status naturalis* philosophischer Kultur- und Staatstheorien erfüllt. Dieser Grenzbegriff der Extrapolation faßbarer geschichtlicher Merkmale ins Archaische läßt sich formal in einer einzigen Bestimmung festlegen: als Absolutismus der Wirklichkeit. Er bedeutet, daß der Mensch die Bedingungen seiner Existenz annähernd nicht in der Hand hatte und, was wichtiger ist, schlechthin nicht in seiner Hand glaubte. Er mag sich früher oder später diesen Sachverhalt der Übermächtigkeit des jeweils Anderen durch die Annahme von Übermächten gedeutet haben.

Was zu diesem Grenzbegriff berechtigt, ist der gemeinsame Kern aller gegenwärtig respektierten Theorien zur Anthropogenese.

Wie immer das vormenschliche Wesen ausgesehen haben mag, das
durch einen erzwungenen oder zufälligen Wechsel seines Lebensraumes veranlaßt wurde, den sensorischen Vorteil der Selbstauf-
richtung zum bipeden Gang wahrzunehmen und gegen alle inter-
nen Nachteile der organischen Funktion zu stabilisieren – es hatte
in jedem Fall den Schutz einer verborgeneren und angepaßten Lebensform verlassen, um sich den Risiken des erweiterten Horizonts
seiner Wahrnehmung als denen seiner Wahrnehmbarkeit auszusetzen. Es war noch kein Vorstoß der Neugierde, kein Lustgewinn an
der Erweiterung, kein Hochgefühl des Gewinns der Vertikalität,
sondern die bloße Nutzung einer Überlebenschance im Ausweichen
vor dem Selektionsdruck, der auf irreversible Spezialisierung hin-
getrieben hätte. Es war ein Situationssprung, der den unbesetzten
Fernhorizont zur dauernden Gewärtigung des bis dahin Unbekannten machte. Was in der Verbindung des Übergangs vom
schrumpfenden Regenwald auf die Savanne mit der Besiedelung
von Höhlen entstand, war die gleichzeitige Bewältigung neuer Lei-
stungsanforderungen beim Nahrungserwerb außerhalb der Wohn-
stätten mit dem alten Vorteil ungestörter Fortpflanzung und Auf-
zucht des lange lernbedürftigen Nachwuchses, jetzt im Schutz leicht
abzuschirmender Gehäuse. In der Formel ›Jäger und Mütter‹ ist
die Überwindung des Verlustes der alten Urwaldgeborgenheit umfaßt.
Was hier Absolutismus der Wirklichkeit genannt wird, ist Inbegriff
der Entsprechungen zu diesem Situationssprung, der ohne die
Überleistung infolge abrupter Unangepaßtheit nicht denkbar ist.
Dazu gehört die Fähigkeit zur Prävention, der Vorgriff auf das
noch nicht Eingetretene, die Einstellung aufs Abwesende hinter
dem Horizont. Alles konvergierend auf die Leistung des Begriffs.
Dem zuvor aber ist die reine Zuständlichkeit der unbestimmten
Prävention die Angst. Sie ist, um es paradox zu formulieren, Intentionalität des Bewußtseins ohne Gegenstand. Durch sie wird der
ganze Horizont gleichwertig als Totalität der Richtungen, aus denen ›es herankommen kann‹. Freud hat als den Kern der trauma-
tischen Situation die völlige Hilflosigkeit des Ich vor überwältigen-
der Gefahr beschrieben und in der frühkindlichen Liebesforderung
die Kompensation solcher Hilflosigkeit gesehen. Ferenczi hat im
ontogenetischen Geburtstrauma das Korrelat des phylogenetischen

Übergangs vom Meer aufs Land ausgemacht, und es bedarf keiner Spekulation, um die Wiederholung dieser Grundsituation auch im Heraustreten aus der Geborgenheit des Urwalds auf die Savanne zu erkennen.

Wenn wir den Ursprung des Menschen bei dem Typus des Fluchttieres zu suchen haben, begreifen wir, daß alle Fluchtreaktionen auslösenden Signale vor dem Biotopwechsel zwar das Zwingende der Furcht haben mußten, aber nicht die beherrschende Zuständlichkeit der Angst zu erreichen brauchten, solange es bloße Bewegung als Klärung der Situation gab. Stellt man sich aber vor, daß diese Lösung nicht mehr oder nicht mehr ständig gelang, so mußten fortan die Flucht erzwingenden Lagen durchgestanden oder ihnen vorgreifend ausgewichen werden. Der Übergang von der momentanen Reaktion auf den punktuellen Reiz zur zuständlichen Höchstspannung des alarmierten organischen Systems macht auf Mittel angewiesen, Gefahrenlagen zu bewältigen, auch wenn ihnen nicht entgangen werden kann. Zwangsläufig wächst die Entspezifizierung des Spannungszustandes mit der Vieldeutigkeit und Unbestimmtheit der die Situation prägenden Daten. Es entsteht die Bereitschaft zu einer auf den gesamten Horizont bezogenen vorfühlenden Erwartungshaltung. Sie eben hat ihren funktionalen Wert in der Unabhängigkeit von bestimmten oder schon bestimmbaren Drohungsfakten.

Dies wiederum ist eine Einstellung zur Wirklichkeit, die zwar episodisch-längerfristig durchgehalten, aber nicht schlechthin auf Dauer gebracht werden kann. Die generelle Spannung muß immer wieder reduziert werden auf Abschätzung besonderer Faktoren. Anders, nämlich in der Sprache des Neurologen Kurt Goldstein ausgedrückt, heißt dies, daß Angst immer wieder zur Furcht rationalisiert werden muß, sowohl in der Geschichte der Menschheit wie in der des Einzelnen. Das geschieht primär nicht durch Erfahrung und Erkenntnis, sondern durch Kunstgriffe, wie den der Supposition des Vertrauten für das Unvertraute, der Erklärungen für das Unerklärliche, der Benennungen für das Unnennbare. Es wird eine Sache vorgeschoben, um das Ungegenwärtige zum Gegenstand der abwehrenden, beschwörenden, erweichenden oder depotenzierenden Handlung zu machen. Durch Namen wird die Identität solcher Faktoren belegt und angehbar gemacht, ein Äquivalent des

Umgangs erzeugt. Was durch den Namen identifizierbar geworden ist, wird aus seiner Unvertrautheit durch die Metapher herausgehoben, durch das Erzählen von Geschichten erschlossen in dem, was es mit ihm auf sich hat. Panik und Erstarrung als die beiden Extreme des Angstverhaltens lösen sich unter dem Schein kalkulierbarer Umgangsgrößen und geregelter Umgangsformen, auch wenn die Resultate der magischen und kultischen ›Gegenleistung‹ gelegentlich der Tendenz Hohn sprechen, an Gunst für den Menschen bei den Mächten zu gewinnen.

Zu erinnern ist, um einen Extremwert vorzustellen, an die Opferhysterie der Azteken vor dem Einbruch der Spanier, bei der die Priester im Blut der rituellen Massaker wateten und um so grausamere Kriege geführt werden mußten, je schwieriger es wurde, die Massen der den Göttern genehmen Opfergefangenen bei den umwohnenden Völkern zu beschaffen. Und dies alles, um das Reich vor einer Gefahr zu bewahren, die die Sterndeutung angekündigt hatte und die sich aufs Datum der Prophezeiung erfüllte. Da aber fehlte es gerade an denen, die die Adelseigenschaften besaßen, um als Opfer den Göttern wohlgefällig zu sein.

Die Angst ist auf den unbesetzten Horizont der Möglichkeiten dessen, was herankommen mag, bezogen. Nur deshalb kann sie, in maximierter Größe, als ›Lebensangst‹ auftreten. Angst ist, trotz ihrer biologischen Funktion für Trennungs- und Übergangszustände unter nicht präformierten Gefahrengrößen, niemals realistisch. Als Spätphänomen des Menschen wird sie nicht erst pathologisch, sie ist es. Es bringt daher nichts ein, wenn Freud sagt, Angst werde neurotisch durch ihr infantiles Verhältnis zur Gefahr, weil sich in ihr Reaktionen reproduzieren, die auf die Situation ausgereifter Individuen nicht mehr passen. Wer aus Angst oder in Angst reagiert, hat den Mechanismus vorgeschobener imaginativer Instanzen verloren. Vorgeschobene Instanz kann auch das mißachtete Formular bürgerlicher Höflichkeit sein, dessen ›kritische‹ Destruktion zwar die gewünschte ›Nacktheit‹ zwischen Begegnenden erzeugt, aber auch dem zuvor niemals auszumachenden Schwächeren seinen Schutz entzieht.

Es beschreibt den Typus von Handlungen der Überreaktion, daß sie von solchen begangen werden, die Metaphern nicht verstehen können. Das gilt nicht nur für deren Erzeugung, sondern auch für deren Handhabung: Übertragungen müssen geleistet, aber nicht beim Wort genommen werden. Die Unfähigkeit, Substitutionen vorzunehmen oder gelten zu lassen, ist nahezu identisch mit der anderen, Delegation von Zuständigkeiten an andere vorzunehmen und Repräsentation für Entscheidungen der Vielen durch Wenige gelten zu lassen. Es ist ein rigider Realismus der Unmittelbarkeit, der alles selbst entscheiden oder an allem mitentscheiden will, um sich der Gunst der Institutionen, nicht an allem selbst beteiligt sein zu müssen, zu verweigern. ›Lebenskunst‹ – diese schon als Wort obsolet gewordene elementare Fertigkeit, mit sich selbst umzugehen und hauszuhalten – mußte erlernt werden als Organ dafür, daß der Mensch keine spezifisch sortierte, ausschließlich in ihren ›Relevanzen‹ für ihn wahrzunehmende Umwelt hat. Welt zu haben, ist immer das Resultat einer Kunst, auch wenn sie in keinem Sinne ein ›Gesamtkunstwerk‹ sein kann. Davon eben ist unter dem Titel ›Arbeit am Mythos‹ etwas zu beschreiben.

›Horizont‹ ist nicht nur der Inbegriff der Richtungen, aus denen Unbestimmtes zu gewärtigen ist. Es ist auch der Inbegriff der Richtungen, in denen Vorgriffe und Ausgriffe auf Möglichkeiten orientiert sind. Der Prävention korrespondiert die Präsumtion. Ihre imaginativen, wunschhaften Besetzungen dürfen des Realismus ermangeln, solange dies nicht aufs Zentrum des Überlebens durchgreift. Noch in der späten Theorie gibt es Gesamtheiten von Aussagen, die nur kraft ihrer Unwiderlegbarkeit bestehen und einen Hof um einen Kernbestand an notwendigem Realismus solcher Aussagen bilden, deren Widerlegung letal wäre. Von diesem Realismus her wird nur noch schwer verstanden, was günstigenfalls als Residuum des noch Unwiderlegten oder als die Gleichgültigkeit des Unwiderlegbaren erscheint. Zur Behauptung vor der übermächtigen Wirklichkeit über Jahrtausende hinweg werden sich Geschichten, denen nicht von der Wirklichkeit widersprochen werden konnte, durchgesetzt haben.

Welchen Ausgangspunkt man auch wählen würde, die Arbeit am Abbau des Absolutismus der Wirklichkeit hätte immer schon begonnen. Unter den Relikten, die unsere Vorstellung von der Frühzeit des Menschen beherrschen, sein Bild als das des *tool-maker* prägen, bleibt all das unauffindbar, was auch geleistet werden mußte, um eine unbekannte Welt bekannt, ein ungegliedertes Areal von Gegebenheiten übersichtlich zu machen. Dazu gehört das der Erfahrung Unzugängliche hinter dem Horizont. Den letzten Horizont, als den mythischen ›Rand der Welt‹, zu besetzen, ist nur der Vorgriff auf die Ursprünge und Ausartungen des Unvertrauten. Der *homo pictor* ist nicht nur der Erzeuger von Höhlenbildern für magische Jagdpraktiken, sondern das mit der Projektion von Bildern den Verläßlichkeitsmangel seiner Welt überspielende Wesen.

Dem Absolutismus der Wirklichkeit tritt der Absolutismus der Bilder und Wünsche entgegen. Freud hat in »Totem und Tabu« von der *Allmacht der Gedanken* als Signatur des archaischen Animismus gesprochen. Wir müssen daran erinnern, daß nach dem Verlassen des Waldes die Lebensteilung in Höhle und freie Wildbahn eintritt. Der geschlossene Raum erlaubt, was der offene verwehrt: die Herrschaft des Wunsches, der Magie, der Illusion, die Vorbereitung der Wirkung durch den Gedanken. Aber nicht nur durch diesen. Die illusionäre Macht durch Magie ist weniger eine des Gedankens als vielmehr eine der ›Prozedur‹. Wer sich an eine Regel hält, deren Bedeutung und Herkunft niemand (mehr) kennt, kann eine genau festgelegte, nicht an Ort und Zeit der Prozedur gebundene Wirkung erzielen. Wie Freud Haeckels biogenetisches Grundgesetz für sich verstanden hat, entspricht dem ontogenetischen ›Narzißmus‹ jener phylogenetische ›Animismus‹ in dem Grundzug der *Überschätzung der eigenen seelischen Vorgänge*. Dies ist die Voraussetzung für einen Begriff der Wirklichkeit, der Bewußtsein von ihr aus dem gegen den Narzißmus erfolgten *unverkennbaren Einspruch der Realität* entstehen läßt. Es mag noch ein weiterer Schritt zur Konstruktion des Sachverhalts sein, sich den Absolutismus der Wünsche und Bilder als Ausgeburten der Höhle zunächst in der Isolation vom Absolutismus der Wirklichkeit vorzustellen. Die Verbindung des einen zum anderen, mag man sie Magie oder Kult nennen, wäre erst sekundäre Konfrontation aus einer schon strukturierten, schon differenzierten Eigenwelt heraus. Im Jagdzauber seiner Höhlenbilder greift der Jäger vom Gehäuse auf die Welt über und aus.

Ich versuche mit Vorsicht, eine literarische Verdeutlichung einzuführen, die auch aus der Situation eines Absolutismus, eines späten Artefakts freilich, stammt. 1939 hat Ernst Jünger in »Auf den

Marmorklippen« seine Anspielungen auf die Ereignisse der Zeit in einer mythischen Szenerie ausgebreitet. Nach der Schlacht von Alta Plana, die für die Ereignisse des 30. Juni 1934 steht, hat der Erzähler den Entschluß gefaßt, allein durch reine Geistesmacht Widerstand zu leisten. Er tut es in Bibliothek und Herbarium. Entgegen diesem Entschluß seien er und die ihm Verbündeten *zuweilen wie Kinder in jene frühe Welt, in welcher der Schrecken allmächtig ist,* zurückgefallen. Noch schien es nicht gelungen, reine Geistesmacht auszuüben. Der Erzähler begründet das mit einem einzigen Satz: *Wir kannten noch nicht die volle Herrschaft, die dem Menschen verliehen ist.*

Damit könnte näherungsweise beschrieben sein, was ich als *status naturalis* der mythischen Ermächtigung vorgeordnet habe: in ihm ist die Möglichkeit des Menschen zur Herrschaft unbekannt, unerkundet, unerprobt. Zugleich zeigt der Kunstmythos der »Marmorklippen«, daß alles, was der Mensch durch die Erfahrung seiner Geschichte und schließlich durch Erkenntnis an Herrschaft über die Wirklichkeit gewonnen hat, ihm die Gefährdung, ja die Sehnsucht nicht nehmen konnte, auf die Stufe seiner Ohnmacht, gleichsam in die archaische Resignation, zurückzusinken. Damit jedoch dieses Zurücksinken nicht nur möglich, sondern zum Inbegriff neuer Wünsche wurde, mußte etwas vergessen worden sein. Dieses Vergessen ist die Leistung der Distanz durch ›Arbeit am Mythos‹ selbst. Sie ist Bedingung für alles, was diesseits des Schreckens, des Absolutismus der Wirklichkeit, möglich wurde. Zugleich ist es Bedingung auch dafür, daß der Heimkehrwunsch in die archaische Unverantwortlichkeit der schlechthinnigen Preisgabe an Mächte, denen nicht widersprochen werden kann, nicht widerstanden zu werden braucht, an die Oberfläche des Bewußtseins zu dringen vermag. Ich fasse es als selbst mythische Ausdrucksform für diesen Sachverhalt, wenn Ferenczi in seinem »Versuch einer Genitaltheorie« von 1924 dem Geburtstrauma den Wunsch nach Rückkehr in den Mutterleib zuordnet, der sich im Sexualakt mit symbolischer Erfüllung begnügen muß.

Immer schon ist der Mensch diesseits des Absolutismus der Wirklichkeit, niemals aber erlangt er ganz die Gewißheit, daß er den Einschnitt seiner Geschichte erreicht hat, an dem die relative Übermacht der Realität über sein Bewußtsein und sein Geschick umgeschlagen ist in die Suprematie des Subjekts. Es gibt kein Kriterium für diese Wendung, für diesen *point of no return*. Denen, die sich schon als nicht mehr einholbare Nutznießer von Wissenschaft und Aufklärung sahen, schien noch das Mittelalter vom Typus einer Vorwelt unbeherrschter und unbeherrschbarer Gewalten zu sein, die nichts als Namen und Adressaten der Hilflosigkeit waren. Es war der theologische Absolutismus – ohne seine Milderungen der Institutionen von Gnadenverwaltung –, der das Mittelalter für den Rückblick nach dem Gründungsakt der Neuzeit als finster erscheinen ließ. Selbst Goethe wollte der Romantik ihre ersten Korrekturen an diesem geschichtlichen Selbstbewußtsein und der ihm zugemessenen Vorzeit kaum glauben. Am 21. April 1831 schreibt er ins Tagebuch: ... *in den Jahrhunderten, da der Mensch außer sich nichts wie Greuel fand, mußte er glücklich sein, daß man ihn in sich selbst zurückwies, damit er sich statt der Objekte, die man ihm genommen hatte, Scheinbilder erschuf an ihre Stelle ...*

Es ist Naturanschauung, was der Betrachter an der wiederentdeckten gotischen Malerei gänzlich vermißte; daraus folgend jeden Zug zu der ihr entsprechenden Metaphysik: zum Pantheismus. Doch ist der Polytheismus, den Goethe auch in der Heiligenwelt abgeschwächt gegenwärtig sieht, die Überbrückung der Verlegenheit, aus Mangel an Naturanschauung in diesen Jahrhunderten Pantheist nicht sein, doch auf die Scheinbilder nicht verzichten zu können. Dieser späten ›Vorwelt‹ der eigenen Welt waren nach der Notiz die Objekte ›genommen‹ – man braucht den Ausdruck nur zu ersetzen durch den, daß sie noch gar nicht gewonnen gewesen wären, um den Gedankengang auf jede bisher unbedachte Frühzeit des Menschen beziehbar zu machen. Was bleibt, ist die Vorrichtung der Bilder gegen die Greuel, die Erhaltung des Subjekts durch seine Imagination gegen das unerschlossene Objekt. Nicht ein beliebiger, wenn auch noch so kleiner Bruchteil an Theorie wird dabei feststellbar, sondern das Maß ihrer Entbehrlichkeit – ohne den Aufwand zu beachten, mit dem der späte ästhetische Metaphysiker sie wieder entbehrlich machen will.

Der Widerspruch, der hier in das Konstrukt des archaischen Wirklichkeitsbegriffs hineinzukommen scheint: Absolutismus der Wirklichkeit einerseits, Allmacht der Vorstellungen andererseits, wiederholt sich an der Beschreibung des Traumes. Der Traum ist reine

Ohnmacht gegenüber dem Geträumten, völlige Ausschaltung des Subjekts und seiner Selbstverfügung inmitten seiner Bilder mit der extremen Disposition zum Angstzustand; doch zugleich ist er die reine Herrschaft der Wünsche, die das Aufgewecktwerden zum Inbegriff aller Enttäuschungen macht, wie auch immer die Zensuren beschaffen sein mögen, unter die der psychische Mechanismus dabei gestellt ist. Im Traum zu fliegen – Nietzsches Formel für etwas, was er sein Vorrecht nennt –, ist die Metapher des nichtigen Realismus bei intensivster Realitätsillusion.

Träume seien die getreuen Interpreten unserer Neigungen, hat Montaigne niedergeschrieben; doch mußten wir lernen, daß die Interpreten nochmals des theoretisch raffinierten Interpreten bedürfen, um sich uns mitzuteilen. Da es hier nur um die Verdeutlichung des vermeintlichen Widerspruchs im hypothetischen Konstrukt des archaischen ›Realismus‹ geht, mag der Schlenker zu einem geistreichen Aperçu von Stanislaw Jerzy Lec gestattet sein: *Ich habe heute nacht von Freud geträumt. Was bedeutet das?* Was der Traum bedeutet, ist erst sekundär das, was ihn vielleicht mit der Frühmenschenwelt verbindet; zuerst und vor allem macht er einen Grenzwert von Realitätsprostration zugänglich.

Sogar in den Philosophenschulen wurde, fügt Plutarch seinem Bericht in der Biographie des Perikles hinzu, die Geschichte erzählt, wie dieser mit der Angst vor einer Sonnenfinsternis fertig wurde. Als er im Peloponnesischen Krieg mit hundertfünfzig Schiffen zur Belagerung von Epidauros aufbrach und man schon segelfertig war, erlosch plötzlich das Sonnenlicht. Alle wurden von Entsetzen gepackt. Offenbar hatte bei dieser, später auf den 3. August 431 datierten, Finsternis das Vorbild des Thales von Milet nichts gefruchtet, durch theoretische Vorhersage das Ereignis um seinen ominösen Gehalt zu bringen. Das Mittel des Perikles, den Steuermann seines Schiffes, der vor Angst nicht aus noch ein wußte, wieder ins Lot zu bringen, bestand darin, daß er ihm seinen Mantel vor die Augen hielt und den derart Verdunkelten fragte, ob er immer noch ein schreckliches Unglück oder die Vorbedeutung für ein solches wahrzunehmen glaube. Der Seemann mußte verneinen, und Perikles entängstigte ihn vollends durch die Frage, wo denn der Unterschied noch sei zwischen dem, was hier an ihm, und dem, was dort an der Sonne geschehe, außer darin, daß die Sonne durch

einen größeren Gegenstand als durch einen Mantel verdunkelt
werde.

Diese Geschichte wird in den Schulen der Philosophen erzählt,
schließt Plutarch, und man sieht daraus wohl, worauf es der Philosophie mehr als auf die Bewunderung des Kosmos ankam. Doch
läßt sich auch der rhetorische Rückschlag der Anekdote gegenüber
dem, worin die Chance der Theorie zur Entängstigung des Menschen lag, nicht übersehen. Denn während der athenische Staats-
mann ein Stückchen modellartiger Erklärung anzubringen glaubt,
wird der Steuermann vermutlich schon dadurch beruhigt worden
sein, daß er, um es paradox auszudrücken, von der Verfinsterung
nichts mehr sah und sich dem bloßen guten Zureden überlassen
konnte. Die Anekdote veranschaulicht aber noch mehr: Die Grenzlinie zwischen Mythos und Logos ist imaginär und macht es nicht
zur erledigten Sache, nach dem Logos des Mythos im Abarbeiten
des Absolutismus der Wirklichkeit zu fragen. Der Mythos selbst
ist ein Stück hochkarätiger Arbeit des Logos.

Es mag sein, daß Magie zuerst den wohltätigen Schein zu erzeugen
vermochte, es sei vom Menschen für die Bedingungen seines Lebens
mehr auszurichten als seine Fertigkeiten reell belegen konnten. Zuvor noch mußten die Richtungen bestimmt und benannt worden
sein, aus denen Wohltat oder Untat zu gewärtigen war. Instanzen
der Zuwendung mußten faßbar werden, um ihnen Gunst abzurin-
gen oder Ungunst zu verwehren. Es ist nicht bloße metaphorische
Dienlichkeit, wenn in Erscheinungen Handlungen gesehen wurden.
Zu den Grundfiguren, in denen sich die Geschichte des Menschen bis
in dokumentierte Zeiten hinein darstellt, gehört es, daß die Wahrnehmung seines Interesses gegenüber der Wirklichkeit, bevor sie
auch nur im Ansatz realistisch werden konnte, in der Illusion
durchgespielt und als unerkannte Fiktion verteidigt wurde. Das
weite Feld von Praktiken der Gesundheitssorge gibt dafür das
Material; aber prinzipiell wird man in der kultischen Pflege von
Mächten und Gewalten nichts anderes zu sehen haben. Die schmale
Zone realistischen Verhaltens ist immer umgeben von einem Umfeld der Handlungs- und Bewirkbarkeitssuggestionen. Die Beweislast dafür, wo die Grenzen der Beeinflußbarkeit der Welt faßbar
wären, lag immer beim Mißerfolg – und nur bei dem, für den sich
keine Nebenlösung seiner Verursachung ergab; ein seltener Aus-

nahmefall. Diese Präsumtion trägt ein sich anreicherndes Verhalten des Als-Ob, dessen Erfolg in seiner vorläufigen oder endgültigen Unbestreitbarkeit bestand. Die Menschheit hat den größten Teil ihrer Geschichte und des Volumens ihres Bewußtseins von unwiderlegbaren Annahmen gelebt und tut dies vielleicht – es ist ein Verdacht, des Beweises unfähig – immer noch.

Daß Geschehen als Tun ausgelegt worden sei, ist nach Nietzsches Formel Kennzeichen aller Mythologien. Aber es ist nicht primär eine Erklärung der Erscheinungen, wie es in seiner Heranziehung der Kausalität aussieht. Vordringlich und vorzeitig war sicher das Interesse an Anrufbarkeit, Abwendung oder Zuwendung, Beeinflußbarkeit in jedem Sinne, auch an einiger Zuverlässigkeit, soweit sie nicht die der Eifersucht oder Feindschaft sein mußte.

Noch Epikur hat uns mit seiner Abschiebung der Götterwelt in die Weltenzwischenräume sehen lassen, was das Interesse des Menschen an sie fesselte, ihre Fortexistenz noch über die nüchternste atomistische Weltansicht hinweg empfahl. Wenn er im Brief an Menoikeus schreibt, es wäre besser, sich dem Göttermythos anzuschließen als zum Sklaven der Notwendigkeit der Physiker zu werden, so meint er das in Abwägung der Begünstigungen beim Abbau des Absolutismus der Wirklichkeit. Von Schillers ›sanftem Bogen der Notwendigkeit‹, dessen ›Geschoß‹ dem Menschen droht, ist noch nichts zu ahnen; er ist eine Figur der schönen Resignation, die Enthärtung der physischen Gesetzlichkeit durch die ethische vorausgesetzt. Dagegen lag im Begriff der antiken Atomistik, daß sie den ›Zufall‹ als eine Chance wenigstens dessen sah, der die Risiken der Natur zu vermeiden wußte und im ›Garten‹ blieb, statt in die Wildnis zu gehen. Nicht beliebig ist der Garten die Heimstätte der Schule Epikurs.

Epikurs Götter sind mehr als geduldet und mehr als überlebend. Sie sind konzipiert nach dem Ideal des Weisen, der sich um die Wirklichkeit der Welten nicht kümmert, weil er ihre Möglichkeiten als ihn nicht betreffend abgewogen hat. Die Metakosmien, in deren absoluter Leere die alten Götter des Olymp fortleben, sind so etwas wie die Überbietung des Kosmos der platonisch-stoischen Linie: die Idee – wenn es hier so etwas geben dürfte – der Unbetroffenheit und Unbetreffbarkeit von dem, was die Welten macht und ausmacht, die vollendete Depotenzierung ihrer Wirklichkeit. Der

Weise Epikurs lebt, als ob er ein Gott wäre, und das ist nur möglich – ohne Realismus. Doch steckt ein Quantum Realismus unvermeidlich schon darin, von solchem akosmischen Götterwesen überhaupt eine Vorstellung zu haben. Denn nach dem Erkenntnisbegriff dieser Philosophie könnte der Weise niemals wissen, was es heißt, mit dem Rücken zu den Welten ohne die Last ihrer Wirklichkeit zu leben, wenn es im leeren Raum nicht wirklich die Götter gäbe, deren fliegende Bilder ihn erreichen. Nach dieser Pointe des antiken Polytheismus wird erst wieder der neuzeitliche Pantheismus eine Lösung anbieten, die nach Heines Formel *die Wiedereinsetzung des Menschen in seine Gottesrechte* verheißt oder sogar als vollzogen bestätigt.

Davon hat, wenn man dies so formulieren darf, der Mythos nicht einmal träumen können. Wie er den Abbau des Absolutismus der Wirklichkeit betrieb, war es die Verteilung eines Blocks opaker Mächtigkeit, über dem Menschen und ihm gegenüber, auf viele einander ausspielende bis aufhebende Gewalten. Nicht nur, sich mit der einen gegen die andere abschirmen zu können, sondern schon, die eine mit der anderen von Urzeit her beschäftigt und verstrickt zu sehen, war Begünstigung des Menschen aus ihrer bloßen Vielheit. Religionsgeschichtlich gesehen, ist es Einengung einer diffus ausgebreiteten Qualität von Unheimlichkeit und Ungefügigkeit auf Enklaven strikt sanktionierter Begrenzung.

An ihnen glaubte Rudolf Otto ›das Heilige‹ in seiner Urform erkannt zu haben. Er ist darin von der anthropologischen Auffassung alles Apriorischen in den Kant-Schulen von Fries und Nelson ausgegangen. Folgt man der Konstruktion eines genuinen Absolutismus der Wirklichkeit, so werden die von Otto namhaft gemachten Fluida des *Mana, Orenda, Manitu* und *Wakanda* am ehesten als Restbestände der ursprünglich die Erscheinungen der Welt umgebenden Aura von Übermacht und Unzugänglichkeit zu sehen sein.

Was *tabu* ist und bleibt, hätte dann – auf sich konzentriert und *pars pro toto* – die der Welt ursprünglich anhaftende Gesamtfärbung einer unbestimmten Unfreundlichkeit zu vertreten, wohl auch hier und da im Dienst des Bestehenden zu simulieren. Das Tabu wäre, wie andere starke Sanktionen, die punktuelle Übertreibung der abweisenden Unwilligkeit, mit der die Welt einmal dem Menschen entgegengestanden hatte. Es wäre, wenn man so will, deren ›symbolische‹ Beschwörung, um sich Einfriedigung auf Reservate und Einfügung in die Intermundien der Kultur gegenwärtig zu halten. An der Furcht bis Ehrfurcht vor solchen Enklaven wird die Gegenforderung für die Domestikation des Ganzen abgedient.

Man erfaßt die ›Politik‹ des Menschen im Umgang mit einer ihm ungefügigen Wirklichkeit an einem zu späten Punkt, wenn man dem religionswissenschaftlichen Aspekt auf ›das Heilige‹ folgt und darin nicht die schon institutionalisierte Reduktionsform des Absolutismus der Wirklichkeit wahrnimmt, jener schieren Lebenswidrigkeit und Dienstunwilligkeit gegenüber diesem *Dilettanten des Lebens*, wie Scheler den Menschen genannt hat. Kaum zufällig hat der griechische Mythos die Weltqualität der Befremdlichkeit auf gestaltete Konzentrate zu bringen gesucht, ins Optische übersetzt, kaum je ans Haptische gerührt. Unter den Gorgonen, die dem gestaltfeindlichen Meere und seinen ungeheuerlichen Göttern noch vor dem Poseidon entstammen und jenseits des Okeanos den vagen Weltrand bewohnen, ist es vor allem Medusa mit ihrem durch Versteinerung tötenden Anblick, an der sich fast redensartlich Unnahbarkeit und Unerträglichkeit verdichtet haben: Athene, selbst von dieser Qualität schon zu weit zur Lieblichkeit und Kulturfreundlichkeit entfernt, muß sich durch Perseus das Gorgoneion als Verstärkung ihrer Rüstung verschaffen lassen. Dafür hat der Held ihren Rat angenommen, der Gorgo nur mittels der Spiegelung in seinem metallenen Schild zu nahen.

Die bildende Kunst hat im Hinblick auf den urtümlichen Schrekken nur Klägliches zustande gebracht. Sie hat dadurch den heimlichen Gedanken genährt, es möchte sich hinter der verbalen Häufung von Scheußlichkeiten die Eifersucht auf eine ganz eigentümliche Schönheit verborgen haben. Was Brücke zur Ästhetisierung oder was deren Entschuldigung ist, wird nicht zu entscheiden sein. Am Ende des Weges steht die Aufnahme in den Kanon. Als der bayerische Kronprinz Ludwig das Hochrelief der Medusa aus dem Palazzo Rondanini in Rom erwirbt, erhält Goethe 1825 einen Abguß zum Geschenk und dankt mit den Worten: *Schon seit beinahe vierzig Jahren vermisse ich den sonst gewohnten Anblick eines Gebildes, das uns auf die höchsten Begriffe hindeutet, wie sie*

sich dem Altertum aus täglicher Gegenwart entwickelten. Er sei
durch die Nachbildung *dieses herrlichen Schatzes über die Maßen
glücklich geworden.* Vor ihm stehe das langersehnte *einer mythischen Urzeit angehörige Kunstwerk,* das, *sonst wegen unseliger
Wirkungen furchtbar,* ihm *wohltätig und heilsam* erscheine.
Für Goethe ist das Haupt der Medusa der Triumph des Klassizismus. Es steht für die Überwältigung des Schreckens der Urzeit
nicht mehr durch den Mythos, nicht durch die Religion, sondern
durch die Kunst. Als er solche *sehnlich gehoffte Gegenwart* am
Frauenplan besitzt, ist schon zur fernen Erinnerung geworden,
daß er in Rom dem Palazzo der Rondanini gegenüber gewohnt
und die marmorne Maske, *von merkwürdiger Vortrefflichkeit,* oft
gesehen hatte – ein Anblick, *der keineswegs versteinerte sondern
den Kunstsinn höchlich und herrlich belebte,* wie er am 21. Januar
1826 an Zelter schreibt.
Es ist ein einzigartiges Paradigma der ›Arbeit am Mythos‹, die
begonnen haben mag mit dem Apotropaion der Namengebung.
Franz Rosenzweig hat vom *Einbrechen des Namens in das Chaos
des Unbenannten* gesprochen. Doch macht das Wort ›Chaos‹ vielleicht allzu sehr mit, was aus Mythen und Kosmogonien vertraut
ist, als wären diese Fossilien der Menschheitsgeschichte. Wie spät
auch immer schon sein mag, was wir durch die überlieferten Namen
zu fassen bekommen, es ist ein Stück zu Gestalt und Gesicht brin-
gender Bewältigung eines uns entzogenen Zuvor. Was geschaffen
wird, läßt sich ›Appellationsfähigkeit‹ nennen. Sie bahnt die Wege
zur magischen, rituellen oder kultischen Beeinflussung. Wiederum
in der Ausdeutung der Institutionen, Praktiken und Rituale wird
die in ihnen gemeinte Macht in eine Geschichte verwickelt, die
naturgemäß die ihrer wenigstens gelegentlich größeren Umgänglichkeit ist. Jede Geschichte macht der blanken Macht eine Achilles-
ferse. Sogar die ›Welt‹ hat ihren Schöpfer, kaum daß sein Dogma
vollendet war, der Rechtfertigung dafür bedürftig gemacht, daß
sein Werk eine Geschichte bekam.
Nicht in den Ursprüngen seiner Inhalte, nicht im Einzugsgebiet
seiner Stoffe und Geschichten, liegt die Geschichtsmächtigkeit des
Mythos begründet, sondern darin, daß er seinem Verfahren, seiner
›Form‹ nach etwas anderes *nicht mehr* ist. Ich würde es nie den
›Glauben der Hellenen‹ nennen, daß in den Göttern Homers und

Hesiods ein ›Nachspiel‹ von anderen Göttern, die hinter ihnen stehen oder in ihnen aufgegangen sind, stattfindet. Es läßt sich über die Formel von Edvard Lehmann reden, der Mythos sei dazu bestimmt, überwunden zu werden, wenn ich auch fürchte, daß das einen fatalen Hintersinn hat. Doch wird ungleich wichtiger sein, ihn selbst bereits als Manifestation einer Überwindung, eines Distanzgewinns, einer Abmilderung des bitteren Ernstes, zu beschreiben.

Bei den Transformationen der Umgänglichkeit sollte man nicht nur an Haltungen der Verehrung und Gunstbewerbung denken, sondern auch an solche der Herausforderung, des festlegenden Zwangs und sogar der hinterhältigen List vom Typus der des Prometheus und weltweiter Trickster-Figuren. Den Gott Fluch, Spott und blasphemischen Kult erdulden zu lassen, heißt die Grenze abzutasten und womöglich zu verschieben, auf die gesetzt werden kann. Den Heilbringer zu reizen, daß er kommt, die Bosheit so zu verschärfen, daß er es nicht weiter für verantwortbar hält, auf sich warten zu lassen, durch die Sünde zu erproben, ob die Festlegung auf Gnade absolut ist – das alles gehört zum Repertoire der Erzwingungsformen gegenüber einer Macht, deren sich zu versichern alles bedeutet. In gnostischen Zirkeln haben allezeit Scharen unlustiger Sünder sich an Orgien der Verruchtheit versucht, um nach den Regeln des Weltgottes ihren ›fremden Gott‹ zur eschatologischen Tat zu stimulieren. Wer das Gesetz der Verelendung findet, sieht alles auf den Punkt zutreiben, an dem alles nur noch anders werden kann. Frivolität ist von all dem nur ein schwacher Abzug, ein Mittel der anthropomorphen Entspannung am Mythos: man darf so etwas tun oder sagen, ohne daß einen der Blitz trifft. Es ist die Vorstufe der aufklärerischen Satire, der rhetorischen Säkularisierung als eines Stilmittels des seiner Aufgeklärtheit noch unsicheren Geistes. Wiederum: man kann vom Sakrosankten, bevor es für tot erklärt wird, so tun, als ob es dies nicht gäbe, ohne daß einen der Teufel holt. Daß Goethes Teufel Faust nicht mehr holen darf wie der Marlowes, ist auch Darstellung der ›Arbeit am Mythos‹ mit einem der Neuzeit gewogenen Gunstbeweis einmal beschworener Mächte. Es ist gut gegangen mit dem Ausbund der ›Tugenden‹ seiner Epoche. Schließlich braucht sich, um die Figur nachzuspielen, der Revolutionär nur noch an den Schweif eines Polizeipferdes zu hängen, um den zögernden Genossen zu beweisen: Es tritt nicht und beißt nicht – es ist eigens darauf gedrillt, nichts zu tun.

Die mythischen Götter der Griechen sind von den Philosophen wegen ihrer Unmoral getadelt und vom Umgang der Vernunft ausgeschlossen worden. Doch ist ihre Unmoral nur der späte Reflex eines an menschlichen Maßstäben nicht zu messenden, obwohl nicht gänzlich kurzschlüssigen und undurchschaubaren Verhaltens: zumindest soll es die Leichtfertigkeit schwer haben. Dennoch war dies die Front der Vernunft, an der man sich gründlich und endgültig überlegen glaubte. Rhetorisch haben die Literaten der ersten christlichen Jahrhunderte vieles von dem vorweggenommen, was die Aufklärung der Neuzeit gegen ihre Sache vorbringen und ausspielen sollte. *Soll man lachen oder zornig werden*, schreibt mit sprachmächtiger Verachtung eingangs des dritten Jahrhunderts Tertullian »An die Heiden«, *wenn als Götter angenommen werden, die so sind, wie nicht einmal Menschen sein dürfen?* Das ist die kürzeste Formel für den Rückblick auf den Mythos von den Nutznießern seiner vermeintlichen Absurdität.

Es ist zudem die Formel eines gänzlichen Mißverständnisses gegenüber allem, was mit dem Pantheon geleistet worden war. Auch darin hat die Arroganz der neuen Epoche vorweggenommen, was ihr wiederum von ihrer Nachfolgerin zugefügt werden sollte. Nichts ist aufschlußreicher, als das Begleitspiel der ›endgültigen Überwindungen‹ des Absurden und Abstrusen in der Geschichte zu beobachten, um aus ihr wenigstens dies zu lernen, daß es sich nicht so leicht überwindet.

Götter, das waren zwar, folgt man Tertullians grimmigem Humor, solche, wie Menschen es nicht sein *dürfen*, dem zuvor jedoch auch solche, wie Menschen es nicht sein *können*. Erst spät ist es ihre Unmoral, was sie schließlich für Satyrspiel und Komödie qualifizierte, für den Genuß an ihrer nicht uneingeschränkten Gewalt: sie bedürfen zur Verführung nicht nur der listigen Täuschung durch Metamorphose, sondern behindern sich auch gegenseitig am schrankenlosen Vollzug ihres Willens und ihrer Launen. Das gilt schon für die Exposition der Ausgangslage in der »Ilias« nach allen Nuancen der Kräfteverteilung, die die Vorgeschichten in die Geschichten einbringen.

Der durch den Raub seiner Tochter gekränkte Priester des Apollo treibt seinen Gott dazu an, die Achaier zu strafen, die daraufhin die Beute dem Achill zu seinem Zorn wieder wegnehmen und dem Priester zurückbringen müssen. Der beleidigte Achill wendet sich an seine Mutter Thetis, vormalige Braut des Zeus, die dieser verzichtend dem Peleus verheiratet hatte. Sie möge bei dem Olympier auf Bestrafung der Achaier drängen, da sie *ihrem* Sohn etwas zugunsten des Priesters *seines* Sohnes weggenommen hätten. Das Mutter–Sohn-Verhältnis der Thetis zu Achill gewinnt Übergewicht über das Vater–Sohn-Verhältnis des Zeus zu Apollo. Und ist erst recht stärker als das Verhältnis des Zeus zu Hera, die den Troern als Hüterin der Ehe wegen des Raubs der Helena zürnt und Unbill für die Griechen nicht zulassen mag. Noch anderes spielt herein: Hera ist zwar mächtig in ihrer Unantastbarkeit, aber beteiligt an einer alten Verschwörung gegen Zeus mit Poseidon und Athene. Thetis hatte bei dieser Gelegenheit durch Herbeirufung des protzigen Übermächtigen Briareos, eines der Hundertarmigen, die Herrschaft des Zeus gerettet. Wie immer die hinter dieser Ausgangslage stehenden Verhältnisse religionsgeschichtlicher und kultlokaler Schichtung gelagert sein mögen, im erreichten Abbaustadium durch die epische Dichtung ist die Gewaltenteilung schon Anlaß zu einer Heiterkeit, die in keinem Verhältnis zu den Folgen zwischen Troern und Achaiern auf dem Kriegsschauplatz steht.

Die Aufklärung, die nicht wieder die Renaissance sein wollte und den Wettkampf zwischen Antike und Moderne für entschieden hielt, hat dem Mythos seine Leichtfertigkeiten ebensowenig verziehen wie der christlichen Theologie den Ernst ihres Dogmatismus. Sie hat diesen mittelbar über jenen zu treffen gesucht. Etwa im Streit über das Verstummen der alten Orakel zum Beginn der christlichen Ära, wie ihn Fontenelle auch literarisch maßgebend ausgetragen hatte. Erst recht in dem Gott, der dem Patriarchen Abraham das Opfer des einzigen und späten Sohnes abverlangt und nur den Vollzug bei erbrachtem Gehorsamsbeweis abgebrochen hatte, sah sie das Analogon des von Agamemnon verlangten, aber auch ausgeführten Opfers der Iphigenie. Für die moralische Kritik am Mythos wie an der Bibel bedeutete es wenig, daß hier die Göttin Artemis die ihr geweihte Jungfrau dem Opfer entzogen, dort der Gott den Gehorsam anerkannt und die Institution des Tieropfers an die Stelle des Menschenopfers gesetzt hatte.

Entscheidend wichtiger ist, daß indirekt der Vatergott gemeint und getroffen war, der auch nach dem Dogma der Unglaublichkeit fähig sein sollte, das Opfer des eigenen Sohnes zum Ausgleich eines relativ bescheidenen Obstfrevels sich darbringen zu lassen.

Die Aufklärung hat das alles vom *terminus ad quem* her gesehen und gewertet; sie war unfähig zu der Blickwendung auf den *terminus a quo* und hat diese Unfähigkeit mit der Niederlage gegenüber dem Historismus bezahlt. Das Lieblingsstück ihrer Moralkritik am biblischen Gott, die Opferszene auf dem Berge Morijja, hat die Aufklärung unter dem Gesichtspunkt der fast vollendeten, ihrer Maxime nach schon gesetzten Unmoral untersucht. Die Umkehrung des Zeitaspekts hätte den Blick freigegeben auf eine Grenze, an der über Jahrtausende hinweg Mögliches und Übliches gerade dadurch endgültig abgebrochen wurden, daß der sich selbst widersprechende Gotteswille das Vorher und Nachher in *einer* Szene sinnenfällig darstellte.

Nichts hätte gleicherweise eindringlich machen können, was nicht mehr möglich sein sollte, wie die Forterzählung dieser Geschichte über die Generationen hinweg, die immer wieder bereit sein mochten, nach dem gewichtigeren und wirksameren Opfer für ihren Gott zu suchen, sobald er sich den Erwartungen versagte, die Bündnisverpflichtungen nicht erfüllte. Auch hinter dem Opfer auf Aulis, günstigen Wind für die griechische Flotte nach Troja erzwingend, steht die hier durch den Eingriff der Göttin endende menschheitslange Geschichte der Menschenopfer, deren letzte Spuren selbst in der mehrfach vom Abscheu der Nachfahren gereinigten Tradition nicht fehlen. Auch die von Artemis ins Land der Taurer versetzte Iphigenie ist dort als Priesterin im Tempel der Göttin noch an Menschenopfern beteiligt – gerade das indiziert diese als etwas, was nur noch im fernen Skythenland möglich sein soll. Herodot hatte Iphigenie selbst als Gottheit der Taurer benannt, der sie die abscheulichen Opfer der schiffbrüchigen griechischen Seefahrer und Kriegsgefangenen darbringen. Es ist deshalb ein Akt der hellenischen Domestikation, wenn Orestes und Pylades die hölzerne Statue der Taurischen Artemis entführen sollen und Iphigenie ihnen dabei hilft. Sie erklärt dem König Thoas, die Göttin habe diese Männer als Opfer nicht gewollt und begehre statt dessen eine Gabe von Lämmern.

Für die Funktion des institutionellen Verzichts auf das Menschenopfer ist die spartanische Version des Mythos aufschlußreich, Orestes habe die taurische Statue der Artemis nach Sparta gebracht, wo er König wurde; das Idol habe das Menschenopfer dorthin mitgezogen, bis der Verfassungsgeber Spartas, Lykurgos, dem ein Ende setzte. Allerdings um den Preis, durch Auspeitschung der spartanischen Knaben wenigstens noch den Blutgeruch bei dieser Initiation dem Blutdurst der Göttin darzubringen. An die Stelle der Opferung des Menschenlebens tritt die eines absoluten Gehorsams, in der Patriarchengeschichte als dem Vorspiel zur Gesetzgebung vom Sinai und zum Glaubensbegriff des Paulus ebenso wie im spartanischen Staatsmythos. Als Einschränkung der hemmungslosen Gunstbewerbungen bei der Gottheit konnte die Negation des Menschenopfers nur institutionalisiert werden, wenn der Anschein zu vermeiden war, die Schwelle der göttlichen Ansprüche werde unterschritten. Ein Weniger als das Bisherige konnte immer als Kränkung des Gottes in Verruf gebracht werden.

Es ist etwas an der von Wilhelm Wundt im zweiten Band seiner »Völkerpsychologie« von 1904 selbstsicher vorgetragenen Definition: *Mythos ist in Vorstellung und Handlung gewandelter Affekt.* Es entspricht der zeitgenössischen Orientierung an energetischen Vorstellungen, den Affekt als ein unspezifisches Potential anzusehen, durch dessen Transformation ein ganzes Kulturareal entstehen konnte. Freuds Begriff der ›Sublimierung‹, 1908 eingeführt, gehört derselben Leitmetaphorik zu. Doch ist Wundts Definition wenig interessiert an dem, was als vorgegebene Größe ›Affekt‹ genannt wird, für ihn aber nur die ›andere Seite‹ einer Energiebilanz darstellt. Erst Rudolf Otto hat 1917 die Affektseite aufgeschlüsselt und mit nachhaltig wirksamen Benennungen versehen. Doch liegt in diesen auch die Gefahr, das Phänomen vorwegzunehmen, das erklärt werden soll. Nimmt man hingegen den Affekt als schon entspezifizierte Erregung, so tritt seine Unbestimmtheit in Beziehung zum hypothetischen *status naturalis* jenes Absolutismus der Wirklichkeit. Affekt ist dann Zustandsform einer Aufmerksamkeit, die an die Stelle eines eingespielten Anpassungssystems von Forderung und Leistung treten mußte, um in der Anthropogenese den vormenschlichen Lebensraumwechsel zu ermöglichen. Aufmerksamkeit, die Beobachtung von Wahrnehmung unterscheidet, wird am ehesten vom Affekt stabilisiert.

Noch wenn es darum geht, vor dem Unsichtbaren auf der Hut zu
sein und durch Beachtung seiner Regeln ihm auszuweichen, ist der
Affekt die übergreifende Klammer von Teilhandlungen, die dem
Absolutismus der Wirklichkeit entgegenarbeiten. Intentionalität,
die Zuordnung von Teilen zum Ganzen, von Eigenschaften zum
Gegenstand, von Dingen zur Welt, mag der abgekühlte Aggregatzustand solcher frühen Bewußtseinsleistungen sein, die aus der
Verklammerung von Reiz und Reaktion herausgeführt hatten und
zugleich das Resultat dieses Exodus waren. Insofern ist an der
klassischen Vorstellung, das Gefühl sei die vortastende Unklarheit
des Gemüts, etwas daran. Nicht nur Empfindung und Wahrnehmung besetzen dieses Leistungsschema, sondern auch die Namen,
Gestalten und Geschichten, die Rituale und Praktiken, die durch
die eine affektive Noch-Unbestimmtheit der Übermacht, der Rudolf Otto die Qualität des Numinosen zuspricht, verklammert
wird.

Von Anfängen zu reden, ist immer des Ursprünglichkeitswahns
verdächtig. Zu dem Anfang, auf den konvergiert, wovon hier die
Rede ist, will nichts zurück. Alles bemißt sich vielmehr in Distanz
zu ihm. Deshalb ist vorsichtiger von der ›Vorvergangenheit‹ zu
sprechen, nicht von ›Ursprüngen‹. Diese Vorvergangenheit ist nicht
die einer Allmacht der Wünsche, die sich erst im Zusammenprall
mit der Widrigkeit des vom Wunsch Ungebeugten zum Kompromiß
mit der Realität und als Realismus bequemt hätte. Dort läßt sich
die einzige absolute Erfahrung, die es gibt, nur vermuten: die der
Übermacht des Anderen.

Das Andere ist noch nicht vorzugsweise *der* Andere. Erst sobald
jenes durch diesen interpretiert, das Neutrum durch die Metapher
des Auch-Ich erschlossen wird, beginnt eine Weltauslegung, die den
erfahrenden Menschen in die Geschichte des erfahrenen Anderen
verwickelt. Er sieht auf einmal ein Stück Natur als Jagdgebiet
oder Weidegrund dieses anderen qualifiziert und begreift dies als
mögliche Konfrontation, die im Verhalten zum Dominium des
anderen gemieden oder gesucht wird und Ausgleichsleistungen,
Rückerstattungen, Wohlverhaltenszwänge, Gunstbewerbungen, Ge-
stenaustausch auferlegt. Wer den Horizont des anderen berührt
oder übertritt, stößt auf ihn durch seinen Namen, auf den er seine
Anwesenheit delegiert hat.

Der magisch fungierende Name muß unverständlich sein und stammt noch im gnostischen Kunstmythos, ja in der magischen Unterströmung der Neuzeit, aus abgelegenen oder toten Sprachen. Die religionsgeschichtliche Geringschätzung allegorischer Götternamen als später Setzungen, in denen vor allem die Römer mit ihrem ohnehin nicht autochthonen Verhältnis zum Mythos Meister werden sollten, ist wohl nicht immer berechtigt. Als Beleg für Einsicht in die Funktionsweise des Mythos sind die allegorischen Personifikationen schätzbar: Clementia ist erfunden, um Justitia an schierer Konsequenz zu hindern. Solche Namen sind, aus dem Und-so-weiter heraus, Einfügungen ins schon gefügte System der Gewaltenteilung, Folgsamkeit gegenüber dem ›Pantheon‹ als Idee.

Ist *das* Andere erst durch *den* Anderen besetzt, beginnt an ihm die Arbeit der physiognomischen Erfassung. Das leistet auch und gerade die Typik einer Tiergestalt, die vertraute Verhaltensformen und Eigenschaften hat. Sie legen die Umgangsformen mit ihm fest. Die Konstruktion seiner Geschichte leitet die Ritualisierung der Verhaltensweisen aller Beteiligten ein. Der Kult ist die Anstrengung des Schwächsten, darin mustergültig zu sein. Das Andere, der Andere geworden, muß seine Anderen haben und hat sie in anderen Göttern, auch den Göttern Anderer.

Sobald ein Gott so etwas wie einen ›Charakter‹ gewinnt – in der philosophischen Sprache: Attribute, die ihn auf sein ›Wesen‹ festlegen –, werden die anderen potentiell schon entbehrlich, um seine Zuverlässigkeit als Beschränkung seiner Macht zu definieren. Seine Identität ist dann beschrieben als seine ›Treue‹, die seine Macht freigibt als Exekutive gegen andere, die sich nicht mit ihm und seinen Bundesgenossen identifizieren. Er ist vertrauenswürdig unter seinen Bedingungen, konstitutionell nach seinem Gesetz, durch das er sich auch im Machtgebrauch festgelegt hat. Seine Einzigkeit wird die Konsequenz dieses Sachverhalts; sie schließt aus, daß noch eine Geschichte von ihm mit anderen erzählt werden könnte, außer der, die er mit den Menschen seiner Zuständigkeit und Wahl hat.

Ein solcher Gott der Treue kann ›eifersüchtig‹ über die Ausschließlichkeit seiner Geltung und Herrschaft wachen; ihr sich oder etwas zu entziehen, wird zum absoluten Verstoß gegen ihn selbst. Daß er der Einzige ist, wird zum ersten Artikel seiner ›Dogmatik‹. Vertragsfähigkeit begründet seine Geschichte mit den Menschen; wer

seine Bedingungen hält, kann seiner Verheißungen sicher sein. Der
Zweifel kommt erst auf in der Frage, ob diese Bedingungen menschenmöglich erfüllbar sind. Das ist der Weg vom Gott des Noah
mit dem Regenbogen und dem des Abraham mit dem Opferverzicht zu dem des Paulus, dessen Gesetz unerfüllbar gewesen war
und zu einer neuen Form konstitutioneller Gesetzlosigkeit nötigt.

Innerhalb einer ersten Skizze der Verarbeitungsformen früher
Übermachterfahrung einen Grenzbegriff der Vereinzigung dieser
Erfahrung zu bestimmen, läßt sich als Aufgabe der ›freien Variation‹, als ein Stück Phänomenologie begreifen. Unter den Attributen jenes Anderen als ›Wesen‹ könnte die Übermacht sich mit
der unbedingten Zuneigung zum Menschen verbinden. Was der
1. Johannesbrief des Neuen Testaments dafür zum Ausdruck
macht, der Satz *Gott ist die Liebe,* wäre der Grund für die unlösbare Verbindung von Übermachterfahrung und Heilsgewißheit.
Versucht man daraufhin zu bestimmen, wie die Konjunktion mit
der Liebe als Selbstbindung der Macht zur Gewißheit erhoben
werden könnte, so ergibt sich vor aller faktischen Dogmatik irgendeiner Theologie die Nötigung, über das Bündnis- und Vertragsmodell zu einem absoluten Realismus der Festlegung göttlicher
Gunst auf den Menschen zu kommen. Die endgültige und unwiderrufliche Wohlgelittenheit der Menschen bei ihrem Gott fände die
realistische Sanktion darin, daß der Gott selbst auf beiden Seiten
des Verhältnisses auftritt: als reine Übermacht und als reine Ohnmacht. Diese a priori zu gewinnende Vorzeichnung hat die christliche Dogmengeschichte mit der christologischen Immersion des
Gottessohnes in die Menschennatur ausgefüllt.

Die Christologie erzählt die Geschichte, die notwendig geschehen
sein muß, um Gott ein absolutes Interesse am ›human interest‹
unauflöslich und ohne Ansehen der Gegenseitigkeit eines erfüllten
Vertrages beizulegen. Die Übernahme der antiken Metaphysik
durch das Christentum hat der Theologie zwar verboten, den
Grundgedanken des absoluten Interesses zu Ende zu denken, weil
sie die Auflage der wesentlichen Autarkie und Unangefochtenheit
der Götter übernehmen mußte. Aber die Sperrigkeit der christlichen Zentralidee gegen dieses Postulat bricht durch alle Fugen
des dogmatischen Systems. Für die mittelalterliche Scholastik nenne

ich dafür das Kapitel ›Sakramente‹: Sie sind die von Gott einge-
räumten Zwangsmittel gegen ihn selbst, die Vollstreckung seines
absoluten Interesses gegen seinen wie immer sonst motivierten Willen. Keine Theorie des Mythos kann, wenn sie zu verstehen geben
soll, was geschehen ist, diese Vollkommenheit der Konvergenz in
der Aufhebung seiner Mittel aus dem Auge lassen.

Sollte man mir diese Auslegung theologischer Herzstücke der
christlichen Tradition verübeln, so müßte ich erwidern, daß es nur
unter dem Diktat der paganen Metaphysik – die nicht der Mythos
selbst, aber dessen Transkription ist – verwehrt sein kann, die
Zubilligung der Kunstgriffe an den Menschen zu bewundern, von
denen die Theologie so lange gesprochen hat und immer zu sprechen hätte, wenn es darum geht, daß der Mensch sich mit seinem
Gott gegen seinen Gott – für den Mystiker sogar: als Gottgewor-
dener gegen den ungewordenen Gott – zu behaupten hat. Man
sollte, das ist der Verweis dieser Verwahrung, schon hier bemerken
können, daß Goethes ›ungeheurer Spruch‹ im Zentrum der Entfal-
tung dieses Entwurfs stehen wird.

Dabei war die Metaphysik, die der christlichen Theologie die Konsequenz des Gedankens vom absoluten Interesse des Gottes am
Menschen verwehren mußte, aus dem Überdruß am Mythos und
der Abwehr mythischer Regression entstanden. Des großen, von
Paulus beiläufig erfundenen Gedankens, Gott habe sich selbst entäußert und Knechtsgestalt angenommen, hat sich die mittelalterliche
Theologie nicht erfreuen können. Sie hatte an die Wahrung der
Substanz, des Wesens, der Naturen, die sie sich vereinigen ließ, zu
denken. Aber eine leidende Allmacht, eine des Gerichtstermins
unkundige Allwissenheit, eine auf Datum und Ort historisierte
Allgegenwart – das waren unter dem Kriterium der philosophi-
schen Mythenverachtung schwer vereinbare Denkanweisungen.
Deshalb hatte dieser Gott, dem die antike Metaphysik so große
Dienste leisten sollte, seinerseits keinen Erfolg bei dieser und
gegenüber den von ihr disziplinierten Göttern.

Wenn Thales von Milet die Erschöpfung der mythischen Denkform
in seinem dunklen Wort, es sei *alles voll von Göttern*, angezeigt
hatte, so war das eine Art abschließender Feststellung für die
weitere Geschichte geworden. Mochten auch noch neue Götter
von fernher auftauchen und es mit ihnen versucht werden, so

war doch dem Bestand der Erwartungen nichts Wesentliches mehr
hinzuzufügen. Paulus wird es merken, wenn er in seiner wunderbar erfundenen und doch erfolglosen Missionsrede die Athener auf
die Weiheinschrift eines ihrer Altäre *Einem unbekannten Gotte*
hinweist, um sich in der vermeintlichen Lücke mit dem seinigen
zu placieren. Was er erfährt, ist die Beiläufigkeit der angezeigten
Kultbesorgnis aus der Pedanterie eines von Beamten überwachten
Staatskults, nicht der fromme Eifer, der auch den letzten der Götter nicht vergessen lassen wollte. Es war so etwas wie die um Jahrhunderte verspätete Probe auf jenes dunkle Wort des Thales.
Paulus war entgangen, daß der Inschrift der bestimmte Artikel
fehlte. Der Gott, den er als *den* unbekannten vorzustellen hatte,
wäre nur *ein* weiterer gewesen, wie viele vor ihm und noch nach
ihm. Die Version des Philostrat in seiner Apollonius-Vita lautet
denn auch, es habe in Athen ›Altäre unbekannter Götter‹, in diesem
doppelten Plural, gegeben. Die Areopag-Rede des Paulus ist eines
der großartigen geschichtlichen Mißverständnisse, die uns mehr
begreifen lassen als die missionarischen Erfolge. Der Apostel verläßt Athen, ohne wie andernorts eine Gemeinde hinterlassen zu
können.
Wenn es eine der Funktionen des Mythos ist, die numinose Unbestimmtheit in die nominale Bestimmtheit zu überführen und das
Unheimliche vertraut und ansprechbar zu machen, so führt dieser
Prozeß ad absurdum, wenn *alles voll von Göttern* ist. Daraus kann
im endlichen Vollzug keine Folgerung mehr gezogen und keine
andere Leistung mehr erwartet werden als die des bloßen Aufzäh-
lens und Benannthabens. Das war weithin schon an der »Theogonie« des Hesiod abzusehen gewesen. Der Fülle der Namen vermochte die Kraft der Vorstellungen, die Imagination der Gestalten
und Geschichten, die Systematik ihrer Verbindungen nicht nach-
zukommen. Wenn Thales hätte begründen wollen, weshalb der
Mythos nicht mehr genüge, sofern Götterfülle sein Resultat sei,
wäre die von ihm angeführte Philosophie nicht destruktiv in die
Vollkräftigkeit des Mythos hineingestoßen, sondern kraft eben der
Feststellung seiner Funktionserfüllung fällig gewesen.
Nicht zufällig läßt die anekdotische, unwahrscheinliche Überliefe-
rung den Protophilosophen das Amt übernehmen, das auch der
Mythos innegehabt hatte: die fremdartigen und unheimlichen Er-

scheinungen zu besprechen und, wenn nicht zu erklären, so doch zu depotenzieren. Die dem Thales zugesprochene Vorhersage einer Sonnenverfinsterung geht über die Belegung des Ereignisses mit Namen und Geschichten hinaus. Sie verrät erstmals die so viel wirksamere apotropäische Fähigkeit der Theorie, das Außergewöhnliche als das Regelrechte durch Prognose auszuweisen. Selbst als Erfindung muß der Nexus zwischen dem Protophilosophen und der Sonnenfinsternis bewundert werden, weil sie nur zu genau auf die Ablösung von zwei heterogenen Formen des Weltverhaltens zugetroffen hätte.

Für die episodischen *tremenda* wiederkehrender Weltereignisse ist Theorie die geeignetere Bewältigungsform. Aber Muße und Unbefangenheit der Weltansicht, die sie voraussetzt, sind bereits Erfolge jener jahrtausendelangen Arbeit des Mythos selbst, der vom Ungeheuren als dem längst Vergangenen und an den Rand der Welt Abgedrängten erzählte. Es ist nicht ein Nullpunkt der Selbstermannung der Vernunft, dem wir im dunklen Wort des Thales beiwohnen, sondern die Wahrnehmung einer langhin errungenen Freisetzung des Weltzuschauers.

Dann bedarf die Annahme des Aristoteles der Korrektur, Philosophie habe ihren Anfang mit dem Staunen genommen und sei dann von den Rätseln des Naheliegenden zu denen des Kleinen und Großen fortgeschritten. Das ist in der Tradition gern gehört worden. Im Staunen sollte sich die natürliche Bestimmung des Menschen zur Erkenntnis als Bewußtsein seines Nichtwissens angekündigt haben. Mythos und Philosophie wären dann aus *einer* Wurzel gekommen. Analog zum *philósophos* bildet Aristoteles den Titel des *philómythos*, um die Vorliebe des Philosophen für das Erstaunliche auf den Mythos beziehen zu können, da er doch selbst aus Erstaunlichem bestehe. Der Philosoph hat etwas für den Mythos übrig, weil er aus dem Stoffe ist, der auch die Attraktion der Theorie ausmachen soll. Aber mehr auch nicht.

Der Mythos wird zwar zum Material der Auslegung und Allegorese, wie er zu dem der Tragödie geworden war, aber nicht selbst zum angemessenen Verfahren, mit dem umzugehen, was Anlaß zum Staunen geboten hatte. Die klassische Desinformation, die in der Formel *vom Mythos zum Logos* liegt und in der Unentschiedenheit Platos zwischen Mythos und Logos noch unschuldig schlummert, ist dort fertig, wo der Philosoph im Mythos nur die Identität der Gegenstände erkennt, für die er das abschließende Verfahren gefunden zu haben glaubt. Der Unfug jener sinnfälligen Geschichtsformel liegt darin, daß sie im Mythos selbst nicht eine der Leistungsformen des Logos anzuerkennen gestattet.

Daß der Gang der Dinge *vom Mythos zum Logos* vorangeschritten sei, ist deshalb eine gefährliche Verkennung, weil man sich damit zu versichern meint, irgendwo in der Ferne der Vergangenheit sei der irreversible Fort*sprung* getan worden, der etwas weit hinter sich gebracht zu haben und fortan nur noch Fort*schritte* tun zu müssen entschieden hätte. Aber lag der Sprung wirklich zwischen jenem ›Mythos‹, der gesagt hatte, die Erde ruhe auf dem Ozean oder steige aus ihm empor, und jenem ›Logos‹, der dies in die so viel blassere Universalformel übersetzt hatte, alles komme aus dem Wasser und bestehe folglich aus diesem? Die Vergleichbarkeit der Formeln trägt die Fiktion, es ginge dort wie hier um dasselbe Interesse, nur um grundverschiedene Mittel, es zu bedienen.

Der Mythos hatte kaum die Gegenstände des Philosophen bestimmt, wohl aber den Standard der Leistungen, hinter den er nicht zurückfallen durfte. Ob er den Mythos geliebt oder verachtet hatte, er mußte Ansprüche erfüllen, die durch ihn gesetzt, weil befriedigt worden waren. Sie zu überbieten, mochte eine Sache anderer Normen sein, die die Theorie anhand ihrer wirklichen oder vermeintlichen Erfolge immanent produzieren würde, sobald sie nur in der Ermäßigung der Erwartungen erfolgreich wäre. Zuvor aber steht die nachmythische Epoche unter dem Leistungszwang dessen, was die ihr vorhergehende zu leisten beansprucht oder sogar nur vorgegeben hatte. Die Theorie sieht im Mythos ein Ensemble von Antworten auf Fragen, wie sie selbst es ist oder sein will. Das zwingt sie bei Ablehnung der Antworten zur Anerkennung der Fragen. So werden auch die Fehldeutungen, die eine Epoche der ihr vorhergehenden gibt, zu Auflagen für sie, sich als Korrektur des Fehlversuchs in der richtigen Sache zu verstehen. Durch ›Umbesetzung‹ identischer Systemstellen vermeidet sie oder sucht zu vermeiden, den sehnsüchtigen Blick der Zeitgenossen sich auf die Götter des verlassenen Ägypten zurückwenden zu lassen.

Moses kommt vom Berg mit den gottgeschriebenen Tafeln und trifft auf das Goldene Kalb der Entbehrung vertrauter Götzen.

Was er tun mußte und tat, war die Erweiterung des Gesetzes zur alle Bilder verdrängenden Vollbeschäftigung, zum Inbegriff minutiöser Lebensregelungen, zu jener immer wieder begehrten erfüllenden ›Praxis‹, die Vergangenheiten nicht zurückkommen läßt. Diese Erfüllungsform bezeichnend, könnte man Paulus in Abwandlung jenes dunklen Wortes des Thales von Milet sagen lassen: Es war alles voll von Gesetzen. Deren Beachtung machte ihre Achtung zunichte; das ist das Problem des Pharisäers Paulus im Römerbrief.

Die Mannigfaltigkeit der historisch aufgelaufenen Theorien über die Entstehung der Religion sortiert sich vor dem Rückblick in zwei Haupttypen: Der eine wird durch Feuerbach repräsentiert, für den die Gottheit nichts anderes als die Selbstentwerfung des Menschen an den Himmel ist, seine vorübergehende Darstellung in einem fremden Medium, durch die sich sein Selbstbegriff anreichert und zur Rücknahme der Interimsprojektion fähig wird; der andere durch Rudolf Otto, für den Gott und Götter aus einer apriorischen und homogenen Urempfindung des ›Heiligen‹ hervorgehen, in der sich Schauder und Furcht, Faszination und Weltangst, Unheimlichkeit und Unvertrautheit sekundär verbinden. Muß man nicht auch damit rechnen, daß beide Theorien je ihre Phänomene haben, die nur durch den Namen ›Religion‹ deskriptiv nicht geschieden worden sind?

Dann wäre der Ursprung des Polytheismus nicht aus dem Ureigenen des Menschen, sondern aus dem Urfremden, das sich noch in der späten Anthropomorphie auf dem Wege der mühsamen Annäherung und Disziplinierung befindet, nachdem es zunächst aus seiner genuinen Unbestimmtheit heraus und durch Funktionsteilung zur notdürftigsten Entmachtung gebracht worden war. Der monotheistische Gott allein wäre dann jener Feuerbach-Gott, was sich schon daran verrät, daß er, anders als die vielen Götter, die die Welt gleichsam nur anfüllen, den Menschen beschäftigt oder gar intern tyrannisiert. Weil er Seinesgleichen ist und von ihm die Ausbildung des Selbstbewußtseins abhängt, verhält er sich zu ihm im Verhältnis des ›Narzißmus der kleinen Unterschiede‹, wo mit Eifersucht aufs Jota zu achten ist. Diese Ebenbildlichkeit ist erkennbar etwas anderes als die schöne, zur Kunstform einladende Menschengestaltigkeit der Olympier. In ihnen bleibt immer der Rest des Urfremden, das mühsam die Tiergestalt erreicht und

abgelegt, die menschliche als bloße Freundlichkeit angenommen
hatte, um besser menschenähnliche Geschichten von sich erzählen
zu lassen, aber niemals in ernsthafte Rivalität zum Menschen einzutreten, so wenig wie dieser zu jenen. Dazu bedeutete es in der
Sprache der Griechen zu wenig, ein Gott zu sein.

Die Reindarstellung des Widerspruchs gegen den Mythos ist in der
Metaphysik des Aristoteles der unbewegte Beweger, der so großen
Eindruck auf die christliche Scholastik machen sollte, weil er alle
Bedingungen der Beweisbarkeit eines Gottes zu erfüllen schien.
Seine Unbewegtheit ist auch der Inbegriff seines Desinteresses an
der Welt. Seine theoretische Autarkie ist die Aufhebung aller
Gewaltenteilung und Machtproblematik durch den schlichten Akt
der Weglassung ihrer Voraussetzung: der Attribute der Handlung,
des Willens, der Wirkungslust. Es wird dieser ganz mit der Theorie
seiner selbst beschäftigte Gott sein, der im scholastischen System
auch für den Menschen das Heilsziel qualitativ bestimmt: als
endgültige reine Theorie der *visio beatifica*. Das epochale Mißverständnis, dies könne die begrifflich-systematische Fassung des
biblischen Gottes sein, ist nahezu unfaßbar, da doch Autarkie das
gerade Gegenteil dessen ist, was den Heilsaufwand dieses Gottes
für den Menschen nicht nur verständlich, sondern auch glaubwürdig machen sollte.

In schöner Symmetrie zum Schlußsatz der mythischen Epoche bei
Thales hat Nietzsche, gleichsam am anderen Ende der Geschichte,
den Schlußsatz des Überdrusses am dogmatischen Gott des Christentums gesprochen: *Zwei Jahrtausende beinahe und nicht ein
einziger neuer Gott!* Und zur Erläuterung der Enttäuschung über
die Sterilität einer einstmals blühenden Fähigkeit des Menschen:
Und wieviele neue Götter sind noch möglich! Diese beiden Sätze
bezeichnen eine neue Schwellensituation, deren Bedürfnisaspekt
unter dem Titel ›Remythisierung‹ steht. Was Nietzsches suggestive
Feststellung alarmierend macht, ist die weitere Überlegung, die
möglichen neuen Götter müßten nicht wieder die Namen und
Geschichten der alten haben und würden ihre Übermacht in ungekannten Formen ausüben. Spürt man die Gefahr, die in einer so
großzügigen Versprechung des ganz und gar Anderen aus dem
Munde dessen liegt, der die ewige Wiederkunft des Gleichen beschworen hat?

Der Mythos defokussiert das Interesse der Götter am Menschen. Die Promethie läßt die bloße Duldung des Menschen in der Natur zum Resultat der Überwindung des Zeus durch die Unüberwindlichkeit des Prometheus werden. Trotz der Vorliebe des Hesiod für den letzten Weltherrscher schimmert auch bei ihm durch, daß die jüngste Garnitur der Götter die Existenz des Menschen nur widerstrebend akzeptiert hatte. Der Organisator des mythischen Stoffes schwankt, ob er die Überlebensgunst der Milde und Gerechtigkeit des Zeus zuschreiben oder dem Verlauf der Göttergeschichte die Momente einer Daseinsgarantie für den Menschen entnehmen soll. Insofern gehören das Mythologem von Prometheus in der »Theogonie« und das von den Weltaltern in den »Erga« eng zusammen. Es war offenkundig eine andere Generation von Göttern gewesen, mit denen der Mensch im Goldenen Zeitalter die inzwischen aufgehobene Tischgemeinschaft haben konnte. Doch billigt der Dichter auch dem Zeus eine Art Reifung des herrscherlichen Verhaltens zu. Sie liegt zwischen der Vergeblichkeit der Strafe an Prometheus für seine Begünstigung der Menschen und der vom Dichter gepriesenen Setzung des Rechts und Verwehrung der Gewalt. Sie erst machen Zeus zur letzten Instanz einer Wirklichkeit, die den Titel ›Kosmos‹ tragen kann. Nun ist es der Mensch, der seinem Ursprung nach noch dem Zeitalter des Kronos und der Titanen angehört und wie ein Stück ungezähmter, stets zur Gewalt neigender Natur in die Rechtssphäre des neuen Gottes hineinragt. Es ist die Not, die ihn unter die Gesetze der Natur und unter die Bedingungen der Arbeit zwingt – sogar noch unter die Regeln des Streits als des Agon –, statt daß dieser Zustand die Rache des Zeus für die illegitime Besetzung seiner Natur durch das Titanengeschöpf wäre.
Dieser Olympier des Hesiod wird zum Inbegriff des Reglements der menschlichen Existenz. Denn der Mensch muß sein Verhältnis zur Wirklichkeit auf die gegebenen Bedingungen einrichten, statt seiner heterogenen Natur zu folgen. Er tut es notgedrungen im geregelten Verhältnis der Arbeit als der Grundform seiner Auseinandersetzung mit der Natur. Darin zeigt sich die Vertrauenswürdigkeit des Kosmos und seines Gesetzgebers, daß er einer zuverlässigen Realität die Zeitform gibt. Man kann das Rechte nur tun, weil es die rechte Zeit dafür gibt.
Ungunst des Gottes bleibt, er ist nicht moralisiert; aber sie ist auf

ein dem Menschen kenntlich werdendes Muster gebracht. Der Sänger Hesiod vermag nach der Lehre seiner Musen die Verteilung der günstigen und ungünstigen Tage für bestimmte Verrichtungen kundzugeben. So wird der Mensch zum Nutznießer einer Ordnungsform, ohne deren legitimer Bezugspunkt zu sein.

Der Mythos läßt den Menschen leben, indem er die Übermacht depotenziert; für das Glück des Menschen hat er keine Bilder. Wenn es Formen gewagterer Existenz als die der bäuerlichen gibt, liegt dies an dem Streben nach Zugewinn des besseren Lebens über die bloße Sicherung des Überlebens hinaus. So sieht es Hesiod, wenn er den Bauern, der nebenher noch ein wenig Schiffahrt auf der Ägäis betreibt, sich mit der ungewisseren Herrschaft des Erderschütterers Poseidon einlassen läßt.

Es ist nicht die Handlung der Seefahrt selbst, die als Frevel des Übermuts den Gott vom Vorwurf der Willkür der Verfolgung entlastet; vielmehr ist die mythische Vorstellung eine von Zuständigkeiten, Revieren, Territorien. Als Seefahrer überschreitet der Mensch eine dieser Grenzen, geht in das Revier des anderen Gottes über, der zwar dem Willen des Zeus sich beugen müßte, aber ohne dessen Äußerung seiner Laune überlassen ist. Das Meer ist von allen Realitäten der hellenischen Welt am wenigsten dem ›Kosmos‹ integriert. Die Kehrseite der Gewaltenteilung ist, daß der Mensch kein homogenes Weltverhältnis ausbilden kann und unter dem Antrieb seiner Begierden und Wünsche Grenzen auch der Machtformen überschreiten muß.

Es ist ein Maß von Unernst am Mythos, von Leichtfertigkeit. Selbst Hesiod, der um Solidität des Gottesbildes bemüht ist, fällt es schwer, einen Zeus zu beschreiben, der Bedingungen setzt und ihre Einhaltung respektiert. Er hatte die erbitterte Klage des Agamemnon in der »Ilias« vor sich, der nach neun Jahren der Belagerung Trojas die erzwungene Heimkehr ankündigt und Zeus des Bruchs seines Versprechens beschuldigt, weil er sich von Thetis zur Begünstigung der Troer hatte überreden lassen. Und dieser Gott war nicht einmal zu beleidigen durch den Hinweis auf seinen Wankelmut, auf seine *kakē apatē,* den bösen Betrug. Kein Blitz hatte den Redner getroffen. Den theologischen Defekt der Treulosigkeit des Gottes gab es hier nicht.

Hesiods Verteidigung des Zeus hält sich auf dem Niveau des

Minimum: bei strikter Einhaltung seiner Regeln der rechten Arbeit zur rechten Zeit bleibt die nackte, notvolle und dürftige Existenz. Nur wenn man sieht, daß schon dies das Zugeständnis nach dem ursprünglichen Vernichtungswunsch gegen die Titanengeschöpfe war und der Inbegriff aller Durchsetzung des Prometheus, hebt sich heraus, was der Mythos dem Menschen gewährt und was er ihm versagt. Kein Geschenk von Göttern anzunehmen, ist die Warnung des Prometheus an seinen Bruder. Geschenke anzunehmen heißt, den Bereich der Rechtsordnung zu überschreiten und sich dem der Gunst und Wohltat zu überlassen. Das ist der dem Hesiod evidente Kern des Mythologems der Pandora. Zeus läßt dieses Kunstwerk von Weib ausrüsten und dem arglosen Epimetheus zuspielen, als der die Warnung des Bruders vergessen hat.

Es sind nicht die Übel selbst, die Zeus über die Menschheit losläßt, sondern nur die Mitgift der Neugierde an Pandora, die der List des Zeus nachhilft. So kann ihr Verhängnis diesem nicht unmittelbar angelastet werden – eine Quelle des Stroms der europäischen Theodizeen, der Entlastung der Götter und des Gottes durch den Menschen. Ernsthaft wird sie erst nötig, wenn Ursprung und Zustand der Welt durch und durch dem Gott zugeschrieben werden müssen und seine Weisheit und Güte in Frage stellen würden. Das ist dann eine der Formen, in denen der Mensch sich dem Gott unentbehrlich zu machen sucht – und sei es auch als der Sünder, der die Übel auf die Welt gezogen hat, und noch nicht als das Subjekt der Geschichte, deren Umwege dem werdenden Gott endlich zum Bewußtsein zu verhelfen haben.

Unter diesem Aspekt tritt zutage, daß die Theodizee und – in ihrer ›Umbesetzung‹ – die spekulative Geschichtsphilosophie die heimlichste Sehnsucht des Mythos endlich erfüllen, das Machtgefälle zwischen Göttern und Menschen nicht nur zu mildern und um seinen bittersten Ernst zu bringen, sondern umzukehren. Als Verteidiger des Gottes, als Subjekt der Geschichte tritt der Mensch in die Rolle seiner Unentbehrlichkeit ein. Nicht allein für die Welt ist er als deren Betrachter und Akteur, ja Beschaffer ihrer ›Wirklichkeit‹, unwegdenklich geworden, sondern mittelbar über diese Weltrolle für den Gott, dessen ›Glück‹ im Verdacht steht, in den Händen des Menschen zu liegen.

II

Einbrechen des Namens in das Chaos
des Unbenannten

Hunderte von Flußnamen
sind in den Text verwoben.
Ich glaube, er fließt.
Joyce an
Harriet Shaw Weaver

Mythen sind Geschichten von hochgradiger Beständigkeit ihres
narrativen Kerns und ebenso ausgeprägter marginaler Variations-
fähigkeit. Diese beiden Eigenschaften machen Mythen traditions-
gängig: ihre Beständigkeit ergibt den Reiz, sie auch in bildneri-
scher oder ritueller Darstellung wiederzuerkennen, ihre Veränder-
barkeit den Reiz der Erprobung neuer und eigener Mittel der
Darbietung. Es ist das Verhältnis, das aus der Musik unter dem
Titel »Thema mit Variationen« in seiner Attraktivität für Komponisten wie Hörer bekannt ist. Mythen sind daher nicht so etwas wie
›heilige Texte‹, an denen jedes Jota unberührbar ist.
Geschichten werden erzählt, um etwas zu vertreiben. Im harmlose-
sten, aber nicht unwichtigsten Falle: die Zeit. Sonst und schwerer-
wiegend: die Furcht. In ihr steckt sowohl Unwissenheit als auch,
elementarer, Unvertrautheit. Bei der Unwissenheit kommt es nicht
darauf an, daß vermeintlich besseres Wissen – wie es die Späteren
rückblickend haben zu können glaubten – noch nicht zur Verfügung stand. Auch sehr gutes Wissen über Unsichtbares – wie Strah-
lungen oder Atome oder Viren oder Gene – macht der Furcht kein
Ende. Archaisch ist die Furcht nicht so sehr vor dem, was noch
unerkannt ist, sondern schon vor dem, was unbekannt ist. Als Un-
bekanntes ist es namenlos; als Namenloses kann es nicht beschworen oder angerufen oder magisch angegriffen werden. Entsetzen,
für das es wenig Äquivalente in anderen Sprachen gibt, wird
›namenlos‹ als höchste Stufe des Schreckens. Dann ist es die frühe-

ste und nicht unsolideste Form der Vertrautheit mit der Welt, Namen für das Unbestimmte zu finden. Erst dann und daraufhin läßt sich von ihm eine Geschichte erzählen.

Die Geschichte sagt, daß schon einige Ungeheuer aus der Welt verschwunden sind, die noch schlimmer waren als die, die hinter dem Gegenwärtigen stehen; und sie sagt, daß es schon immer so oder fast so gewesen ist wie gegenwärtig. Das macht Zeiten mit hohen Veränderungsgeschwindigkeiten ihrer Systemzustände begierig auf neue Mythen, auf Remythisierungen, aber auch ungeeignet, ihnen zu geben, was sie begehren. Denn nichts gestattet ihnen zu glauben, was sie gern glauben möchten, die Welt sei schon immer so oder schon einmal so gewesen, wie sie jetzt zu werden verspricht oder droht.

Alles Weltvertrauen fängt an mit den Namen, zu denen sich Geschichten erzählen lassen. Dieser Sachverhalt steckt in der biblischen Frühgeschichte von der paradiesischen Namengebung. Er steckt aber auch in dem aller Magie zugrunde liegenden Glauben, wie er noch die Anfänge von Wissenschaft bestimmt, die treffende Benennung der Dinge werde die Feindschaft zwischen ihnen und dem Menschen aufheben zu reiner Dienstbarkeit. Der Schrecken, der zur Sprache zurückgefunden hat, ist schon ausgestanden.

Herodot legt Gewicht auf die Frage, woher die Namen der im Mythos vorkommenden Götter der Griechen stammen. Er gibt es als Ergebnis eigenen Forschens aus, daß sie überwiegend von den Barbaren kommen, fast alle aus Ägypten, soweit nicht aus Ägypten, von den Pelasgern.[1] Von diesen sehr archaisch stilisierten Pelasgern sagt er, sie hätten *alle Opfer unter Gebeten an die Götter dargebracht, ohne den einzelnen Gott namentlich anzurufen. Sie*

1 Herodot II 50-53. Nicht zufällig sind in diesem Zusammenhang ›Götter‹ und ›Kosmos‹ nebeneinander gestellt: die Pelasger hätten sie ›theoi‹ genannt, weil sie alle Dinge ›nach der Ordnung‹ (kosmō) setzten (thentes). Friedrich August Wolf hat diese Herodot-Stelle in seiner Vorlesung »Über Archäologie der Griechen« im Wintersemester 1812/13 in Berlin behandelt, wie wir aus der Nachschrift Schopenhauers wissen (Handschriftlicher Nachlaß, ed. A. Hübscher, II 234). Dieser macht dazu die eigene Anmerkung, so hätten die Griechen auch *anfangs und lange Zeit bloß die Musen überhaupt* gehabt, erst später den einzelnen Namen gegeben. Der Zusatz *Ego 1839* zeigt, daß ihn diese Sache im Hinblick auf sein Philosophem der Individuation interessierte: die Götter sind zunächst da als Allgemeines, dann erst werden sie mit Eigennamen belegt. Das ist etwas der Religionswissenschaft immer Naheliegendes, und Useners Verdienst war gerade die Verknüpfung der ursprünglichen

kannten eben die Namen noch nicht. Die Erlaubnis dazu, die Namen der noch unbenannten Götter ihres Kults aus Ägypten zu übernehmen, habe den Pelasgern auf Anfrage das älteste aller Orakel, das von Dodona, gegeben. Die Sanktion habe später für alle Griechen Geltung gewonnen. Geschichten zu diesen Namen seien erst durch Hesiod und Homer dazugekommen: *Aber woher jeder einzelne Gott stammte oder ob sie schon immer alle da waren, wie sie aussahen, das wußten die Griechen, um es so zu sagen, bis gestern und vorgestern nicht.* Die beiden Dichter hätten den Stammbaum der Götter aufgestellt, ihnen ihre Beinamen gegeben, ihre Zuständigkeiten und Ehren unter sie verteilt, ihr Aussehen gekennzeichnet. Es ist nicht gleichgültig, daß es Dichter, nicht Priester gewesen sind, die solches an den Göttern so dauerhaft ausführen konnten, und auch die Orakel keine dogmatischen Festlegungen verordneten, vielleicht bei der einmal angeschlagenen Tonlage nicht mehr verordnen konnten.

Es ist eine nachträgliche Rationalisierung, Namen als Attribute der Gottheit zu deuten, als deren zu wissende Eigenschaften und Fähigkeiten. Primär kommt es nicht darauf an, die Eigenschaften des Gottes zu wissen, sondern ihn bei seinem von ihm selbst anerkannten Namen rufen zu können. Wenn man Herodot glauben darf, lag den Göttern selbst nichts daran, ihren Namen den Menschen bekannt zu machen, da sie ihren Kult ohnehin schon bekamen. Zufällig gerät die Kunde von den Namen der Götter aus Ägypten nach Griechenland, und als das Orakel nach deren Zulässigkeit befragt wird, gestattet es, sie zu benutzen. Es ist kein Erkenntnisakt, aber auch kein Vorgang mit Offenbarungsqualität.

Die biblische Tradition hat den Gedanken kultiviert, der Gott wolle den Seinen bekannt und für die Seinen zuverlässig erreichbar

Erfahrung mit der Namenfindung. (H. Usener, Götternamen. Versuch einer Lehre von der religiösen Begriffsbildung. Bonn 1896) Wilamowitz hat Usener schon früh seinen Widerspruch gegen die elementare Funktion der Götternamen angezeigt, weil er darin den *Grundpfeiler eines großen Gebäudes* witterte und das Wort so hoch nicht schätzen mochte, im Götterpluralismus doch den Zerfall einer großen Uridee des hellenischen Geistes sah, der niemals das Ursprüngliche sein durfte: *Der Weg, den Sie vom Allerindividuellsten ausgehend zum Allgemeinen verfolgen, ist einer, den man auch gehen muß: aber Gott ist nicht jünger als die Götter, und ich will's, so er will, mal versuchen, von ihm auszugehen.* (7. November 1895; Usener und Wilamowitz. Ein Briefwechsel 1870-1905. Leipzig 1934, 55 f.)

sein, auch wenn ihm daran lag, seinen Namen nur für diesen einen
Zweck und daher nur den Priestern bekannt zu machen. Es gab
daher Ausweich- und Hilfsbezeichnungen, Umschreibungen, die
das Geheimnis des einen und wirklichen Namens zu hüten erlaubten. Der geheime Name wird zuerst ein einziger gewesen sein, und
erst als dieser nicht mehr zuverlässig verborgen war, trat an die
Stelle seiner Kenntnis das andere, als Fremden unerfüllbar, leichter
zu wahrende Gebot, man müsse alle Namen des Gottes zuverlässig kennen, wenn man ihn gnädig stimmen und unfehlbaren Einfluß auf ihn ausüben wolle. Dabei ist es gleichgültig, wie es zur
Kumulation dieser Namen einmal gekommen war, ob durch Verschmelzung von Figuren, Eroberung fremder Nationalgottheiten
nach Art des Pantheon, durch Überlagerung von Kulttraditionen
– entscheidend ist, daß die Neigung zu geheimem Wissen sich
dauerhaft am ehesten mit dem Satz verbindet, Erfüllung der
Wünsche gegenüber der Gottheit gebe es nur für den, der alle
Namen weiß.

Sofern von Offenbarung die Rede ist – und damit von dogma-
tischem Anspruch der Kultformen und Kultgeschichten auf streng
disziplinierte Einhaltung –, kann im Grenzfall eine solche ausschließlich darin bestehen, den Namen Gottes mitzuteilen. In den
klassischen Schriften der jüdischen Kabbala wird ständig wiederholt: *Die ganze Tora ist nichts anderes als der große Name Gottes.*[2] Aber diese Namen sind nicht nur Appellativa, sondern Be-
zeichnungen der verschiedenen Arten von Wirkung und Tätigkeit
des Gottes. Indem er spricht, handelt er, wie der Schöpfungsbericht
zeigt, und da er kein Demiurg ist, besteht sein Handeln ausschließlich darin, die Wirkungen zu benennen, die er erreichen will.
Wiederum für die Kabbala heißt das: *Die Sprache Gottes nämlich
hat keine Grammatik. Sie besteht nur aus Namen.*

Auch der Demiurg des platonischen Mythos muß ein einziges Mal,
an der kritischen Nahtstelle seines Werks, sprechen, er muß höchst
bezeichnender Weise Rhetorik anwenden, um die der Vollstreckung
der Ideen im Kosmos Widerstand leistende *Ananke* zu kosmischem

2 G. Scholem, Über einige Grundbegriffe des Judentums, Frankfurt 1970,
107. Die Mystik der Kabbala tritt um 1200 in Südfrankreich und Spa-
nien zuerst in Erscheinung und hat ihre Blüte um 1300: G. Scholem, Die jüdische
Mystik in ihren Hauptströmungen, [2]Frankfurt 1967, 128.

Gehorsam zu überreden. Im übrigen ist die Sprache der Namen schon hier und folgenreich überlagert durch die der Zahlen und geometrischen Figuren. Die biblische Schöpfung hingegen ist Befehl, zu werden, und Benennung, zu sein: *Mit der schaffenden Allmacht der Sprache setzt er ein, und am Schluß einverleibt sich gleichsam die Sprache das Geschaffene, sie benennt es. Sie ist also das Schaffende, und das Vollendende, sie ist Wort und Name. In Gott ist der Name schöpferisch, weil er Wort ist, und Gottes Wort ist erkennend, weil es Name ist. ›Und er sah, daß es gut war‹, das ist: er hatte es erkannt durch den Namen... Das heißt: Gott machte die Dinge in ihren Namen erkennbar. Der Mensch aber benennt sie maßen der Erkenntnis.*[3] Es ist also eine der Voraussetzungen der biblischen Paradiesgeschichte, daß dem Menschen die Schöpfung dadurch zugänglich und vertraut ist, daß er die Geschöpfe bei ihren Namen zu nennen weiß.

Wiederherstellung des Paradieses wäre, für alles wieder den richtigen Namen zu haben, auch für das rätselhafte Wesen, das man selbst ist und das seinen sogenannten bürgerlichen Namen durch die pure Kontingenz von Herkunft und Rechtsordnung besitzt. Den wirklichen Namen oder wenigstens einen neuen zu finden, hat sich immer wieder mit Heilsvorstellungen verbunden. Maria Gundert, Tochter eines zum Pietismus der Väter zurückgekehrten Schülers von David Friedrich Strauß und indologisch gelehrten Missionars und die Mutter von Hermann Hesse, schreibt 1877 in ihr Tagebuch, der Vater habe köstlich von dem neuen Namen gesprochen, den Gott jedem einzelnen geben werde, *ein Meisterstück Gottes grammatikalisch und lexikalisch, ein Name, worin alles enthalten ist, was wir auf Erden waren, erlebten und durch Gottes Gnade geworden sind, ein Name, so alles fassend, so erschütternd fassend, daß beim bloßen Nennen-hören desselben uns alles Vergangene und Vergessene, das ganze Rätsel unseres Lebens, all das uns Verborgene und Unverständliche unseres eigenen Wesens und Seins plötzlich vom Ewigkeitslicht beleuchtet – klar vor die Seele treten wird.*[4] Am Ende der Tage also, denn von dieser

---

3 Walter Benjamin, Über Sprache überhaupt und über die Sprache des Menschen (Gesammelte Schriften II 1, 148).
4 A. Gundert, Marie Hesse. Ein Lebensbild in Briefen und Tagebüchern. Stuttgart 1934; 2Frankfurt 1977, 158.

eschatologischen Hoffnung ist hier die Rede, wird alles in den Namen zurückgekehrt sein, was einmal mit ihm begonnen hatte und aus ihm herausgesponnen worden war: die Geschichte als Vollstreckung des Namens.

Francis Bacon, dem die Programmierung des wissenschaftlichen Empirismus nur mit Vorbehalt zugesprochen werden kann, hat, eher in Anlehnung an magische Traditionen, die Wiederherstellung des Paradieses mit der Wiederfindung des ursprünglichen Namens aller Dinge verbunden. Zwar ist dieser Teil seiner Gleichsetzung von Wissen und Können schnell vergessen worden; aber die Leistungen der Namengebung – vor allem auf dem Gebiet der biologischen Klassifikation, mit dem großen Abschluß durch Linné – werden leicht im Glanz der mathematischen Naturwissenschaften übersehen. Die Neuzeit ist die Epoche geworden, die abschließend für alles einen Namen gefunden hatte.

Was die Wissenschaft wiederholt, hatte der Mythos schon suggeriert: den ein für allemal errungenen Erfolg der Bekanntheit ringsum. Er erzählt selbst den Ursprung der ersten Namen aus der Nacht, aus der Erde, aus dem Chaos. Dieser Anfang – wie ihn Hesiod in der »Theogonie« vorstellt – ist mit einer Überfülle von Gestalten in sprunghafter Leichtigkeit überschritten. Die Überreste des vorherigen Grauens sprechen nur noch zu dem, der ihre Geschichten als Versicherungen ihrer Entmachtung kennt.

Aphrodite ersteht aus dem Schaum der schrecklichen Entmannung des Uranos – das ist wie eine Metapher auf die Leistung des Mythos. Dennoch ist seine Arbeit damit nicht zu Ende: in Botticellis Venus Anadyomene steigt sie wie aus dem Schaum des Meeres, nur noch für den Mythenkundigen aus dem des Sekrets der schrecklichen Wunde des Uranos, empor. Wenn schließlich am Anfang des 20. Jahrhunderts der ›Lebensphilosoph‹ nach der mythischen Szene der Anadysis greift, um an ihr das Urverhältnis von Leben und Gestalt, von Lebensströmung und Eros aufgehen zu lassen, dann erhebt sich für ihn die zeitlose Schönheit der Aphrodite nur noch *aus dem vergehenden verwehenden Schaum des bewegten Meeres*.[5] Der Hintergrund des Schreckens ist vergessen gemacht, die Ästhetisierung vollendet.

5 Georg Simmel, Fragmente und Aufsätze aus dem Nachlaß. München 1923, 73.

Die Funktion der Namen erschöpft sich nicht darin, Geschichten angehen zu lassen. Sonst wäre die Fülle der Namen unverständlich, die sich um die mit Geschichten besetzten Gestalten herum und zwischen sie lagern. Hesiods »Theogonie« bietet für diesen Überreichtum die Belege, und es wäre wohl ästhetische Projektion, wenn man darin nur das ›Dichterische‹ der Versklänge sehen wollte. Der Mythos ist immer verlegen um das, was man Integration nennen könnte; er scheut das Vakuum, wie es mit einem halbmythischen Satz noch lange der Natur nachgesagt werden sollte. Seine Geschichten sind selten im Raum, nie in der Zeit lokalisiert; nur die genealogische Struktur bettet sie ein in ein Netz von Bestimmtheit. So wenig der späte Historiker Episode neben Episode, Anekdote neben Anekdote setzen darf, da er doch weniger auf Signifikanz im einzelnen als auf Zusammenhang im ganzen verpflichtet ist, so wenig kann der Mythos Emblem neben Emblem setzen, ohne sie mit der ihm ganz eigentümlichen Materie der Namen zu verfugen.

Noch wer die beiden Genealogien Jesu im Neuen Testament liest, hat nicht nur die genetische Verbindung zu David und Abraham, ja bei Lukas sogar zu Adam und Gott als den Angelpunkten einer heilsgeschichtlich ausweisenden Herkunft vor sich, sondern auch die Füllung der leeren Zeit durch großenteils unbekannte, in keiner Erzählung belegte Namen. Matthäus gliedert die Zeit eigens in drei Phasen zu je vierzehn Geschlechtern zwischen Abraham und David, David und dem babylonischen Exil, diesem und Christus. Nur wenige Namen verweisen auf Geschichten. Auffällig ist, daß gerade die der bei Matthäus genannten vier Frauen solche Geschichten hinter sich haben. Davon hat zumindest die eine mythisches Gepräge, die Einführung der Thamar und ihres Anteils an der Deszendenz Davids und des Messias. Indem sie Juda, dem Vater ihrer beiden ohne Nachkommenschaft verstorbenen Männer, der ihr die gesetzlich geschuldete Ehe mit dem dritten Bruder verweigert, in der Verkleidung der Hure die Nachkommenschaft abzwingt und ihn so zum Ahnen Davids und des Messias macht, betreibt sie die Ziele der Geschichte gegen das Versagen der Tugend und der Natur. Das läßt den ungeheuerlichen Frevel vor den Augen des der Schriften kundigen Lesers, der den Messias aus dem Stamme Davids noch erwartete oder für schon gekommen hielt, als Hinterhältigkeit des Geschichtssinnes begreifen.

Matthäus wußte, was er tat, denn er fügte drei weitere Frauenna-
men von nicht zweifelsfreier Reputation in die Stammtafel Jesu ein:
Rahab, die noch sonst im Neuen Testament gerühmte Hure von
Jericho, Ruth, die als Moabitin gleichfalls zur Ahnin Davids wer-
den konnte, und schließlich Bathseba, das von David genommene
Weib des Uria. Daß Gott sich zur Vorbereitung des Messias der
Umwege und Listen bediente, war für die vordavidische Genealogie indifferent gegen den Glauben an einen schon erschienenen
Messias oder den Fortbestand der Erwartung seiner. Zur Thamar-
Figur schreibt der Midrasch Tanchuma: *Ein Buhler, der belohnt
wurde, war Juda, denn von ihm gingen aus Perez und Chezron,
die David und den König Messias stellen sollten, der Israel erlösen
wird. Siehe, wieviel Umwege Gott machen muß, bevor er den König Messias aus Juda erstehen lassen kann.*[6] Erst recht der Evangelist gibt dem gläubigen Hörer der Namenliste die Bestätigung,
kein Stückchen der vom Anfang der Welt oder vom Erzvater her
verflossenen Zeit sei unbezogen auf das Ereignis, das ihm heils-
trächtig geworden ist.

Namenkataloge tragen das Stigma der Unerfindbarkeit, denn man
glaubt, sofort zu bemerken, wenn schlecht erfunden worden wäre.
Selbst bei Hesiod sind gut erfundene Namen selten. Ganz zu Recht
wird jetzt sein Nereidenkatalog dem Dichter der »Ilias« zurückerstattet. Solcher Aufwand schafft in den großen Epen das Zutrauen, daß die Welt wie die Mächte dem Dichter bekannt sind.
Man kann sich vergegenwärtigen, daß sie im rhapsodischen Vortrag wie kultische Litaneien wirkten, die auch die Beruhigung zu
verschaffen haben, nichts werde ausgelassen und allen könne genug
getan werden. Darin, daß diese elementare Leistung nicht mehr als
solche empfunden wird, gründet für den modernen Geschmack
das Unpoetische solcher Kataloge. Daß die Welt bewältigt werden
könne, bringt sich früh zum Ausdruck in der Anstrengung, die
Lücke im Ganzen der Namen zu vermeiden, was nur heißen
konnte: durch Übermaß als vermieden auszugeben.

In umgekehrter Blickrichtung läßt dieses schon ›literarische‹ Phänomen noch einen Ausgangszustand durchscheinen, in dem die

6 Strack-Billerbeck, Kommentar zum Neuen Testament aus Talmud und Midrasch. München 1926, I 15-18; Artikel »Thamar« in: Theologisches Wörterbuch
zum Neuen Testament, ed. Kittel, III 1-3.

Namenlosigkeit des Ungestalten, das Ringen nach dem Wort für
das Unvertraute beherrschend waren. So ist Nereus in der griechischen Mythologie ursprünglich namenlos, der Alte von der See,
auch als Proteus, der Erste, in der »Odyssee« eben noch nicht benannt, nur als das kinderreichste der Kinder des Pontos einer großen Genealogie vorgeordnet. Doch ist er, da im Gegensatz zu den
lieblichen Töchtern ohne Kult, dem Vergessendürfen anheimgege-
ben.[7] Gewahrt man im Hintergrund der ganzen Götterdeszendenz
das Chaos, den klaffenden Abgrund, der nur als Herkunftsort von
unbekannter Wirkungsweise eingesetzt ist und folglich keinen Kult
erhält, so sieht man Gestalten und Namen sich von dort her korre-
lativ formieren und an Deutlichkeit gewinnen. Wie aufatmend
scheint der ordnende Sänger des Mythos zu begrüßen, daß aus jenem Abgrund nichts anderes kommt als was er beim Namen zu
nennen und seinem Gefüge einzupassen weiß. Man beginnt solche
leicht sinnlos werdenden Formeln, wie die der frühchristlichen
»Didachē«, zu verstehen, in denen die Gläubigen ihrem Gott für
nichts anderes als für seinen heiligen Namen Dank sagen. Im
Dank schwingt noch die Gefahr, er hätte der Unbekannte bleiben,
als der Ungerufene über sie kommen können.

Als Mohammed bei den Bewohnern von Mekka auf Schwierigkeiten stieß, ihnen ihren Polytheismus auszutreiben und die Überlegenheit seines Gottes nachzuweisen, wehrten sie sich mit dem
Argument, ihre Götter hätten Namen, die etwas ausdrückten,
während der Name des neuen Gottes *al-ilah* nichts anderes hieße
als ›der Gott‹, folglich gar kein Name wäre.[8] Welches Gewicht ein
solcher Einwand hatte, kann man auch an der Areopag-Rede des
Paulus beobachten. Er bedient sich des Arguments, der Altar eines
unbekannten Gottes sei zwar wohlbedacht, werde aber unerträglich, sobald der Name dieses Gottes bekannt geworden sei und
von ihm mitgeteilt werden könne. Nur daß der Apostel nichts

7 W. Marg im Kommentar zu seiner Übersetzung der Gedichte des Hesiod. Zürich 1970, 143 f. Namenlosigkeit auch sonst als Mittel bei Hesiod, alte Schrecknisse noch durchscheinen zu lassen: Marg, a.a.O. 169, zu Theogonie 333-336.
8 J. Chelhod, Les structures du sacré chez les Arabes. Paris 1964. Dt. in: C.
Colpe (Hrsg.), Die Diskussion um das ›Heilige‹. Darmstadt 1977, 206. Die is-
lamische Mystik sei sich nicht sicher, *ob Allah der wirkliche Name Gottes ist*;
sie glaube, von den hundert Namen Gottes seien neunundneunzig Beinamen
und nur der hundertste sein wirklicher, nur wenigen Eingeweihten bekannter,
der Wissen und Macht über Natur und Tod verleiht (a.a.O. 207).

anderes zu bieten hatte als einen Gott, der den anderen Göttern ihre Existenz bestreiten mußte. Er würde die dem ›unbekannten Gott‹ geweihte Lücke nur dadurch füllen, daß er das System, das die Lücke definierte, um sie herum zerstörte. Der Name des unbekannten Gottes, einmal mitgeteilt, mußte sich zur Negation der Funktion von Namen entfalten. Das Dogma besteht aus Definitionen.

Die alte Vermutung, viele Göttergestalten seien jünger als die Abstrakta, von denen sie ihre Namen herleiten, ist aufgegeben; doch ist der gegenteilige Sachverhalt noch nicht durchgesetzt, im Mythos sei das Neutrum jedenfalls nicht zu Hause. Dieses ist eher der Kunstgriff der Andeutung einer Remythisierung durch Reduktion. So kann ›der Böse‹ wiederkehren als ›das Böse‹. Der *diabolos*, mit dem die Septuaginta den hebräischen Namen des ›Satan‹ übersetzt und worunter – wie im Buche Hiob – ursprünglich die Figur eines Anklägers vor Gott gemeint gewesen sein mag, zieht durch Vieldeutigkeit alle Eigenschaften des Widersachers als der Gegeninstanz auf sich.

Aus dem unbewältigten Parusieproblem wird die geheimnisvolle Personalisierung eines Neutrum, der *katechōn* im 2. Thessalonicherbrief, hervorgegangen sein. Die Anonymität einer bloßen Funktionsbezeichnung bewahrt vor polytheistischer Abweichung; es gibt eine Potenz, die den eschatologischen Ausbruch noch niederhält und verzögert, aber sie ist nicht mit Namen bekannt und läßt sich daher nicht beeinflussen. Wenn Verzögerung in der ambivalenten Situation zwischen eschatologischer Hoffnung und Furcht nicht eindeutig bewertet werden konnte, dann war dieses Partizip mit Artikel zu Recht namenlos gehalten worden, damit es weder Vertrauen noch Anrufung auf sich ziehen konnte. Es war, in einer neuartigen Situation der Unbestimmtheit, wie ein Stück jener Mächtigkeit der Urzeit, mit der mangels Namen und Gesicht nicht verhandelt werden konnte.

Die Welt mit Namen zu belegen, heißt, das Ungeteilte aufzuteilen und einzuteilen, das Ungriffige greifbar, obwohl noch nicht begreifbar zu machen. Auch Setzungen der Orientierung arbeiten elementaren Formen der Verwirrung, zumindest der Verlegenheit, im Grenzfall der Panik, entgegen. Bedingung dessen ist die Ausgrenzung von Richtungen und Gestalten aus dem Kontinuum des

Vorgegebenen. Der Katalog der Winde, der günstigen und der
ungünstigen – im nicht nur quantitativen Unterschied zu dem der
unheilvollen Stürme –, ist Kennzeichen einer Lebenswelt, in der
Witterung Schicksal werden kann. Campanellas »Sonnenstaat«
verfügt 36 Himmelsrichtungen statt der sonst üblichen 32. Einteilung der Jahreszeiten, der Elemente, der Sinne, der Laster wie
der Tugenden, der Temperamente wie der Affekte, der Sternbilder
wie der Lebensalter – das alles sind Leistungen, die wir überwiegend noch als historisch belegbare erkennen können. Gelegentlich mußten Ordnungssetzungen zurückgenommen werden, wie die
der Unterscheidung von Morgenstern und Abendstern, deren Identität Hesiod noch nicht bekannt war.
Der Mythos ist eine Ausdrucksform dafür, daß der Welt und den
in ihr waltenden Mächten die reine Willkür nicht überlassen ist.
Wie auch immer dies bezeichnet wird, ob durch Gewaltenteilung
oder durch Kodifikation der Zuständigkeiten oder durch Verrecht-
lichung der Beziehungen, es ist ein System des Willkürentzugs.
Noch im spätesten, ironischerweise wissenschaftlichen, Gebrauch
mythischer Namen schlägt dieses Moment durch. Die Planeten des
Sonnensystems tragen von alters her mythische Namen, und als
der erste neue entdeckt wurde, Herschels Uranus, war nicht nur
vorentschieden, wie dieser heißen würde, sondern auch schon, wie
allein die Namen weiterer würden gefunden werden können.
Das Ritual der Namengebung hat nicht ohne Vibration funktio-
niert. Der französische Astronom Arago wollte den Uranus nach
seinem Entdecker »Herschel« benannt wissen, wohl nicht ohne den
Nebengedanken, weiteren Entdeckern Platz am Himmel zu verschaffen. So blieb es nicht aus, daß Leverrier nach der teleskopischen
Bestätigung seiner rechnerischen Entdeckung des Neptun 1846
Arago bedrängte, den Namen »Leverrier« für den neuen Planeten
zu akzeptieren. Er verkündete dies als Beschluß in der Französischen Akademie der Wissenschaften am 5. Oktober 1846. Vielleicht hätte Leverrier sich nicht zur Hybris verleiten lassen, wenn
nicht der Berliner Astronom Galle, der den optischen Fund gemacht hatte, den Namen »Janus« vorgeschlagen hätte, weil dieser
genealogisch dem Saturn vorgeordnet sei. Leverrier wies diesen
Namen unter der irrtümlichen Voraussetzung zurück, Janus sei der
römische Gott nicht nur der Tore und Türen, sondern auch der

Grenzen gewesen und mit dieser Benennung würde suggeriert, der soeben entdeckte sei der letzte Planet des Sonnensystems. Leverrier selbst, noch nicht an seine eigenen Ambitionen wenige Tage darauf denkend, schlug den Namen Neptun vor. Dieser wurde in der Fachwelt außerhalb Frankreichs so schnell akzeptiert, daß die Autorität Aragos wirkungslos blieb. Leverrier hatte das Recht des Entdeckers schon genutzt, aber nur dadurch, daß er sich dem vorgegebenen Willkürentzug für einen Augenblick unterworfen hatte.[9] Noch waren Nationalismen, wie bei den späteren Neuentdeckungen im periodischen System der Elemente, nicht im Spiel. Sie hatten 1930 bei der von Lowell aus Bahnstörungen des Neptun angekündigten und von Tombaugh bestätigten Entdeckung des Planeten Pluto keine Chance gegen die ›Objektivität‹ der mythologischen Namengebung.

Am 22. Juni 1978 entdeckt der amerikanische Astronom James Christy in Arizona mit hoher Wahrscheinlichkeit einen Satelliten des Pluto, da sich auf mehreren Aufnahmen gleiche Bildfehler an dem Lichtscheibchen des Planeten finden. Es wäre im Sonnensystem der 35. Mond eines Planeten. Die Benennung erfolgt schneller und problemloser als die endgültige Sicherung der Entdeckung: der Pluto-Trabant wird Charon heißen. Dem Gott der Unterwelt wird der Fährmann beigegeben, der die Toten über den Acheron in den Hades übersetzt. Nicht ohne Konvergenz mit der Wirklichkeit ist die Namengebung, denn auf dem Pluto ist die Sonne keine Lichtquelle mehr, wäre kaum noch für ein unbewaffnetes Auge sichtbar. Folglich kann auch der Mond des Pluto keine unserem Mond vergleichbare Lichtgestalt sein; er ist ein dunkler Gesell, erkennbar für etwaige Plutonianer nur, wenn er Sterne bedeckt.

Die Namen, die das Erste gewesen waren, stehen als das Letzte noch bereit, wenn die Geschichten schon wieder fast vergessen sind. Sie sind wie eine Reserve des Willkürentzugs, und das nicht nur in der europäischen Bildungslandschaft des 19. Jahrhunderts im Nachhall des Klassizismus, sondern noch im Serienbetrieb fast automatisierter Auswertung von belichtetem Material der Astronomie des ausgehenden 20. Jahrhunderts. Ist das ein später Erfolg des

9 M. Grosser, The Discovery of Neptune. Cambridge, Mass. 1962. Dt. Frankfurt 1970, 110-117.

Mythos, seiner untilgbaren Spuren in unserer Geschichte, oder seine
nahezu ironische Ausschlachtung auf Pointen? Gibt es eine qualitative Differenz zwischen Herschels »Uranus«, der immerhin die
erste und kaum erwartete Überraschung in einem als abgeschlossen
gedachten System war, und dem nur noch als Makel am Bildbefund
erahnten, auch nicht als Bahnirritation – wie beim Neptun – nachweisbaren »Charon«?

Die Planetenentdeckung Herschels war eine der entscheidenden
Durchbrechungen der Suggestion von Vollständigkeit gewesen, die
das Sichtbarkeitspostulat hergestellt hatte: bis dahin waren in
Teleskopen nur ›Trabanten‹, keine Planeten ausgemacht worden.
Der Grundbestand des Sonnensystems schien auf die natürliche
Optik des Menschen bezogen zu bleiben. Der Name »Uranus«
schöpfte die mythische Genealogie schon fast aus, wollte man nicht
zum Chaos greifen. Dennoch war der Meergott unbestimmten Alters, Poseidon-Neptun, noch eine elegante Lösung, die keinen
Durchbruch der empirischen Rationalität mehr bezeichnete, sondern nur die quantitative Optimierung der Mittel für ein unbestimmtes Und-so-weiter. Es war kein Schock der Ordnungswid-
rigkeit, als sich für Plutos hochexzentrische Bahn erwies, daß
sie ihm einen Rangtausch mit Neptun ermöglichte: Anfang 1979
durchquert Pluto die Neptunbahn und wird dadurch bis 1999 son-
nennäher als dieser. Niemand empfindet mehr – obwohl sogar
Associated Press das als Agenturmeldung absetzt –, es gehe von
diesem Platztausch so etwas wie ›Aufklärung‹ in die jetzt ›Bewußtsein‹ benannten Gemüter. Die Meldung bedarf der Entschärfung
so wenig wie die vom letzten und nächsten Kometen, der die
Erdbahn kreuzt. Der Hintergrund einer Tradition, die dem ›Kosmos‹ nicht mehr getraut hätte, wo solches möglich wäre, ist ganz
verblaßt.

Um so mehr verwundert das Überleben der Namen. Der 1930 ver-
gebene »Pluto« ist nicht eine freundliche Reverenz ans Humani-
stische, sondern eine ganz konsequente Verbindung zwischen dem
Unbenannten in seiner spätesten Erscheinungsform – als kaum
wahrnehmbarer ›Rest‹, gewaltsam der Unerkanntheit entrissen –
und seiner frühesten Allgegenwärtigkeit. Bei einem solchen Akt ist
noch spürbar, was Plato über die Onomathesie sagen läßt: *Es
scheint, daß die, welche als erste den Dingen den Namen gegeben*

haben, keine geringen Leute waren ...[10] Eine Welt voll von Namen hat eine Qualität der Welt voll von Göttern bewahrt: Sie hat Subjekte für ihre Aussagen behalten, die spürbar anders sind, als wenn eine Radiogalaxie oder ein sonstiges quasistellares Objekt seine Unanschaulichkeit durch Buchstaben und Nummer bekennt.

Es ist die ›Intentionalität‹ der Verarbeitungsgeschichte des Mythos, die allein uns erlaubt, indem wir sie als konstant über die Zeit verlaufend denken, auch über die jeweils rückwärtigen Phasen dieser Geschichte Vermutungen zu haben. Aber Theorien über den Ursprung von Mythen sind müßig. Hier gilt: *Ignorabimus.* Ist das schlimm? Nein, denn wir wissen auch sonst von ›den Ursprüngen‹ nichts. Jedoch haben solche Theorien Implikationen, die weiter reichen, als der Anspruch auf Erklärung des Phänomens erkennen läßt. Rousseau wollte ausdrücklich in der »Abhandlung über den Ursprung der Ungleichheit unter den Menschen« Vermutungen über den Ausgangszustand nicht als historische Wahrheiten genommen wissen; aber er ist dem Schicksal nicht entgangen, die nur zur Erhellung späterer Zustände eingeführten Annahmen als normative Ursprünglichkeit übernommen zu sehen.

Hat der Mythos die Schrecknisse in einer unvertrauten Welt, die er vorfand, zu Geschichten aufgearbeitet oder hat er die Schrecken erzeugt, für die er dann auch Linderungen anzubieten hatte? Folgt man den Aufklärungen in der Tradition des Epikur bis hin in die Aufklärung der Neuzeit, so gehören die Erregungen von Furcht und Hoffnung durch Mythen in das Repertoire von Priesterkasten, die sich auf diese Weise das Monopol der Erlösungen und Heilsbesorgungen verschafften, wie die Advokaten in der Komödie die Prozesse besorgen, deren Konfliktstoff sie selbst ihren Mandanten zuvor untergeschoben haben. Die Vergeblichkeit der Aufklärung läßt sich kaum erklären, ohne daß man die Leichtfertigkeit ihrer Hypothesen über Herkunft und Haltbarkeit dessen, was sie zu überwinden für nötig und möglich hielt, ins Auge faßt. So sind Annahmen über Ursprünge des Mythos nicht ohne Folgen für die Vermeintlichkeit der Triumphe über ihn. Aber auch nicht für die Einschätzung der Möglichkeiten seiner gewünschten oder gefürchteten Wiederkehr, wie für die Erkennung seiner Funktionsweisen und Rezeptionsformen.

10 Kratylos 401 B.

Es war der Stolz der angehenden Neuzeit, mit den Mythen wie
mit den Dogmen, mit den Begriffssystemen wie mit den Autoritäten, unter dem Oberbegriff der Vorurteile, aufgeräumt zu haben
– oder jedenfalls in Kürze aufräumen zu können. Rückstände
erschienen als unvertretbare Atavismen, Wunschgebilde, Verfesti-
gungen von Schmeicheleien der anthropozentrischen Eitelkeit. Vernünftig sollte das sein, was übrigbliebe, wenn die Vernunft als
Organ zur Aufdeckung der Illusionen und Widersprüche die Sedi-
mente abgetragen hätte, die von Schulen und Dichtern, von Ma-
giern und Priestern, von Verführern aller Art also, aufgelaufen
waren. Beides sollte ›Vernunft‹ heißen: das Organ kritischer Destruktion und das von ihm freigelegte Residuum. Der Verdacht,
es gebe keine Gewähr dafür, daß überhaupt etwas übrigbliebe
und was, wenn jene abgelagerten Trübungen der Zeiten abgetragen wären, hatte keine Chance auf Gehör, bevor er sich in der
krassen Bestreitung durch die Romantik durchsetzte. Sie war die
verspätete Anwendung der Zwiebelschalenmetapher auf die Anstrengungen der Aufklärung.

Die Gegenposition ist vom späten Heine mit aller Drastik ausgesprochen worden. Zwar werde der Kampf der Philosophie gegen
die Religion geführt, um diese zu zerstören und jene aufkommen
zu lassen, wie bei der Ablösung der antiken Götter durch den
christlichen Gott und wieder bei der Abfertigung des Christentums
durch die zeitgenössische Philosophie; aber in beiden Fällen ohne
endgültigen Erfolg und mit der Aussicht auf Wiederholung. Es
werde gewiß eine neue Religion kommen, die Philosophen würden
wieder neue Arbeit bekommen, und abermals vergeblich: *Die Welt
ist ein großer Viehstall, der nicht so leicht wie der des Augias
gereinigt werden kann, weil, während gefegt wird, die Ochsen
drin bleiben und immer neuen Mist anhäufen –*.[11] Diese düstere
Anspielung auf eine der Arbeiten des Herakles liefert nichts mit
über deren Vergeblichkeit, die für den Mythos des übermenschlichen Zeus-Sohnes wohl auszuschließen war. Aber sie erinnert an
den Zynismus, mit dem Napoleon das Scheitern der Aufklärung
festgestellt hatte, als er auf St. Helena über die Mythisierung durch
seine Mitwelt sagte: *Sie machen aus mir einen Herkules!*[12] Immer-

11 Heine, Aufzeichnungen (Sämtliche Schriften, ed. K. Briegleb, VI/1, 627).
12 J. Presser, Napoleon. Amsterdam 1946. Dt. Stuttgart 1977, 91 f.

hin hatte dieser Napoleon erwogen, sich selbst zum Gottessohn zu erklären, dies aber als nicht mehr machbar erkannt, weil die Völker zu aufgeklärt seien. Die Apotheose war, ohne den Gebrauch des Namens, nur das Äquivalent der Inszenierung von Theophanien. Die Völker waren, wie sich zeigte, zu wenig aufgeklärt, um eine Sache unmöglich zu machen, deren Name allein mit Erfolg außer Kurs gebracht worden war. Mochte der dahinsiechende Kaiser überrascht sein, daß ihm die Rolle des Herkules zugeschrieben wurde, so wäre es der sich emporschwingende General Bonaparte nicht gewesen, der seine Expedition nach Ägypten 1798 mit allen Attributen der mythischen Wiederholung der Züge Alexanders des Großen und der Provinznahmen Roms ausstattete.

Als das Unternehmen gescheitert war, hatte er auch mit Aufklärung und Revolution abgeschlossen: *Mir wird übel bei Rousseau, seitdem ich den Orient gesehen habe; der Wilde ist ein Hund.*[13] Dies, nicht erst der Staatsstreich, ist das Scheitern der Aufklärung im Zerbrechen ihrer Voraussetzungen, bis zur Unerträglichkeit dessen, was die Grundlage des ägyptischen Abenteuers sein sollte: nicht nur die Nachahmung Alexanders und Roms, sondern die Öffnung des Zugangs zur ältesten Kultur als Legitimation der neuen Vernunft, als Herstellung einer Verbindung über die Gleichgültigkeit der Zeiten hinweg. Das eben ist durch und durch mythisch gedacht. Das kontingente Ereignis legitimiert sich durch den Gesamtbesitz der Geschichte und zerbricht an der ostentativen Darstellung dieses Anspruches. Den Mythos unterbrach die Realität. Der Eroberer konnte nicht ertragen, daß dieser Orient nicht so aussah, wie er hätte aussehen müssen, um seiner Theophanie würdig zu sein.

Heines Gleichsetzung der Welt mit den Ställen des Augias ebensowenig wie der Zynismus Napoleons konnten begründen, weshalb die Philosophie nicht hatte leisten können, was sie zu leisten beansprucht hatte. Wenn man eine Frage als philosophische deklariert, ist man als Minimum einer Leistung, die anstelle einer Antwort hingenommen werden könnte, zunächst schuldig, den Typus der geforderten oder möglichen Antwort zu charakterisieren. Die Antwort auf die Frage, weshalb die Philosophie als Aufklärung nicht zu leisten vermochte, was zu leisten sie beansprucht hatte, könnte

13 J. Presser, a. a. O. 53-61.

von folgender Art sein: Die philosophische Destruktion hat sich
auf leicht zu treffende Inhalte gerichtet und eingerichtet; gerade
deshalb hat sie die intellektuellen und emotionalen Bedürfnisse
verkannt, denen diese Inhalte zu genügen hatten. Ferner: Sie hat
sich den Prozeß einer solchen Destruktion als kritischen Handstreich vorgestellt, mit dem über Nacht die Mauern von La Flèche
einzureißen wären. Schließlich: Sie hat den Ernst nur bei sich selbst,
bei ihrer Entschlossenheit zur Denudation gesehen, nicht auf der
Seite der Geborgenheiten, die ihr als oberflächlich galten.

Sonst hätte ihr auch die Faszination nicht entgehen dürfen, der sie
selbst immer dann erlegen war, wenn sie sich die großen Bildent-
würfe des Mythos als Verbergungsformen ihrer Wahrheit anzueignen oder zurückzugewinnen suchte. Die Versuchung, Allegorese
zu betreiben, ist für die Philosophie bis in das letzte, wenn nicht sogar bis in unser Jahrhundert hinein spezifisch gewesen. Doch ist sie
niemals als aufschlußreich über das Rhetorisch-Stilistische hinaus
angesehen worden. Die Romantik ist den Philosophen zumeist als
verächtlich erschienen, obwohl sie von ihr hätten lernen können,
worin der Widerstand gegen die Aufklärung hartnäckig und der
Widerspruch gegen sie im Namen der uralten Wahrheiten schließlich erfolgreich waren. Die Romantik ist sicher eine gegenphilo-
sophische Bewegung, aber deshalb noch nicht eine für die Philosophie gleichgültige und unergiebige. Nichts müßten Philosophen
eifriger analysieren als den Widerspruch gegen ihre Sache. Wobei
sie sich darüber klar sein müssen, daß die Antithese von Mythos
und Vernunft eine späte und schlechte Erfindung ist, weil sie darauf
verzichtet, die Funktion des Mythos bei der Überwindung jener
archaischen Fremdheit der Welt selbst als eine vernünftige anzusehen, wie verfallsbedürftig immer ihre Mittel im nachhinein
erscheinen mögen.

Eines der Argumente der Romantik war, die Wahrheit könne und
dürfe so jung nicht sein, wie sie die Aufklärung auszugeben unternommen hatte. Die Gründe mögen oft dunkel sein, aber es gibt
auch einen hellen, nämlich den, daß es sonst mit der Vernunftnatur
des Menschen schlecht bestellt sein müsse, folglich auch seiner Gegenwart und Zukunft nicht getraut werden dürfe. Dem Unernst
der Mythen heftet die Romantik den Ernst der Vermutung an, in
ihnen verberge sich die verkannte Konterbande einer frühesten

Offenbarung an die Menschheit, vielleicht der paradiesischen Erinnerung, die sich so schön mit der platonischen Anamnesis austauschen ließ. So wertete sie den aufklärerischen Gedanken um, Mythen seien Geschichten aus der Kindheit des Menschengeschlechts, also zwar Vorgriffe auf das künftige solidere Geschäft der Theorie, aber berechnet auf die Anfälligkeit einer noch unerleuchteten Vernunft, die dennoch nicht alles auf sich beruhen lassen mochte. In den Namen hatte die mythische Ursprache etwas von ihrer paradiesischen Unmittelbarkeit hinterlassen: *Jeder ihrer Namen schien das Losungswort für die Seele jedes Naturkörpers,* hatte Novalis von einem fernen und anderen Verstehen durch eine ›heilige Sprache‹ angedeutet.[14] Gegen die Erwartung aller Wahrheit von einer immer zukünftig bleibenden Wissenschaft stellen Romantik und Historismus den mehr oder weniger ausgeprägten Gedanken an eine sich nur in der Form verändernde Substanz der Tradition, die sogar Rückgewinnung des Urgedankens zu gestatten schien, sofern man nur einen Leitfaden hatte. Mochte auch kein Urgedanke wiedergefunden werden, so war doch ein Nebenprodukt dieser Wendung die Aufwertung der Namen als sehr solider Invarianten. Selbst wo sich Eroberer mehrfach über die Eingesessenen schoben und ihnen ihre Sprache aufzwangen, blieben die Namen der Gewässer und Erhebungen, der landschaftlichen Markanzen und Fluren die alten. Die frühesten Orientierungen der Wohnhaftigkeit behielten ihre Evidenz des Unerfindbaren durch diese Seßhaftigkeit unter allen Wanderungen hinweg.

Mit der Antithese von Vernunft und Mythos war faktisch die von Mythos und Wissenschaft gemeint. Wenn das durch die von Nestle geläufig gemachte Wendung des Buchtitels »Vom Mythos zum Logos« schon für die Antike reklamiert wird, so ist es Nebenfolge jenes eigentümlichen Versuchs des Neukantianismus, Plato zum Begründer derjenigen theoretischen Tradition zu machen, die durch Kant ihre konsequente Vollendung gefunden habe. Dafür wird der Begriff der ›Hypothese‹ zum Hauptbeleg. Paul Natorps Werk »Platos Ideenlehre«, im Vorwort datiert *Marburg 1902*, hat nicht nur das erstaunliche Interesse des folgenden Halbjahrhunderts an Plato und der antiken Philosophie insgesamt begründet

14 Die Lehrlinge zu Sais. Schriften, edd. P. Kluckhohn u. R. Samuel, I 106.

und gerechtfertigt, sondern auch die spezifische Folge gehabt, daß Platos Verdienste an einem so frühen Entwurf wissenschaftlichen Denkens nur um den Preis behauptet und gelobt werden konnten, die Rolle seiner philosophischen Mythologeme herunterzuspielen und in die Marginalität der stilistischen Zutat zu verweisen.

Die Würdigung dieser Wirkung des Neukantianismus kann gar nicht hoch genug greifen. Wenn schon Plato den halben Weg zu Kant zurückgelegt hatte, brauchte es zwischen Plato und Kant den *Abgrund einer geschichtlichen Leere und Öde* nicht mehr zu geben, über den allererst eine Brücke zu schlagen wäre.[15] Erst hier wird das Geschichtsbild der Aufklärung gründlich und endgültig verändert: die Neuzeit beginnt nicht mit einem absoluten Gründungsakt am Rande des Abgrunds finsterer Epochen zuvor, sondern schon die Renaissance hat als Erneuerung des Platonismus und damit der *Idee als Hypothesis* wissenschaftlichen Rang. Figuren wie Nikolaus von Cues, Galilei, Kepler, Descartes und Leibniz rücken auf die eine Ebene der Weiterführung des platonischen Erbes. Von Plato zu Kant gibt es keinen Sprung, keinen zwischen Idee und Apriori, denn beide meinen den einen *Grundgedanken der wissenschaftlichen Weltgeschichte,* die es erstmals hier gibt.

Nun wird man leicht sehen, daß die Vernachlässigung der Kunstmythen bei Plato nicht lange haltbar sein konnte. Aber die fällige Korrektur war nur ein Einzelzug in einer umfassenderen Korrektur, die jenen Begriff einer wissenschaftlichen Weltgeschichte vollends ernst zu nehmen vorhatte und so wenig wie einen Hiatus zwischen Antike und Neuzeit einen zwischen Mythos und Logos zu akzeptieren bereit war. Noch innerhalb des Neukantianismus entsteht eine Philosophie des Mythos – nicht nur des Mythos, sondern derjenigen Ausdrucksphänomene, die ihrerseits nicht theoretisch, noch nicht wissenschaftlich sind. Sie läßt das Mythische als Inbegriff derjenigen Leistungen begreifen, die surrogativ nötig und

---

15 Hermann Cohen, Einleitung zu F. A. Langes »Geschichte des Materialismus« (mit kritischem Nachtrag zur neunten Auflage 1914). In: H. C., Schriften zur Philosophie und Zeitgeschichte II, Berlin 1928, 197 f. – Mit der Differenz zwischen Mythos und Wissenschaft hat es sich Cohen leicht gemacht: *Das ist der Unterschied von Mythos und Wissenschaft: daß die Wissenschaft da von Materie handelt, wo der Mythos Bewußtsein sah.* (Das Prinzip der Infinitesimalmethode und seine Geschichte. Ein Kapitel zur Grundlegung der Erkenntniskritik. Berlin 1883, ²Frankfurt 1968, 229).

möglich sind, um eine Welt zu ertragen und in einer Welt zu leben, die noch keine Theorie erschlossen hat. Hatte Hermann Cohen noch gesagt, ›Idee‹ sei *unstreitig der wichtigste Begriff der philosophischen Sprache,* so wird dies für Cassirer ein von den faktischen Terminologien der Philosophie abgelegener, darum deren Geschichte transzendierender Begriff, der des Symbols. Die Theorie der symbolischen Formen erst gestattet, die Ausdrucksmittel des Mythos denen der Wissenschaft zu korrelieren, doch in einem geschichtlich irreversiblen Verhältnis und mit der unaufgebbaren Vorgabe des *terminus ad quem* Wissenschaft.

Der Mythos wird überlebt durch das, was nach ihm kommt; Wissenschaft ist unüberlebbar, so sehr sie selbst in jedem ihrer Schritte die vorhergehenden überlebt. Raffinierter historisiert als in den grobschlächtigen Zumutungen der Aufklärung an die von ihr zu emanzipierende, der faktischen Leistung nach aber zugleich geringgeschätzte Vernunft, rückt der Mythos an eine Stelle, die nur einen funktionalen Eigenwert gegenüber einem Ganzen hat, das wie selbstverständlich als schon überschaubar gilt. Er ist Verzögerung in einer Geschichte, von der allemal feststeht, wie es weitergeht. Solches Vorwissen vom vermeintlichen Ende her schließt aus, den Mythos als Verarbeitungsform von Wirklichkeit authentischen Rechts zu thematisieren. Vielmehr ist er Platzhalter einer Vernunft, die sich mit dieser Leistung nicht zufrieden geben kann und sie letztlich der Messung an Kategorien unterwirft, mit denen sich die Wissenschaft im Stadium ihrer Vollendung selbst begreift. Mit der Wissenschaft ist, so sieht es aus, die Affinität zum Mythos ausgestanden. Nirgendwo erscheint als Versuchung oder Ausweg, in das Formensystem und die Totalitätsfähigkeit der mythischen Geschichtsphase zurückzufallen. Dabei bleibt merkwürdig, daß gerade die Anerkennung der eigentümlichen ›Vernünftigkeit‹ des Mythos ihn definitiv archaisch und vorzeitig machen soll.

Es ist vor dem Hintergrund seines Neukantianismus nicht ohne Ironie, daß Cassirer, der Theoretiker des Mythos, als letztes in der langen Reihe seiner Werke »The Myth of the State« vollendet, das erst nach seinem Tod 1946 erscheint. Natürlich war das ein Gebiet, für das die Philosophie der symbolischen Formen am wenigsten Vorkehrung getroffen hatte, ein Gebiet ihrer Ratlosigkeit. Was Cassirer registriert, ist im Grunde eine einzige romantische

Regression, deren Einpassung in keine Geschichtsphilosophie möglich erscheint.

Der Historiker der Philosophie, der Wissenschaft, des kulturellen Subjekts, des Wirklichkeitsbewußtseins darf solche romantischen Schübe, die das Bild einer sich unaufhaltsam ihr Recht verschaffenden Vernunft durchbrechen, nicht zu großzügig übersehen, um sich geschichtsphilosophisch nicht stören zu lassen. Vernünftigkeit und Unvernünftigkeit seien keine Prädikate für das All, wollte Nietzsche wissen und es keineswegs Romantik nennen lassen. Es ist eben nicht nur Romantik, was so heißt. Die Philosophie hat das mühelos ihrer Geschichte integriert, wie so vieles zuvor, und sich noch diejenigen zugerechnet, die in solchen und anderen Gewaltsprüchen sich als von ihr ausgeschlossen proklamierten und darin zugleich ihr das Ende verordnen zu können glaubten. Als solche unbenannte Romantiker sind wohl alle, die von der Verwechselbarkeit des Endes einer ungeliebten Realität mit dem Anfang einer erwarteten leben, auch wenn sich Novalis' ›Blaue Blume‹ nach einem Jahrhundert verfärbt hat zur ›Schwarzen Blume‹ in Georges »Algabal«.

Die Affinität zum Mythos besteht immer darin, das Subjekt zu finden und zu benennen, von dem die letzte der richtigen Geschichten erzählt werden kann. Zum Namen wird auch das traditionell Abstrakteste, sobald es ins handelnde oder leidende Subjekt transformiert ist. Es kann so wesenlos aussehen wie das ›Sein‹. Wenn es Name eines geschichtenträchtigen Subjekts geworden ist, läßt dies sich am Aufkommen der Erwägung oder Praxis ablesen, es nicht mehr wie das alte Superabstraktum zu schreiben. Was die ›Seinsgeschichte‹ nochmals zu einem Stück Romantik macht, ist der in ihr vorausgesetzte Sachverhalt, daß die wahre Zukunft nichts anderes als die wahre Vergangenheit sein kann. Nicht als ›Rückkehr‹ des zum Geschichtssubjekt avancierten Menschen, sondern als ›Wiederkehr‹ des epochenweise durch Metaphysik verborgenen Seins. Dessen unerwartete, aber nur abzuwartende, Wiederkehr ist nicht besser als die neue Schöpfung, die aus dem nächsten Chaos, koste es was es wolle, hervorgehen muß.

Allen Affinitäten zum Mythos ist gemeinsam, daß sie nicht glauben machen oder auch nur glauben lassen, es könne etwas in der Geschichte der Menschheit je endgültig ausgestanden sein, wie oft auch man es hinter sich gebracht zu haben glaubte. Das ist nicht selbstverständlich, denn der Mythos spricht seinerseits von gebändigten Unwesen, von geläuterter Herrschaft. Die geschichtliche Erfahrung scheint gegen alle Endgültigkeit erreichter und zu erreichender Mäßigungen zu sprechen. Wir haben ›Überwindungen‹ von diesem und jenem mit Mißtrauen zu betrachten gelernt, vor allem seitdem es die Vermutung oder den Verdacht von Latenzen gibt. Wir kennen Regressionen auf Frühzustände, Primitivismen, Barbarismen, Brutalismen, Atavismen. Sollten da Untergänge ausgeschlossen sein? In ihnen liegt der Trost dessen, was durch sie wieder möglich werden könnte. Dahinzuwelken kann trostloser sein als von den herabstürzenden Sternen erschlagen zu werden.

Wenn es entscheidbare Alternativen von Mythogonien nicht geben sollte, so doch zweifellos deren Typologie, nicht anders als die von Kosmogonien. Bei diesen haben wir, wenn ich richtig sehe, die Wahl zwischen einem Ausgangszustand gleichmäßiger, höchst verdünnter Verteilung der Materie im Raum *und* einem anderen höchst verdichteter Konzentration der Urmaterie in einem einzigen nahezu punktuellen Massezentrum. Kant und Laplace sind von der ersten Annahme ausgegangen, die neueren Kosmogonien seit der Entdeckung des galaktischen Dopplereffekts und der Hubble-Konstante von der Explosion des Massekonzentrats.

Für das Problem der Mythogonie gibt es Grundthesen, die der grob skizzierten Typik von Theoremen ziemlich genau korrespondieren. Sie lassen sich am besten in Analogie zu der klassischen Alternative biologischer Entwicklungstheorien bezeichnen als Präformation und Epigenesis. Gegen die in Anlehnung an die Gestaltpsychologie gebildete Datenüberdrucktheorie, also die Annahme der kulturellen Verarbeitung ursprünglicher ›Reizüberflutung‹, spricht die behauptete oder tatsächlich weitgehende Übereinstimmung der mythischen Inhalte und Grundformen. Solche Übereinstimmungen haben sowohl genetische als metaphysische Konsequenzen herausgefordert.

Die Kulturkreistheorie hat die Annahme einer hochgradig konstanten Tradition durch die ganze Geschichte des Menschen hindurch zugrunde gelegt und die kulturellen Übereinstimmungen auf einen Ausgangszustand der Menschheit in einem geschlossenen Ursprungsgebiet zurückgeführt.[16] Die menschheitliche Transportkraft für

16 Der Kulturkreisbegriff ist 1897 von Leo Frobenius gebildet, aber später wieder

Konstanten über Zeit und Raum nimmt sich dabei erstaunlich aus. Gesteht man sie nicht zu, so kommt man um mehr oder weniger ausdrückliche Annahmen über eine von kultureller Tradition unabhängige Grundausstattung des Menschen mit kategorialen oder symbolischen Verarbeitungsformen nicht herum. Man ist dann vom Schicksal aller Platonismen bedroht: die Herleitung von Leistungen aus eingeborenen oder erinnerten Formen kann alles nur dadurch ›erklären‹, daß es immer schon dagewesen sei. Müßte man sich damit abfinden, hätte man sich jedenfalls mit der schwächsten Form von Theorie abgefunden.

Die Namengebung entzieht sich weitgehend den großen theoretischen Alternativen. Sie zu verstehen, stellt zwischen die Ursprünglichkeit der von Hermann Usener angenommenen ›Augenblicksgötter‹ und die Spätkonstruktion der Verallgemeinerung allegorischer Namensbildung. Es ist das Dilemma, das Sokrates im gleichnamigen Dialog mit Philebos austrägt. Dieser hat *hēdonē*, die alles beherrschende und jeder Diskussion über ihr Recht sich entziehende Lust, zu seiner Göttin erklärt und ihr den Namen ihres Begriffs gegeben. Sokrates besteht darauf, auch diese Göttin müsse ihren alten und offiziellen Kultnamen Aphrodite behalten.

Ironisch ist nicht nur, daß der alsbald wegen des Vorwurfs seiner Ablehnung der Staatsgötter angeklagte und verurteilte Sokrates sich gegen die Apotheose eines philosophischen Abstraktums stellt, ironisch muß auch von Plato gemeint sein, daß der, der sich auf sein *daimonion* als letzte und der Rechtfertigung nicht mehr bedürftige Instanz berief, seinem Gegner das gleiche Privileg der Einführung eines ›neuen Gottes‹, einer Instanz der Rechtfertigungsunbedürftigkeit, verweigerte. Gerade die philosophisch auszeichnungsfähige allmächtige Lustgottheit weist Sokrates zurück, zugunsten einer durch den Mythos in die Gewaltenteilung des Olymps eingebundenen und im Staatskult nur unter anderen bedachten Aphrodite.

aufgegeben worden. Seine Implikationen von Diffusion und Überlagerung gehen auf Friedrich Ratzels »Völkerkunde« (1886-88) zurück. Fritz Graebner hat den Kulturbegriff 1911 in seiner »Methode der Ethnologie« wieder aufgenommen. Das spekulative Potential, das in einer idealtypischen Theorieform ohne Rücksicht auf das Belegbare steckt, haben W. Schmidt und W. Koppers 1924 in ihrem Auftakt zu einer Universalgeschichte der Menschheit »Völker und Kulturen« (nur Bd. I !) auszuschöpfen begonnen.

Der mythischen Figur jener olympischen Komplexion entspricht im Dialog »Philebos« die Daseinsmetapher des gemischten Lebenstranks. Das Bestehen auf dem alten Namen ist nur Vordergrund für die Abwehr der mit Allquantoren ausgestatteten Attribute philosophischer Götter und ihrer Monokratie. Die Abweisung des Philebos ist gründlicher als die anderer Widersacher des Sokrates: Er scheidet aus dem Dialog aus.

Daß es der Mythos mit den Ursprüngen zu tun hat, gibt ihm für den späten Betrachter gerade nicht die Weihe; daß er von ihnen jemals losgekommen ist, die Distanz zu ihnen zu bezeichnen und faßbar zu machen vermag, ist die Quintessenz dessen, was eine ›Mythologie‹ noch zu bieten hat. Darin steht, was eine streitferne Stabilisierung der Namen leistet. Es ist zu hoch gegriffen, das schon durchweg als ›Legitimität‹ zu bezeichnen; es ist die eher triviale Qualität – eine ›Prämodalität‹ – der Selbstverständlichkeit lebensweltlicher Benanntheit, die es akkumuliert. In der eigentümlichen Schwebe zwischen ironischem Respekt und aufgeklärter Geringschätzung, in der Voltaire exotische Kulturdaten läßt, gibt er am Ende der »Prinzessin von Babylon« für die Namensgleichheit des Sterns und der Hafenstadt *Canopus* die Erläuterung, niemand habe noch gewußt, ob der Gott dieses Namens die Hafenstadt gegründet oder die Einwohner der Stadt sich den Gott gemacht, der Stern der Stadt oder die Stadt dem Stern den Namen gegeben hätte: *Alles, was man davon weiß, ist nur, daß die Stadt und der Stern sehr alt wären. Das ist aber auch alles, was man vom Ursprung der Dinge, welcher Art sie auch sein mögen, wissen kann.*[17]

Canopus, Stadt am westlichen Arm des Nildeltas, soll eine Gründung der Spartaner zu Ehren des mythischen Steuermanns im Schiff des Menelaos gewesen sein; da der gleichnamige Stern erster Größe das südliche Sternbild des Schiffes Argo beherrscht, wird man der Analogie gleich gewahr. Die astralmythologische Schule war nicht weniger fruchtbar als die sexualmythologische, jedem Zug des Mythos ein Korrelat zuzuordnen: den Sternbildern, dem

17 La Princesse de Babylone XI: *Tout ce qu'on en savait, c'est que la ville et l'étoile étaient fort anciennes, et c'est tout ce qu'on peut savoir de l'origine des choses, de quelque nature qu'elles puissent être.* – Voltaire hat auch die äsopischen Fabeln für Mythen gehalten, deren Ursprung sich in einer Vorzeit verliere, *deren Abgrund unauslotbar sei* (Le Philosophe Ignorant § 47).

Tages- und Jahreslauf der Sonne, den Mondphasen, den Planeten.
Da hier über die Herkunft von Mythologemen keine Hypothesen
ausgedacht werden sollen, bleibt dieser vielleicht früheste Herr-
schaftserfolg des Namens über das öffentliche Areal der lebensweltlichen Wirklichkeit mit dem spätesten zu vergleichen, der sich auf
den Gegenpol, die psychische Unterwelt, bezieht.

Kein Erfolg von Namenfindung kann mit dem Freuds in Vergleich
treten. Es verstieße gegen jede einschlägige Redensart, das noch zu
belegen. Was ich belegen möchte, ist ein biographisches Moment
der Signifikanz für das Amt des Namengebers an Unterweltlichem.
Signifikanzen liefen auf Freud nur so zu. Er wird das angereichert
haben, was er am 14. April 1898 an Wilhelm Fließ über eine
Osterreise nach Istrien schreibt, die alsbald auch in der »Traumdeutung« eine Rolle spielt.

Freud berichtet dem Freund in Berlin von der Besichtigung der
Tropfsteinhöhlen im Karst bei Divaca, einer mit *Riesenschachtel-
halmen, Baumkuchen, Stoßzähnen von unten, Vorhängen, Mais-
kolben, faltenschweren Zelten, Schinken und Geflügel von oben
herabhängend* angefüllten Unterwelt, und dem Entdecker der Ru-
dolfshöhle als einem verkommenen und alkoholisierten Genie, das
sich vor dem Blick des Analytikers sogleich als libidinöse Umkehr-
figur enthüllt: *Als er äußerte, daß er schon in 36 ›Löchern‹ im Karst
gewesen, erkannte ich ihn als Neurotiker und sein Konquistadoren-
tum als erotisches Äquivalent. Es sei das Ideal des Mannes, einmal
nach Wien zu kommen, um sich dort in den Museen Vorbilder
für die Namengebung seiner Tropfsteine zu holen.*[18] Da unten war,
nach Freuds eigenen Worten, der *reine Tartarus* gewesen, eine der
Inferno-Phantasie Dantes nicht nachstehende Unterwelt. Es kann
kein Zufall sein, daß Freud dem in seine Konstruktionen eingeweihten Freund so ausführlich über die Höhlen, ihren Entdecker
und Namensucher berichtet. Man denke daran, daß dieser Briefwechsel auch Freuds wirksamste Namenerfindung belegt, seinen
Rückgriff auf Ödipus. Und seine erste Theorie der endogenen
Mythenentstehung aus der Abbildung des psychischen Apparats.
Nur an einen Vor- und Mitspinner wie Fließ konnte Freud den

18 Aus den Anfängen der Psychoanalyse 1887-1902. Briefe an Wilhelm Fließ.
(¹London 1950) Frankfurt 1962, 217. Dazu: Die Traumdeutung (1900/01),
Ges. Werke II/III 466 ff.

flüchtigen Gedanken einer ›Psycho-Mythologie‹ mitteilen: *Kannst Du Dir denken, was ›endopsychische Mythen‹ sind? Die neueste Ausgeburt meiner Denkarbeit. Die unklare innere Wahrnehmung des eigenen psychischen Apparates regt zu Denkillusionen an, die natürlich nach außen projiziert werden* . . .[19] Es ist ganz und gar unzutreffend, wenn die Herausgeber zu dieser frühesten Mythogonie auf die Abhandlung »Der Dichter und das Phantasieren« von 1906 verweisen, wo Mythen die *Säkularträume der jungen Menschheit* genannt werden und damit eine phylogenetische Zuweisung erhalten, während die ›endopsychischen Mythen‹ nicht primär Inhalte des psychischen Apparats und seines Erinnerungsbesitzes sind, sondern so etwas wie dessen konfuse Selbstdarstellung, die sowohl die Weltverbreitung des Mythos als auch die Intensität seiner Rezeption ›erklärt‹. Fast möchte man unterstellen, Freud habe, um zu diesem Typus von Theorem zu finden, Kants »Träume eines Geistersehers« gelesen; aber dafür gibt es sonst keinen Anhalt.

In diesem Zusammenhang ist die Beobachtung gewichtig, daß Freuds früheste Darstellung des psychischen Apparats im (so erst von seinen Herausgebern benannten) »Entwurf einer Psychologie« von 1895 die Funktion der Namengebung noch nicht zu beachten scheint. Es kann nicht ausgeschlossen werden, daß erst der Höhlenführer im istrischen Karst drei Jahre später mit seiner Besessenheit von der Lebensaufgabe der Namenfindung ihm sinnfällig gemacht hat, daß jede Rekognoszierung im Unbekannten mit der Dringlichkeit konfrontiert ist, es auch als Unbenanntes und Benennungsbedürftiges zu sehen. Denn der Versuch, den psychischen Apparat und seine innere energetische Dramatik in der Sprache der Neurophysiologie und Hirnanatomie zu beschreiben, hat schon den Verfasser der »Traumdeutung« nicht mehr befriedigt. Dieser setzt an die Stelle einer Welt von Erregungsquantitäten und Reizleitungen ein System von Instanzen und deren ›Gewaltenteilung‹, das sich unaufhaltsam dem Zustand der Hypostasierung, der Personifikation, jedenfalls handelnder Größen, anzunähern scheint. Während die Struktur der Neuronentheorie von 1895 sich dem Betrachter in der horizontalen Metaphorik eines Leitungssystems darbietet, ist das System von Ich und Unbewußtem, Über-Ich und Es, Wunsch und Zensur, Abfuhr und Verdrängung, Triebenergie und Symbolik,

19 Freud an Fließ, Wien 12. Dezember 1897 (Briefe, 204).

traumatischer Noxe und neurotischem Symptom das einer verti-
kalen Imagination, die schon als solche Affinität zum Mythos
hätte, auch wenn sie niemals bis zu einer Mythogonie gekommen
wäre. Im »Entwurf« von 1895 gab es dagegen nur Strömungen,
Reizflucht, Nullniveaus, Widerstände gegen Abfuhr, Kontakte und
Schranken, Zellen der Wahrnehmung und Erinnerung, Bahnungen
und Wegbevorzugungen, Quantitätsvorräte und Durchlässigkeiten,
Schirme und Siebe. Selbst das eigens und fast feierlich eingeführte
Ich ist nichts anderes als ein bestimmter Organisationszustand
dieses Kanalsystems, ein bloßer Komplikationsgrad seiner Leit-
fähigkeit für Primärvorgänge.[20]
Wenn Freud dennoch die Selbstwahrnehmung des psychischen Apparates als seine erste Mythogonie, die der Endogenmythen, proklamiert, so nimmt er die Tendenz auf Veränderung des frühen
Entwurfs bis hin zu den metapsychologischen Aufsätzen von 1915
vorweg. Den Ausdruck ›Metapsychologie‹ erfindet er schon ein Jahr
nach dem »Entwurf einer Psychologie« im Brief an Fließ vom
2. April 1896 als Gegenbegriff zur Metaphysik: Metapsychologie
ist so etwas wie die Rückübersetzung der Außenprojektion jener
endogenen Mythologeme, also auch deren Benutzung als Orientierung für das Konstrukt der inneren Dramaturgie. Doch sind
Geheimnisse um den Endzustand des Plans »Zur Vorbereitung
einer Metapsychologie« geblieben, weil von den zwölf zugehörigen
Arbeiten nur fünf 1915 veröffentlicht, die restlichen sieben wohl
vernichtet worden sind. Das Konzept der ›endopsychischen Mythen‹ hätte schließlich doch zum Erklärungstypus der ›eingeborenen
Ideen‹ geführt, obwohl das, was sich in der konfusen Selbstwahrnehmung des psychischen Apparats darstellt, kein inhaltlicher
Komplex von Vorstellungen sein soll. Die Grundausstattung für
die Erzeugung von Mythen wäre dann zwar das psychische Funk-
tionssystem selbst, aber durch Selbstentzug seiner Funktionalität. Erst die Erklärung des Mythos als Latenz vorgeschichtlicher
Menschheitserfahrungen löst ihn vom Mechanismus ontogenetischer
Projektion ab.
Der letzte Schritt wird erst ganz spät getan, wenn Freud der Resignation vor der vollständigen Durchbrechung der infantilen

20 (Entwurf einer Psychologie) 1895. In: Aus den Anfängen der Psychoanalyse
1887-1902. Frankfurt 1962, 305-384.

Amnesie im Begriff der ›Konstruktion‹ Ausdruck gibt. In ihr erhält der Patient anstelle der verfehlten Erinnerung eine erfundene Geschichte, eine Hypothese des ihm Unbekannten, angeboten, die er unter günstigen Bedingungen als seine ›Wahrheit‹ akzeptiert. Hier erst, 1937, ist an die Stelle des frühen endogenen Mythologems das exogene – ein Verzweiflungsmittel für den unverzichtbaren Wahrheitsbedarf – getreten. In diesem Jahr der »Konstruktionen in der Analyse« läuft eine der letzten Signifikanzen seines Lebens auf Freud zu, die ihn mit seiner ersten Mythogonie verbindet: Die Schülerin Marie Bonaparte schreibt ihm am 30. Dezember 1936, daß sie seinen Briefwechsel mit Wilhelm Fließ von einem Beauftragten der Witwe aus Berlin erworben habe. Freud antwortet ihr am 3. Januar 1937: *Die Angelegenheit der Korrespondenz mit Fließ hat mich erschüttert ... Ich möchte nichts davon zur Kenntnis der sogenannten Nachwelt kommen lassen.*[21] Das fällt schon unter die Kategorie der ›Bedeutsamkeit‹.

---

21 M. Schur, Sigmund Freud. Leben und Sterben. Frankfurt 1973, 572 f.

III
›Bedeutsamkeit‹

Ah, les vieilles questions, les
vieilles réponses, il n'y a que ça!
Beckett, Fin de partie

Wichtiger als zu wissen, was wir nicht wissen werden: wie der
Mythos entstanden ist und welche Erlebnisse seinen Inhalten zugrunde liegen, ist die Aufarbeitung und geschichtliche Zuordnung
der Vorstellungen, die man sich über seinen Ursprung und seine
Ursprünglichkeit jeweils gemacht hat. Denn wie die Arbeit an
seinen Gestalten und Inhalten selbst, ist auch die Mythologie seiner
Entstehung ein Reagens auf eine Form der Arbeit an ihm und auf
die hereditäre Hartnäckigkeit seines Mitgehens durch die Geschichte. Wenn überhaupt etwas diese sprachliche Zuschreibung
verdient ›Es geht mir nach‹, so ist es die archaische Imagination,
was immer auch in ihr erstmals bearbeitet worden sein mag.

Zwei antithetische Begriffe machen es möglich, die Vorstellungen
von Ursprung und Ursprünglichkeit des Mythos zu klassifizieren:
Poesie und Schrecken. Entweder steht am Anfang die imaginative
Ausschweifung anthropomorpher Aneignung der Welt und theo-
morpher Steigerung des Menschen *oder* der nackte Ausdruck der
Passivität von Angst und Grauen, von dämonischer Gebanntheit,
magischer Hilflosigkeit, schlechthinniger Abhängigkeit. Man wird
aber nicht gut daran tun, diese beiden Rubriken auch mit der
Antithese von Unverbindlichkeit und Wirklichkeitsbezug gleichzusetzen.

Daß die Dichter lügen, ist ein altes Wort, und die Entdeckung von
Wahrheit in der Dichtung vielleicht nur eine Episode der späten
ästhetischen Metaphysik, die Kunst nicht mehr bloße Phantasie sein
lassen wollte. Daß Dichter bei der Arbeit am Mythos für uns schon
die früheste Stufe der erreichbaren Überlieferung darstellen, ist
eine perspektivische Verkürzung; es bedeutet vor allem nicht, daß

die Poesie am Werk des Mythos dessen Lügenhaftigkeit müsse eingeschlossen haben. Wenn Jean Paul in der »Vorschule der Ästhetik« sagt: *Die Griechen glaubten, was sie sangen, Götter und Heroen*, so dient ihm dies zuerst und vor allem zum Kontrast für den zeitgenössischen Klassizismus, dem diese Griechengötter *nur flache Bilder und leere Kleider unserer Empfindungen, nicht lebendige Wesen* seien. Zugleich hat Jean Paul einen Schuldigen dafür, daß die Leichtigkeit der mythischen Produktion nicht lebendig geblieben war; es war die Einführung des Begriffs der ›falschen Götter‹, der dem theologischen Gesang ein Ende bereitet hatte.[1] Jean Paul hat mehr der Sehnsucht seiner Zeit nach Göttern Ausdruck gegeben, die der Heiterkeit des Menschen durch ihre eigene nur Beihilfe leisten konnten, als daß er an deren Wiederherstellung durch Kunst gedacht hätte.

Als die Romantik Märchen und Sagen wiederentdeckte, tat sie das mit dem fast trotzigen Gestus nach der Aufklärung und gegen diese: nicht alles sei Betrug, was nicht durch die Kontrolle der Vernunft gelassen worden sei. Verbunden damit war die neue Bewertung der Ursprungssituation dieser Stoffe und Gestalten, die mit Vico und Herder begonnen hatte. Vor der Episode der antiken Klassik habe nicht nur Finsternis und Grauen über der Frühzeit der Völker gelegen, sondern auch und vor allem reinste Kindhaftigkeit des Ununterschiedenseins von Wahrheit und Lüge, Wirklichkeit und Traum.

Es ist dem Verständnis des Mythos oder dem, was noch Mythologie genannt werden kann, nicht gut bekommen, in diese Antithesen von Aufklärung und Romantik, von Realismus und Fiktion, von Glauben und Unglauben eingespannt zu werden. Wenn an Jean Pauls Beobachtung etwas Richtiges ist, daß die Götter der Frühzeit nicht unter der Frage standen, ob sie die richtigen wären, bevor sie nicht als die falschen dämonisiert worden waren, dann muß auch seine Formel, die Griechen hätten geglaubt, was sie sangen, mit der Fernhaltung des Begriffs von Glauben genommen werden, der erst dadurch entstanden ist, daß es das Verdikt und die Sünde des Unglaubens gab. Denn dessen Frage war ja nur am Rande, ob es überhaupt den Gott oder die Götter gäbe, im Zentrum aber immer

---

1 Jean Paul, Vorschule der Ästhetik I 4 § 17; I 5 § 21.

die, welcher der wahre oder welche die zulässigen und zuverlässigen seien.

Die Antithese von Poesie und Schrecken für Ursprung und Anfang
des Mythos, für dessen originäre Qualität selbst, ist an allgemeinere
Voraussetzungen geschichtsphilosophischer Projektion gebunden.
Der Widerspruch der Romantik gegen die Aufklärung war mit
dem Postulat der anfänglichen kindhaften Poesie der Menschheit
seit Vico und Herder zwar keine Verfallsgeschichte, beginnend mit
dem Goldenen Zeitalter und sich fortsetzend mit der Verschlechterung der Metallqualität, aber doch unvermeidlich zu der These
führend, daß es großer Bereitschaft, Anstrengung und Kunst bedürfen würde, von den verfallenen und verschütteten Errungenschaften der Frühzeit wenigstens einiges zu retten und zu erneuern.
Bis im Verlauf der Romantik aus der anfänglichen Poesie die anfängliche Offenbarung wurde, die es wiederzugewinnen galt.

Romantik barg, von der Differenz der Urpoesie und Uroffenbarung einmal abgesehen, einen wichtigen geschichtsphilosophischen
Trost für die Zeit, der sie sich zu empfehlen hatte: den Trost
der Garantie, daß die Menschheit, was sie einmal gewesen war,
nicht gänzlich in ihrem Wesen und ihren Möglichkeiten entbehren
müsse. Es ist dies auch etwas, was zur Natur des Mythos gehört,
daß er Wiederholbarkeit suggeriert, ein Wiedererkennen elementarer Geschichten, das der Funktion des Rituals nahekommt, durch
welches die unverbrüchliche Regelmäßigkeit der den Göttern wohlgefälligen Handlungen versichert und eingeprägt wird.

Friedrich Schlegel hat 1800 mit seiner »Rede über die Mythologie«
die romantische Auffassung vom Mythos nicht nur geprägt, sondern auch vom gegenaufklärerischen Schema der Verfallsgeschichte
gelöst. Es ist der seinem »Gespräch über Poesie« eingelegte zweite
theoretische Exkurs, von der Figur des Ludoviko vorgetragen,
der mit der Charakteristik eingeführt wird, daß er *mit seiner revolutionären Philosophie das Vernichten gern im Großen trieb*.[2]
Indem nun der so typisierte Vertreter der Zeit von einer ›neuen
Mythologie‹ spricht und sie programmiert, verwandelt die Theorie

---

2 Friedrich Schlegel, Kritische Ausgabe II 290. In der Neufassung des »Gesprächs
über Poesie« der Ausgabe der Werke von 1823 ist statt von der *revolutionären
Philosophie* von der *zersetzenden* die Rede, und *Vernichten* ist ersetzt durch
Verwerfen und Verneinen.

des Mythos sich selbst in einen Mythos. Diese Revolution wird zur
Wiederkehr des Uralten mit dem neuen Namen, das keine Stelle in
der Geschichte, wie sie ist, haben kann, sondern gegen sie zum
›festen Punkt‹ werden muß. Der Mythos gestattet, sich außerhalb
der Geschichte zu postieren, als ihr Zuschauer nicht nur, sondern
als der Nutznießer ihrer ältesten Besitztümer. Die Phantasie des
Mythologen erzählt im Mythos ihre eigene Geschichte, die Kosmo-
gonie ihres Hervorgehens aus dem Chaos durch den Eros. Deshalb
kann es den neuen Mythos geben, wenn die poetische Phantasie zu
sich selbst kommt und ihr jene eigene Geschichte zum Thema
wird.

Es ist das Charakteristische selbst des programmierten Mythos, es
nicht ohne die Totalität und unterhalb des Anspruchs auf sie zu
tun: was sich zur Zeit ›Physik‹ nenne, habe gerade diese Totalität
verloren, sich in ›Hypothesen‹ aufgelöst und dabei die Anschauung
eingebüßt, die in keinem Verhältnis zur Natur preisgegeben werden
dürfe. Wenn die Hypothese an die Stelle des Mythos getreten sein
sollte, Physik an die Stelle der Genealogie der Götter, dann wäre es
doch wiederum Einsicht in die letzte Intention der Hypothese, was
die Möglichkeit der ›neuen Mythologie‹ eröffnet. Der entscheidende
Kunstgriff steckt in der naiv anmutenden rhetorischen Frage:
*Warum sollte nicht wieder von neuem werden, was schon gewesen
ist?*[3] Hatte die Aufklärung nach dem gefragt, was nicht wieder
sein darf, und es mit allen Attributen der Finsternis und des Ter-
rors ausgestattet, so sieht sich der Romantiker unter der Beweislast
dafür, daß es derartiges, wie er es als neue Versöhnung von Wissenschaft und Poesie ersehnt, als das schlechthin Wiederholbare
schon gegeben habe.

Derselbe Friedrich Schlegel, der die Poesie des archaischen Mythos
entdecken sollte, hat in seiner Frühzeit weniger tröstlich vom Ausgangspunkt der menschheitlichen Umgänge mit dem Göttlichen
gedacht. Die erste Ahnung des Unendlichen und Göttlichen habe
nicht mit frohem Erstaunen, sondern mit wildem Entsetzen erfüllt.[4]
Könnte es sein, daß er die poetische Frühphase, die er mit der
Mythologie-Rede für die Romantik entdeckt oder Vico und Herder
nachentdeckt, schon als einen Zustand der Entfernung von jenem

---

3 Rede über Mythologie, a. a. O. II 313.
4 Prosaische Jugendschriften, ed. J. Minor, I 237.

›wilden Entsetzen‹ befunden hat? Denn zweifellos ist es eine der elementaren und bewährten Methoden, in der Finsternis nicht nur zu zittern, sondern auch zu singen.

Seit Rudolf Otto ist das Heilige, die an Menschen und Dingen auftretende Qualität des Numinosen, etwas, was Furcht erweckt oder zumindest auch Furcht erweckt, das *mysterium tremendum*, das in den milderen Formen von Scheu und Ehrfurcht, von Staunen und Verblüffung entschärft werden mag. Die ursprüngliche emotionale Spannung eines ›wilden Entsetzens‹ eben in Distanz zu überführen, anschaulich aufzuarbeiten, liegt in der Funktion von Ritus und Mythos. Etwa darin, daß im Ritual der numinose Gegenstand gezeigt, vorgeführt, mitgeführt, ausgestellt, berührt wird, wie es in einer der Weltreligionen das Ziel der einmaligen Pilgerfahrt im Leben ist, den heiligen Meteorstein der Kaaba in Mekka zu küssen. Das Zentrum der numinosen Sphäre hat nicht nur Gestalt und Namen, sondern vor allem strikte Lokalisierung, die für die Richtungnahme beim Gebet an jedem Ort der Welt von Wichtigkeit ist.

Es wird zu wenig daran gedacht, was solche Lokalisierung für die zunächst diffuse Qualität des Numinosen bedeutet. Das Heilige ist die primäre Auslegung jener unbestimmten Mächtigkeit, die kraft des einfachen Umstandes angenommen und empfunden wird, daß der Mensch nicht Herr seines Schicksals, seiner Lebenszeit, seiner Lebensumstände ist. In diesem Sinne der primären Auslegung unbestimmter Mächtigkeit sind Ritus und Mythos immer sekundäre Auslegungen. Mag auch die nochmalige Interpretation von Mythen ihrerseits ›sekundär‹ genannt werden als ›sekundäre Rationalisierung‹ – als Rationalisierung liegt sie nicht eindeutig und notwendig, aber doch in der Richtung dessen, was schon die primäre Auslegung unbestimmter Mächtigkeit geleistet hatte. Vernunft bedeutet eben, mit etwas – im Grenzfall: mit der Welt – fertig werden zu können. Wenn das Numinose primäre Auslegung gewesen sein sollte, so ist es doch bereits Auslegung und nicht das selbst, welches ausgelegt wird. Aber wir besitzen keine andere Wirklichkeit, als die von uns ausgelegte. Wirklich ist sie nur als elementarer Modus ihrer Auslegung im Kontrast zu dem, was von ihr als ›unwirklich‹ ausgeschlossen wird.

Nun wird die Qualität des Numinosen nicht nur abgebaut und

nivelliert. Sie wird auch nach einem Konzept, welches sie mit dem Polytheismus gemeinsam hat, Gegenständen, Personen, Richtungen zugeteilt. Das ursprünglich Diffuse bekommt eine markante Distribution. Nicht zufällig hat sich die phänomenologische Religionswissenschaft an der Institution des Tabu orientiert. Hier wird die numinose Qualität zur Sicherung von Geboten und Verboten, geschützter Bezirke, bestimmter Rechte und Vorrechte. Das Zeichen des ursprünglich und unwillkürlich Entsetzlichen wird auf das zur Teilnahme an dieser Qualität Bestimmte übertragen. Der Mysterienkult etwa imitiert sorgfältig die Qualität des Unbekannten, sogar die des normalerweise Unerlaubten, für den Eingeweihten einmalig aber Erlaubten.

Während die Abbaufunktion sich auf das ursprünglich und unwillkürlich Unheimliche bezieht, betrifft die der Übertragung und Simulation das, was von sich aus diese Qualität gar nicht hat oder gewinnen kann, wie die Auszeichnung priesterlicher Personen, Häuptlinge und Schamanen. Wir haben diese zweite Qualität am ehesten mit dem Ausdruck ›Sanktion‹ bezeichnet als das, was auf dem Eid liegt, nicht nur als einer religiös verwurzelten Institution, sondern als Rechtfertigung der besonders hohen Strafen, die auf Verletzung des Instituts stehen oder mit denen beeidigte Personen belegt werden können, wenn sie aus der dadurch definierten und geschützten Rolle herausfallen, etwa als Sachverständige, Beamte, Soldaten. Der Offenbarungseid geht bis zur Zumutung der Aussage zum eigenen Nachteil und Schaden. Aber die Simulation besteht nur noch in der Rechtfertigung der Höhe der Strafen, die auf den Falscheid zu legen der Gesetzgeber sich legitimiert weiß.

Ernst Cassirer hat den Übergang des numinosen Erlebnisses in die geregelte Institution mit einer Mythe belegt, die bei den Eweern erzählt wurde: *Bei Ankunft der ersten Ansiedler von Anvo soll ein Mann im Busche vor einem großen dicken Affenbrotbaum gestanden haben. Beim Anblick dieses Baumes erschrak er. Er ging daher zu einem Priester, um sich diesen Vorgang deuten zu lassen. Er bekam zur Antwort, daß jener Affenbrotbaum ein trô sei, der bei ihm wohnen und von ihm verehrt sein wolle.*[5] Die Angst sei also das Merkmal gewesen, an dem der Mann erkannt habe, daß sich

5 E. Cassirer, Philosophie der symbolischen Formen III. Darmstadt 1954 (¹Berlin 1929), 106 (nach Spieth, Die Religion der Eweer. Leipzig 1911, 7 f.).

ihm ein solcher *trô*-Dämon geoffenbart habe. Nur schiebt diese Erzählung zwei Zeitstufen zum Anachronismus ineinander: das Erschrecken vor dem Anblick des Baumes ist schon mit dem Wissen verbunden, was man bei einer derartigen Erfahrung zu tun und an wen man sich zu wenden hat; die Depotenzierung ist institutionell bereits geregelt.

Man wird das nicht als puren Primitivismus bezeichnen dürfen. Es ist auch ein Phänomen der Delegation, daß man jemand fragt, was zu tun sei, sich Rat holt, obwohl eine solche Situation für uns den Charakter einer höchst individuellen Ratlosigkeit hätte. Diese Religionsstiftungsmythe setzt ganz unbefangen den Bestand des Priestertums vor dem Augenblick der Entstehung des Kults voraus, macht also die Voraussetzung der aufklärerischen Religionskritik mit, die Priester seien die Erfinder der Religionen gewesen. Das Erschrecken vor dem Affenbrotbaum ist deshalb ein schon zulässig gewordenes, weil im voraus institutionell aufgefangenes Ereignis. Es hat als solches seine subjektive Verwirrungsfunktion verloren. Die Stellung des Priesters im Prozeß der Kultivierung wird deutlich: Er ist zwar kein Kulturheros, der durch eine große Tat das Leben der Menschen ermöglicht oder verbessert, aber doch nach diesem mythischen Typus aufgefaßt. Wenn er auch nur weiß, was jeweils zu tun ist, ein Wissen hat, dessen Stichhaltigkeit darin besteht, daß niemand kommen kann, der an ihm ›Kritik‹ übt.

Es ist kein Sprung, wenn die großen Säuberungen der Erde von Ungeheuern, wie sie durch den Mythenkreis des Herakles veranschaulicht werden, diesem schlichten Vorgang an die Seite gestellt werden. Der Schreck des Eweers vor dem Affenbrotbaum, der dem Hörer der Mythe kaum noch verständlich wird, kondensiert sich gleichsam in den Vorstellungen von jenen Monstren, die wie der Gestalt gewordene Schrecken der Frühzeit die Erde nur deshalb nicht mehr unsicher machen, weil es da jemand gegeben hat, der ihnen den Garaus machte. Die Stellung dieser Ungeheuer im System der mythischen Genealogie ist oft unbestimmt; sie sind nicht durchweg selbst göttlich, aber doch den Göttern benachbart. Die Medusa im Ungeheuerkatalog des Hesiod ist unter den Gorgonen, obwohl herstammend von unsterblichen Eltern, ihrerseits sterblich. Nur so erlaubt sie, den Schrecken in Reinkultur und doch als überwindbar zu figuralisieren. Ovid läßt in der Erzählung des Perseus die Schrecken der Gorgo dahin steigern, daß noch das Schlangenhaar des abgeschlagenen Hauptes am Schild der Minerva zum Verderben ihrer Feinde wird: *nunc quoque, ut attonitos formidine terreat hostes,/pectore in adverso quos fecit, sustinet angues.* Die Einbeziehung solcher Prototypen des Schrecklichen in die Plastik und Vasenbildnerei ist der letzte Schritt, das in der Geschichte Überwundene auch zu zeigen. Die Medusa wird mit einem Gesichtsausdruck leidender Schönheit erst ab 300 v. Chr. bildlich dargestellt. Doch muß der Kommentator des Hesiod eine schöne intellektuelle Anstrengung machen, die Differenz zwischen der erzählten Schrecklichkeit und der dargestellten Schönheit begreiflich werden zu lassen: *Die Vorstellung, daß Schönheit bis zum Tödlichen gehen, und umgekehrt, daß Tödliches schön sein kann, mag bei dieser Konzeption mitwirken; denn die furchtbare Wirkung des Gorgohauptes kann doch nicht ganz vergessen sein.*[6]

Andererseits: Der Pegasos, das blitztragende Pferd des Zeus und damit Funktionär seines Schreckens, ist in der Antike noch nirgendwo zum Träger des Dichters und seiner Phantasie geworden. Die bildliche Darstellung kann nie mitkommen mit der Großzügigkeit des Erzählers; sie reduziert die fünfzig Mäuler des Kerberos auf zwei bis drei. Es kann im Bild nichts so schrecklich sein wie in Worten. Sphinxe und Sirenen sind erst spät ästhetisiert. Ursprünglich ist nicht Vernichtung durch den Furchtlosen, sondern Selbstvernichtung durch die erste Erfahrung der Wirkungslosigkeit: bei dem Sphinx, sobald ein Mensch seinem Zauber widersteht, bei den Sirenen, sobald ihr Gesang seine Wirkung nicht mehr tut.

Immer aber blickt durch, daß dies nur noch Nachhutgefechte der Weltentscheidung gegen die Schreckgestalten sind. Es war Zeus selbst, der den von der Erde geborenen furchtbaren Typhaon, den Sohn des Tartaros mit der Gaia, besiegte und ihn an der durch seine Herkunft verbürgten Weltherrschaft hinderte. Nur im weltentscheidenden Stil ist das Aufräumen unter den Ungeheuern Sache des Gottes. Sonst eher die seiner potentiellen Nachfolger: Herakles ist noch entfernt als Bedrohung der Herrschaft des Zeus erkennbar, wenn er mit einer seiner Tötungen ganz nahe an den Hoheitsbereich des Vaters herankommt, den heiligen Adler

6 W. Marg, Erläuterungen zur Übersetzung der »Theogonie« des Hesiod, Zürich 1970, 155.

erlegt, den Zeus dem Prometheus zur ständigen Pein ausschickt. Es ist spätere Harmonisierung, daß dies mit der Einwilligung des Zeus geschehen sei. Ursprünglich ist Herakles in dieser Situation schon der Gleichstarke, dicht daran, Zeus selbst abzulösen.

Poesie oder Schrecken als Ursprungswirklichkeit des Mythos – diese Antithese beruht auf rückwärtigen Projektionen: Musen, Nymphen, Dryaden als anheimelnde und erhebende Beseelungen der Natur, der Landschaft, lenken den Blick auf eine freie und anmutige Ausgangssituation; die Gorgo Medusa, Harpyen und Erinnyen lassen auf ein gepeinigtes Bewußtsein von Wirklichkeit und von der Lage des Menschen in ihr zurückschließen. Beide Projektionen setzen voraus, daß Spätformen da sind – nicht nur übriggeblieben wie vorgeschichtliches Gerät –, um jene projektiven Vermutungen über Anfänge auszulösen, zu stützen, vor allem unsere Anteilnahme zu motivieren. Unabhängig von Vermutungen über die Zeitenferne muß also eine philosophische Mythologie sich an der Frage erproben, ob sie die Wirksamkeit und Wirkungsmächtigkeit mythischer Elemente, archaischer wie etwa neu sich formierender, begreiflich machen kann. Die Schwäche der traditionellen Mythologien, insofern sie Aussagen über Mythologien als Systeme von Mythen sind, scheint mir zu sein, daß sie den Zusammenhang zwischen der dokumentierbaren Geschichte der Mythologeme und ihrer vor aller Geschichte liegenden Ursprünglichkeit abschneiden, weil sie den Mythos aus geschichtsphilosophischen Gründen einer ›Epoche‹ so endgültig zugeteilt haben, daß alles weitere nur noch eine Spezialität der Literatur- und Kunstgeschichte sein kann. Die Identifizierung des Mythos mit ›seiner‹ vorweltlichen Epoche legt den Akzent der Theorie auf die uns unzugängliche und daher der Spekulation ausgelieferte Ursprungsfrage.

Nur unter Beachtung der Geschichte des Mythos, sofern sie unvorweltlich ist, wird die uns naheliegende Frage angehbar, worin überhaupt die Disposition für mythische Vorstellungsweisen besteht und weshalb sie mit theoretischen, dogmatischen und mystischen Vorstellungsweisen nicht nur konkurrieren können, sondern durch deren Bedürfnisweckung gerade erst in ihrer Attraktion angehoben werden. Niemand wird behaupten wollen, der Mythos habe bessere Argumente als Wissenschaft; niemand wird behaupten wollen, der Mythos habe Blutzeugen wie das Dogma und das Ideologem oder er habe die Intensität der Erfahrung, von der die Mystik spricht. Trotzdem hat er etwas zu bieten, was auch bei verminderten Ansprüchen an Zuverlässigkeit, Gewißheit, Glauben, Realismus, Intersubjektivität noch Befriedigung intelligenter Erwartungen ausmacht. Die Qualität, auf der dies beruht, läßt sich mit dem von Dilthey hergenommenen Ausdruck ›Bedeutsamkeit‹ belegen.

Erich Rothacker hat einen ›Satz der Bedeutsamkeit‹ aufgestellt. Er besagt, daß in der geschichtlichen Kulturwelt des Menschen die Dinge andere Wertigkeiten für Aufmerksamkeit und Lebensdistanz besitzen, als in der objektiven Gegenstandswelt der exakten Wissenschaften, deren subjektive Wertbesetzung von thematisierten Phänomenen der Norm und Tendenz nach auf Null geht. Mag solche Indifferenz für den analytischen Betrachter nirgendwo historisch oder biographisch realisiert worden sein, so gehört sie doch zum Ideal der theoretischen Einstellung. Indifferenz kann das theoretische Subjekt nur anstreben, weil es nicht mit dem individuellen Subjekt und seiner Endlichkeit identisch ist, sondern Integrationsformen in einem offenen Zeithorizont ausgebildet hat. Bedeutsamkeit ist bezogen auf Endlichkeit. Sie entsteht unter dem Diktat des Verzichts auf das *Vogliamo tutto*, das der geheime Antrieb zum Unmöglichen bleibt.

Ihr Grenzfall – oder schon der Fall der Überschreitung ihrer Grenze – ist das gute alte ›Geschmacksurteil‹, das die reine Subjektivität seines Ursprungs verbindet mit dem Streitausschluß des erhobenen und nie sich erfüllenden objektiven Anspruchs. Wer ein Kunstwerk schön findet, wird jedem anderen ansinnen, dieses Urteil zu teilen, obwohl er wissen kann und weiß, daß diesem Ansinnen nur kontingenter Erfolg zuteil wird. Diese Art der Objektivität ist Ausdruck der subjektiven Evidenz, also der Unüberbietbarkeit der ästhetischen Festlegung. In der Bedeutsamkeit kann die subjektive Komponente zwar größer sein als die objektive, die objektive aber nie auf Null zurückgehen. Als ausgedachte Wertigkeit müßte Bedeutsamkeit zerfallen. Das ist selbst für das Phänomen des simulierten Neumythos entscheidend wichtig; wo er auftritt, bedient er sich der etablierten Formulare der Beschaffung von objektiver Begründung, zieht seine Gebilde mit mehr oder weniger ritualisierter Wissenschaftlichkeit auf, wie es etwa Chamberlain,

Klages oder Alfred Rosenberg getan haben, vor ihnen vielleicht am deutlichsten Bachofen. Bedeutsamkeit muß also einen eigenen Wirklichkeitsbezug, ein Fundament von Wirklichkeitsrang, haben. Wirklichkeitsrang bedeutet nicht den empirischen Nachweis; an seine Stelle kann Selbstverständlichkeit, Vertrautheit, archaische Weltzugehörigkeit treten. Auch wenn zur Geschichte des Prometheus noch ein Stück über seine Rückkehr aus dem Kaukasus und seinen Altersunterschlupf bei den Athenern hinzuerfunden wird, beruht dies auf der Fraglosigkeit der Figur, die eben nicht als erfunden empfunden wird.

Bedeutsamkeit gehört zu den Begriffen, die sich erläutern, aber nicht im strikten Sinne definieren lassen. Heidegger hat sie, zusammen mit der Bewandtnis, der Weltlichkeit der Welt zugeordnet. Damit dem Verband des In-der-Welt-Seins, aus dem Gegenstände als vorhandene mit ihren Eigenschaften erst herausgelöst werden müssen, um ihnen ein subjektiv enteignetes Interesse der Theorie entgegenbringen zu können. Die Ausstattung mit Bedeutsamkeit ist ein der Willkür entzogener Vorgang. Auch wenn gilt, daß der Mensch die Geschichte macht, so macht er doch wenigstens eine ihrer Nebenwirkungen nicht, die in der ›Aufladung‹ von Bestandsstücken der menschlichen Welt mit Bedeutsamkeit besteht. Was auch immer sie erwecken mag: Ehrfurcht, Staunen, Begeisterung, Ablehnung im Grad ihrer Heftigkeit und als argumentativ unbelegbare *damnatio memoriae*, angestrengte Ausstoßung aus dem Gemeinbewußtsein, museale Verwahrung, beamtete Konservierung – dies alles sind Umgangsformen mit dem Bedeutsamen, die sich unterscheiden von der obligaten Gleichmäßigkeit, mit der Wissenschaften ihre Gegenstände verwalten und rubrizieren. Goethe hat das *geprägte Form*, die *lebend sich entwickelt*, genannt, und Jacob Burckhardt hat, ihm folgend, vom *Königsrecht der geprägten Form* gesprochen. Dazu gehört alles, was Prägnanz im Gegensatz zu Indifferenz, aber auch zur erschlagenden Evidenz etwa des mystischen Aktes, besitzt. Wie zum ästhetischen Gegenstand gehört zu der Bestimmung der Bedeutsamkeit das Heraustreten aus dem diffusen Umfeld der Wahrscheinlichkeiten. Geschichte arbeitet, wie Leben, gegen das Anwachsen der Bestimmung eines Zustands durch Wahrscheinlichkeit an, gegen den ›Todestrieb‹ als den Konvergenzpunkt der Nivellierung. Die Resultate und Artefakte der Geschichte

wirken wie Einfälle, die man keinem Gehirn zugetraut hätte.
Prägnanz ist Widerstand gegen verwischende, Diffusion begünstigende Faktoren; Widerstand gegen die Zeit zumal, die doch in
Verdacht steht, durch Alterung Prägnanz hervorbringen zu können. Da deutet sich ein Widerspruch, zumindest eine Schwierigkeit
an.

Ich will die Schwierigkeit an dem Vergleich erläutern, mit dem
Rothacker das Verhältnis von Prägnanz und Zeit plausibel zu
machen sucht: *Die geprägten Formen haben eine ganz eigenartige
Festigkeit, Starre. Die Prägung verwischt sich nicht so leicht. Sind
die geprägten Formen einmal da, dann lassen sie sich schwer verändern ... Ihr Geprägtsein und gar ihre dazukommende Ver-
sinnlichung hat eine konservierende Wirkung. Dank dieser stehen
sie fest im zeitlichen Fluß, so wie Steine einfach das Vergehen der
Zeit überdauern. Steine, über die der Wildbach fließt, stehen, sie
sind da. Das Wasser fließt, der Stein steht. Die Steine können zwar
vom Wasser abgeschliffen werden, aber das dauert ziemlich lang,
sie können vielleicht auch weiter geschwemmt werden, vielleicht
auch von mitrollenden Felsen getroffen werden und verletzt werden, aber sie haben Dauer in der Zeit.*[7] Rothacker schwächt zwar
sogleich ab, das Bild vom Stein und dem Wildbach übertreibe etwas
die Dauer der geprägten Formen: so fest wie Steine seien sie nicht,
nur viel fester als die Sandburgen, die die Sommerfrischler am
Meeresstrand errichten.

Aber das Bild ist nicht nur zu stark, es ist durchaus falsch. Zeit
schleift die Prägnanzen nicht ab, sie holt aus ihnen heraus, ohne daß
man hinzufügen dürfte: ›was darin ist‹. Das gilt für den Mythos
am wenigsten von Erweiterungen. Als Albert Camus von Sisyphos
sagte, man müsse ihn sich glücklich vorstellen, war die Änderung
des Vorzeichens die Vermehrung der Sichtbarkeit des Potentials der
Mythe. Als Paul Valéry am Faust ›berichtigte‹, wir könnten nur
noch den einst Verführten als Verführer des Mephisto vorstellen,
wurde etwas wahrnehmbar, was schlechthin nicht dazuerfunden
sein konnte, sondern in der Inferiorisierung der klassischen Dämo-
nengestalt unaufhaltsam heranrückte. Diese Figuren haben selbst
ihre neuzeitliche Geschichte, und Valéry wollte erzwingen, sie ein
letztes Mal erzählt zu haben. Aber die Konfiguration, die sich in

7 E. Rothacker, Philosophische Anthropologie. Bonn 1964, 95 f.

vier Jahrhunderten aufgetürmt hat, hat nur abermals an Dimension gewonnen. Von Verschleifung durch die Zeit ist da nichts.
Das setzte ja auch voraus, daß alle Profiltiefe am Anfang ausgedacht und eingelegt wäre.

Man kann fragen, welches die Wirkungsmittel sind, mit denen die
Bedeutsamkeit ›arbeitet‹, mit denen an der Bedeutsamkeit gearbeitet wird. Wenn ich aufzähle, so nicht mit dem Anspruch auf
Vollständigkeit. Aber einige lassen sich für alle, auch für die weniger verbreiteten und erfolgreichen, nennen: Gleichzeitigkeit, latente
Identität, Kreisschlüssigkeit, Wiederkehr des Gleichen, Reziprozi-
tät von Widerstand und Daseinssteigerung, Isolierung des Reali-
tätsgrades bis zur Ausschließlichkeit gegen jede konkurrierende
Realität.

Für latente Identität bedarf es vielleicht des umständlicheren
Belegs, der zudem auch das Moment der Kreisschlüssigkeit auf
subtile Weise vorführt. Dabei ist unvermeidlich, daß wir anstelle
archaischer Befunde zeitlich Näherliegendes, nicht dem Zeitalter
nach Mythisches, aber doch auf dessen Qualitäten Tendierendes
akzeptieren müssen – also immer *auch* Nachweise dafür, daß dieses
Phänomen nicht mit dem Ausruf des Protophilosophen, nun sei
alles voll von Göttern, beendet sein konnte.

Am 17. Dezember 1791 wird in Weimar Goethes Schauspiel »Der
Groß-Cophta« uraufgeführt. Der Stoff war jener *famosen Hals-
bandgeschichte* des Jahres 1785 entnommen, die den Scharlatan
Cagliostro und die Königin Marie Antoinette in so anrüchige Ver-
bindung brachte, daß sich für Goethes Blick zum ersten Mal der
Abgrund der kommenden Revolution geöffnet und ihn in ein seiner
Umwelt unverständliches wahnhaftes Verhalten getrieben hatte.
Dennoch sollte aus der Affäre zunächst das Libretto einer Opera
Buffa werden, *zu welchem Zweck sie eigentlich geschehen zu sein
scheint*, wie er am 14. August 1787 aus Rom an den Zürcher Kom-
ponisten Kayser schreibt.

Ein Vierteljahr nach der Uraufführung, am 23. März 1792, erzählt Goethe der bei der Herzoginmutter tagenden Freitagsgesellschaft von seinem Erlebnis auf der Italienreise fünf Jahre zuvor,
die Familie des Gauklers Cagliostro ausfindig zu machen. Er hat
im zweiten Teil der »Italienischen Reise« diese Episode mitgeteilt
und sich 1817 auf die zwischenzeitliche Veröffentlichung der Akten

des römischen Prozesses gegen Cagliostro berufen. Aus dieser rück-
schauenden Bemerkung ist Scheu zu spüren, die Verbindung der so
verhängnisvoll in die Geschichte eingegangenen Gestalt mit der
schlichten Familie in Palermo bloßzustellen, die durch ihn nicht
ohne peinliche Mittel der List und Täuschung inszeniert worden
war: ... *jetzt, nachdem die ganze Sache geendigt und außer Streit
gesetzt ist, kann ich es über mich gewinnen, zu Komplettierung der
Akten dasjenige, was mir bekannt ist, mitzuteilen.*[8] Von dieser
Verflechtung mit dem Hintergrund der verhaßten Revolution vor
ihrem Ausbruch, der letzten Zeit des Glücks in Italien, zu berichten, war eine Möglichkeit, die erst der Untergang Napoleons
freigegeben haben mochte.

Von Goethes erster Erzählung im vertraulichen Kreis der Freitagsgesellschaft, ein Vierteljahrhundert vor der Veröffentlichung, haben
wir den Bericht von Karl August Böttiger, der am Ende die kleine,
hier aber entscheidende Erweiterung des Bestandes enthält.[9] Bei
seinem Aufenthalt in Palermo 1787 hatte Goethe erfahren, daß
dort die Familie Cagliostros in kümmerlichsten Umständen lebte.
Der französische Hof hatte im Verlauf des Prozesses Ermittlungen
nach der Herkunft des Abenteurers angestellt, und Goethe konnte
den Advokaten ausforschen, der diese betrieben hatte. Er ließ sich
bei Mutter und Schwester als Engländer einführen, der genaue
Nachricht von der Befreiung Cagliostros aus der Bastille und von
seinem geglückten Ausweichen nach England überbringen konnte.
Die Schwester, eine arme Witwe mit drei erwachsenen Kindern,
erzählt nun, wie es sie gekränkt habe, daß der prächtige Bruder bei
seinem letzten Abflug in die große Welt sich bei ihr dreizehn
Dukaten (im späteren Text der »Italienischen Reise«: vierzehn
Unzen) geliehen, um seine versetzten Sachen auszulösen, und bis
dato die Schuld nicht beglichen hätte. Goethes Reisekasse erlaubt
ihm nicht, den kleinen Betrag sogleich unter dem Vorwand gutzumachen, er werde sich das Geld in England von dem Bruder
schon zurückholen.

Der Berichterstatter fügt dem hinzu, es sei, was damals nicht
geschehen konnte, nach der Rückkehr von Weimar aus getan

8 Goethe, Italienische Reise. Zweiter Teil. Palermo 13. und 14. April 1787
(Werke, ed. E. Beutler, XI 281).
9 Karl August Böttiger, Literarische Zustände und Zeitgenossen. Leipzig 1838
(Ndr. Frankfurt 1972), I 42-46.

worden. Goethe ließ das Geld durch einen englischen Kaufmann in
Palermo der Familie übergeben, und die Bedachte meinte, es sei
wirklich durch den Fremden in England von ihrem Bruder ein-
getrieben. Das Geld kam zum Weihnachtsfest an, und Mutter wie
Schwester ließen das Jesuskind die Herzensrührung bei dem Flüchtigen bewirkt haben. Dies steht in dem Dankbrief, den beide an
Cagliostro richteten und der über den Mittelsmann in Goethes
Hand kam. Er las ihn zusammen mit dem anderen, von ihm nicht
bestellten Brief der Mutter an den Sohn der Versammlung vor. Als
dem Meistergauner des Jahrhunderts schließlich in Rom der Prozeß
gemacht wird, kann Goethe die Unterstützung der Familie nicht
ohne Aufdeckung der Wahrheit fortsetzen: *Jetzt, da sie von der
Gefangenschaft und Verurteilung ihres Verwandten unterrichtet
sind, bleibt mir noch übrig, zu ihrer Aufklärung und zu ihrem
Troste etwas zu tun. Ich habe noch eine Summe für sie in Händen,
die ich ihnen überschicken und zugleich das wahre Verhältnis
anzeigen will.* Böttiger gibt die Vermutung weiter, die einer aus
der Freitagsgesellschaft geäußert habe, es sei dies das Honorar, welches Goethe von dem Verleger Unger in Berlin für den »Groß-
Cophta« erhalten hatte. Böttiger schließt sich dem mit den Worten
an, dies sei ihm auch aus anderen Gründen wahrscheinlich: ... *und
so wäre es in der Tat höchst sonderbar, daß eine Summe Geldes,
die durch ein Schauspiel erworben wurde, das Cagliostros Betrügereien und stirnlose Frechheit geißelt, dieses nämlichen Cagliostros
alter Mutter und hilfloser Schwester in Palermo zur Erquickung
gereicht, und daß Beides Ein und Derselbe Deutsche that.*
Offenbar ist die latente Identität des Geldes für die biographische
oder realistische Betrachtung dessen, was Goethe selbst mit einem
seiner Ausdrücke für ›Bedeutsamkeit‹ *ein sonderbares Abenteuer*
nennt, belanglos. Die subjektive Gewichtigkeit der Geschichte, die
an den Ahnungen von 1785 hängt, konnten seine Zuhörer nicht
kennen. Für sie gewinnt sie ihre Bedeutsamkeit durch die Schließung des Kreises, auf welchem durch Metamorphosen hindurch
nach Palermo zurückkehrt, was von dort ausgegangen war. Womit
nicht nur die Skrupellosigkeit des Giuseppe Balsamo gegen Mutter
und Schwester gutgemacht, sondern der Nebenertrag des großen
weltgeschichtlichen Skandals an seinen Folgen vorbei über den
Dichter in den ärmlichen Winkel Siziliens zurückerstattet wird.

In diesem selben Jahr seiner Weimarer Freitagserzählung kommt
Goethe durch die Kampagne in Frankreich in Berührung mit der
Hauptlinie der Geschichte, dem, was nach nur sieben Jahren aus
der Halsbandaffäre geworden war. In der Schilderung der Kampagne unterläßt er denn auch nicht, für sein Erschrecken zum
stärksten mythischen Ausdruck zu greifen und zugleich seine Form
der Bewältigung dafür anzugeben: *Schon im Jahre 1785 erschreckte
mich die Halsbandsgeschichte wie das Haupt der Gorgone ... und
alle Folgeschritte von dieser Zeit an bestätigten leider allzusehr
die furchtbaren Ahnungen. Ich trug sie mit mir nach Italien und
brachte sie noch geschärfter wieder zurück.* Er habe gerade den
»Tasso« noch abgeschlossen, dann habe *die weltgeschichtliche Gegenwart* seinen Geist völlig eingenommen. In dieser Lage sich Trost
und Unterhaltung zu verschaffen, suchte er in der Form der komischen Oper, die ihm schon seit längerer Zeit vorgeschwebt hatte,
diesem Ungeheuern eine heitere Seite abzugewinnen. Die Heiterkeit mißlang, zumal auch dem Komponisten Reichardt. So wurde
daraus ein Schauspiel von starker negativer Wirkung: *Ein furcht-
barer und zugleich abgeschmackter Stoff, kühn und schonungslos
behandelt, schreckte jedermann, kein Herz klang an ...* Das Publikum war befremdet, das Verständnis gering, der Dichter sogar
von heimlicher Schadenfreude ergötzt, *wenn gewisse Menschen,
die ich dem Betrug oft genug ausgesetzt gesehen, kühnlich versicher-
ten, so grob könne man nicht betrogen werden.*[10]
Die Ausforschung des familiären Hintergrundes des Cagliostro hat
für seine Zuhörer eine andere Signifikanz als für den Berichtenden.
Ihnen genügt die Vermutung der latenten Identität der Unterstützung mit dem Honorar. Für Goethe ist da noch etwas anderes
im Spiel: die Ernüchterung seiner Beziehung zu Lavater als einem
der durch den vermeintlichen Wundermann Cagliostro Geblende-
ten, weil zum Glauben allzu Bereiten. Um die Zeit der Niederschrift des sizilischen Abschnitts der »Italienischen Reise« blickt er
schon abschließend und mit der ganzen Distanz zum Debakel auf
den Mißerfolg des Jahrhunderts der Aufklärung zurück, der sich
am Erfolg solcher Gestalten wie Cagliostro zuerst symptomatisch

10 Kampagne in Frankreich 1792. Münster November 1792 (Werke XII 418
bis 420).

dargestellt hatte. Eine der Absurditäten war, daß erst der römische Prozeß den Blendungen ein Ende setzte: *Wer hätte geglaubt, daß Rom einmal zur Aufklärung der Welt, zur völligen Entlarvung eines Betrügers so viel beitragen sollte* . . . Was da zutage gekommen war, fiel auf ein sich schon aufgeklärt dünkendes Publikum zurück. Der Auszug aus den Prozeßakten sei *ein schönes Dokument in den Händen eines jeden Vernünftigen, der es mit Verdruß ansehen mußte, daß Betrogene, Halbbetrogene und Betrüger diesen Menschen und seine Possenspiele jahrelang verehrten, sich durch die Gemeinschaft mit ihm über andere erhoben fühlten und von der Höhe ihres gläubigen Dünkels den gesunden Menschenverstand bedauerten, wo nicht geringschätzten.* Da klingt sogar Erbitterung dessen heraus, der nicht ohne Selbstbezug die Frage sogleich anschließen muß, die, immer wiederkehrend, das bohrende Moment des Anteils an geschichtlicher Schuld durch Passierenlassen formuliert: *Wer schwieg nicht gern während dieser Zeit?*[11]

Die »Kampagne in Frankreich« ist nochmals Jahre später geschrieben als die »Italienische Reise«, und nochmals ist die Beschreibung des Unbehagens gesteigert, das Goethe um jene Mitte der achtziger Jahre empfunden und später als geschichtliches Sensorium für den unmerklichen Übergang von Narrheit zum Wahn, von der Phantasie zum Verbrechen erkannt hatte: *Mit Verdruß hatte ich viele Jahre die Betrügereien kühner Phantasten und absichtlicher Schwärmer zu verwünschen Gelegenheit gehabt und mich über die unbegreifliche Verblendung vorzüglicher Menschen bei solchen frechen Zudringlichkeiten mit Widerwillen verwundert. Nun lagen die direkten und indirekten Folgen solcher Narrheiten als Verbrechen und Halbverbrechen gegen die Majestät vor mir, alle zusammen wirksam genug, um den schönsten Thron der Welt zu erschüttern.* Es war die tollste Widerlegung des vermeintlichen Erfolgs der Aufklärung, ja ihre raffinierteste Abstrafung gewesen, als Cagliostro 1781 in Paris einzog und Triumphe der albernsten Art, darunter die Beschwörung der Geister von Voltaire, Diderot und d'Alembert feierte.

Es ist unwahrscheinlich, daß in der Wirklichkeit als dem Resultat physischer Prozesse Sinnhaftes auftritt. Deshalb werden ausgeprägte

---

11 Aus den Papieren zur Italienischen Reise (Werke XI 962-966).

Formen von Unwahrscheinlichkeit zu Indikationen auf Sinnhaftigkeit. Im vertrautesten der Fälle das Natur-Schöne, dessen Verwechselbarkeit im Künstlichen, nicht im Kunst-Schönen liegt. Vielleicht ist Symmetrie das elementare Beispiel für eine dem Zufall widersprechende, auf Sinn verweisende, noch nicht ästhetische Figur. Wir empfinden das nicht mehr unmittelbar, weil wir in einer Welt der technischen Massenverteilungen leben, die uns die geballte Unwahrscheinlichkeit des Auftretens von Symmetrien verschleiert. Aber wir beachten solche Symptome noch, wenn sie in der unerwarteten Koinzidenz von Ereignissen, im Sich-Schließen eines Kreises von Lebensvorgängen oder in der latenten Identität von Sachen, Personen, ja von fiktiven Subjekten über weite Raum- oder Zeitstrecken hinweg bestehen.

In das Angebot einzuwilligen, das scheinbar Sinnlose umschließe Sinnhaftigkeit, fehlt es nirgendwo und niemals an Bereitschaft. Sie muß sich nicht bis zu der Frage formieren: Was bedeutet das? Es bedeutet schon ohne ein Was. Wenn der treulose Sohn und Bruder gerade durch seine verruchten Handlungen und dazu noch über die Vermittlung eines Dichters seine Schuldenlast abträgt, die er sicher längst vergessen hat, indem sein ganz unbeabsichtigter Eingriff in die Geschichte den Stoff zu einem Bühnenstück liefert, so ist das ein Konzentrat des Unerwartbaren und schließlich dennoch als möglich sich Ausweisenden. Das Fiktive kann diesen Sinnverweis nicht leisten; aber die Bedeutsamkeit des Mythos ist als fiktive nicht erkennbar, weil er keinen nennbaren Autor hat, von weither kommt und keine Daten in der Chronologie beansprucht.

Bedeutsamkeit entsteht sowohl durch Steigerung als auch durch Depotenzierung. Durch Steigerung als Zuschuß zu positiven Fakten, zu nackten Tatsachen, als die nicht nur rhetorische Anreicherung der Sachverhalte; durch Depotenzierung als Mäßigung des Unerträglichen, Überführung des Erschütternden zum Andringlichen und Bewegenden. Was Goethe zwischen der Wahnsinnsnähe des Blicks in den Abgrund der Halsbandaffäre von 1785, ihrer ersten Aufarbeitung in Sizilien 1787, der Versittlichung seiner Neugierde nach der Rückkehr in Weimar durch Trost für die Familie Balsamo bis hin zur Theatralisierung des Stoffes und schließlich zum späten Zurückkommen auf die Ereignisse im zweiten Teil der »Italienischen Reise« 1817 und in der »Kampagne in

Frankreich« 1824 leistete, war Depotenzierung dessen, was ihn
gefährlich erschüttert hatte. Seine Umwelt hingegen, die Zuhörer
der Freitagsgesellschaft von 1792, gewahren die Bedeutsamkeit als
Steigerung für sich genommen banaler Ereignisse durch latente
Identität und Kreisschlüssigkeit, durch eine kleine Zusatzannahme
über das Verlegerhonorar. Denn sie hatten am Ausbruch der elementaren Ängstigung nicht teilgenommen, sogar diese verständnislos beobachtet.

Bedeutsamkeit entsteht auch durch die Darstellung des Verhältnisses zwischen dem Widerstand, den die Wirklichkeit dem Leben
entgegensetzt, und der Aufbringung der Energie, die ihm gewachsen macht. Odysseus ist nicht nur deshalb eine Figur von mythischer Qualität, weil seine Rückkehr in die Heimat eine Bewegung
der Sinnrestitution ist, vorgestellt im Muster der Schließung des
Kreises, die den Ordnungstenor der Welt und des Lebens gegen
jeden Anschein von Zufall und Willkür verbürgt. Er ist es auch
deshalb, weil er die Heimkehr gegen die unglaublichsten Widerstände vollbringt, und zwar nicht nur solche äußerer Widrigkeiten,
sondern auch innerer Ablenkung und Stillstellung aller Motivationen. Die mythische Figur bringt zur imaginativen Prägnanz, was
als elementare Allgegenwart der Lebenswelt erst spät der begrifflichen Formulierung zugänglich wird: die Wertsteigerung des Ziels
einer Handlung durch die bloße Erschwerung ihres Vollzuges.

Dabei geht etwas von dem, was sich ikonisch darstellt, über in die
Affektion durch die Ikone. Nicht nur, daß wir am Mythos von
Sisyphos ergreifen, was einem einzigen seine einzige verhängte
Wirklichkeit bedeuten muß: die des den Berg emporgewälzten
und ihn stets wieder zurückrollenden Felsblocks – wir werden
auch ergriffen davon, daß wir im Bild erfassen, wofür uns der
Begriff der ›Realität‹ zu blaß und allgemein ist. Es besteht hier
darin, am Grenzfall der mythischen Unausweichlichkeit wahrzunehmen, wie etwas überhaupt daseinsbestimmend werden kann.
Georg Simmel hat das unter dem Titel ›Bedeutsamkeit‹ schon zur
Jahrhundertwende im Zusammenhang mit der Wertthematik beschrieben: *So ist es nicht deshalb schwierig, die Dinge zu erlangen,
weil sie wertvoll sind, sondern wir nennen diejenigen wertvoll, die
unserer Begehrung, sie zu erlangen, Hemmnisse entgegensetzen.
Indem dies Begehren sich gleichsam an ihnen bricht oder zur Stau-*

*ung kommt, erwächst ihnen eine Bedeutsamkeit, zu deren Aner-
kennung der ungehemmte Wille sich niemals veranlaßt gesehen
hätte.*[12] Wert ist eine funktionale Spezifikation von Bedeutsamkeit,
die auf die Objektivierung des Vergleichs und damit der Tausch-
barkeit tendiert, ohne je das subjektive Moment ganz preiszugeben,
das im ›empfundenen‹ Wert des Begehrten steckt. Sisyphos ist eine
mythische Figur der Vergeblichkeit, an der wir auch und vielleicht
erst spät erfassen konnten, was es ausmacht, nicht nur von Wirklichkeit, und nicht nur von *einer* dazu, okkupiert und besessen zu
sein, sondern eines moderaten Realismus zu genießen. Odysseus ist
eine Figur der ins Gelingen mündenden Leiden, aber gerade
deshalb der Kritik und Korrektur ausgesetzt, zuerst der Platoniker, dann auch Dantes und erst recht der modernen Verächter des
›glücklichen Ausgangs‹ als Symptoms einer womöglich ›heilen
Welt‹ – mit dem Seitenblick auf das ›Glück‹ des Sisyphos.
Schon die stoische Allegorese hat im Grunde die Heimkehr des
Odysseus verachtet und nur auf den von den äußeren Schicksalen
und den inneren Schwächen Unüberwundenen geblickt: so hatte
der Weise zu leben, auch ohne die gefällige und schwächliche Zutat
der Heimkehr. Weshalb denn auch Cato unbestreitbarer Vorbild
des Weisen sein kann als Herkules und Odysseus.[13] Dem Neupla-
toniker erscheint als den unendlichen Drangsalen des Odysseus
nicht mehr adäquat, daß er in die irdische Heimat Ithaka zurückkehrt; die Grundbewegung des Daseins ist zur Flucht aus der
irdischen Sinngebung geworden, so daß es nun eher als widersinnig
erscheint, dorthin zurückzukehren, von wo man aufgebrochen ist.
Aber dies bleibt das Bild für die Flucht dorthin, von wo eine Herkunft höheren Sinnes vorgegeben ist. So bleibt noch die Flucht
Heimkehr. Sie flieht den Schatten und sucht, was ihn wirft, um
nicht das Schicksal des Narziß zu erleiden, der das Spiegelbild auf
der Wasserfläche mit der Wirklichkeit verwechselte und so in die
Tiefe stürzte und ertrank.[14]
Um diese Korrektur an der »Odyssee« zu bewirken, macht Plotin
eine Montage mit einem Zitat aus der »Ilias«. Als Agamemnon

---

12 Simmel, Philosophie des Geldes. ³München 1920, 13.
13 Seneca, De constantia sapientis 2.
14 P. Hadot, Le Mythe de Narcisse et son interprétation par Plotin. In:
Nouvelle Revue de Psychanalyse 13, 1976, 81-108.

dazu rät, den Kampf um Troja abzubrechen, ruft er: *So laßt uns fliehen in die geliebte Heimat!* Plotin legt es dem Odysseus in den Mund, wenn er Kirke und Kalypso, hier Allegorien des schönen Scheins der Sinnenwelt, verlassen soll: *Er wars nicht zufrieden zu bleiben, obgleich er die Lust hatte, die man mit Augen sieht, und der Fülle wahrnehmbarer Schönheit genoß. Dort nämlich ist unser Vaterland, von wo wir gekommen sind, und dort ist unser Vater.*[15] Aufschlußreich ist, daß der Ausspruch nicht bei seinem authentischen Träger bleiben kann. Er muß zum Typus der höheren mythischen Prägnanz wandern. Auch dies, die für den ägyptischen Griechen Plotin nicht leicht zu nehmende Gewaltsamkeit des Homer-Zitats, ist Arbeit am Mythos: die Odysseus-Konfiguration allein, ohne Überblendung mit der Resignation vor Troja, konnte Plotin nicht instand setzen, den *Grundton seiner ganzen Philosophie* durch Verweis auf den Mythos anzugeben.[16] Das ist eben nicht nur Schmuck und nicht Berufung auf Autorität, sondern Anrufung einer gemeinsam vertrauten Instanz für die ein ›System‹ tragende menschliche Erfahrung.

Das neutestamentliche Korrelat zur Odyssee war die Parabel vom verlorenen Sohn. Auch dies ist die Geschichte eines weiträumigen Kreisschlusses, dessen ausgangsfernster Punkt durch die Worte bezeichnet ist: *Ich will zu meinem Vater gehen.* Die Parabel steht nur bei Lukas, in eben dem Evangelium, das der Gnostiker Markion zum einzigen, seinem einzigen Apostel Paulus eingehändigten, machen sollte.

Gerade diese Parabel von der Heimkehr zum ›Vater‹ konnte Markion nicht gelten lassen: sein fremder Gott rettet ihm gänzlich fremde Wesen, die Geschöpfe des Weltgotts. Der Absolutismus der Gnade, den Markion in seiner Heilsgeschichte walten läßt, hat seine rigide Reinheit eben daraus, daß nicht ein Vater sich seiner verlorenen Kinder annimmt und sie sich durch das Opfer seines Eingeborenen zurückerwirbt, sondern eine der Welt ganz und gar unverpflichtete, in epikureischer Distanz unbesorgte Gottheit sich in einem *acte gratuit* der Menschen annimmt. Es ist nicht die Her-

15 Plotin, Enneaden I 6, 8; dt. v. R. Harder. Zu Odysseus als dem metaphysischen Heimkehrer-Typus im Neuplatonismus: W. Beierwaltes, Das Problem der Erkenntnis bei Proklos. In: De Jamblique à Proclus. Entretiens sur l'Antiquité Classique XXI, Vandœuvres 1975 (Fondation Hardt), 161 A. 2.
16 W. Bröcker, Platonismus ohne Sokrates. Frankfurt 1966, 23.

stellung oder Wiederherstellung einer Sinnfigur für Welt und Leben, sondern ein Eingriff von undurchdringlicher Fremdartigkeit,
ein blutiges Rechtsgeschäft der Auslösung von Gott zu Gott. Die
Erretteten kehren nicht heim, sie brechen in eine unbekannte und
unbestimmte Ferne auf, in den dritten Himmel, den Paulus offen
gesehen hatte. Das Unbekannte ist den Weltgottkindern nur deshalb Heil, weil alles ihnen Heil sein muß, was nicht zu dieser Welt
und ihrem Kosmokrator gehört.

Was die Identitätsqualität der Heimat hätte, wird zum Inbegriff
der Abwendung. Dieselbe Perikope, die der Bibelkritiker Adolf
von Harnack als das einzige quellenkritisch nicht reduzierbare
Originalstück der neutestamentlichen Texte übrigbehalten hatte,
mußte er den von ihm bewunderten und zum Vorläufer Luthers
stilisierten Rigoristen Markion in den Abraum der judaistischen
Fälschungen fallen lassen sehen.

In der Verformung des Grundrisses der Odyssee mußte das Mittelalter noch einen Schritt weiter gehen. Hier erst recht konnte
nicht geglaubt werden, daß irdische Heimkehr das Heil des Menschen repräsentieren dürfe; der erlöste Mensch ist zu höherem
Glück bestimmt als nur zum Ausgangspunkt seines Falles zurückzukehren. Doch kommt zur Sprengung der Figur noch ein weiteres
Moment hinzu als Mangel der entscheidenden Voraussetzung einer
platonischen Ausdeutung: um die Geschichte der Seele als zyklischen Umweg, als symmetrisches Drama darzustellen, mußte ihr
Präexistenz zugeschrieben werden. Dadurch hatte der Platonismus
den Kreis noch schließen können. Der mittelalterlich gesehene
Odysseus kann das neue Heil nicht mehr, nur noch die alte Heillosigkeit repräsentieren. Bei Dante wird er zur Figur der Sinn-
losigkeit in seinem Verfallensein an die Weltneugierde.[17]

Auch wenn der Mythos, dies zu veranschaulichen, völlig entstellt
werden mußte, blieb er doch, gerade durch diese Nötigung, das
unüberbietbare Ausdrucksmittel für den beginnenden Zweifel der
Epoche an der Endgültigkeit ihres Horizonts und seiner Enge.
Indem er sich den kühnsten Abenteurer zur Figur des Inferno
wählt, wagt Dante die kühnste Variante des Mythos: er läßt
Odysseus nicht in die Heimat zurückkehren, sondern über die

17 H. Blumenberg, Der Prozeß der theoretischen Neugierde. Frankfurt 1973,
138-142.

Grenzen der bekannten Welt, über die Säulen des Herkules hinaus auf den Ozean vordringen. Dort entschwindet er dem Blick im Ungewissen, getrieben von seinem ungehemmten Wissensdrang und dem endgültigen Schiffbruch am Berg Eden, der irdisches Paradies und Purgatorium vereinen soll, preisgegeben.

Wenn Dante seinem Zeitalter den Ausdruck seiner vielleicht noch verborgenen Wünsche, mit dem Akzent ihrer Verwerflichkeit, verschaffen wollte, vermochte er dies am ehesten, indem er den Druck verspüren ließ, der die Kreisfigur des homerischen *Nostos* im Zenit des Weltabenteuers aufzubrechen nötig war. Dante sah Odysseus eher mit den Augen des Römers und der »Aeneis« Vergils. Denn es war die List des Griechen gewesen, die Trojas Zerstörung bewirkt und Aeneas auf die Fahrt nach Latium zur Gründung Roms, Neugründung Trojas in der Fremde, getrieben hatte. Dies war die römische Umformung des Heimkehr-Mythos. Sie schloß das Recht des Odysseus auf den *Nostos* im Grunde schon aus. Bei Dante endet dieses Schicksal nicht auf Ithaka, nicht einmal auf dem hohen Ozean, sondern im achten Kreis des Inferno. In der Senke der Betrüger tritt Vergil, der Erbe des Troja-Schicksals, der irrlichternden Doppelflamme Odysseus-Diomedes entgegen.

Welche Art von Odyssee war fortan noch möglich? Am 25. Dezember 1796, wiederum in der Freitagsgesellschaft, liest Goethe aus »Hermann und Dorothea«. Böttiger, an den wir uns wieder als Berichterstatter halten, schreibt dazu, die Fabel des Gedichts sei so einfach, *daß sie sich kaum auch nur erträglich erzählen läßt.*[18] Doch sei Goethe in dieser *scheinbar einfachen Alltagsgeschichte* derart *homerisch groß und neu*, daß sie ein Volksgedicht werden müsse. Der gemeinste Verstand werde es fühlen, der geübteste und gelehrteste es bewundern. Das Homerische an dem Gedicht sei, daß es *auf einer ungeheuern Basis, auf der französischen Revolution,* steht. Dabei schildere es Wirkungen, deren Umfang und Größe erst nach Jahrzehnten ganz ermessen werden könnten. *Nur durch diesen fürchterlichen und in seiner Art einzigen Länderumsturz wurde dies Gedicht möglich; und doch sieht man die Schrecknisse nur aus der Ferne, hört das Gewitter nur hinter dem Gebirge, wird nie im fröhlichsten Genusse der sichern Gegenwart gestört.*

18 K. A. Böttiger, a. a. O. I 73-75.

Der Rang der Dichtung sei nicht national, sondern menschlich. Das berechtigt Böttiger zu der größten Analogie: *Es ist die einzige Odyssee, die in unsern Tagen noch möglich schien.* Doch sieht er die Vergleichbarkeit vor allem in der Verbindung der individuellen Schicksale mit dem gewaltigen Hintergrund der Weltgeschichte, dort des Kampfes der beiden Weltteile gegeneinander, hier der Kriegsflut und Emigration im Gefolge der Revolution. Die Beziehung der zeitgenössischen Schicksalsfigur auf die des mythischen Helden beachtet Böttiger nicht. Die Kurzformel dafür könnte sein: Dorothea, der Flüchtling, findet durch die Bewerbung Hermanns in der Fremde die Heimat. Das Thema des Gedichts ist Heimkehr trotz unmöglicher Umkehr. Diese Erfüllung hatte Dante seinem doppelt schuldigen Odysseus nicht gewähren können.

Schließlich der »Ulysses« von James Joyce. Bezogen auf sein nominelles Urbild steht er, nicht nur zeitlich, sondern der Selbstzuweisung nach, am anderen Ende der Weltliteratur. Das Episodenepos ist ein Monument des Widerspruchs gegen alles, was von seinem Namengeber hergekommen war. Selbst die der »Odyssee« nachgebildeten Titel der Episoden entfielen schließlich in der Endfassung. Doch genügt, was nicht zuletzt der Unfähigkeit entsprang, die Identität einer Gestalt durchzuhalten, ungewollt dem archaischen Referenzsubjekt. Auch dieses hat keinen Einheitsgrund seiner Spontaneitäten, keine Konstanz physiognomischer Bestimmtheit, obwohl Joyce selbst sagt, was ihn immer schon fasziniert habe, sei der *Charakter des Odysseus.* Aber das Schicksal des mythischen Irrfahrers hat wenig mit seinem Charakter zu tun, es ist das Resultat der Gewaltenteilung, des Wechselspiels der Mächte, die darauf Einfluß nehmen. Joyce beschreibt seine Absicht als die, *den Mythos sub specie temporis nostri zu transponieren.*[19] Es seien nicht so sehr die Abenteuer einer Person, sondern jedes Abenteuer sei so etwas wie eine Person. Dafür findet der Kenner scholastischer Subtilität den treffendsten möglichen Vergleich, in dem er auf die Lehre des Thomas von Aquino von der Gleichheit von Individualität und Spezies bei den Engeln anspielt. Die Episoden stehen zueinander in ursprünglicher Diskontinuität und *verschmelzen erst, wenn sie lange genug beieinander existiert haben.* Das wird er über

19 An Carlo Linati, 21. September 1920 (Briefe, Frankfurter Ausgabe, 807 f.).

»Finnegans Wake« wiederholen: *Es seien keine Fragmente, sondern lebendige Elemente,* und *wenn mehr hinzukommen und sie ein bißchen älter sind, werden sie sich von selbst ineinander fügen.*[20]
Wenn Bedeutsamkeit der Indifferenz von Raum und Zeit abgerungen werden muß, tut dies Joyce, indem er den raumzeitlichen Rahmen, mit Ironie gegen den Welt- und Zeitaufwand des Homer, auf die Beliebigkeit eines exakt datierten Tages im Juni 1904 und auf die provinzielle Abgelegenheit der Stadt Dublin, des von ihm so genannten *Zentrums der Paralyse,* reduziert. Für den Leser war nicht bestimmt zu wissen, was die Kenntnis des Briefwechsels zur Minderung der Kontingenz des Datums beiträgt. Der 16. Juni 1904 ist der Tag, an dem Joyce zum ersten Mal mit Nora Barnacle, seiner späteren Frau, in Dublin spazierengeht. Sie wird den »Ulysses« niemals lesen.
Der Text schließt die, erst von philologischer Nachträglichkeit vermittelte, Mitwisserschaft des Lesers aus. Für ihn macht die Beliebigkeit des einen Tages die Bedeutsamkeit zum Rätsel. Solche Kontingenz drängt geradezu auf die Ironie des Mythischen gegenüber dem Faktischen: es könnte auch jeder andere Tag sein – und es wird jeder andere Tag sein. Diese Umkehrung restituiert die mythische Gültigkeit. Was der Autor dem Leser vorenthält, ihm als Beliebigkeit zumutet, verweist auf die im Wortsinn zu nehmende All-Täglichkeit. Zeitlosigkeit ist nicht anders mehr darstellbar als in diesem *Ein Tag wie der andere.* Davon wäre jeder das Residuum dessen, was einmal Chiffre für die Einzigkeit eines Weltabenteuers gewesen war.
Die Odyssee der Trivialität, die Leopold Bloom in dem einen Tage zurücklegt, widerlegt am Ende noch die Kreisschlüssigkeit als Sinnfigur. Seine Heimkehr ist die belangloseste und gleichgültigste aller Stationen und mündet in den inneren Monolog der Molly Bloom als deren Ausdruck von Unberührbarkeit durch diese Heimkehr. Odysseus-Bloom, schreibt Joyce am 10. Dezember 1920 an Frank Budgen, *schwärmt von Ithaka ... und wie er zurückkommt, macht's ihn fertig.* Was die Stelle der Heimat besetzt, widerlegt, was noch Heimkehr genannt wird.
Nicht einmal in ein Abenteuer der Phantasie ist die Tagestour die-

---

20 An Harriet Shaw Weaver, 20. Juli 1919 (Briefe, 726); 9. Oktober 1923 (953).

ses Odysseus gewandelt. Eine Szenerie von literarischen Anspielungen und Bezugsstiftungen, auch außerhalb der »Odysee«, umgibt Blooms Gänge und Aufenthalte. Der Schrumpfung der Zeit und der Banalisierung der Welt widersteht kein Erweiterungsbedürfnis des Helden, weder seiner Lust noch seines Überdrusses. Dieses Ich ist nicht wirklich ›ausgefahren‹ und kehrt daher auch nicht wirklich heim. Die nicht publizierten Episodentitel haben die Bemühungen der Interpreten in Gang gesetzt und gehalten, den Transformationen des Mythos auf die Spur zu kommen. Die Existenz der Erklärer stand nicht nur auf dem Spiel, sie war aufs Spiel gesetzt. Denn für sie vor allem, wenn nicht allein, war die Fülle der Beziehungen und Anspielungen ausgestreut und versteckt.

Das ist kein Einwand gegen die Größe des Werkes. Literarische Kunstwerke sind noch niemals für alle geschrieben worden, so gern jeder der erste gewesen wäre, dies zu erreichen. Der »Ulysses« muß gegen die Zumutungen der Integration und Exhaustion gelesen werden und kann dies nur von geborenen Hermeneuten. Doch ist das in einer Welt der Entlastung durch mechanische Sklaverei eine so große Gruppe, daß es sich immer mehr lohnt, nur für sie und nach ihren Zunftregeln zu schreiben. Mit Joyce beginnt eine Literatur, in der noch die Schwächen der klassischen Fertigkeiten zu dichten, zu erfinden, zu konstruieren, zu erzählen in Meisterschaft des Schreibens für Eingeweihte umgesetzt worden sind: eine Produktionsindustrie für eine Rezeptionsindustrie. Dieses professionelle Publikum hat seine Bereitschaft zu etwas, was nur unter kultischen Bedingungen in der Geschichte der Menschheit akzeptiert worden ist: zur Langeweile.

Das Seemannsgarn aus den Kneipen an der jonischen Küste war, auf Hexameter getrimmt, für den althellenischen Adel zur »Odyssee« zubereitet worden; der »Ulysses« ist aus dem Vulgärstoff der irischen Metropole erhoben und, mit literarischen Versatzstücken angereichert, an den Schreibtischadel des 20. Jahrhunderts adressiert. Joyce selbst hat wiederholt als seinen Mangel den an Phantasie deklariert. Seine Leserverhaltenserwartung war die derselben gequälten Anstrengung, die er an das Werk gewendet hatte: *Für mich ist es so schwer zu schreiben wie für meine Leser zu lesen.*[21] Und: *Ein so beschwerliches Buch hat es bestimmt noch nie*

21 An ebendiese, 25. Februar 1919 (Briefe, 712).

gegeben.[22] Das wird H. G. Wells in dem berühmt-berüchtigten Brief an Joyce vom 23. November 1928 als ein Mißverhältnis der Lasten für den Leser monieren: *Ihre letzten beiden Bücher zu schreiben war amüsanter und aufregender, als es deren Lektüre je sein wird. Nehmen Sie mich als einen typischen normalen Leser. Habe ich an diesem Werk großes Vergnügen? Nein . . .*

Dieser Sachverhalt steht hinter der gewagtesten Auslegung der modernen Odyssee, der durch Wolfgang Iser vorgeschlagenen. Er sieht den Autor als ausschließlich auf seinen Leser fixiert und mit der unendlichen Aufgabe befaßt, diesen ebenso unendlich zu beschäftigen. Nur hat Iser in der von der Theorie des implizierten Lesers getragenen Interpretation nie danach gefragt, was das für ein Zeitgenosse sein müßte, der der Konzentration des Autors entsprechen könnte.[23] Es ist kein Legitimationsentzug für das Werk, wenn man sagt, sein postulierter Leser müsse sich an eine Welt von Lektüre bei dieser schon erinnern können. Im Gegenteil: Gerade dies ist die Utopie hinter dem Werk, eine Welt zu denken, in der zunehmend die Bedingung, Leser des »Ulysses« sein zu können, erfüllt wird. Aber welcher Widerspruch: Der Autor, der den Leser für sein Leben allein okkupieren will – dazu noch für ein Leben der Schlaflosigkeit –, setzt für diese Ausschließlichkeit schon einen Lebenserwerb an Literatur zum bloßen Verständnis seiner Verrätselungen und Mystifikationen, seiner Anspielungen und Umkleidungen, voraus.

Daß der Autor seinen Leser so tyrannisch beschäftigt, bedeutet nicht, daß er ihm Genuß gestattet. Dies scheint Iser in Kauf zu nehmen. Es ist der professionelle Rezipient, den Joyce im Auge hat, was ihn nach der bei seinem Biographen R. Ellmann übermit-

22 An ebendiese, 6. Dezember 1921 (Briefe, 885).
23 W. Iser, Der Archetyp als Leerform. Erzählschablonen und Kommunikation in Joyces »Ulysses«. In: Poetik und Hermeneutik IV. München 1971, 369-408. Ders., Historische Stilformen in Joyces »Ulysses«. In: Der implizite Leser. München 1972, 276-299. – Welches auch immer der ›implizite Leser‹ für Joyce gewesen sein mag, in *einem* expliziten Fall ist er mit seinem Vorgriff gescheitert: Nora, seine Frau, hat das Buch nicht gelesen. Obwohl das für ihn ein nahezu erotisches *experimentum crucis* gewesen zu sein scheint: *O meine Liebste, wenn Du Dich doch nur jetzt zu mir kehren und das schreckliche Buch lesen wolltest . . .* (April 1922; Briefe, 900). *Wenn man »Ulysses« nicht lesen kann, kann man das Leben nicht leben*, erwiderte Joyce auf die Mitteilung, seine Tante Josephine habe gesagt, man könne das Buch nicht lesen (Zitat b. R. Ellmann, James Joyce. Dt. Zürich o. J. [1961], 521).

telten Äußerung die Professoren über Jahrhunderte mit den
Rätseln im »Ulysses« beschäftigt sehen läßt. Denn dies sei der einzige Weg, dem Autor Unsterblichkeit zu sichern. Dagegen wirkt
besänftigend, wenn nicht verharmlosend, wie Iser die Frage nach
der Intention des Autors beantwortet: sie sei auf die Einbildungskraft des Lesers gerichtet. Diese Einbildungskraft jedoch, folgt man
den Beschreibungen Isers, muß zuerst und zuletzt Arbeitskraft heißen. Sie ist von einem einzigen Antrieb beherrscht, dem des *horror
vacui.* Die zahlreichen Anspielungen des Romans zum Epos hin
gehen nicht auf, führen eher in die Irre. Für Iser sind sie Leerformen mit Besetzungssignalen, auf die der Leser sich einzulassen
hat. Aber würde er sich einlassen, wenn sie nicht ihre geprägte
Bedeutsamkeit schon hätten? Verweisen sie nicht, statt auf die
Hohlräume und Inkonsistenzen und Stilbrüche des modernen
Werks, von diesem und seiner Sinnunfähigkeit weg auf einen nicht
mehr erfüllbaren Grundriß der Sinnbestätigung?

Joyce hat aus der Ferne einer ungestillten Nostalgie die Stadt seines Vaters beschrieben und in ihr die belanglose Tagestour und
Heimkehr des Kleinbürgers Leopold Bloom. Er spricht immer auch
von deren Unverhältnismäßigkeit zu der unvollzogenen und un-
vollziehbaren Heimkehr des James Joyce. Denn Leopold Bloom
sucht nicht wie der homerische Telemach den Vater, sondern den
Sohn. Diese Inversion am Bezugsmythos will mir als der Schlüssel
zum »Ulysses« erscheinen. Gerade dann jedoch ist die Erfüllung
schon ihrer Auflösung sicher. Denn wenn Bloom den wiedergefundenen Stephen Dedalus heimgebracht hat, muß der Leser aus
dem ›inneren Monolog‹ der Molly Bloom erfahren, daß Penelope
schon auf Untreue mit dem Fremden sinnt. Wahrscheinlich ist dieser Verstoß gegen das homerische Ethos die hinterhältigste Form
der Sinnverweigerung. Ihre Ironie wird nur im Gegenzug zu der
mythischen Überhöhung des Kreisschlusses als das stechende Mißtrauen erkennbar, von dem Joyce sich durch den Zweifel an seiner
Ausschließlichkeit für Nora nach jenem 16. Juni 1904 quälen ließ,
an dem sie die Unschuld mit der Frage *Was ist das, Liebling?* gespielt hatte.

Der von Isers Theorie geschaffene und der Intention von Joyce
implantierte ›implizite Leser‹ ist die Wiederkehr des schöpferischen
Subjekts auf der anderen Seite, auf der der Rezeption. Joyce hätte

keine Geschichte mehr erzählt – gleichgültig dabei, daß er es nur deshalb nicht getan hätte, weil er es nicht konnte –, um dem Leser seine Funktion aufgehen zu lassen, sich eine aus gegebenen Determinanten zu machen. Im Falle des Erfolgs wäre diesem der Hinterhalt der Widerrufssignale schon gelegt, die Sinnverweigerung vom Heimkehrer und Heimholer Bloom auf das Subjekt der ›ästhetischen Erfahrung‹ übergesprungen? Es mag sein, daß das Zutrauen in seine kreative Potenz der richtige Trost für den ratlosen Leser ist, der sein eigener Demiurg werden zu können sich imponieren soll. Als Absicht widerspricht es allem Selbstbewußtsein von Joyce, der sich als den Schöpfer hinter seinen Gebilden sah und dies vor allen und als einziger genoß, indem er sie zum Rätsel eines künftigen, durch Sinnverweigerung um so sicherer zu gewinnenden Publikums machte. Er hatte, bei allem Spott auf den offiziellen, einen impliziten Gott, und dessen Attribut war, sich der Befragung seiner Ratschlüsse auf deren Sinn zu entziehen. Im Umkehrverfahren wurde der Autor, der sich gleichfalls nicht befragen ließ und dies durch Mystifikation und Irreführung zu verstehen gab, auf den Rang eines Gottes oder auf die Stelle des seinigen versetzt. Wir haben es mit einem Mythos des Verfassers, nicht mit dem seines Lesers zu tun. Schwer vorstellbar, daß Joyce diesen als einen anderen Gott neben sich geduldet, geschweige denn selbst installiert hätte.

Im »Porträt des Künstlers als junger Mann« diskutiert Dedalus mit Lynch Fragen über Kunst und Kunstformen: *Der Künstler, wie der Gott der Schöpfung, bleibt in oder hinter oder jenseits oder über dem Werk seiner Hände, unsichtbar, aus der Existenz hinaussublimiert, gleichgültig, und maniküt sich die Fingernägel.*[24] Was seinen Begleiter nur zu einer Bemerkung über das Mißverhältnis zwischen diesem ›Gequatsche über Schönheit und Imagination‹ und der ›jämmerlichen gottverlassenen Insel‹, auf der dies gesagt werde, animiert: *Kein Wunder, daß der Künstler in oder hinter das Werk seiner Hände retiriert ist, nachdem er dieses Land hier verbrochen hatte.* Sollte sich diese frivole Umkehrung der Künstler-Gott-Metapher auf den ästhetischen Deiculus reflektieren, der seine Impotenz am Werk dem Leser zur Nachbesserung oder gar zur

---

24 Das Porträt des Künstlers als junger Mann. Dt. v. K. Reichert (Frankfurter Ausgabe II 490 f.).

Herstellung einer Welt aus lauter Leerformen überläßt? Doch nur
gegen den Strich des *artist as a young man,* der selbst und nur
selbst sein Werk gemacht haben will, um, gleichgültig gegen seine
Qualität, hinter ihm zu verschwinden.

Daß sich die von Joyce selbst definierte Absicht, *den Mythos sub
specie temporis nostri zu transponieren,* weniger auf den Stoff als
vielmehr auf die formale Struktur des Mythos beziehen mußte,
war das Resultat des »Ulysses«. Das läßt sich schon daran erfassen,
daß er sich sogleich vom zyklischen Schema löst, seine Erneuerungs-
fähigkeit als von seinem Lebensgefühl ausgeschlossen dementiert,
indem er Giambattista Vico zum Patriarchen von »Finnegans
Wake« erhebt. Keinen anderen Sinn konnte das haben, als die
Spirale – Vicos Grundfigur der Geschichte als Zyklus und Lineari-
tät versöhnende, tastende Öffnung des endlichen Spielraums nun
auch für die Geschichte – an die Stelle des *Nostos*-Kreises zu setzen. Natürlich nehme er Vicos Spekulationen nicht wörtlich, aber
benutze seine Zyklen als Spalier.[25] Joyce hatte schon in der Trie-
ster Zeit mit der Lektüre der »Scienza nuova« begonnen, und es
ist nicht auszuschließen, daß die Auflösung des Odyssee-Musters,
die ironische Umpolung der *Nostos*-Episoden, den Druck auf die
mythische Sinnfigur anzeigt. Dennoch hat sich Joyce für die Arbeit
an »Finnegans Wake« einer Metapher für die Unverfehlbarkeit
des Schlusses bedient, der vom Tunnelbau, bei dem zwei Bohr-
trupps von entgegengesetzten Seiten sich blind vorarbeiten und
dennoch den Treffpunkt des Durchbruchs erreichen.

Das zyklische Schema war ein Grundriß des Weltvertrauens gewesen, und ist es noch dort, wo es wie ein Archaismus wieder
auftaucht. In der Kreisschlüssigkeit war Zuverlässigkeit aller Wege
und jedes, wie auch immer unter der Gewaltenteilung der Götter
erschwerten, so dennoch verzögert erfüllbaren Lebens vorgeprägt.
Noch in der Schrecklichkeit des Zurückkommens auf den unbekannten Ursprung, wie in der Ödipus-Mythe, ist das Moment der
Unverfehlbarkeit, was auf den Grundriß einer tieferen Genauigkeit
selbst als entartetes verweist. Es ist freilich die Verblendung (*atē*),
die diese Genauigkeit einhalten läßt; als Verhängnis der Götter ist
sie Organ einer hintergründigen Sinnherstellung, die nur den
solchen Verhängnissen auch Ausgesetzten als Hohn auf jeden Sinn

25 Zitat bei J. Gross, James Joyce. London 1971. Dt. München 1974, 37.

erscheint. Diogenes von Sinope, erster der Kyniker, hat dafür (nach dem Zeugnis des Dion Chrysostomos) das plausible Mißverständnis geäußert, dieser Ödipus sei nur ein Dummkopf, der mit seinen Selbstentdeckungen nicht fertig werden konnte. Vielleicht war die dem Diogenes zugeschriebene, wenn auch von Julian bezweifelte Tragödie »Ödipus« eine Parodie – denn nichts als diese bleibt übrig, wenn die Bedingungen des Ernstes vor dem mythischen Stoff hinfällig geworden sind.

Das gilt noch von der verwegensten Parodie dieses Stoffes, der aus dem tragischen Genus herausspringenden Variante in Kleists »Zerbrochenem Krug«. Tragödie wie Komödie verweisen auf denselben Grundriß, den man als Figur einer Straftheorie betrachten kann, wonach der Verbrecher seine Strafe unter dem Gebot der Vernunft selbst bestimmt und einfordert, der Richter als der bloße Mandatar dieser Vernunft fungiert. Beide, Kläger wie Verklagter, treten unter dieser Voraussetzung in *einem* Subjekt zusammen, das die Idee der Gerechtigkeit als Selbstbestrafung erfüllt.[26] Als Herrscher ist Ödipus dazu noch der Richter. Er trifft, wie der Dorfrichter Adam, auf sich selbst als den Schuldigen und muß die von ihm noch ohne dieses Wissen vertretene öffentliche Vernunft an sich vollstrecken. Die zyklische Prozeßstruktur, die der Mythos der Tragödie wie der Komödie vorgezeichnet hat, läßt beim Durchlaufen der Rundstrecke das Subjekt sich selbst gleichsam von hinten sehen – dadurch der Identifikation entzogen, bis es sich eingeholt hat.

Sigmund Freuds Affinität zum Mythos ist in mehrfacher Konzentrizität auf den mythischen Zyklus bezogen. Vielleicht schon in dem italienischen Erlebnis, das er zur Begründung seines Begriffs von ›Unheimlichkeit‹ berichtet. Das Gewicht, das er dem harmlosen Vorgang mit der späten Einrückung in das eigene Werk gibt, setzt voraus, daß der Rückkehrpunkt dieses Kreises, dieser Wiederholung des Gleichen, für ihn eine spezifische ›Bedeutsamkeit‹ hatte.

---

26 H. Deku, Selbstbestrafung. In: Archiv für Begriffsgeschichte 21, 1977, 42-58. Das Ödipus-Muster der Selbstfindung ungekannter Schuld in der mittelalterlichen Judas-, Gregorius- und Albanus-Legende: F. Ohly, Der Verfluchte und der Erwählte. Vom Leben mit der Schuld. Opladen 1976 (Rhein.-Westf. Akademie der Wiss., Vorträge G 207): die Judas-Vita vor allem ›erklärt‹ aus der Ödipus-Vorgeschichte des Apostels, wie er zu diesem biblischen Jesus-Verräter werden konnte, wenn nicht mußte, obwohl er als der Reuige zum Erwählten geworden war.

Es war eine Odyssee-Erfahrung vom Joyce-Typ. An einem einzigen Tag geriet er in einer italienischen Kleinstadt dreimal unversehens in das Revier der käuflichen Liebe, und je größer seine Bestürzung und Beeilung wurde, sich aus diesem Viertel zu lösen, um so sicherer schließt sich der Kreis. Wer anders als Freud hätte das so erlebt und die Fixierung aufs Sexuelle sich selbst mit diesem Kunstgriff des Es so eindrücklich vorspielen können? Beim dritten Mal erfaßt ihn *ein Gefühl, das ich nur als unheimlich bezeichnen kann.* Er leistet ausdrücklich den schwersten der Verzichte des Theoretikers, den auf alle weitere Neugierde, um das Gefühl einer Hilflosigkeit, die sonst dem Traumzustand eigen sei, loszuwerden.[27] Freud hat die Ambivalenz der ›Bedeutsamkeit‹ im zwanghaft-fatalen Vollzug des Kreisschlusses erkannt: das Unheimliche als die Unentrinnbarkeit, das Sinnhafte als die Unverfehlbarkeit. Das muß bei der erneuten Nennung des Ödipus beachtet werden.

Der von Freud gefundene oder erfundene Ödipus-Komplex heißt so nicht nur, weil er den Mord am Vater und den Inzest mit der Mutter auf der moderaten Stufe der Wünsche abbildet. Er heißt so auch und vor allem, weil er die unausdrückliche Heimkehr-Inklination zur Mutter gegen den zentrifugal gerichteten Realitätsanspruch des Vaters als infantile Triebregung voraussetzt. *Jedem menschlichen Neuankömmling ist die Aufgabe gestellt, den Ödipus-Komplex zu bewältigen...*[28] Mit anderen Worten: Er muß lernen, nicht heimzukehren. Nach späterer Einsicht: nicht sofort heimzukehren. Den Zugang zu diesem Komplex hatte Freud bei der Selbstanalyse gewonnen und die Zuordnung zum Mythologem des Ödipus zuerst 1897 vollzogen: *Ganz ehrlich mit sich sein, ist eine gute Übung. Ein einziger Gedanke von allgemeinem Wert ist mir aufgegangen. Ich habe die Verliebtheit in die Mutter und die Eifersucht gegen den Vater auch bei mir gefunden und halte sie jetzt für ein allgemeines Ereignis früher Kindheit ... Wenn das so ist, so versteht man die packende Macht des Königs Ödipus ... die griechische Sage greift einen Zwang auf, den jeder anerkennt, weil er dessen Existenz in sich verspürt hat. Jeder der Hörer war einmal im Keime und in der Phantasie ein solcher Ödipus und vor der hier in die Realität gezogenen Traumerfüllung schaudert jeder zurück*

27 Freud, Das Unheimliche (Werke XII 249).
28 Freud, Drei Abhandlungen zur Sexualtheorie. 1905 (Werke V 127).

mit dem ganzen Betrag der Verdrängung, der seinen infantilen Zustand von seinem heutigen trennt.[29]
Es ist keine Korrektur an Freuds Anamnesis auf das Ödipus-Mythologem, aber eine Beobachtung zu seiner Rezeptionstechnik, wenn man nicht unbeachtet läßt, wie er die mythische Figur verfehlt. Er hatte in der »Traumdeutung« erstmals seine Auffassung vom Mechanismus der Traumgenese aus zensierten Wünschen auf den Mythos übertragen. Wenn die Tragödie noch den modernen Betrachter ebenso tief zu erschüttern vermag wie die Zeitgenossen des antiken Dichters, obwohl doch Elemente und Bedingungen des Stoffes seither entfallen sind, wie die Funktion der Götter und vor allem die des Orakels, so muß solche ständige Rezeptionsbereitschaft mit der Konstanz des Substrats der Wünsche zusammenhängen. Schon der Dichter hätte den Stoff als Resultat einer Selektion vorgefunden, die jederzeit dem tabuierten Inzestwunsch zu verdanken gewesen wäre. Aber die Heraushebung dieses Elements trifft weder den Kern des Mythos noch den der Tragödie. Es ist nicht die Art der Schuld, die Ödipus mit Vatermord und Inzest unwissend auf sich lädt, was diese Konfiguration trägt, sondern die Art ihrer Aufdeckung. Allerdings sollte es das schwerste nur denkbare Vergehen sein, aber auf seine Kasuistik kam im Grunde wenig an. Die Götter verblenden den Menschen, unwissend das Ungeheuerliche zu tun, und überlassen es der Unverfehlbarkeit seines Schicksals, dies zu entdecken und nach den Regeln seiner Vernunft – einer eher öffentlichen als privaten und damit ganz von der Tat und nicht von der Gesinnung bestimmten – zu sühnen. Es ist die Vergangenheit eines Königs, was sich unheilvoll entbirgt, nicht die verhehlte Wunschunterwelt eines ›psychischen Apparats‹.
Kleist hat diese ›Öffentlichkeit‹ der Sache aufgenommen; aber es ist nicht zufällig, daß sie nur noch in der Form der Komödie möglich war, weil der nachchristliche Freiheitsbegriff die Schuld

---

29 Freud an Wilhelm Fließ, 15. Oktober 1897 (Aus den Anfängen der Psychoanalyse, 193). Am Schluß des Briefes wendet Freud die Entdeckung auf den »Hamlet« an, der auch die zyklische Grundform eines selbst seine Strafe suchenden Täters habe. – Hierzu: Karl Abraham, Traum und Mythus. Eine Studie zur Völkerpsychologie (1909). In: Psychoanalytische Studien, Frankfurt 1969, 261-323. Freud ist mit dem Ödipus-Stoff früh in Berührung gekommen, wie wir aus seiner »Selbstdarstellung« von 1925 wissen; er bekam im Abitur 33 Verse aus dem »König Ödipus« des Sophokles zu übersetzen, den er in privater Lektüre schon zuvor gelesen hatte.

einer unbewußten Handlung nicht mehr zuließ, es sei denn als öffentlichen Skandal des beamteten Rechtswalters. Daß religiöse Schuld von einem anderen Typus ist, damit konfrontiert die unter diesem Freiheitsbegriff anachronistische Erbsündenlehre; ihre Art von Schuld steht näher zu einem Begriff der ›Unreinheit‹, die sich jemand mit allen ihren Folgen zuziehen kann, ohne als Handelnder daran verschuldet zu sein.

Auch der Tragödie kommt es nur darauf an, wie sich der Mensch seinen Untergang unwissend bereiten kann. Ödipus entdeckt seine Schuld nicht in einem Prozeß der Selbstprüfung und Selbstreinigung, sondern in Befolgung seiner Amtspflicht, das Orakel zu erfüllen, welches der Stadt Theben Befreiung von der Pest für den Fall zugesichert hatte, daß der Mörder des Laios aus dem Land vertrieben würde. Nach diesem Mörder zu suchen und damit der eigenen Unreinheit auf die Spur zu kommen, ist ein politisches Verfahren, nicht eins der Selbsterkenntnis und Selbstbefreiung. Die Ungeheuerlichkeiten, die mehr an dem König Ödipus hängen als in ihm verborgen sind, haben ihre Besonderheit durch die Eignung für das formale Schema der Tragödie: jene einmalige Handlung, welche Jokaste zur Witwe macht und damit dem Mörder des Laios den Weg zur Herrschaft an ihrer Seite öffnet, begründet die Zuständlichkeit des ehelichen Glücks von Mutter und Sohn über dem Abgrund ihrer Unwissenheit, setzt es in Kontrast zum öffentlichen Unglück der Stadt, das jeder Weisung zu gehorchen zwingt, die es zu beheben verheißt.

Der königliche Inzest auf dem Thron von Theben als Mutter-Sohn-Monade restauriert für einen Augenblick die wirkliche heile Urwelt, deren lockendes Bild hinter Freuds Vorstellung von den Traumata und Versagungen der Ontogenese wie Phylogenese steht. In der »Neuen Folge der Vorlesungen zur Einführung in die Psychoanalyse« hat er noch 1932 gesagt, nur das Verhältnis zum Sohn bringe der Mutter uneingeschränkte Befriedigung und es sei *überhaupt die vollkommenste, am ehesten ambivalenzfreie aller menschlichen Beziehungen.* Es war das Orakel, es war ein Politikum, was diesem Paradies im Mythos ein Ende gemacht hatte. Vielleicht war die vollkommenste Konsequenz der Kreisschlüssigkeit des Rückkehrtriebs in der Psychoanalyse, die integrale Gestalt der Kontingenzflucht, nur in symbolischer Vollstreckung möglich.

Ferenczi hat 1924 in seinem »Versuch einer Genitaltheorie« den Sexualakt als symbolisch gelingende Rückkehr des durch den Penis vertretenen Mannes in das weibliche Genitale erklärt, also den Individualbezug des Ödipus-Komplexes in der Symbolik des Gattungsbezuges aufgehen lassen. Auch in der Konsequenz dieser Konzeption liegt, daß erst der Todestrieb die letzte Steigerung des Rückkehrwunsches ist und in ihm die physische Nicht-Identität dessen, was man den ›Rückkehrpunkt‹ nennen könnte, den reinen Ausdruck der absoluten Nicht-Kontingenz erreicht. Die alte Metapher vom Mutterschoß der Natur bekommt im System dieser Flucht- und Rückkehrtriebe eine unerwartete Lesart.

Die dem Individuum vorerst versagte, erst recht von ihm selbst sich zu versagende Rückkehr an den Ausgangspunkt und in den Urzustand muß es schließlich doch in radikalerer Gestalt vollziehen, wenn es seine exponierte Unwahrscheinlichkeit preisgibt und in den physischen ›Normalzustand‹ zurückkehrt. Es ist nur eine Partikel im Strom der großen Rückkehr, die das Leben im ganzen – als der episodische Ausnahmezustand der energetischen Entropie – durchmacht. Eben diese drohende Endgültigkeit war in der frühen Entwicklung des Prinzips der Konstanz psychischer Energie durch Freud und seiner Anwendung auf den psychischen Apparat vergessen geblieben. Modell für diesen war der offene Bogen der Reizleitung im organischen System gewesen, der Energieausgleich zwischen der afferenten und der efferenten Seite mit der ständigen Tendenz, die innere und gebundene Energie auf dem niedrigstmöglichen Niveau zu halten. Die energetische Betrachtung des Psychischen nimmt die metabolische des Physischen auf. Sie sieht die Identität des organischen Systems, unter ungeheurem Aufwand gegen alle destruktiven Wahrscheinlichkeiten gehalten, als Durchflußform von Stoff und Energie. Dieses gewagte Außenseitertum des Organischen im ganzen bildet sich nur ab in der Existenz des einzelnen jenseits des Uterus, in der riskanten Verfassung, seiner Selbsterhaltung und Selbstbestimmung überlassen zu sein – dieser exponiertesten Lage, aus der zurückzukehren nur der heimlichste aller Wünsche sein kann, weil er gegen die ›Moral‹ der Anstrengung verstößt.

Jede Theorie hat die Tendenz, sich als erweiterter Anwendung fähig zu präsentieren. So ist auch Freuds Ergänzung des Systems

der psychischen Triebe durch den Todestrieb auf dem Sprung zu
einer Kosmologie vom letzten Grad, dem der ewigen Wiederkunft
Nietzsches. Sie hat die vieldeutige Bedeutsamkeit, die jede Erweiterung begünstigt. Mit der Annäherung an die Totalität einer
Weltansicht und der Zuordnung des Psychischen zum thermodyna-
mischen Verfallszug nimmt die frühe Entdeckung vom Rückzugs-
drang des individuellen Lebens durch Freuds Selbstanalyse das
Cachet des großen Mythos an. Was er zur Grundlage seiner Auffassung des psychischen Apparats gemacht hatte, die Rückkehr des
Niveaus der Triebenergie durch Erregungsabfuhr auf den Ausgangszustand, wird als Rückkehr des Lebens, des individuellen wie
des universellen, in den Tod als das übergewichtige Vorher zur
Kreisschlußgesetzlichkeit des Universums selbst. Betrachtet man
den von Freud so genannten ›Primärvorgang‹ als die kürzeste Verbindung zwischen Erregungsreiz und freier Energieabfuhr, so ist
der ›Sekundärvorgang‹ mit seinen Bindungsformen von Energie
nochmals ein mühseliger und riskanter Umweg – wie das Leben
selbst und insgesamt in seinem Verhältnis zum anorganischen Substrat. Das optimale Niveau eines physischen Zustandes ist das
seiner geringsten Gefährdung. Für das Leben wäre es der seiner
definitiven Sicherheit – und da bleibt nur zu sagen: Das Leben,
wenn man es hinter sich hat.
Freud hat den Totalmythos nicht erfunden. Er hat ihn bei der
Befragung der Triebe auf ihren Funktionssinn gefunden, als er
schließlich zum Todestrieb kam. Den Selbsterhaltungstrieb, die
Macht- und Geltungstriebe drückte er dabei zu partieller Bedeutung herab, inkorporierte sie der Figur ›Umwege zum Tode‹.
Der neue Totalmythos macht die Evolution der organischen Welt
zu dem vordergründigen Schein, es sei eine höhere Ebene des
Weltprozesses erreicht. Doch, wie Freud sagt, es widerspräche der
konservativen Natur der Triebe, wenn ein zuvor nie realisierter
Zustand Ziel der Entwicklung wäre. Ein solches Telos des Lebens
kann nur *ein alter, ein Ausgangszustand sein, den das Leben einmal verlassen hat und zu dem es über alle Umwege der Entwicklung zurückstrebt.*[30] Es ist, was zuerst Heraklit in dem Paradox

30 Freud, Jenseits des Lustprinzips (Werke XIII 40 f.). Claude Bernard,
der die Physiologie zum Zentrum der Biologie gemacht hatte, brachte den Inbegriff seiner Einsichten in der »Définition de la vie« von 1875 auf das Paradox:

ausgesprochen hat, es sei für die Seelen Lust, zu Wasser zu werden, obwohl dies ihren Tod einschließt; bei ihm hat selbst der Gott Sehnsucht, dies nicht mehr zu sein, und wenn sie ihm erfüllt wird, entsteht die Welt – gleichsam als Abwurf der Last, ein Gott zu sein.[31] Der Todestrieb ist nicht symmetrisch und gleichrangig zum Lustprinzip, denn er macht dessen Herrschaft zur Episode. Er ist absolut, weil er die Erreichung eines Zustandes impliziert, dessen Sicherheitsgrad absolut ist, nämlich in nichts anderem besteht als darin, nicht mehr unterboten werden zu können.

Es ist nicht ein Mythos der ewigen Wiederkunft des Gleichen, sondern der endgültigen Heimkehr ins Ursprüngliche. Darin, dies zu verheißen, liegt die große Versuchung umfassender Theorien, sich an Totalitätsgewinn dem Mythos gleichzusetzen. Der Todestrieb vollendet diese Geschichte von der Geschichte, durchdringt sie mit dem Tenor von der Kontingenz des Lebens, seiner Ausnahmezuständlichkeit, und von der Umständlichkeit als seiner Grundform. Der Trieb bildet die physische Hinfälligkeit ab, in der das organische Leben zu seiner anorganischen Basis zurückkehrt. Es wird dadurch seiner Unwahrscheinlichkeit gerecht, sich nur unter der Last seines Energieaufwands für die physische Umwelt erhalten zu können. Daß sich der zweite Hauptsatz der Thermodynamik psychisch als Trieb abbildet, macht die Affinität des Psychischen zur Zirkelstruktur des Mythos aus. So ergibt sich ein gemeinsamer Quellgrund für Todestrieb und Ödipus-Komplex. Dieser ist nicht primär Rivalität in einer libidinösen Beziehung, sondern die Rückfälligkeit des Individuums auf seinen Ursprung, in den Schoß der eigenen Mutter, Umgehung des Aufwands, den Ausreifung der Individualität erfordert. So sind die von Freud in den Allgemeinbesitz zurückgeführten mythischen Hauptfiguren Repräsentanten der Bedeutsamkeit des Mythos selbst: Narziß und Ödipus. Denn auch der Narzißmus ist eine Rückwendung: Abwendung von der Realität außerhalb des Ich, Vermeidung von Trennungsaufwand und Daseinsenergie. Der Todestrieb, die Implikation der großen Mythe, reflektiert sich auf die anderen Rückkehrtendenzen des

La vie, c'est la mort – auch darin schon das Äquivalent des großen Mythos vom Labyrinth wahrnehmend: *La vie est un minotaure elle dévore l'organisme.* (La Science expérimentale. [7]Paris 1925).
31 Diels/Kranz, Fragmente der Vorsokratiker 22 B 36 und 77. Dazu: W. Bröcker, Die Geschichte der Philosophie vor Sokrates. Frankfurt 1965, 39.

Lebens, das als Redundanz des Umwegs vom Noch-nicht zum Nicht-mehr erscheint. Es ist der Inbegriff aller Schwierigkeiten, das Nicht-mehr noch nicht zu sein.

Selbsterhaltung ist dann eine Form der Verweigerung der Rückkehr zum Ursprünglichen. Denkt man an Heideggers Analyse des Daseins, die nur wenige Jahre nach Freuds Erfindung des Todestriebs gegeben wurde, so fällt die analoge Nahstellung von ›Sein zum Tode‹ und ›Schuld‹ ins Auge, dieses Gerufenwerden aus der Ferne in die Ferne als *Grundsein für ein durch ein Nicht bestimmtes Sein*. Eben diesen Zusammenhang hat Freud wiederholt in dem Spruch: *Du bist der Natur einen Tod schuldig* ausgedrückt, der ein bedeutsam verändertes Zitat aus Shakespeares »Heinrich IV« ist: *Thou owest God a death*. Freud hatte es zuerst gebraucht für den Parzentraum in der »Traumdeutung«. Die Konfiguration der drei Frauen in einer Küche, von denen eine Knödel formt, führt ihn auf eine Kindheitserinnerung zurück. Die Mutter wollte ihm beweisen, daß der Mensch aus Erde gemacht sei und wieder Erde werden müsse, indem sie die Handflächen aneinander gerieben und jene Epidermisröllchen erzeugt hatte, die auch Kinder so gern machen – dieselbe Handbewegung, die die eine der Frauen in der Küche beim Formen der Knödel macht. Der Sechsjährige, der am Rückkehrspruch der Mutter zunächst gezweifelt hatte, kapituliert vor dieser *demonstratio ad oculos: ... ich ergab mich in das, was ich später in den Worten ausgedrückt hören sollte: Du bist der Natur einen Tod schuldig.*

Wendet man Freuds Akzentuierung der Fehlleistungen auf sein Zitat an, so ist, der Natur einen Tod zu schulden, etwas anderes, als ihn Gott zu schulden. Es nimmt die Auffassung des Großen Mythos vom Dualismus der Triebe vorweg, daß das Leben der Natur den Tod als Wiederherstellung des Normalzustandes, als Restitution des ungeheuren Preises im Energieaufwand der Selbsterhaltung, schuldet.

Unter dem Primat des Todestriebs wird es zur Funktion der nachgeordneten Partialtriebe von Geltung, Macht und Selbsterhaltung, *den eigenen Todesweg des Organismus zu sichern und andere Möglichkeiten der Rückkehr zum Anorganischen als die immanenten fernzuhalten.* Wer diese Neuordnung im Reich der Triebe zuerst vor sich sah, konnte nicht verkennen, wie sich hier ›eine Geschichte‹

formierte. Bis dahin vorherrschende Grundzüge des Lebens waren
zum bloßen Vordergrund depotenziert. So hatte *das rätselhafte,
in keinen Zusammenhang einfügbare Bestreben des Organismus,
sich aller Welt zum Trotz zu behaupten,* fortan nur die Heimkehr
ins Authentische abzuschirmen. Wie auch im Mythos, wird die
Rationalität des kürzesten Weges sinnwidrig, hier zur Versuchung
gegen den Sinn des Lebens, sein Nicht-mehr zu verzögern. Rationalität würde, so paradox es klingt, zur bloßen Triebhaftigkeit.
Diese ist der Gegensatz zu einer Verweigerung, die Freud *intelli-
gentes Streben* nennt. Er selbst spricht von dem Paradox, daß der
Organismus sich gegen alle Einwirkungen und Bedrohungen verteidigt, die ihm doch dazu verhelfen könnten, jenes nicht relativier-
bare Ziel auf nächstem Wege zu erreichen.

Nicht den kürzesten Weg zu wählen, ist schon der Grundriß der
Sublimierung. Sie substituiert den Zielen der Triebenergie andere,
kulturell ausgezeichnete Zielvorstellungen. Kulturell ausgezeich-
net aber ist, was sich vom Tod dessen, der es erzeugt, ausschließt.
Deshalb erscheint uns Kultur als das Unvergängliche, das der
Mensch hervorbringt und hinterläßt, gleichgültig was aus ihm
selbst wird, ja was darin gegen ihn selbst gerichtet ist. Unter dem
Aspekt dieser kosmologischen Spekulation ist Kultur hypertrophe
Selbsterhaltung, erzwungene Asymmetrie zuungunsten des Todestriebs.

Man gewahrt unmittelbar den logischen Vorteil des so spät von
Freud konzedierten Dualismus von kompositiver und destruktiver
Energie, von Erostrieb und Todestrieb: erst jetzt läßt sich eine
Geschichte erzählen, die homogen Naturgeschichte und Kulturgeschichte ist, Kosmologie und Anthropologie in eins. Die immanente
Tendenz jeder Theorie geht auf das Einheitsprinzip, die höchste ihr
mögliche Rationalität. Freud hat erst der Abfall C. G. Jungs die
Konsequenz des energetischen Monismus vor Augen geführt. Und
noch später, nämlich in »Das Unbehagen in der Kultur«, hat er
anerkannt, daß diese Konsequenz der Identität der Libido mit
dem Begriff der Triebenergie in seiner Lehre wirklich gelegen
hatte.

Freud ist aus der Sackgasse des Einheitsprinzips entschlossen ausgebrochen, um sich die Möglichkeit einer Geschichte offen zu halten – letztlich die Möglichkeit des Großen Mythos. Kaum jemals

sonst haben wir so durchsichtig die Genese einer mythischen Regression vor uns liegen, mit der Abzeichnung all der Bedürfnisse, die der Augenblick der durch einen energetischen Monismus nahezu erfüllten Rationalität übrig gelassen hatte.

Wie Freud selbst uns die Einführung des Todes- oder Destruktionstriebs geschildert hat, war sie eine höchst obskure Spekulation, für die er das aus Analysen erhobene Material erst später auftreiben konnte. Diese Aussage hat zur Voraussetzung, daß er sich Verallgemeinerungen früherer Ergebnisse nur gestatten zu sollen meinte, sofern sie sich auf analytische Befunde zurückführen ließen. Man mag daran zweifeln, ob eine solche Spekulation jemals in der Schwebe des heuristischen Elements gehalten werden konnte. Doch besteht Freud strikt auf seinem gegen Jung verteidigten Prinzip, nicht zugunsten der phylogenetischen Vorgeschichte die individuell-kindheitliche als Leitfaden preiszugeben und jene für diese statt diese für jene einstehen zu lassen.[32] Spätestens der »Mann Moses« wird zeigen, daß es kollektive Latenzen ohne individuelle Befunde geben kann und die Speicherung einer Geschichte weder auf das subjektive Unbewußte noch auf die objektive Kultur allein angewiesen ist. Von dort her gesehen, stellt sich die Frage, ob nicht bereits das Theorem vom Todestrieb die konservative Funktion über die weiteste nur denkbare Latenz hinweg voraussetzt. Triebe können überhaupt nur konservativ sein, weil sie eine ›Geschichte‹ enthalten, *zur Wiederholung aufbewahrt* haben und nur dadurch *den täuschenden Eindruck von Kräften machen, die nach Veränderung und Fortschritt streben, während sie bloß ein altes Ziel auf alten und neuen Wegen zu erreichen trachten.*[33] Der Todestrieb ist konservativ, weil er die Geschichte des Lebens und in ihr die weitest gespannte aller Latenzen, die der Herkunft aus dem Noch-nicht der unbelebten Natur, dem Mutterschoß der Materie, magaziniert hat.

»Jenseits des Lustprinzips« enthält am Rande eine Beanstandung des Selbstmordes als der ›rationellen‹, nämlich unmittelbaren Durchsetzung des Todestriebs im Gegensatz zu ihrer ›intelligenten‹, nämlich mittelbaren und umwegigen Form. Womöglich hat Freud

---

32 Freud, Aus der Geschichte einer infantilen Neurose. 1918 (Werke XII 131).
33 Freud, Jenseits des Lustprinzips (Werke XIII 40).

an den Tod seines Schülers Victor Tausk im Juli 1919 gedacht.
Aber für diesen Fall hatte er eine andere ›Geschichte‹ in petto, die
der Triebkonversion. Sie gestattete ihm, den Vorgang so kalten
Sinnes zu betrachten, wie es ihm vorgeworfen werden sollte: Wer
sich tötet, tötet sich anstelle eines anderen, auf den sich sein Todeswunsch gerichtet hatte. Auch dies ist, wovon es bei Freud nur so
wimmelt: das Stück eines Mythos, zumindest ein Abdruck seiner
Denkform. Daß delegiert oder übernommen werden kann, Adressat
des Todeswunsches zu sein, hatte schon in Freuds Kindheitsgeschichte in bezug auf den nachgekommenen Bruder eine Rolle
gespielt. Dagegen gab es für Tausk mit seinem Abschiedsbrief an
Freud, der zu den ergreifendsten Exemplaren dieses deutschen
Genus gehört, keine Chance. Er wollte dem Meister sagen, daß in
der Wahl des Todes auch Vernunft sein kann. Es ist das Schicksal
der Mythenbesitzer, daß sie immer zu viel wissen, um glauben zu
können, es habe jemand einen von ihm selbst als *gesündeste und
anständigste Tat* seines Lebens bezeichneten Entschluß gerade so
gefaßt, wie er es bekennt.[34] Sicher hatte das Todestrieb-Theorem
seine eigene Konsequenz in der Ausbildung und Vollendung von
Freuds Totalmythos; doch mochte der Zeitpunkt, so nahe an einer
Katastrophe, in die Freud vielfältig verstrickt war, auch seinem
Trostbedarf entsprechen, dem der neue Dualismus des Trieb-
systems genügen konnte. Bei Freud nehmen Stadien seiner theoretischen Entwicklung gelegentlich die Funktion von Paratheorien
an, die ihm persönliche Niederlagen erklären oder persönliche
Beteiligungen ersparen, wenn nicht verbieten. Der Erfolg der
Freudschen Mythen beruht auch darauf, daß sie die vollkommen-
sten Leitmarken für Entschuldungsformulare sind, die seit Origenes
angeboten wurden.

Man hat hier vor sich, wie die formale Erneuerung des Mythos
– als die der Bedienung des Bedürfnisses an Bedeutsamkeit – in

34 P. Roazen, Brother Animal. The Story of Freud and Tausk. New York 1969
(dt. Hamburg 1973, 133 f.). Freuds Schüler Hanns Sachs berichtet über die Reaktion Freuds auf eine Selbstmordnachricht, vielleicht war es die über den Tod von
Tausk: *Ich sah ihn, als er die Nachricht von dem Selbstmord eines Mannes erhielt,
mit dem er jahrelang auf freundschaftlichem Fuß gestanden hatte; er war seltsam
unberührt von dem tragischen Ereignis.* (zit. a. a. O. 217) Roazen berichtet auch
über den engen zeitlichen Zusammenhang des Todes von Tausk und der Niederschrift von »Jenseits des Lustprinzips«: Freud habe das Manuskript schon im
September 1919 Freunden mitgeteilt.

einem ihrer wenigen erfolgreichen Fälle arbeitet: Sie bindet akute Erfahrungen, aktuelle Ereignisse in den Zusammenhang von Alt-vertrautheit, schafft Präfiguration, aber auch Minderung der Frei-heitsvermutung, Minderung des Zugeständnisses an Aufrichtigkeit und letzter Selbstkenntnis, indem diese unter den Schutz der unerkannten Vorgegebenheiten gerät. Selbst wo Heilung nicht mehr möglich ist, im Fall des Suizids, wird die Zurückführung der Katastrophe auf den Grundriß einer eidetischen Normalität des-sen, was ohnehin verhängt ist, dem Überlebenden hilfreich, um sich von traumatischer Betroffenheit auszuschließen. Wo es den Mythos gibt, wird die Geschichte zur Verfehlung seiner verbürgen-den Vorzeichnung. Was im Übergreifend-Gattungsmäßigen der Triebe besorgt wird, ist nicht mehr das, was in die Hand genom-men und verantwortet werden muß. Nochmals hat der älteste Imperativ, der Natur gehorsam zu sein, sich als haltbar erwiesen: als Kunstgriff der Entpflichtung, Geschichte machen zu sollen.

Der ganze Bedarf an Bedeutsamkeit beruht auf der Indifferenz von Raum und Zeit, auf der Unanwendbarkeit des Prinzips vom zureichenden Grund für Raum-Zeit-Positionen, die Leibniz zu dem ebenso verzweifelten wie kühnen Schritt getrieben hatte, bei-den die Realität abzusprechen und sie zu bloßen Ordnungsformen der Vernunft zu machen. Der Mythos läßt Indifferenzen nicht erst aufkommen. Bedeutsamkeit erlaubt eine ›Dichte‹, die Leerräume und Leerzeiten ausschließt, aber auch eine Unbestimmtheit der Da-tierung und Lokalisierung, die der Ubiquität gleichkommt.

Für den Raum kann der Mythos mit dem einfachen Mittel arbei-ten, die umstrittenen Lokalitäten von Geburten und Taten seiner Götter und Göttersöhne gleichmäßig über die Landschaft zu ver-teilen. Die eleganteste Lösung zur Vermeidung des Ärgernisses der Kontingenz seiner Heilsereignisse in Raum und Zeit hat das Chri-stentum gefunden, indem es ihnen durch den Kult Allvergegen-wärtigung verschaffte. Gegen die manifeste Willkür des Heilster-mins hatte dasselbe rückwirkend der *descensus ad inferos* geleistet. Das sind reife Produkte langen theologischen Nachsinnens, aber auch der praktischen Klugheit in der Vermeidung von Wanderun-gen ganzer Völkerschaften zum ausgezeichneten Ort, wie zur Kaaba in Mekka für den Islam. Insofern sind die Kreuzzüge, theologisch betrachtet, Anachronismen. Die dogmatische Religion, nach dem Abklingen des apokalyptischen Alarms sich im Kanon ihrer Schriften und ihres Kultes konsolidierend, muß sich mit der Indifferenz von Raum und Zeit versöhnen. Sie wird sich schließlich ihr konformieren, statt neue Bedeutsamkeiten zu schaffen.

Das Christentum hat unbegrenzte Transportfähigkeit durch Erhöhung des Abstraktionsgrades seiner Dogmatik als Entfernung vom Mythos angestrebt. Es gibt zwar den Grenzbegriff einer Weltreligion, die auf autochthone Vertrautheiten weder angewiesen ist noch zurückverweist, aber nicht den Begriff eines Weltmythos, auch nicht unter den extremen Annahmen der Vergleichbarkeit in der Kulturkreistheorie und im Strukturalismus. Diese Vergleiche sind allemal nur theoretische Analysen, denen kein Zugriff auf die Besonderheit der Namen und Geschichten gelingen kann. Der Mythos ist seiner Natur nach keiner abstrakten Dogmatik, die die lokalen und temporalen Besonderheiten hinter sich ließe, fähig. Im Gegenteil ist er gerade auf diese angelegt.

Das Christentum ist durch seine Verbindung mit der antiken Metaphysik zur einzigen Dogmatik avanciert, die bei aller vulgären Unverständlichkeit ihres Abstraktionsgrades den Rang einer Weltreligion ohne Einschränkung vertritt. Wenn es auch nicht, wie Nietzsche meinte, der antike Platonismus mit anderen Mitteln und anderen Adressaten ist, so hat es doch die Trennung vom Mythos und die Bestimmung seines rigorosen Wahrheitsanspruchs mittels präziser Formeln nur durch eine Metaphysik erlangt, die noch durch ihre Negation zur Voraussetzung derjenigen Wissenschaftsidee und theoretischen Exaktheit werden konnte, die aus der europäischen Einstellung zur Wirklichkeit praktisch und trotz aller autochthonen Widerstände die Weltuniform der Intelligenz gemacht hat.

Vor der dogmatischen Denkform mit ihrem Anspruch auf homogene Geltung im Weltraum und in der Weltzeit – also gerade mit dem, was der Platonismus kraft seiner Einführung der ›Ideen‹ als der zeitlosen und raumlosen Geltungen erfunden hatte und als dessen Imitation hinsichtlich des rigorosen Wahrheitsanspruchs man die dogmatische Denkform ansehen kann – profiliert sich die eigentümliche Differenz der mythischen ›Bedeutsamkeiten‹ als einer Strukturierung gegen die Unerträglichkeit der Indifferenz von Raum und Zeit. Entmythisierung muß daher die räumlichen und zeitlichen Auszeichnungen ungültig machen, den Vorzug der Richtungen von Oben und Unten negieren: das mythische Element einer Himmelfahrt der messianischen Figur ebenso wie die Angabe des Gerichtsortes im Tal Josaphat. Dennoch steht die Himmelfahrt, obwohl im Neuen Testament unverkennlich eine Verlegenheitslösung der durch die Auferstehung erzeugten Kontingenzprobleme, in den christlichen Glaubensbekenntnissen. Und dies nicht ohne strengen systematischen Grund. Der leibhaftig gewordene Gott kann nicht in die reine Ortlosigkeit und Zeitlosigkeit seiner Herkunft zurückkehren, wenn nicht die Dauerhaftigkeit und Endgültigkeit des Bündnisses mit der Menschennatur wieder so fraglich werden sollte wie der alttestamentliche Vertrag. Indem die Himmelfahrt das Problem *Wohin mit dem Messias?* recht unanschaulich und mit unspektakulärer Verlegenheit löst, schafft sie den Eintritt in eine wieder unbestimmte, offene, homogene Zeitdimension, die vielleicht schon von der Hoffnung auf einen weiten, womöglich endgültigen eschatologischen Aufschub ausgespannt war. Das mythische Element dient der Markierung des Gewinns einer neuen und unmythischen Zeitstruktur. Die Zeitlosigkeit des Dogmas und die Allgegenwärtigkeit der kultischen Realität des Gottes sind auf Nivellierung des mythischen Profils angelegt. Daß, was der Rationalität zuzuarbeiten scheint, doch zu den Verzichten zählt, wie die Preisgabe der endlichen Gehäusehaftigkeit der Welt am Anfang der Neuzeit, wird als Entbehrung erst mit großer Verspätung geschichtlich empfindbar.

Tief ist der Brunnen der Vergangenheit. Sollte man ihn nicht unergründlich nennen? Mit diesen Sätzen beginnt Thomas Manns »Joseph«-Tetralogie. Statt von der Indifferenz der Zeit sprechen sie, anhand der Metapher des Brunnens, von ihrer Unergründlichkeit. Sie ist nicht weniger Unheimlichkeit als die Indifferenz, die Gleichwertigkeit jedes Augenblicks gegenüber allen anderen, so wie die Indifferenz des Raumes die Gleichwertigkeit jeder Raumstelle gegenüber allen anderen ist. Der »Zauberberg« hatte das Thema der Zeit als Vernichtung des Zeitbewußtseins in der exotischen, in der ekstatischen Situation der Todgeweihten beschrieben. Im parodierten Mythos des »Joseph« verliert die Zeit ihre Einsinnigkeit. Zwischen dem Späteren und dem Früheren entstehen unplatonische Verhältnisse, also nicht solche von

Vorbildlichkeit und Abbildlichkeit, sondern von Spiegelbildlichkeit, von Unentschiedenheit der Verweisung. Selbst in Nietzsches Formalisierung der ewigen Wiederkunft war offen geblieben, ob die Gegenwart nur über die Zukunft oder auch noch über die Vergangenheit der Welten entscheidet; täte sie letzteres nicht, wäre sie selbst als Wiederholung schon determiniert. Statt der neuen Last der kosmischen Verantwortung eines ›So sei es‹ läge auf dem Menschen nur die Bedrückung, *unaufhörlich eine Kreisbahn glühender Kohlen zu durchlaufen,* wie es Schopenhauer erschreckt hatte.

Über die Pathologie des Raumes wissen wir einiges. So ausgeprägte Pathien wie Klaustrophobie und Agoraphobie stellen sich als momentan faßbare Phänomene dar. Anders die Pathien der Zeit; sie sind schwer und nur langfristig faßbar. Selbst die epochenweise krankhaft auftretende Langeweile hat keinen Pathologen der Zeit gefunden; die Sucht des Zeitgewinns bei Verlegenheit seiner Nutzung mag noch, wenn die Selbsternennung der Theoretiker der ›Freizeit‹ folgenlos bleibt, ihre Disziplin finden. Ungeborgenheit und Unvertrautheit, als Affektseiten der Unergründlichkeit der Zeit, sind langhin schwelend, subkutan korrumpierend vor allem dadurch, daß sie zur Setzung von Einschnitten, Wendungen, Markierungen und Orientierungen zwingen, die mit Erwartungen und Befürchtungen besetzt werden wie im *Fin de Siècle.*

Dem homogenen Gleichlauf der Zeit Konturen zu geben, statt ihm die Kontinuität des bloßen Undsoweiter zu lassen, ihn auf das Selbstbewußtsein der einander ablösenden Generationen und die Ausschließlichkeit ihres Realitätsanspruchs zu synchronisieren, kann als Sache bloß des entschiedenen Handelns, der reinen Aktion, des Nichtsoweiter erscheinen. Das ist eine von der Neuzeit geschaffene Figur. Sie hat aus dem Bedürfnis, sich einen klaren und entschiedenen Anfang zu setzen und diesen auf Entschluß und Radikalität zu gründen, den Nullwert alles Vorherigen dekretiert. Sie hat diesen Limes gegen die Nivellierungen und Verwaschungen der historischen Materialhäufung zu verteidigen gesucht, die nur auf Übergänge tendiert, immer noch eine Vorstufe und noch einen Vorläufer anzubieten hat – aber auch kraft ihrer obligaten Rationalität gar nichts anderes als dies hergeben kann.

In der Geschichtslosigkeit liegt die Chance aller Remythisierungen:

In den leeren Raum lassen sich mythische Wendemarken am leich-
testen projizieren. Deshalb ist die Ausschulung der Geschichte nicht
so sehr ein Planungsfehler oder ein Mißverstand als vielmehr ein
alarmierendes Symptom: Entweder ist Mythisierung schon im
Gange oder sie wird durch den Verlust des geschichtlichen Zeitbewußtseins alsbald erzwungen. Es mag sein, daß wir aus der
Geschichte nichts anderes lernen können als daß wir Geschichte haben; aber schon dies verhindert, daß wir uns unter das Regiment
der Wünsche stellen. Auch des Wunsches, es möge der Verdacht auf
die Wiederholung des Gleichen uns möglich machen, es nicht zu
wollen, damit statt dessen andere Prägnanzen in dem leer gewordenen Raum der Zeit vorgewiesen, zur Nachahmung, zur Formierung
von Erwartungen angeboten werden können, als die Geschichte
jemals bestätigen würde.

Der Sinn für Geschichte ist zwar noch nicht Entschlossenheit für
eine bestimmte Zukunft; aber es gibt überhaupt keine andere Sensi-
bilisierung für eine Zukunft als die Einsicht in die Einzigkeit und
Unwiederbringlichkeit des Vergangenen. Daß die Zukunft weder
aus den Wachsfiguren der Vergangenheit noch aus den *Imagines* der
utopischen Wünsche besteht, kann man nur an *den* Zukunften der
Vergangenheiten lernen, die schon unsere Vergangenheit ausmachen.
Hier geschieht freilich nichts *par ordre de Mufti*. Es besteht eine
Antinomie zwischen Geschichtsbedürfnis und Geschichtserfahrung,
deren wir nicht Herr werden können, denn sie ist nur Teil der
konstitutiven Antinomie von Wünschen und Wirklichkeiten. In der
Wunschstruktur der Zeit spielen Anfang und Ende die wichtigste
Rolle. Das Geschichtsbedürfnis tendiert auf Markierungen von der
Deutlichkeit des mythischen Typs, die Bestimmungen darüber
erlauben, wie sich das individuelle Subjekt mit seiner endlichen
Zeit zu den es weit übergreifenden Großraumstrukturen der Ge-
schichtzeit ins Verhältnis setzen darf. Aus ihrer lebensweltlichen
Motivierung heraus arbeitet auch die Geschichtsschreibung der
Indifferenz der Zeit entgegen. Deshalb kann sie den Epochenbegriff
nicht preisgeben, so oft er ihr streitig gemacht wird. Aber je mehr sie
ihre Mittel der Verdichtung, Besetzung, Datierung, Gliederung und
Zustandsbeschreibung einsetzt, um so weniger entgeht sie dem
Verdacht, nominelle Artefakte im Dienst der methodischen Aufbereitung des Stoffs zu erzeugen. Die mythische Denkform arbeitet

auf Sinnfälligkeit der Zeitgliederung hin; sie kann es, weil nie nach ihrer Chronologie gefragt wird. Ihr sind außer Anfang und Ende noch Gleichzeitigkeit und Präfiguration, Nachvollzug und Wiederkehr des Gleichen frei verfügbar.

Die dogmatische Denkform muß die Gleichgültigkeit der Zeit für ihre Definitionen behaupten, doch die Sinnfälligkeit der Zeitgliederung nicht ganz und gar verweigern. Diese Annäherung der mythischen und historischen Mittel hat das Christentum mit dem wirksamsten Kunstgriff der Zeitgliederung geleistet: der Festlegung eines absoluten Zeitpols und Bezugspunktes der Chronologie. Es ist die äußerste Reduktionsform einer vielfältigen Gliederung, wie sie sich immer wieder in den chiliastischen Spekulationen regenerierte. Der dogmatische Zeittypus ist das Korrelat zur Allvergegenwärtigung der Heilsereignisse durch den sakramentalen Kult. Es wird das eine Ereignis benannt, auf das die Zeit sich erfüllend zuläuft und von dem her sie sich unerwartet zur Gnadenfrist erweitert. Deren Bemessung erweist sich als so großzügig, daß sie als solche gemessen werden muß. Dadurch kann sie sich von ihrem Bezugspol nie so weit entfernen, daß die Erinnerung daran sich in der Zeit und mit der Zeit verliert.

Wie weit die christliche Urgeschichte noch von der Harmonisierung des Geschichtsbedürfnisses nach Prägnanz mit der Forderung historischer Bestimmtheit entfernt gewesen ist, läßt sich an der Sorglosigkeit des Evangelisten bei der Datierung der Heilandsgeburt beobachten. Lukas hat die Unvereinbarkeit der den Zeitgenossen leicht zugänglichen Daten – einerseits vom Census des Quirinius, andererseits vom Ende der Regierungszeit des Herodes – wenig gekümmert, denn er konnte, bei einiger Rücksichtslosigkeit gegen jene Unstimmigkeit, für die Lokalitäten der Geburt und des Fortgangs der Kindheitsgeschichte Jesu eine plausible Erklärung geben.[35] Viel wichtiger als die Absicherung des historischen Zeitpunktes gegen chronistische Einwände war ihm die Sorge um die Verbindung der aus dem Alten Testament verbürgten und bedeutsamen Fixpunkte. Die Geburt in Bethlehem, trotz der Herkunft der Familie aus Nazareth, war in der davidischen Deszendenz unentbehrlich und die Wiederholung der großen alttestamentlichen

---

35 H. U. Instinsky, Das Jahr der Geburt Jesu. Eine geisteswissenschaftliche Studie. München 1957.

Bewegungen zwischen Nil und Jordan die großartigste Überhöhung dieser Kindheitsgeschichte.

Einen ganz anders akzentuierenden Blick auf das initiierende Datum der Heilsgeschichte hat an der Wende zum vierten Jahrhundert der Begründer der Kirchengeschichtsschreibung, Eusebius von Caesarea. Der Blick ist staatspolitisch, welterhaltend besorgt geworden. Seine Datierung nimmt einen Bezug zur Herrschaftsform des Imperium Romanum an. Erik Peterson hat gezeigt, welche Bedeutung für das politische Selbstverständnis der Kaiserzeit das Angebot des Christentums hatte, der Einheit von Reich und Herrscher die Einheit des neuen Gottes an die Seite zu stellen.[36] Dann mußte es für den Rückblick aus der konstantinischen Zeit Bedeutsamkeit gewinnen, der Geburt Jesu den Zeitpunkt zuzuweisen, in dem Judäa nach der Absetzung des letzten Herodeers Archelaos römische Provinz wurde. Auch in dem Raum, aus dem das Heil gekommen war, sollte sich die Integration des Reichs in dem Augenblick vollzogen haben, da ein der Umwelt noch unbekannter Geschichtssinn sich erfüllte. Solche Herstellung von Gleichzeitigkeit ist bevorzugtes Mittel zur Herbeiführung mythischer Deutlichkeit. Wenn Eusebius dafür chronologische Schwierigkeiten mit dem biblischen Text in Kauf nimmt, entscheidet er sich für eine andere Denkform als die, die alles darum gegeben hätte, in die Datierung der Geburt Jesu nicht mehr Bedenklichkeiten hineinzutragen, als der lukanische Text ohnehin für besorgte oder spöttische Zeitgenossen aufwarf.

Die Indifferenz der Zeit gegen das, was ›in der Zeit‹ geschieht, zwingt sich uns in jedem Anachronismus als einem Ärgernis am Zeitverhältnis auf. Gleichzeitigkeit dessen, was nicht zueinander zu gehören scheint und sich, wie Stoffliches im Raume, der Sinnstruktur nach in der Zeit stößt, kann zur Herausforderung der durch Beschleunigung und Verlangsamung bewirkbaren Synchronisation werden. Doch gilt dies mehr von Zuständen als von Handlungen, damit von nicht scharf abgrenzbaren und datierbaren Realitäten, deren chronologische Gleichzeitigkeit oft nur eine Sache der antreibenden oder abwehrenden Rhetorik ist.

36 Eusebius, Historia ecclesiastica I 5, 2-4. Dazu: E. Peterson, Der Monotheismus als politisches Problem. 1935. In: Theologische Traktate. München 1951, 86 ff.

Der Verlust an akkurater Datierbarkeit erfordert einen Ausgleich
an Prägnanz. Denn sobald sich die Suche nach Bedeutsamkeit
innerhalb des Raumes der belegbaren Geschichte bewegt, ist sie
schon ein Stück der Selbstdarstellung von Machbarkeit der Geschichte. Ereignisse erfordern dann Handlungen. Auch die Übertreibung der Einzigkeit und Besonderheit *des* Ereignisses, das als
Repräsentant für einen Inbegriff von Handlungen genommen
werden soll, ist eine Form seiner Mythisierung. Mit der Prägnanz
jedoch geht der Anhalt dafür verloren, *wie* und *von wem* Geschichte
gemacht wird. Deshalb löst es Bedenken, zumindest das Gefühl
von Verlust aus, wenn Zweifel an der Realität oder der Funktion
von Luthers datierbarem Thesenanschlag aufkommen, wenn der
Sturm auf die Bastille zum Nebenprodukt eines Zustandswandels
oder einer an dem Ereignis vorbeilaufenden Kausalkette wird.
Die Tröstlichkeit des Vorzugs der Zustände vor den Ereignissen
beruht nur auf der Hypothese, die Zustände seien das Resultat der
Handlungen unbestimmt Vieler statt nur benennbar Einzelner.
Doch genauso nahe liegt, daß dabei die Geschichte zum Naturvor-
gang wird, zur Wellenfolge, zum Geschiebe, zur tektonischen Verwerfung, zu Diluvium und Alluvium. Wissenschaft arbeitet auch
hier gegen elementare Bedürfnisse an und damit der Anfälligkeit
für Remythisierung zu. Je subtiler die theoretische Erkenntnis,
um so mehr nährt sie den Verdacht, daß Geschichte nicht in ihren
›großen‹ Augenblicken stattfindet oder gemacht wird und ihren
holzschnittreifen Szenen keine Kausalität zukommt, vielmehr die
Ketten ihrer Motivationen immer schon abgelaufen sind, wenn sich
der Hammer zum Thesenanschlag erhebt, der Fenstersturz stattfindet, die Posaune zur Abrechnung geblasen wird.
Wo der Gedanke an die Alleinherrschaft der Handlung in der Geschichte noch fern liegt, wird eher der äußerste natürliche Rahmen
aller Handlungen, gesetzt durch Geburt und Tod, ausgezeichnet.
Plutarch gibt seiner Bewunderung für Alexander mit der für ihn
kaum belegbaren Notiz Ausdruck, er sei in derselben Nacht geboren, in der Herostrat den Tempel der Diana von Ephesus in Brand
steckte. Das ist bedeutend, denn es deutet auch darauf hin, was
Asien durch diese Geburt bevorstand. Doch dann häuft Plutarch
noch weitere Koinzidenzen auf diese: die Nachricht vom Sieg eines
Rennpferds in Olympia für den Vater Philipp am selben Tag

ebenso wie die vom Siege des Feldherrn Parmenion über die Illyrer. Die Gleichzeitigkeit mit einem Schlachtensieg oder mit einem Sieg in Olympia erweckt historisch keine akuten Zweifel, während die mit dem Fanal von Ephesus schon den kritischen Blick anzieht. Diese Differenz ist ein Kriterium für Bedeutsamkeit, die der Geschichte nicht ohne weiteres zugetraut wird. Bezeichnenderweise ist seit Bayle das Überhöhungsmittel der Gleichzeitigkeit nur unter dem Gesichtspunkt der trügerischen und betrügerischen Tradition, als Indiz für Mißtrauen, betrachtet worden.[37] In der Unprüfbarkeit der Memoirenliteratur hat die Gleichzeitigkeit des einschneidenden privaten Datums mit dem ›großen‹ öffentlichen Ereignis ein Refugium gefunden; sie macht zwar in Häufung die Erinnerung suspekt, befriedigt aber zugleich den Wunsch, es möge noch Anzeichen für Bedeutungsvolles an der Realität geben.

Aus dem Feld der behaupteten Koinzidenzen ragt die großer historischer Ereignisse mit spektakulären kosmischen Erscheinungen heraus. Allen voran die Erscheinung des Sterns bei der Geburt Jesu und die Verfinsterung bei seinem Tode. Die Nachprüfbarkeit dieses alten Instruments zur Herstellung von Bedeutsamkeit ist den Historikern als Nebenprodukt später wissenschaftlicher Exaktheit in der Berechnung von Sonnenfinsternissen und Kometenbahnen in den Schoß gefallen. Die Überlieferung hatte die Gründung Roms auf den 21. April 753 datiert und den Tag mit der kosmischen Auszeichnung einer Sonnenfinsternis versehen. Gewiß nur eine kleine Verschiebung zur Koinzidenz hin, sobald zur Kenntnis genommen werden mußte, die nächstgelegene Sonnenfinsternis sei nur drei Jahre später auf den 24. April 750 gefallen. Doch darf man dies eine *mystische Liebhaberei* nennen, wie es noch Bayle zugunsten des Erfolgs der Aufklärung über die Tradition gefallen hätte? Es ist eher eine andere Form der Steigerung des Ereignisses als menschlicher Handlung: die Gründung der Stadt kann nicht im Belieben der Beteiligten gelegen haben, wenn das Weltall so manifest dabei mitgewirkt hatte.

Wenn der Evangelist Lukas schreibt, die Sonnenfinsternis beim Tode Jesu habe sich über die ganze Erde erstreckt, so ist diese

---

37 R. Hennig, Die Gleichzeitigkeitsfabel. Eine wichtige psychologische Fehlerquelle in der Geschichtsschreibung. In: Zeitschrift für Psychologie 151, 1942, 289-302.

Übertreibung bereits von Origenes erkannt und als Verderbnis des Textes entschuldigt worden. Doch hat der Evangelist solche Übersteigerung mit anderen antiken Autoren gemeinsam, die nicht nur partielle Verfinsterungen zu totalen überhöhten, um ein Ereignis auszuzeichnen, sondern auch gar nicht oder nur anderswo wahrnehmbare Verfinsterungen an den Ort des Ereignisses verlegten sowie die Daten entsprechend aneinander rückten. Mit dem von der Gestaltpsychologie geschaffenen Begriff der ›Prägnanztendenz‹ lassen sich, wie A. Demandt gezeigt hat, die antiken Nachrichten auf ihre Verformungen hin klassifizieren. Das ergibt ein Stück historischer Phänomenologie. Veränderungen sind in drei Richtungen erkennbar: quantitative Steigerung der Angaben, Umtypisierung unbestimmter Phänomene, Synchronisierung temporal distanter Vorgänge. Fraglich bleibt nur, ob die Funktion der Prägnanzsteigerung nicht unterschätzt wird, wenn die Modifizierung der Sachverhalte nur bewirkt haben soll, daß *das historische Bild einprägsamer, klarer und besser faßlich wird.*[38]

Wenn Thukydides schreibt, während des Peloponnesischen Krieges seien Sonnenfinsternisse häufiger eingetreten als in der Vergangenheit, bewirkt dies die Heraushebung des Vorgangs aus allem Bisherigen. Kosmische Erscheinungen markieren auch ›kleinere‹ Weltuntergänge, wenn sie Ereignisse begleiten, mit denen Unwiederbringliches dahingegangen ist, wie die Verfinsterung der Sonne beim Tode Cäsars. Der Sprachgebrauch für ›Verfinsterung‹ bei Markus und Matthäus – im Gegensatz zu der spezifischen Angabe bei Lukas – für die Erscheinungen beim Tode Jesu läßt die Steigerung einer atmosphärischen Verdüsterung zur astronomischen Eklipse offen – eine Überhöhung, die der Erwartung der Übereinstimmung des Kosmos mit dem Heilsbedürfnis des Menschen und der Vordeutung auf nahe geglaubte apokalyptische Ereignisse genügen mochte.

Die Verfinsterung beim Tode Cäsars, die als längere atmosphärische Behinderung der Sonneneinstrahlung die aufgefallene Unreife der Ernten erklären könnte, ist von Vergil mit der Furcht

38 A. Demandt, Verformungstendenzen in der Überlieferung antiker Sonnen- und Mondfinsternisse. Mainz 1970 (Abh. Akademie Mainz, Geistes- u. sozialwiss. Klasse, Nr. 7). – Dazu: M. Kudlek, E. H. Mickler, Solar and lunar Eclipses of the Ancient Near East from 3000 b. C. to 0 with maps. Kevelaer 1971 (Alter Orient und Altes Testament. Sonderreihe 1).

vor ewiger Nacht in Zusammenhang gebracht, also eschatologisch auf eine elementare Unsicherheit des Menschen bezogen worden. Erst Spätere haben dann nicht gezögert, aus der Trübung des Lichts eine Verfinsterung des Gestirns herauszulesen, was dem Dichter immerhin noch metaphorisch gestattet gewesen wäre. Für das, was beim Tode Jesu geschah, leistet die äußerste Übertreibung erst Tertullian, der nicht nur als Jurist rhetorisch eifert, sondern seiner Affinität zum Weltschwund Ausdruck verschafft, wenn er die Passionsverfinsterung mit dem Titel des *casus mundi* belegt. Dabei konnte jedermann schon wissen oder des Einwurfs gewärtig sein, den Origenes dem Bericht des Lukas entgegenhielt und zu dem es der astronomischen Grundkenntnisse kaum bedurfte, daß zum Passahtermin der Passion Jesu Vollmond gewesen sein mußte und eine Sonnenfinsternis dadurch ausgeschlossen war.

Die Überhöhung geschichtlicher Ereignisse durch die Gleichzeitigkeit kosmischer Spectacula hat etwas mit der Erwartung oder Unterstellung zu tun, die Geschichte würde, wenn schon nicht vom Menschen, so doch für den Menschen gemacht. Das ließ sich ihr noch besser ansinnen, wenn der Mensch nicht als das Subjekt der großen und schicksalhaften Ereignisse, sondern eher als mitwirkende Figur in einem weitgespannten Zusammenhang erschien. Deshalb fällt der Akzent der vermeintlichen kosmischen Bestärkungen oder Warnungen vorzugsweise auf Geburt und Tod als auf den ›natürlichen‹ Anteil an der Geschichte, dessen vorgegebenen Spielraum Handlungen gleichsam nur ausfüllen. Daher waren Orakel und Auguren zu befragen. Noch die Astrologie enthält mehr als den fatalen Befund unausweichlicher Determination, nämlich ein Moment der kosmischen Teilnahme an den menschlichen Schicksalen, eine Verteidigung gegen die Gleichgültigkeit der Zeit. Sie besteht schon darin, daß sie die Anforderungen an Datierung und Chronologie verschärft hat. Ihre Grenzleistung steckt in dem Versuch, der Welt im ganzen auf das errechnete Datum ihrer Erschaffung das Horoskop zu stellen.

Girolamo Cardano leitet seine Autobiographie mit dem eigenen Horoskop ein, ohne doch damit die Geschichtsschreibung des eigenen Lebens als einer erst noch zu machenden Erfahrung zu nivellieren. Goethe parodiert mit dem Anfang von »Dichtung und Wahrheit« diese Eröffnung. Gerade wenn die astrologische

Prognose nicht für voll genommen wird, kann eine mit ihren Mitteln, vielleicht nicht ohne Ironie, ausgelegte Konstellation eine kalkulatorisch verfremdete, wie beim Wort genommene Bedeutsamkeit erhalten. Goethe läßt die an seiner Geburt beteiligte ungeschickte Hebamme vergeblich gegen die Gunst der Gestirne dieser Stunde anstreiten. Denn: *Die Constellation war glücklich; die Sonne stand im Zeichen der Jungfrau, und culminirte für den Tag; Jupiter und Venus blickten sie freundlich an, Merkur nicht widerwärtig; Saturn und Mars verhielten sich gleichgültig: nur der Mond, der so eben voll ward, übte die Kraft seines Gegenscheins um so mehr, als zugleich seine Planetenstunde eingetreten war.* Dies ist kein Stück eines kosmischen Determinismus; eher die Vorführung einer freundlichen Zustimmung der Natur zu einer Existenz, die diese selbst nicht zu erzwingen vermag. Nicht die Sterne bestimmen über das in Dichtung und Wahrheit eingehende Leben, weil es zufällig unter einer solchen Konstellation begann, sondern zwischen der astrologischen Figur und dem Lebensbeginn besteht eine sinnbeanspruchende Konvergenz, die in dem winzigen Zug zutage tritt, daß selbst die unselige Hebamme die glückhafte Stunde, die doch erst alles Folgende begünstigen sollte, nicht verfehlen zu lassen vermochte. Das Leben ist bedeutsam schon in seinem ersten Augenblick.

Das astrologische Zitat ist ein gegen die Nivellierung durch Wissenschaft gerichtetes Element. Die Naturerscheinungen nicht nur dem Menschen gegenüber, sondern auch für ihn gleichgültig zu machen, indem sie auf das homogene Niveau seines reinen theoretischen Interesses gebracht wurden, war seit der Atomistik Epikurs der Inbegriff einer den Geist von Furcht und Hoffnung befreienden und dadurch allein aufklärenden Philosophie. Wenn Fall und Wirbel der Atome allein alle Erscheinungen in der Welt und den Menschen dazu hervorgebracht hatten, gab es in der Natur nichts mehr, was der Mensch als Zeichen oder bedeutungsvolle Steigerung seiner eigenen Geschichte auf sich beziehen konnte. Nach solchen Aufklärungen ist es der reine Anachronismus, wenn es für die Heroen immer noch meteorologische Begleiterscheinungen gibt: für Napoleons Sterbestunde das verbürgte Gewitter über St. Helena, für die Beethovens ein Ende März seltenes, aber gleichfalls beglaubigtes. Für einen Augenblick erscheint die Welt den Zeitgenossen so, als hätte sie entgegen aller Wissenschaft wenigstens in seinen vorzüglichsten Exemplaren vom Menschen Notiz genommen.

Die Einebnung von Bedeutsamkeit durch die Aufklärung – und damit schon die Herausforderung an die Romantik, dem sich zu widersetzen – hat ihr vielleicht schönstes Beispiel in der »Histoire des Oracles« des jungen Fontenelle von 1686 gefunden. Diese glänzende Streitschrift läßt den Gegenstand der nach Bayles Muster aufgezogenen historischen Aufklärung nicht weniger eindrucksvoll erscheinen als die Genauigkeit des Aufklärers, sich mittelbar sein destruktives Hauptthema zu suchen. Daß die heidnischen Orakel im Augenblick der Geburt Jesu verstummt seien, ist ebenso ein Mythos der Gleichzeitigkeit wie der vom Tode des Hirtengottes Pan im Augenblick der Kreuzigung Jesu; nur ist das Ende der Orakel ein öffentlicher, an einer Institution haftender Sachverhalt. Die geballte Gelehrsamkeit, die Fontenelle auf die Geschichte vom Verstummen der Orakel verwendet, hat er für die Untersuchung des Bedürfnisses nach solcher Signifikanz nicht mehr übrig. Er hält das eine mit dem anderen für erledigt und beschränkt sich darauf, seine Nicht-Verwunderung über die Eindringlichkeit des Mythologems zu erklären. Nach der Übersetzung Gottscheds: *Dieser Gedanke fließt so ungemein artig, daß es mich gar nicht Wunder nimmt, daß er so gemein geworden.*[39] Als Sekretär der Pariser Akademie sollte er selbst unermüdlich in der Auffindung signifikanter theoretischer Leistungen der Epoche sein, wie der Widerlegung der Herkunft der Donnerkeile. Im Orakel-Pamphlet ist er ganz auf die Widerlegung einer apologetischen Demonstration konzentriert, bei der die Konkurrenz zweier epochaler Offenbarungsinstanzen durch das verstummende Eingeständnis der Niederlage seitens der einen beendet gewesen sein sollte, bevor sie noch begonnen hatte. Doch scheint der erfolgreiche Aufklärer nicht ganz ohne Empfindung dafür zu sein, daß die Legende vom Verstummen der Orakel den Gemütern etwas angeboten hatte, was nach ihrer Zerstörung durch Wissenschaft nicht leicht würde zu ersetzen sein.

39 Fontenelle, L'Histoire des Oracles. Ed. crit. L. Maigron, 20: *Il y a je ne scay quoy de si heureux dans cette pensée, que je ne m'étonne pas qu'elle ait eu beaucoup de cours ...*

Was nach der Aufklärung durch Wissenschaft, durch Herstellung
von Gesetzlichkeit anstelle der Zeichen, noch als Gleichzeitigkeit
möglich blieb, war die Koinzidenz von Ereignissen verschiedener
Spezifität, der persönlichen mit den welthistorischen, der intellektuellen mit den politischen, der spekulativen mit den grob-reali-
stischen Daten. Es ist die romantische Wiederkehr der Gleichzeitigkeit, ohne den Kosmos, nur auf der Ebene der ihre Geschichte
besorgenden Menschen, wenn Hegel in der Nacht vor der Schlacht
bei Jena und schon unter dem Donner ihrer Geschütze die »Phänomenologie des Geistes« abschließt. Für die historische Kritik an
dieser Koinzidenz gab es für das Jahrhundert keine Motivation.
Erst als der Zusammenhang des Hauptwerks des deutschen Idealismus mit dem Sieg Napoleons für den Ruf des Denkers und
dessen nationale Zuverlässigkeit unbequem geworden war, fand
sich der historische Scharfsinn, ihn wieder zu lösen.

In einer Anmerkung zu seiner Vorrede der Ausgabe des Textes
nach dem Erstdruck wendet sich Johannes Hoffmeister gegen alle,
die immer noch und immer wieder mit Kennermiene behaupten,
daß die deutschen Idealisten gleichsam ein Korps von vaterlands-
losen, politisch gleichgültigen Stubenhockern seien, die sich selbst
durch die größten geschichtlichen Ereignisse die Nase nicht aus dem
Buch, die Feder nicht aus der Hand reißen ließen. Dem Hegel also,
der die große Stunde der ›Weltseele zu Pferde‹ in der Vollendung
seines Hauptwerks sowohl begriffen als auch besiegelt haben sollte,
war nun wissenschaftlich abgeschworen. Das Bild des verächtlichen
Stubenhockers, der nicht zu den Fahnen geeilt war, um das Schlach-
tenglück gegen den fremden Eroberer, wenn schon nicht durch
seinen Arm, so wenigstens durch die Gewalt seiner Rede noch zu
wenden, war zwar nicht retuschiert, aber abgehängt. An die Stelle
des Mythos der Gleichzeitigkeit tritt der des zumindest unver-
säumten, jedenfalls nicht durch vermeintlich Größeres ausgestoche-
nen patriotischen Engagements. Was jedoch Hegel zu dieser Stunde
wirklich getrieben hat, kann der gelehrte Herausgeber auch nicht
nachweisen. Die Korrektur ist selbst signifikant, nicht für die
Kenntnis Hegels, sondern für den Augenblick, in dem es unumgänglich erschien, auf zuvor Bedeutsames zu verzichten. Selbst
einem Robert Musil kann Hoffmeisters Berichtigung des Mythos
als Rechtfertigung Hegels erscheinen – gegen einen Vorwurf, der

doch erst dadurch explizit wurde, daß man ihn der Widerlegung
für bedürftig hielt.[40]

Das Bedeutsame kann das ästhetisch Zulässige überbieten. Der
Däne Oehlenschläger war unbeteiligter Zuschauer bei der Schlacht
von Jena. Er geht auf ironische Distanz und weiß, daß er diese
insgeheim auch bei Goethe voraussetzen darf. Ihm schreibt er am
4. September 1808 aus Tübingen über den Plan eines Romans und
seine Furcht, es würde ihm dabei unversehens eine Beschreibung
des eigenen Lebens herauskommen; und das dürfe man nicht einmal so gut machen, wie es in Wirklichkeit war. Kein Gefühl sei
närrischer als das, über die Poesie stellen zu müssen, was im wirklichen Leben geschieht, obwohl doch die Poesie *das ideale zusam-
mengedrängte Schöne und Bedeutungsvolle des Lebens* darzustellen
habe. Ihm sei eben dieses Gefühl nie stärker gewesen, *als da ich in
Weimar Peregrine Pickle von Smollett las, während die Franzosen
die Schlacht bei Jena gewannen und die Stadt einnahmen.*[41] Es ist
das Problem der ästhetischen Wahrscheinlichkeit: die Fiktion kann
sich nicht leisten, was die Realität an Bedeutsamkeit erzeugt, ohne
an Glaubwürdigkeit zu verlieren.

Der Historismus hat, trotz seiner Herkunft aus der Romantik, das
Bedeutsamkeitsprofil der Geschichte erneut abgebaut, und dies
schon durch die Verfeinerung des Rasters bei der Auflösung von
›Ereignissen‹ und ›Handlungen‹. Je subtiler das historische Begreifen, um so weniger brauchbar und aussagekräftig die Zuschreibung
von Gleichzeitigkeit. Wieder geht es darum, auch den Verlust zu
vergegenwärtigen, um den gegen Ende des 19. Jahrhunderts aufkommenden Überdruß am ›Passatismus‹ zu verstehen. Er ist Indiz
dafür, wie schlecht ohne markante Orientierungen in der Indifferenz der Zeit auszukommen ist, wie schnell sich die ernüchternde
Untertreibung der Anweisung verbraucht, Geschichte sei, was aus
den ›Geschäften‹ wird, wenn man das Geschehene auf ›eine gewisse
Art‹ nachmals betrachte.[42] Oder wenn man jene ›Geschäfte‹ selbst,
die einmal Geschichte ausmachen werden, mit der Nase zu dicht an
ihnen und ihrer Intimität, zum Sonntagsausflug heruntergestuft

---

40 Musil, Tagebücher, ed. A. Frisé, I 754.
41 Oehlenschläger an Goethe, 4. September 1808 (Briefe an Goethe, ed. Mandelkow, I 547).
42 Droysen, Grundriß der Historik § 45 (ed. R. Hübner, 345).

sieht. Etwa auf die Ebene der berühmten Postkarte, die Rathenau aus Genua am 19. April 1922 an seine Mutter schrieb: *Heute, am Ostersonntag, hab ich einen Ausflug nach Rapallo gemacht. Das Nähere in der Zeitung . . . Herzlichen Gruß W.*[43] Bedeutsamkeit als Abwehr von Indifferenz, zumal der in Raum und Zeit, wird Widerstand gegen die Inklination auf Zustände höherer Wahrscheinlichkeit, der Diffusion, der Erosion, der Entropie. Insofern ist verständlich, weshalb ›Bedeutsamkeit‹ in der Lebensphilosophie eine Rolle gewinnt: sie bildet das Leben ab als Selbstbehauptung wahrscheinlichkeitswidriger Wirklichkeit. Als solche ist sie auf die Unterscheidung von theoretischen und praktischen Bedürfnissen nicht bezogen, läßt geradezu die Entscheidung zwischen theoretischer und praktischer Einstellung vermeiden – die ohnehin zumeist eine zwischen ›Theorie der Theorie‹ und ›Theorie der Praxis‹ zu sein pflegt. Was jedoch an dieser lebensphilosophischen Kategorie erlernt werden konnte, ist die größere Bestimmtheit hinsichtlich dessen, was durch sie ausgeschlossen und abgewehrt wird.

Das bleibt so, wenn Heidegger den Ausdruck ›Bedeutsamkeit‹ von der Lebensphilosophie herübernimmt. Was er damit bezeichnet, resultiert aus dem Kunstgriff, eine differenzierte Gegebenheitsweise der Welt für das Dasein auf eine elementare und einheitliche zurückzuführen. ›Bedeutsamkeit‹ wird dann die Qualität an der Welt für das in ihr seiende Dasein, als deren funktionelle Spezifikation ›Bedeutungen‹ erst möglich werden. Jemandem etwas bedeuten, aber auch, das Dasein sich selbst etwas bedeuten zu lassen, setzt eine das Bezugsganze des Bedeutens tragende Bedeutsamkeit voraus. Sie ist, *was die Struktur der Welt, dessen, worin Dasein als solches je schon ist, ausmacht.*[44] Die Ausdrücke ›Vertrautheit‹ (mit der Welt) und ›Bedeutsamkeit‹ (der Welt für das Dasein) korrespondieren einander und dienen der Hintanhaltung der vermeintlich überholten Scheidung von Subjekt und Objekt durch die Einheit des In-der-Welt-seins. Es ist die unbenannte Wiederkehr der vorerkenntnistheoretischen *données immédiates* Bergsons von 1889, die handstreichartige Erfüllung der von der Lebensphilosophie geweckten Erwartungen.

Die Fundierungsverhältnisse, die Heideggers ›Fundamentalontolo-

43 Rathenau, Briefe. Dresden 1926, II 348.
44 Heidegger, Sein und Zeit § 18. ⁵Halle 1941, 87.

gie‹ den Erschließungen der ›Arbeit des Mythos‹ als Orientierung
anbietet, sind damit nicht ausgeschöpft. Die Verschränkung von
Bedeutsamkeit und Vertrautheit ist vordergründig und verstellt
etwas, was in seiner subjektiv-objektiven Ambivalenz nicht aufkommen soll: die Entsprechung zu Nichtigkeit und Ängstigung.
Wenn Bedeutsamkeit die Qualität der Welt ist, wie sie ursprünglich für den Menschen nicht wäre, so ist sie einer Ängstigung
abgerungen, deren Abdrängung in die Verdeckung gerade durch
sie bewirkt und bestätigt wird. Sie ist die Form, in der der Hintergrund des Nichts als dessen, was ängstet, auf Distanz gebracht
worden ist, wobei die Funktion des Bedeutsamen ohne diese ›Urgeschichte‹ unverstanden, obwohl gegenwärtig, bleibt. Denn das
Bedürfnis nach Bedeutsamkeit wurzelt darin, daß wir uns als der
Ängstigung nie endgültig enthoben bewußt sind. Aus der Sorge als
dem ›Sein des Daseins‹, das in der Grundbefindlichkeit der Angst
seine ausgezeichnete Erschlossenheit finden soll, entspringt mit der
Ganzheit der Daseinsstruktur auch seine Entbehrung von Bedeutsamkeit an der Welt, ihrer Erfahrung, ihrer Geschichte. Die ›nackte
Wahrheit‹ ist nicht das, womit das Leben leben kann; denn, vergessen wir nicht, dieses kommt aus der langen Geschichte völliger
Kongruenz von Umwelt und ›Bedeutung‹, die erst in ihrer spätesten Phase zerbricht. In ihr bringt es sich ständig selbst um die
Unmittelbarkeit zu seinen Abgründen, zu dem, was es unmöglich
machen würde, und verweigert sich darin dem Appell seiner er-
schreckenden ›Eigentlichkeit‹.
Dies wäre, in der Benutzung deskriptiver Versatzstücke aus dem
nach-lebensphilosophischen Fundus der Philosophie, ein Beispiel
für den Versuch, zu einer Phänomenologie der Bedeutsamkeit als
einer apotropäischen Qualität gegenüber der an den ›Absolutismus
der Wirklichkeit‹ ausgelieferten Benommenheit zu kommen. Auch
wenn große historische Irrtümer aus dem Nachgeben gegenüber Bedeutsamkeiten hervorgegangen sein mögen, entfernen wir uns doch
ständig von dem umfassenden Verdacht einer negativen Mythologie, es seien Mißverständnisse von Bedeutungen, zumal beim Wort
genommene Metaphern, was dem großen Selbstbetrug des Mythos – in dem von ihm nach Auguste Comtes Einteilung beherrschten Zeitalter – auf den Weg geholfen habe. Nur die Abschätzung
des Risikos der menschlichen Daseinsform macht es möglich, die

Handlungen zu erörtern und funktional zu bewerten, die seiner Bewältigung dienstbar waren, und die tentative Neigung ernst zu nehmen, sich solcher Dienstbarkeit wieder bedienen zu können.

IV

Verfahrensordnungen

*An viele Arme
delegiert der Fluß
seine Furcht
vor dem Meer*
Helmut Lamprecht,
Delta

Es hieße, dem Mythos leichtfertig Aktualität zu verschaffen, wollte man ihn auf das Schema des Fortschritts projizieren. Er hat sein eigenes Verfahren, einen gerichteten Prozeß erkennen zu lassen, indem er zwischen Nacht und Chaos des Anfangs und einer unbestimmt gelassenen Gegenwart von Raumgewinn, von der Veränderung der Gestalten zum Menschlichen hin erzählt. Auf einen Satz gebracht: Die Welt verliert an Ungeheuern. Sie wird in einem zunächst gar nicht ethischen, eher physiognomischen Sinne ›freundlicher‹. Sie nähert sich dem Bedürfnis des dem Mythos zuhörenden Menschen an, in der Welt heimisch zu sein.

Die Weltherrschaft der Göttergenerationen wechselt zwar durch Trug, List und Grausamkeit, aber die Ausübung der Macht wird im Maße ihrer Konsolidierung erträglicher. Dabei ist die Frage der religionsgeschichtlichen ›Abbildung‹ nicht erheblich. Die schrecklichen Generationen vor Zeus könnten im Mythos nur erfunden oder vereinigt sein, um die Milde und Weltfreundlichkeit des Letzten in der dynastischen Folge von jenem Hintergrund abzuheben. Ebenso könnten sich Formationen schon gelebter Auseinandersetzung mit den Mächten und Göttern in der mythischen Genealogie reflektieren. Für die Funktion des Mythos ist entscheidend, daß etwas, was man die ›Qualität‹ des Göttlichen nennen könnte, als nicht von Anfang an oder von Ewigkeit her urgegeben vorgestellt wird. Was dem Bewußtsein versichert wird, ist, was es ein für alle Mal hinter sich wissen soll. Das könnte der Sinn jeder Geschichte sein; aber nur der Mythos kann es sich leisten, die ohnehin vielleicht verlorenen Fakten dem Verlangen nach ›Bedeutsamkeit‹ zu unterwerfen.

Der junge, gegen Nietzsches »Geburt der Tragödie« philologisch entflammte Wilamowitz-Moellendorff hat geleugnet, daß die von Zeus im Mythos der Olympier überwundenen Titanen jemals das Bewußtsein der Hellenen beherrscht hätten, in einer Zeit, *wo die finstern Naturgewalten vor dem Auftreten ihrer Besieger, der menschenfreundlichen Naturmächte, regieren.* Eine solche Zeit, die *ihr religiöses Bedürfnis nur an jenen befriedigte*, habe nie existiert. Dann auch nicht *eine Revolution des Glaubens, der jene verbannte und ihren Sturz im eigenen Glauben durch einen himmlischen Thronwechsel symbolisierte.*[1] Das richtet sich gegen Nietzsches Mythenrealismus der in Epos und Tragödie noch faßbaren Schichtungen als Ausprägungen antinomischer Daseinsbegriffe. Wilamowitz bestreitet solchen abbildenden ›Quellenwert‹ des Mythos, um eine ursprüngliche Reinheit des hellenischen Geistes als Glaubensform zu verteidigen. Seine Verachtung richtet sich auf jede Mühsamkeit einer Absetzung vom Ungeheuren, deren Distanz im Mythos dargestellt und festgemacht sein könnte. Genuine Heiterkeit schließt ursprüngliche Finsternis schlechthin aus. Homer steht für die Morgenfrühe des hellenischen Glaubens, statt für den schon zuschauerhaften Zustand diesseits der Ernsthaftigkeit des Mythos. In der Sicht des klassizistischen Philologen auf die Hellenen darf deren natürliche Anlage zu Größe und Heiterkeit wohl am Ende in Verfall geraten und sich in niederen Formen des Unerfreulichen und damit für die Disziplin Uninteressanten auflösen, aber an die ›Ursprünge‹ reicht davon nichts heran. Im Zusammenhang mit Nietzsches Mythologie ist darauf zurückzukommen.

Noch der Olympier Zeus hat Züge des den Menschen Mißgünstigen, der Verächtlichkeit gegenüber denen, die nicht seine Geschöpfe sind, die er von den Titanen in seinen Kosmos übernehmen mußte und für mißglückte Bewohner seiner Welt hält. Doch ist jeder seiner Versuche, sie aus der Natur verschwinden zu lassen, gescheitert und jedes Scheitern verbunden mit der Erschöpfung seiner Mittel

---

1 U. v. Wilamowitz-Moellendorff, Zukunftsphilologie! Zweites Stück. Eine Erwiderung. Berlin 1873, 9 (Ndr. ed. K. Gründer, Der Streit um Nietzsches »Geburt der Tragödie«. Hildesheim 1969, 120; Schreibung v. Vf. normalisiert).

gegen sie. Das gibt Prometheus seinen unvergeßlichen Platz in der mythischen Anthropogonie. Er ist der einzige der Titanen, der als einstiger Bundesgenosse im Kampf um die Macht in die Epoche des Zeus hereinragt und ihn an der Vernichtung der Titanengeschöpfe hindern kann. Sein Mythos demonstriert die Beschränkbarkeit der Gewalt des Zeus über die Menschen, indem er ihn herausfordert und seine Strafe überdauert. Der Zerfetzte auf dem Kaukasus, der das Geheimnis der Verwundbarkeit des Zeus kennt, ist deshalb die überragende Figuration der mythischen Gewaltenteilung.

Was geblieben ist von der Ungunst des Zeus gegenüber den Menschen, ist seine Erfindungsgabe, sie in tödliche Kämpfe untereinander zu verwickeln. Selbst Hesiod läßt das durchblicken: *Alle die Götter schieden ihren Sinn / In zwei Richtungen, ein Streit entstand. / Damals nämlich sann schon / Auf göttlich großes Geschehen / Zeus der Donnerer in der Höhe, / Verwirrungen zu stiften auf der unendlichen Erde, / Und schon eilte er sehr, / Das Geschlecht der hinfälligen Menschen zu mindern . . .*[2] Helena, die so tödliche Verwirrung stiften wird, ist Tochter des Zeus mit Leda – fast ein Gegenstück der Pandora im Prometheus-Mythologem. Es ist der Eid, den die Freier der Helena sich untereinander leisten, dem erfolgreichen Bewerber seinen Besitz zu verbürgen, was schließlich den Trojazug der Verbündeten einleitet. Folgt man Herodots Ansicht von der Geschichte, so war es die Eröffnung der langen, vielaktigen Konfrontation zwischen Europa und Asien. Sie ist das ›Große‹, das Zeus für die Menschen ersann.

Da ist auch eine Differenz zu dem Gottmenschensohn Herakles, der deutlich ein Heilbringer ist; nicht daß er die Menschen reinigt, er reinigt die Welt für sie, wie die Ställe des Augias. Noch im Neuen Testament ist nicht ausgestanden, ob das Heil durch die Entmachtung des Satan oder durch die Entschuldung der Menschen kommt. Die mythische Form ist die des Ein-Satz-Mythos bei Lukas: *Ich sah den Satan vom Himmel fallen wie einen Blitz.* Funktionsweise des Mythos ist zu versichern: Die Entscheidung fällt in der Ferne, räumlich oder zeitlich, spektakulär, nicht moralisch.

2 Frauenkataloge fr. 204 in der Übersetzung von W. Marg (Hesiod, Sämtliche Gedichte. Zürich 1970, 491). Die »Katalogoi« müssen in der Nähe der »Ilias« gesehen werden, aber dort gibt es nicht die Andeutung auf die Eidgenossenschaft der Freier um Helena als Feldzugsmotiv.

Wilamowitz glaubte an den Glauben der Hellenen. Wo es keine Spuren eines Kults gab, gab es keinen Glauben. Aus dem Mythos fällt das Personal zwischen dem Chaos oder der Nyx und den Titanen heraus; in eine Glaubenswelt paßt es nicht. Homer jedoch läßt selbst Zeus vor der Nacht, der ›Bezwingerin der Götter und Menschen‹, Scheu haben und davor zurückschrecken, ihr unliebsam zu werden. Denn sie war es gewesen, die den listig-grausamen Generationswechsel in der Götterherrschaft erfunden hatte, als sie dem Sohn Kronos die Mondsichel in die Hand drückte, um den zum allnächtlichen Beilager kommenden Uranos zu entmannen und dadurch der Zeugung der Ungeheuer ein Ende zu machen. Aus dem blutigen Samenschaum des kastrierten Gottes entspringt die lieb-liche Aphrodite als Besiegelung des Erlöschens der monströsen Zeugungskraft zu Giganten, Kyklopen, Hekatonchiren und ande-rem Auswuchs.

Macht man ›Glauben‹, mit irgendeiner Ähnlichkeit zur nachchrist-lichen Begriffsbildung, zum Kriterium, so ist dies alles pure Mär-chenwelt, nicht phantastische Darstellung von Überwindungen, von Hintersichbringen und Hintersichhaben. Verglichen werden darf auch nicht mit den späten Abstraktionen wie Phobos und Deimos, den Söhnen des Ares und der Aphrodite bei Hesiod, die Homer in allegorischer Konfiguration als Wagenlenker des Ares auf den Schild des Agamemnon setzt. Der Name Phobos für die Schlange auf der Aigis des Zeus könnte archaisch sein, auch wenn es der Dämon Phobos nicht ist.[3] Denn Namen zu finden, auch für Dä-monen, das zeugt sich fort, je mehr Namen schon gefunden wor-den sind.

Wer der Medusa ins Antlitz sieht, muß sterben. Es ist die äußerste Steigerung der Schrecklichkeit eines Wesens, daß sein bloßer An-blick das Leben austreibt. Alle anderen Gefahren beruhen auf mehr als optischer Begegnung. Ein moderner Anthropologe hat das, mit dem Blick auf den Vagus-Tod, auf den Satz gebracht: ... *wenn das Subjekt in einer Situation der Ausweglosigkeit stirbt, so stirbt es an der Bedeutung.*[4] Jede der von Apollodor gesammelten Ein-

3 Das Material zu Phobos und Deimos bei S. Jäkel, in: Archiv für Begriffs-geschichte XVI, 1972, 141-165.
4 R. Bilz, Der Vagus-Tod. In: Die unbewältigte Vergangenheit des Menschen-geschlechts. Frankfurt 1967, 244. Danach: R. Bilz, Paläoanthropologie. Frankfurt 1971, 418-425, 442-447.

zelheiten verharmlost: die Medusa hatte an Stelle der Haare Schlangen, zwischen einem gewaltigen Gebiß hing ihr die Zunge heraus, sie hatte Hände aus Eisen und Flügel aus Gold sowie ein mit Drachenschuppen besetztes Haupt. Sie gehört zu den Gorgonen, deren Herkunft wie die der meisten Schreckensgestalten auf die Urgeschichte verweist, auf das Übergangsfeld zwischen dem Gestaltlosen und dem Gestalteten, zwischen Chaos und Eros. In Freuds Nachlaß fand sich, schon 1922 niedergeschrieben, auch zur Medusa Aufklärung des ihr unterliegenden Erlebnisses als des mit einem bloßen Anblick verbundenen Erstarrens. Der Mythos stellt die Gorgo in die Nähe des Poseidon, wie so vieles, das aus der Tiefe des Meeres auftaucht, wo das Gestaltlose oder Übergestaltige zu Hause ist. Es ist spätere Zuordnung zum olympischen Wesen, wenn die Häßlichkeit als Strafe der Athene beschrieben wird, die in ihrem Tempel Poseidon mit der Medusa erwischt. Aus diesem Beilager entspringt, im Augenblick der Enthauptung der Medusa durch Perseus, das geflügelte Pferd Pegasos, das spätere Dichterroß. Ein Ungeheuer wie die Medusa ließ sich nur mit List überwinden. List muß vor dem Hintergrund der rohen Grausamkeit schon als Stufe der Verfeinerung der Mittel gesehen werden. Das gilt noch für Odysseus als den Listenreichen, wenn er es mit Ungeheuern wie dem Poseidon-Abkömmling Polyphem zu tun hat.

Der Mythos repräsentiert eine Welt von Geschichten, die den Standpunkt des Hörers in der Zeit derart lokalisiert, daß auf ihn zu der Fundus des Ungeheuerlichen und Unerträglichen abnimmt. Dazu gehören die Übergangsgestalten zwischen Tier und Mensch, auch wenn philologische Verwahrung dagegen eingelegt worden ist, die anthropomorphe Götterwelt des Olymps als Spätform gelegentlich noch durchscheinender tierischer Frühgestalten zu sehen, wie sie für Ägypten charakteristisch sind: Anubis hat schon Menschengestalt, aber noch den Hundekopf. Mischgestalten dieser Art sind weltweit in Kult und Mythos verbreitet.[5] Es ist sicher eine zutreffende Beobachtung Cassirers, erst die griechische Plastik habe den scharfen Schnitt zur Theriomorphie vollzogen, und dies weniger durch Abstreifung der Masken- und Mischgestalten, als vielmehr

---

5 R. Merz, Die numinose Mischgestalt. Methodenkritische Untersuchungen zu tiermenschlichen Erscheinungen Altägyptens, der Eiszeit und der Aranda in Australien. Berlin 1978 (Religionsgeschichtliche Versuche und Vorarbeiten 36).

dadurch, daß sie *dem Menschen zu seinem eigenen Bilde verhalf*[6],
dem Selbstbewußtsein in der Anschauung den ›Umweg‹ über den
Gott nahelegte. Jedenfalls drängt das Personal der klassischen
Walpurgisnacht in vielen Kombinationen von Schlange und Roß,
Esel und Schwan, Löwe und Drachen mit menschlichen Leibesan-
teilen zur ausschließenden und endlich überhöhten Menschengestaltigkeit hin.

Beide Phänomene, das der Ausmerzung von Ungeheuern in der
Welt und das der Übergangsgestalten zum menschlichen Eidos hin,
müssen mit der Funktion des Mythos zu tun haben, Distanz zur
Unheimlichkeit zu schaffen. Das Denkschema der Distanz beherrscht
noch den Begriff der Griechen von der Theorie als der Stellung
und Einstellung des unangefochtenen Zuschauers. In seiner reinsten
Ausprägung, am Zuschauer der Tragödie, arbeitet es der Begriffs-
geschichte von ›Theorie‹ vor. In einer der folgenreichsten Abhandlungen des deutschen philologischen Jahrhunderts hat Jacob
Bernays das Theorem des Aristoteles über die Wirkung der Tragödie als *Katharsis* durch Furcht und Mitleid dahin rekonstruiert, daß
sie eine einzige Metapher medizinischer Reinigungspraktiken ist
und den Zuschauer im Theater gerade mittels seines Durchganges
durch die Schrecknisse der Szene zur Befreiung von tragisch verstrickenden Leidenschaften führt.[7] *Erleichterung mit Genuß*, das
ist die von Aristoteles für die Musik geprägte Formel, die erstmals
den ästhetischen Genuß als Distanzgewinn beschreibt. Indem, was
unerträglich erscheint, ›nur‹ Erfahrung an der Mimesis, an der Darstellung ist, hat es die ›homöopathische‹ Dosierung, die zwar
Gleiches mit Gleichem behandelt, es aber von dem Herd seiner
Unmäßigkeit entfernt und die Gemütsruhe zuläßt, es hinter sich zu
haben.

Bernays hat zu Recht bemerkt, wie fremd Aristoteles die Bestim-

---

6 E. Cassirer, Philosophie der symbolischen Formen ([1]1923) [2]Darmstadt 1953,
II 233 f.

7 J. Bernays, Grundzüge der verlorenen Abhandlung des Aristoteles über Wirkung der Tragödie. Breslau 1857 (Ndr. ed. K. Gründer, Hildesheim 1970). –
Zur Prototypik des Zuschauers für die Theorie: B. Snell, Die Entdeckung des
Geistes. Studien zur Entstehung europäischen Denkens bei den Griechen. Hamburg 1946, 18: *theōreîn* kein ursprüngliches Verb, sondern vom Nomen *theōrós*
abgeleitet, *bedeutet also eigentlich ›Zuschauer‹ sein*. – Über Distanz als ästhetische Kategorie ist in »Poetik und Hermeneutik« III umfassend verhandelt worden: »Die nicht mehr schönen Künste«, ed. H. R. Jauß, München 1968.

mung des Theaters als moralischer Anstalt ist, weil er gerade nicht
das Prinzip der Gleichheit von Ursache und Wirkung auf den Zuschauer überträgt, wie es Plato mit seiner Kritik an Musik und
ästhetischer Mimesis getan hatte, mit der dann unvermeidlichen
Konsequenz, sie aus seinem Staat auszuschließen. Im Hinblick auf
die Metapher der purgierenden ›Erleichterung‹ muß Bernays eigens
den zeitgenössischen Leser mahnen, nicht *in voreiliger Zimpfer-*
lichkeit die Nase rümpfen zu wollen.

Das gilt in anderer Hinsicht auch für den vielgelästerten Vergleich
des Lukrez im Proömium zum zweiten Buch seines Lehrgedichts,
wo er den die Welt des atomistischen Zufalls betrachtenden Philosophen in dem Mann auf der festen Klippe vorstellt, der einem
Schiffbruch auf dem Meere unangefochten zusieht, zwar nicht den
Untergang der anderen, aber doch seine Distanz dazu genießt.[7a] Er
tut es doch nur deshalb, weil er kein Gott ist, obwohl der einzigen
Glücksmöglichkeit bewußt, ein solcher zu sein wie die Götter in den
Intermundien. Sie bedürfen der Disziplinierung von Furcht und
Hoffnung nicht, weil sie von all dem, was metaphorisch im Schiffbruch ansichtig wird, niemals erfahren. Für den Philosophen hat
die Physik die Distanzfunktion des Mythos übernommen: Sie
neutralisiert rückstandslos. Vor allem aber läßt sie allererst begreifen, worauf es auch mit den unzulänglichen Mitteln des Mythos
immer schon angekommen war. Erst die Arbeit am Mythos – und
sei es die seiner endgültigen Reduktion – macht die Arbeit des
Mythos unverkennlich.

Auch wenn ich für literarisch faßbare Zusammenhänge zwischen
dem Mythos und seiner Rezeption unterscheide, will ich doch nicht
der Annahme Raum lassen, es sei ›Mythos‹ die primäre archaische
Formation, im Verhältnis zu der alles Spätere ›Rezeption‹ heißen
darf. Auch die frühesten uns erreichbaren Mythologeme sind schon
Produkte der Arbeit am Mythos. Teilweise ist diese vorliterarische
Arbeitsphase in den Mythenverbund eingegangen, der Rezeptions-
vorgang also zur Darstellung der Funktionsweise selbst geworden.

Neben den Ungeheuern aus der Tiefe des Meeres und der Erde ist
in der »Theogonie« des Hesiod Poseidon selbst eine Figur der

7a H. Blumenberg, Schiffbruch mit Zuschauer. Paradigma einer Daseinsmetapher. Frankfurt 1979, 28-31.

Unheimlichkeit und der fraglichen Gunst, von riskanter Reizbarkeit. Wenn seine Macht ausdrücklich auf einen Akt der Gewaltenteilung zwischen den Kroniden zurückgeht, bei dem Zeus den Himmel, Hades die Unterwelt und Poseidon das Meer für sich gewannen, so wird dem Hörer zum Schaudern gegenwärtig, was jeder, vor allem aber dieser, allein und ohne Gegenmacht mit den Menschen angestellt hätte. Erschütterer der Erde heißt Poseidon vielleicht deshalb, weil die Erde als auf dem Meer schwimmend vorgestellt war. Erdbeben sind immer äußerste Verunsicherungen der Menschen gewesen. Dies vorausgesetzt, wird erst bedeutsam, daß Hesiod berichtet, der Altar auf dem Helikon, der ursprünglich dem Poseidon geweiht gewesen war, sei auf den Kult des Zeus umgewidmet worden. So wird dies ein Stück gesicherten Kosmosvorzugs: der Erderschütterer hatte dem Donnerer weichen müssen. Dessen Schrecken sind zwar spektakulärer, aber weniger unheimlich, weniger das Weltbewußtsein zerrüttend.

Die Geschichten der Rückkehrer von Belagerung und Zerstörung Trojas berichten weithin von Untaten des Poseidon durch Stürme und Schiffbrüche; Schiffbrüche, die domestiziert sind durch den Anteil, den sie an Stadtgründungsgeschichten im ganzen Umkreis der Ägäis haben. Auch das ist eine Form der Gewaltenteilung, daß der Gott das Leben auf dem festen Land zwar noch erschüttern, aber nicht mehr brechen kann. Die Heimkehr des Odysseus kann er verzögern, nicht verhindern; sie ist Durchsetzung der Vertrautheit der Welt gegen die Figur ihrer Unheimlichkeit. Als Empfänger von Menschenopfern gehört er in die Schicht des Überwundenen. Dafür steht die Mythe von Idomeneus, der bei der Heimkehr von Troja dem Sturm nur entgehen zu können glaubt, indem er gelobt, den ersten, der ihm begegnen würde, dem Meergott zu opfern, und dann nur durch höhere Unterbrechung daran gehindert wird, den eigenen Sohn darzubringen. Solche Mythen sind, wie die Verhinderung des Gehorsams Abrahams, Denkmäler endgültiger Hinterlassenschaft archaischer Rituale, wie Freud es im Bündnis der Söhne gegen den Vatermord gesehen hat. Man erfährt daran, wie zweifelhaft es ist, von ›Humanisierung des Mythos‹ zu sprechen, da er doch selbst die Unleidlichkeit dessen bezeugt, was in ihm obsolet wird. Humanisierung als Mythos – eben das gilt auch.

Wenn Zeus von Hesiod *an Stärke der größte* genannt wird, ist es nicht nur Gunstbewerbung und rhapsodischer Lobpreis, sondern Konzentration des Sicherungsbedürfnisses auf die durch den mythischen Prozeß nach vorn geschobene Figur der Bestärkung des Weltvertrauens. Die Umwidmung des Altars auf dem Helikon ist ein mythisches Signal von der Qualität der Befreiung des Prometheus durch Herakles, von der Hesiod nichts weiß, weil darin die Kontingenz auch der Zeus-Herrschaft zur Sprache käme.

Daß Poseidon das feste Land nicht endgültig aufgegeben hat, verrät sich in den Sturmfluten. Aber schon weniger als sie bewirkt jener Wurf seines Dreizacks auf die Akropolis von Athen, mit dem er von dem Land Attika Besitz ergreifen will. Nichts als die Meerwasserquelle kommt dabei heraus. Kontrast dazu ist die andere Form der Landnahme durch Athene, die neben die Quelle den ersten Ölbaum pflanzt. Zeus verhindert den Kampf zwischen beiden und übergibt den Streit einem Schiedsgericht, das mit einer Stimme Mehrheit für den Anspruch der Athene entscheidet, gerade weil ihr Ölbaum die bedeutendere Mitgift der Landeskultur sein wird. Diese Mythe steht im Hintergrund, wenn von der Eroberung Athens durch Xerxes berichtet wird, nach der Niederbrennung des Erechtheus-Tempels auf der Akropolis habe der Ölbaum neben dem Meerwasserbrunnen schon am zweiten Tag nach dem Brand aus dem Stumpf wieder einen Schoß getrieben.[8] Die Polis steht auf dem Grund der gezähmten Fremdgewalt. Zeus hat nicht selbst Macht ausgeübt, aber das Verfahren geregelt, das die Zuverlässigkeit des Bodens entschied, auf dem Leben und Geschichte stattfinden.

Festigung des erreichten Weltzustands als ›Kosmos‹ und Beschränkung jedes dabei aufkommenden Absolutismus durchwirken sich als antinomische Motive im Mythos. Ohne Prometheus freizugeben, hätte Zeus die Herrschaft verloren; mit dem Zugeständnis der Befreiung wird er sie nie bis in die letzte Konsequenz seines Willens ausüben können. Weder gegen die Titanen noch gegen die halb schlangengestaltigen Giganten hatte er ohne Hilfe siegen können; und jede Hilfe bedeutete eine Art von Konstitutionalisierung der Herrschaft.

In der »Ilias« erzählt Achill, was er aus dem Munde seiner Mutter Thetis weiß: von dem Aufstand, den Hera, Athene und Poseidon

8 Herodot, Historien VIII 55.

gegen Zeus geführt hätten und den er nur niederschlägt, weil Thetis den unverschämten Riesen Briareos neben ihm niedersitzen läßt. Zeus kann gegen die Empörer nicht mehr machen, was er mit Titanen und Giganten, mit dem Typhaon oder mit Prometheus gemacht hatte. Seine Macht muß groß genug sein, um Ungeheuer und Rebellen gegen die Weltordnung nicht aufkommen zu lassen, aber sie darf nicht so groß sein, daß sie allen Wünschen Wirklichkeit verschafft.

Homer wie Hesiod sind gegen jede magische Einstellung zu Göttern, und sie können es sein, weil der Mythos nicht anthropozentrisch ist. Den Menschen verwickelt er nur am Rande in die Geschichte der Götter. Der Mensch ist Nutznießer dieser Geschichte, weil er von der Zustandsänderung, die sie involviert, begünstigt wird; aber er ist nicht ihr Thema. Auch hierin sind die Götter Epikurs die letzte Konsequenz: sie wissen nicht einmal vom Menschen.

Daß die dynastische Generationsfolge der Götter orientalischem Einfluß zuzuschreiben sei, halte ich für eine freie, aber charakteristische Vermutung der Philologie als einer Disziplin, die ohne so etwas wie ›Einflüsse‹ gar nicht glaubt existieren zu können. Man muß sich einmal vorzustellen suchen, was sonst von den Göttern hätte erzählt werden können. Ihre Zweigeschlechtlichkeit und das darauf beruhende Beziehungsgeflecht zwischen ihnen sind feste Voraussetzungen dafür, daß Geschichten überhaupt in Gang kommen. Aber schon dann liegt nahe, daß es Generationen ebenso gibt wie Ambitionen und Rivalitäten. Ich kann nicht einsehen, daß besondere ›Einflüsse‹ nötig gewesen wären, um etwas derartiges einzuführen. Der Ausdruck vom ›Einfluß‹ suggeriert, daß es sich um eine Zutat zu einem im übrigen authentischen und sich selbst tragenden System handelt. Aber dieses System wäre nicht wiederzuerkennen, wenn es die in ihm liegende Schwächung der schlechthinnigen Abhängigkeit des Menschen von höheren Mächten nicht mit der Konsequenz darstellte, die in den Prämissen Pluralität und Geschlechtlichkeit angelegt ist. Jede gegenwärtige Herrschaft läßt es erst dadurch als nicht notwendig letzte, einzig mögliche und unüberbietbare verstehen. Daß Zeus, wenn nicht bedroht, so doch bedrohbar bleibt, macht es ihm unmöglich, selbst absolut bedrohende Instanz zu sein.

Der Mythos schafft Vertrautheitsbedingungen nicht nur durch seine allzu menschlichen Geschichten von den Göttern, durch den leichten Unernst dessen, was sie untereinander haben, sondern vor allem durch die Herabsetzung ihres Machtpegels. Wenn dies nicht innerhalb des mythischen Rahmens selbst erfunden sein konnte, mit den Hausmitteln der mythischen Erfindungsgabe, dann hört überhaupt die Möglichkeit auf, von Erfundenem zu sprechen, und alles wird auf ›Einfluß‹ abgeschoben. Angesichts der anrüchigen Bedeutungsbeigabe, die der Ausdruck ›Erfindung‹ auf den dafür allzu erhabenen Gebieten der Religion und Kunst hat, ist nicht einmal bei Ungreifbarkeit von Vorgegebenem zulässig, daß man Erfundenes unterstellt, wo dem Geist oder Glauben der Hellenen ein höherer Rang von Notwendigkeit zugeschrieben werden kann. Der ›orientalische Einfluß‹ ist da nur eine mittlere Verlegenheitslösung, die die Herkunftsfrage in noch ältere Kulturen verlagert, aber immer noch offen ließe, weshalb man nach ›wesensfremden‹ Orientalismen zu greifen geneigt war.

Wie ernst ist der Streit der Götter? Zweifellos geht es, in der mythischen Staffelung der Epochen, nicht mehr ums Dasein, ums Ganze und Letzte, aber doch um Macht, um Vorrang, um Vorteile, um Positionen. Das Verhältnis von Unsterblichkeit und Besiegbarkeit im Kampf ist ohnehin selbst für die archaischen Geschichten kaum zu klären: Verbannung auf die Inseln der Seligen ist, was dem Kronos geschieht; was aus Uranos nach seiner Entmannung geworden war, bleibt im Dunkel.

In der »Ilias« gibt es einen Streit, dessen Ernst oder Unernst sich nur in der Art reflektiert, wie Zeus ihn wahrnimmt: *Doch in die anderen Götter fiel Streit, schwer lastender, / Schmerzlicher, und zwiefach wehte ihnen der Mut im Innern. / Und zusammen stießen sie mit großem Lärm, und es krachte die breite Erde, / Und rings trompetete der große Himmel. Und Zeus vernahm es, / Sitzend auf dem Olympos, und es lachte ihm sein Herz / Vor Freude, als er sah, wie die Götter im Streit zusammenkamen.*[9] Es wird mit der Differenz von Mythos und Dogma zusammenhängen, daß der Gott des Monotheismus, ständig von der Einzigkeit seines Ranges und seiner Macht okkupiert, nicht lachen darf. Jean Paul hat das in

9 Ilias XXI 385–390; dt. v. W. Schadewaldt.

den einzigen Satz gefaßt: *Götter können spielen; aber Gott ist ernst.*[10]

Das Interdikt über das Lachen ist philosophischen Ursprungs. Es stammt aus der Staatsutopie Platos, der in seinen Angriffen gegen Homer, Hesiod und Aischylos nicht nur die Ausstattung der Götter mit Feindschaften und Verbrechen, Lügen und Listen, Verwandlungen und Hinterhältigkeiten beanstandet, sondern auch ihr Lachen. Nicht nur weil sie Götter sind, sondern weil Lust am Lachen überhaupt anstößig ist.[11] In seinem Staate jedenfalls dürfe die Jugend nicht mit der Leichtfertigkeit des Homer erzogen werden. Darauf hat sich, nach der Erzählung Suetons, noch der Kaiser Caligula berufen, als er an die Austilgung des Homer dachte. Burckhardt hat diesen Rigorismus Platos unmittelbar mit seiner Vorliebe für die Jenseitswelten in Zusammenhang gebracht: *Das Komplement zu diesem allen ist nun das Jenseits, von welchem er so gerne redet wie Mohammed.*[12]

Vor diesem Hintergrund muß man es sehen, wenn im gnostischen Kunstmythos gerade die Verletzung der philosophischen Vorschrift durch den Demiurgen gesucht wird. Es diskreditiert die Qualität seiner Schöpfung, wenn er in der gnostischen »Kosmopoiie« von Leiden die Welt schafft, indem er siebenmal lacht, also den Laut *cha cha cha* ausstößt. Mit jedem Ausbruch dieses Lachens bringt er ein göttliches Wesen hervor, und zwar in der Reihenfolge: *Phos, Hydor, Nous, Physis, Moira, Kairos, Psyche.*[13] Die Verletzung der philosophischen Vorschrift ist auch Ausdruck dessen, daß die Instanz selbst ins Zwielicht gesetzt werden soll, die hier tätig wird. Das gilt schon deshalb, weil der Text einen gnostisch-magischen Zug hat und dies voraussetzt, sich über die normativen und faktischen Vorgegebenheiten der Welt als einer nicht legitimierten Ordnung hinwegzusetzen und ihr einen anderen Willen entgegenzustellen. Darin besteht der innerste Zusammenhang von Gnosis

10 Vorschule der Ästhetik III 3.
11 Politeia III 3; 388 E: *Lachfreudig dürfen die Wächter nicht sein. Denn wenn einer in kräftiges Lachen ausbricht, so geht das auch auf kräftigen Umsturz (metabolē) ... erst recht darf man Götter nicht zeigen, wie sie sich vor Lachen nicht halten können.*
12 Burckhardt, Griechische Kulturgeschichte III 2 (Gesammelte Werke VI 112).
13 Papyrus Leiden J. 395 (nach: H. Schwabl, Artikel »Weltschöpfung«. In: Paulys Realencyclopädie der classischen Altertumswissenschaft. SD Stuttgart 1958, 126 f.).

und Magie: Diskriminierung des Faktischen als Legitimierung seiner Mißachtung zugunsten des eigenen Willens. Daß Magie ihrem substantiellen Kern nach eine List ist, also einer mythischen Kategorie entspricht, nimmt sie sowohl aus der Grundkonzeption des Kosmos wie auch aus der der Schöpfung heraus. Aber auch sonst tritt in gnostischen Systemen, wo nicht der magische Zugriff vorbereitet wird, das Lachen als elementare Zeugungsform auf.[14] Darin liegt wohl auch Spott auf die biblische Form der großmächtigen Weltbegründung durch das Befehlswort.

Es ist bezeichnend, daß Zeus in der Geschichte vom Dreizackwurf auf die Akropolis durch Poseidon die Lösungsform eines Schiedsgerichts wählt. Die Einführung rechtsförmiger Handlungen in den Mythos charakterisiert die Epoche des Zeus und seine Mittel. Aber welches Recht besteht ohne Durchsetzungsmittel? Kann noch ein Gott bestraft werden, der sich der Rechtsform nicht beugt, zumal im Pantheon der unmoralischen Götter? Es ist charakteristisch für die, deren private Moral den Anstoß aller Kritiker erregen sollte, daß sie der Rechtsform zugänglich sind. Dies ist eine der Voraussetzungen des Systems, wenn diejenigen nicht bestraft werden können, die ihrer Definition nach oder wenigstens durch den Genuß von Nektar und Ambrosia unsterblich sind.

Für die Vorbereitung der kosmischen Ordnung, von der Hesiod schwärmt, ist in *einem* Punkt die Bestrafbarkeit der Unsterblichen unerläßlich: beim Eidbruch. Die Heiligkeit des Eides auch für die Götter ist Hesiods große Sorge, ebenso wie die der alttestamentlichen Autoren um Treue ihres Gottes zu den Bündnissen und Verheißungen, um seine Erinnerung an die gegenseitige Wahl von Volk und Gott. Für Hesiod wäre keine Verläßlichkeit in der Welt, könnten die Götter nicht mit wirksamer Sanktion schwören. Sie schwören daher bei Styx. Während Hades, ein Sohn des Kronos und Bruder von Zeus und Poseidon, in die späteste Generation gehört und bei der Kompetenzverteilung zum Herrn der Unterwelt wird, ist die Styx, der Hesiod eine auffällig umfängliche Beschreibung widmet, eines der Kinder der Nyx, der Nacht. Sie ist gestaltlich kaum abgehoben von dem unterweltlichen Fluß, einem Arm des Okeanos, der den Hades umgibt wie der Weltfluß die Oberwelt. Es ist bezeichnend, daß sich die Styx mit ihren Kindern

14 H. Jonas, Gnosis und spätantiker Geist I. Göttingen 1934, 370.

noch vor der Entscheidung zwischen den Olympiern und Titanen
auf die Seite des Zeus gestellt hat.

Wie der gebrochene Eid an Göttern bestraft wird, wissen wir aus
einem Fragment des Philosophen Empedokles, in dem von einem
Spruch der *Ananke,* einem alten Götterbeschluß, die Rede ist.
Auch unter ihnen müsse ein Meineidiger dreimal zehntausend
Horen (Jahre oder Jahreszeiten) von dem Sitz der Seligen verbannt werden und eine unfreiwillige Metamorphose durch alle
möglichen Gestalten sterblicher Wesen durchlaufen: Seelenwanderung als Eidessanktion unter Göttern.[15]
Der Eid paßt nicht in den Mythos, wo kein Trug ausgeschlossen
ist. *Vom Trug, der ihm rechtens zusteht, läßt nicht der Gott,* heißt
es noch bei Aischylos. Daher wird der Eid das wichtigste Element
zur Herstellung von Distanz zum *status naturalis,* dessen Überwindung zum Logos des Mythos gehört. Die Sanktion muß für
einen Unsterblichen gewaltig sein, und dies wird durch ihre Beziehung zum ältesten Ursprung der Göttergenealogie, zu den Kindern der Nyx, dargestellt. Beim Eid – dies eine Mal, könnte man
sagen – genügt es nicht, daß die faktische Dominanz sich bindet;
an die Wurzeln des ganzen Göttergeschlechts muß gegangen werden, ›zu den Müttern‹, auf die von Mythosschwärmern so miß-
brauchten ›Ursprünge‹.

Hier zeigt sich eine elementare Dichotomie der Möglichkeiten
des Menschen, sich mit Übermächten zu arrangieren, um angstlos
zu leben oder nur unter bestimmbaren Bedingungen der ›Furcht des
Herrn‹ zu stehen. Es muß eine Schwächung der Übermacht geben,
die nicht nur der Mensch ausübt, und es muß Nachweise ihrer
Zuverlässigkeit, zumindest Vorformen der Gesetzlichkeit und Ver-
tragstreue, geben. Die Technik der Schwächung geht über die
Teilung der Macht, über den Ausschluß von Allmacht, über Rivalität und Verwicklung in Affären, über Eifersucht und Neid der
Mächte untereinander, über ihre Revier- und Kompetenzmentali-
tät, über die Komplikation ihrer Genealogien und Sukzessionen,
die definierten Schwächen und Ablenkbarkeiten des Gottes. Das
Verfahren des Nachweises von Zuverlässigkeit ist eher geschichtlicher Art. Der Nachweis gilt der stetigen Einhaltung der Schwüre
des Gottes, wie des durch den Regenbogen festgestellten biblischen

15 Empedokles fr. B 115 (Diels/Kranz I 357 f.).

Gottesschwures, keine zweite Ausrottung der Menschheit durch Wasser zu vollziehen, sich durch keine Untreue des Menschen zum Eidbruch treiben zu lassen.

Bevor die *pistis theou* die Treue des Menschen gegenüber dem Gott wird, ist sie dessen Form der Geschichtsidentität als eines benannten Subjekts und seiner Vertragsfähigkeit. Es ist der Gott, der sich an das gehalten hat, was er den Vätern verhieß, der eine in der Geschichtserzählung erkennbare Grundform der Bewährung, eine Art von Charakter besitzt. Die Herausstellung dieses Elements der Gottestreue ist mehr als Festschreibung juridischer Vertragsfähigkeit. Bundestreue ist, was nur in der Erzählung einer wahren Geschichte, nicht eines Mythos, nachgewiesen und festgehalten, als prophetischer Vorwurf gegenüber der treulosen Seite des Bündnisses, den Menschen, aufgebracht werden kann. Es kommt nicht darauf an, daß die geschriebene Geschichte wahr ist, sondern darauf, daß sie wahr sein muß.

Unbestimmtheit ist bei dieser Grundform des historischen Nachweises von Identität des Gottes nicht zulässig. Man könnte sagen: Vor allem die Chronologie muß stimmen. Darauf beruht eine der wichtigsten Differenzen der alttestamentlichen Literatur und der aus ihr schließlich hervorgehenden biblischen Theologie zum Mythos: die Insistenz auf Zeitrechnung, auf Datierbarkeit durch Aufrechnung der Lebensalter der Patriarchen, der Regierungsjahre der Könige, durch genealogische Konstrukte. Die Zerstörung des ersten jüdischen Tempels (588 v. Chr.) wird zum Bezugstermin einer Chronologie, deren Höhepunkt die Errechnung des Datums der Weltschöpfung durch Rabbi Hillel II. um die Mitte des vierten nachchristlichen Jahrhunderts auf den 7. Oktober 3761 v. Chr. ist. Auf dieses Datum bezieht sich der schlechthin unüberbietbar homogene Kalender *a mundo condito*.

Verglichen damit sind die griechischen Versuche, den Mythos chronologisch zu ›historisieren‹, schwächlich geblieben; etwa als Zeitrechnung nach dem Trojanischen Krieg. Doch ist es auch hier nicht ohne indizierenden Wert, daß sich ein solcher Versuch an den Prozeß des Orest vor dem Areopag anschließt und eine Zeitfolge von Generationen (*geneai*) darauf bezieht.[16] Denn dies ist im

16 H. Diller u. F. Schalk, Studien zur Periodisierung. Mainz 1972 (Abh. Akademie Mainz, Geistes- und sozialwiss. Kl. 1972 Nr. 4), 6.

attischen Staatsmythos vor allem ein Ereignis, das die Arbeit des
Mythos prägnant kenntlich macht als das Zuendebringen von
etwas als das, was nicht mehr sein soll. Doch kommt es auf die
Konfiguration, auf das Eidos an, nicht auf die Datierung, die auf
einigermaßen lässige Weise der eigenen Geschichte zu integrieren
ist. Ich greife der differenzierenden Erörterung von dogmatischer und mythischer Denkform nur vor, wenn ich hier notiere,
daß Nachlässigkeit in der Chronologisierung zu den Unverzeihlich-
keiten der dogmatischen Observanz gehört. Die Kompensation, die
sie dafür gewährt, ist, daß die von ihr regulierte ›Geschichte‹ von
allem Anfang an eine des Menschen ist, der nichts vorausgeht als
die blanke Vorbereitung der Welt auf seinen Eintritt. Er steht im
Mittelpunkt der Handlungen des Gottes, und auf das Verhalten
des Gottes ausschließlich gegenüber dem Menschen kommt alles an.
Daher muß die Geschichte der Geschichten durchgehende Identität,
zuverlässige Chronologie und Genealogie, Lokalisierung und Datierung besitzen. Darin entspringt ein ganz anderes Pathos, als es
dem Mythos eigen sein kann.

Im Mythos gibt es keine Chronologie, nur Sequenzen. Was sehr
weit zurückliegt, aber inzwischen nicht dementiert oder verdrängt
worden ist, hat die Annahme der Zuverlässigkeit für sich. Der
Titanenkampf, in dem Zeus seine Herrschaft behaupten mußte,
liegt weit zurück; schon deshalb, weil damals Prometheus als einer
der Titanen Verrat an seinen Brüdern geübt und auf der Seite des
Zeus gestanden hatte, seither aber sein titanisches Naturell in der
langen Auseinandersetzung mit dem Kosmokrator auslassen, austragen und ausleiden mußte. Es ist nur die Masse des Stoffes, die
sich zwischen die frühesten und die spätesten Ereignisse schiebt,
die den Eindruck der Weiträumigkeit in der Zeit, des unbestimmten zeitlichen Hintergrundes und der Ausgetragenheit des Vorder-
grundes erweckt.

Fernrückung ist auch das Verfahren, Aufhebung oder Ablenkung
der Befragbarkeit zu bewirken. Mythen antworten nicht auf
Fragen, sie machen unbefragbar. Was Forderungen nach Erklärung
auslösen könnte, verlagern sie an die Stelle dessen, was Abweisung
solcher Ansprüche legitimiert. Man kann einwenden, von diesem
Typus seien schließlich alle Erklärungen, so sehr sie sich auch um
Konstanten, Atome und andere letzte Größen bemühen. Aber die

theoretische Erklärung muß gewärtigen, daß sie den nächsten
Schritt zu tun genötigt wird, den Atomen die Protonen, Neutronen
und Elektronen sowie deren Varianten folgen zu lassen und bei
diesen den Verdacht nicht abwenden zu können, jede auftretende
Ganzzahligkeit der Verhältnisse verweise auf nochmalige elementare Bausteine. Schöpfungsmythen vermeiden solchen Regreß: die
Welt ist aller Erklärung bedürftig, aber was ihren Ursprung
erklärt, kommt aus weiter Ferne daher und erträgt keine Fragen
nach *seinem* Ursprung. Diese Unbefragbarmachung hat die theologische Dogmatik mit den Begriffen der Philosophie systematisch
konsolidiert. Ewigkeit und Notwendigkeit als Attribute des ›höchsten Wesens‹ schließen ein, daß es keine Geschichte hat.
Im Mythos steht dafür die Verhinderung von Anschauung. Das
Chaos ist in der Sprache der »Theogonie« noch nicht die ungeord-
nete Gemengelage der Materie, des plastischen Urstoffs für alles
Spätere. ›Chaos‹ ist die bloße Metapher des Gähnens und Klaffens
eines Abgrundes, der keiner Lokalisierung, keiner Beschreibung
seiner Ränder oder seiner Tiefe bedarf, sondern nur der undurchsichtige Raum der Heraufkunft von Gestalten ist. Deren Woher
kann nicht weiter nachgefragt werden, weil dies eben ›in den Abgrund führt‹. Das Gähnen oder Klaffen – auch wenn es das
Auseinanderklaffen der silbernen Schale des orphischen Ureies
gewesen sein sollte – ›erklärt‹ nicht im geringsten, daß sich der
Abgrund bevölkert, daß aus dem Dunkel, das ihn erfüllt, Nyx und
die Kinder der Nacht hervorgehen.
Es beschreibt die ganze Zeugungsmacht mythischer Potenzen, daß
für sie der Satz des Aristoteles nicht gilt, ein Gleiches bringe immer
wieder ein Gleiches, der Mensch einen Menschen, hervor. Aus der
Nacht kann alles an Grauenhaftem und Ungestaltem hervortreten,
um die Ränder des Abgrunds zu besetzen, damit der Blick nicht in
die Leere geht. Wenn alles aus allem hergeleitet werden kann,
dann eben wird nicht erklärt und nicht nach Erklärung verlangt.
Es wird eben nur erzählt. Ein spätes Vorurteil will, dies leiste
nichts Befriedigendes. Geschichten brauchen nicht bis ans Letzte
vorzustoßen. Sie stehen nur unter der einen Anforderung: sie
dürfen nicht ausgehen.
Wenn der Mythos auch Erklärung verweigert und verweigern muß,
so ›produziert‹ er doch eine andere Leben festigende Qualität: die

Unzulässigkeit des Beliebigen, den Entzug von Willkür. Deshalb
darf er nicht in den Verdacht geraten, Artefakt zu sein. Er muß
als *psychologisches Naturproduct*[17] angenommen werden. Der deskriptive Befund *Es ist unserer Willkür entzogen* darf getrost
gleichgesetzt werden mit dem schwärmerischen Prädikat, es sei eben
›Wort Gottes‹[18], denn das heißt nichts anderes als das Nichtmen-
schenmögliche. Der Mythos kann alles aus allem herleiten, aber
nicht alles über alles erzählen. Bedingung dafür ist: Mythische
Mächte können nicht alles, aber sie können ›über alles‹ etwas, sind
kreittones und *kreittona*.[19] Es ist ganz richtig, wenn Cassirer sagt,
innerhalb des mythischen Denkens könne von gesetzloser Willkür
am wenigsten gesprochen werden; aber es ist irreführend, wenn er
das als eine *Art Hypertrophie des kausalen ›Instinkts‹ und des
kausalen Erklärungsbedürfnisses* bezeichnet.[20] Die Anstößigkeit
des Bewußtseins von Zufall ist in der mythischen Vernunft durch
andere als kausale Zusammenhänge und Erklärungen ausgeschaltet. Das Erklärungsbedürfnis ist stillgelegt; die Leerstellen, in
die es eindringen könnte, sind besetzt bis hin zu dem Dichtig-
keitsgrad, der schließlich dem Thales von Milet den Mythos ärger-
lich machte: alles sei voll von Göttern.
Der Mythos spricht also nicht vom Anfang der Welt, so wenig wie
von ihrer Begrenzung durch den Okeanos, der als Grenzfluß doch
noch ein anderes Ufer haben müßte. Er läßt auch nicht nur im
Dunkeln, was ohnehin im Dunkel wäre, sondern er erzeugt dieses
Dunkel, verdichtet es. Daher kommt es auch, daß die vielfältigen
Demiurgen und Kulturheroen, die Ursprungsstifter also von Welt-
und Menschengeschichte, in den Mythen vieler Kulturkreise zunächst keine herausragende Stellung einnehmen, gelegentlich untergeordnete und komische Figuren sind. Trickster ist noch Prometheus
in der griechischen Komödie und im Satyrspiel. Deshalb auch bleibt
unentschieden, wer an die erste Stelle der Genealogie gehört, ob die
Nyx oder der Okeanos, ob das Dunkel oder die Tiefe der Meere.

17 O. Liebmann, Die Klimax der Theorieen. Straßburg 1884, 28 f.
18 C. G. Jung, Erinnerungen, Träume, Gedanken. Ed. A. Jaffé, Zürich 1962,
343.
19 U. v. Wilamowitz-Moellendorff, Der Glaube der Hellenen. ([1]1931/32) [2]Darm-
stadt 1955, I 18.
20 E. Cassirer, Philosophie der symbolischen Formen. [2]Darmstadt 1952, II 62 f.

Beide sind gut für das Auftauchen der nächsten Generation mit ihren Monstrositäten.

Der Horizont des Mythos ist nicht identisch mit den philosophischen Grenzbegriffen; er ist der Rand der Welt, nicht ihre physische Abgrenzung. Diese gestaltenreiche Endlichkeit ist eine andere als die der kosmologischen Sphären. Schopenhauer hat dieses Verfahren der Unbefragbarmachung begrifflich gefaßt. Der Mythos sei *nie transcendent* geworden, und gerade das heiße, die Alten seien *stets mythisch* geblieben: *Ihre Theogonie gieng wie die Reihe der Ursachen in indefinitum, und nicht setzten sie mit hölzernem Ernst einen Allvater: fragte Einer mit Vorwiz immer weiter zurück, so wurde er mit einem Scherz abgefertigt, daß zuerst ein Ei gewesen sei aus welchem Eros hervorgieng: welchem Scherz eine, nur noch nicht in abstracto bewußte, Kritik der Vernunft zum Grunde liegt.*[21] Es ist die Vermeidung der Dialektik der reinen Vernunft, ihrer kosmologischen Antinomien, was fälschlich in die Funktionsweise des Mythos rejiziert wird. Stattdessen ist es ein Verfahren, das Und-so-weiter der Problemerzeugung schon im Ansatz zu vermeiden.

Dennoch ist es richtig, daß der Mythos sich unvereinbare Varianten in Fülle leistet, ohne je den Aggregatzustand des Widerspruchs, der Antinomie zu riskieren. Man bemerkt, mit wie geringer Vorsicht man die späten Probleme der Philosophie, unter Ausschluß ihres Abstraktionsgrades, im Mythos vorgeformt sehen kann, wenn man nur im Besitz einer Geschichtsphilosophie ist, die die Konstanz der großen Fragen für die Menschheit, die Menschheitsvernunft unterstellt. Und das weitere: Wo der Begriff noch nicht die Grenzen bestimmt – und er ist seiner griechischen Benennung nach ein Grenzbestimmer –, da kann der ganze Ernst des menschlichen Bewußtseins noch nicht in Funktion getreten sein.

Die monotheistische Dogmatik wird alles auf die Punktualität des Anfangs in der Schöpfung zusammendrängen. Sogar das Sechstagewerk wird sie nur als allegorische Verständlichkeitsform des momentanen Befehlsaktes der Allmacht benutzen. Der Tendenz nach ist dies alles beschlossen in dem, was Augustin den ›Schöpfungsstoß‹ (*ictus condendi*) nennt. Die mythische Denkform ist in der Vieldeutigkeit und Unbestimmtheit des Anfangs nicht etwa vor der

21 Schopenhauer, Der handschriftliche Nachlaß. Ed. A. Hübscher, I 151.

ihr erreichbaren Deutlichkeit stehen geblieben; dies ist vielmehr Ausdruck ihrer Denkweise. Wo sie als Kunstmythos wiederkehrt, schwelgt sie in der Entbundenheit von drängenden Fragen, von Disziplin der Widerspruchsfreiheit und vor allem von Endgültigkeit. Der gnostische Mythos kann das Chaos Hesiods als Irrtum attakkieren, sofern damit ›der Anfang‹ bezeichnet sein sollte. Nicht das Chaos stehe am Anfang, sondern ein Schatten, der geworfen wird.[22] Ein Schatten, das ist gut platonisch, paßt zur gnostischen Vorstellung des Kosmos als Höhle. Aber er ist doch in der platonischen Erfindung ein sekundäres Phänomen; zu einem Schatten gehört ein Licht und ein Gebilde, das ihn wirft, und etwas, worauf er geworfen wird. Es ist nicht die Anstrengung der Erklärung, sondern die Beziehung auf das Scenario, die den Mythos weiterdrängt. In der Gnosis heißt das, daß die *Pistis Sophia* mutwillig und übermütig ein Gebilde erzeugt und dieses, vor das Licht des Guten gestellt, den Schatten wirft, der sich selbst als die Wand, worauf er fällt, hypostasiert: zur *Hyle* wird. Die Götter stammen zwar, darin behält der antike Mythos recht, aus dem Abgrund des Chaos; aber doch nicht mehr als die Erstgeborenen des Weltprozesses, sondern als dessen späte Ausgeburten, als Folgen der Nachäffung jener ersten Selbstzeugung des Vaters durch sein Geschöpf, die *Pistis Sophia*.

Ein neues Interesse unterscheidet diese Vorverlegung des Anfangs vor das Chaos von allem, worauf es der hellenischen Phantasie angekommen war. Der Gnosis geht es darum, die Identität von Übel und Bösem in der Welt zu lokalisieren, zu konkurrieren mit dem biblischen Sündenfall. Anders als bei diesem geht im gnostischen Mythos die Schuld *an* der Welt der Schuld *in* der Welt voraus. Der Mensch rückt aus dem Zentrum der Verschuldung, weil er keinen Gott mehr zu entlasten braucht, denn der Ursprung der Welt ist als solcher vom Übel. Auch das ist eine Form, in der der Mythos vom Menschen ablenkt; sein Drama bleibt die Geschichte der Welt, und ihre Wichtigkeit desinteressiert die Übermächte am Menschen. Er ist nicht der große Sünder, sondern ein Stück Welt mit einem versteckten Fünkchen Unweltlichkeit. Es darf vom

22 H. Jonas, Neue Texte der Gnosis. (Zusatz zur 3. Auflage von:) Gnosis und spätantiker Geist I. ³Göttingen 1964, 385-390.

Menschen nichts abhängen, wenn ihn nicht die Aufmerksamkeit der fremden Gewalten bedrängen und erdrücken soll.

Die Menschengestalt steht nicht an den Anfängen. Im Mythos ist der Mensch seiner Herkunft nach eher illegitim, sei es, daß er noch aus einer früheren dynastischen Phase stammt und sich in das ›Weltbild‹ des neuen Gottes nicht fügt, sei es, daß er nur zum Tort des Gottes überhaupt erschaffen worden und am Leben erhalten ist. Insofern ist es eine Überraschung, daß die Götter schließlich selbst menschengestaltig sind, und nicht die Vorgabe, die die biblische Schöpfungsgeschichte dadurch macht, daß sie Elohim den Menschen nach seinem Bilde schaffen läßt. Wie ist die Vorliebe des Mythos für einen Hintergrund von Tiergestalten zu erklären, da er doch auf Anthropomorphie so unablässig tendiert? Die einfachste Antwort wäre: Weil er gerade diese Tendenz nicht darstellen konnte, ohne den Menschen zum Thema zu machen, während er doch nur der Nutznießer der Enthärtung, der Entmachtung, der Verharmlosungen ist.

Daß hinter den Kulten menschengestaltiger Götter fast überall auf der Welt Tierkulte stehen, würde am ehesten dadurch erklärlich erscheinen, daß der Akt der Namengebung in einer naturhaften Lebenswelt sich zuerst auf die Eindrücke erstreckt, die eidetisch strikt reproduzierte Gestalten darstellen und darin der begriffsbildenden Leistung am wenigsten zumuten. Die Natur macht dem Menschen die reproduktive Konkretion vor, die er in seinen eigenen Gebilden nur so schwer erreicht und die in der Leistung des Begriffs gleichsam in umgekehrter Richtung mitgemacht wird. Es ist schwieriger, in Blitz und Donner die Identität einer sich äußernden numinosen Macht zu begreifen und zu benennen, als die Verbindung von Fremdheit und Vertrautheit in den genetisch reproduzierten Physiognomien der Tiere zu erfassen und mit Namen zu belegen. Die Typustreue schafft in der Tiergestalt so etwas wie einen ansprechbaren Adressaten. Mythische Götter *sind* typische Götter. Nicht ihre moralische Identität, die Identität mit vergangenen Handlungen und auf zukünftige hin, sondern die Gleichartigkeit der mit einer Zuständigkeit verbundenen Eigenschaften und Wirkungen macht ihre Bezugsfähigkeit aus. Sie ist immer auf die jeweilige Episode beschränkt. Es ist nicht so etwas wie ein lebenslängliches oder gar nationales Verhältnis herzustellen.

Von Zeus wird niemals gesagt, er erinnere sich eines zuvor von ihm gesetzten Aktes; er hat keine Geschichte. Er ist, auf lange Sicht, die Unzuverlässigkeit in Person. Nur sein Verhältnis innerhalb des Gewaltenkomplexes der Götter bestimmt indirekt eine Art von Dennoch-Zuverlässigkeit an ihm. Nur daß er nicht alles kann, macht ihn erträglich, denn er ist ein emporgekommener Wettergott wie Jahwe ein Vulkangott. Dennoch ist gerade hierin der alttestamentliche Gott das genaueste Gegenteil des Zeus, denn er wird beschworen mit der Erinnerung daran, er habe das Volk aus Ägypten geführt und ihm das verheißene Land Kanaan gegeben. Er ist der Garant einer Geschichte und der aus ihr erwachsenen politischen Konstellationen kraft seiner Identität. Seine Hauptforderung ist, ganz dieser Eigenschaft gemäß, Treue des Partners zum Bündnis, zum Vertrag, zur Geschichte. Er vergißt, gleichsam mit Absicht, seine Verheißungen über der Untreue der anderen Seite.

Im Mythos hinterläßt keine der Geschichten Spuren in der nächsten, so gut sie auch nachträglich miteinander verwoben sind. Die Götter machen Geschichten, aber sie haben keine Geschichte. Das Ewige ist ihnen gleichgültig, wie es denen gleichgültig sein kann, denen ihre Geschichten erzählt werden. Was das Dogma vom Mythos unterscheidet, ist eben dies, daß es so etwas wie ›ewige Tatsachen‹ zu enthalten beansprucht und institutionalisiert. Dafür aber auch ewige Verstrickungen kennt, die keine Sühnung ganz ungeschehen machen kann, unvergebbare Beleidigungen der Gottheit wie die geheimnisvolle Sünde wider den Heiligen Geist, von der niemand jemals erfahren hat, worin sie bestehen könnte.

Solange die Götter nicht von menschlicher Gestalt sind, haben sie ein Verhalten, aber keine Motive. Insofern ist die jonische Tierfabel des Äsop die späte Rückversetzung der anthropomorphen Götterwelt auf deren theriomorphe Vorstufen. Sie ist der gleichmütig gewordene Umgang mit dem Typischen. Wie im Epos die Götter auf den Standard der Menschen gebracht sind, werden in der Fabel die Menschen auf dem Niveau der Tiere reflektiert. Der Phryger Äsop bevorzugt das Tier als Träger von Geschichten, die das am Menschen meinen, was schon in der jonischen Kultur an ihm fremd und unmenschlich zu werden begann, nämlich das Typische.

Es wird hier über den Ursprung der Fabel so wenig behauptet wie über den des Mythos. Doch verblüfft die allgegenwärtige Wirkung der äsopischen Fabel im hellenischen Bildungszusammenhang bis hinein in den Kerker des Sokrates. Vielleicht waren die äsopischen Fabelsubjekte alte Tiergötter, an denen die mythischen Züge weiter vermenschlicht, aber die durch das Epos geschaffene Heroisierung des Menschen nicht mitgemacht, sondern dieser in seine Bürgerlichkeit versetzt wurde. Dann wären die Tiersubjekte schon Parodien auf die noch heroischen, weil an der hellenischen Adelsschicht abgelesenen, Götter Homers. Statt der Frivolität des müßigen Lebens, das erst die Theorie disziplinieren wird, hätten sie den Zug der Biederkeit, die die Schleppe der Moral hinter sich herzieht. Das wäre neben dem Epos eine weitere Form der Arbeit am Mythos, neben den entdämonisierten und poetisierten Göttern die urbanisierten. Mit ihnen entdeckt der Mensch erstmals an sich selbst die Befremdlichkeit des der Individualisierung noch Entgangenen. So wäre die Fabel, obwohl bezogen auf die Residuen der mythischen Transformation von Ungeheuern zu Tieren und Menschen, zugleich der Gegentypus zur poetisch allzu leicht vollzogenen Vermenschlichung der Götter im Epos. Daß etwas an der vermeintlichen Leichtigkeit jener ›Aufklärung‹ in der Stadtkultur der jonischen Küste, die auch die frühe ›Theorie‹ hervorbrachte, nicht gelungen, nicht durchgehalten worden war, wird am ehesten belegt durch den Sachverhalt, daß mit der Verspätung von drei Jahrhunderten das Potential des Mythos noch die ganze Welt der Tragödie hervorzubringen und zu tragen imstande war.

Die Art, wie die Arbeit am Mythos sich im alten Epos darstellt, ist der Form nach – und nicht nur durch das, *was* erzählt wird – der Erfolg dieser Arbeit selbst. Zum ersten Mal zeigt sich, was ästhetische Verfahrensweisen gegen die Unheimlichkeit der Welt auszurichten vermochten – um es auch provozierend zu sagen: der Blitz war nicht in den Sänger gefahren, der den Olymp so ernst nicht mehr genommen hatte. Die Leiden an Göttern sind die des längst heimgekehrten Odysseus, nicht die des Sängers, der die Götter um ihn rivalisieren läßt.

Parodie ist eines der Kunstmittel der Arbeit am Mythos. In ihr werden die Grundzüge mythischer Funktionsweisen übersteigert, bis an eine Grenze getrieben, an der ihr Gestaltgewinn erlischt.

Daß dies späte Formen der Entsetzung des Mythos charakterisiert, bedarf kaum des Belegs; daß es aber auch schon in den frühen, uns noch erreichbaren literarischen Zeugnissen vorkommt, bleibt leicht unbeachtet, wenn man sie als Quellen für den ›Glauben der Hellenen‹ behalten will. Man müßte über die Ungläubigkeit der Hellenen schreiben.

Proteus ist sprichwörtlich eine Figur der Unfestigkeit der Erscheinung, der unbegrenzten Wandlungsfähigkeit: der lachhafte Inbegriff der Metamorphose. Er ist ein Gott des Meeres, schon dem Namen nach dort ein Alter und Erster, dem Gestaltenbabel der Tiefe verwandt. Wohl über die Namensgleichheit mit einem dortigen Fürsten kommt er nach Ägypten auf die kleine Insel Pharos nahe dem Nildelta, Anlaufplatz der Schiffahrt und vielleicht auch ein wichtiges Orakel für die Festlegung von Abfahrtszeiten und Windlagen. Darauf läßt schließen, was die »Odyssee« über das Erlebnis des dorthin verschlagenen Menelaos weiß, von dem dieser dem jungen Telemach in Gegenwart der zurückgewonnenen Helena am Hofe von Sparta erzählt.[23] Den Rückkehrer aus Troja hatten die Götter auf Pharos schon zwanzig Tage bei Flaute festgehalten. Der Ratlose wendet sich an die Nereide Eidothea um Hilfe. Sie verweist ihn an ihren Vater Proteus, den Meeresgreis, den Ägypter, der die Tiefe kenne und der Zukunft kundig sei.

Immer stehen die uralten Götter im Verdacht, mehr zu können und zu wissen als die jüngeren, bei denen mit der Kraft auch das Wissen geschwunden ist. Aber Proteus ist nicht zu fassen: *Denn schwer ist für einen sterblichen Mann ein Gott zu überwältigen.* Proteus vor allem deshalb, weil er auf keine Gestalt festgelegt ist und jede ihm augenblicklich zur Verfügung hat. So beschreibt die Tochter das Geheimnis seiner eidetischen Omnipotenz: *Versuchen wird er sich darin, daß er zu allem wird (panta de gignomenos peirēsetai), soviel Kriechendes auf der Erde lebt, wie auch zu Wasser und brennendem Feuer.* Kennt man die Sequenz der Wandlungen zuvor, wird man an seiner Identität nicht irre und vermag ihn festzuhalten, bis er zur Ausgangsgestalt, die im Ungewissen bleibt, zurückkehrt. So geschieht es denn auch, und *der Alte vergaß nicht seine listige Kunst, sondern er wurde wahrhaftig erst ein starkbärtiger Löwe, aber dann Schlange und Panther und ein*

23 Odyssee IV 351-586. Zitate nach der Übersetzung von W. Schadewaldt.

*großes Wildschwein, und wurde feuchtes Wasser und hochbelaub-
ter Baum.* Seine Überwinder aber halten ihn fest; und als das
Repertoire seiner Verwandlungen erschöpft ist, läßt er sich zur
Preisgabe seiner Geheimnisse herbei.

Es versteht sich, daß die bildende Kunst dieser Parodie auf eine
Kategorie des Mythos nicht gewachsen ist, so wenig wie der Gorgo
Medusa; im Vasenbild ist Proteus als Mann mit einem Fisch-
schwanz abgebildet, aus dessen Leib zugleich ein Löwe, ein Hirsch
und eine Schlange heraustreten. Plato wendet auf ihn eine der frühen Allegoresen an, indem er an seiner substanzlosen Wandlungsfähigkeit im »Euthydem« den Sophisten vorgebildet sieht. Der
Mythologe des 18. Jahrhunderts erklärt die Häufung der Metamorphosen auf die eine Figur so: *Wie er nun in der Astronomie
und Kenntnis der Winde sehr erfahren gewesen: also soll er durch
die öftere Veränderung seiner Kleidung und zumal seiner Haupt-
zierden Gelegenheit zu dem Gedichte von seinen Verwandelungen
gegeben haben.*[24]

Nun sollte man denken, für einen Dichter, der die Metamorphose
als die zentrale Qualität des Mythos nimmt, weil sie seine ästhetische Erzählbarkeit erst herstellt, müßte die Gestalt des Proteus
geradezu der Drehpunkt seiner Variationen sein. Aber das ist eine
voreilige Folgerung. Ovid kommt auf Proteus nur beiläufig. Er
erscheint als einer von denen, *quibus in plures ius est transire figu-
ras.*[25] Ihn habe man als Jüngling wie als Löwen, als Eber wie als
Schlange und als Stier, als Stein und als Baum, als fließendes Wasser, als breiten Strom und, im Gegenspiel dazu, als Feuer gesehen.
Der Gestalt fehlt, was zu einer Geschichte nötig ist, die Identität
selbst innerhalb der Episode. Sie ist so weit das Anderssein in
Reinkultur, daß sie kein Selbstsein mehr hat und damit das Prinzip
der Erzählbarkeit des Mythos sprengt. An der Grenze der Parodie
zerstört der Mythos sich selbst.

Proteus ist mit seinem weisen Rat auch beteiligt an der Verbindung
der Nereide Thetis mit Peleus, aus der der Held hervorgehen sollte,
dessen furchtbaren Zorn Homer in der »Ilias« besingt. Zeus hatte
auf diesen erotischen Wunsch verzichten müssen, nachdem er sich

---

24 Benjamin Hederich, Gründliches mythologisches Lexikon ([1]1724) [2]Leipzig
1770 (Ndr. Darmstadt 1967), 2110.
25 Ovid, Metamorphosen VIII 731-737.

von Prometheus mit dessen Freilassung das Orakel der Mutter
erkauft hatte, das seinen Sturz durch den aus der Verbindung mit
Thetis etwa erzeugten Sohn prophezeite. Mäßigung gegenüber dem
Protektor der Menschen hatte ihn vor dem unbedachten Schritt zur
Zeugung eines Größeren bewahrt. Peleus also soll die dadurch um
die Mutterschaft eines neuen Göttergeschlechts – das Achill doch
nur sehr näherungsweise vertreten kann – gebrachte Nymphe zur
Frau erhalten. Man versteht, daß er dabei – nach einer Variante
der »Frauenkataloge« des Hesiod – auf Ablehnung stößt. Für den
Liebhaber Zeus gab es nicht leicht Ersatz, zumal auch noch Poseidon Ansprüche geltend macht. Also muß Peleus sich Thetis durch
einen Ringkampf an der Küste des Pelion gefügig machen. Die
Beziehung der Nereide zu Proteus ist der Witz dieses Kampfes,
denn sie kann schnell nacheinander das Äußere wechseln, schreck-
hafte Gestalten annehmen – aber, wie Menelaos am Strand von
Pharos, Peleus läßt sich nicht entmutigen. Er hat gleichfalls die
Hilfe eines Zwischenwesens der Mythenwelt, des Kentauren Chi-
ron.[26] Daß Thetis trotz dieses Nachklangs ihrer Zugehörigkeit zur
Meeresfauna die Mutter des Achill wird, versichert nachträglich des
Standards ihrer Menschengestalt.
Das bleibt für Proteus unbestimmt. Deshalb liegt in dieser Figur
eine Beunruhigung über die anthropomorphe Tendenz des Mythos.
Dazu bleibt festzuhalten: Die Funktion des Mythos hängt zwar
daran, daß seine Figuren anthropomorph sind, aber mit dem ganzen Gewicht darauf, daß sie es *geworden* sind und dies Werden
noch an sich tragen. Gerade weil die Funktion des Mythos auf die
Weltsicherheit des Menschen zentriert ist, ist der Komplex seiner
Gestalten und Geschichten nicht anthropozentrisch. Die Nutznie-
ßerschaft des Menschen ist immer vielfach vermittelt über die
Qualität der Welt, die das Thema des Mythos ist. Arnold Gehlen
hat den Sachverhalt aufs knappste formuliert: *Der anthropomorphe Gott ist gerade der, der nicht mehr anthropozentrisch
wirkt, er ist kein Ariel.*[27]
Proteus ist auch an der Geschichte der Helena und des durch sie
von Zeus gestifteten Unheils beteiligt. Nach einer bei Apollodor
aufbewahrten Version wurde die umstrittene Tochter des Zeus

26 Katalogoi fr. 209 in der Kommentierung von W. Marg, a. a. O. 522 f.
27 A. Gehlen, Urmensch und Spätkultur. Bonn 1956, 275.

nicht *realiter* von Paris in Troja besessen, sondern nach Ägypten zum Pharos-König Proteus heimlich entführt, der aus Wolken ein Ebenbild geformt und, während er die echte Helena bei sich für die Dauer des Krieges verbarg, dem Paris in Troja untergeschoben hatte. Menelaos war es dann, der wieder in den Besitz der echten Helena kam, ohne von der zwischenzeitlichen Vertauschung etwas zu wissen. Daraus erklärt sich, daß er dem Proteus dennoch jenen Gewaltstreich spielen mochte.

Der Doketismus ist die dem Mythos angemessene Ontologie. Sie trägt eine auf den Unterschied von Erscheinung und Realität nicht angewiesene Evidenz und macht jeden Umweg um das Zentrum des Ernstes möglich. Die Anwesenheit der Helena in Troja läßt das Blut der edelsten Männer fließen; wäre sie nach der Version des Apollodor nur der schöne Schein der Schönheit, so würde die Mythe den Rand des Zynismus streifen. Der trojanische Krieg findet statt, obwohl der Gegenstand des Streits, um den es geht, sich nicht im Zentrum des Schmerzes und der Trauer befindet, die sonst Stigmata der unverfehlbaren Realität sind. Im Mythos darf gerade das nicht sein; aber es ist doch aufschlußreich, daß Homer solchen Doketismus nicht gewagt hatte. Bei ihm streicht Helena um das in die Stadt eingebrachte hölzerne Pferd, die Listmaschine des Odysseus, und versucht die im Innern verborgenen Griechen durch Nachahmung der Stimmen ihrer Frauen zu unbedachten Lauten zu verführen. Alles wäre dahin, wäre dies nicht leibhaftig die Frau, um die der Kampf zehn Jahre getobt hatte und nun zu Ende ging.

Es war Romantik – gemeint als Versöhnung der vermeintlich ältesten Offenbarung mit der nach der Aufklärung wieder entdeckten jüngsten –, wenn Schlegel sagte, das Göttliche wolle Inkarnation. Auch wenn die Bewohner des Olymp menschengestaltig sind, ersparen sie sich doch alles, was dies im Ernst zur Realität machen würde: Schmerz, Trauer, Alter und Tod. Auch wenn sie in Menschengestalt erscheinen, ist der ›Nachklang‹ tiergestaltig, tiergesichtig. Zwischen Metamorphose und Gleichnis kann, zumal bei Homer, nicht immer sicher geschieden werden.[28]

Es ist erstaunlich, welches Maß an ›Realismus‹ von Philologen in

28 F. Dirlmeier, Die Vogelgestalt homerischer Götter. Heidelberg 1967 (Abh. Akademie Heidelberg, Phil.-hist. Kl. 1967 Nr. 2).

anderthalb Jahrhunderten diesem ungeschlichteten Streit zugewendet worden ist. Er wäre zum Gradmesser für den humanistischen Ernst geworden, die ›Würde‹ der griechischen Götter zu wahren, auch wenn ihnen Homer ausschließlich Vogelgestaltigkeit zugemutet hätte. Unrecht zumindest dürfte Hermann Fränkel nicht gehabt haben, dem Dichter eine Art Unentschiedenheit zu unterstellen; nur sollte man das nicht mit Minderungen seines Bewußtseins zu einer ›Art Halbbewußtsein‹ gleichsetzen. Könnte er nicht auch mit dem theriomorphen Hintergrund gespielt, sogar ironisch auf ihn angespielt haben?

Zwar geht Homer mit den Ausdrücken ›kuhäugig‹ für Hera und ›eulenäugig‹ für Athene leichtherzig um; aber es muß doch angenommen werden, daß ihm Kultbilder und Texte noch bekannt waren, in denen die Tiergestalt vollends da war, die ihnen jetzt nur noch den Zug um die Augen gibt. Wir freilich, darin hat der späte Wilamowitz recht, würden den homerischen Gedichten *nicht entnehmen, daß die Hellenen sich die Epiphanie ihrer Götter vorwiegend tiergestaltig gedacht hätten.*[29] Zugleich hat er in der Anmerkung die wichtige Beobachtung, daß zwar die Götter in der »Ilias« die Gestalt von bestimmten, ihm bekannten Menschen annehmen, wenn sie mit einem der Helden verkehren wollen, aber dies zugleich auch das Mittel ihrer List, ihrer verfremdeten Authentizität ist: *Wenn der Gott nicht erkannt werden will, ist er für den Angeredeten der Mensch.* Nicht der, dessen Gestalt ihm gehört, sondern der, als der er erscheinen will. Nur deshalb kann umgekehrt *in einem unbekannten Menschen, der plötzlich bemerkt und angestaunt wird, ein Gott vermutet werden.*[30] Der Lokrer Aias erkennt von hinten am Gang den Gott in der Gestalt des Kalchas, denn, nichts ist dem Sänger plausibler als dies, *Götter sind ja leicht zu erkennen.*[31]

Wir dürfen den Dichter nicht lesen, als hätte er uns die Glaubenszustände einer Epoche zu referieren. Er schwankt zwar zwischen Gleichnis und Metamorphose – wie sogar die Autoren des Neuen Testaments es an der Stelle tun, wo der Heilige Geist in Taubengestalt zur Jordantaufe herabkommt: für Markus, Mat-

29 Wilamowitz, Der Glaube der Hellenen I 141.
30 Wilamowitz, a. a. O. I 22.
31 Ilias XIII 68-72.

thäus und Johannes *gleichsam* als Taube (*hōs peristerā*), für Lukas in deren Leibesgestalt (*sōmatikō eidei*); aber es ist bei Homer nicht eine Art Unsicherheit seiner Überzeugungen oder auch nur Meinungen, sondern die spielerische Spiegelung der durch keine Dogmatik und durch fast keine Priesterdisziplin geregelten Kult- und Erzählungsformen der ganzen griechischen Welt. Gerade weil dies alles nicht den letzten Ernst hat, steht es für die Leichtfertigkeit des Dichters bereit. Der Pluralismus der Vorstellungen und Bilder, also was er nimmt, wird zur Vieldeutigkeit dessen, was er gibt. Womit er seinem Publikum auch zumutete, die oberflächliche Selbstverständlichkeit nicht auf sich beruhen zu lassen, mit der die Olympier als Menschen vorgestellt wurden.

Der hellenische Mythos kennt keine Überschreitung der Gegenwart, hat keine Utopie oder Eschatologie. Was geworden wäre, hätte Zeus auf die nötigende Warnung des Prometheus nicht gehört, das Beilager der Nereide Thetis zu meiden und den Übersohn nicht zu zeugen, ist nirgends gesagt. Der andere Fast-Übersohn Herakles läßt vermuten, die Griechen hätten den Gewaltigeren so verstanden, daß er die Welt von Bedrückung und Unrat großzügiger befreien kann. Der Kosmos also stand wohl nicht auf dem Spiel, wenn Prometheus den Zeus hätte zeugen lassen. Aber ob dies dann den Menschen zugute gekommen wäre, deren Qualität doch noch ›antiquierter‹ geworden wäre als für die Zeus-Welt?

Trotzdem ist hier, wie auch sonst, die lastende Frage: Was ist noch oder wieder möglich? Welche Wiederkehren sind ausgeschlossen, was liegt noch im Scheitern der Aufhellungen? Muß man die Metamorphose unter dem Gesichtspunkt betrachten, es sei die zumindest episodische Rückkehr der Götter in Zustände ihrer Herkunft und Geschichte möglich? Da sie doch in jedem dieser Akte über ihre vormalige Undurchsichtigkeit und damit Rücksichtslosigkeit gegenüber dem Menschen zu verfügen scheinen, sich die Rückwendung zur Unverantwortlichkeit so freihändig erlauben. Jede Metamorphose nährt den Verdacht, der mit der Frage umtreibt: Was vermag das Übermächtige noch oder wieder über uns? Gibt es da den Bruch des schon verschlossenen Gewahrsams, dessen Figuration das Mitgiftgefäß der Pandora ist?

Auch der Monotheismus hat sein Regressionsproblem, das sich seiner Selbstauffassung als Schwäche des Menschen für die niederen

Götter und ihre im Vergleich zum Weltengott moderaten Ansprüche darstellt. Zwar hatte schon Abraham, als er Chaldäa verließ, den tiergesichtigen Elohim den Rücken gekehrt und sich für den Einen entschieden, aber die totemistischen Figuren kommen immer wieder durch, wie der Widder im Ersatzopfer für Isaak, die Ziege als Sündenbock des Versöhnungstages, und wohl auch im Goldenen Kalb, verschmolzen mit dem Apis Ägyptens.[32] Sollte diese Spekulation über den Elohim-Hintergrund zutreffen, wäre die ägyptische Gefährdung des werdenden Hochgottsystems um so begreiflicher, die Strenge der vierzigjährigen Wüstenwanderung einer ganzen Generation zur endgültigen Auszehrung der Götter des Mythos die verständliche Therapie gegen die immer drohende Regression zu den therio- und teratomorphen Vor- und Durchgangsstufen, um es endlich auf den Punkt der Nichtwiederkehr zu bringen. Diese Endgültigkeit der Entscheidung gegen die Polykratie des Mythos hat sich selbst in einem Mythos der kanonischen Erinnerung niedergeschlagen. *Auf, mach uns Götter, die vor uns hergehen sollen*, schreit das Volk am Fuße des Sinai, als Moses vom Berge nicht zurückkommt. Als er, die Tafeln des Gesetzes herabbringend, das goldene Rindsidol sieht, bricht vor seinem Auge zusammen, was mit dem Auszug aus Ägypten gesichert zu sein schien. Woran Pharao gescheitert war, das sich ihm entziehende Volk zurückzuholen, war Apis, dem Stiergott des Niltals, gelungen. *Und es geschah: wie er dem Lager nahte und sah das Kalb und die Tänze, entflammte Mosches Zorn, er warf aus seinen Händen die Tafeln und zerschmetterte sie unten am Berg.*[32a] Die Zerstörung des Idols hat magische Gewalt und ist Parodie auf die Sehnsucht, einen Gott zu haben, den man ganz einverleiben, mit dem man identisch werden kann: *Er nahm das Kalb, das sie gemacht hatten, verbrannte es im Feuer, zermalmte es, bis daß es stob, zerstreute es aufs Wasser und gabs den Söhnen Jissraels zu schlucken.* Dann läßt er die Männer vom Stamm Levi die Götzendiener niedermachen. Die große Dezision wird als Umkehrung der Totemmahlzeit manifestiert. Für diese gilt: An dem, was alltäglich

---

32 O. Goldberg, Die Wirklichkeit der Hebräer. Einleitung in das System des Pentateuch I. Berlin 1925, 280-282.
32a 2. Moses 32. Zit. in der Übertragung von Buber und Rosenzweig (Neubearbeitung 1954).

nicht getötet oder verspeist, nicht einmal berührt oder verletzt werden darf, wird die Gunst des Ahnen oder des Schutzgeistes erprobt und gesichert durch die exzeptionelle Verspeisung. Darin liegt der Grenzbegriff der Intention aller Rituale und ihrer zugehörigen mythischen Interlinearversionen: den Gott zu essen. Moses demonstriert den Tänzern um das Goldene Kalb, daß jedes falsche Bündnis nur den Tod bringt.

Die blutige Restitution leitet zur epochalen Züchtigung durch das Gesetz über, dessen Unerfüllbarkeit Paulus als die Notwendigkeit einer anderen Rechtfertigung erklären wird. Doch wird der Kult des unsichtbaren Einen in Israel niemals die ganz fraglose Sache, als die er den Späteren erscheint. Noch König Josia von Juda, der 609 in der Schlacht von Megiddo gegen die Ägypter fällt, muß in einer letzten Anstrengung zur Wiederherstellung der davidischen Reichseinheit und der Zentrierung des Kults auf Jerusalem nicht nur das Gesetzbuch des Moses wiederfinden und proklamieren lassen, sondern auch Heiligtümer von Stieridolen immer noch ägyptischen Typs zerstören. Mehr als ein halbes Jahrtausend seit der Wüstenwanderung hatte nicht ausgereicht, Genügen an der Unsichtbarkeit und Bildlosigkeit des Gottes zu bewirken.

Es war die Stiftung einer großen Entbehrung gewesen, auch wenn sich langfristig ungeahnt bewähren sollte, daß ein unsichtbarer Gott, der aus den Büchern sprach, von unbegrenzter Transportabilität war, sofern dogmatischer Rigorismus seine Bestimmtheit als ›Gestalt‹ aus Attributen bewahrte. Der Verlust des Tempels zu Anfang des sechsten Jahrhunderts nahm den letzten Rest der Sichtbarkeit der Gottesbeziehung, den Kult, und reduzierte sie auf den Besitz des Namens und des Gesetzes. Das chaldäische Exil führte dorthin zurück, von wo ausziehend Abraham den Elohim abgesagt hatte und seinem Wahlgott gefolgt war. Dieses erste Exil, das mit der Wiedererrichtung des Tempels in Jerusalem 516 und der Vollendung der Restauration durch Esra und Nehemia endete, war das Paradigma des zweiten; es schuf die wiederum mythische Qualität der Evidenz, daß und wie man ohne Territorium und Nationalkult, nur kraft des Gottesnamens und des Buches die Identität einer Geschichte wahren konnte. Die drakonische Katharsis von jeder Anschaulichkeit wurde der Ursprung des theologischen Gottes und seiner bildlosen Metaphysik.

Dies kann schon deshalb nicht als ein Triumph des reinen Geistes
gesehen werden, weil die Sehnsucht nach den alten Göttern gerade
unter der Last der Forderung, sie zu vergessen, wach blieb und
sich immer wieder Bilder schuf und Geschichten verschaffte. Man
mag zögern und Scheu empfinden zu sagen, das Christentum habe
herkunftswidrig und unerwartet diesem Drängen halbwegs entsprochen und den unsichtbaren Einen mit Elementen der Anschauung und der Narrativität angereichert. Zwar brauchte es für die
Gewinnung der hellenistischen Welt nicht wieder auf Tiergesichter
zurückzugreifen, aber es schuf für mehr als ein Jahrtausend Verbindungen von Dogma und Bild, von Begriff und Anschauung, von
Abstraktion und Erzählung. Der Gott, dem Ehe und Verwandtschaft verboten waren, weil ihn das wieder in die Geschichten statt
in die Geschichte geführt hätte[33], hatte nun dennoch einen Sohn,
dessen Menschwerdung beides zu vereinigen schien. Die Bedrohung
dieser ›hypostatischen Union‹ lag nicht mehr allein oder vorwiegend beim Rückfall zu den Bildern, sondern beim Absolutismus
der Transzendenz, bei der imperativen Metaphysik der Gottes-
autarkie und bei den Abstraktionen des Dogmas.

Die Götter, die der Eine nicht neben sich haben lassen will, werden
nicht ihrer Existenz beraubt – wie Existenzfragen überhaupt erst
der philosophischen Erörterung und Beweiswürdigung entstammen –, sondern bleiben die Götter der anderen, die fremden
Götter, oder werden zu Dämonen. Als solche, das ist nicht zufällig,
übernehmen sie die Bestimmungen der mythischen Funktionsweise,
nun mit dem verkehrten Vorzeichen und in grotesker Karikierung.
Der Satan der christlichen Tradition ist wie Proteus eine Über-
steigerungsfigur des mythischen Repertoires, Inbegriff aller Mittel

33 Max Weber, Gesammelte Aufsätze zur Religionssoziologie III. Das antike
Judentum. (¹1920) ²Tübingen 1923, 148: *Die Qualität des Gottes als eines durch
besonderen Vertragsakt angenommenen Bundeskriegsgottes und Garanten des
Bundesrechts erklärt auch noch eine Eigentümlichkeit von großer Tragweite: er
war und blieb, bei allem Anthropomorphismus, unbeweibt und daher kinder-
los ... Bei Jahwe aber trug dieser Umstand sicher sehr wesentlich dazu bei, ihn
von Anfang an als etwas, anderen Göttergestalten gegenüber, Besondersartiges,
Weltferneres erscheinen zu lassen; vor allem hemmte er ... echte Mythenbildung,
die immer ›Theogonie‹ ist.* Thomas Mann hat diese Stelle, wie die andere über
die *typische Priesterleistung der Theogonielosigkeit Jahwes* (a. a. O. 241), für den
»Joseph« verwendet, um den Kontrast zur Mythenfreiheit herauszustellen. Vgl.
H. Lehnert, Thomas Manns Josephstudien 1927-1939, In: Jb. der Schillerges. X,
1966, 512 f.

gegen eine theologische Instanz der Zuverlässigkeit und Festlegung auf den Menschen. Der Teufel hat seine Natur als Naturlosigkeit, als omnipotente Selbstverfügung der Metamorphose und des Blik- kenlassens tierischer Attribute. Es ist zu wenig gesehen worden, daß er in seiner ganzen Ausstattung die Gegenfigur zum substan- tiellen Realismus des Dogmas ist. In Satans Gestalt ist der Mythos zur Subversion der dogmatisch disziplinierten Glaubenswelt ge- worden. Die tierischen Extremitäten und Attribute des Teufels, an denen die Imagination allein noch ihr freies Spiel üben konnte, sind Symptome der prekären Regressionsbereitschaft des Mythos auf alle Stufen seiner Überwundenheiten.

Den zaghaften, eher am Kostüm verweilenden Polytheismus der Renaissance kann man als Zähmungsstufe der Dämonologie sehen, die gegen Ende des Mittelalters, im dreizehnten und vierzehnten Jahrhundert, die Niederhaltung durch den ermattenden Realismus der Scholastik durchbrach und üppige Formen annahm. Da ver- dienten die alten Götter schon ästhetisch den Vorzug. Sie waren zwar sittenlos gewesen und zeigten sich wiederum nackt, doch kei- ner von ihnen hätte sich zum Prinzip des Bösen geeignet. Die Funktionsweise der Metamorphose als Antithese zur Inkarnation hatte schon in der ersten Hälfte des dreizehnten Jahrhunderts ein großer Theoretiker der Dämonen, der Zisterzienser Cäsarius von Heisterbach in seinem »Dialogus Miraculorum« beschrieben. Die mühelos in den Plural übergehenden Teufel kommen auf eine die Menschwerdung hinterhältig verhöhnende Weise zu ihren Leibern als Pferd, Hund, Katze, Bär, Affe, Kröte, Rabe, Geier oder Dra- che, wie auch zur Menschenfratze, indem sie wider die Natur ver- geudetes menschliches Sperma aufsammeln und sich daraus Körper machen. So können sie, sagt der dämonologische Spezialist, von Menschen gesehen und berührt werden. Das wäre nochmals Proteus als Parodie auf das Prinzip der Metamorphose, wenn es nicht die blasphemische Stoßrichtung auf das zentrale und allem Doketismus in jahrhundertelangen Mühen entzogene Kerygma des Christen- tums hätte. Die Antithese zum Dogma ist ein Artefakt, um eine Gegenwelt zu imaginieren.

Sucht man nach einem deskriptiven Universalinstrument für die Verfahrensweisen des Mythos, so wird man mit ›Umständlichkeit‹ wenigstens eine Annäherung ausmachen. Was damit getroffen oder

wenigstens umrissen werden kann, muß wieder vor dem Hintergrund des Absolutismus der Wirklichkeit erwogen werden. Das
Gefühl schlechthinniger Abhängigkeit impliziert den Wunsch, die
Übermacht möge stillhalten, mit sich beschäftigt bleiben oder we-
nigstens, wenn ihr Wohlwollen nicht fixiert werden kann, mit den
Verzögerungen der Umständlichkeit wirksam werden. Den Zeit-
genossen der Bewunderung schneller Entschlüsse und markanter
Großhandlungen ist ferngerückt, daß Umständlichkeit gnädig sein
kann. Der gar nicht auszuschöpfende Beleg ist der Umschlag in der
Grundstimmung der christlichen Frühgeschichte von der ungedul-
digen Erwartung des nahen und abgekürzten apokalyptischen
Schnellverfahrens zur flehentlich beschworenen Dilatanz. Es ist
die Wiederkehr des Arrangements mit der Welt, daß man sich den
Anforderungen des Endes noch nicht und immer weniger gewachsen weiß. Dies ist nicht die Umständlichkeit, an der sich die absolute Macht als endlich erwiese, aber doch die, mit der sie ihren
selbst gewährten Konstitutionalismus bestätigt.

Die Gewalten des Mythos sind gar nicht anders vorstellbar als so,
daß sie nicht beliebig haben können, was sie wünschen. Sie müssen
sich Prozeduren unterziehen, wie bedenklich diese moralisch immer
sein mögen. Ohne List und Verkleidung, ohne Verwandlung und
Zugeständnis, ohne Hemmung und Verzögerung der Willkür geht
es nicht ab. Sogar die Bestrafung anderer durch Verwandlung
indiziert den Widerstand, auf den die Absicht der blanken Vernichtung träfe.

Noch der zornigste Gott ist zur Umständlichkeit genötigt: Zeus
kann die Diebe, die in seiner Geburtshöhle auf Kreta den Honig
der heiligen Bienen gestohlen haben, nicht mit dem Blitz zerschmet-
tern, weil Themis und die Moiren ihn daran hindern; es sei dem
Heiligen (hósion) nicht gemäß, an diesem Ort jemand sterben zu
lassen. In der Verlegenheit seiner Exekution verwandelt Zeus die
Diebe in Vögel. Burckhardt bemerkt zur Kritik an diesem Zug des
Mythos, wenn *von den Göttern die höchste Gerechtigkeit verlangt
und deren Ausbleiben getadelt wurde, so hätte man ihnen auch die
Allmacht zuschreiben müssen.*[34]

Bei Apollodor findet Burckhardt ein einschlägiges Stückchen, das

---

34 Griechische Kulturgeschichte III 2 (Werke VI 114).

er als *unvergleichlich merkwürdige Sage* bezeichnet. Zeus ist da *gerade stark genug, um dem Schicksal, welches sich wegen zweier Tiere völlig verfahren hat, aus der Verlegenheit zu helfen.* Dem thebanischen Fuchs war vorbestimmt, ihn könne niemand fangen, während dem athenischen Hunde zugeteilt war, alles zu fangen, was er verfolge. So mußte sich beim Aufeinandertreffen der beiden Tiere die peinlichste Lage für eine zuverlässige Weltverwaltung ergeben. Zeus löst das Dilemma, indem er kurzerhand beide Tiere in Stein verwandelt.[35] Es ist ein typisches Paradox, wie es sich spitzfindige Spätzeiten zu ihren obligaten Inhalten ausdenken. Sicher liegt es nicht unter dem Niveau, das Talmud oder Scholastik mit ihren Aporien der Allmacht erreichen sollten. Nur wäre die Auflösung durch eine Theologie der Attribute spezifisch anders ausgefallen.

Man braucht sich nur vorzustellen, wie die Verwicklung in der theologischen Schulsprache sich ausgenommen hätte: Kann Gott einen Fuchs schaffen, der von keinem anderen Tier erwischt werden kann? Notwendigerweise ja, sonst wäre er nicht allmächtig. Kann Gott einen Hund schaffen, der alles fängt, was er verfolgt? Notwendigerweise ja, da er können muß, was widerspruchsfrei ist. Wenn aber nun dieser Hund auf jenen Fuchs angesetzt wird? Es bedarf keiner blühenden Phantasie, um sich die Formel des Scharfsinns der Auflösung zu entwerfen: Ein Gott, dessen Allwissenheit das Dilemma einer Welt, in der dieser Fuchs und dieser Hund vorkommen, vorausgesehen hätte, konnte die Welt so einrichten, daß dieser Hund niemals auf jenen Fuchs treffen würde. Da Zeus so weitreichende Fähigkeiten nicht vereinigt, läßt er durch Metamorphose die Bewegung gar nicht erst zustande kommen, die das Paradox voraussetzt. Umgekehrt ist das weitläufige Schicksal des umgetriebenen Odysseus durch die Formel beschreibbar, daß nur die Unfähigkeit des ihm zürnenden Erderschütterers, seinen Untergang zu bewirken, ebenso wie die ohnmächtige Gunst anderer, gegen diesen ihm seine Heimkehr zu verschaffen, die Dauerform der bloßen Fernhaltung vom Ziel seiner Wünsche annimmt. Auch das Grundmuster der »Odyssee« ist also durch die Polykratie gelegt, wie es gleich am Anfang des Epos ausgesprochen wird.

35 Burckhardt, a. a. O. II 119.

Archaische Gewaltenteilung ist auch die partielle Zuständigkeit der
Götter in bezug auf das Menschenleben. Im Laufe der Zeit oder
in der Erstreckung des Raumes wechselt es von der Kompetenz des
einen in die des anderen über. Wenn man schließlich im Tartaros
den Fährmann Charon, den Wächterhund Kerberos und die Totenrichter passiert hat, ist man unter der Herrschaft des Hades und
der Persephone unerreichbar geworden für die Göttinnen des
Schicksals. Darauf bezieht sich, was Sokrates dunkel im »Phaidon«
dem Kebes auf die Frage erwidert, ob man sich nicht deshalb am
Leben festhalten müsse, um nicht der Macht der Götter zu ent-
schlüpfen: er hoffe, im Tode zwar andere, doch gute Götter anzu-
treffen. Das ist eine Formel, die Mythisches und Philosophisches
vermischt; daß es andere Götter sind, ist Mythos, daß sie gut sein
werden, ist Philosophie. Gegen dieses Compositum hat Kierkegaard
schon in der Sokrates-Dissertation den lapidaren Gegenschlag
geführt: *Erst wenn man erkennt, daß es derselbe Gott ist, der den
Menschen an der Hand durchs Leben geführt hat, der ihn im
Augenblick des Todes gleichsam losläßt, um seine Arme zu öffnen
und die sehnsuchtsvolle Seele darin aufzunehmen*...[36] Diese Formel verharmlost das Problem der Identität und Ubiquität des
Einen, gegen den nichts steht. Es erscheint Kierkegaard für seinen
Gott zu selbstverständlich, daß er für das Menschenleben immer
dasselbe bedeutet, obwohl doch das Risiko der Qualität dieses
Einen, der den Zweifel an der Heilsgewißheit einmal zugelassen
hat, ein absolutes ist.

36 Über den Begriff der Ironie mit ständiger Rücksicht auf Sokrates. Dt. v.
H. H. Schaeder, München 1929, 55 A.

Zweiter Teil

Geschichtswerdung der Geschichten

I

Die Verzerrung der Zeitperspektive

*Was will Er denn mit der
ungeheuren Zeit all anfangen?*
Büchner, Woyzeck

Ikonische Konstanz ist in der Beschreibung von Mythen das eigentümlichste Moment. Die Konstanz seines Kernbestandes läßt den Mythos als erratischen Einschluß noch in Traditionszusammenhängen heterogener Art auftreten. Das deskriptive Prädikat der ikonischen Konstanz ist nur ein anderer Ausdruck für das, was die Griechen am Mythos als sein archaisches Alter beeindruckte. Die hochgradige Haltbarkeit sichert seine Ausbreitung in der Zeit und im Raum, seine Unabhängigkeit von lokalen und epochalen Bedingungen. Das griechische *mython mytheisthai* besagt, eine nicht datierte und nicht datierbare, also in keiner Chronik zu lokalisierende, zum Ausgleich dieses Mangels aber in sich selbst bedeutsame Geschichte zu erzählen.

Noch die frühchristlichen Autoren glaubten, daß eine Geschichte eben deshalb so alt werden könne, weil sie kraft ihres Wahrheitsgehalts den besonderen Schutz der Erinnerung genieße. Auf dieser Voraussetzung beruht die patristische Allegorese. Sie ist das Verfahren, den archaischen Wahrheitsgehalt wiederherzustellen. Die Mneme wird so zum untrüglichen Organ, wenn nicht des Wahren, so doch des Bedeutsamen.

Nur eine andere Form, dies zu beschreiben, ist die Behauptung von der Unerfindbarkeit des Mythos; er ist, nach Schellings Wort, *einer der Urgedanken, die sich selbst ins Dasein drängen.* Das ist vom Feuerraub durch Prometheus gesagt. Es wäre also *kein Gedanke, den ein Mensch erfunden* haben könnte.[1]

Das Mythologem ist ein ritualisierter Textbestand. Sein konsolidierter Kern widersetzt sich der Abwandlung und provoziert sie auf

1 Schelling, Philosophie der Mythologie. 1856, I 482.

der spätesten Stufe des Umgangs mit ihm, nachdem periphere Variation und Modifikation den Reiz gesteigert haben, den Kernbestand unter dem Druck der veränderten Rezeptionslage auf seine Haltbarkeit zu erproben und das gehärtete Grundmuster freizulegen. Je kühner dieses strapaziert wird, um so prägnanter muß durchscheinen, worauf sich die Überbietungen der Zugriffe beziehen.

Schließlich ist nur noch Umkehrung, nur noch konsistente Negation möglich. Wenn Paul Valéry für »Mon Faust« erreichen will, die Evidenz einer letzten Realisierung des neuzeitlichen Mythos zu bieten, so kann er das Grundmuster des Verhältnisses zwischen Faust und Mephisto zwar umkehren, aber nur dadurch, daß er es als eines der ›Versuchung‹ bestehen läßt. Der einst Versuchte wird nun zum Versucher des überlebten Bundesgenossen: er möge übernehmen, was nun schon ›das Faustische‹ geworden ist. Um einen ›letzten Faust‹ – nicht nur ›seinen‹ Faust – zu schreiben, kann die Figur der Wißbegierde selbst zur Gegenfigur des Wissensüberdrusses, also der Unverführbarkeit durch die elementare Lockung der Neuzeit, werden. Dadurch ist es der Teufel, der der Verjüngung bedarf. Das alles ließe sich nicht auf dem engen Raum der konstanten Konfiguration gegen die *tempi passati* abheben, wenn nicht die Namen und die Attribute von altersher vertraut und tief in den Bildungsgrund eingedrungen wären. Das Zuendebringen des Mythos fortifiziert sein Überleben in einem neuen Aggregatzustand. Valéry führt das Faust-Motiv als erschöpftes Eidos vor: *J'espère bien que le genre est épuisé*, läßt er nicht Faust, sondern Mephisto sagen. Aber die Komödie, in der der Autor das Thema sich verspielen lassen will, scheitert an den hochalpinen Weltverwünschungen des Solitaire.

Stellt man sich die Frage, woher die ikonische Konstanz von Mythologemen kommt, so gibt es *eine* Antwort, die sich trivial und allzu schlicht anhört, als daß sie unseren Erwartungen genügen möchte: Die Grundmuster von Mythen sind eben so prägnant, so gültig, so verbindlich, so ergreifend in jedem Sinne, daß sie immer wieder überzeugen, sich immer noch als brauchbarster Stoff für jede Suche nach elementaren Sachverhalten des menschlichen Daseins anbieten.

Ist diese Antwort zu einfach? Und wenn sie es nicht wäre, wie erklärt sich dieses Erstaunliche, daß in der Frühzeit unserer faßbaren literarischen Geschichte diejenigen Ikonen aufscheinen, die dieses unwahrscheinlichen Überlebens bis in die Gegenwart fähig sein sollten? Eines Überlebens, das durch eine Tradition hindurch identifiziert werden kann, die solche Stoffe unter den Druck ihrer Umwälzungen, ihrer Fast-Totalverluste, ihrer Anstrengungen nach Neuerung und Neuheiten gesetzt hat. Tylor hat ethnologisch von *survivals* gesprochen.[2] Aber was läßt überleben? Ein Erklärungs-muster dafür ist das der eingeborenen Ideen. Es kehrt nicht erst in der tiefenpsychologischen Vorstellung von ›Archetypen‹ wieder, sondern schon bei Freud in der Behauptung allgemeiner infantiler, also individuell-archaischer Erfahrungen. So verstehe man *die packende Macht des Königs Ödipus* gerade dadurch, daß die psychische Basis dieses Mythologems jedem vertraut ist: ... *die griechische Sage greift einen Zwang auf, den jeder anerkennt, weil er dessen Existenz in sich verspürt hat.*[3] Die Überlebensfähig-keit eines fiktiven Stoffes wird in dieser Erklärungsart zu einem Stück Natur und darin weiter unbefragbar.

Um einer anderen Erklärung Raum zu schaffen, müssen wir uns von einer Illusion der temporalen Perspektive freimachen. Homer und Hesiod sind unsere ersten und zugleich nachhaltigsten Urheber mythischer Grundmuster. Homer ist es schon deshalb, weil mit ihm die Schriftlichkeit unserer literarischen Tradition beginnt. Weil er aber zugleich einer ihrer Größten, wenn nicht ihr Größter, ist, bleibt uns das Ärgernis des Faktums verdeckt, daß wir etwas so überwältigend Ausgereiftes als das Erste hinnehmen müssen. Dem widersetzt sich ein Bedürfnis, solches erst spät, erst auf unserer Höhe des menschheitlichen Weges, gelingen zu sehen.

Dabei gibt es eine Irreführung durch unsere historische Erfahrung. Denn tatsächlich muß, was anhand der uns erhaltenen schriftlichen Zeugnisse als sehr Frühes und Altes erscheint, unter dem Aspekt der Geschichte des Menschen als etwas sehr Spätes und uns schon

2 Nach E. B. Tylor, Primitive Culture (1871. Repr. New York 1958, I 16), sind *survivals ... processes, customs, opinions, and so forth, which have been carried on by force of habit into a new state of society different from that in which they had their original home ...* Zum Begriff: J. Stagl, Kulturanthropologie und Ge-sellschaft. München 1974, 41.
3 Freud an Wilhelm Fließ, 15. Oktober 1897 (Aus den Anfängen der Psycho-analyse, 193). Unter dem Aspekt der Erzeugung von ›Bedeutsamkeit‹ ist die Briefstelle schon im Kontext zitiert worden (oben S. 99 f.).

zeitlich Nahekommendes angesehen werden. Die Schriftlichkeit macht hier die Kontingenz. Ihre Reichweite kann nicht das Maß abgeben für die Erfordernisse einer geschichtlichen Identität, die schon in jene frühesten Werke der Homer und Hesiod hineinreicht und eingegangen ist. Zweifellos begünstigt die Schriftlichkeit die Konstanz; aber sie hat nicht hervorgebracht, was ihr zu erhalten anheimgefallen ist. Für eine Schriftkultur ist eher die Korruptibilität der Quellen charakteristisch, die durch den Unverstand der Abschreiber für das, was sie zu tradieren haben, entsteht.

Die Schriftform macht die Variante bezugsfähig. Das jeweils Neue tritt nicht an die Stelle des von ihm Überbotenen und läßt dieses verschwinden, sondern legt sich nur darüber und schafft – die Literaturgeschichte. Zugleich mit ihr den Anreiz, an der Variante das Wagnis wahrnehmbar zu machen. Erst an der Konfiguration als fortbestehender wird die Transfiguration freigesetzt.

Man darf und muß davon ausgehen, daß die der schriftlichen Niederlegung des frühen Epos vorausgegangene Zeit, in der seine Inhalte und Formen entstanden waren, um ein Mehrfaches länger gewesen ist als das Stück Kontinuität der schriftlichen Tradition, das sich daran anschloß. Viel wichtiger aber ist, daß jene schriftlose Vorgeschichte eine dichtere und intensivere Erprobung aller Gehalte auf Sicherheit der Wirkung erzwungen haben muß, als ihre ganze nachherige Geschichte im Aggregatzustand von ›Literatur‹, zumal als kanonisierter Schullektüre, leisten konnte. Die Zeit der Mündlichkeit war die Phase der ständigen und unmittelbaren Rückmeldung des Erfolgs literarischer Mittel. Sie ist am ehesten den Ursprungssituationen der Rhetorik vergleichbar, bei der aber die konkrete Funktion Interesse und Auswahl der Hörenden bestimmt. Nichts ist schonungsloser für einen Text als der mündliche Vortrag, noch dazu vor einem Publikum, das sich ein Fest machen will und diesen Anspruch mit Sachverstand durchsetzt.

Es muß schon ein Augenblick der Ermüdung in jener Inkubationszeit gewesen sein, als sich Homer – wer immer und wieviele dies gewesen sein mögen – hinsetzte oder einen Schreiber sich setzen ließ, um das ihm vielleicht bedroht erscheinende Spätgut der von Platz zu Platz weitergetragenen Geschichten und Gedichte niederzuschreiben und damit endgültig zu machen. Ich stelle ihn mir vor als einen, der voller Ängste war um den Bestand der Welt, in der er lebte, und sich als Bewahrer ihres Besten vor dem Untergang empfand. Wenn das eine Übertreibung sein sollte, so veranschaulicht sie jedenfalls die Korrektur der Zeitperspektive, nach der unser Frühestes etwas seiner immanenten Geschichte nach schon Spätes war. Herodot sollte seine Geschichtserzählungen noch durch mündlichen Vortrag der Öffentlichkeit übergeben; aber schon Thukydides hat ihm die Hinfälligkeit dieser unfesten Form vorgehalten und dagegen seine eigene Wendung an die Zukunft als Publikum seines Werks abgehoben.

Die Asymmetrie dieser Überepochen der Menschheitsgeschichte, Mündlichkeit und Schriftlichkeit, läßt auf die Differenz der Bedingungen achten, die für die Herausbildung von Traditionen bestehen. In einer Schriftkultur wird die selektive Leistung der Mündlichkeit dem Blick gründlich entzogen; es entstehen kanonische Komplexe, Zitierpflichtiges, Quellen und schließlich deren kritische Editionen. Durch den Primat einer Schriftreligion wird eine exemplarische Behandlungsart für Aufgeschriebenes geschaffen. Dogmatische Verbindlichkeit hat die Schriftform zur Grundlage und zum Organ.

In dieser Überlieferungsform kann nur noch korrumpiert, nicht mehr optimiert werden. Frühe christliche Autoren sahen die geistige ›Vorgeschichte‹ der Antike unter dem Aspekt der Verkennung und Verschlechterung sehr alter Kenntnisse von den Büchern des Moses und ihrer Urgeschichte. Wenn die paganen Autoren durch vergessene Kontakte Biblisches entnommen hatten, so sollte dies nach einem langen Prozeß der Korruption endlich dazu anhalten, den Zugang zum authentischen Stoff der Offenbarung wieder aufzunehmen. So ist nach Lactantius die Erschaffung des Menschen aus Lehm im Prometheus-Mythologem echte Überlieferung, nur der Name des Schaffenden freie und keineswegs unwesentlich verfälschende Zutat. Die Ahnung von der Sache erhält sich leichter im Medium der Leichtfertigkeit als die Erinnerung des Namens.[4] Wo aber alles auf das ›richtige‹ Subjekt der Handlung ankommt, ist die Vergessenheit des Namens unverzeihlich. Was durch mündliche Überlieferung verdorben wurde, wird wenigstens wiedererkannt

---

4 Lactantius, Divinae Institutiones II 10, 5: *De hac hominis fictione poetae quoque, quamvis corrupte, tamen non aliter tradiderunt. Namque, hominem de luto a Prometheo factum esse, dixerunt. Res eos non fefellit, sed nomen artificis.*

und wiedergewinnbar für den, der an die sakral gehüteten Nieder-
schriften herankommt.[5]

Die mündliche Überlieferung begünstigt die Prägnanz ihrer Gehalte zu Lasten der historischen oder vermeintlich historischen
Präzision. Sie schafft keine andere Verbindlichkeit als die, die im
Resultat ihrer Bewährungen, im Erhaltensein des Erhaltenen liegt.
Nicht an ihrem Anfang, sondern an ihrem Ende stehen Einprägsamkeit und Eindrucksmächtigkeit dessen, was sie vermochte. Vor
der Schriftlichkeit liegt also der einzigartige und niemals wieder
herstellbare Bedingungszusammenhang der Erprobungen für Inhalte und Formen. Alles hängt an der Differenz, ob ein Stoff – als
Werk oder noch nicht als solches – schon für die Rezeption im
weitesten Sinne kanonisiert ist und daraufhin gegen jede Unlust
und jeden Unwillen apathischer Alumnen durchgesetzt werden
kann oder ob er einem zu jedem Urteil und jeder Reaktion freien
Publikum von einem um Beifall und Preis hangend und bangend
bemühten Autor oder Mittler angeboten und angedient werden
muß. Die Antinomie von melancholischem Autor und lustgewill-
tem Publikum ist die Seltsamkeit einer alexandrinischen Profikul-
tur, die ihren Autoren im Schutz des Reservats von Medien und
Kritikern gestattet und honoriert, sich gegen ihr Publikum zu stellen und es noch dazu zu verhöhnen, wenn es sich nicht verdrießen
läßt.

Tacitus berichtet nostalgisch seinem schriftverwöhnten Publikum
von der mündlichen Erinnerungskultur der Germanen.[6] Als Wilhelm Grimm seine Ausgabe der »Altdänischen Heldenlieder, Balla-
den und Märchen« an Goethe überreicht, erklärt er die Qualität
dieser Entdeckung so: *Darin daß diese Lieder durch so lange Zeiten
lebendig geblieben, so manches Gemüt bewegt, erfreut und gerührt
haben, von so manchem neu gesungen worden, liegt auch der
Grund, daß sie der modernen Kritik unverwundbar bleiben und
sie können es wohl noch vertragen, wenn sie jetzt ein Einzelner*

5 Lactantius, loc. cit. II 10, 6: *Nullas enim litteras veritatis attigerant ... veritas
a vulgo solet variis sermonibus dissipata corrumpi, nullo non addente aliquid ad
id, quod audierant, carminibus suis comprehenderunt.*
6 Tacitus, Germania 2, 2: *Celebrant carminibus antiquis, quod unum apud illos
memoriae et annalium genus est, Tuistonem deum terra editum et filium Man-
num originem gentis conditoresque ...*

schlecht nennt.[6a] In diesem Zusammenhang ist auch an die inner-gemeindliche Frühgeschichte neutestamentlicher Texte zu denken, wie an den von der Geburt Jesu bei Lukas, der, wenn nicht die Erzählung eines Wunders, so doch ein Wunder von Erzählung ist und so viel Apokryphes an Unerschöpflichkeit derart übertroffen haben muß, daß er selbst nicht apokryph werden konnte. So et-was, einmal gehört, vergaß sich nicht und ließ sich dann wohl auch nicht mehr aus dem Kanon aussperren. Kein Wunder, daß der Rigorismus der Unzulässigkeit des Gemüthaften gerade dies mühe-los exekutierte: in der ersten ›Bibelkritik‹ des Markion ist die Geburtsperikope athetiert.

Dennoch war diese Gemeinde nicht Autor ihrer Texte. Sie akzep-tierte und verwarf, was sie niemals hätte erfinden können. Im Zuge der Zerstörung des Satzes, daß Männer oder Persönlichkeiten oder Genies *die* Geschichte machen, ist auch die neutestamentliche Text-kritik dazu übergegangen, die Gemeinde zum Subjekt der Ge-schichte und zum Quell ihrer Geschichten zu machen. Sie vermochte ihr spätromantisches Postulat aber schon der alten Frage Albert Schweitzers nicht entgegenzusetzen: *Warum soll Jesus nicht gerade so gut dogmatisch denken und aktiv ›Geschichte machen‹ können wie ein armer Evangelist, der, von der ›Gemeindetheologie‹ dazu genötigt, dasselbe auf dem Papier tun muß?* Dieser Vorhalt gilt ebenso, wenn sich die Frage auf eben diesen armen Evangelisten verschiebt, der nur soll aufgeschrieben haben können, was ihm das Kollektiv diktierte.

Die Idee der kollektiven Erfindung ist eine individuelle Erfindung der Romantiker, die Sehnsucht hatten, nicht das zu sein, was sie waren und was von ihnen erwartet wurde. Es sollte der Volksgeist sein, welcher das Volkslied ersungen, das Volksbuch geschrieben hatte. Am Beispiel des Lutherischen Chorals läßt sich sehen, was eine Gemeinde allein vermag: Sie singt von den unendlich vielen Strophen die nicht mit, die in ihrer Sinnfälligkeit von den übrigen abweichen und ihr nicht zwingend dazu zu gehören scheinen. Pfar-rer oder Organist, die vom Kanon der Lieblingsstrophen ihrer Gemeinde abweichen, machen sich unbeliebt.

Sonst sind kultisch verordnete Texte eher durch Eintönigkeit und

6a Wilhelm Grimm an Goethe, Kassel 18. Juni 1811 (Briefe an Goethe, ed. Man-delkow, II 88).

Rücksichtslosigkeit gegenüber dem Laienvolk ausgezeichnet, das im Kult keine Möglichkeit findet, sich der Priestertexte zu erwehren. Die Griechen hatten das Glück, ihren Mythos nicht aus der Kultur ihrer Priester beziehen zu müssen. Sonst wäre es ihnen damit vielleicht ergangen wie dem modernen Publikum von Weihefestspielen, das unter der Sanktion einer metaphysischen Ästhetik beinahe jede Zumutung ihrer ›Priester‹ hinnehmen muß.

Der Rhapsode des frühgriechischen Epos erscheint mir durchaus als ein Anbieter von Lust und Belustigung, der sich mit Genauigkeit und Nachgiebigkeit auf sein Publikum und dessen Wünsche einstellt. Daß er den Mythos hereinziehen und umbilden, den Olymp noch den Wünschen seiner Hörer gefügig machen kann, ist nicht nur seine eigene Tollkühnheit gegenüber unantastbaren Stoffen, sondern die Disposition dieser Stoffe zu solcher Verformung, die mit dem Spätzustand des Mythos gegeben ist und wächst. Für die Selektion und die Einstellung darauf gibt es begünstigende Faktoren, so die Verbindung von Mündlichkeit und nächtlicher Dunkelheit. Homer selbst ruft sie uns für seinen Odysseus am Hofe der Phäaken ins Bewußtsein, wenn er ihn durch Alkinoos zu weiterem Erzählen seiner Abenteuer und Leiden ermuntern läßt: *Sehr lang ist diese Nacht, unendlich, und noch ist nicht die Zeit, zu schlafen in der Halle, sondern erzähle mir die wunderbaren Werke! Auch bis zum göttlichen Frühlicht hielte ich wohl aus, wenn du bereit wärst in der Halle, mir deine Kümmernisse zu erzählen.*[7]

Diese Nacht ist nur eine der unendlich vielen langen Nächte, die es gab, bis die Technik der Beleuchtungen wenigstens ihre intellektuellen Nutznießer von der Angewiesenheit auf den Vortrag anderer befreite. *Nyx hēdē mala makrē athésphatos* ... Ausdrücklich vergleicht Alkinoos den Odysseus mit einem fachkundigen Sänger, der einen Mythos vorzutragen habe. Doch noch ist der Kreis der Irrfahrt nicht geschlossen. Erst wenn er dies ist, in der ersten Nacht des ehelichen Beilagers mit Penelope, vollendet sich die Identität von Abenteurer und Erzähler zum Inbegriff der Wirksamkeit: *... das alles erzählte er, und sie ergötzte sich, es anzuhören, und kein Schlaf fiel ihr auf die Augenlider, ehe er alles erzählt hatte.*[8] Es ist zugleich eine Szene höchster ›realistischer‹ Legitimation, die

7 Odyssee XI 373-376 (dt. v. W. Schadewaldt).
8 Odyssee XXIII 306-309.

sich der Sänger des Epos selbst verschafft; denn der Stoff seines Gedichts ist eben nichts anderes als das, was Odysseus in dieser Nacht der vertraulichsten Wahrheit der Getreuen zu erzählen hat.

Blickt man auf den Sänger des Epos und sein Publikum zurück, so gibt es kaum Vergleichbares zum spätzeitlichen Autor des Kunstwerks, dem die idealistische Ästhetik die ganze Verantwortung für sein Werk angelastet – oder ihn mit dieser ausgezeichnet – hat. Nicht zufällig aber ist eine, vielleicht die einzige Annäherung an frühzeitliche poetische Kraftproben wiederum an den Namen Homer geknüpft. Der Akt trägt den Titel: Voß liest seinen Homer in Weimar. 1781 war seine Übersetzung der »Odyssee«, nach Fehlschlag der Subskription, mit dem Vermerk *Auf Kosten des Verfassers* erschienen, 1793 die Übersetzung beider Epen in vier Bänden. Im Jahr darauf war Voß in Weimar, wo die Autorität des großen Verdeutschers Wieland schon gegen ihn stand. Seine Mühe wäre bisher *für die Herren in Weimar verloren* gewesen, entgegnet er Herder auf dessen Aufforderung, aus der »Ilias« zu lesen; er habe *für den lebendigen Vortrag gearbeitet, und wolle nicht mit den Augen, sondern mit den Ohren vernommen werden.* So kommt es vor Herder und Wieland zur Kraftprobe. Herder entscheidet gegen alle Vorwürfe der Künstelei und der übertriebenen Kühnheiten: ... *er glaubte Homer zu hören.*[9] Mehr war nicht zu verlangen. Oder doch noch eines: die Zustimmung Goethes.

Am Tag darauf erhält er sie. Er liest im Hause Goethes aus der »Odyssee« den Sturm des fünften Gesanges und den ganzen Nausikaa-Gesang. *Goethe kam, und drückte mir die Hand, und dankte für einen solchen Homer.*[10] Der Erfolg war so eindringlich, daß nun auch Wieland überzeugt war: ... *er begriffe nicht, wie er mich hätte verkennen können. Man müßte von mir erst lernen, wie Homer müßte gelesen werden* ... Voß mag an seinem eigenen Erfolg etwas über die Situation des homerischen Sängers gelernt haben. Als er im Jahr darauf gegen die Bestreitung der Selbigkeit

9 Johann Heinrich Voß an seine Frau Ernestine, Weimar 5. Juni 1794 (Briefe, ed. Abraham Voß, II 382 f.).
10 Voß an seine Frau, Weimar 6. Juni 1794 (Briefe II 386 f.). In Goethes Bibliothek standen erst die zweite und die vierte Auflage des Homer von Voß aus den Jahren 1802 und 1814.

des Dichters der beiden Epen spricht, beruft er sich nicht auf philologische Argumente, sondern auf die Situation des Sängers zu
seinem Publikum als ein Verhältnis unmittelbarer Reflexion: *Doch
ist mir's nicht unbegreiflich, daß ein so überragender Geist, wie
aus jedem Einzelnen hervorleuchtet, unter Griechen, wie wir aus
ihm sie kennen, mit seiner bewunderten Kunst ganz und allein
beschäftigt, aus jeder verstandenen und empfundenen Aufführung
entflammter und mit sich selbst vertrauter zurückkehrend, endlich
ein so großes Werk aus einem so einfachen Keime zu entwickeln,
und alles mit Leben zu erfüllen vermocht habe.*[11]
Was Voß die Rechtfertigung seines Homer nennt, der *unser Publikum mit der Zeit schon nachfolgen würde*, ist in einer mündlichen ›Aufführung‹ vollzogen worden, einer vielleicht allzu erfolgreichen, wenn man an den Verschliff und Verschleiß der von Voß
gefundenen Formeln denkt. Es war das Ende einer übergroßen
Enttäuschung: 1779, als er schon zwei Gesänge seiner Übersetzung
der »Odyssee« veröffentlicht hatte, mußte er feststellen, daß er
wahrscheinlich nicht für das jezige Publikum arbeite und daher
nur diese eine Arbeit beenden wolle: *Denn was soll man für ein
Volk schreiben, das gegen das herrlichste aller Gedichte gleichgültig
ist?*[12] Er erwarte, resigniert er in der Metaphorik des Schaubuden-
gewerbes, *so wenig Zuschauer, daß ich die Bude und die Lichter
nicht bezahlt kriege.* Privatstunden in der Grammatik würden
bezahlt, aber *den Homer will keiner*; die philologische Gelehrsamkeit stehe höher als das, was zu genießen sie ermöglichen solle.
*Wenn Homer jezt lebte, ich glaube, Ernesti und Heyne würden
nicht wenig auf ihn sticheln, daß er mit solchen unnüzen Spielereien
für die Müßiggänger sorgte, und das aus eitler Ruhmsucht.*[13] Noch
1791, als die Arbeit an der »Ilias« ihm bevorsteht, spricht er sich
über die Unlust seines Publikums am Homer, über das Mißverhältnis der Disposition zum Gegenstand, so aus: *Aber erst müssen
die Deutschen weniger politisch und filosofisch und altklug werden;
sonst kommt der kindliche Greis noch immer zu früh.*[14]

11 Voß an Friedrich August Wolf, Eutin 17. November 1795 (Briefe II 229 f.).
12 Voß an seinen Schwager Heinrich Christian Boie, 8. Oktober 1779 (Briefe
III/1, 145 f.).
13 Voß an seinen Sohn Heinrich Christian, März 1780 (Briefe III/1, 147 f.).
14 Voß an Johann Wilhelm Ludwig Gleim, Eutin 26. September 1791 (Briefe II
297 f.).

Nun ist die Entstehung des Epos nicht identisch mit der des Mythos; im Gegenteil, jene setzt als Arbeit am Mythos schon die lange Arbeit des Mythos am Urstoff der Lebenswelt voraus. Aber mag auch der Markt für Geschichten und Lieder sich verfeinert und ritualisiert haben, so ist doch die Technik der Auslese und Erprobung in der Sphäre der Mündlichkeit kaum großer Differenzierungen fähig gewesen. Einiges wird an der Institution des Sängerwettstreits faßbar, deren Höhepunkt nach der »Legende von Homer, dem fahrenden Sänger« die erfundene Konkurrenz mit Hesiod gewesen sein sollte.

Die Situation des beginnenden Erfolgs sieht für Melesigenes, den erst später Homer genannten, so aus: In Kyme sucht er sich *einen Platz in der Halle, wo die Alten sitzen und zu schwatzen pflegten, trug die von ihm gefertigten Epen vor, ergötzte seine Zuhörer im Gespräch und erregte große Bewunderung unter den Leuten.*[15] Wie er merkt, daß seine Kunst den Leuten gefällt, schlägt er ihnen vor, *ihrer Stadt einen berühmten Namen zu machen, falls sie ihm seinen Unterhalt gewähren wollten.* Aber dazu reicht die Ruhmverheißung nicht, und der Rat der Stadt lehnt die Gewährung ab. In Phokaia erfährt er das andere Sängerschicksal, um sein Werk betrogen zu werden, und zwar gerade dadurch, daß der Schulmeister des Orts ihm die schriftliche Fixierung seiner Erfolgsstücke gegen freien Unterhalt anbietet. Damit geht er dann auf und davon und erprobt noch das Entwendete als sein eigenes für *viel Lob und gute Bezahlung.*

Nicht ohne Reiz ist die Begründung, die der Schiedsrichter des Wettstreits mit Hesiod dafür gibt, daß er diesem den Siegerkranz aufs Haupt drückt: *Es sei recht und billig, erklärte er, daß dem Mann der Sieg gehöre, welcher zu Landbau und Friedensarbeit rufe, statt Kriege und Schlachten zu schildern.* Aber die Entscheidung von Aulis konnte nur der König so fällen, denn sie war

---

15 W. Schadewaldt, Legende von Homer, dem fahrenden Sänger. Ein altgriechisches Volksbuch. Leipzig 1942, 16; 20; 44. – *Welche Macht war der Ruhm in jenen Zeiten!*, ruft der Übersetzer in seiner ›Erläuterung‹ aus, um die Existenzweise dieses Bardentums zu beschreiben, und fährt fort: *Diese Sänger und Rhapsoden ... sangen nach Regel und Vorschrift aus dem Schatz der Lieder und Epen, welche die Geschlechter hindurch vom Meister auf den Schüler übergingen.* Die großen Herren und Könige hätten sich ihren Rhapsoden seßhaft gemacht, die Gemeinden ihn von auswärts ›berufen‹ *wie nur die geachteten Stände: Seher, Arzt und Baumeister* (a. a. O. 53).

gegen den Gunstentscheid des Publikums getroffen. Die Griechen
wußten, daß für diese Geschichte vom Wettkampf das entscheidende Erfordernis der Isochronie der beiden Sänger fehlte; aber
was sich an Prägnanz durch die Konfrontation in Aulis gewinnen
ließ und sie zum oft erneuerten und variierten Mythos machte,
war ihnen den Verzicht auf historische Stichhaltigkeit wert.[16]
Solange nicht geschrieben wird, wird erzählt; und es überlebt nur,
was so lange immer wieder erzählt werden kann, bis es aufgeschrieben wird. Wenn die Musen taten, was zu tun ihnen Hesiod
nachsagt, nämlich: den Ruhm zu verleihen, dann eiferten nicht nur
der Kunst des Sängers, sondern auch der bewährten Wahl seiner
Stoffe viele nach. Und dabei war die Beziehung zu den Götter-
geschichten des Mythos schon dadurch hergestellt, daß Rhapsoden
zum Personal der großen Feste und lokalen Kultfeiern gehörten,
wo eben auch Beziehungsvolles zum Anlaß geboten war. Der Sänger und sein Publikum – keiner von beiden konnte sich das dem
anderen ganz Ungemäße leisten.

Wenn die Honorare flossen und gemehrten Ruhm bekundeten,
fand sich auch einer, der es aufschreiben konnte und wollte. Das
hört sich an wie verspäteter Ökonomismus, ist aber eher, platter-
dings ausgesprochen, ein Stück Darwinismus der Verbalität. Es ist
ein Prozeß von dem Typus, aus dem Institutionen und Rituale
in ihrer später unfaßlichen Beständigkeit hervorgehen, wie sie

16 Auch wenn Nietzsche mit der Zuschreibung des »Wettstreits zwischen Homer
und Hesiod« an die Sophistik in Gestalt des Gorgiasschülers Alkidamas – als dessen Paradigma für erlernbare Schlagfertigkeit gleichsam – nicht recht haben sollte
(Gesammelte Werke, Musarion-Ausg. II 160-181), bleibt dies doch ein für die
künftige Weltansicht aufschlußreicher Talentstreich des jungen Philologen (1871).
Vor allem weil der tragische Tenorspruch der Griechen, es sei besser für die
Sterblichen nicht geboren zu sein, im Agon als Antwort Homers auf eine Fang-
frage Hesiods seine Rolle spielt (Schadewaldt, a. a. O. 46) – vielleicht den Kampf
entschied, wenn man bedenkt, wie wenig derartiges dem König von Aulis in den
festlichen Rahmen passen mochte. Aber genügte nicht dieser Spruch, um das Ganze
als die Sphäre des Homerischen fremdartig erscheinen zu lassen? Vom Mythos
her gesehen, teilt der Spruch das Urteil des Zeus über die Lebensunwürdigkeit
des Gebildes Mensch, übergeht jedoch den am Ende obsiegenden Widerspruch des
Prometheus gegen dieses Verdikt. Aber zum Nihilismus des Gorgias – *Nichts ist,
und wenn etwas wäre* . . . – fügte sich das schultypisch. Doch, durfte Homer, als
Patriarch der Sophistik und ihrer Extemporierkünste, dann verlieren? Oder wäre
das am Ende Hohn auf die hausbackene Biederkeit des Obsiegenden, der einem
König gefiel, aber nicht seinem Publikum? So muß es der Gorgiasschüler gemeint
haben, wenn er es denn war, der es gesagt hat.

Menschen beeindruckt und gebunden haben, als und obwohl kaum noch einer wußte, worauf sie zurückgingen und was sie bedeuteten. Was sie suggerieren, ist Unerfindbarkeit, und, sofern diese, auch Unbegründbarkeit als Begründungsunbedürftigkeit. Dabei geht es nicht nur um das ›Da capo!‹, um das sich jede Aufführung und Darbietung bewirbt, wie die elementare Bitte des Kindes: ›Noch einmal die Geschichte von gestern!‹ – worin steckt, daß die Geschichte gefunden ist, die jeden Abend wieder erzählt werden kann. Denn der Sänger bietet nicht nur Zeitvertreib und Belustigung; er bietet auch von der Zusicherung und Bekräftigung, die einmal Kosmos heißen wird.

Das Thema der Kosmogonien und Theogonien kommt in den rhapsodischen Vortrag als Beschwörung der Dauerhaftigkeit der Welt, denn ihre schwersten Bedrohungen liegen in zeitlicher Ferne und der herrschende Gott ist der eigenen Gefährdungen Herr geworden. Er hat sein Regime gemildert und Teile seiner einstigen Willkür abgetreten. Die Musen besingen den Bestand der Welt, ihr Treiben ist Besänftigung des Weltgefühls. Die Urzeit ist nicht das Thema der »Theogonie« des Hesiod, sondern ihr Durcheilen und Verwinden in der konsolidierten Spätzeit.

Dann ist fraglich, ob Ernst Cassirer recht hat zu sagen, der wahre Charakter des Mythischen enthülle sich erst dort, wo es *als Sein des Ursprungs* auftrete: *Alle Heiligkeit des mythischen Seins geht zuletzt in die des Ursprungs zurück. Sie haftet nicht unmittelbar am Inhalt des Gegebenen, sondern an seiner Herkunft* . . .[17] Es fragt sich, ob solche ›Ursprünglichkeit‹ nicht mit der selektiven Bewährung der Inhalte und Formen, also ihrer Festigkeit gegenüber den Abnutzungsprozessen der Zeit, identisch ist. Nicht dadurch also, daß ein bestimmter Inhalt *in zeitliche Ferne gerückt* und *in die Tiefe der Vergangenheit zurückgelegt* wird, bekommt er die mythische Qualität, sondern durch seine temporale Stabilität. Dann wäre Cassirers Satz ganz zutreffend: *Die Zeit ist die erste Urform dieser geistigen Rechtfertigung* – aber er müßte anders interpretiert werden, als Cassirer dies tut. Sonst würde jeder nicht entlarvte »Ossian« durch bloße Zeitversetzung derselben Sanktion teilhaftig. Keine Unruhe wird dadurch stillgelegt, daß auf die Urzeitlichkeit

---

17 E. Cassirer, Philosophie der symbolischen Formen. ¹Berlin 1923/29 (Ndr. Darmstadt 1953), II 130 f.

eines Ereignisses, auf den Ursprungsrang eines Inhalts verwiesen
werden kann. Vielmehr verleiht die langzeitliche Bewährung einem
Inhalt diejenige Qualität, die den Ursprüngen, der Unmittelbarkeit der Urzeit zu allem Erfahrbaren zugeschrieben wird. Weshalb?
Weil das, was die Zeit verschleißt und verschleift, nur als starke
Einprägsamkeit überlebt haben kann.[18] Dem Anfang wird zwar
zugetraut und zugeschrieben, was die Evidenz der Unerfindbarkeit
hat und bewahren konnte; daß es nur der schmale ›Rest‹ des Anfänglichen sein kann, was den Titel der Ursprünglichkeit noch
erhalten würde, übersieht sich leicht. Die Verwechslung von temporaler Resistenz und ›Zeitlosigkeit‹ gehört zu den fast metaphysischen Leichtfertigkeiten: wie gern sähen wir, daß das uns Über-
kommene und Verbliebene auch das dessen Würdigste als das
Wahre selbst, das ›alte Wahre‹, wäre. Dabei ist es nur das Unda-
tierte in unbestimmter Dauer, seine Gleichgültigkeit gegen den
Zeitverbrauch, die mit dem Titel der Unsterblichkeit einhergeht.
Cassirer ließe sich nur mit diesen Einschränkungen und Umformungen zustimmen, wenn er Begriff und Wirkung des Mythischen
in der Absorption der Begründungsfragen sieht: *Die Vergangenheit
selbst hat kein ›Warum‹ mehr: sie ist das Warum der Dinge. Das
eben unterscheidet die Zeitbetrachtung des Mythos von der der
Geschichte, daß für sie eine absolute Vergangenheit besteht, die als
solche der weitergehenden Erklärung weder fähig noch bedürftig
ist.* Fast alle Versuche von Remythisierung entstanden aus der
Sehnsucht nach der zwingenden Qualität jener vermeintlich frühen
Sinnfindungen, scheiterten aber und werden scheitern an der Unwiederholbarkeit der Bedingungen ihrer Entstehung. Der Glaube,
die Phantasie müsse in einem Wurf leisten können, was die Selektion der langen Nächte einmal und einmalig geleistet hatte, ist eine
Illusion. Auch dann, wenn uns der späte Mythologe weismacht,
der Erfolg des archaischen Sängers sei Auszeichnung und Einwei-

18 Auch die schöne Formel Ernst Jüngers, Urgeschichte sei immer die Geschichte,
die uns am nächsten liegt – ihr Sinn, *das Leben in seiner zeitlosen Bedeutung
darzustellen* –, beruht auf der unvermerkten Verwechslung von Zeitindifferenz
und Zeitlosigkeit. (Gärten und Straßen. Berlin 1942, 78 f. [14. 1. 1940]) Wir
besitzen Geschichten, die wir für die Urgeschichte nehmen, aber nichts von dieser;
und diese Geschichten sind uns weder nah noch fern in irgendeiner Vergleichbarkeit mit Historischem. Gegen dieses können jene in keiner Antithese ausgespielt
werden, denn was von jenen Geschichten geblieben ist, wird selbst in datierbaren
Bezeugungen Bestandteil der Geschichte: als Arbeit am Mythos.

sung durch den Gott gewesen – und warum könnte sich nicht durch Denker oder Dichter wiederholen, was einmal gewesen sei?

Es ist eine von der Vernunft erzeugte Illusion. Sie denkt den Gedanken der freien Variation im Horizont der unendlichen und nur unter der Bedingung der Widerspruchsfreiheit stehenden Möglichkeiten. Als es im Pariser Mai 68 von den Mauern kündete, die Phantasie solle und käme nun an die Macht, leuchtete es den späten Enkeln des ästhetischen Idealismus sogleich ein, dies verbürge die Wendung aller Dinge zum Anderen und damit Besseren. Niemand glaubte fragen zu müssen, niemand hätte fragen dürfen, was die Phantasie anzubieten habe, was sie je angeboten hätte. Baudelaires Behauptung, die Imagination habe die Welt geschaffen, darf man getrost dahin umkehren, sie hätte sie nie zustande gebracht. Mit dem Handstreich der Negation – die in der Logik durchaus ein faktisches Element ist, da ein Denken ohne Negation wenigstens denkbar ist – hat sich die Vernunft für jeden Fall einer Gegebenheit nur offen gelassen, diese als nicht bestehend, als ganz anders zu denken.

Das Beispiel der literarischen Gattung ›Utopie‹ beweist mit seiner nicht gern eingestandenen Ärmlichkeit, was es mit der Fähigkeit der Phantasie, in die Öffnung der Negation nachzustoßen und durch sie durchzubrechen, wirklich auf sich hat. Auf diesem Felde ist es besser, die Beweislast abzuwerfen und ihre Abtragung schuldig zu bleiben. Der Verfasser der »Negativen Dialektik« war intelligent genug, mit einer Paratheorie dieses Schuldigbleiben als die eigentliche Qualität des geschuldeten Denkens aufzuwerten: die Leistungsarmut der Phantasie bestätige nichts anderes, als daß sie an ihrem geschichtlichen Ort im Banne der Verblendungen nur die Verfestigung des Bestehenden zu leisten vermöge. Also müsse die Phantasie den Erfolg der Negation abwarten, nicht ihm vorgreifen. Wenn nur das Hindernis des Bestehenden erst behoben sei, werde es mit dem Entwurf eines neuen Ganzen, im Verfahren der Negation der Negation, schon kreativ vorangehen. Das hat die schöne Unwiderlegbarkeit philosophischer Sätze, die sich so leicht mit ihrer Wahrheit verwechseln läßt.

Das empirisch Vorfindliche – nicht nur in der organischen Natur – zeichnet sich im Unterschied zu den Leistungen der Phantasie durch seinen Reichtum an Unerwartetem der Formen und Verhaltensweisen aus. Keine Phantasie hätte auszudenken vermocht, was in den Erhebungen der Ethnologie und Kulturanthropologie an Daseinsregelungen, Weltdeutungen, Lebensformen, Klassifikationen, Schmuck und Abzeichen zusammengetragen worden ist. Dies alles ist das Produkt einer seit langher wirksamen Selektion und kommt darin, in dieser Analogie zum Mechanismus der Evolution, der stupenden Vielfalt und formalen Überzeugungskraft der Natur selbst nahe. Was an Institutionen in der menschlichen Geschichte ausgestaltet worden ist, würde keine ästhetische Theorie der Phantasie erdacht zu haben zutrauen. Der idealistisch-ästhetisch vermuteten Vulkanität der Phantasie ist die Neptunität der Selektion immer schon um die Bildung ihrer elementaren Möglichkeiten voraus. Es ist daher nicht ganz so falsch, wenn die Ästhetik der ›Nachahmung der Natur‹ den Kanon der mythischen Stoffe in ihre Normierung einbezog: die Evidenz des Mythos wäre ›nach der Art der Natur‹ entstanden und ihr an Gültigkeit der Vorlagen gleich.

Daher gibt es die aus Gründen der Wirkungsmächtigkeit gern beanspruchte Symmetrie der Utopie mit dem Mythos nicht. Der Mythos wäre auch dann eine ›Institution‹, wenn er nicht nach dem vorwiegend ägyptologischen Modell der narrativen Auslegung von Ritualen entstanden sein sollte. Das Ärgernis der Kontingenz, das jede Institution gibt, sobald sie unter Legitimierungszwang gestellt worden ist (was zum Tagessport gehört), potenziert der Mythos mit der Verweigerung, Begründungen an jeder Schranke der Behinderung, wenn nicht weiter zu geben, so doch wenigstens zu versprechen. Jeder historischen Formation von Aufklärung ist der Mythos daher eher als eine Last denn als ein Schatz erschienen. Das ist nicht so selbstverständlich, wie es unter dem Eindruck der aufklärerischen Agitation, der Mythos sei der exemplarische Verbund von Vorurteilen, erscheinen will. Denn hinsichtlich der die menschliche Geschichte umspannenden Anstrengung, die Angst gegenüber dem Unbekannten oder gar noch Unbenannten zu überwinden, stehen Mythos und Aufklärung in einem zwar leicht einsehbaren, aber ungern eingestandenen Bündnis.

Solche Zurückhaltung hat ihren Grund: Jede Ökonomie des Unbegründeten wird suspekt, wenn sie sich als die Unterwerfungsforderung des Unbegründbaren ausgibt und darin zum Herd neuer Ängstigungen wird. Es kann vernünftig sein, nicht bis zum

Letzten vernünftig zu sein. Aber als Ausdrucksmittel für diesen Sachverhalt wäre der Mythos viel zu riskant, weil es keine Eindeutigkeit seiner pragmatischen Implikationen geben kann. Man dürfte ihn nicht ›einführen‹, wenn das möglich wäre. Andererseits: Rationalität ist nur allzu leicht zerstörungswillig, wenn sie die Rationalität des Unbegründeten verkennt und sich Begründungseuphorie leisten zu können glaubt. Descartes fand, man könne Städte am besten rational bauen, wenn man die Alt-Städte erst einmal niederlegte. Nicht einmal der Zweite Weltkrieg hat Nachweise für diese Chance der Rationalität geliefert. Es gibt Augenblicke leichtfertiger Preisgabe der Resultate von Jahrhunderten und Jahrtausenden. Was eine vor aller Reflexion abgeschirmte Loyalität festgehalten und weitergegeben hatte, wird zum Anstoß und abgestoßen. Aber man muß nicht konservativ sein, um zu sehen, daß die Forderung nach ›kritischer‹ Destruktion und folgender Letztbegründung zu Beweislasten führt, die, würden sie wirklich mit dem Ernst angenommen und übernommen, mit dem sie behauptet und eingefordert werden, nirgendwo noch Raum für das ließen, was bei diesem Prozeß für die einsichtige Daseinsbewegung gewonnen werden soll. Langzeit-Selektion von Konstanten ist demnach gerade Bedingung dafür, daß partiell Risiken von ›trial and error‹ eingegangen werden können.

Es gibt einen Begründungsluxus, der von vornherein voraussetzt oder wenigstens hinnimmt, daß nur professionell Beauftragte oder Selbstbeauftragte sich ihn leisten können. Wenn aber Aufklärung das Denken nur dadurch legitimiert sein läßt, daß es jeder selbst und für sich selbst leistet, dann ist es das einzige, was von der menschlichen Fähigkeit ausgenommen sein muß, Handlungen zu delegieren. Daraus wieder folgt: Was jeder unumgänglich selbst und für sich selbst tun muß, darf schlechthin nicht ›unendliche Aufgabe‹ sein. Als solche steht es im unauflöslichen Widerspruch zur schmalen Endlichkeit des Einzellebens, das der Selbstdenker für sich selbst hat.

Vernunft als das, was nicht delegiert werden kann, muß sich also mit dieser Grundbedingung des Daseins arrangieren. Hier liegt die Durchbruchslücke für Evidenzen, die übernommen werden müssen. Zweifellos ist dies eine bedenkliche Lücke im Schirm der Rationalität. Aber wenn der Preis, sie zu schließen, nur darin bestehen könnte, das Selbstdenken aller einer kleinen Avantgarde professioneller ›Selbstdenker für alle‹ ins Mandat zu geben, dann müßte jede Gefahr an dieser Stelle durchgestanden werden, um jenen verhängnisvollen Preis nicht erlegen zu müssen. Die Philosophie hat diese Antinomie von Leben und Denken bei allem mit zu bedenken, was ihr an immanenten Forderungen der Vernünftigkeit aus ihrem eigenen Schoß entgegenspringt.

Eine darwinistische Morphologie kann die Anpassungsleistungen fossiler und rezenter Organismen an längst vergangene Umwelten nicht im einzelnen aufdecken. Aber die Stichhaltigkeit der Theorie wird nicht dadurch berührt, daß die genuine Funktionalität von Eigenschaften und Merkmalen, ihr Selektionsvorteil, sich nicht in jedem Fall nachweisen läßt. Auch die ungeklärte Seltsamkeit einer resultierenden Form bleibt das, was sich zumindest über lange Zeiträume bewährt, als Ertrag zahlloser Auslesegänge verfeinert, aber auch das, was zumindest nicht sogleich in tödliche Sackgassen geführt, nicht als Belastung des Lebenserfolgs gewirkt hat. Kommt der Mythos nochmals und noch mehr in Verruf, wenn seine Konsolidierung zur überlebenden Figur, zur ikonischen Konstante, durch einen vergleichbaren Mechanismus erklärt wird?

Die Anwendung der Evolutionstheorie auf den Menschen hat von Anfang an Bedenken ausgelöst. Nicht nur wegen der Begründung tierischer Verwandtschaften, sondern vor allem wegen der Übersetzbarkeit eines erklärenden Theorems in ein nutzbares legitimierendes Prinzip für individuelles und soziales Verhalten, wie es unter dem Stichwort ›Sozialdarwinismus‹ bezeichnet wird. Aber das Mißverständnis, das sich herausgebildet hat, besteht gerade in der Verengung des Selektionsbegriffs auf seine biologische Erklärungsleistung. Man bemerkt das sofort, wenn man einen so handlich erscheinenden Ausdruck wie ›Entwicklung des Menschen‹ gebraucht. Seine Doppeldeutigkeit kommt zutage in der ganz unbestrittenen These, daß die Faktoren, die die Entwicklung zum Menschen bedingt haben, gerade durch ihren Evolutionserfolg überflüssig und funktionsunfähig gemacht wurden. Das aus dem Mechanismus der Evolution resultierende organische System wird ›Mensch‹ dadurch, daß es sich dem Druck jenes Mechanismus entzieht, indem es ihm so etwas wie einen Phantomleib entgegenstellt. Es ist die Sphäre seiner Kultur, seiner Institutionen, auch seiner Mythen.

Wenn sich von einer Entwicklung der menschlichen Kultur über Jahrzehntausende hinweg sprechen läßt, so ist dabei impliziert, daß die Bedingungen der Selektion an den Menschen als physisches System in dem Maße nicht mehr herankommen und auf ihn durchgreifen, in welchem er gelernt hat, statt seiner seine Artefakte und Instrumente der Anpassung zu unterwerfen. Wir leben um so weniger in einer Darwin-Welt, je mehr Theorie und Technologie objektiv transponierte Darwin-Welten *sind*. Für diese, statt für ihren Erzeuger, gilt das *survival of the fittest*. Die menschliche Kultur ist eine von der Leibesgrenze aus weit vorgeschobene Frontlinie der Auseinandersetzung mit der Natur – auch der Abblendung ihrer Übermacht durch den mythischen Prospekt –, an der der Zugriff der Selektion auf Physis und Psyche des Menschen abgefangen wird. Nur eine Betrachtungsweise, die sich zum genetischen und historischen Rückblick absichtsvoll unfähig gemacht hat, kann bestreiten, daß es unter diesem Kriterium objektiven Fortschritt gegeben hat und gibt. Auch eine dezisionistische Deutung der Institutionen im weitesten Sinne reflektiert nur den späten und fast momentanen Befund einer Kontingenz, über die sich jede Bemühung der Rationalität vermeintlich leicht und schnell emporschwingen könnte. Ungeschichtlichkeit ist eine opportunistische Marscherleichterung mit verhängnisvollen Folgen.

Vor allem Ungeschichtlichkeit in der verkappten Form der exklusiven ›Nah-Geschichte‹ – ab 1789, ab 1848, ab 1918 oder gar ab 1945. Denn die Geschichte ist, was immer sie sonst noch sein mag, auch ein Prozeß der Optimierung. Man muß, um das anzuerkennen, nicht leugnen, daß es im Gefüge der durch Selektion geschaffenen Objektivierungen Unstimmigkeiten geben kann, die das Gesamtresultat beeinträchtigen. Sie beruhen gerade auf der Isolierung und Autonomisierung von Teilsystemen im geschichtlichen Prozeß; die Historie von Wissenschaft und Technologie – beide durch unumgängliche Professionalisierung aus dem Lebenszusammenhang herausgeschnitten – belegt das. So entstehen Konflikte zwischen der technologischen Optimierung und den selektiven Beständen von Verhaltensweisen und Denkstrukturen.

Aber auch wenn der Ausdruck ›Optimierung‹ niemals Geltung für einen synchronen Querschnitt im ganzen beanspruchen kann, begründet er doch eine bestimmte Regelung von Beweislasten für das, was sich als Rationalität ausgeben will. Zumindest Argumente von der Art, etwas könne nicht mehr hingenommen werden, weil es schon sehr lange ungeprüft hingenommen worden sei, haben nicht die rationale Plausibilität, die ihnen zeitweise zugebilligt wird. Unter dem Titel der ›Institutionen‹ steckt vor allem eine Regelung von Beweislastlagen. Wo eine Institution besteht, ist die Frage nach ihrer Begründung nicht von selbst ständig akut und liegt die Beweislast immer bei dem, der gegen die mit ihr gegebene Regelung aufsteht.

In der so einleuchtenden ätiologischen Erklärung des Ursprungs von Mythen, die immer voraussetzt, schon der Mythos sei insgeheim auf dem Wege zur Wissenschaft, ist seiner Anerkennung als archaischer Leistung der Vernunft die Rechtfertigung verordnet, zunächst und vor allem Antwort auf Fragen gegeben zu haben, und nicht, deren implikative Verweigerung durch Erzählen von Geschichten gewesen zu sein. Daß gerade dies qualitative Anforderungen höchsten Ranges einschließt, wenn es das Nachfragen vergessen gemacht haben soll, ist dem Resultat des selektiven Prozesses nicht mehr anzusehen. Der Mechanismus der Selektion ist gerade von der Art, daß er die Erklärung für die Lebenstauglichkeit seiner Resultate in diesen nicht mitliefert, vielmehr zur Abschirmung ihrer Funktion – durch die Prämodalität der Selbstverständlichkeit – gerade dem vorenthält, der an nichts anderes denken soll als an das ihm Vergegenwärtigte.

Daß die Auswahl von Weltdeutungen, die Entscheidung unter Lebensformen bereits erfolgt ist, macht den Sachverhalt aus, Geschichte zu haben. Nicht nur wegen des Erfordernisses der Schriftlichkeit ihrer Dokumente und Quellen ist Geschichtsschreibung etwas Spätes in der menschlichen Entwicklung. Wenn sie einsetzt, sind hinsichtlich der elementaren Festlegungen die Verfahren schon abgeschlossen, die Einspruchsfristen abgelaufen, die Akten abgelegt. Die Begründungslast liegt bei dem, der die Wiederaufnahme des Verfahrens fordert – etwa bei dem milesischen Protophilosophen der ersten Hälfte des 6. Jahrhunderts mit dem Spruch, es sei alles voll von Göttern, wenn das heißen soll, alles sei voll genug, ohne Genüge getan zu haben. Wem dies also Überdruß und Unbehagen bereitet hätte, mußte die phantastische Anstrengung einer Theorie vertreten, es sei alles statt jener Vielheit diese Einheit, aus dem einzigen Element entstanden zu sein, für das man bis dahin den Namen des Okeanos verwendet hatte. Wer das behauptete oder annahm, brauchte noch nicht zu wissen, welche Kettenreaktion der Erzeugung von Theorien er in Gang setzen würde, in deren Spätphase man schließlich abwandelnd wiederholen könnte, es sei nun alles voll von Theorien. Theorien freilich haben ein anderes Ablösungs- und Durchsetzungsverfahren als das der Prägnanzbildung, obwohl Thomas S. Kuhn mit seinem Begriff des ›Paradigmawechsels‹ die psychologische Entdeckung des ›gestalt-switch‹ für Theoriegeschichten übernommen und diesen dadurch die lebhaft bestrittene Analogie zur dynastischen Ablösungsform des Mythos verschafft hat.

Auch Cassirer hat den Begriff der ›symbolischen Form‹ von der Gestaltpsychologie her zu einem Kategoriensystem entwickelt, das den Mythos als Anschauungsform, dann auch als Denkform und Lebensform, begreifen läßt. Der Zugang zur authentischen Erfassung der mythischen Anschauung führt über das Phänomen des Ausdrucks, genauer: über den *Primat der Ausdruckswahrnehmung vor der Dingwahrnehmung.*[19] Während die Dingwahrnehmung auf Eindeutigkeit tendiert und darin der theoretischen Einstellung vorarbeitet, liegt in der Gegebenheit von Ausdruck Vieldeutigkeit ein und desselben in der Zeit, also jener ›gestalt-switch‹, mit dem Kuhn den Paradigmawechsel zu erfassen sucht. Bei Cassirer ist dies die Vorgegebenheit für die mythische Kategorie der Metamorphose: *Jedes Gebilde kann sich in das andere wandeln; alles kann aus allem werden.* Da jedoch, welches Gesicht die Welt jeweils zeigt, vom affektiven Zustand dessen abhängt, dem sie sich zeigt, läßt sich daran intersubjektiv nicht anders teilnehmen als im Modus mitgeteilter Subjektivität, in der erzählten Geschichte. Hier bleibt uns Cassirers Theorie den wichtigsten Schritt schuldig zu sagen, wie diese Grundform der Subjektivität dennoch ihre spezifische Geltung in der Geschichte erlangt. Es ist gewiß weder theoretische noch vorwissenschaftliche Objektivität, die dem Mythos zugesprochen werden kann; dennoch eine intersubjektive ›Übertragbarkeit‹, die dem Geltungszustand der Objektivität formal ungleich näher steht als irgendeinem affektiv getönten Ausdruckserlebnis vom Typus

19 E. Cassirer, Zur Logik der Kulturwissenschaften. Fünf Studien (¹Göteborg 1942) ²Darmstadt 1961, 40.

der Augenblicksgottverblüffung. Was Cassirer und andere unter dem Anspruch einer Ursprungstheorie des Mythos übersehen haben, ist der Sachverhalt, daß der gesamte uns tradierte Bestand an mythischen Stoffen und Mustern durch das Organ der Rezeption gegangen, durch ihren selektiven Mechanismus ›optimiert‹ worden ist.

An der Frage der Rezeption des Mythos war Cassirer gerade deshalb nicht, an der seines Ursprungs und seiner Ursprünglichkeit ausschließlich interessiert, weil er ihn unter dem Aspekt des *terminus ad quem* betrachtet. Als eine der Wissenschaft und der Kunst im Prinzip zwar gleichrangige, durch sie nicht entwertbare, doch historisch auf sie tendierende Ordnungsform der Erfahrungswelt ist der Mythos Definition einer Epoche, der die Geschichtsphilosophie Vorläufigkeit verordnen muß. Sein Ursprung verrät nur, was in seiner Aufhebung erst möglich wird. Trotz aller Versicherungen der autonomen Qualität dieses symbolischen Formensystems bleibt es für Cassirer das Überwundene – überwunden allerdings darin, daß es selbst auf die Erfahrung und Ordnungsleistung verweist, in der seine Ablösung zugleich mit dem Abschluß der Geschichte selbst gefunden werden müsse. Es gibt ein letztes System der symbolischen Formen; unter dieser Voraussetzung ist jede Wiederkehr mythischer ›Kategorien‹ ausgeschlossen oder als ästhetischer Anachronismus zu betrachten.[20] Demgegenüber meine ich, man müsse den Mythos, um seine genuine Leistungsqualität wahrzunehmen, unter dem Aspekt seines *terminus a quo* beschreiben. Entfernung von, nicht Annäherung an, wird dann das Kriterium der Analyse seiner Funktion. Er wäre nicht nur und vielleicht nicht einmal eine ›symbolische Form‹, sondern vor allem eine ›Form überhaupt‹ der Bestimmung des Unbestimmten.

Diese abstrakt klingende Formel will anthropologisch, nicht erkenntnistheoretisch verstanden sein. ›Form‹ ist genuin als ein Mittel der Selbsterhaltung und Weltfestigkeit verstanden. Das einmal aus der Regelhaftigkeit einer Umweltdetermination herausgetretene hominide Lebewesen hat es mit dem Versagen der Indikatoren und Determinanten für sein Verhalten, mit der Unbestimmtheit dessen, was ihm die Bestände seiner Wirklichkeit ›bedeuten‹, zu

---

20 Nicht ohne Bitterkeit ist die Ironie, die im Titel des letzten Werks von Cassirer liegt: The Myth of the State. New Haven 1946 (dt. Zürich 1949).

tun. Gegen den Schwund strikter Bedeutungen beginnt es Bedeutsamkeiten zu setzen. Es mag sein, daß die Erfahrung und Beachtung der täglichen und jährlichen Wiederkehr des Gleichen die früheste Zugänglichkeit einer den Menschen, entgegen dem Anschein der bloßen Übermacht von Wirklichkeit, umgebenden Zuverlässigkeit gewesen ist. Dagegen steht die Auffassung von den lautlich-sprachlichen Interjektionen auf das Unheimliche und Ungemütliche als sprachgeschichtlich womöglich noch erschließbare Quelle von Götternamen. Es ist vielleicht nicht wichtig, zwischen den Thematisierungen mehr ekstatischer oder mehr normalisierender Art zu entscheiden – wichtig ist, wie mir scheint, daß auch die winzigste Erfindung der Akzeptanz bedarf, um nicht sogleich wieder unterzugehen.[21]

Wenn in der Wiederholung Zuverlässigkeit *gefunden* werden kann, kann sie auch in der Wiederholbarkeit *erfunden* werden. Auch wenn die theoretische Erfahrung nicht auf die kausale Interpretation der Wiederholung gegründet sein kann, bedeutet dies doch keineswegs auszuschließen, daß genetisch Wiederholung und Erzeugung des Wiederholbaren dasselbe geleistet haben. Jeder Name, der durchgesetzt ist, jede Vernetzung von Namen, durch die sich deren Zufälligkeit aufzuheben scheint, jede Geschichte, die Namenträger in ihrer Eigenschaftsausstattung vorführt, reichern die Bestimmtheit gegen den Hintergrund der Unbestimmtheit an. Zu wissen, an wen man sich zu halten hat, ist immer eine Sicherheit des Verhaltens, die nicht ohne Lebensvorteil ist und deren Systeme kaum weniger alt als der Mensch selbst sein können, wenn man von seinem Ursprung in einer biologischen Entsicherung ausgehen muß.

Was die Rezeption der Namen angeht, wird man eine Notiz von Kant zu seiner »Anthropologie« bedenken wollen, die – ohne den im platonischen »Kratylos« ironisierten Benennungsrealismus – auch ohne Sprachmystik so etwas wie eine Qualität des Namens zugesteht: *Ich forsche zuerst hinter die Benennung. Denn ein neues Wort findet nicht sogleich aufnahme, wenn es nicht sehr passend*

21 Das Rezeptionsmoment fehlt auch in Cassirers wichtigen Präzisierungen des Mythos-Bandes der »Philosophie der symbolischen Formen« (¹1923): Sprache und Mythos. Ein Beitrag zum Problem der Götternamen. ¹Leipzig 1925 (Studien der Bibliothek Warburg 6); ²Darmstadt 1956 in: Wesen und Wirkung des Symbolbegriffs.

ist.[22] Was es mit der passenden Benennung auf sich hat, kann man daran nachprüfen, daß sie im Systemfeld technischer Neuerungen trotz dringenden Bedarfs und weitester Fühlbarkeit des Mangels gelegentlich ganz ausbleibt: Der ›liebe Fernsehzuschauer‹ ist bis heute eine peinliche Verlegenheit geblieben, während sich das ›Tonband‹ aus dem umständlichen ›Magnetophonband‹ erfolgreich gemausert hat.

Die Frage nach der Leistung der Vernunft für die Selbsterhaltung des Menschen ist noch kaum entschieden. Sofern sie sich als das Organ der Begründungen darstellt, ist sie dies, noch vor allem Gelingen ihrer Ansprüche, zumal als Instanz der Widerrufe. Als solche war die Philosophie der Bruch mit dem Mythos. Man wird nicht sagen können, dieser Bruch sei von vornherein oder auch nur frühzeitig erfolgreich gewesen. Der Satz, alles sei aus dem Wasser geworden, ist zwar anders, aber darum noch nicht besser als der, alles sei auf dem Okeanos. Woraus alles sei, ist noch heute offen, nur mit dem Unterschied, daß es lediglich in einer unendlich aufgesplitterten Fragestellung noch interessiert. Im Grunde hat der philosophische Bruch mit dem Mythos das historische Interesse erst gefunden, das er heute hat, nachdem er einen um Jahrtausende verspäteten Triumph des vermeintlichen Gegenprinzips hatte erkennen lassen – und *als* dessen Interesse. Die thematisierende Vernunft macht sich zum Prinzip der thematisierten: der Logos kommt *durch* den Bruch mit dem Mythos zur Welt. Daß die Vernunft noch einmal sich selbst würde widersprechen müssen, um sich aus ihrem Widerspruch zu befreien, hat nicht genug zu denken gegeben.

Kant ist das Erstaunliche seiner Wahrnehmung noch ganz anzumerken, wenn er zur »Disziplin der reinen Vernunft«, die ganze erste Kritik resümierend, schreibt: *Daß aber die Vernunft, der es eigentlich obliegt, allen anderen Bestrebungen ihre Disziplin vorzuschreiben, selbst noch eine solche nötig habe, das mag allerdings befremdlich scheinen, und in der Tat ist sie auch einer solchen Demütigung eben darum bisher entgangen, weil bei der Feierlichkeit und dem gründlichen Anstande, womit sie auftritt, niemand auf den Verdacht eines leichtsinnigen Spiels . . . leichtlich geraten konnte.* Daß der alten Vernunft dies so spät noch sollte widerfahren sein, deckt nochmals die Verzerrung unserer Zeitperspektive auf;

22 Reflexionen Nr. 932 (Akademie-Ausg. 15/1, 413).

es macht aber auch einen Vernunftbegriff fraglich, der es sich leisten kann, immer erst vom letzten Widerspruch gegen alles Vorherige zu existieren.

Kants Beschränkung der Vernunft auf den Horizont der Erfahrung steht unter dem anhand des scholastischen Begriffs der gotteigenen *veritas ontologica* entdeckten und von der Neuzeit auf den Menschen übertragenen Prinzip, Wahrheit von einer Sache sei nur dem erreichbar, der sie gemacht habe, und dies nur im Umfang seiner Urheberschaft. Unter den Prämissen einer mechanistischen Weltansicht ist das ganz einleuchtend: der Erfinder eines Mechanismus ist sein schlechthin ausgezeichneter Theoretiker. Gilt das aber für jede Art von Urheberschaft? Wird Wahrheit über Geschichte so gewonnen, daß man nur Absicht und Einsicht dessen zu befragen braucht, der sie gemacht oder zumindest mit gemacht hat? An solcher Gegenfrage setzt die unter dem Titel der ›Hermeneutik‹ stehende und jenem neuzeitlichen Wahrheitsprinzip widersprechende Position an, die der schöpferischen Authentizität ein Potential zuschreibt, das keinem Autor zugänglich und einsichtig, von diesem sogar überwiegend verkannt und verfehlt worden ist oder wäre, erst durch die Arbeit der Rezeption, durch Kritik und Auslegung, erschlossen und entfaltet wird. Dabei liegt das Paradox der Romantik ganz nahe, erst dem ›Kritiker‹ die Vollmacht für Sinn und Wahrheit des Werkes zu erteilen, ihn dem blinden Schöpfer als den hellsichtigen Vollender zu attachieren.

So entsteht, eine Etage unter dem Genie, eine neue ästhetische Elite der Kritik und der Auslegung. Bei Licht besehen, ist dies gar nicht das Publikum einer Rezeption, sondern eine Art integrativer Faktor der Werkproduktion, welcher Art immer die ›Werke‹ sein mögen. Für sie gilt der Spruch des Mattesilano: *Semper mens est potentior quam sint verba,* der Leitsatz einer extensiven Gesetzesinterpretation. Die Illusion aber, Rezeptionsgeschichte könnte in der Art geschrieben werden, daß man statt der Absicht der Autoren ihre Kritiker abfragt, erreicht doch niemals den wirklichen oder unterstellten Adressaten des Werks, das Publikum, und wenn schon einmal seine ›Geschmacksurteile‹, so doch nicht das, was ihm als Wirkung des Werks angesonnen worden ist: sein Erlebnis oder gar seinen Genuß.

Am Ende haben wir ein Indiz für die ›Wirkungsgeschichte‹ nur im

blanken Überleben des Werks, im schlichten Sachverhalt, daß es
nicht in der Masse des Vergessenen untergegangen ist. Es ist keine
Herabsetzung der Funktion der Kritik, wenn man daran erinnert,
für eine Theater- oder Buchsaison die Erhebungen oder Verwer-
fungen des öffentlichen Rezensionswesens zu vergleichen mit dem
Endergebnis der Statistik von Aufführungen und Auflagen. Solche
Erinnerung ist nur ein dämpfendes Monitum gegen die über-
schwengliche Bewertung von Wirkungsgeschichten als gelingender
oder möglicher Zugänge zur Erfahrungs- oder Erlebnisseite.
Die Mythologie bietet den einzigartigen Vorteil, es nur mit dem
schmalen Bestand des Überlebthabenden aufnehmen zu brauchen.
Die Erfinder sind ihr ebensowenig zugänglich und befragbar wie
die etwaigen Fachleute, die ich vorsichtshalber nicht Kritiker nenne,
weil es auch Rhapsoden von der Konkurrenz, Vermittler, Kultfest-
organisatoren und andere Zuständige gewesen sein mögen. Für die
altromanische Epik hat Jauß im Anschluß an Vinaver und Rychner
die Abkehr von den Kategorien der klassischen und romantischen
Ästhetik gerade im Hinblick darauf vollziehen können, daß der
Anteil der Mündlichkeit an der Formation der uns erreichbaren
Werkzustände noch nicht erloschen war und von einer *fließenden
Überlieferung* solcher Vortragsdichtung mit Improvisationselemen-
ten gesprochen werden kann. Für den »Roman de Renart« hat
Jauß nachgewiesen, daß *der Kern des Zyklus, die Fabel vom Hof-
tag des Löwen, nicht weniger als achtmal umerzählt* worden war.
Dies dünkt ihn eine *merkwürdige Erscheinung*, die einer positivisti-
schen Forschung nicht anders zu bewältigen gewesen wäre als
durch Annahme einer Folge von *verderbten Varianten* zum uner-
reichbaren Original. Jauß blickt aufs mittelalterliche Publikum, für
das diese Variationen als eine *Folge von Fortsetzungen* erscheinen
konnten, *die trotz ständiger Nachahmung ein immer wieder neues
Spannungselement zu entfalten wußten.*[23] Im Gegensatz zu dem,
was wir für das frühgriechische Epos vor der Phase seiner Schriftlichkeit voraussetzen müssen, wirkt in der mittelalterlichen Epik
die Schriftkultur stark auf den Prozeß von Variation und Selektion ein, verzufälligt die Fixierung der Varianten ohne Original

---

23 H. R. Jauß, Alterität und Modernität der mittelalterlichen Literatur. München 1977, 17. Zuerst: Untersuchungen zur mittelalterlichen Tierdichtung. Tübingen 1959.

und verdeckt die Umkehrung des Verhältnisses von Thema und
Veränderungen durch die ständige Einwirkung von Prädilektionen
des *Da capo!*

Der Theoretiker der mittelalterlichen Epik befindet sich infolge der
den Rezeptionsprozeß ›begleitenden‹ Schriftlichkeit vor einer andersartigen Quellenlage. Er braucht die Entscheidungen des Vergessens und des Überlebens nicht nur zu vermuten, das Resultat
nicht wie der Mythologe als die Summe unbekannter Alternativen
anzusehen, in denen die Kreativität aufgegangen ist.

II
Grundmythos und Kunstmythos

Es sind auch Teufel, doch verkappt.
Mephisto zu Teufeln über Engel

An der Mythenvielfalt unseres und anderer Kulturkreise ist wiederholt versucht worden, Reduktionen auf einen Grundmythos vorzunehmen und diesen dann als Radikal der Entfaltungen und Anreicherungen anzusetzen. Die Prozedur geht von der Annahme aus, die invarianten Kerne des Mythos müßten auch an dessen ursprünglichen Zustand heranführen. Was marginale Veränderungsfähigkeit ausmacht, wäre dann ein Umfeld später angelagerter Fremdkörper und Verschmelzungsreste. Aber der Radikalmythos muß nicht der Ausgangsmythos sein. Das wäre eine Zusatzannahme, die nur den lebhaft anziehen mag, der nicht in die Voraussetzung einwilligt, was uns interessiert, sei gar nicht der Urmythos. Vielmehr ist der kraft seiner Rezeptionen variierte und transformierte Mythos in seinen geschichtlich bezogenen und bezugskräftigen Gestaltungen schon deshalb der Thematisierung würdig, weil diese die geschichtlichen Lagen und Bedürfnisse mit hereinzieht, die vom Mythos affiziert und an ihm zu ›arbeiten‹ disponiert waren.

Wenn sich von einem Grundmythos soll sprechen lassen können, ohne diesen als den Urmythos auszugeben, muß seine Kondensation und Befestigung ein diachroner Prozeß sein: eine Art Bewährung dessen, was an einem Mythologem sowohl zu seiner Identifizierung als auch zur Inanspruchnahme seiner Bildleistung nicht mehr entbehrt werden konnte. Je erfolgreicher die Solideszenz, um so strapazierfähiger ihr Resultat.

Der Grundmythos ist nicht das Vorgegebene, sondern das am Ende sichtbar Bleibende, das den Rezeptionen und Erwartungen genügen konnte. Das rein literarische Phänomen ist uns vertraut, daß gerade an den geschichtlich ›erfolgreichsten‹ Mythologemen

Gewalttätigkeit und Kühnheit der Berichtigungen und Torsionen ihren ausgezeichneten Anreiz finden. Hätten es sich Kafka oder Gide leisten können, in ihren entschlossenen Veränderungen mythischer Themen etwa auf das Mythologem des Prometheus zu verzichten? Können wir uns noch vorstellen, daß es aus unserem Traditionsschatz irgendwann verloren gegangen wäre? Man wird leicht und nicht ohne Grund antworten: Unausdenkbar. Ebenso ein Grundmythos wie der vom Verbot, sich umzudrehen, um das sicher Zugesagte auch als sicher Eingetretenes zu sehen, wie Orpheus und Lots Weib. Wir können unmittelbar anthropologisch begreifen, was das Verbot sich umzudrehen mit unausschöpfbarer Bedeutsamkeit anreichert: Die menschliche Frontaloptik bedingt, daß wir Wesen mit ›viel Rücken‹ sind und leben müssen unter der Bedingung, daß immer ein Großteil der Wirklichkeit uns im Rücken liegt und von uns hinter uns gelassen werden muß.

Prometheus und Orpheus – diese Namen vergegenwärtigen zugleich, daß es falsch sein muß, die Bedeutsamkeit des Grundmythos daran zu messen und dadurch zu erklären, daß er Antworten auf Fragen zu geben hätte. Trotzdem wird der Grundmythos an der Reichweite seiner Leistung einzuschätzen sein: indem er radikal ist, wird er fähig, total zu sein. Das bedeutet aber nur, daß er die Suggestion mit sich führt, durch ihn und in ihm bleibe nichts ungesagt. Das Ungesagte ist eine andere Kategorie als die des Ungefragten. Was Totalität hier heißt, wissen wir überhaupt erst, seitdem auf sie verzichtet wurde und verzichtet werden mußte, um wissenschaftliche Erkenntnis haben zu können.

Wissenschaft steht unter der Bedingung der Preisgabe des Totalitätsanspruchs. Vom ›Weltbegriff‹ wird philosophisch gerade deshalb so viel gesprochen, weil die Philosophie keinen Weltbegriff haben kann, sondern immer nur eine Idee davon, was ihr vorenthalten bleiben muß, indem sie sich der Norm theoretischer Erkenntnis nicht zu versagen vermag. Es ist leichtfertig zu meinen, sie hätte sich zugunsten eines wie immer gearteten Weltbegriffs eben dieser Norm entziehen müssen oder sie habe es hier oder dort sogar getan. Das ist ein Spiel mit Möglichkeiten, die nicht bestehen, eine subtile Art der Wichtigtuerei mit Optionen, die nicht offen sind. Der Verzicht auf Totalität zugunsten von Wissenschaft ist so endgültig wie der auf Wahrheit von der Art, die man sich einmal von ihr glaubte versprechen zu können, wie der auf bestimmte Warum-Fragen, wie schließlich der auf Anschaulichkeit. Dennoch bewegen wir uns da im Feld des Unverzichtbaren, das sich in den Surrogaten bemerkbar macht, die es erzwingt.

Was zu einem Grundmythos gehört, zeigen Versuche, die Qualitäten des Mythos mit Kunstmitteln nachzuahmen. Dabei scheint auch im Kunstmythos niemals die reine Phantasie am Werk zu sein, sondern die Ausgestaltung elementarer Grundfiguren. Wenn – um es am Beispiel der platonischen Mythen zu verdeutlichen – die Menschen ohnehin als aus der Erde hervorgehend gedacht werden, wie es die Griechen weithin taten, wird die imaginative Darstellung ihrer Bildung bis zu den höchsten Möglichkeiten im Höhlengleichnis von der Grundvorstellung getragen: als im Grundmythos des Schemas ›Heraustreten aus der Erde zum Licht‹ angelegte Erweiterung. Hier gibt es eine Konvergenz von Grundmythos und absoluter Metapher.[1]

Nach Plato hat wohl nur noch Nietzsche theoretisch durchdachte elementare Mythen zu ersinnen gesucht und als philosophisches Instrument eingesetzt. Doch arbeitet Nietzsche ebenso mit der gewagten Variante auf den sanktionierten Mythos. Er wußte, was er einem Leser zumutete und abfordern wollte, der von Kindesbeinen an mit Konfigurationen vertraut gemacht war wie mit der des biblischen Paradieses, wo der Versucher die Gestalt der Schlange hatte, das Verbot die Harmlosigkeit der Baumfrucht betraf und Gott die im Garten wandelnde Freundlichkeit war, die alles erlaubt, nur eins verboten hatte und deren Großzügigkeit verklärt erschien durch die spätere Umwandlung in den zürnenden Eifer eines Gesetzgebers, der fast alles verbieten und nur einiges erlauben lassen sollte. Indem Nietzsche aus dem späten Rückblick des »Ecce Homo« von 1888 auf »Jenseits von Gut und Böse« den Paradiesmythos zum Skandal werden läßt, macht er zugleich augenfälliger als viele Allegoresen zuvor, daß darin ein Grundmythos von hohen Graden steckt.

Nietzsche kündigt sich dabei als theologisch Redenden an, denn er unterstellt, sich auf diesen Mythos zu beziehen, heiße ›theologisch‹ zu reden, und dies tue er selten. Das Kriterium des Nichts-ungesagt-Lassens spricht weder gegen diese Spezifizierung noch für sie;

1 H. Blumenberg, Paradigmen zu einer Metaphorologie. Bonn 1960, 85-87.

es ist die Methode der ›Umbesetzung‹ der vorgegebenen Konfiguration, die sie als mythische qualifiziert.

Es sei Gott selber gewesen, *der sich als Schlange am Ende seines
Tagewerks unter den Baum der Erkenntnis legte: er erholte sich
davon, Gott zu sein* ... Als Schlange ruht er sich nicht nur von
seinem Schöpfungswerk aus, er macht sich zum Prinzip des Bösen.
Man würde keinen Zweifel haben, daß er nach gnostischem Muster nur sich selbst als den Gott dieser Welt darstellt. Aber
Nietzsche hat in den drei als elliptisch bezeichneten Sätzen seines
Mythos eine ganz andere authentische Absicht: Der sich von sich
erholende Gott sieht in der paradiesischen Zuständlichkeit seiner
Schöpfung die Versuchung selbst. Es ist die der stationären Endgültigkeit und Abgeschlossenheit. Der Selbstgenuß des siebenten Tages
schlägt um in den Überdruß am Guten, das er gemacht hatte, weil
es keine Zukunft, keine Geschichte haben konnte. Das Paradies ist
die Negation der Geschichte, der Inbegriff der Langeweile eines
Gottes. So wird der Gott zum Teufel, um sein Werk, statt zum
lieblichen Ausgang der paradiesischen Harmlosigkeit, zur dramatischen Katastrophe der Weltgeschichte zu treiben: *Er hatte Alles zu
schön gemacht* ... *Der Teufel ist bloß der Müßiggang Gottes an
jedem siebenten Tage* ...[2] Das ist (für den, der nicht nachschlagen
mag, gesagt) der ganze Text der Mytheninversion. Man sieht, die
theologische Attitüde ist ironisch gemeint.

Man verdirbt sich etwas, wenn man der Vieldeutigkeit des Kurz-
mythos Aussagen abzuschöpfen unternimmt. Aber es ist unvermeidlich, wenn man demonstrieren will, wie er das Kriterium der
Totalität als Nichts-ungesagt-Lassen erfüllt. Er läßt durchblicken,
mehr sei da nicht zu sagen und werde sich nie sagen lassen – was
keine Theorie zu behaupten wagen kann. Die Versuchung im Paradies war der Kunstgriff eines Gottes, der seinem Werk Geschichte geben, die Sache des Menschen nicht sogleich versanden,
sondern auf den großen Umweg zum Übermenschen laufen lassen
wollte. Es gereute diesen Gott nicht, geschaffen zu haben; wohl
aber das Maß einer Vollkommenheit, die als ›Paradies‹ schon das

2 Nietzsche, Ecce Homo (Musarion-Ausg. XXI 264). Hat man 1908, als »Ecce
Homo« im Insel Verlag zuerst erschien, wirklich richtig gelesen, ›an *jedem* siebenten Tage‹, was sich freilich philosophisch anspruchsvoller anhört als ›an
jenem siebenten Tage‹, von welchem einen aber doch allein die Rede ist?

Ende, der Inbegriff aller Zufriedenheiten sein mußte. Die Sünde
war List, der alte Gegensatz zwischen dem Guten und Bösen schon
im Paradies nur vorgespiegelt: die Falle, in die der Mensch gehen
sollte, weil er glaubte, dies sei das ihm vorenthaltene Geheimnis
Gottes. Aber dessen wahres Geheimnis ist, daß ihn das Gute langweilt, sogar das, das er selbst ist. Der Tag seiner Muße ist die
Vortäuschung seiner Abwesenheit, da er doch als Schlange unter
dem Baum der Erkenntnis liegt, um durch Verbot und Verheißung
– als Mittel aus einer einzigen Quelle – den Menschen in seine
Weltgeschichte zu vertreiben.

Der Kunstmythos enthält den ganzen Verdacht Nietzsches, daß
der *Genius malignus* des Descartes die letzte Instanz sei. Die am
Anfang der Neuzeit oberflächlich geschlichtete Bedrohung des
Subjekts wäre durch kein Argument ausschaltbar und nur durch
den endgültigen Bruch mit dem Ideal der Wahrheit zu bewältigen.
An der Gestalt des biblischen Gottes der Schöpfung bleibt letztlich
kein Wohlwollen für den Menschen; deshalb läßt er ihn in der
Metamorphose der Schlange glauben, es sei die Verführung seines
Gegenspielers, durch die er das Paradies verliere. Er gesteht ihm
nicht ein, dies sei der geheime Wunsch Gottes selbst, hervorgehend
aus dem Überdruß an der Domestikationsform ›Paradies‹. Es ist
ein Totalmythos des Zynismus. Er spricht von der metaphysischen
Tyrannei, der nur entkäme, wer sich Gut und Böse, Wahr und
Falsch absolut gleichgültig werden ließe. Die den Übermenschen
erzwingt, weil nur der Übermensch ihr entkommt. Der Mythos
hat gesagt, was – von Nietzsche her – überhaupt von der Welt
und vom Menschen und von der Geschichte zu sagen war. Er läßt,
in seinen drei Sätzen, nichts ungesagt.

Erwägt man die ganze Hinterhältigkeit, mit der Nietzsche hier als
Theologe zu reden vorgibt, obwohl er doch weiß, was ein Mythologe ist, so wird sie verstärkt durch die Ausschaltung des leisesten
dualistischen Zuges am biblischen Personal: Gott selbst, eben gerade noch der Schöpfer und freundliche Gartenherr, übernimmt
den Part des Diabolos, des Verwirrungsstifters. Er ist der eine in
allem. Dann aber springt ins Auge, daß er sich nicht nur der List
bedient, sondern, um eben einer in allem sein zu können, des
Organs der Verwandlungen. Indem er die Gestalt der Schlange
annimmt, erweist er sich als Gott der Metamorphosen.

Mit dieser mythischen Kategorie verbindet sich aus unserem geschichtlichen Aspekt das Odium des geminderten Ernstes. Die christliche Dogmatik hat den Gott der Inkarnation, der sich mit Natur und Schicksal des Menschen endgültig identifiziert haben soll, gegen die Episodizität der Metamorphose gestellt. Was den ›Ernst‹ des Realismus ausmacht, hat die nachantike europäische Tradition entscheidend am Menschwerdungsdogma erlernt. Eine solche Frage zu stellen wie die cartesische, ob denn die Welt auch wirklich und an sich sei, als was sie uns erscheine, und welche Sicherungen es dafür geben könne, läßt sich als ein die ganze Epoche durchdringendes Gewißheitsproblem nur verstehen, wenn man das am Dogma ebenso epochenlang als Begriffsfähigkeit Gewonnene voraussetzen darf. Jedenfalls gehört es zum Selbstbewußtsein der Neuzeit, mit immer neuen Realismen – theoretischen, praktischen, ästhetischen – immer neuen Ernst gemacht zu haben. Von den Göttern des Mythos, die der Dichter über die Worte von Zeit und Leben und Tod nur lächeln läßt, sagt er schließlich: *Nur ein Wort hören sie ernst: / Verwandlung.*[3]

Den Begriff des Grundmythos hat, in einer von der religions-

---

3 Max Kommerells Gedicht ›Sagt jemand: ein Nu ...‹ lese ich bei Hans-Georg Gadamer, Philosophische Lehrjahre. Frankfurt 1977, 104. Das Gedicht eröffnet, ohne Titel, den Auswahlband »Rückkehr zum Anfang« (Frankfurt 1956). – In welchem Maße die Dogmatik der Inkarnation einem bis dahin unbekannten Realismus zuarbeitet, läßt sich daran ablesen, wie Harnack den ›Doketismus‹ Markions gegen Konsequenzen verteidigt, wie sie der Antike noch unbekannt gewesen seien: Er habe seinen Christus freihalten müssen vom Anteil an der schlimmen Materie und von der Schmählichkeit der demiurgischen Erfindung der Fortpflanzung; auch ohne die Substanz des Fleisches habe er sich menschliche Empfindung geben können. (Marcion. ²Leipzig 1924, 124 f.) Aber gerade diese Umgehung des Schmählichen und der nicht selbstbestimmten Leidensgrenze gibt die Stigmata des Realismus einer Inkarnation vor, die auch Verzicht auf ›Reinheit‹ vom Materiellen sein mußte, sollte sie als endgültiger Heilsentschluß ›ernst genommen‹ werden. Es genügte eben nicht als Wirklichkeit, was Tertullian auf die Formel gebracht hat: *satis erat ei (sc. Christo) conscientia sua* (De carne, 3). Betont nun Harnack die Zeitgebundenheit der Hinnahme des Doketismus um der Distanz zum Weltgott willen, so kann er nicht gleichzeitig den Doketismus als Ausdruck der Enthobenheit der *nova documenta dei novi* aus der Zeitgemäßheit begründen: *Der Doketismus war in jener Zeit auch ein Ausdruck dafür, daß Christus nicht Produkt seiner Zeit ist und daß das Geniale und Göttliche sich nicht aus der Natur heraus entwickelt.* Das ist vollendeter Zeitgeistunfug und verrät schon sprachlich (das Geniale! sich entwickelt!), an den Ausdruck welcher Zeit denn zu denken ist. Man sieht hieran, was die dogmatische Verteidigung der Inkarnation auf weite Sicht ›geleistet‹ hat -- und wäre es nur, die Formulierbarkeit von Nietzsches Widerspruch vorzubereiten.

wissenschaftlichen Mythologie abweichenden methodischen Absicht, Hans Jonas auf die Gnosis als spätantike Geistesformation angewendet. Es kam ihm nicht darauf an, damit die gemeinsamen und irreduziblen Grundzüge einer Vielfalt gnostischer Mythologeme zu einem Mustermythos herauszupräparieren, und genausowenig wollte er die ursprüngliche Einheit einer späteren Vielfalt nachweisen. Was er als den *autogenen einheitlichen Grundmythos* bezeichnet, ist die nicht überschreitbare, nicht nur faktisch so sich niederschlagende Darstellungsform der Selbstauffassung dieser Epoche, die er gnostisch nennt. Der Grundmythos ist erschlossener transzendentaler Geschichtsfaktor, *das gesuchte synthetische Prinzip für die Mannigfaltigkeit mythischer Objektivationen im gnostischen Auslegungsbereich.*[4]

Der Grundmythos, wie Jonas ihn nimmt, ist also kein historisch-literarisch vorkommendes Faktum. Er ist als Strukturschema für solche Fakten und Belege, also für die tatsächlich nachweisbaren Mythen oder mythenähnlichen Konstrukte, ein *dynamisches Prinzip der Sinnstiftung.* Es ist dabei von nachgeordneter Bedeutung, daß die Anlehnung des Gnosis-Werks von Hans Jonas an die Daseinsanalytik Heideggers den mythischen Grundriß als Selbstauslegung geschichtlichen Daseins vom Typus des existentialen interpretiert: Was als erzählbarer, welthafter und mit Gestalten besetzter Außenvorgang erscheint, ist nur Projektion dessen, wie der geschichtlich lebende Mensch sich selbst in seiner ›Existenz‹ versteht.

Nun ist der durch die umfangreichen gnostischen Funde nach 1945 glänzend bestätigte Ansatz von Jonas gelegentlich geschichtsphilosophisch derart erweitert worden, daß sich für jede Epoche ein Grundmythos müsse konstruieren lassen, auch wenn kein ausgeprägtes mythisches Material wie bei der Gnosis vorliegt. Der Einfall mag bestechend sein, verkennt aber die exzeptionelle mythische Disposition des gnostischen Dualismus. Denn Geschichten

4 H. Jonas, Gnosis und spätantiker Geist II/1. Von der Mythologie zur mystischen Philosophie. Göttingen 1954, 1. Die Bogen 2-7 der ersten Auflage dieses Teils sind noch auf dem Papier der Erstauflage des ersten Bandes von 1934 gedruckt, Bogen 1 mit dem neuen Vorwort (wie die Bogen 8-14) auf abweichendem Nachkriegspapier: Beleg nicht nur für das Schicksal des Werks, sondern auch für die Datierung der methodischen Einleitung über das »Problem der Objektivation und ihres Formwandels«, aus der die Definition von ›Grundmythos‹ zitiert ist, auf unmittelbare Nähe zum Eingangsband und damit zur frühen Konzeption des Epochenbegriffs.

lassen sich gerade hier und deshalb erzählen, weil sich zwei Urmächte, zwei metaphysische Lager mit allen Listen und Künsten gegenüberstehen und die Geschichte des Menschen nur so etwas wie der Indikator für das Hin und Her der Machtverteilung, der Teilerfolge, der Wendungen und Zugriffe ist. Das dualistische Muster ist mythenträchtig. Es liefert die Geschichten so, wie moderne dualistische Remythisierungen statt dessen die Geschichte als von ihnen gedeutete nachliefern: Immer ist die jeweils gegenwärtige Weltlage der erwartete Schnitt quer durch den Gesamtprozeß des Kampfs der die Wirklichkeit bestimmenden Mächte. Nur so kann *die* Geschichte als *eine* Geschichte, in der Gut und Böse ihre Repräsentanten haben, erzählt werden.

Im strengen Sinne müßte ein dualistischer Anfang der Gesamtgeschichte jedes eindeutige Ende unmöglich machen, weil mit Wiederholung jederzeit zu rechnen wäre; aber das würde mehr Heilsbesorgnis wecken als beschwichtigen. Tatsächlich ist der gnostische wie jeder andere Dualismus absolut nur hinsichtlich des Anfangs und seiner Folgen, nicht aber hinsichtlich des Endes und seiner Endgültigkeit. Das negative Prinzip wird zwar nicht vernichtet, aber wohl durch Entwindung seiner Beute zur Resignation getrieben. Es ist nicht die Verschiebung der Machtlage, die den Ausgang bestimmt, sondern die Überlegenheit der List.

Deshalb enthält auch jedes gnostische Rezidiv die von seinen Parteigängern geschätzte Lizenz, für den Endzweck jedes Mittel zuzulassen. Von Strategien darf dann gesprochen werden, auch von doppelten, und die Bedenkenlosigkeit hinsichtlich der Mittel schließt Alternativen hinsichtlich der Zwecke, deren Realisierung erst ihre Funktionäre rechtfertigen kann, aus. Dazu gehört, daß die Evidenz der Zwecke nur in dem Maße einleuchtet, in dem der intermediäre Prozeß das Pessimum seiner Unerträglichkeit erreicht oder erreichen kann; zum gnostischen Repertoire gehört daher bei einigen konsequenten Gruppen die Steigerung dessen, was gemeinhin als ›Sünde‹ bezeichnet wird, um den Weltzustand schnell auf den Punkt seiner metaphysischen Unvertretbarkeit und der extremen Herausforderung des Gegenprinzips zu treiben. Damit ließ sich verbinden, daß die moralische Gerechtigkeit und Gesetzestreue noch nicht die vor dem guten ›fremden Gott‹ rechtfertigende Qualität sein durfte.

Der Vorteil der Gnosis war, daß sie den Menschen im ganzen nur mäßig an den großen kosmisch-metaphysischen Entscheidungen zu beteiligen brauchte: sie fielen zwar *für* ihn, aber nicht *durch* ihn. Er mußte daran Anteil zu gewinnen suchen, aber nicht ein Subjekt dafür stellen.

Wie zufällig auch immer die Figuren, die Schritte, die Verstrickungen und Überlistungen sein mögen, das gnostische Mythologem tendiert entgegen seiner dualistischen Generalprämisse auf eine Entscheidung, durch die alles gerechtfertigt wird, was zu ihrer Herbeiführung veranstaltet worden sein mag. In dieser Entscheidung verschwinden die letzten Voraussetzungen einander gleichrangiger Gegenmächte, sonst müßte der Prozeß unendlich, jede Gewißheit nur Episode sein. Man sieht daran, daß ein absoluter Dualismus, wie der manichäische, nicht im Interesse der Gnosis als einer ›Heilslehre‹ gelegen haben kann. Adäquater ist, wenn der Mythos noch die ›Entstehung‹ der Entzweiung einschließt.

Zur Hypothese des Grundmythos zwingt die Fülle der mythischen Varianten und Namen, der hypotaktischen und parataktischen Konstruktionen gnostischer Systeme, die wie Parodien auf die »Theogonie« des Hesiod wirken. Nimmt man die Voraussetzung auf, dies alles sei imaginative Darstellung des geschichtlichen Lebensstils einer sich von der Antike lösenden und mit ihren Wertvoraussetzungen zerfallenen Selbst- und Weltauffassung, so sieht man im Rückbezug die notwendige Anspielung auf antike Mythologeme und die unausweichliche Herausforderung, dies alles auch ›solider‹ und verteidigungsfähiger zu sagen. Dann bekommt man den Vorblick auf die an ihrem gnostischen Gegner sich formierende und doch nur in der Anerkennung seiner Probleme weltfähige Dogmatik der Großkirche. Als solche ist sie weitgehend die Überlebensgestalt des gnostischen Widerspruchs gegen die Antike, institutionalisiert mit den Mitteln der Antike.

Wenn man sich methodisch und sachlich die Option offenhalten will, auch andere Epochen könnten ihre *faktische Grundverfassung des geschichtlichen Daseins selber* in einem Grundmythos angelegt haben, durch den sie sich ihre *intentionalen (mythischen oder sonstigen) Objektivationen in Bildwelten* zu verschaffen vermögen, muß dies noch nicht andere Ausdrucks- und Aussagesysteme ausschließen. Für die Gnosis allerdings muß diese Ausschließlichkeit festgehalten werden. Der Grundmythos schreibt die Ausbreitung des Nebensächlichen nicht vor. Er ordnet es seinen Funktionen der Umständlichkeit des Heilsweges durch den Kosmos hindurch zu. Abstrakte Elemente treten als Hypostasen, Emanationen, Äonen, als Quasi-Figuren auf. Harnack wollte Markion nicht als Gnostiker klassifiziert wissen; er habe die Spekulation der Äonen und Emanationen nicht mitgemacht, sich vielmehr auf die Zweigötterei beschränkt. Aber das trifft nicht die entscheidenden Merkmale. Die spekulativen Redundanzen bilden nur den Freiraum der gnostischen Phantasie; funktional aber auch das, was Beliebigkeit bei der Verunstaltung des antiken Kosmos und damit dessen Unverbindlichkeit suggeriert.

Zugleich bereitet sich mit der Liberalität dieser Ausgestaltung der Systeme das Ärgernis vor, das die Überlegenheit der dogmatischen Verurteilung unausweichlich macht, so wenig dies 144 bei der römischen Exkommunikation Markions schon sichtbar sein konnte. Denn wie für andere Dogmatisierungen gilt auch hier als Erfahrungswert, daß der Begriff immer dann in den Vordergrund drängt, wenn die Vielfalt der Schulen und Sekten, damit der Bildwelten, Kulte und Personifikationen, auf einen höheren Grad von exklusiver Festlegung, auf die Konkurrenzfähigkeit der sie unterscheidenden Inhalte drängt. Die mittelalterliche Scholastik sollte es auf diesem Wege bis zur Karikatur ihrer selbst und zur Schimpflichkeit ihrer Benennung treiben.

Aus dem an der Niederlage der Gnosis gegenüber der Großkirche ablesbaren Verhältnis von Imagination und Begriff ließe sich leicht folgern, die vermeintliche Bildkräftigkeit sei stets nur Ausdruck der Unfähigkeit zum Begriff. Sie wäre also nur Vorstadium der weltgeschichtlichen Arbeit des Begriffs selbst, und dieser damit Erfüllung der in Namen und Bildern und Ritualen waltenden Intention. Das ist nicht erst ein hermeneutischer Irrtum, sondern ein schon geschichtswirksames Interpretament.

Aus der Trennung von der Gnosis gewinnt die Dogmatisierung eines der beiden Hauptmittel zu ihrem Selbstverständnis. Sie gibt die Metapher und das Gleichnis als Vorarbeit zur begrifflichen Definition aus, die erst in den Glaubenssymbolen und Konzilsentscheidungen ihre bildlose Sprache finden konnte. Zum Vergleich: Markion hatte Parabelform als die eigentümliche Redeweise für die

Verkündung des ›fremden Gottes‹ angegeben. Dabei hatte er freilich die Verlegenheit seines Interpreten geschaffen, ausgerechnet
das Gleichnis vom verlorenen Sohn aus dem Lukasevangelium
athetiert zu haben, von dem Harnack schließlich gelten ließ, es sei
allein ›neu und einzigartig‹ in den Texten der Synoptiker, also
nicht hellenistisch ableitbar. Markion aber konnte in seinem einzigen Evangelium, das fälschlicherweise dem Lukas beigelegt worden
sei, tatsächlich aber dem Paulus zugehöre, dies singuläre Stück nicht
dulden, weil es von Heimkehr aus der Fremde spricht. Doch muß
die Fremde die wahre Heimat des Gnostikers werden. Man sieht,
und deshalb muß dies hier angeführt werden, wie Markion ganz
im Gleichnis zu bleiben sucht und wie er die Ausflucht der Allegorese selbst zur Rettung eines Belegs für die Einzigkeit seiner
Urkunde verschmäht.

Das zweite Instrument zur Selbstverständigung der Dogmatisierung ist, daß sie Aussagen ausschließlich als Antworten auf Fragen
nimmt, deren Bestand sie als gleichsam idealen Kosmos ansieht.
Dann mußten schon die Sätze der antiken Philosophie zwar unzulängliche, aber doch auf diesen Fragenbestand eindeutig bezogene
Antworten enthalten. Es war unausweichlich, die Sprache neuer
Antworten auf die schon vorgeleistete Explikation der Fragen zu
beziehen. Die Dogmatisierung ersetzt nicht nur die Geschichten,
sondern sie impliziert deren Verweigerung, weil Geschichten nicht
als Antworten auf Fragen ausgewiesen werden können. Aber auch,
weil deren Verbindlichkeit fragwürdig und als Bedingung der
glaubenden Unterwerfung ungeeignet sein mußte.

So hat die Dogmatisierung der christlichen Theologie, aus Berüh-
rungsfurcht vor der bildhaften Orientierung des Mythos, eine andere Sprache als die biblische gegeben. Deren Konsistenz – denn
Konsistenz ist der Vorzugswert der dogmatischen Formation –
wurde erreicht durch die bis in das Hochmittelalter unabgeschlos-
sene Übernahme der antiken Metaphysik. Diese Rezeption ermöglichte die Sicherheit der Unterstellung, es sei in der Lehre der
Kirche auf unverrückbare Grundfragen des Menschen Antwort
gegeben und die gnostische Hypertrophie stelle dazu nur einen
verworrenen und verfehlten Versuch dar – sie habe, so läßt es sich
sagen, die Fragen nicht verstanden, um die Antworten geben zu
können.

Thornton Wilder hat von der ihm befreundeten Gertrude Stein als
ihr letztes Wort auf dem Totenbett berichtet, sie habe gesagt: ›Was
ist die Antwort?‹, und nach einer Weile des Schweigens hinzuge-
setzt: ›Was ist die Frage?‹ Die individuelle Verdichtung reflektiert
das geschichtliche Phänomen, mit dem wir es immer wieder zu tun
haben und das sich so unwillig erschließt. Ebenso wie die Aufklärer
unterstellten, Mythen seien nichts anderes als unzulängliche Antworten auf die bedrängenden Fragen der menschlichen Neugierde
gegenüber der Natur, waren auch der frühchristlichen Selbstauffassung die Fragen nach der Seelen- und Heilsgeschichte als
konstante Vorgaben erschienen. Das ermöglichte zu fordern, sie
seien ebenso präzise zu beantworten wie sie als gestellt unterstellt
waren.

Genau dies ist die Inversion des geschichtlichen Sachverhalts: Die
Fragen sind das, was sich erst herausstellt, wenn die Leistung von
Imaginationen und Aussagen unter den Druck der Zuordnungs-
forderung gerät, worauf denn Antwort, Bestärkung, Zuspruch, Anweisung gegeben werde. Die späte dogmatische Erfindung der
Erbsünde kristallisierte als die in ihr aufgegangene Frage heraus,
wovon denn die Erlösung eigentlich zu erlösen gehabt hatte. Von
dieser Art erscheint auch die ganze Ausbildung der persönlichen
Eschatologie, als sei sie Antwort auf die Frage nach dem individuellen Seelenschicksal und der in ihm waltenden Gerechtigkeit.

Das alles ist erst das Residuum einer großen Abmagerungskur des
mythischen Bestandes. Den philosophisch disziplinierten Spätlingen
will es immer so scheinen, als seien über die Bewußtseinsgeschichte
der Menschheit hinweg Fragen gestellt und daraufhin Antworten
versucht worden, deren Unzulänglichkeit sie der Verdrängung
durch andere Antworten auf dieselben Fragen auslieferte. Dogmatik erscheint als Abwehr dieses Verdrängungsvorgangs, als
Festschreibung durch außerordentliche Sanktion. Sie kann nur institutionell geleistet werden, und das macht klar, wie institutionswid-
rig der Mythos ist. Markions konzeptionelle Schwäche ist, daß er
die Mythenträchtigkeit seiner Göttertrennung von Demiurg und
Heilsgott nicht als Gegenpotential zu seiner organisatorischen
Absicht einer auf den restringierten Kanon von Paulus und Pseudo-
Lukas gegründeten Amtskirche einzuschätzen vermochte.

Die Geschichten, von denen hier zu reden ist, wurden eben nicht erzählt, um Fragen zu beantworten, sondern um Unbehagen und Ungenügen zu vertreiben, aus denen allererst Fragen sich formieren können. Furcht und Ungewißheit zu begegnen, heißt schon, die Fragen nach dem, was sie erregt und bewegt, nicht aufkommen oder nicht zur Konkretion kommen zu lassen. Wobei das Bewußtsein, solche Fragen dann doch nicht beantworten zu können, in unwägbarer Weise hereinspielen mag, solange sie nicht im institutionalisierten Milieu abgewehrt, als Hybris diskriminiert oder – wie in dem der neuzeitlichen Wissenschaft – dem noch ausstehenden Fortschritt zugeschoben werden können. Wir haben uns an die Spielregel theoretischer Professionalität gewöhnt, die auch diejenigen begünstigt, die nur Fragen zu erfinden vermögen, und noch mehr diejenigen, die an den Antworten nur Kritik üben und sie sogar mit dem quasi-ethischen Anspruch versehen, kritisiert zu werden gehöre zur immanenten Intention aller vermeintlichen Antworten. Sich der Kritik mit dem Gestus des lustvollen Schmerzes auszusetzen, wird dann ebenso zum beruflichen Können, wie ein guter Verlierer zu sein einmal zu den Pflichten des so bezeichneten guten Sportsmanns gehörte. Dem Mythos sind solche Lasten fremd, und das erfordert es, sie hier zu nennen.

Die Disjunktion von mythischer und dogmatischer Verfassung ist nicht vollständig. Es ist auch an die Mystik als die entschiedenste Anwendung des Wirklichkeitsbegriffs der momentanen Evidenz zu denken, wie sie sich in den Metaphern der blendenden Erleuchtung oder der blinden Berührung darstellt. Das Extrem von Erfahrung, das in dieser Sprache beschrieben wird und auf der Skala der Gewißheitsmöglichkeiten den Gegenpol zur Skepsis darstellt, ist zwar punktuell, doch in der Spekulation Plotins bezogen auf den mythischen ›Normalprozeß‹, der sich als kosmische Aktion auf kosmischer Szene abspielt. Mystik hat sich immer nur mit dem Mittel der Negation, als Durchbrechung des systematischen Rahmens, darstellen können. Sie braucht diesen Rahmen, um sich der Außerordentlichkeit ihrer Gaben rühmen, ohne diese beschreiben zu können.

Der gebräuchliche Ausdruck ›spekulative Mystik‹ enthält einen Widerspruch. Wo der Mystiker über die Wirklichkeit spricht, der er begegnet ist, weist er die Spekulation von sich; aber von der Möglichkeit mystischer Erfahrung zu reden, war offenbar immer auch eine Sache derer, die sie nie realisiert hatten, indes für den biblisch in der Gestalt des Paulus verbürgten Grenzfall der unwidersprechlichen Steigerung des bloßen Glaubens zur Gewißheit und Vorwegnahme des Endzustands aller Gläubigen für unentbehrlich hielten.

Was die Mystik mit dem Mythos gemeinsam hat, ist die Abweisung der Unterstellung, Antworten auf Fragen zu suchen und zu geben. Aber auch die mythologische Gnosis, wie Jonas sie nennt, mußte sich in dem Maße in das Formular des Verhältnisses von Frage und Antwort fügen, in dem ihre intellektuelle Umwelt durch den Erfolg der philosophisch disziplinierten christlichen Apologetik und Dogmatik geprägt wurde und ihr die Rückwirkung der Herausforderung begegnete, die sie auf die Großkirche und deren Glaubenssymbole ausgeübt hatte. So fügt sich ihre überbordende Mythenproduktion zumindest im Rückblick in das System der Grundfragen des Menschen nach seiner Herkunft und Zukunft, nach seinem Wesen und nach seinen Möglichkeiten, nach seinem Heil und seinem Unheil, seinem diesseitigen und seinem jenseitigen Schicksal ein.

Die Rivalität mit dem Dogma erzwingt das, was Jonas die *sekundäre Rationalisierung* des Grundmythos genannt hat. Sie erst bezieht den Mythenkomplex auf einen Kanon von elementaren Fragen. Der Alexandriner Clemens hat um die Wende zum 3. Jahrhundert den systematischen Kern der gnostischen Variante des Valentinus überliefert. Dieser teilt die Voraussetzung des Clemens selbst, daß die Erlösung des Menschen nicht durch bestimmte Handlungen oder Rituale, sondern in der Form einer ›Erkenntnis‹ bewirkt werde. Die gnostische Verheißung ist nicht die der Übermittlung jenseitiger Wahrheiten und des Angebots von Pfandstükken der Begnadigung, sondern die Erweckung der Erinnerung an eine Geschichte, die in Vergessenheit geraten war und deren Kenntnis die Welt in ein anderes Licht setzt. Dies macht die rationalisierten Kernfragen der valentinianischen Gnosis in der von Clemens überlieferten Fassung verständlich: *Was uns frei macht, ist die Erkenntnis, wer wir waren, was wir wurden; wo wir waren, wo hinein wir geworfen wurden; wohin wir eilen, wovon wir erlöst werden; was Geburt ist und was Wiedergeburt.*[5] Man sieht

5 Clemens Alexandrinus, Excerpta ex Theodoto, 78.

sogleich, daß dies nicht der Fragenbestand ist, zu dem als einem vorgegebenen die Mythen der Valentinianer, wie sie Irenäus von Lyon berichtet, erzählt worden wären. Aber es ist der Bezugsrahmen, auf den hin die Gnostiker Erkenntnis zu besitzen sich zu definieren können.

Will man den Fragenkatalog so lesen, wie er zeitgenössisch gelesen werden sollte, so muß man auf die Mehrdeutigkeit des *Wovon (póthen) wir erlöst werden* achten. Es muß nicht das Wovon der Erlösung, sondern kann auch deren Woraus bezeichnen. Es würde dann auf den Kosmos des Demiurgen, die *cellula creatoris* Markions, verweisen. Nun war zwar der Kosmos ein Inbegriff von Übeln geworden, weil er aus der Schwäche oder Bosheit des Kosmokrator hervorgegangen war, hatte aber gerade deshalb noch nichts mit der Verantwortung des Menschen zu tun. Sie wird erst durch eine gegengnostische Theodizee zum Ursprung der Übel in der Welt und damit auch zum ausschließlichen Wovon der Erlösung. Die Knappheit des Ausdrucks ermöglicht oder begünstigt sogar die Auslegung, es sei danach gefragt und darauf geantwortet, woher der Erlöser komme, indirekt also, was ihn bevollmächtigt. Bevorzugt man mit Hans Jonas[6] das räumliche Woraus, so trägt man die mythische Schematik des kosmischen Raumes und seiner Richtungen, seines Innen und Außen, in die sekundäre Rationalisierung hinein. Das scheint mir zu verkennen, was gerade diese zu zeigen hatte, daß die gnostische Mythologie auf höchst allgemeine und von ihrem Imaginationsgerüst unabhängige Fragen Antwort enthielt, indem diese Fragen ganz unabhängig vom Material ihrer Beantwortung formuliert – also: dem Zeitgenossen als das auch ihn Bewegende plausibel gemacht – werden konnten.

Wenn das System darüber sollte Auskunft geben können, *wovon* eine Erlösung denn zu erlösen hätte, durfte die Frage um ihrer werbenden Allgemeingültigkeit willen noch nicht auf die mythische Ausdrucksform bezogen werden, die Erlösung sei total eben da-

---

6 H. Jonas, a. a. O. I 261, beschreibt den Aufschlußwert der Theodot-Formel so: *Die beiden ersten Themenpaare bezeichnen die Abwärtsbewegung, die beiden letzten die Rückwendung und Aufwärtsbewegung, ihre Korrespondenz den soteriologischen ›Schluß‹ des Ganzen. Daß es jedesmal Paare sind, spiegelt die dualistische Spannung, die Polarität und daher notwendige Dynamik des gnostischen Seinsbildes wider. In allen vier Begriffspaaren wird jeweils die korrelate Aufeinanderfolge eines Geschehens, das der Mythos zu entwickeln hat, exponiert.*

durch, daß sie schlichtweg *aus dieser Welt* herausführe. Die kunstvoll abgehobene Frage mußte freigehalten werden von einem Wissen, das dem Außenstehenden – dem dies als ›immer schon seine Frage‹ angeboten werden sollte – erst durch die Antwort zuteil werden konnte: der Kosmos müsse zugrunde gehen oder, wenn nicht dies, der heilsfähige akosmische Wesenskern des Menschen aus ihm entlassen werden können.

Nun gibt die in der Formel des Theodotos steckende sekundäre Rationalisierung nicht nur *einen sicheren Führer durch die ganze Vielfalt gnostischer Mythologie und Spekulation,* also für das primäre Ausdrucksfeld der Gnosis, sondern auch den Stellenrahmen für die möglichen und nötigen tertiären ›Umbesetzungen‹. Wenn dies also nicht das Präparat der Fragen ist, die geschichtlich der gnostischen Mythologie vorausgehen, so ist es doch das der Problembesorgnisse, die sie akut gemacht hatte und hinterläßt, sobald sie an der Fülle ihrer narrativen Widersprüche und vor der Disziplin der römischen Dogmatik zugrunde geht. Der Grundmythos, hier auf eine der Abstraktion sich nähernde Formel gebracht, zergeht nicht schlichtweg mit der Epoche, der er zugehört, sondern fordert die ihr folgende heraus, den Bedürfnissen zu genügen, die er mühelos geweckt hatte. Ich habe schon an das Theodizeeproblem erinnert, in welchem recht eigentlich dieses Erbe der Gnosis und die Anstrengung der ›Umbesetzung‹ des von ihr geprägten Stellenrahmens steckt. Ein Blick auf Augustins Traktat über den freien Willen, mit dem er seine gnostische Lebensphase bewältigt, läßt erkennen, welche Last in diesem Übergang auf den Menschen als den Platzhalter des Weltdemiurgen der Gnosis fällt, aber auch, daß mit dieser Last der Begriff der sittlichen Freiheit allererst Umriß gewinnt.

Und das, obwohl die Gnosis die ausgeprägteste Gestalt einer nichtmoralischen Weltauffassung gewesen war. Sie benötigt den Freiheitsbegriff nicht, denn statt einer innersubjektiven Entscheidung über Gut und Böse gibt sie die Vorstellung eines kosmischen Kampfes. Wenn es in diesem Kampf um Teile des Guten geht, die in die Botmäßigkeit und Verblendung der Weltmächte geraten sind, so ist das von den Voraussetzungen eines Dualismus her nur eine Episode. Für das Heilsinteresse des Menschen ist die kosmische Prozedur nur Rahmenhandlung, von deren Zuverlässigkeit freilich abhängt, ob das Ereignis der Wendung stattfindet, ob der Rückruf ankommt. Denn der Mythos hat einen amythischen Kern, wie der weltliche Mensch ein unweltliches Depositum, das der Belehrung im Grunde gar nicht bedürftig ist, sondern der Weckung, der Entblendung, der Selbstfindung. Nur deshalb ist Entmythisierung an diesem Mythos möglich, weil ihr ein formales Relikt vorgegeben ist. Was den gnostischen Prozeß zur Mythisierung disponiert: daß er fast ganz Ereignis und nur minimal Lehrinhalt ist, setzt ihn auch der Vermutung der Entmythisierbarkeit aus. Was Bultmann am Neuen Testament herauspräpariert hat, indem er seine Entmythisierung auf den Kern des ›Kerygma‹ für möglich hielt und betrieb, ist nicht das jederzeit und überall an Mythen Mögliche, aber das der spätantik-gnostischen Weltansicht Gemäße.

Der schönste und knappste Ausdruck jener letzten und inhaltlich unfaßbaren Ereignisqualität ist das johanneische *Egō eimí:* Zu sagen *Ich bin es,* setzt voraus, daß so in eine Welt gespanntester Gefährdung und Erwartung gesprochen wird und es darin vollauf genügt zu bedeuten, jetzt sei es so weit. Dem seiner Herkunft Vergessenen wird nicht Belehrung zuteil, was er verloren und was er zu gewinnen hat, sondern ihn ereilt nur der formale Appell, der alles andere wie von selbst in Gang setzt. *Wachet auf, ruft uns die Stimme . . .,* aber was sie sonst noch ruft, ist gleichgültig. Der Grundmythos gibt zu verstehen, daß mehr als dies nicht nötig und nicht zu erwarten ist.

Der Grundmythos hat also, wenn man das so sagen darf, eine ausgezeichnete Stelle. Sie liegt genau auf der Symmetrieachse von Herkunft und Hinkunft, von Werden und Sollen, von Fall und Aufstieg. Der Grundmythos macht die Bedeutung dieser Stelle verständlich, aber er gehört nicht unabdingbar zu ihrer Funktion. Die ›Erkenntnis‹, die der *gnōsis* den Namen gegeben hatte und im Unterschied zum bloßen ›Glauben‹ (*pistis*) die Auszeichnung ihrer Anhänger ausmachen sollte, war nicht identisch mit der Kenntnis des mythischen Apparats, der der nachträglichen Verständigung der schon am Heil Beteiligten zu dienen hatte. Diese Beteiligung war mehr Ereignis als Einsicht, das Äquivalent dessen, was später ohne viel inhaltliche Inventarisierung ›Erweckung‹ genannt werden sollte: so etwas wie ein Akt gesteigerter Aufmerksamkeit auf die Lage in der Welt, die Fremdheit zu ihr, die Bedürftigkeit, aus ihr herauszukommen und sie bis dahin sich gleichgültig werden zu lassen.

Dieses Verhaltenssyndrom hat ein intensives Lebensgefühl der Heilsbedürftigkeit zur Voraussetzung, des Verlustes an kosmischer Orientierung bzw. der Orientierung als Kosmos. Das leere und formale *Ich bin es!* wird die einzig adäquate Einwirkung auf diese Situation, so wie de Gaulles Standardausruf: *Eh bien! Me voici!* Die auch als messianisch benennbare Situation läßt nicht als entscheidend erscheinen, wer es ist, der da kommt – zum Erstaunen des an dogmatische Bestimmtheit gewöhnten nachchristlichen Betrachters sind immer andere Namen genannt worden für die messianische Figur. Die Frage des messianischen Punktes ist die einzige: *Bist du es, der da kommen soll, oder müssen wir auf einen anderen warten?* Der messianische Horizont um Fragende wie Befragte zeichnet die Auskunft vor: *Ich bin es.* Dem entspricht der Jubelruf, mit dem Markion sein Werk der rigorosen Zusammenstreichung des biblischen Schriftenbestandes, seine »Antitheseis«, begonnen hatte: O *Wunder über Wunder, Verzückung, Macht und Staunen ist, daß man gar nichts über das Evangelium sagen, noch über dasselbe denken, noch es mit irgend etwas vergleichen kann.*[7]

Wenn der gnostische Grundmythos den strahlenden Kosmos der Antike zum nur noch blendenden Gehäuse der Heillosigkeit gemacht hatte, dessen Funktion die Undurchlässigkeit für alles von außen Kommende und die glanzvolle Ablenkung vom Elend für die Eingesperrten war, dann mußte der Heilbringer als Träger des Rufes zur Umkehr alle Schwierigkeit des Vollzugs dieser Mission darin haben, in der Welt selbst überhaupt aufzutreten. Noch bevor die gnostische Gestalt des Demiurgen das Potential der Welt an Widergöttlichkeit und Heilswidrigkeit zusammenfaßte, war ihr Gehäusecharakter gegeben und besetzt mit Gegenmächten zum Heilswillen Gottes. Es ist nicht Zufall, daß Markion seine nahezu dualistische Theologie des fremden Gottes im Gegensatz zum gerechten Gott der Schöpfung und des Gesetzes ganz auf Paulus gestützt hat. Dieser hatte nur mit größter Not den Geber des unerfüllbaren Gesetzes und den Geber des Freispruchs von der unvermeidlichen Schuld als identisch festzuhalten vermocht. Der

7 A. v. Harnack, Marcion. Das Evangelium vom fremden Gott. ([1]1920) [2]Leipzig 1924, 94, 118.

Preis für die Identität war wohl die Abschiebung der Widersprüche
auf störende Faktoren: auf verselbständigte Funktionäre der Weltverwaltung, auf Mächte und Gewalten von unklar spirituellem bis
dämonischem Charakter, die aus den Völkerengeln der Prophetie
Daniels hervorgegangen sein mochten.

Waren sie ursprünglich der Einheit einer gut gelungenen Schöpfung
als Verwalter und Vollstrecker eingefügt, so mußten Fall und Verwerfung des Menschen ihnen die Möglichkeit vorgespiegelt haben,
alleinige und unumschränkte Kosmokratoren zu werden. Paulus
scheint zugunsten dieser Herrschaften zu unterstellen, daß sie vom
Heilsplan Gottes mit dem Menschen nichts gewußt hatten und erst
durch die Heilstat des Christus davon erfuhren. Nicht weniger
plausibel als solche Unwissenheit wäre der aktive Widerstand
gegen höhere Absichten mit dem Menschen; sonst hätte Paulus von
den Archonten nicht sagen können, daß sie den ›Herrn der Doxa‹
als ihre Beute behandelten und erst der Kreuzestod ihre Macht
gebrochen habe. Dies allerdings nur vorläufig in bezug auf das
endgültige Ende, weil sonst keine Geschichte von unbestimmter
Länge der weitergehenden Auseinandersetzung übrig bliebe.[8]

Markion hat die Konsequenz auf seiner Seite, wenn er die Identität
des paulinischen Gottes aufhebt. Er gibt dem ›Gott dieser Welt‹ die
Verantwortung zurück für das, was Paulus auf halbherzig dämoni-
sierte Archonten abgeschoben hatte. Markions ›fremder Gott‹ hat
ursprünglich nichts gemein mit dem Menschen, der ganz ein Werk
des Weltschöpfers ist und im Gegensatz zu späteren gnostischen
Systemen nicht einmal das Pneuma als Anteil an jener anderen
Welt besitzt. Der neue Gott erbarmt sich also seiner aus unerfind-
licher Gnade, aus derselben Barmherzigkeit, mit der das Evangelium im Gleichnis den Landesfremden, den Samariter, auszeich-
net.

Der fremde Gott bietet dem Kosmokrator den Tod des Christus
als Kaufpreis für alle an, die sich seinem Gesetz nicht unterwerfen
wollen und dies durch den Akt des Glaubens als Ausdruck der

8 G. Delling, Artikel *archōn* etc. In: Theologisches Wörterbuch zum Neuen Testament, ed. G. Kittel, I 476-488. Die These, daß Markion den paulinischen Gedanken von der *verderblichen Weltherrschaft der widergöttlichen Engel- und Gei-
stermächte ... zur Zweigötterlehre verschärft und überspitzt, während ihn die
kirchliche Theologie abzustumpfen sucht,* bei M. Werner, Die Entstehung des
christlichen Dogmas. ²Bern 1953, 211 A. 60.

Trennung vom Gesetz erklären. Das Angebot suggeriert, daß hier alles mit rechten Dingen zugehen solle und der fremde Gott das Welteigentum respektiere, das der Demiurg an den Menschen als seinen Gebilden hat. In den Zerwürfnissen zwischen den Göttern um diese ›reelle‹ Auslösung blieb nicht aus, daß die Auferstehung des Heilsboten nach der Befreiung der Heiden und Verdammten aus der Unterwelt im Nachhinein Leiden und Tod als bloße List, wenn nicht als Betrug gegenüber dem Partner des Loskaufs erscheinen lassen mußte. Unabhängig von der Bewertung der List nach gut antiken Maßstäben, die von der Gnosis dem Mythos entnommen wird, ergab sich gegen den moralischen Einwand die Frage, ob nicht der pedantische Gott des Gesetzesbuchstabens zu Recht mit der Buchstäblichkeit des Vertrags düpiert worden war.

Wichtiger ist, daß der Göttervertrag eben nicht endgültige Lösung für den Weltprozeß bleibt. Die Konzeption Markions enthält den Keim einer umständlichen und womöglich listenreichen Geschichte, die auf Forterzählung drängt, nachdem sich das Schlüsselereignis eben nicht als endgültige Entscheidung erwiesen hat. Nur für die Unterwelt ist die Scheidung von Gesetzestreuen und Glaubensbereiten endgültig; sonst geht eben, wie Markion schon klar geworden sein mußte, die Geschichte weiter.

Der entschlossene Doketismus seiner Christologie, aufgedeckt durch die Auferstehung, verkürzt zugleich das mythische Potential des Jesuslebens nach rückwärts: Der Herold des neuen Gottes ›erscheint‹ unversehens und ohne Vorgeschichte in der Welt bei der Taufe durch Johannes im Jordan. Verkündigung, Geburt und Kindheit sind in dem von Markion einzig anerkannten und dem Paulus zugeschriebenen Lukasevangelium gestrichen. Man sollte schon vermuten, daß solcher Rigorismus dem Bestand der Kirche Markions auf lange Sicht nicht gut tun konnte. Mit der lukanischen Kindheitsgeschichte hat sich der gemeinkirchliche Realismus der Inkarnation aufs sinnenfälligste und beständigste verbunden. Für eine Theorie der mythischen Affinität ist es sicher keine Überspitzung zu sagen, daß die überragende Logik der Athetesen Markions den Verlust der biblischen Kindheitsszene niemals wettmachen konnte. Das Bild arbeitete hier zugunsten des Dogmas. Genauer betrachtet, hätte die Geburtsgeschichte des Christus sogar unter dem Vorzeichen des Doketismus stehenbleiben können – weshalb sollte er nicht ebenso zum Schein geboren sein können wie er zum Schein sterben sollte? Da jedoch stand hinter Markions Antagonismus der beiden Götter ein anderer, sein wirklicher und letzter Dualismus: der zwischen Geist und Fleisch. Dieser war es, der ihn zur Ablehnung jeder Berührung des fremden Gottes mit dem Mechanismus der Fortpflanzung getrieben hatte und durch den das Christentum um die seine Bilderwelt beherrschende Figur der Gottesmutter gebracht worden wäre.

Zwischen dem frühen Gnostiker und dem späten, zwischen Markion und Mani, sind Verbindungen nicht nachzuweisen gewesen. Doch berührt das nicht die Konsequenz, mit der aus der Abwertung des Kosmos und seines Schöpfers ein sich ständig überbietender Dualismus hervorgeht. Die Abkoppelung der Welt von dem Willen des Heilsgottes gibt ihre Dämonisierung frei; aber je undurchdringlicher diese wird, um so dringender stellt sich die weitere Frage, wie denn ein Heilbringer überhaupt noch in ihr auftreten und erfolgreich sein kann. Markions Weltgott war noch nicht der Teufel selbst gewesen, sondern nur so etwas wie ein Ausbund eifernder Tyrannei und kleinlicher Schikane. Doch schon Origenes versteht das Loskaufmythologem dahin, daß der Preis für die Freigabe der Menschen an den Teufel zu entrichten gewesen war. Das mußte die Ausgangssituation für den Erlösungstausch verschärft haben. Sollte es auch Satan gegenüber noch moralische Bedenken geben, ihn mit List und Tücke auszustechen? Man sieht, wie der Grundmythos den Varianten ihren Spielraum vorzeichnet.

List ist eine Kategorie des Mythos. Nur selten scheint durch, daß sie als Ausweg aus dem Notstand das Recht des Schwächeren sein kann. Die gnostische Dämonisierung der Welt macht die Lage des Menschen in ihr zum Notstand. Die paulinische Ausweglosigkeit dessen, der das Gesetz erfüllen will und nicht kann, läßt noch nicht die Deutung auf einen Weltgott und Gesetzgeber zu, der alles auf diese pharisäische Sackgasse angelegt hätte. Dennoch bleibt die Frage, ob die gnostische List nicht bei Paulus vorgebildet und von dort aus nur noch ihrer Konsequenz überlassen ist. Wenn die aus der Apokalyptik stammenden Archonten und Mächte, die ganz selbstverständlich den Hintergrund der Idee des Paulus von der Weltentmachtung bilden, den Christus in seiner Menschengestalt und seinem Gesetzesgehorsam nicht erkennen und ihn deswegen dem Todesschicksal zuführen, durch das ihre eigene Herrschaft gebrochen werden sollte, so ist die Unwissenheit über den sich unversehens erfüllenden Heilsplan noch nicht das Erliegen gegenüber einer List.[9] Erst die doketische Herbeiführung ihrer Unwissenheit macht es sinnvoll, von List zu reden. Der paulinische Christus erniedrigt sich zwar zur Menschengestalt, er instrumentalisiert sie jedoch nicht zur täuschenden Verkleidung seines Wesens und seiner Herkunft. Er will leiden und sterben können, um das Schicksal der Menschen zu teilen, damit sie über diese Gleichung Anteil an seiner Todesüberwindung und den Freispruch durch Identitätswechsel erlangen. Allenfalls diese Technik, sich dem sicheren Schuldspruch durch mystischen Tod zu entziehen, wäre eine List – wenn Paulus sie nicht aus der legitimierenden Identität des richtenden und des heilswilligen Gottes abgeleitet hätte. Dadurch aber wird die nur angedeutete Geschichte zum bloßen Text auf das Ritual der Taufe als den Akt der mystischen Partizipation.

Das Kaufpreismythologem ist genuin ganz überflüssig. Der Tod des Christus ist prototypisch wie die Sünde des Adam; wie an dieser können auch an jenem alle Anteil gewinnen, und nichts anderes ist zur Erlangung der Rechtfertigung nötig. Der Tort an der kosmischen Administration besteht nicht primär in der Aufhebung des Gesetzes, sondern in der der Vollstreckbarkeit der Schuldsprüche aus seiner Nicht-Erfüllung an Schuldigen, die kraft verlorener Identität nicht mehr gestellt werden können.

Denkt man an die langfristige Selbstdarstellung und Selbstrechtfertigung des Christentums, so erscheint die Menschwerdung Gottes als sein zentrales und fast selbstverständliches Ereignis, so selbstverständlich, daß der scholastische Gedanke der ewigen Prädestination des Gottessohnes zur Menschwerdung gefaßt und sie damit unabhängig von den Kontingenzen der menschlichen Geschichte gemacht werden konnte. Aber in den ersten Jahrhunderten ist keineswegs so definitiv entschieden, was denn der zentrale Inhalt der frohen Verkündigung sein sollte. Die Menschengestaltigkeit des Heilbringers ist zunächst eher eine prozedurale Sache. An

9 M. Werner, a. a. O. 238: *Das Auftreten des himmlischen Christus in gewöhnlicher Menschengestalt bedeutete demnach eine Verhüllung seines eigentlichen Wesens, durch die die Engelmächte getäuscht, überlistet wurden.* – Weitere Belege für die Verhüllung: Werner, a. a. O. 244 f.

Auszeichnungen der Menschennatur brauchte erst gedacht zu werden, als diese wieder mit den fortbestehenden Welttatsachen ins Arrangement gebracht werden mußte. Die akute Heilsnot der frühen Eschatologie bedarf nur der Effektivität des transzendenten Eingriffs, nicht der Auslegung seiner Bedeutsamkeit für das Selbstverständnis des Menschen.

Die *Cur deus homo*-Frage steht genuin mehr unter dem Aspekt der Überwindung der widergöttlichen Mächte als unter dem der Begünstigung des Menschen. Deshalb liegt an der ›Natur‹ des Heilbringers weniger als an seiner Vollmacht. Er kommt in den dämonisch gesicherten Kosmos in der Maske des Fleisches und mit durch Leiden prätendierter Weltzugehörigkeit. Er wird zwar von der Jungfrau geboren, aber die Jungfrau ist verlobt und läßt das Wunderbare im Zwielicht; sowohl vor dem Teufel, der ihn versucht, als auch vor den Richtern, die ihn verhören, verschweigt er seine Herkunft. Sowohl Dionys von Alexandrien wie Epiphanius von Salamis als auch Amphilochius scheuen sich nicht, die Todesängste vor der Gefangennahme im Garten am Ölberg als vorgetäuscht zu erklären. Sobald also die einzelne Episode der synoptischen Tradition dem Verhüllungssyndrom zugeordnet wird, täuschen nicht mehr die Archonten und Mächte sich, weil sie Erscheinung und Absicht nicht durchdringen können, sondern werden getäuscht. Offenbar wegen der Einschätzung ihrer Gegenmacht.

Zugleich entsteht Zweifel an der Endgültigkeit des schon errungenen oder unmittelbar bevorstehenden Triumphs. Da müssen mehr Indizien für die wahre Natur des Menschensohnes über dessen Lebensgeschichte ausgeteilt werden. Die Gleichgültigkeit gegenüber dem Realismus der Inkarnation tritt zurück, sobald Garantien gesucht werden für die fortdauernde Wirksamkeit dieses einen Lebens und Todes. Jeder Verdacht auf Metamorphose wird unerträglich. Die Annäherung an ein Gleichgewicht der Kräfte auf der Seite des Heilsgottes und auf der der Weltmächte, wie des aus ihnen synthetisierten Demiurgen, hat keine konkurrenzfähige Bürgschaftsqualität für das Heilsvertrauen.

Die dokumentierten Reste der Ausgangssituation am neutestamentlichen Bild des Heilsvorganges hat die Bibelkritik der Aufklärung nie verstanden. Die Frage, weshalb sich der auferstandene

Christus nicht aller Welt gezeigt habe, war schon für Origenes gegenüber Celsus nur mühsam und ohne Stütze an den heiligen
Texten zu beantworten: Nur die Wenigen, denen Christus erschienen sei, hätten den himmlischen Glanz des Verklärten ertragen
können. Hermann Samuel Reimarus bricht angesichts desselben
Sachverhalts in die verständnislose Frage aus: *Mein! ist er darum
aus dem Grabe auferstanden, um in dem Stande seiner Erhöhung
und Herrlichkeit incognito zu seyn?* Und er verallgemeinert dies
sogleich auf die ganze Jesusgeschichte: *Ist er darum vom Himmel
kommen, um sich nicht als einen solchen, der vom Himmel kommen
sey, zu zeigen?*[10] Der Ausruf, mit der für den Stil des Deisten
typischen Ellipse, enthält das durchgängige Unverständnis des
Aufklärers für den Grundmythos vom Heilbringer, der sich vor
den Mächten und Kräften des Kosmos verborgen halten muß und
gerade seine Triumphe nicht vor aller Welt vorzeitig ausspielen
darf.

Mit der Urzeugung des gnostischen Grundmythos kann ich mich
nicht abfinden. Paulus, der gewiß kein Mythologe ist, hat doch
alle Ausgangspunkte für den mythischen Entwurf vorgegeben. Im
Urerlebnis des Pharisäers, trotz minutiöser Bemühung das Gesetz
nicht erfüllen zu können, steckt die ganze Vermutung, es könne
vom Gesetzgeber auf die mögliche Rechtfertigung des Menschen
nicht abgesehen sein. Dann aber eröffnet sich eine ganze Dimension
von Begründungen, was es mit solcher Mißgunst auf sich haben
könnte. Der gnostische Grundmythos ist die imaginative Erschlie-
ßung dieses Hintergrundes, und es ist erkennbar nicht das letzte
Wort solcher Konsequenz, daß nur der Gott ›der Fremde‹ sein
könne, wie nach Markion. Es liegt, wenn nicht nahe, so doch kaum
sehr fern, den Menschen als ›den Fremden‹ gegenüber dem Gesetzgeber und Weltgott zu erklären oder wenigstens etwas an ihm
oder in ihm, das nicht zur Welt des Demiurgen, zum Geschöpf von
Leib und Seele gehört. In der Geschichte des Pneuma entfaltet sich
dieses Fremdheitsverhältnis zu einer Odyssee, deren Symmetrie

---

10 Hermann Samuel Reimarus, Apologie oder Schutzschrift für die vernünftigen
Verehrer Gottes II 3.3 § 16 (ed. G. Alexander II 247). Ähnlich II 3.2 § 7
(a. a. O. II 202): *War das ein Zustand, darin er sich verbergen, incognito leben,
incognito zum Himmel fahren müste, damit die gantze Nachwelt ewiglich in
Ungewißheit von seiner Auferstehung bliebe, oder all ihr Glaube eitel würde?*

Markion noch unvorstellbar gewesen war: die Bedingungen der Heimkehr werden durch die der Expatriierung vorgegeben.

Wenn die These richtig ist, daß Entstehung und Wucherung künstlicher und kunstvoller Mythologeme von der Ausbildung dualistischer Axiome über Welturs prung, Ursprung des Menschen und Menschengeschichte abhängig ist, dann darf Markion noch nicht gnostischer Mythologe sein. Er macht nur die Anfälligkeit des Christentums für den dualistischen Zerfall offenkundig, indem er zwischen Schöpfer- und Gesetzesgott und Liebes- und Heilsgott die Identität zerbricht. Da hat er nur die Konsequenz aus dem gezogen, was er bei Paulus gelernt hatte, dem allein er Besitz einer Offenbarung durch den fremden Gott zuschreibt. Was er aus dieser Dissoziation machte, war so etwas wie ein Stück philologischer Arbeit: Abstoßung von falschen Textzeugen, Ausscheidung des ganzen Alten Testaments und Purgierung noch des schmalen Bestandes, der aus dem Himmelseinblick des Paulus herkommen sollte.

Wenn dabei noch nicht die Typik eines gnostischen Systems voll zutage trat, so vor allem deshalb, weil auch der Gesetzesgott noch ein gerechter Gott blieb, bei aller Kleinlichkeit und Lieblosigkeit seiner Exekutive. Aber auch, weil es bei Markion noch nicht zu einer kosmologischen Geschichte der Herkunft des Menschen oder seines Anteils an der jenseitigen Welt kam. Was auf Harnack so großen Eindruck machte, die Herausarbeitung eines Gottes der Gnade und Liebe, war der Mangel eines Mythos, der hätte erzählen können, was den fremden Gott am Menschen Anteil nehmen ließ: der genuine Anteil des Menschen am Reich jenes Gottes. Das eben kannte Markion nicht. Sein exotischer Gott kümmert sich wirklich grundlos um die Menschen. André Gide hätte hier seinen schönsten Fall eines *acte gratuit* gefunden. Der elenden und ihm von Haus aus ganz gleichgültigen Geschöpfe des Weltgottes nahm sich der Fremdling an und trat ihretwegen in ein schwer zumutbares Rechtsverhältnis zum legitimen Eigentümer der Welt. Die juridische Fiktion, die schon Paulus für den Freispruch des Schuldigen ersonnen hatte, gibt auch bei Markion noch keine Geschichte her; die pure Gnade sowenig wie die schiere Gerechtigkeit geben etwas zu erzählen auf.

Daß Markions Idee von der ungeschuldeten Gnade des ›fremden

Gottes‹ der Entwicklung einer in sich stimmigen Geschichte ent-
gegenstand, wird noch an einem anderen Schwachpunkt seiner
Dogmatik greifbar. Bei der Gewaltkur am frühchristlichen System
mußte das Bedürfnis spürbar werden, das Schicksal der Untertanen
des alten Gottes zu dem neuen Heil ins Verhältnis zu setzen. Diesem Bedürfnis hatte schon sehr früh das in die Symbole eingegangene Lehrstück vom ›Abstieg zur Hölle‹ (*descensus ad inferos*)
gedient. Es mußte – jenseits aller bezeugbaren Taten und Leiden
des Christus etwas Unterweltliches und Unsichtbares – eine Interpolation der Billigkeit zwischen Tod und Auferstehung einfügen.
Durch den Hadestriumph wurden die Väter des Alten Bundes
ebenso wie die dem natürlichen Sittengesetz treu gebliebenen Heiden in die für sie verspätete Erlösung einbezogen. Sonst hätte der
kontingente Termin der Heilsereignisse das Bild der Geschichte zu
unerträglicher Ungerechtigkeit verzerrt.

Analogien zu diesem Problem treten in der Geschichte auf, wenn
für einen Zeitpunkt eine zu allem bisherigen ungleiche Daseins-
qualität angeboten oder als gegeben proklamiert wird. So wird
sich die Aufklärung der Neuzeit dem Einwand nicht entziehen können, es dürfe mit der Vernunft nicht nach ihrer Behauptung gegangen sein, daß sie erst in jüngster Zeit und seit einem angesetzten
Nullpunkt ihr Licht über die Menschheit auszubreiten begonnen habe. Dann wäre der übergroße Teil dieser Gesamtheit vernünftiger
Wesen durch das neue Selbstbewußtsein diskriminiert, die Vernunft
selbst der Unfähigkeit zur Behebung von Finsternis und Torheit
überführt und fraglich geworden, ob ihr überhaupt das Vertrauen
entgegenzubringen sei, das mit dem Programm der Aufklärung
verbunden werde. Lessings »Erziehung des Menschengeschlechts«,
als Vorstufe aller idealistischen Geschichtsphilosophien, war ein
Totalmythos zur Versöhnung der Aufklärung mit der Gesamtgeschichte der Menschheit als einer jedenfalls nicht überwiegend
unvernünftigen, sondern die Reife der Vernunft einleitenden.

Ich erwähne dies hier nur, um die Analogie zum Mythologem des
descensus ad inferos zu verdeutlichen. Es harmonisierte die Kontingenz des Heilsdatums mit der unabdingbaren Gleichheit der
Anwartschaft aller Menschen auf den Ertrag der Heilstat. Auch
Markion kann sich diesem Anspruch auf Integration der Menschheitsgeschichte nicht entziehen, obwohl sein System der Nicht-

identität von Weltgott und Heilsgott und dessen Gnadenfreiheit
den inneren Systemzwang dazu aufgehoben hatte. Was er nun mit
dem Mythologem tut, ist höchst aufschlußreich für die Vorbereitung des gnostischen Grundmythos.

Er torquiert das vorgefundene Muster, da er für seinen fremden
Gott nicht den Anschein entstehen lassen darf, er handle nach der
Norm der Gerechtigkeit, und weil er durch eine Nebenform der
Erlösung keinesfalls die Ausschließlichkeit der Rechtfertigung aus
dem Glauben verwässern will. Also mußten die Unterweltler, statt
durch die geöffneten Tore schlichtweg ihrem Befreier zu folgen,
vor die Glaubensentscheidung gestellt werden. Markion erweist
sich auch an dieser Geschichte als unerschrocken in der Konsequenz.
Den in die Unterwelt eindringenden Christus erkennen nur die,
die sich nicht unter das Gesetz des Weltgotts und die Gerechtigkeit
ihres Schöpfers gebeugt hatten. Es ist schon ganz gnostische Typik,
wenn die Bösewichter der biblischen Geschichte jetzt die Auszeichnung erfahren, den Herold des fremden Gottes erkennen zu dürfen: der Brudermörder Kain, die Bewohner von Sodom, die Ägypter und alle Heiden, die ohne das Gesetz oder gegen das Gesetz
gelebt hatten. Markion hat den vorgefundenen Höllenabstieg auf
sein Evangelium reduziert und ihm die Bevorzugung der Heiden
und Sünder, der Verlorenen und Gottlosen implantiert – sie hatten
die Stelle des ›fremden Gottes‹ wenigstens vakant gelassen und
nicht mit dem falschen Gott besetzt.

Die Unterwelt ist noch Herrschaftsbereich des Kosmokrator. In ihn
einzudringen, durfte für Markions milden Gott nicht als Gewalttat
beschrieben werden. Er läßt das wohl auch ganz rechtsförmig wie
den Loskauf vonstatten gehen: als Behandlung des Weltgotts nach
dessen Maßstäben, nach denen von Gerechtigkeit und Vergeltung
im Hinblick auf den Preis des Kreuzestodes. Markion stemmte
sich gegen das Aufkommen des ganz unsinnigen Gedankens, der
Tod des Gottessohns sei die vollkommenste Genugtuung, die dem
Vater für die Sünde der Menschen dargebracht werden konnte.
Die Vermeidung einer Gewalttat des als übermächtig gedachten
fremden Gottes gegenüber dem Weltgott ist wichtigstes Indiz
dafür, daß bei Markion noch nicht der dualistische Grundmythos
des paritätischen Weltkampfes zwischen dem Guten und dem Bösen
voll ausgebaut ist.

Der Mythos braucht keine Fragen zu beantworten; er erfindet,
bevor die Frage akut wird und damit sie nicht akut wird. Aus der
armenischen Streitschrift des Eznik von Kolb »Gegen die Häresien«
wissen wir, daß sogar in der Polemik gegen Markion das Argument
eine Rolle gespielt hat, seine Lehre verlange den Betrug des fremden Gottes am Weltgott durch die Auferweckung des Christus.
Eznik berichtet wohl von einer späteren Ausgestaltung der Descen-
sus-Inversion der Marcioniten. Danach wäre Jesus ein zweites Mal
vom Himmel herabgekommen, um sich dem ergrimmten Demiurgen zu stellen, der diesmal seine Göttlichkeit wahrnahm und
erkannte, daß es noch einen anderen Gott außer ihm gebe. Jesus
habe zu ihm gesagt: Wir haben einen Streit miteinander, und kein
anderer sei Richter zwischen uns als deine eigenen Gesetze...
Hast du nicht in deinen Gesetzen geschrieben, wer das Blut des
Gerechten vergießt, dessen Blut soll wieder vergossen werden?
Darauf habe der Demiurg geantwortet: Ja, ich habe es geschrieben.
Da mußte er den anderen Gott auch als den gerechteren anerkennen und zugestehen, daß er selbst des Todes schuldig sei und keine
Rache für den Raub so vieler seiner Geschöpfe fordern könne.[11]
Man sieht, wie die weitere Mythisierung am Gefühl eines unge-
klärten Restes der Markion-Konstruktion ansetzt. Harnack sieht
den Katholizismus zwar nicht als Werk, aber als Folge Markions.
Er sei gegen den Häretiker, und damit letztlich gegen Paulus,
formiert worden. Die Kanonisierung des biblischen Bestandes und
die Dogmatisierung der Lehre konnten nur gegen einen Feind von
dieser Qualität so nötig sein und derart durchgesetzt werden. Dem
Bündnis zwischen der Theologie und der antiken Kosmologie hatte
Markion vorzubeugen gesucht, indem er den Stifter des Kosmos
diskriminierte; er brachte gerade dadurch dieses Bündnis zustande.
Markions einsamer Rang als Theologe machte ihn gefährlich. Das
belegt auch die Überlieferung einer Anekdote, die so etwas wie

11 Ausgewählte Schriften der armenischen Kirchenväter I. Ed. S. Weber,
München 1927, 152-180. – Eznik zit. nach: Wilhelm Dilthey, Die Gnosis.
Marcion und seine Schule. In: Gesammelte Schriften XV 290. Harnack (a. a. O.
171) berichtet dies so: Der dem Tod verfallene Weltschöpfer habe von sich aus
Jesus den Austausch der Gläubigen für sein Leben angeboten. Das geht so nicht
auf, weil diese schon befreit waren und es nur noch um die ›Folgen‹ des nicht
eingehaltenen Auslösepreises gegangen sein kann.

seine negative apostolische Sukzession zu bezeugen hatte. Nach den Berichten des Irenäus und des Eusebius sei Markion noch mit dem letzten lebenden Apostelschüler, dem Polykarp von Smyrna, zusammengetroffen und habe von ihm gefordert: *Erkenne uns an.* Das war der Anspruch auf die Autorität der Apostel für seine Kirche. Die Antwort des Polykarp sei gewesen: *Ja, ich erkenne dich an – als den Erstgeborenen des Satans.* Es ist merkwürdig, wie Harnack diese Anekdote so historisch nehmen kann, daß er ihrer Datierung nachgeht und dem Markion die Hoffnung zuschreibt, er könne *die Anerkennung des maßgebenden kleinasiatischen Bischofs erlangen.*[12] Aber ist es nicht ganz unsinnig, Markion das Begehren nach einer Anerkennung zuzuschreiben, die auf vom Weltgott verblendete und an der Fälschung der Offenbarung beteiligte Apostel zurückgegangen wäre? Dieses Begehren ist vielmehr für den damnatorischen Zweck der Anekdote nötig, um der Zurückweisung das Gewicht der Autorität des Polykarp zu geben. Es ist mehr als die römische Exkommunikation des Jahres 144 – es ist die Erfindung der Illegitimität als Institution.

Wenn Harnack den verleumderischen Charakter der Anekdote verkennt, während er unschwer bemerkt, wie unzutreffend und gehässig Justins Gleichstellung des Markion mit solchen Häretikern war, die sich selbst als Götter und Göttersöhne ausgeboten hatten, so liegt dies daran, daß dem Historiker das überhaupt älteste Zeugnis für seinen Helden zu wertvoll erscheint, um sich darum bringen zu lassen. War es doch dieser Ketzer, von dem Harnack bekennt: *Er ist in der Kirchengeschichte meine erste Liebe gewesen, und diese Neigung und Verehrung ist in dem halben Jahrhundert, das ich mit ihm durchlebt habe, selbst durch Augustin nicht geschwächt worden.*[13]

Als der soeben mit Markion verglichene Augustin 388 das erste Buch seines Traktats »Über den freien Willen« schrieb und im Jahr darauf den Genesiskommentar gegen die Manichäer, war kurz zuvor durch das Edikt des Kaisers Theodosius I. von 381 der Rest der marcionitischen Gegenkirche durch Staatsgewalt ausgetilgt worden. Mit dieser gnostischen Frühform hatte es Augustin nicht

---

12 Harnack, Marcion, 4* f. zu Irenäus, Adversus haereses III 3,4, und Eusebius, Historia Ecclesiastica IV 14,7.
13 Vorwort zur ersten Auflage des »Marcion« 1920.

mehr aufzunehmen brauchen, als er die Freiheit des menschlichen Willens zur allein für das Schlimme in der Welt verantwortlichen Instanz machte. Die Freiheit wurde erstmals in ihrer Übergröße begriffen, insofern sie die ganze Last der Theodizee allein zu tragen bekam. Ein Begriff, der niemals ein Stück der kirchlichen Dogmatik war oder unter biblischer Begründung werden konnte, erwies sich als das schlechthin wirksame Gegenmittel gegen den Grundmythos der Gnosis. Dabei war dies zugleich der vollendete Abschluß der Eschatologie: Nach vier Jahrhunderten ungeklärter Erwartungen wurde dem Menschen die Verantwortung für seine Geschichte übergeben, was auch immer sonst über die Lenkung dieser Geschichte noch, und zwischenzeitlich betonter, gesagt werden konnte.

Es war der dualistische Grundmythos vom Demiurgen und seinen Folgen für die Verderbnis der Welt, dessen Abwehr die Konzeption einer Ursünde des Menschen erzwang, deren ungeheuerliches Odium in keinem Verhältnis zu dem Mythos stand, der darüber tradiert war. Das Erbsündendogma war die ›Umbesetzung‹ der Funktionsstelle des Demiurgen, des Gegenprinzips zum fremden oder guten Gott. Alles, was Augustin werden konnte und sollte – der Philosoph des Freiheitstraktats, der Theologe der Erbsünde und der Gnadenwahl, der Begründer der Geschichtsmetaphysik des Mittelalters –, wurzelt nicht so sehr in der Tatsache, daß er einmal Gnostiker gewesen war, sondern viel präziser darin, daß er dies hatte werden können. Und nicht nur er, sondern die christliche Tradition selbst – und dies nicht im Unfall, sondern in ihrer Konsequenz.

Im Unterschied zu der großräumigen Auseinandersetzung mit dem Manichäismus tritt bei Augustin der Name des Markion nur selten und beiläufig auf. Erkannt hat ihn in seinem Rang ein anderer großer Theologe und Häretiker, der Alexandriner Origenes. Er hat ihn gerade von der Mythenseligkeit, der *longa fabulositas*, der Gnostiker vom Typus der Basilides und Valentinus abgehoben und als den gefährlicheren Gegner eingeschätzt. Aber er hat nicht gesehen, in welchem Maße jene *fabulositas* ihre Voraussetzung, wenn auch nicht ihr Quellenmaterial, in der von Markion vollzogenen Trennung der Götter gefunden hatte.

Wir kennen Mythifikationen des gnostischen Grundschemas, die zu

der Zeit, als Hans Jonas den ›Grundmythos‹ der Gnosis freizulegen unternahm, noch unbekannt waren, seine Kunst der Vermutung aber glänzend bestätigt haben. Dazu gehört aus den Funden
von Nag Hammadi das »Apokryphon des Johannes«, das seit
1896 auf einem unbeachteten Papyrus im Besitz des Berliner
Museums zugänglich war, aber erst 1955 veröffentlicht und 1962
nach den drei Versionen der neuen Funde ediert wurde.[14] Es handelt sich um einen der ältesten patristisch bezeugten Texte der
Gnosis in ihrer barbeliotischen Richtung. Er lag dem Irenäus von
Lyon für seine Widerlegung der gnostischen Häresien um 180
wenigstens zum Teil vor. Um zu zeigen, wie die Mythopoiese arbeitet, bietet dieser Text den zusätzlichen Glücksfall, daß wir über
vier verschiedene Fassungen verfügen.

Diese ›Geheimlehre‹ liest sich zunächst nicht wie ein mythischer,
sondern wie ein mystischer Text in der Sprache der negativen
Theologie. Was über ein transzendentes Prinzip überhaupt aus-
gesagt werden konnte, war bis dahin nur innerhalb des Platonismus und mit dessen Mitteln ausgebildet und eingeübt worden.
Dorthin verweist auch die Metaphorik des »Apokryphon«, sowohl
die des Lichtes als auch die der Quelle. Weder im Neuplatonismus
noch in den gnostischen Spekulationen über das Urprinzip und die
›Ursprünge‹ daraus gibt es so etwas wie Gründe, Motive und
Absichten, die alles weitere hätten zur Folge haben können oder
müssen. Die Metaphern von Licht und Quelle erlauben aber, eine
Ursprünglichkeit des wesenhaften Sichverströmens und Überfließens
zu denken, die dem Guten und Vollkommenen als eine Art Eigenschaft zukommt. Das war ja schon die implizite Verfassung der
platonischen Ideen – was ihnen die gemeinsame Überidee des
Guten aufzusetzen ermöglicht hatte –, daß sie, sich in Erscheinun-

14 H. Jonas, Philosophical Essays. Englewood Cliffs 1974, 285; Gnosis und spätantiker Geist I, ³Göttingen 1964, 377-424 (Neue Texte der Gnosis, Zusatz 1963);
W. C. Till, Die gnostischen Schriften des koptischen Papyrus Berolinensis 8502.
Berlin 1955 (²Berlin 1972); M. Krause/P. Labib, Die drei Versionen des Apokryphon des Johannes. Wiesbaden 1962. Walter C. Till gibt in seiner Beschreibung
des Textes ein prägnantes Beispiel für die gängige Auffassung des Verhältnisses
von Frage und Antwort im Mythos: *Das im Apokryphon des Johannes entrollte
Weltbild soll auf zwei große Fragen Antwort geben: Wie ist das Böse in die Welt
gekommen? und wie kann sich der Mensch davon befreien? Diese Fragestellung ist
im Text nicht unmittelbar enthalten, bildet aber unausgesprochen die Grundlage
für die Entwicklung des Weltbildes.* (a. a. O. 35)

gen mitzuteilen, gebieten und damit, in Abbildungen umzusetzen, derart verpflichten, wie die ursprünglichen Ideen des tugendhaften Verhaltens ganz plausibel gemacht hatten. Der platonische Demiurg war daher ein guter und getreulicher Funktionär der Ideen, obwohl er doch beim Werk der Nachbildung des idealen Kosmos nur eine mindere Welt der Erscheinungen hervorbrachte und bewirken konnte. Wie er und sein Werk zunächst und nachher bewertet werden konnten, hing immer davon ab, welche Legitimität der Vollstreckung ihm zugeschrieben wurde: ob die der Normierung durch die Ideen zu ihrer Selbstmitteilung auch um den Preis der Minderung des Urbilds im Abbild oder die eines eigenmächtigen und unfähigen Sichvergreifens an dem in genügsamer Vollkommenheit auf sich beruhenden Urbestand des Seienden.

Das »Apokryphon des Johannes« ist als visionäres Erlebnis auf einen Termin nach der Himmelfahrt Jesu stilisiert. Der Apostel verfällt in Verlegenheit, als ein Pharisäer namens Arimanias ihn beim wunden Punkt der Abwesenheit seines Herrn packt: *Wo ist dein Meister, dem du gefolgt bist?* Die Antwort des Johannes: *An den Ort, von dem er kam, ist er wieder zurückgekehrt.* Darauf Arimanias: *Durch Betrug hat er euch irregeführt, dieser Nazarener, und hat eure Ohren mit Lüge gefüllt, eure Herzen verschlossen und euch abgebracht von den Überlieferungen eurer Väter.* Da wird der Apostel wankend, wendet sich ab und ersteigt den Ölberg, und an einem einsamen Platz stellt er sich die Fragen, wie sie der ›sekundären Rationalisierung‹ des gnostischen Mythos sich nähern: *Wie wurde denn der Erlöser (sotēr) eingesetzt, und weshalb wurde er in die Welt geschickt von seinem Vater, der ihn sandte? Und wer ist sein Vater? Und welcher Art ist jener Äon, zu dem wir gehen werden?* Kaum hat er so gedacht, eröffnen sich ihm die Himmel, die ganze Schöpfung erstrahlt im Licht und der Kosmos erzittert. Es erscheint ihm eine Gestalt, erst ein Kind, dann ein Greis, schließlich eine Frau. Die Gestalt ruft ihn an: *Johannes, Johannes, warum zweifelst du?* Damit beginnt die Eröffnung der ›Geheimlehre‹.

Erkennbar rivalisiert das »Apokryphon« mit dem Muster, das Markion gesetzt hatte, als er nur dem Paulus den Besitz der reinen Lehre zutraute, weil allein dieser in einer Vision der unmittelbaren Offenbarung gewürdigt worden war. Hier wird Johannes gegen Paulus gesetzt, der Zweifler gegen den Verfolger.

Ich bin der Vater, ich bin die Mutter, ich bin der Sohn, stellt sich der Offenbarer vor, der kein Mittler mehr ist, weil der Mittler ja schon gegen den Zweifel versagt hat. Alles weitere ist eine große Litanei von Negationen, deren Höhepunkt – wie in aller Mystik – die Abweisung des Seins selbst ist: *Überhaupt nichts, was existiert, sondern etwas, was vorzüglicher als das ist, ist er.* Und: seinen Namen *kann man nicht sagen, weil es niemand gibt, der vor ihm war, um ihn zu benennen.* Deshalb entsteht ein Kunstmythos nur durch den Widerspruch, daß dieses Nichtseiende und Namenlose dennoch ›Folgen hat‹, die seinen Bestimmungen ganz zuwider sind. Aus dem Namenlosen explodiert ein Katarakt von Namen, aus dem Schweigen ein Überfluß von Redseligkeit.

Jenes Schweigen, in dem der Unfaßbare vor allem anderen ruht, ist die Hypostasierung seiner Unsagbarkeit und Namenlosigkeit. Insofern er jedoch das Licht in ursprünglicher Reinheit und die Quelle, die lebendiges Wasser gibt, zugleich ist, schafft ihm die Metapher als Verstoß gegen die Vorschrift der Unsagbarkeit den Übergang in die erzählbare Geschichte: im Spiegel des reinen Lichtwassers, das ihn umgibt, erblickt der Unfaßbare sich selbst. Dadurch also, daß er sich verströmt, wird er sich selbst im Bild gegenwärtig, ist er schon im überlieferten Mythologem – der Name des Narcissus reicht ins Ursprungsgeheimnis der Dinge zurück.[15] Denn das Narcissus-Imaginat hat eine heimliche Affinität zur antiken Gottesvorschrift der Autarkie: Gegenstand des Gottes ist nur er für sich selbst, das sich selbst denkende Denken des Aristoteles. Nur daß dieses nichts hatte zu erzeugen brauchen, weil der Kosmos, den es bewegte, schon immer da war und nur der bewegenden Kraft bedurfte, die in der liebenden Nachahmung jener absoluten Reflexion bestand.

Muß man nun die vorgegebene Ewigkeit des Kosmos streichen, die jeden Mythos unmöglich macht, so ist es folgerichtig, daß der exklusive Akt der Reflexion, mythisch vorgestellt als Selbstabbildung des Unerfaßbaren an seinem Überfluß, sich zum ersten Pro-

15 P. Hadot, Le Mythe de Narcisse et son Interprétation par Plotin. In: Nouvelle Revue de Psychanalyse 13, 1976, 81-108. – In der Fassung des Codex II (edd. Krause/Labib, 119 f.): *Denn er ist es, der allein ihn sieht in seinem Licht, das ihn umgibt – das ist die Quelle des Lebenswassers. Und er gibt alle Äonen und in jeder Gestalt. Er erkennt sein Bild, wenn er es in der Quelle des Geistes sieht.*

dukt, zur primären Gestaltungsform des Überflusses verselbständigt. Die Spiegelung ist, wenn auch noch nicht der erkennbare
Umschlag zum Verderben, doch der Beginn einer Geschichte, die zu
ihm führt. Je bestimmter dualistisch der Mythos konzipiert ist, um
so früher in dieser Geschichte muß das Gegenprinzip auftreten. In
einer der Fassungen des »Apokryphon« ist dies in die Sprache der
Lichtmetaphorik einbezogen, indem auch die Finsternis als authen-
tisches Prinzip vorgegeben ist, dessen Herkunft dunkel bleiben
darf wie es selbst ist. Es ist zunächst teilhabend und rezeptiv,
sogleich aber gegenwirkend: *Als aber das Licht sich mit der Finsternis mischte, ließ es die Finsternis leuchten. Als aber die Finsternis sich mit dem Licht mischte, wurde das Licht finster und war
nicht Licht und auch nicht Finsternis, sondern es war krank.*[16]
Was hervortritt, hat die noch ungeteilte Doppeldeutigkeit des Inneren und Äußeren, der selbstbezogenen *Ennoia* und der weltbezo-
genen *Pronoia*. Was da aus dem Unerfaßbaren heraus und zugleich
vor ihn hintritt, ist das für diese Gnosis namengebende Urgeschöpf
Barbêlo. Sie ist Doppelwesen: Ausstrahlung und Selbstverherr-
lichung des Unerfaßbaren, der erste und vollkommene Äon der
Herrlichkeit, zugleich der erste Mensch und das jungfräuliche
Pneuma. Die Beziehung zum Reichtum spekulativer Urwesen, die
die Einsamkeit des Absoluten ebenso durchbrechen wie sie ihm
Ungelegenheit mit einer Welt zu bereiten beginnen, ist greifbar.
Jede der Eigenschaften, die der Unfaßbare dem Geschöpf seiner
Selbsterfahrung verleiht, steht sofort da als Figur in einer Grup-
pierung, wie im Chor um den Quellpunkt des Ursprungs. Diese
hypostatischen ›Subjekte‹ erklären nichts, aber sie verdichten das
Namenfeld zwischen dem Unfaßbaren und dem Gewöhnlichen,
als ob die Besetzung der Leere dem Bedürfnis genüge, das sonst
durch ›Erklärungen‹ befriedigt wird.
Die Abkömmlinge des Namenlosen sind ihrer Herkunft nicht
adäquat: sie sind der Anschauung ihres Ursprungs nicht gewachsen.
Auf jeder Stufe ihres ihm zugewandten Verhaltens vollzieht sich
Minderung der genuinen Qualität, Abbau der Mitgift. Die Barbêlo
wendet sich dem reinen Licht zu und schaut es an. Was ihr dabei
hervorgeht, ist nur noch ein Funken, zwar seiner Natur nach dem

16 Apokryphon Johannis, Codex II, edd. Krause/Labib, 140.

seligen Lichte gleich, aber an Größe ihm nicht mehr ebenbürtig. Noch jubelt der Vater darüber, daß sein reines Licht in Erscheinung tritt, das Unsichtbare durch die erste Kraft der Barbêlo sichtbar wird, aber mit dem Sagbarwerden des Unsagbaren vergeht auch seine Kraft der Durchsetzung in der Ausbreitung (*Parastasis*) des Pneuma.

Bezeichnend für die sprachliche Gestalt, in der diese Spekulationen auftreten, ist das Ineinander von abstrakten Personifikationen und dämonischen Namen, die teils unerläutert und ohne Funktion dastehen, teils Gesichter und Gestalten prägen, wie ›Löwengesicht‹, ›Eselsgesicht‹, ›Hyänengesicht‹ oder ›Drachengesicht‹, so daß der Weg von den Negationen und negativen Abstrakta schließlich zu einer verbalen, nämlich unausgewerteten Anschaulichkeit führt. Wie die Barbêlo innerer und äußerer Akt des Unfaßbaren selbst ist, werden auch deren Akte entäußert und veräußerlicht, so daß sie die Welt mit personifizierten Begriffen und Allegorien, mit Nachahmungen höherer Stufe und Nachäffungen niederer Art anfüllen.

So ist es schließlich die *Sophia*, die den ersten Archonten Jaldabaoth hervorbringt, ohne Zustimmung des *Pneuma*, wie es ausdrücklich heißt. Er ist die Schlüsselfigur für die Entstehung eines eigenen und niederen Weltreiches, das er begründet, nicht ohne dabei auf eine Figur unbekannter Herkunft, also dualistischer Prägung, zu treffen, die ›Unvernunft‹: *Aus seiner Mutter bezog er eine große Kraft. Er entfernte sich von ihr und wandte sich weg vom Ort seiner Geburt. Er nahm Besitz von einem anderen Ort. Er schuf sich einen Äon ... Und er vereinigte sich mit der Unvernunft, die mit ihm war, und rief die Mächte ins Dasein, zwölf Engel unter ihm ... nach dem Vorbild der unvergänglichen Äonen.*[17] Dieser Archon parodiert unübersehbar den Gott des Alten Testaments. Seine Beinamen verhöhnen dessen Attribute. Eine Variante des »Apokryphon« überträgt auf ihn sogar die Schöpfung durch das

---

17 Berolinensis Gnosticus, ed. W. C. Till, 115-119. Der Jaldabaoth ist ›wieder‹ tiergesichtig, hat den *typos* von Schlange und Löwe. Die sieben Himmelskönige und fünf Beherrscher der Unterwelt (*chaos*), die von ihm ausgehen und ermächtigt werden, sind wiederum fast ausschließlich tiergesichtig: Löwe, Esel, Hyäne, Schlange, Drachen, Affe; Sabbataios ist ›leuchtendes Feuerflammengesicht‹. Jaldabaoth selbst ist auch nach Belieben des Wechsels der Gestalt (*morphē*) fähig (ed. cit. 125, 10-13).

Wort und die Namengebung. Die sieben Gewalten unter ihm sind
durch sein Denken und dadurch, daß er es sagte, entstanden . . .
Und er benannte jede Kraft.[18]
Alles, was Parodie ist auf die biblische Schöpfung, hebt zugleich die
Andersartigkeit der Ausbreitung des Pneuma hervor. Im gnostischen Mythos verfahren nur die Archonten und niederen Mächte
imperatorisch oder demiurgisch; das Gute pflanzt sich allein durch
Zeugung und Hauchung fort. Das ist ein Rangunterschied, der
auch in der trinitarischen Dogmatik der Kirche für das Hervorgehen von Sohn und Geist im Unterschied zur Weltschöpfung defini-
torisch festgehalten wird. In die Erzeugung des Menschen gehen,
wie sich zeigen wird, beide Verfahren ein.
Jaldabaoth ist ein eifersüchtiger Gott. Denen, die er erschaffen hat
und seiner Herrschaft unterworfen hält, will er nichts von dem
Licht und der Kraft zuteil werden lassen, die er selbst durch seine
Herkunft empfangen hat: *Daher ließ er sich ›der Gott‹ nennen und*
lehnte sich auf gegen die Substanz, aus der er hervorgegangen
war . . . Und er sah die Schöpfung, die unterhalb von ihm war, und
die Menge der Engel unter sich, die aus ihm hervorgegangen waren,
und er sprach zu ihnen: ›Ich bin ein eifersüchtiger Gott, außer mir
gibt es keinen‹, womit er den Engeln schon anzeigte, daß es noch
einen anderen Gott gibt: denn gäbe es keinen, auf wen sollte er
dann eifersüchtig sein?[19] In dieser Fassung des Berliner Papyrus
verplappert sich der Jaldabaoth aus einem Wissen, das er seinen
Untertanen vorenthalten möchte, während im Codex II von Nag
Hammadi die blasphemische Aneignung der biblischen Selbsterklä-
rung Gottes zum Inbegriff der Unwissenheit des Archonten wird:
Ich bin Gott, und es gibt keinen anderen Gott außer mir.[20] Diese
Unwissenheit ist aber wohl stimmiger die Voraussetzung dafür,
daß der Jaldabaoth hinsichtlich des Menschen überlistet werden
kann, dem er durch das paradiesische Speiseverbot den Einblick in
den Hintergrund seiner Macht durch Erkenntnis versperren will.
Kritischer Punkt – noch nicht die Peripetie, aber die Schürzung

18 Apokryphon Johannis, Codex IV, edd. Krause/Labib, 215. Berolinensis
Gnosticus, ed. W. C. Till, 127: *Dadurch, daß er sprach, entstanden sie.*
19 Berolinensis Gnosticus, ed. W. C. Till, 127-129. Das Exzerpt des Irenäus von
Lyon endet mit dieser Okkupation der ›Stelle‹ des alttestamentlichen Gottes
durch den Jaldabaoth.
20 Apokryphon Johannis, Codex II, edd. Krause/Labib, 140.

ihres Knotens – ist in der Niedergangsrichtung des gnostischen
Prozesses die Erschaffung des Weltmenschen. Auch in ihr wird ein
Stück der biblischen Genesis parodiert: der Mensch sei nach Bild
und Gleichnis des Elohim gemacht worden. Jaldabaoth und seine
Archonten kommen auf den Gedanken, ihrem Werk einen Menschen einzufügen, wiederum durch das Institut der Spiegelung.
Wenn schon die erste Hypostase, der Äon der Herrlichkeit und
pneumatische Mensch, eine Spiegelung war, so ist dies Spiegelung
von Spiegelung, und was sie sehen, ist Abbild (*typos*) des Bildes
(*eikōn*). Angesichts der Spiegelung sprechen sie zueinander: *Laßt
uns einen Menschen schaffen nach dem Bilde Gottes und nach
seinem Aussehen. Und sie schufen aus sich und allen ihren Kräften,
sie formten ein Gebilde aus sich. Und jede einzelne der Kräfte schuf
aus ihrer Kraft eine Seele.* Deshalb wird dies der psychische Mensch,
und seine Seele hat keine Verbindung mit der höheren Welt der
reinen Herkunft und keine Anwartschaft auf die Rückkehr zu ihr.
Es ist offenbar Selbsttäuschung der Archonten, wenn sie nach dem
Bilde Gottes zu schaffen glauben, während sie nur nach dem Bilde
zweiter Stufe, dem schon von Plato als Künstlichkeit der Kunst
verworfenen Abbild des Abbildes, schaffen: *Sie schufen sie nach
ihrem eigenen Bilde, das sie gesehen hatten, entsprechend der Nachahmung des seit Urbeginn Seienden, des vollkommenen Menschen.
Und sie sagten: laßt uns ihn Adam nennen . . .*[21]
Die anthropologische Verwicklung entsteht nicht dadurch und

21 Apokryphon Johannis, Codex III, edd. Krause/Labib, 76 f. – Der Text des
Berolinensis Gnosticus entspricht diesem: *Lasset uns einen Menschen schaffen nach
dem Bilde (eikōn) und Aussehen Gottes.* (ed. cit. 137) – Wichtig ist hierzu die
Variante des Codex III, weil sie an die Lichtmetaphorik des Anfangs anschließt
und den Menschen zur Lichtquelle der niederen Welt werden läßt. Der erste
Archon (hier: Jaltabaoth) spricht zu den Mächten (*exousiai*), die bei ihm sind:
*Kommt, laßt uns einen Menschen schaffen nach dem Bilde (eikōn) Gottes und
nach unserem Bilde, damit sein Bild (eikōn) für uns zu Licht werde.* (ed. cit. 150)
Diese Beziehung auf das Licht-Bild wiederholt sich bei der Namengebung: *Laßt
uns ihn ›Adam‹ nennen, damit sein Name für uns zu einer Lichtkraft werde.* Bei
der Herstellung des Leibes ist ein Namenkatalog der Mächte gegeben, die jeweils
für ein Organ zuständig sind. Als weitere Auflistung folgt die der für Organ-
funktionen einstehenden Dämonen (ed. cit. 153-159). Diese Litanei muß einen
magisch-medizinischen Hintergrund haben; als Ganzes aber ist sie eine Anthropologie aus Namen, einem Denktypus zugehörig, der nicht ›erklären‹, sondern
nur für Vollständigkeit der Kompetenzversorgung aufkommen will. Die Integration wird durch eine kosmologische Pointe vollzogen, indem mitgeteilt wird,
die Zahl der am Menschenwerk Beteiligten sei 365.

besteht nicht darin, daß die Vorlage erschlichen und dazu noch nachlässig und verächtlich ausgeführt ist. Dennoch entsteht durch die Bilderschleichung eine Beziehung des höchsten Prinzips zu diesem Machwerk an seinem Demiurgen vorbei. Sie bindet den Unfaßbaren an dieses Wesen und veranlaßt ihn zu einer folgenschweren Überlistung des Jaldabaoth. Er wird dazu verleitet, dem von ihm gebildeten Menschen außer der demiurgischen *Psyche* noch etwas von seinem *Pneuma* dazu zu geben. Durch das Pneuma hat der Demiurg seinen Anteil an der höheren Welt von der urbildlichen Mutter Barbêlo, von der Mutter Sophia. Er gibt es aus Unwissenheit über das, was ihm damit geschieht, auf den Rat der ›fünf Lichter‹ weiter, die ihm in der Metamorphose seiner eigenen ›Engel‹ zur Seite treten und soufflieren, das Menschengebilde durch seine Anhauchung zu beleben: *Sie rieten ihm in der Absicht, die Kraft der Mutter herauszubringen, und sie sagten zu Jaltabaoth: Blase hinein in sein Gesicht von deinem Geiste, und sein Körper wird sich erheben. Und er blies in sein Gesicht seinen Geist, das ist die Kraft seiner Mutter; er wußte es nicht, da er in einer Unwissenheit ist.* Unversehens hat er die Heilsproblematik des Adam begründet und ihn an dem Erbe der höheren Welt mit der Anwartschaft auf legitime Zugehörigkeit zu ihr beteiligt.

Im Mythos der Barbelioten wird nicht erst die Rückgewinnung des *Pneuma* aus der Welt durch Überlistung der Weltmächte bewerkstelligt. Schon die Begabung des illegitimen psychischen Abbildes mit Pneuma ist, nach der Formel von Hans Jonas, *eine Kriegslist des Lichtes* im Kampf mit den Archonten: der Weltschöpfer wird entkräftet, indem er den Menschen vollendet. Nach dieser Version scheint alles weitere der Preis dafür zu sein, daß dem Demiurgen am Anfang ein entscheidendes Handicap zugefügt werden konnte. Wenn es zugleich der Stiftungsakt einer Heilsgarantie war, der die höchste Macht auf die Sorge um ihren Anteil am Innersten des Menschen verpflichtete, so war das nur eine Nebenfolge der größeren kosmischen Auseinandersetzung. Aber es wird sie zum symmetrischen Aufwand von List auf der anderen Seite der Heilskurve nötigen, wenn es um die Rückholung des untergeschobenen Pfandes geht.

Als die Weltmächte nun sehen, daß der Körper des Adam durch das Pneuma leuchtet, werden sie eifersüchtig auf ihn. Es entsteht jene Rivalität der Engel mit dem Menschen, die noch mittelalterliche Autoren als Motiv für den Aufstand und Sturz des Luzifer beschreiben sollten: Dem Engelfürsten wird die Vision der zukünftigen Menschwerdung des Gottessohnes zuteil, und seine Eifersucht entzündet sich an der Bevorzugung des leibhaftigen Geschöpfes über alle Engel hinweg. So werden auch hier, im gnostischen Mythos, Verführung und Verhängnis des Menschen dadurch eingeleitet, daß die Leuchtkraft des Pneuma seinen Urhebern verrät, welche Überlegenheit an Kraft und Verstand er über sie gewonnen hatte. Alles kommt nun für sie auf das Gelingen ihrer Verschwörung zur Irreführung des Menschen über seine Herkunft an. Die Travestie der Paradiesmythe bringt die ganze Doppeldeutigkeit des vertrauten Scenario zum Vorschein, je nachdem, ob es von der Absicht der Archonten oder vom Heilswillen des guten Prinzips her betrachtet wird.

Das Verbot, vom Baum der Erkenntnis des Guten und Bösen zu essen, soll dem Menschen den Zugang zum Depot der höheren Welt des Lichtes in diesem Garten versperren. Bei Markion war dies der erste Akt eines kleinlichen Gottes gewesen, der mit Gesetz und Gericht den Menschen zu traktieren suchte. Das Verbot des Jaldabaoth ergeht, *damit Adam nicht aufwärts blicke zu seiner Vollendung und seine Blöße hinsichtlich der Vollendung bemerke.* Dann wäre die biblische Ursünde die gnostische Wahrheit. Nach einer Version des »Apokryphon« kommt alles darauf an, daß der Mensch nicht seine Nacktheit erkennt. Diese nämlich ist die Verfälschung seines urbildlichen Leibes durch das sterbliche Gemächte der Archonten: *Sie blieben bei ihm, damit er nicht hinauf zu seinem Pleroma sehe und die Nacktheit seiner Verunstaltung (aschemosyne) erkenne.*

Die biblischen Mißverständnisse des ahnungslosen Autors Moses über Eva werden aufgeklärt. Sie verführt Adam nicht, sondern führt ihn zur Selbsterkenntnis, indem er an ihr seine Nacktheit, die Verunstaltung seines Leibes, die Verkehrtheit seiner Situation entdeckt: *Und er wurde nüchtern von der Trunkenheit der Finsternis, und er erkannte seine Gestalt . . .*[22] Eva nämlich ist die den Archonten verborgen gebliebene Gestalt der Urmutter Barbêlo,

22 Apokryphon Johannis, Codex II, edd. Krause/Labib, 169-173.

die Buße tut für ihren Fehltritt und Wiedergutmachung leistet, indem sie gegen den Todesleib des Adam das Prinzip des Lebens durchsetzt. Deshalb heißt sie auch Zôê, die Mutter der Lebenden.

Die Gestalt der ersten Frau in ihrer Beziehung zur Barbêlo ist besonders aufschlußreich für den Blickwechsel, den die Parodie auf den biblischen Text erzwingt. Eine Version verwischt das dadurch, daß der Jaldabaoth Eva erst nach der Vertreibung aus dem Paradies verführt und mit ihr die Träger der beiden biblischen Gottesnamen – Jahwe, den Bärengesichtigen, und Elohim, den Katzengesichtigen – zeugt. Es sind dieselben, von denen die Menschen glaubten, sie hießen Abel und Kain.[23] Erst mit der Zeugung des Seth durch Adam beginnt die Deszendenz der Menschheit.

In der anderen Version sieht Jaltabaoth die falsche Seite des Bildes, indem er die Nacktheit der Eva als den Ausdruck ihrer Verführbarkeit nimmt – und dann seinerseits der Verführte ist, der ein Prinzip ausbreitet, das er selbst nicht kennt und dessen Herkunft ihm fremd ist: *Er fand die Frau, wie sie sich für ihren Mann in Ordnung brachte. Er war der Herr über sie, ohne daß er das Geheimnis (mystērion) kannte, das auf Grund des heiligen Ratschlusses entstanden war.*[24] Stimmiger scheint in dieser Fassung zu sein, daß die Verführung der Eva vor der Vertreibung aus dem Paradies erfolgt. Ein besonderer Zug ist, daß der erste Archon den Menschen einen Lethetrank, ein Erkenntnisunfähigkeitswasser zu trinken gibt, *damit sie nicht erkennen, von woher sie stammen.* Verhinderung der Gnosis ist Inbegriff der Archontensorge.[25] Sie ist durchdrungen von der Eifersucht auf die unerwartete und unvorhergesehene Besonderheit des Menschen: *Als der erste Archon merkte, daß sie höher sind als er in der Höhe und daß sie mehr als er denken, wollte er ihren Gedanken beherrschen, wobei er unwissend war, daß sie ihn übertreffen im Denken und daß er sie nicht wird beherrschen können.*

23 Codex III, ed. cit. 92.
24 Codex II, ed. cit. 174 f.
25 Berolinensis Gnosticus, ed. W. C. Till, 157: Die gnostische Erzeugung von *Anaisthesia* stützt sich wie anderes auf den biblischen Text vom Betäubungsschlaf, der auf Adam gesenkt wird, um ihm die Rippe zu entnehmen, aus der Eva gebaut wird: *Er senkte auf den Menschen Betäubung, daß er entschlief . . .* Diese unbedeutende chirurgische Episode formt das »Apokryphon« zum entscheidenden Verhängnis der Erkenntnisunfähigkeit um: . . . *er umhüllte seine Sinne mit einem Schleier und beschwerte ihn mit dem Erkenntnisunvermögen.*

Alles geht in diesem Mythos darum, ob die Nachkommen Adams
über den Horizont ihrer Herkunft aus der Hand der Archonten
hinaussehen und ihre Zugehörigkeit zum Reich des Pneuma aufdecken können. Die Sprößlinge des Jaldabaoth – *Jahwe*, der
Herrscher über die Regionen des Wassers und der Erde, sowie
Elohim, über die des Feuers und der Luft regierend – präsentieren
sich dem Menschen geräuschvoll als die für ihn letzten, sein Geschick bestimmenden Instanzen. Doch es gehört noch zum Paradies,
daß der Mensch zum ersten Mal Klarheit über seine Wesensheimat
gewinnt, durch die verbotene Frucht seine Nacktheit erkennt. Deshalb wird er von der Stätte seiner Selbsterkenntnis verstoßen. Der
›Verführer‹ war derselbe offenbarende Lichtgeist gewesen, der dem
zweifelnden Apostel das »Apokryphon« eröffnet: die Barbêlo oder
die Sophia oder gar, nach dem Berliner Kodex, Christus selbst, der
dem Johannes in der ersten Person die Paradiesesszene vergegenwärtigt: *Ich zeigte mich, ich, in der Gestalt eines Adlers auf dem
Baum der Erkenntnis...*, *damit ich sie belehre und sie aus der
Tiefe des Schlafes erwecke. Sie waren nämlich beide in einem Verderben, und sie erkannten ihre Nacktheit.*[26] Erweckung aus dem
Schlaf der Betäubung *und* Entdeckung der Nacktheit sind die
absoluten Metaphern des gnostischen Aktes, beide negativ bezogen
auf den welt- und leibhaft verfälschten Zustand des Menschen.
Die Paradiesszene des gnostischen Kunstmythos ist die Umkeh-
rung der biblischen, deren Destruktion, nicht deren Allegorese.
Denn das Verbot ihres Schöpfers, von der Frucht des Baumes zu
essen, mißachten Adam und Eva auf das Geheiß der ranghöchsten
Figuren der Emanationen aus dem Unfaßbaren und bringen die
Menschheit ganz nahe an das endgültige Heil heran. Als sie ihre
Nacktheit bemerken, ist das nicht die Ernüchterung über Verfüh-
rung und Ungehorsam, sondern die ›Aufklärung‹ über die ihrem
pneumatischen Besitz durch die Archonten zugefügte Verderbnis.
Die Heilsgeschichte ist ganz im Paradies präformiert. Auch das ist
mythische Struktur in der Mimesis des Kunstmythos: Die zweite
›Aufklärung‹, deren Scheitern im »Apokryphon« abgefangen wer-

---

26 Codex II, ed. cit. 188 f. – Codex IV enthält gegenüber Codex II keine
Varianten, die von vergleichbarer Differenz wären wie die Abweichungen des
Codex II von III, insbesondere nicht bei den biblischen Anspielungen aus dem
Munde des Jaldabaoth.

den soll, wiederholt nur die erste – sogar mit demselben Haupt-
akteur, dort in der Metamorphose des Adlers, hier in der des
Lichtmenschen.

Die Ausstoßung aus dem Paradies verbannt die Menschen in die
Höhlung unterhalb der Weltmaterie. Es ist die letzte Konsequenz
der Absicht, ihnen den Blick auf ihren Ursprung zu entziehen. Der
Verfasser des biblischen Textes war also dem ersten Archonten auf
den Leim gegangen, als er den versucherischen Spruch, die Menschen würden durch die Paradiesesfrucht wie Götter werden, als
Bosheit des Teufels diffamierte. Eben dies aber, wie Götter zu sein,
war ihre Bestimmung geworden, seit sie vom Pneuma abbekommen
hatten. Der gnostische Mythos liest die Interlinearversion der biblischen Genesis. Es wäre Unfug, von einem ›Einfluß‹ der Bibel auf
die Barbêlognosis zu sprechen. Das »Apokryphon« ist vielmehr
die extreme Form der Aggression auf den als vertraut vorausgesetzten Bildbestand.

Am Ende seiner Offenbarung enthüllt der Lichtgeist auch noch, wie
er als Heiland wirksam geworden ist. Er ist den Menschen nachgegangen in ihre Welt- und Leibgefangenschaft, um sie aus der
Anaisthesia zu erwecken: *Und ich ging hinein in die Mitte ihres
Gefängnisses – das ist das Gefängnis der Körper – und sprach:
Wer hört, erhebe sich vom tiefen Schlafe.*[27] Zum Ritual gehört,
daß nach der Erweckung eine Versiegelung im Lichte des Todes
mit fünf Siegeln erfolgt; nach diesem Zeitpunkt kann der Tod
nicht wieder Macht über den derart Gezeichneten gewinnen. Der
Heilbringer gebietet dem Johannes, diese Geheimnisse aufzuschrei-
ben und sicher zu hinterlegen. Mit einem Fluch werden sie gegen
leichtfertige Preisgabe geschützt.

Und darin liegt auch schon die Hindeutung auf die Schwäche des
gnostischen Kunstmythos: Er gehört zu einer Arkanliteratur, die
der Disziplinierung durch ein Publikum entzogen bleibt. Das läßt
ihn den Charakter der zügellosen Weitschweifigkeit, der phantastischen Wucherung annehmen, die keiner Selektion unterliegen. Der
als ›Geheimlehre‹ ausgegebene Mythos hat zwar Varianten, aber
sie waren offenkundig keinem Vergleichsprozeß ausgesetzt. Was
einer verschworenen Kleingruppe an Litanei und Häufung von
Wiederholungen zugemutet werden kann, stößt an keine Schwelle

27 Codex II, ed. cit. 198f.

von Langeweile und Überdruß, weil noch die Peinigung durch diese
das Erwählungsbewußtsein befestigt. Das ist aus totalitären Systemen bekannt, wo die Reden führender Funktionäre ebenso lang
wie langweilig sein dürfen, als hätte es die Rhetorik nie gegeben,
die eine Kunst der sich noch um Macht Bewerbenden ist. Auch für
kultische Rituale und Texte gilt, daß man zeigen können will, was
man ›für die Sache‹ aushält. So entartet der gnostische Kunstmythos unter der Treibhauskuppel der Sanktion, die auf ihm liegt und
ihm jedes ›Geschmacksurteil‹ fernhält.

Nach dem Wortreichtum und der Namenfülle in der gnostischen
Version, oder besser: Inversion, der Paradiesmythe wird erst faßbar, was in Nietzsches Leistung steckt, sie einer Umdrehung in
drei Sätzen zu unterwerfen und in seine Sinngebung der Geschichte
auf den Übermenschen hin einzupassen.

Harmloser liest sich, was ein halbes Jahrhundert zuvor Ludwig
Feuerbach in einem einzigen, allerdings langen, Satz daraus gemacht
hat: *Unstreitig legt nur der die Genesis richtig aus, welcher er-
kennet, daß eben von dem Baume, von welchem Adam die Frucht
der Erkenntnis des Guten und Bösen bricht, mit deren Genuß er
das Paradies des Lebens verliert, auch die Blätter sind, mit denen
er seine Nacktheit bedeckt.*[28] Tiefsinn ist eine gegenwärtig verächtlich behandelte Qualität. Wir können es Antworten auf Fragen nicht gestatten, tiefsinnig zu sein. Aber die kleine Verbindung,
die Feuerbach zwischen den Früchten und den Blättern vom Baum
der Erkenntnis stiftet – zwischen seiner Beziehung zur Sittlichkeit
und der durch diese erweckten Bedürftigkeit –, ist auf kaum eine
denkbare wichtige Frage eine Antwort und doch von jener Vieldeutigkeit, die Tiefsinn heißen kann, weil jede ihrer Deutungen das
Maß des Unausgeschöpften unvermindert läßt.

Ich mache einen Sprung und biete die kürzeste Einsatz-Variante
der Paradiesmythe an, die sich in dem nachgelassenen Tagebuch
Georg Simmels gefunden hat: *Der Apfel vom Baum der Erkenntnis
war unreif.* Welche Meisterschaft der minimalen Veränderung mit
maximaler Transformation. Es bleibt der Rahmen der Geschichte,
auf den nur angespielt wird, und doch ändert sich die Stimmung
des Ganzen ironisch. Das Requisit, das zunächst nur verbotener

28 Ludwig Feuerbach, Der Schriftsteller und der Mensch. 1834 (Sämtliche Werke,
edd. Bolin/Jodl, I 276).

Reiz und Mittel zum Gottwerden sein sollte, rückt selbst in den Fokus der Betrachtung. So wenig ist in der ganzen Tradition an die Frucht selbst gedacht worden, daß wir den Bildern geglaubt haben, es müsse im Text ein Apfel gestanden haben, obwohl nichts davon dasteht und Feuerbachs Variante wegen des Dienstes der Blätter hernach eher an den Feigenbaum denken läßt. Simmel lenkt von der Tatsache ab, daß die Frucht des Paradieses das Paradies selbst gekostet hat; er möchte wissen, was die Frucht abseits von Verbot und Verführung wert war. Sie war nicht faul, schlimmer: sie war unreif.

Schlimmer deshalb, weil das die Verfehlung des rechten Zeitpunkts der Untat einschließt. Nicht, daß der Verführungsgewinn nicht hätte halten können, was er versprach; selbst der schlichte Genuß, der mit ein bißchen Warten hätte erreicht werden können, wurde verfehlt. Eine Qualität, die weder durch Götter noch durch Menschen erzwungen werden kann, weil sie nur als Geschenk der Zeit gewährt wird, die Reife der Frucht, war unbeachtet geblieben. Alles kommt hier darauf an, wie der Akzent gesetzt ist: Nicht der Sturz aus dem Paradies, nicht die Verwirkung der Freiheit vom Tod, nicht das Zerwürfnis mit dem huldvollen Herrn des Gartens ist, was den späten Denker quält, sondern das bohrende Ärgernis an dem für alle künftigen Zeiten der Menschheit paradigmatischen Sachverhalt, daß vom Baum der Erkenntnis ein Weilchen zu früh, zu voreilig genommen und das einzige Äquivalent für den Verlust des Paradieses damit verwirkt worden war.

Man spürt, daß dies zwar ein Totalmythos ist, aber nicht ein Menschheitsmythos sein könnte, weil er an eine Individualität gebunden ist, die den Schmerz angesichts der Unreife der vielleicht einzigen lohnenden Frucht der Menschheitsqualen empfindet. Ohne das Individuum dahinter, das diesen Satz ausspricht, bliebe der Anstoß des Lesers, es würde ihm und anderen und vielleicht allen zugemutet, über das verlorene Paradies und die Last der Arbeit im Schweiße des Angesichts nicht tiefer bestürzt sein zu dürfen als über die Unreife der Frucht der Erkenntnis. Simmel selbst hat diesen Satz nie veröffentlicht. Er steht in seinem Tagebuch, und es ist die Unziemlichkeit der Neugierde der Epigonen, die uns mit einer Wendung des Blicks konfrontiert, die vielleicht nur *privatim* erlaubt ist.

Das wirft die Frage auf, ob ein solcher Tagebuchgedanke ein kontingentes Aperçu ist oder Annäherung an den Aufschluß über einen personalen Grundmythos. Es ist sicher nicht unbedenklich, das auch nur erschließbare Muster epochaler Imagination in die biographische Sphäre zu übertragen, auch dann nicht, wenn ein Autor selbst daran gedacht hat, sich ein mythisches Formular als Verdeutlichung der konzeptionellen Einheit und Totalität seiner Einsichten und Ansichten zu suchen. Ich will das am späten Scheler und der eigentümlichen Affinität seiner Metaphysik zum Mythos erläutern.

Der Archäologe Ludwig Curtius erinnert sich an eine letzte Begegnung mit Max Scheler im Sommer 1927, als dieser zur späten Mittagsstunde in Heidelberg vor seiner Tür stand, von Alter und Krankheit so gezeichnet, daß er sich dem seit Jugendzeit Bekannten zu erkennen geben mußte.[29] Curtius beschreibt eindringlich das gefährdete und gefährliche, Persönlichkeit und Lehre gegenseitig durchdringende Naturell des Denkers, der an allem *Unreinen der Zeit* gleichsam stiller Teilhaber gewesen und dessen *Erlösungsbedürfnis* aus der Verstricktheit in die Schuld seiner Zeit ebenso wie *auf immer neuen Wegen seine Gottsuche* hervorgegangen sei. Damals habe ihm Scheler *als letzte Form seiner Philosophie* den Mythos vom Mensch gewordenen indischen Gott (Krischna) vorgetragen, der als eine seiner irdischen Prüfungen beim Durchschwimmen eines Stromes mit der Schlange des Bösen zu kämpfen hat und sie dadurch überwindet, daß er sich nachgiebig allen ihren Umstrickungen anpaßt, bis sie ermüdet von ihm abläßt. Curtius endet seinen Bericht mit der Beziehung des Mythos auf Scheler: *Auch diese Lehre war Selbstbekenntnis.*

Nun hat Scheler selbst noch seine ›Redaktion‹ des Mythologems gegeben in dem Vortrag »Der Mensch im Weltalter des Ausgleichs«, den er im November 1927 in Berlin gehalten hatte und der in dem posthum erschienenen Band »Philosophische Weltanschauung« 1929 publiziert wurde. Er schließt an das Bacon-Zitat an, die Natur werde nur durch Gehorsam botmäßig gemacht. Hier ist es die Weltschlange, das *Sinnbild für den Kausalnexus der Welt,* der sich Krischna auf den Zuruf des himmlischen Vaters, seiner göttlichen Natur eingedenk zu sein, so leicht entzieht *wie eine Frau ihre*

29 L. Curtius, Deutsche und antike Welt. Stuttgart 1950, 375 f.

Hand aus einem Handschuh zieht.[30] Vollkommene Nachgiebigkeit als Prinzip der Befreiung ist dem Gedanken der Naturbeherrschung entgegengestellt, in dem Scheler das jüdisch-christliche Menschenbild *im Einklang mit der Vorstellung von einem Schöpfer- und Arbeitsgott* zur Konsequenz gebracht sieht. So gedeutet, seiner moralischen Direktbeziehung auf den Denker entzogen, wird im Mythos all das vergegenwärtigt, was Scheler seit den Abhandlungen zur Phänomenologie der Sympathiegefühle und zum Ressentiment im Aufbau der Moralen in seiner produktivsten Phase zwischen 1912 und 1914 geschrieben hatte: der kosmische Eros, die franziskanische Natursympathie, das Seinsvertrauen als Gegentypologie zur exakten Wissenschaftsidee, zur Technisierung, zum Ressentiment, zum theoretischen Mißtrauen. Nur daß damals dieses Repertoire seine Annäherung an den Katholizismus innerviert hatte, jetzt die Metaphysik des werdenden Gottes, der sich im ›Wettersturm‹ des Weltprozesses aus der Enthemmung des Lebensdranges die Energie beschafft, die der Reinheit der Wesenssphäre fehlte, um sich zu verwirklichen. Die Welt wird nicht durch das biblische *Fiat,* sondern durch das *Non non fiat* dieser Selbstermächtigung. Der Mensch ist der entscheidende Vollstrecker der Bewegung, die aus dem Weltgrund kommt; er allein vermag Wesensschau und Erfahrung, Geist und Drang zu vereinigen. Er tut es mit der Elastizität des indischen Gottmenschen, wenn er dem Denker und seinem Mythos folgt.

Die Geschichte der Einwirkungen Schelers auf die letzten Jahre der Weimarer Republik ist verwirrend, weil fast alle Faktoren hineinspielen, die dieser Phase das Gepräge gaben. Aber das Mißverständnis des Schelerschen ›Grundmythos‹ durch den wohlwollenden, fasziniert zurückhaltenden Archäologen gibt doch zu denken: eine äußerste kosmologische Extrapolation wird reintimisiert, fast von der Physiognomik her gelesen. Die gemeinte Menschheitsaufgabe wird zur persönlichen Problematik des todesnahen Scheler.

Von hier blicke ich zurück auf eine andere Grundmythe und deren zeitgenössische Mißverständlichkeit. Schellings Berufung nach Berlin erscheint dem liberalen Varnhagen von Ense, dem Witwer der Rahel, als Inbegriff aller Verfinsterungen der Zeit Friedrich Wilhelms IV. Er findet sich mit dem *zum Lehrer der Zeit berufenen*

30 Scheler, Späte Schriften. Bern 1976 (Gesammelte Werke IX), 161.

Philosophen nicht ab und charakterisiert die bald zum öffentlichen
Streit führenden Vorlesungen als *alte Scholastik* und *dürftige Fabe-
lei.*[31] Im Tagebuch Varnhagens steht unterm 24. Februar 1842 die
Kurzfassung des Schellingschen Grundmythos: *Gott erschafft erst
sich, dann ist er aber noch blind, erst wenn er die Welt und den
Menschen erschaffen hat, wird er sehend.* Darauf findet Varnhagen
nur die eine und für den Liebhaber seines großen Tagebuchwerks
unvergeßliche Interjektion: *Großes Aergerniß! Also wie die jungen
Hunde, eine Zeit lang blind?*

Die Totalmythen Schelers wie Schellings repräsentieren einen neuzeitlichen Typus von Kunstmythos, der durch Verletzung dogmatischer Regeln der Theologie zustande kommt: Gott ist nicht das
absolute Wesen, seine Attribute sind nicht rundum mit Allquantoren optimiert. Er kann eine Welt schaffen, aber er ist blind, sie zu
sehen; er ist Inbegriff aller reinen Wesentlichkeit, aber ohnmächtig,
Wesen zur Wirklichkeit zu bringen. Die Geschichte wird erzählbar,
indem Gott ein Mangel und damit ein Zweck zugeschrieben wird,
den zu erreichen Welt und Mensch gerade das richtige, wenn auch
risikoreiche Mittel sind. Diese Remythisierung des philosophisch
›gereinigten‹ Gottesbegriffs ergibt die Probe darauf, daß Mythos
und Gottesohnmacht, wenigstens Machtminderung, einander entsprechen. Primär ist jedoch nicht, dem Gott seinen Zweck zuzuschreiben, sondern Welt und Mensch als die ihm notwendigen,
unabdingbaren und damit nicht mehr kontingenten ›Mittel‹ auszuweisen. Je intimer der Zweck im Gotteswesen eingeschnitten ist,
um so höher der Wert bei der Ponderation der Mittel, ihn zu
erreichen. Die Gleichung der Remythisierung läßt den Menschen
in dem Maß gewinnen, in dem der Gott verliert, um durch den
Menschen erst und mit ihm zu gewinnen. Die Welt und der Mensch
sind die Umständlichkeit schlechthin im Verfahren Gottes mit sich
selbst.

31 Karl August Varnhagen von Ense, Tagebücher. Ed. Ludmilla Assing, Leipzig
1861-1870, II 25.

III
Mythen und Dogmen

Scimus deum de deo nasci,
quemadmodum de non deo non deum.
Tertullian, Ad nationes

Deum de Deo
Lumen de Lumine
Deum verum de Deo vero.
Credo der Römischen Messe

Die kleinen Differenzen, das war die Entdeckung des in ihnen
steckenden Narzißmus, reißen die tiefen Abgründe zwischen den
Menschen auf. Die großen Differenzen nisten sich als Selbstver-
ständlichkeiten ein und entziehen sich gerade durch ihre überdeutliche Präsenz der Wahrnehmung. Einer der fundamentalen Sachverhalte unserer Bewußtseinsgeschichte hat sich lange der Beobachtung und Feststellung entzogen; er betrifft die gern feierlich
beteuerte Gleichmächtigkeit der antiken wie der biblischen Wurzeln
dieser Geschichte. Ich bestreite die Gleichmächtigkeit nicht, rühre
aber an die Gleichartigkeit in einem das Volumen und damit die
empirische Notationsfähigkeit betreffenden Punkt. Der durch die
antiken Quellen vermittelte Mythos hat Phantasie und formale
Disziplin der europäischen Literaturen in einzigartiger Weise bewegt, angetrieben, erfüllt und gereizt; die biblische Welt ist, trotz
ihrer unvergleichlich größeren Eindringtiefe in das Bewußtsein
der beiden nachchristlichen Jahrtausende, auf dem Niveau literarischer Manifestation nahezu ungegenwärtig.
Aus der Linie der großen Figuren der deutschen Klassischen Philologie im neunzehnten Jahrhundert stand keiner beiden Welten,
der biblischen und der mythischen, so gleichermaßen nahe wie
Jacob Bernays, Sohn eines Hamburger Rabbiners und der über-
zeugendste Auflöser jenes Vexierrätsels, das uns Aristoteles mit
seiner Theorie über die Wirkung der Tragödie hinterlassen hat.

Im Briefwechsel mit dem immer aufs Aparte stoffhungrigen Paul Heyse hat Bernays auf die *verlockende Täuschung* aufmerksam gemacht, daß die biblischen Stoffe den epischen ähnlich und zu *großen Tragödien* müßten geeignet sein. Der Unterschied jedoch zwischen den mythischen und biblischen Stoffen, der dem modernen Dramatiker den Zugriff auf neue, schmerzlich entbehrte große Vorlagen verwehrt, sei *ein so wesentlicher, daß sich das bisherige Unglück der biblischen Dramen den Dichtern nur in so fern zuschreibe, als es einen schlechten Dichter verräth sich einen schlechten Stoff zu wählen.* Was die Gestalten der Bibel dem Zugriff des Dichters entziehe, sei die Festlegung in einem geschriebenen Buch und die unvergleichliche Präsenz dieses Buches im Gedächtnis der Menschen. Wer hier auch nur im kleinen erweitere oder verforme, müsse an den Grenzen zur Parodie scheitern. Nur bei Figuren, die ganz im Hintergrund stehen, wie Johannes der Täufer, sei vielleicht etwas möglich. Dagegen: *Mit solcher Lava aber wie der Saul die aus dem Innersten des Feuerberges hervorgebrochen und nun in dem Buche starr geworden ist und zu ewigem Stehen gebracht, wird man nicht wohl etwas Neues aufstellen können.* Nicht zufällig habe Shakespeare, der *doch überall nach Stoffen stöberte, sich nie die Finger an einem biblischen verbrannt.*[1]

Die festgeschriebenen Bilder implizieren, so kann man dies weiterführen, eine Art verbales Bilderverbot, das nicht gleicherweise die bildende Kunst trifft, weil ihre Mittel nicht kanonisch vorgeprägt und ausgegeben sind. Die Beschreibung dieses Sachverhalts ist die erste und formlose Berührung, die man mit der Antithetik von Mythos und Dogma in unserem kulturellen Horizont haben kann.

Daß die Rezeption nicht zum Mythos dazukommt und ihn anreichert, sondern Mythos uns in gar keiner anderen Verfassung als der, stets schon im Rezeptionsverfahren befindlich zu sein, überliefert und bekannt ist, beruht trotz der ikonischen Konstanz auf der Verformbarkeit seiner Elemente, darauf, daß er nicht – um noch einmal mit Bernays zu sprechen – aus *granitnen Gestalten* besteht,

1 Jacob Bernays an Paul Heyse, Bonn 21. März 1853 (Michael Bernays, Hrsg., Jacob Bernays. Ein Lebensbild in Briefen. Breslau 1932, 62 f.). Dazu H. I. Bach, Jacob Bernays. Tübingen 1974, 90 f. Der Monotheismus sei ganz undramatisch, sagt Goethe zu Schopenhauer (nach dessen Bericht), *weil mit einer Person sich nichts anfangen läßt* (Werke, ed. E. Beutler, XXII 744).

an denen jeder Zugriff zum Sich-Vergreifen werden muß. Bernays besteht nicht auf dem Unterschied sittlicher oder sakraler Qualitäten der biblischen von den mythischen Figuren, um Disposition oder Mangel einer spezifischen Rezeptionsbereitschaft zu begründen. Er zieht nur den einen Sachverhalt der ›Festgeschriebenheit‹ dessen, was in heiligen Büchern überliefert wird, heran. Das ist ein ganz formales Moment; aber es hat zur Folge, daß am Festgeschriebenen eine ganz andersartige Arbeit einsetzt als am bildhaften Fundus: die der Erzeugung von bloßer Vereinbarkeit historisch heterogener, ursprünglich niemals auf penible Nachprüfung angelegter Mitteilungen.

Der Mythos hat freche und satirische Übersteigerungen seiner Widersprüche hervorgerufen. Eine Buchreligion erzeugt das Gegenteil: den Übergang zur abstrakten Begrifflichkeit als Vermeidungsform der historisch-anschaulich entstandenen Schwierigkeiten. Wer von den eschatologisch Angespannten der christlichen Urgemeinde hätte auch nur zu ahnen vermocht, der Herr, dessen Wiederkunft auf den Wolken des Himmels jeder noch in diesem Leben glaubte erwarten zu dürfen, hätte etwas von der Art der dogmatisch definierten hypostatischen Union der Naturen, von der trinitarischen Einheit der Personen in einer gottheitlichen Natur an sich gehabt oder von sich gegeben? Nur weil es Häretiker gab, gab es Dogmatiker; und Häretiker gab es, weil mehrere Wege zur Vermeidung der Schwierigkeiten des genuinen Bestandes der heiligen Schriften gegangen werden konnten. Keinesfalls aber gleichberechtigte Wege, so daß einer schließlich recht behielt und bestimmen konnte, wer im Unrecht gewesen war.

Ich gehe nicht davon aus, daß in diesem Verfahren ein nackter Dezisionismus steckt; es gibt auch in der Dogmengeschichte ein Prinzip der Selektion. Vielleicht hätte sogar Markion den Preis des Überlebens gewonnen, wenn er nicht den Eindruck des allzu großzügigen Umgangs mit dem Buchstaben erweckt und dadurch minder scharfsinnige Jünger autorisiert hätte, es ohne Konsequenz zu betreiben. Nicht die Philologen – und Markion ist einer ihrer Ahnherren –, sondern die Schüler der Philologen haben immer alles verdorben.

Man braucht bei der formalen Betrachtung des Unterschieds zwischen Mythos und Dogma, variabler Schriftentbundenheit und

Festgeschriebenheit, nicht stehenzubleiben. Geht man aufs Inhaltliche, so wird man eher tendenzielle als eidetische Abgrenzungen
vorzunehmen haben. Denn wer wollte bestreiten, daß der biblische
Gott Züge des Mythos hat, auch wenn seine Einzigkeit die Möglichkeit von Geschichten auf sein Auftreten in *der* Geschichte beschränkt? Seine Eifersucht auf Götter neben ihm ist von vornherein
nicht eine Frage unmittelbarer Verhältnisse zu von ihm anerkannten Realitäten. Sie ist viel eher eine durch das Verhalten der
Menschen vermittelte und auf den Schlachtfeldern einer National-
geschichte ausgetragene Rivalität mit den Volksgöttern ringsum.
Am Sinai wird Ägypten blutig abgestreift, in der Wüstengenera-
tion noch dazu ausgestorben, um die, wenn man so sagen darf,
dogmatische Schlagkraft für ein neues Versuchs- und Versuchungs-
feld unter Kanaanitern, Moabitern und anderen zu gewinnen. Es
ist das, was sogar die Restauration nach dem babylonischen Exil,
die Neuschaffung der heiligen Bücher aus dem Nichts möglich machen wird.

Unter denen, die 538 – ein halbes Jahrhundert nach der Zerstörung
Jerusalems – zurückkehrten, können nur noch wenige gewesen sein,
die 586 ins Exil abgeführt worden waren. Die Zeit, um Ägypten
in der Wüste auszutreiben, war kürzer gewesen als die, um an den
Ufern des Euphrat alles zu vergessen und die Erinnerung ausster-
ben zu lassen. Aber inzwischen war dies eine Priesterreligion mit
zentralisiertem Kult geworden, ein Gottessystem mit strikter Regulierung aller Züge des alltäglichen Verhaltens, und vor allem mit
geschriebenen Urkunden. Am Wiederaufbau des Tempels durfte
nur teilnehmen, wessen Monotheismus unverdächtig geblieben war.
Das bedeutete nicht nur den Verzicht auf die kulturelle Großzügigkeit des Pantheon, sondern auch den Verlust all derer, die in der
Fremde bereit gewesen oder geworden waren, Konzessionen zu
machen. Es war die Wiederholung der Zerschlagung des Kults um
das Goldene Kalb mit den seither durch die Geschichte verliehenen
anderen Mitteln. Was die Reformer Esra und Nehemias zur Wirklichkeit machten, war die erste Selektion der dazu Disponierten für
die strikte Observanz einer dogmatischen Daseinsform auf der
Grundlage der Bundesschriften.

Bilderverbote werden leicht übertreten, die erstaunliche, aber so
üppig ins Ornament ausweichende Ausnahme des Islam zugegeben.

Das Bilderverbot des Dekalogs ist wie weniges sonst von der christlichen Tradition beiseite geschoben worden, nicht ohne Konsequenz angesichts dessen, daß Gott sich inzwischen selbst sichtbar gemacht haben sollte. Doch das Übergewicht seiner Bestimmung als eines Unsichtbaren ist geblieben. Seine Heiligen haben die darstellende Phantasie mehr angeregt als das unbekannt gebliebene, nirgendwo beschriebene, in der Entbehrung durch das obskure Grabtuch herbeigezwungene Gesicht des Menschensohnes. Der Mythos überschreitet die Grenze zur Sichtbarkeit mühelos. Er mag Strapazen für die Anschaulichkeit enthalten, wie die Vorschrift, sich die drei Graien als mit einem gemeinsamen Zahn und einem gemeinsamen Auge ausgestattet vorzustellen. Dafür versagt er sich die Zumutungen des wesentlich Unsichtbaren. Epiphanien bedürfen keiner Rechtfertigung der in ihnen liegenden Absichten und Hinterlisten.

Am Grenzfall kann der Aufklärer den pedantischen Hermeneuten verspotten. So Abraham Gotthelf Kästner den Montfaucon, der über Plutos Erwerbung eines unsichtbar machenden Helms von den Zyklopen geschrieben hatte, er habe diesen Helm noch nie auf Abbildungen des Pluto gesehen und überhaupt seien solche seltener als die anderer Götter. Dazu Kästner in einem einzigen Satz: *Erwartete Montfaucon den Pluto mit dem Helme auf dem Kopf abgebildet zu sehen, das ist: den Augen unter solchen Umständen dargestellt, unter denen er unsichtbar war?*[2] Die für den Geist zwingende Vorschrift der Unsichtbarkeit führt dazu, daß die dritte Person der christlichen Theologie nicht erst ikonographisch besonders unbeliebt bis abwesend ist, sondern schon in den neutestamentlichen Texten die Verlegenheit um ihre Erscheinung in Gestalten zeigt, die sie doch keineswegs angenommen haben darf – den gegen jede Art von Doketismus als verächtlich behaupteten Gott in der Taube bei der Taufe im Jordan, in Flammen bei der pfingstlichen Ausschüttung. Bei Lukas 3,22 erscheint das *Pneuma hagion* zu der vom Himmel ertönenden Stimme in ›körperlicher Gestalt wie eine Taube‹ – und da steht das verräterisch heidnische Wort *Eidos.*

2 A. G. Kästner, Des Pluto Helm. In: Gesammelte poetische und prosaische schönwissenschaftliche Werke II, Berlin 1841, 121. Bezieht sich auf Bernard de Montfaucon, »Antiquité expliquée« I 2 ch. 9.

Das Sakrale ist auch bildnerisch überwiegend im Reflex bewältigt worden. Burckhardt beobachtet an der Kuppel von San Giovanni in Parma, daß Correggio die Vision des Johannes auf Patmos großartig nur im Kranz der ehemaligen Mitapostel des Sehers gelöst habe: *diese gewaltigen Männer auf den Wolken sind Urbilder aller Kraft und plastischen Mächtigkeit;* aber in ihrer Mitte und als ihren Bezugspunkt habe er einen Christus niederschweben lassen, von dem man sagen müsse: für ihn *gebe ich nicht viel.*[3] Doch war, wie Burckhardt am andern Tag bemerkt, der Maler ergriffen von seiner Vision des Überirdischen. Dann aber geht dem Betrachter etwas Erstaunliches auf: die Rückübersetzbarkeit der einmal zur Sichtbarkeit gebrachten Sakralwelt ins Mythische. *Man kann sichs ja auch ins Heidnische übersetzt denken: Prometheus, am Caucasus liegend, sieht seine frühern Genossen, die übrigen Titanen zu sich niederschweben.* Nicht Christus, sondern der Visionär Johannes ist mit Prometheus verglichen, die Apostel mit den Titanen – der schwebende Christus erinnert den Betrachter an niemand.

Die Größe des unsichtbaren Gottes ist hier nicht das Thema, sondern seine Fähigkeit, sogar unabhängig vom Kult und von Kultstätten rein durch das Wort ›real‹ und dadurch, wenn man den Ausdruck verzeiht, unbegrenzt transportfähig zu werden. Dauerfähigkeit über Exile hinweg und Missionsfähigkeit über exotische Distanzen sind nur zwei Aspekte derselben Bestimmung.

In einem Midrasch zum Buch Exodus steht der Satz: *Zwei Dinge begehrte Israel von Gott: zu sehen seine Gestalt und zu hören die Worte aus seinem Munde.*[4] Auch wenn man die Reihenfolge vernachlässigt, ist es erstaunlich, daß dies über dasselbe Buch des Pentateuch gesagt wird, in dem als Gottessatz steht: *Mein Angesicht kannst du nicht schauen, denn es schaut mich kein Mensch und lebt.* Man bedenke: ins Mythische übersetzt könnte dies nur vom Haupt der Medusa gesagt sein. Zwischen dem Bilderverbot Exodus 20,4 und der Todesdrohung Exodus 33,20 besteht ein innerer Zusammenhang der Versagung, die sich zu einem Verzicht auf

---

3 J. Burckhardt an R. Grüninger, Parma 28. August 1878 (Briefwechsel, ed. M. Burckhardt, VI 283; 286). Dazu: Cicerone II 305 ff.
4 Exodus rabba 41,3 in: Theologisches Wörterbuch zum Neuen Testament, ed. G. Kittel, II 371.

Geschichten ausweitet. Doch liegt der Todesdrohung gerade nicht so etwas wie ›Geistigkeit‹ zugrunde. Unsichtbarkeit ist hier Unerträglichkeit eines Anblicks, der bei einem standfesteren oder würdigeren Betrachter prinzipiell möglich wäre. Geistigkeit ist etwas anderes. Im biblischen Bilderverbot ist der denkende Gott noch unbekannt, der zugunsten der Autarkie sich selbst denkende Gott erst recht. Dieser bestimmt die Konzeption eines Prinzips der Welt, das keine der Bestimmungen der Welt tragen darf.

Nichts von dem, was mystische Visionäre jemals über ihre Blicke durch den Spalt der Transzendenz gesagt haben, steht auch nur andeutungsweise im Alten Testament: zu Füßen Gottes liegt Glanz und allenfalls den Saum seines Gewandes erfaßt der Blick des Propheten. Wenn die Vermutung richtig ist, daß die alttestamentliche Bundeslade ein im Wüstenzuge mitgeführter Thron gewesen ist, so war dieser Thron leer.[5] Mehr als die Hand Gottes ist auf keinem der gefundenen archäologischen Bildzeugnisse zu sehen; und dies schon ist erstaunende Freiheit der Verbildlichung, da die Wandbilder der Synagoge von Dura den Eingriff Gottes in das Isaakopfer und die Hand des den Propheten Ezechiel beim Haarschopf greifenden Gottes zeigen.

Aber das Bilderverbot ist ja viel allgemeiner als ein bloßes Gottesbildverbot; es ist vor allem Verbot der Abbildung des Menschen. Da erscheint es als eine nachträgliche Systematisierung, wegen der biblischen Formel von der Ebenbildlichkeit des Menschen mit Gott hätte die Abbildung des Menschen indirekt zum Gottesbild geführt; es sei daher konsequent gewesen, den Menschen in das primäre Bildverbot einzubeziehen. Das ist schön, aber eben Theologengewächs. Näher liegt, den magischen Mißbrauch von Menschenbildern auszuschalten, eine ebenso obskure wie verbreitete Praxis, deren Ausläufer bis in die Epoche der Photographie hineinreichen.

Das Unsichtbare drängt zur dogmatischen Aufbereitung. Auch die Utopie ist von diesem Typus. Ihr Grenzbegriff befiehlt zu denken, was noch keines Menschen Auge je gesehen hat, auch wenn ihre harmloseren Exemplare bunte Einfälle größerer Bequemlichkeit produzieren. Im verschärften Fall resultiert die Utopie aus einer

5 So G. von Rad, Art. eikōn, in: Theologisches Wörterbuch zum Neuen Testament, ed. G. Kittel, II 379.

Summe von Negationen, wenn sie nur auf Vermeidung der Kontamination mit dem Gegenwärtigen eingestellt ist und im Verbot
kulminiert, über das Neuland nach dem Aufbrechen aller Verblendungszusammenhänge positiv ausmalend und anschaulich verbildlichend etwas zu sagen. Das liegt in der Sache, schützt aber zugleich
vor Zweifeln durch imperative Unsichtbarkeit. Es muß verwerflich
sein, die Zukunft auszumalen, wenn man soll vertrauen dürfen,
daß sie sich *mit Notwendigkeit* als Auflösung aller Bedrückung
produziert. Das utopische Bildverbot verlangt Unterwerfung, indem es Geschichten verweigert. Wer das nicht erträgt, gehört zu
denen, die schon bei anderen Gelegenheiten im unseligen Unglauben blieben, weil sie nicht sahen. Es ist erstaunlich, welche verschiedenartigen Ausformungen dieses elementaren Typus in kurzer Zeit
geschaffen worden sind: Barths dialektischer Fremdgott, Bultmanns
Kerygma, Heideggers Sein, Adornos Wiederherstellung des reinen
und unbesetzten Möglichkeitshorizonts als negative Dialektik.
Utopien sind schwach in den Bildern, weil jedes Bild das Ideale
verdirbt: es ist ein unsichtbarer Gott in jeder Form von Glücksbeschaffung für die Menschheit. Daher haben sich auch keine narrativen oder ikonischen Kernbestände für dennoch schildernde Utopien herausgebildet. Der Titel der Utopie hat festgehalten, daß sie
aus dem Reiseroman, aus dem Gedanken der anderweitigen Andersartigkeit hervorgegangen ist, nicht aus der Extrapolation in die
Zukunft. Diese ist erst durch das Hinzutreten der Fortschrittsidee
möglich geworden, macht damit auch schon implizite jede Festlegung zur Häresie, die nur durch Subjektivität behindern könnte,
was sich aus der Logik der Geschichte immanent ›herausstellen‹
wird. Um so stärker werden die Bilder einer unbestimmten Vergangenheit: die Erinnerung an Ägyptens Knechtschaft ist stärker
als die Verheißung des Gelobten Landes. Jahwe blieb immer
deutlicher der Gott, der das Volk aus Ägypten herausgeführt,
als der, der ihm das Land versprochen hatte.
Diese Asymmetrie bedingt, daß die geschichtlich bestimmte, datierbare Vergangenheit überall dort, wo sie Versicherungen über
das Mögliche und Zukünftige zu enthalten scheint, zum Mythos
tendiert. Georges Sorel hat in seiner Theorie der gesellschaftlichen
Mythen Konstruktionen einer unbestimmten Zukunft als dann
wirksam und nur minimal unzuträglich beschrieben, wenn sich in

ihnen *die kräftigsten Tendenzen eines Volkes, einer Partei oder einer Klasse wiederfinden.* Solche Tendenzen müßten sich *unter sämtlichen Lebensumständen dem Geiste mit der Beständigkeit von Instinkten darstellen.* Die diesen Tendenzen Ausdruck verschaffenden Mythen hätten *den Hoffnungen nahe bevorstehender Handlung, auf die sich die Reform des Willens gründet, volle reale Anschaulichkeit* zu verleihen. Dann würden gesellschaftliche Mythen nicht in Konflikt mit den Lebenserfahrungen der durch sie repräsentierten Menschen treten.

Die Beispiele, an denen Sorel diese These mehr als erläutert, sind aufschlußreich. Die apokalyptische Erwartung der frühen Christen habe, trotz ihres Versagens, dem Christentum *einen derartigen Gewinn* gebracht, daß es Wissenschaftler wie den Abbé Loiṣy gebe, die die ganze Predigt Jesu auf den apokalyptischen Mythos beziehen möchten. Luther und Calvin hätten zwar Hoffnungen erweckt, die sich keineswegs erfüllten und erschienen ihren gegenwärtigen Anhängern eher als zum Mittelalter denn zur Neuzeit gehörig; ihre Hauptprobleme seien fast vergessen, und dennoch sei aus ihren Träumen einer christlichen Erneuerung ein *ungeheures Ergebnis* hervorgegangen. Für die Französische Revolution gelte, daß sie ohne ihre Bilder nicht hätte siegen können und daß ihr Mythos utopische Züge trug, weil er *von einer Gesellschaft gebildet worden war, die in die Phantasieliteratur verliebt und von Vertrauen auf die ›Kleinwissenschaft‹ erfüllt war und dabei doch sehr wenig in der Wirtschaftsgeschichte der Vergangenheit Bescheid wußte.* Dennoch sei, obwohl die Utopien nichtig geblieben wären, diese Revolution vielleicht viel weiter gegangen, als sich die Leute hätten träumen lassen, die im 18. Jahrhundert soziale Utopien machten.[6]

Mir scheint, daß Sorel in seiner Theorie des gesellschaftlichen Mythos die Dimension der unbestimmten Vergangenheit unterbewertet und daher zu einer ganz formal aussehenden Funktion des Mythos kommt. Wirksam an den gesellschaftlichen Mythen der Aufklärung war nicht die Definition von Erwartung, sondern die Fiktion von Erinnerungen. Die von Rousseau erfundene Urgeschichte des Menschen als jenes unbedürftigen Naturwesens war, trotz der

6 G. Sorel, Réflexions sur la violence. 1906 (Datum der Vorrede), dt. v. L. Oppenheimer ([1]1928) Frankfurt 1969, 134-147.

ausdrücklichen Feststellung ihres Autors von der Unwiederholbarkeit des Naturzustands, die Proklamierung der Kontingenz jedes je gegenwärtigen kulturellen und politischen Zustands. Darin war sie vor allem die Antithese zu dem anderen die Neuzeit bestimmenden Theorem vom *status naturalis* als dem Inbegriff der Vernunftzwänge zur Begründung staatlicher Herrschaft.

Auch für den frühchristlichen Eschatologismus gilt, daß er nur im Rückblick auf eine chronologisch kaum einfaßbare Geschichte Resonanz finden konnte, in der Gott über die Welt, die Menschheit und sein Volk mit souveränen Dekreten des Heils und Unheils verfügt hätte, so daß ihm als alles besiegelnder Abschluß seiner Herrschaft über die Welt deren Vernichtung und endgültige Erneuerung wohl zugetraut werden konnte. Weder der olympische Zeus noch der aristotelische Philosophengott hätten so großmächtiger Verfügungen über die Welt- und Menschengeschichte für fähig erklärt werden dürfen. Es ist immer die Dimension dahinter, die den Spielraum der definiblen Erwartungen erzeugt. Dieser Spielraum ist jedoch ausschließlich ein Faktor für die Gegenwart, für ihr Selbstverständnis, für die Energie ihrer Prozesse, nicht für deren Zielbestimmtheit. Auch wenn es nur für einen geschichtlichen Augenblick eine christliche Urgemeinde gegeben haben sollte, in der die Bergpredigt zur Lebensregel geworden war oder auch nur zu werden Wahrscheinlichkeit besaß, wäre die ganze apokalyptische Enttäuschung, der eschatologische Zieltremor der ersten Jahrhunderte geringfügig. Sorel faßt seine Beschreibung des *mythe social* als eines die Zukunftsbestimmung versagenden Faktors im Begriff eines Mittels der Wirkung auf die Gegenwart zusammen. Es inhaltlich auf den Verlauf der Geschichte anzuwenden, wäre ohne Sinn.

Im Begriff des sozialen Mythos, den Sorel 1906 erfand, ist das Minimum dessen, was noch den Titel eines Mythos tragen könnte, erreicht. Es wird keine Geschichte mehr erzählt, sondern nur ein Hintergrund von Wünschen, von Ablehnung, von Machtwillen berührt. So wie Sorel vom ›Generalstreik‹ spricht, ist es ein Titel für einen überwältigenden Vorgang einer geballten Willensmanifestation zu einem *Jenesaisquoi*. Die Stärke dieses Endmythos liegt in seiner Exklusionskraft: er ist ein Kanon, ständig zu wissen und zu wollen, was nicht sein darf. Damit aber ist die erstaunliche

Konvergenz mit dem Dogma erreicht, das seinem Ursprung nach der Kanon für den Ausschluß von Häresien ist.

Der soziale Mythos ist das Residuum einer Entmythisierung genau so wie Bultmanns Kerygma, das auf Schritt und Tritt gestattet zu sagen, was Mythos war, und Heideggers Sein, das durch ein ständiges Eliminationsverfahren der Merkmale von Seiendem gefunden wird. Diese Denkform simuliert Antworten auf Fragen, wie sie in theoretischen Zusammenhängen sich unvermeidlich stellen würden, mit dem Mittel der Abweisung von Zudringlichkeit. Allen Abweisungsmustern geht das der Namensnennung als Namensverweigerung im Alten Testament voraus, wo der Gott sich zugleich zu erkennen gibt und vorenthält, indem er sich nennt: *Ich werde sein, der ich sein werde.* So jedenfalls übersetzt Luther, da das Verbum *haja* kein Präsens besitzt, für *ehje ascher ehje,* wofür in metaphysischer Angleichung die Septuaginta *Egō eimi ho ōn* setzt, die Vulgata *Ego sum qui sum.*[7] Die Namensverweigerung in dieser immer geheimnisvoll gebliebenen Formel kann nur dem späten und philosophisch verwöhnten Ohr als ein Stück Seinszuflüsterung erschienen sein.

Die Verweigerung des Bildes, die Verweigerung der Geschichten, das Ausweichen selbst bei der Nennung des Namens, die Isolierung von aller Verflechtung mit Weibern und Kindern, das alles bereitet nur den Verdacht vor, dieser Gott sei auch im Bündnis der Geschichte ein Partner, der unerfüllbare Bedingungen stelle. Diese bei Paulus aus dem Pharisäertum voll herausgetretene Unterstellung erzeugt Verinnerlichung und Überdruck der Erlösungsbedürftigkeit, die seit Ägypten und dem Exil, sogar noch unter der Herrschaft der Römer äußerliche Züge getragen hatte. Daß dieser Gott nach seinem eigenen Bild und Gleichnis den Menschen gemacht haben sollte, nahm nie den Charakter einer zunächst einseitigen, von jeder Gegenpflicht noch freien Obligation an. Sonst wäre auch nicht einsichtig gewesen, weshalb es zu einer neuen Theologie hätte kommen müssen, die das Verhältnis der ebenbildlichen Verwandtschaft durch strikte Identität auf beiden Seiten des Bündnisses ersetzte. Die theologische Hyperbel wird nur verständlich, wenn man das Versagen eines Formulars im Auge hat, das die Festlegung

7 M. Kartagener, Zur Struktur der hebräischen Sprache. In: Studium Generale 15, 1962, 31–39; hier: 35 f.

des Gottes zu unbedingter Hilfe für den Menschen auf hohem Niveau der Ausgangsbedingungen ansetzte.

Mit den Konsequenzen des dogmatischen Monotheismus hat am bittersten Heine abgerechnet, als er sich zu Shakespeares Shylock die Frage stellte, weshalb diese dramatische Person, obwohl als Komödienfigur eingeführt, nur zur tragischen werden konnte. Heines Antwort, nicht im Einklang mit der Entstehung der Tragödie und dem Abbruch ihrer geschichtlichen Möglichkeit, lautet: des Monotheismus wegen, jener *fixen Idee*, für die *die Träger derselben zu schwach sind, um sie zu beherrschen, und davon niedergedrückt und inkurabel werden*.[8] Der Gott dieser fixen Idee ist einer, der nur fordern kann, weil er keine Gegenspieler in konkurrierenden Göttern hat, wie der Olymp, und der Mensch diese Rolle nicht spielen kann. Die der absoluten Forderung adäquate Verhaltensweise sei eben, so Heine, das *Martyrtum*. Ist die Antithese ursprünglich die von Monotheismus und Polytheismus gewesen, so wiederholt sie sich doch als diese nicht. Sie geht über in die endgültige Form der gegenseitigen Ausschließung von Monotheismus und Pantheismus.

Das war nun nicht Heines eigenster Gedanke, der Pantheismus sei die wiederaufgenommene und logische Konsequenz jenes Satzes, alles sei voll von Göttern. Den Sieg des Pantheismus nach dem Monotheismus sieht Heine durchaus nicht als Befreiung von diesem, als Entlastung von der Brutalität der Transzendenz, sondern als Steigerung jenes *Martyrtums* zu einem *Verfolgungsgewitter*, dem nichts Gewesenes gleichkomme. Wenn alles Gott ist, kann niemand mehr einen, seinen Gott haben wollen, wie es in der Überfülle der Götter doch noch den Einstieg und Anknüpfungspunkt des unbekannten Gottes für Paulus in Athen gegeben hatte. Doch spricht alles gegen Heines Konstruktion eines dogmatischen Pantheismus. Diesen hat es noch nie anders als unter der Bedingung der Toleranz gegeben. Wenn alles Gott ist, erreicht die Gewalten-

8 Heine, Shakespeares Mädchen und Frauen. 1838 (Sämtliche Schriften, ed. K. Briegleb, IV 264 f.). Heine geht in Venedig den Spuren des Shylock nach, besucht am selben Tag das Irrenhaus San Carlo und die Synagoge, was ihn zu der ›Entdeckung‹ führt, daß im Blick der Juden *derselbe fatale, halb stiere halb unstäte, halb pfiffige halb blöde Glanz* war wie in dem der Wahnsinnigen, der von der *Oberherrschaft einer fixen Idee* zeugen sollte: *Ist etwa der Glaube an jenen außerweltlichen Donnergott, den Moses aussprach, zur fixen Idee eines ganzen Volkes geworden . . .?*

teilung ihre vollkommene Form: das Herunterspielen des genuinen Konzentrates aller schlechthinnigen Ausgeliefertheit an eine Gegenposition außerhalb der Welt oder gleichgültig zur Welt im Nivellement der Gewalten. Wenn alles Gott ist, verliert der Satz, es gebe einen Gott, seinen Sinn: Pantheismus und Atheismus sind äquivalent in bezug auf die absolute Qualität der Welt.

Es kommt etwas hinzu: Der Pantheismus hat keinen absoluten Zukunftsbezug. Es kann nichts kommen, was nicht schon dagewesen wäre, wenn das All selbst der Gott ist. Die Zukunftsunrast nach der Antike und durch den christlichen Eschatologismus stillzustellen, ist eins der nostalgischen Motive für eine neue Renaissance, diesmal die des hellenischen Kosmos oder der Musen oder der olympischen und dionysischen Götter oder jenes ganz Unbekannten, das vor den Vorsokratikern ›das Sein‹ gewesen sein mag.

Oder liegt alles an der Möglichkeit, glauben zu können, der Messias sei noch nicht gekommen? Der zukünftige Messias ist eine Idee; ihr kann alles an Entbehrung und Bedürfnis als Erwartung aufgebürdet werden. Keine Dogmatik braucht zu bestimmen, wer es sein und welche Natur er haben wird. Der jüdische Messias soll als der ganz und gar Unbekannte kommen – im wörtlichen Sinne als Figur des Noch-nicht-Dagewesenen. Jedes Wort über ihn kann daher Verbot der Bildlichkeit, Zurückweisung des Mythos, Aufhebung der Geschichte sein. Der Rabbi Israel von Rischin lehrte, die messianische Welt werde eine Welt ohne Gleichnisse sein, weil in ihr das Gleichnis und das Verglichene nicht mehr aufeinander bezogen werden könnten. Das heiße doch wohl, kommentiert Gershom Scholem, *daß hier ein Sein auftauchen werde, das nicht mehr abbildfähig ist.*[9]

Reine Erwartung, nur durch Negationen definiert, mag unter den Bedingungen ständig schon gescheiterter geschichtlicher Hoffnungen unseriös wirken. Unter der Voraussetzung, das Ende der Gleichnisse werde nicht aus der Notwendigkeit der Geschichte kommen, sondern als das ihr Entgegentretende, trägt sie den Inbegriff der Wünsche gerade dadurch, daß sie, keinem im besonderen entgegenkommend, die Subjektivität der Glücksvorstellung respektiert und steigert. Die christliche Erwartung einer künftigen *visio beatifica* ist demgegenüber ganz dem Ideal der theoretischen Gegenwärtigkeit

9 G. Scholem, Über einige Grundbegriffe des Judentums. Frankfurt 1970, 166 f.

von Wahrheit verpflichtet – so etwas wie die Projektion des antiken Weisen in den Endzustand der christlichen Seligen. Glück von Theoretikern für Theoretiker, die für vermeintlich niedere Wünsche den Titel ›Glückseligkeitsstall‹ bereit haben.

Der schon vor langem angekommene Messias ist zuerst Erinnerung, dann Verteidigung gegen vermeintliche Fehlbestimmungen durch eine Dogmatik der jeweils größeren Zustimmungsfähigkeit, zuletzt eine Gestalt der historischen Kritik. Als solche droht er unter den Händen seiner späten Theologen zu zerrinnen, die Vertrautheit der historischen Konturen als Gebilde des Synkretismus zu verlieren. Muß gesagt werden, der Messias sei schon dagewesen, sind die Verlegenheiten unausbleiblich, die der Frage auf dem Fuße folgen, was er gebracht habe.

Es muß etwas vorgewiesen werden, und dies kann nach Lage der Dinge außer dem Zeigen zweifelhafter Reliquien nur etwas Unsichtbares sein. In der christlichen Theologie ist es der Thesaurus der unendlichen Verdienste Christi unter Verwaltung einer Institution, die aus der eschatologischen Enttäuschung hervorgegangen ist, daß noch Zeit geblieben und Nötigung entstanden war, sich unter Bedingungen der Welt einzurichten. Die Ökonomie des unsichtbaren Gnadenschatzes erfordert drakonische Sicherungen durch den Verteilungsmodus vom Sakrament bis zum Ablaß und vor allem durch das Dogma. Gnadenstreitigkeiten werden Symptome der paradoxen Situation einer Nachlaßverwaltung des Messias.

Ist er noch nicht gekommen, bewegt er die Phantasie, ohne die Vernunft zu strapazieren. Beweislasten entfallen. Je länger schon gewartet worden ist, um so länger kann noch gewartet werden – das ist fast ein Gesetz geschichtlicher Zeitverhältnisse. Es wird sistiert, sobald es auch nur die Andeutung eines Verfahrens gibt, das Ereignis der Endgültigkeit herbeizuzwingen. Das geschieht etwa durch Zelebration äußerster Sündigkeit als der für den göttlichen Zuschauer der Geschichte unterstellten Unerträglichkeit oder durch den Ansturm der Gesetzeserfüllung auf seine Gunst, den Eifer der Bekehrungen, der eine Bedingung für das Anbrechen des apokalyptischen Heilstages erfüllen zu können glaubt.

Eine energetische Betrachtung scheint ganz zugunsten absoluter Erwartungen auszuschlagen. Dennoch wird sich nie endgültig entscheiden lassen, ob das Wunsch- und Bilderverbot eines futurisch offenen Messianismus die freie Besetzbarkeit jenseits von Mythos, Mystik und Dogma erreichen kann und welchen geschichtlichen Preis das hat. Dazu hat Scholem eindringlich genug gesagt, daß das jüdische Volk den Preis des Messianismus *aus seiner Substanz hat bezahlen müssen.* Die Größe der messianischen Idee stehe in Entsprechung zur *unendlichen Schwäche der jüdischen Geschichte.* Aus ihr kämen nicht nur Trost und Hoffnung. *In jedem Versuch ihres Vollzuges brechen die Abgründe auf, die jede ihrer Gestalten ad absurdum führen. In der Hoffnung leben ist etwas Großes, aber es ist auch etwas tief Unwirkliches.* In diesem Geschichtsverhältnis verliere die Person an Eigengewicht, da sie sich nie erfüllen könne. Der konstitutive Mangel an Vollendung in allem, was jene energetische Spannung auf sich zieht, entwertet die auf die Gegenwärtigkeit ihres Lebens bezogene Person im Zentrum dessen, was man vielleicht ihren ›Realismus‹ nennen könnte. Scholems präziseste Formel für diesen Sachverhalt ist, daß die messianische Idee im Judentum *das Leben im Aufschub erzwungen habe, in welchem nichts in endgültiger Weise getan und vollzogen werden kann.* Darin sei sie *die eigentliche anti-existentialistische Idee.*

Man liest das nicht mehr ohne Anstrengung, sich den Bezugspunkt der Schlußbemerkung zu vergegenwärtigen. Sie stand in einem zuerst 1959 veröffentlichten Vortrag »Zum Verständnis der messianischen Idee im Judentum«, stammt also aus der Dekade des Existentialismus, in der beinahe jeder verstanden haben muß, was mit der Antipodik des Messianismus zu dieser beherrschenden philosophischen Formation gemeint war. Auch der Existentialismus hatte ein Dasein ohne Gleichnisse intendiert, aber ohne Aufschub für diesen Augenblick. Denn ›eigentlich‹ zu sein und in der ›Eigentlichkeit‹ zu existieren, ist selbst die einzige Metapher – aus der Tradition der Unterscheidung von Redeweisen genommen –, die er sich leistete. Im Rückblick läßt sich besser differenzieren. Die messianische Idee als Präsumtion eines imaginativ unfaßbaren Zustandes ist in ihrer Rückwirkung auf die gegenwärtige Verfassung der Person – als deren Losreißung von allen unmittelbaren Erfüllungsansprüchen – freilich anti-existentialistisch. Aber hinsichtlich der ›Wesenlosigkeit‹ des futurischen Zustands genügt sie selbst formal dem Standard der Gleichnisfreiheit, Unübertragenheit und Unübertragbarkeit, den der Existentialismus mit

der Vokabel der ›Eigentlichkeit‹ überschreibt. Sie ist, in einer
weniger neumodischen Sprache, die Substitution von transitiver
Wahrheit (*veritas*) durch intransitive Wahrhaftigkeit (*veracitas*).
Sie besteht nicht in Erkenntnissen, sondern in Entscheidungen, oder
besser: in der Disposition zu ihnen, der Entschlossenheit zu dem,
was noch nicht ist und sich nicht aus dem bestimmt, was ist. Eine
Welt der Entschlossenheit ist auch eine Welt ohne Gleichnisse.

Die Wendung von der Welt ohne Gleichnisse ist, wie sich von selbst
versteht, auch gegen die Sprechweise des Neuen Testaments gesagt,
das Reich der Himmel gleiche diesem und jenem. Nur daß der
Sprecher der Gleichnisse sich im Prozeß der Dogmatisierung selbst
der Gleichnishaftigkeit entzieht, um den ganzen Ernst des Realismus zu gewinnen, daß der Mensch nicht mehr eine Episode, nicht
mehr der provisorische Weltfunktionär, sondern das bleibende
Schicksal der Gottheit geworden sei. Damit das nun nicht als das
unerträgliche, von der Willkür der menschlichen Sündhaftigkeit abhängige Faktum erscheint, denkt sich die Scholastik in ihrer fran-
ziskanischen Linie einen dogmatischen Kunstgriff aus, der, obgleich
niemals offizielle Lehre der Kirche geworden, die Menschwerdung
ihrer bloßen Geschichtlichkeit entzieht. Die Lehre des Duns Scotus
von der ewigen Prädestination des Gottessohnes zur Menschwerdung macht die Geschichte des Menschen vor der Absicht Gottes
mit ihm gleichgültig. Seine Realität hatte Äquivalenz mit seiner
Idealität gewonnen. Durch Akzentuierung der Zeitlosigkeit des
Heilsbeschlusses wird der Verlegenheit begegnet, daß seine Realisierung kontingent datierte Vergangenheit geworden war. Die ewige
Prädestination des eingeborenen Sohnes zum Menschensohn war
der äußerste Gegenpol zu jener Charakteristik, die Irenäus von
Lyon für die christologischen Mythologeme der Gnostiker gegeben
hatte; nach ihren Lehren war Jesus durch Maria hindurchgegangen
wie Wasser durch eine Röhre fließt: *dicunt Jesum, quem per Mariam dicunt pertransisse, quasi aquam per tubum* . . .

Hat sich ein Theismus je leisten können, den menschlichen Bedürf-
nissen zu widersprechen, alle Verzichte zugunsten der absoluten
Reinheit des Begriffs zu leisten? Sich Zugeständnissen an nationale
Identifikation, an ästhetische Optik und Akustik des Kults, an
Bilder, an Wünsche nach Seelenversorgung zu versagen? Würde
das nicht die Goldenen Kälber aus dem Boden stampfen?

Als in den dreißiger Jahren die Rede von dem neuen deutschen
Mythos des zwanzigsten Jahrhunderts war, erschien es als akute
Frage, welche geistige Bestandsform Unanfälligkeit gegen diesen
Mythos geboten hätte. Anläßlich einer Äußerung von Einstein
über Hindenburg notiert Thomas Mann in sein Tagebuch, es sei
darauf, daß die Juden keinen Mythos hätten und ihr Hirn *unver-
kleistert vom Mythus* sei, ihr größerer Wahrheitssinn zurückzuführen.[10] Sofern das nicht nur ein Stück Völker- oder Religions-
psychologie sein sollte und nicht nur zu der antithetischen Äußerung Gelegenheit gab, die damalige innerdeutsche ›Bewegung‹ sei
*ein wahres Sich sielen des deutschen Gemütes in der mythischen
Jauche* – sofern es also mehr sein sollte als dies, mußte es die Disziplin eines begriffsreinen Monotheismus als Reservat der Mythen-
resistenz begünstigen. Aber fast gleichzeitig, da er von dem *falschen und zeitverhunzten ›Wiederkehr‹-Charakter dieses Rummels*
schreibt, ist der Verfasser der Joseph-Tetralogie dabei, das monu-
mentale Epos der Wiederkehr des Gleichen zu schreiben und noch
unbegriffen ein Programm auszuführen, das er 1941 unter dem
Stichwort ›Mythos plus Psychologie‹ definiert: *Man muß dem intellektuellen Faszismus den Mythos wegnehmen und ihn ins Humane
umfunktionieren. Ich tue längst nichts anderes mehr.*[11]
Als er dann nach dem biblischen Mythos den deutschen des Faust
erneuerte, kamen ihm an diesem Konzept Zweifel. Im September
1943 beginnt er das neunte Kapitel des »Doktor Faustus« und
bemerkt zu seiner Verwirrung, wie die Ergriffenheit von gelesenen

10 Tagebücher 1933-1934, ed. P. de Mendelssohn, Frankfurt 1977, 497 (5. August 1934).
11 Thomas Mann an Karl Kerényi, 7. September 1941 (Gespräch in Briefen.
1Zürich 1960; 2München 1967, 107). Die Formel von der Verbindung zwischen
Mythos und Psychologie ist viel älter, reicht bis in die Anfänge des »Joseph«
zurück: in einem Brief an Jakob Horowitz vom 11. Juni 1927 heißt es, seine Absicht sei, die Wiederverwirklichung des zeitlosen Mythos psychologisch zu motivieren (Briefe I. 1889-1936. Frankfurt 1962, 270-273). 1934 dann, in der »Meer-
fahrt mit Don Quijote«, ist die Verteidigung der eigenen Rationalität des Mythos
gegen die mit dem Titel verbundenen modischen Irrationalismen programmatisch
geworden: *Als Erzähler bin ich zum Mythus gelangt – indem ich ihn freilich, zur
grenzenlosen Geringschätzung der nichts als Seelenvollen und Möchtegern-Bar-
baren, humanisiere, mich an einer Vereinigung von Mythus und Humanität versuche, die ich für menschheitlich zukünftiger halte als den einseitig-augenblicks-
gebundenen Kampf gegen den Geist, das Sich-beliebt-Machen bei der Zeit durch
eifriges Herumtrampeln auf Vernunft und Zivilisation.*

Proben des Buches sich mit einem *eigentümlich verfrüht wirkenden Patriotismus* in der deutschen Emigration zu verbinden begann. Es stimmt ihn bedenklich, und er erfaßt es als Warnung *vor der Gefahr, mit meinem Roman einen neuen deutschen Mythos kreieren zu helfen.*[12] Die ganze Fülle der Fragen um Besitz oder Freiheit von Mythos ist in diesen Notizen berührt. Erleichtert es den Wahrheitssinn, wenn man nur geringen Wahrheitsbesitz beansprucht? Ist der Begriff der Aushebung der Bildbestände gewachsen oder muß nur das Monopol der Bilderverwaltung angefochten, die unausrottbare Bedürfnisstelle durch anderes, durch den humanisierten Mythos, umbesetzt werden? Oder wird schließlich jedes Angebot des Mythos in den Strudel der vagen Bedürfnisse einer einmal gefaßten Selbstdefinition hineingezogen, unweigerlich in den Dienst der jeweiligen Entbehrungen gestellt?

Befragt man die geschichtliche Erfahrung der Neuzeit, so ergibt sich die unvergleichliche, aber wenig beherzigte Lehre, die aus dem Besitz der Wissenschaften und ihrer Geschichtsform hätte gezogen werden können: den Nicht-Besitz von Wahrheit als das zu sehen, was – im Gegensatz zur Verheißung, die Wahrheit würde frei machen – solcher Freimachung noch am nächsten kommt. Es mag sein, daß die Geschichte der Wissenschaft noch zu kurz ist, um dieses Fazit aus dem Umgang mit ihr dem Bewußtsein der Epoche manifest zu machen. Aber es besteht Grund zu der Befürchtung, daß der Überdruß an derselben Wissenschaft sich gerade auf ihr Verfahren der ständigen Retraktation, auf Überholung und Übergang als Modalität ihres Erkenntnisbesitzes, bezieht und begründet. Dann wäre, noch ehe der größte Gewinn aus dem Zeitalter der Wissenschaft gezogen werden könnte, der in ihrer Erkenntnisform selbst besteht, die Einbringung dieses Ertrages am Unwillen gegenüber dem vorausgesetzten Aufwand gescheitert.

Wenn es richtig ist, daß der vermeintliche Besitz zu vieler Wahrheiten die Wahrheit verdirbt, den Sinn für Wahrheit und zumal den für die Wahrheit anderer, dann war die Aufklärung im Recht, das wichtigste der Kriterien für die Differenz zwischen Mythos und Dogma in der Toleranz zu sehen. Es habe keine Störung des Friedens durch die »Theogonie« gegeben, sagt Voltaire und erklärt

12 Die Entstehung des Doktor Faustus. Roman eines Romans. Amsterdam 1949, 52.

dies als bewunderungswürdigen Zug der Antike. Es könnte zugleich Hoffnung in die Philosophie zu setzen berechtigen, obwohl sie ihre Gleichartigkeit mit der Theogonie und ihre Andersartigkeit zum Dogma noch nicht unter Beweis gestellt habe. Es sei *sehr unanständig, sich wegen Syllogismen zu hassen.*[13] Gerade weil die Idee der Gerechtigkeit eine Wahrheit ersten Ranges ist, der universale Zustimmung sicher bleibt, würden *die größten Verbrechen, die die Gesellschaft heimsuchen, unter einem falschen Vorwand von Gerechtigkeit begangen.*[14] Auch die Philosophie scheint geneigt, das von ihr entwickelte Ideal der Toleranz unter dem vermeintlichen Diktat höherer Ideale zu mißachten. Die Vielheit der philosophischen Schulen hat schon in der Antike bei den Skeptikern und nun bei dem Aufklärer die Annahme erweckt, sie alle seien gleichermaßen dogmatisch. Nur wenn das zentrale Thema der Philosophie die Moral werde, habe sie mit jenen Positionen und Differenzen ihrem Wesen nach nichts mehr zu tun: *Insofern alle Philosophen verschiedene Dogmen hatten, ist es klar, daß das Dogma und die Tugend ihrer Natur nach völlig anders geartet sind.*[15]

So verblüffend sich dies zunächst ausnimmt – der Mythos wird für den Aufklärer zum reinen Präzedenz der Unabhängigkeit moralischer Bindung von dogmatischen Setzungen, von theoretisch-inhaltlichen Gegebenheiten: *Ob sie an Thetis, die Göttin des Meeres, glaubten oder nicht, ob sie vom Kampf der Giganten und dem Goldenen Zeitalter, von der Büchse der Pandora und dem Tod der Pythonschlange überzeugt waren oder nicht – diese ganze Götterlehre hatte mit der Moral nicht das Geringste zu tun. C'est une chose admirable dans l'antiquité que la théogonie n'ait jamais troublé la paix des nations.* Voltaire hat immer die Inder oder Chinesen bei der Hand, um zu demonstrieren, daß nichts so fabelhaft oder absurd sei, um nicht geglaubt werden zu können, doch mit der Versicherung, aus solchen Gewißheiten ergäben sich für das moralische Empfinden und dessen Sicherheit im wesentlichen Kern keine Folgen und keine Differenzen.

Da steht offenbar die Philosophie hinter dem Mythos zurück, indem gerade sie diese Verbindung zwischen ihren theoretischen

13 Voltaire, Le Philosophe Ignorant (1766) XXIX.
14 Voltaire, a. a. O. XXXII.
15 Voltaire, a. a. O. XLVIII.

und ihren praktischen Grundlegungen herzustellen beansprucht. Es gibt, das ist Voltaires Voraussetzung, keine moralische Dogmatik. Die Philosophie aber, im Bestreben auf Begründung für das, was der Begründung nicht bedarf, dogmatisiert die Moral – ebenso wie es die Theologie getan hatte – und macht sie dadurch erst empfindlich für Zweifel und Kritik an ihren Grundlagen. Der Mythos hingegen war gerade darin, daß er auf seiner ›theoretischen‹ Seite phantastisch und hypertroph ist, ohne Auswirkung seiner Varianten und Widersprüche auf die Moral.

Im Paradox gesagt – und obwohl unter Voltaires Beispielen sich kein frivoles befindet wie sonst unter seinen Beispielen, um hier den Eindruck nicht zu trüben: Die Unmoral des Mythos in seinen Inhalten ist eine Art Schutz für die Moral in ihrer Unabhängigkeit von diesen Inhalten. So sollte man, ist doch wohl die Folgerung, auch die Differenzen und Widersprüche der Philosophen betrachten, obwohl sie selbst dies nicht zugestehen würden: *Was bedeutet es für den Staat, ob man die Auffassung der Realisten oder der Nominalisten teilt? ... Ist nicht sonnenklar, daß all dies dem wahrhaften Interesse einer Nation so gleichgültig zu sein hat wie die gute oder schlechte Übersetzung einer Stelle von Lykophron oder von Hesiod.*[16] Vergißt Voltaire, daß er immer geglaubt, zumindest praktiziert hatte, im Dienst einer ›guten Sache‹ müsse auch, wenn nicht vor allem, gut geschrieben werden? Was übrigens noch nichts zu tun hat mit der aus einer anderen Quelle kommenden Gebrauchsanweisung, wo gut geschrieben werde, könne nur eine ›gute Sache‹ im Spiel sein. Erkennbar aber wendet sich Voltaire von den cartesianischen Voraussetzungen der frühen Aufklärung ab, der Zusammenhang von Physik und Moral, von Wissenschaft und Lebensführung, von Theorie und Praxis sei ein Bedingungsverhältnis: die Vollendung der Naturerkenntnis werde *alles* bereitstellen, was einer sachgemäßen *morale définitive* Geltung und Bestand verschaffen müsse. Davon hatte doch noch das Pathos Fontenelles gelebt, der die Identität von Wissenschaft und Aufklärung einem Jahrhundert vorgestellt hatte.

Fontenelles Erwartung steht Voltaires Erfahrung entgegen, dem die Anschauung der Wissenschaftsgeschichte seiner Zeit, der ihm unbegreiflichen Unentschiedenheit zwischen Cartesianismus und

16 Voltaire, a. a. O. II.

Newtonianismus, das Feld der Theorie als Raum der dogmatischen
Intoleranz aufgedeckt hatte. Die Wehmut des Rückblicks auf den
Mythos impliziert die Neutralität seiner Geschichten, in ihren Widersprüchen und selbst in ihrer Unmoral, für den privaten und
öffentlichen Standard der Lebensnormen. Die große Überraschung
ist, daß die theologische Dogmatik nur ein Spezialfall des Bedürfnisses ist, über das Unsichtbare – seien es die Wirbel oder die
Gravitation, die Trinität oder die Gnade – Genaues zu wissen und
niemand zu gestatten, anderes darüber zu behaupten. Und dies aus
dem Grund der Annahme, von der Wahrheit oder sogar nur *einer*
Wahrheit hänge schlechthin *alles* ab, von der Endlichkeit eines
Satzes eine Unendlichkeit von Folgen. Dieser Sachverhalt war
Voltaire gegenwärtig durch das von ihm erbittert befehdete Argument der Wette Pascals.

Es war ein Argument des absoluten Ernstes gewesen, die nie über-
troffene Reindarstellung des dogmatischen Kalküls, nichts könne
zu viel sein und zu schwer oder zu genau genommen werden, wenn
es um alles gehe. Der Kern der mehrfachen Empörungen Voltaires
gegen den Kalkül auf das Unendliche ist, daß an der Existenz
Gottes kein überwiegendes Interesse des Menschen im Vergleich zu
dem an seiner Nichtexistenz bestehe.[17] Aber Voltaire hat gar nicht
auf die *andere* Seite der Relation hingesehen, auf die Feststellung,
das *endliche* Leben sei ein nichtiger Einsatz gegen den möglichen unendlichen Gewinn. In dieser unerwogenen Prämisse ist das endliche
Leben *von außen* betrachtet, immer als das des anderen, den der
Denker wie ein Zuschauer bei Annahme oder Verwerfung der Wette
vor sich hat. Von innen gesehen, als das einzige Leben, das einer für
sich hat, ist es gerade wegen seiner Endlichkeit der schlechthin unüberbietbare, in diesem Sinn ›unendliche‹ Wert, der nicht ›Einsatz‹
in einer ›Gewinnstrategie‹ werden kann, den keine Summierung
anderer Werte erreicht. Pascals Wette — wie alle anderen Glücks-
zwangangebote der Neuzeit mit dogmatischen Koeffizienten — ist
eine Rechnung, die immer *für andere* aufgemacht wird.

17 Remarques sur les Pensées de Pascal (1738, wahrscheinlich zum Teil schon
1728 geschrieben). Dernières Remarques (1778). Dazu: J. R. Carré, Réflexions
sur l'Anti-Pascal de Voltaire. Paris 1935. – Zum Rang der Pascal-Kritik Voltaires führe ich nur Jean Pauls »Komischen Anhang zum Titan« an, daß Voltaire
Pascal *auf eine Weise rezensierte, die ewig das Muster aller Rezensionen geniali-*
scher Werke ist und bleibt.

Vielleicht wäre der nächste Schritt in dieser Überlegung gewesen, überhaupt die Bedeutungslosigkeit von Überzeugungen für das Verhalten zu vermuten oder zu unterstellen. Sokrates ist nicht verurteilt worden, weil er keinen Glauben an die Götter hatte oder bestimmte Überzeugungen seiner Umwelt nicht geteilt hätte. Er wurde todesschuldig, weil er die Götter der Polis nicht verehrte oder andere in ihrer Verehrung zu beirren im Verdacht stand. Öffentliches Interesse – und mit diesem identifiziert sich Voltaire – besteht nur am Verhalten der Menschen, nicht an den Motiven, die sie zu diesem Verhalten bestimmen. Das mag oberflächlich gedacht sein, denn die Stabilität und Zuverlässigkeit des Verhaltens, also dessen Sicherheit für die Zukunft, liegt sehr wohl an der Deutlichkeit der Gründe, die sie dafür haben. Zu den öffentlichen Interessen gehört, für jederlei Situation, auch bei Abschwächung konformistischer Zwänge, auf das vertrauenswürdige Verhalten der Bürger in der Polis rechnen zu können. Das ist der Punkt, an dem das Verborgene, die Motive, die Begründbarkeiten selbst zum öffentlichen Interesse werden, also die Moralität ein Bedingungszusammenhang der Legalität, zwar nicht immer ist, aber doch werden kann. Dabei kommt dem Mythos keinerlei Funktion, keinerlei Effektivität, keinerlei Vertrauenswürdigkeit zu. Er lebt von der Leichtfertigkeit der Annahme, es komme auf die Erklärungsfähigkeit der Welt und die Begründungsbedürftigkeit des Verhaltens in ihr nicht an.

Hinter manchen Texten Voltaires steht der Gedanke, daß es leichter ist, sich tugendhaft zu verhalten, wenn man nicht allzu viele feste Meinungen, dogmatische Überzeugungen, insgesamt ›Wahrheiten‹ besitzt. Der Mythos füllt, von dieser Setzung her gesehen, den Hohlraum aus, in welchem sich sonst Wahrheiten anzusiedeln pflegen. Für Jacob Burckhardt ist dies in dem symptomatischen Sachverhalt angezeigt, das einflußreichste Orakel der Hellenen, das von Delphi, habe bei all seiner Autorität *niemals eine religiöse Wahrheit von allgemeiner Bedeutung ausgesprochen.* Offenkundig habe auch keiner der dort Anfragenden vor dem Ausgang der rein griechischen Zeit vorausgesetzt, *daß der Gott auf dergleichen eingehen würde.*[18]

18 Burckhardt, Griechische Kulturgeschichte III 2 (Gesammelte Werke VI 29).

Der Mythos hat einen implikativen Wirklichkeitsbegriff.[19] Was er in seinen Geschichten und an seinen Gestalten als geltende Wirklichkeit zu verstehen gibt, ist die Unverkennbarkeit von Göttern, sofern sie erscheinen wollen, die Unbestreitbarkeit ihrer Anwesenheit für den Gemeinten, zu der das Vorher und Nachher weder etwas beitragen noch sie zweifelhaft machen kann. Das ist aber nicht die Geltung, die der Mythos sich zuzugestehen fordert oder gar zwingt, für die er auch nur wirbt oder gefügig macht, die anzuerkennen er mit Prämien belegen würde. Daß die, von denen er erzählt, Erfahrungen mit Göttern in dieser momentanen Unumgänglichkeit haben sollen, bedeutet nichts für die, denen es erzählt wird.

Wie der Gott erscheint, differenziert mythische und dogmatische Bewußtseinsform. Es braucht noch nichts an der Fraglosigkeit der Erzählung zu ändern, ein Gott könne erscheinen und darin jeden Zweifel beheben, er sei ein solcher, wenn sich die Art der Demonstration, der Aufwand der Gegenwärtigkeit, die Instrumentation der Evidenz wesentlich unterscheiden. Wohl nur ein einziges Mythologem hat diese Differenz als eine der göttlichen Erscheinung selbst: die Geschichte der Semele als einer aus der Vielheit der mythischen Mütter des Dionysos.

Semele war die einzige Geliebte des Zeus, die sich mit der Gestalt, in der er ihr erschien und beiwohnte, nicht zufrieden geben wollte. Das war ihr Verderben und von der eifersüchtigen Hera so gewollt, die ihr in der Gestalt ihrer Amme eingeflüstert hatte, sie solle sich der wahren Gestalt ihres Liebhabers vergewissern, sonst habe sie es womöglich mit einem Ungeheuer zu tun. Zeus muß, wenn sie sich seinem Wunsch weiter fügen soll, bei Styx schwören, ihr eine Bitte zu erfüllen; dem Nachgiebigen verlangt sie ab, ihr in derselben Gestalt beizuwohnen, in der er zu Hera käme. Für das, was nun geschieht, gibt es verständlicherweise zwei Versionen. Nach der einen muß sterben, wer den Gott in seiner wahren Gestalt sieht; Semele kommt vom stupenden Erlebnis der Epiphanie mit dem Dionysos nieder und stirbt. Nach der anderen Version erscheint ihr Jupiter als Blitz, der sie erschlägt, so daß der noch unausgetragene Dionysos der toten Mutter entnommen und in den

19 H. Blumenberg, Wirklichkeitsbegriff und Wirkungspotential des Mythos. In: Poetik und Hermeneutik IV, ed. M. Fuhrmann, München 1971, 11-66.

Schenkel des Zeus eingelegt werden muß. Die zweite Version ist das geschlichtete Mißverständnis der ersten.

Man erkennt es daran, daß Zeus sein Versprechen auf eine verfälschende Weise hält, denn der Blitz ist nicht seine wahre Gestalt, sondern sein Attribut, das Instrument seines Zorns und seiner Strafe. Was durch die Erscheinung als Blitz ›übersetzt‹ wird, ist die den Griechen unverständliche Voraussetzung aus dem phrygischen Herkunftsraum der Semele: Wer den Gott sieht, muß sterben. Das wäre im griechischen Mythos nicht gegangen: Zeus war der Semele als Zeus erschienen, sie wußte, mit wem sie es zu tun hatte. So erzählt denn auch Ovid nur, daß er den Schwur erfüllt, indem er sich den unentrinnbaren Blitzstrahl, das *inevitabile fulmen,* vom Himmel herabholt, seine Zorneskraft und flammende Wut aufs äußerste reduziert und damit in das Vaterhaus der Semele eintritt, die an der Brandwirkung zugrunde geht. Hesiod hat die ihm unverständliche Geschichte nur angedeutet, weil er den strahlenden Sohn des Zeus, den vielerfreulichen und todüberhobenen Dionysos, unter den Zeussöhnen erwähnen muß, von der Mutter aber nur zu sagen braucht, die einstmals Todverfallene sei nun ebenso Göttin wie ihr Sohn ein Gott.[20]

Ovid hat die Inkonsistenz der Geschichte unter ihren beiden heterogenen Voraussetzungen nicht ganz bewältigen können. Der verderbliche Rat der Hera weicht erkennbar ab von dem, was die Geliebte des Zeus dann unter dem Eid ihres Liebhabers tatsächlich fordert. Im Kontext der griechischen Vorstellungen von Göttern weiß Hera, daß es keinen Unterschied gibt zwischen der Gestalt, in der ihr Gatte zu ihr kommt, und der, die er für Semele zeigt. Deshalb erweckt sie einerseits das Mißtrauen, es könne sich ein anderer unter dem Namen des Gottes in das keusche Gemach gedrängt haben, andererseits das Spiel mit dem Gedanken, es genüge nicht, daß es tatsächlich Zeus sei: *nec tamen esse Iovem satis est . . .*; er müsse sie auch genau so umarmen wie die Gattin: *tantus talisque.* Als dazu gehörend suggeriert sie der Rivalin, von dem Gott zu fordern, sich auch mit den Attributen seiner Erkennbarkeit für sie auszustatten: *suaque ante insignia sumat!* Von der Eifersüchtigen her ist dies der entscheidende, nämlich verderbliche, Teil

20 Theogonie 940-943. Dazu der Kommentar von W. Marg in: Hesiod, Sämtliche Gedichte. Zürich 1970, 291 f.

des Wunsches, denn er zielt auf den Blitz. Tatsächlich vergißt der
Dichter, worauf es ankommt. Er läßt Semele nur das eine wünschen, der Gott solle für sie der sein, der er für die Gattin ist: *da
mihi te talem!* Was die Versucherin unterschieden hatte, vergißt
Semele zu wünschen, aber Zeus nicht zu gewähren. Er *holt* den
Blitz und erscheint *mit* dem Blitz, nicht *als* Blitz.[21]
Dann wäre, was der späteren Göttin zunächst den Tod bringt,
nicht der Anblick des Gottes, sondern sein Zorn, mit dem er, zwar
den Eid einhaltend, doch den Wortlaut des Wunsches überbietet
und so perniziös macht. Die Unstimmigkeiten machen greifbar, daß
im Hintergrund ein für die Griechen unverständlicher Sachverhalt
steht, der den Menschen die Evidenz des Gottes nur über die Unerträglichkeit seiner Gegenwart erfahren läßt.
Der Wirklichkeitsbegriff der momentanen Evidenz umfaßt also
ungleiche Gewißheitsmodi. Der Ausruf der cumeischen Sibylle bei
Vergil: *deus ecce deus* – Der Gott! sieh, der Gott! –, als Aeneas
und seine Begleiter die Orakelgrotte betreten, verweist eben darauf, daß man solcher Anwesenheit ohne Terror und Tödlichkeit
gewahr wird, auf sie hingewiesen werden kann. Im Vergleich dazu
denke man an die Niederstreckung des Paulus bei seiner Damas-
kus-Vision.
Aeneas hatte auch nicht gezweifelt, als Jupiter ihm den Hermes
mit dem Befehl schickte, die Dido zu verlassen und seine Reise
fortzusetzen; obwohl ihm Unglaubliches zugemutet wird, zögert er
so wenig wie Abraham, als er den absurden Befehl erhält, den
einzigen und späten Sohn zu opfern. Der biblische Gott hat eine
sinnenfällig unwiderstehliche Wucht seiner Erscheinung, jenen un-
beschreiblichen und unübersetzbaren ›Glanz‹, die *doxa* der Septuaginta, die als latinisierte *gloria* zur spekulativen Identifikation
mit dem römischen ›Ruhm‹ – dem Inbegriff aller Ziele der Gottheit
mit den Engelchören, der Welt und den Menschen – wird. Denn

---

21 Metamorphosen III 253-309. Hederich, Goethes mythologischer Ratgeber, hat
die Geschichte vorsichtig formuliert: *Allein, so bald er nur mit dem Blitze erschien, erschrack Semele dergestalt, daß sie mit dem Bacchus zur Unzeit nieder-
kam, und, da alles um sie zu brennen anfieng, dabey selbst ihr Leben verlor.*
(Gründliches Mythologisches Lexikon. ²Leipzig 1770, 2184-2186; Ndr. Darmstadt 1967). – Der Unterschied der griechischen und lateinischen Namen ist von
mir, um die Erörterung nicht unübersichtlich zu machen, ausgeglichen worden,
Zitate ausgenommen.

nach dem Autarkieprinzip kann dem Gott nicht gestattet sein, andere Gegenstände und Ziele als sich selbst zu haben. Dieser Bedeutungswandel des *kabod* Jahwes, der auf dem Boden des griechischen Mythos nicht möglich gewesen wäre, gehört zu den Prämissen der christlichen Dogmatik, wobei aus einem Titel für ein subjektives Erlebnis des Ausgezeichneten der Gotteserscheinung ein epochaler systematischer Grundbegriff für den Weltzweck entwickelt wird.[22]

Es gibt nicht so etwas wie ›Anhänger‹ des Mythos. Was auf die Benennungen durchschlägt, indem es auf einen Satzbestand strikt festlegt, ist die dogmatische Form nicht nur des Denkens, sondern der Institution. Auch insofern ist das Dogma eine Denkform der Selbstbehauptung. Der Modalität von Sätzen, an denen sich die Geister scheiden können und sollen, und den ihnen zugehörigen Ausschlußformen des Anathema geht eine Einstellung voraus, die einen Kernbestand der verteidigungswürdigen Verhaltensformen und Aussagen für definierbar hält. Dagegen ist die mythische Denkform gekennzeichnet durch die fast unbegrenzte Vereinigungsfähigkeit heterogener Elemente unter dem Titel des ›Pantheon‹. Noch ihre frühesten uns greifbaren Zeugnisse sind, um ein historisches Schlagwort für den Zustand der Spätantike zu übertragen, Synkretismen. Ovid hat in seiner Dichtung über das pagane ›Kirchenjahr‹, den römischen Festkalender, in den »Fasti«, das Pantheon-Prinzip als Konsequenz des Mythos auf den kürzesten Vers gebracht: *Dignus Roma locus, quo deus omnis est.*

Was dem Mythos fehlt, ist jede Tendenz zur ständigen Selbstreinigung, zum Bußritual der Abweichungen, zum Abstoßen des Unzugehörigen als dem Triumph der Reinheit, zur Judikatur der Geister. Der Mythos hat keine Außenseiter, die die dogmatische Einstellung benötigt, um sich unter Definitionsdruck zu halten. Wovon sie bedrängt wird, das erzeugt sie sich ständig selbst:

---

22 G. von Rad/G. Kittel, Art. *doxa,* in: Theologisches Wörterbuch zum Neuen Testament II 235-258: die Wiedergabe von hebr. *kabod* durch griech. *doxa* habe einen *Eingriff in die Gestaltung des Sprachgebrauchs von ungewöhnlicher Tragweite* vollzogen, eine *Umprägung des griechischen Wortes, wie sie stärker nicht gedacht werden kann* (248). Der Autor sieht den Wandel darin, daß der Ausdruck für subjektive Meinung zu dem *des Objektivums schlechthin,* der *Gotteswirklichkeit,* wird. Eine weiträumigere Betrachtung bis zu *gloria* hin wird das wohl umgekehrt sehen müssen.

Häretiker. Diese hatten jeweils lange und zumeist unbefangen geglaubt, an der einen und gemeinsamen Sache tätig zu sein, um eines Tages ein Stück Bestimmtheit *zu viel* zu riskieren, das sich als nicht durchsetzbar erwies. Angebote zur Zustimmung gibt es hier nicht. Wer *etwas* behauptet, riskiert *alles*.

Origenes ist das bedeutendste Beispiel. Der Begründer der ersten systematischen Theologie des Christentums wird fast zwangsläufig zum Häretiker und ist wie wenige andere noch an seinem Nachlaß, an seiner großen Wirkung von diesem Schicksal getroffen worden. Markion war ein scharfsinnig reduktiver Geist gewesen; Origenes ist eine fast mit den Maßen der scholastischen Summe zu messende konstruktive Intelligenz. Der Unterschied von Theologie und Philosophie blieb ihm fremd; Erkenntnis wie Offenbarung waren Elemente einer homogenen Wahrheit. Diese Elemente nannte er erstmals im positiven Verstande *dogmata*.

Der Ausdruck war belastet durch die stoische Voraussetzung, daß philosophische Schulen zu erkennen seien an ihren Dogmen und ihre Ausschließlichkeit gegeneinander, ihre Unverfugbarkeit zu einer systematischen Totalität, das Dogmatische an ihnen sei. Deshalb wird eine neue und einzigartige Unterscheidung fällig, die zwischen *ecclesia* und *secta;* zwischen dem, was es nur im Singular geben soll und darf, und dem, was in ständiger Abspaltung und Zersplitterung begriffen war oder sein sollte. Das Zentrum wurde bestimmt von dem, was an den Rändern und Grenzen geschah. Wer Kirche sein würde, entschied sich dadurch, wer die Definitionsgewalt – auch im Bündnis mit der staatlichen Macht – gewann, andere zu Schulen zu erklären. Markion hatte das als erster erkannt und für seine Anhängerschaft die Bezeichnung *ecclesia* in Anspruch genommen. Als die Kaiser Gratian und Theodosius die Sache in die Hand nahmen, wurden 381 den Marcioniten wie anderen Häretikern die Selbstbezeichnungen als ›Kirche‹ ebenso wie die Amtsbezeichnungen der Großkirche verboten.[23] In dem 12. Anathema des Fünften Konzils wird dem verwerflichen Theodor von Mopsueste als Schlimmstes vorgeworfen, er habe nicht nur Christus mit Plato und dem Manichäer sowie Epikur und Markion verglichen,

23 Codex Theodosianus XVI 1-2, bei: A. v. Harnack, Marcion. ²Leipzig 1924, 366* f. Doch noch im Dekret XVI 5 von 412 werden die Gefolgschaften der Häretiker von höchster Stelle als *ecclesiae* bezeichnet.

sondern auch den ›dogmatischen‹ Charakter des Verhältnisses von Lehrer und Schule dort und hier, wonach jeder dieser Lehrer sein eigenes Dogma (*oikeion dogma*) erfunden habe und mit Bezug darauf seine Schüler sich seinen Namen zulegten: *simili modo et cum Christus dogma invenisset, ex ipso Christianos vocari.*[24] In diesem Konzilstext steht das Wort ›Dogma‹ genau in dem fast historistischen Verständnis, das in der Stoa begründet worden war. Dabei klingt immer mit, daß das griechische Wort mit dem lateinischen *decretum* wiedergegeben wurde und man darin die rechtssprachliche Provenienz, den Charakter historischer Setzung durch ›Erlaß‹, betont finden konnte. Augustin benutzt das griechische Wort mit der platonischen Abschätzigkeit gegenüber der Wurzel *dokein* und *doxa*: *dogmata sunt placita sectarum.*[25]

Was in der Disziplin der Dogmengeschichte thematisch geworden ist, ist ohne einen Zuschuß von Historismus beim Begriff des Dogmas nicht denkbar und daher auch erst im neunzehnten Jahrhundert unter diesem Titel faßbar geworden. Aber der späte historische Gebrauch des Begriffs schließt nicht aus, daß das, was an Sätzen und Satzzusammenhängen dadurch thematisiert wird, als Denkform hinter diesen Fakten und als deren Basis vorgängig da war: Sich auszuweisen als Angehöriger einer Gemeinschaft durch die Annahme bestimmter Sätze und die Ausschließung anderer, macht diese Sätze erst zu Dogmen. Die Bereitschaft, sich in ihnen auszudrücken, macht die dogmatische Denkform so wenig, wie die ›Symbole‹ (*symbola fidei*) – an denen man sich erkennt und mit denen man sich zu erkennen gibt, ohne daß darin die ganze Substanz des gläubigen Verhaltens läge – die symbolische Denkform erst begründet hätten. Sie enthalten, wozu sich alle ständig bekennen müssen, aber nicht alles, wogegen nicht durch andere Aussagen verstoßen werden darf; da liegt der Unterschied zwischen Symbol und Dogma.

Der Satz, daß der Mythos keine Anhänger hatte, sollte den Blick auf seine eigentümliche Form der Freiheit öffnen, die er einem Verzicht auf Wahrheit verdankt. Nietzsche hat das auf die Formel

---

24 Denzinger-Umberg, Enchiridion Symbolorum, n. 225: Zweites Konzil von Konstantinopel 553.
25 M. Elze, Der Begriff des Dogmas in der Alten Kirche. In: Zeitschrift für Theologie und Kirche 61, 1964, 421-438.

gebracht: *Die alten Griechen ohne normative Theologie: jeder hat das Recht, daran zu dichten und er kann glauben, was er will.*[26] Burckhardt begründet diesen Vorzug fast ausschließlich damit, daß die frühesten *bisweilen fratzenhaft schrecklichen Auffassungen der Persönlichkeit und des Mythus der Götter* nicht festgehalten worden waren, weil die Institution fehlte, die an ihnen hätte festhalten können, der Einfluß von Kultfunktionären. *Die griechische Religion würde von Anfang bis zu Ende anders lauten, wenn ein Priestertum Einfluß darauf gehabt hätte . . . die ganze epische Poesie wäre unmöglich geworden.*[27] Aber auch Burckhardt nimmt den schönen alten Irrtum auf, der Mythos in der in die Tradition eingegangenen Fassung komme aus der Frühzeit der Griechen. Nur so kann er gleich im ersten Abschnitt seiner Kulturgeschichte »Die Griechen und ihr Mythus« den Satz prägen: *Mit ihrem Mythus hatten sie ihre Jugend verteidigt.*[28] Dem widerspricht seine spätere Einsicht, daß die urtümlichste Gestalt des Mythos fratzenhafte und schreckliche Elemente enthielt und diese in einer kultisch wachsamen Institution nicht überwunden worden wären. Die Überwindung, triumphierend in der Poesie, ist das Spätere, in ihr wird anderes als die Jugend verteidigt. Noch der junge Epikur, der sich zur Exmittierung der Götter aus den Kosmoi in die Metakosmia anschickt und darin den Mythos ebenso zu beenden wie zu vollenden, erlernt bei dem Demokriteer Nausiphanes den einen Lebensspruch: *Sich nicht erschrecken lassen!*
Der Mythos war fähig, die alten Schrecken als bezwungene Ungeheuer zurückzulassen, weil er der Ängste nicht zum Schutz einer Wahrheit oder eines Gesetzes bedurfte. Die einzige Institution, die ihn trug, war nicht darauf abgestellt, ihr Publikum zu schrecken und zu ängstigen, sondern im Gegenteil, den gebändigten Schrecken als befreiende Versicherung zu Schönerem vorzuführen. Weder auf den Realismus der entsetzlichen Objekte noch auf deren gänzliches Vergessenlassen war die Rhapsodenschaft eingestellt. Ihre Gefälligkeit hing an der Zuverlässigkeit der Distanz, die in dem Satz liegt: Selbst Odysseus war heimgekehrt. Er hatte die ganze

---

26 Vorarbeiten zu einer Schrift über den Philosophen. 1872 (Musarion-Ausgabe VI 31).
27 Griechische Kulturgeschichte III 2 (Werke VI 31-33).
28 Griechische Kulturgeschichte I 1 (Werke V 30).

Landschaft der möglichen Gefährdungen und Schrecknisse durch-
messen, hatte die Zerreißprobe auf das System der Gewaltenteilung gemacht. Das ist, was im Epos, und schon in seinen Vorformen, alle hatten immer wieder hören wollen.

Dazu steht nicht im Widerspruch, wenn Burckhardt sagt, die
Schwierigkeit unseres Verständnisses für den griechischen Mythos
bestehe darin, daß das griechische Volk selbst *die Urbedeutungen
der Gestalten und Hergänge offenbar hat vergessen w o l l e n*.[29]
Aber eben doch nur die ›Urbedeutungen‹, gerade nicht das, wozu
sie im Mythos domestiziert worden waren, zu den Göttern nämlich,
mit welchen *es sich leben ließ, weil sie dem Schicksal nicht weniger
untertan waren und nicht sittlicher zu sein begehrten als die Menschen, und diese nicht zum Ungehorsam reizten durch jene Heiligkeit welche dem Gott der monotheistischen Religionen angehört*.
Daß sich Zeus und die übrigen Götter, nach einer anderen Formulierung Burckhardts, von Homer *gar nicht mehr erholt* hätten,
läßt sich nur unter Voraussetzung der Erwartung beim Wort nehmen, die *Herrschaft der Poesie über alle Götterauffassung* sei eine
konstitutive Schwäche des Verhältnisses der Griechen zu ihren
Übermächten, weil es der authentisch religiösen Verbindlichkeit
und Unterwerfung ermangelte.

Die umgekehrte Formel wäre wirkungsgeschichtlich zumindest
ebenso berechtigt, Homer und Hesiod erst hätten ihren Göttern
geschichtliche Dauer, Beständigkeit gegen den Prozeß der Erosion,
gegeben. Trotz seiner theologischen Unbefangenheit vermißt Burckhardt etwas am Mythos, was ihm nur aus einer vom Dogma
geprägten Geschichte vertraut und fast normativ geworden ist:
eine Form der Bestimmtheit des religiösen Stoffes, seine entschie-
dene Modalität, die Sanktion gegen poetische Leichtfertigkeit und
zivile Umgänglichkeit. Er vermißt sie mit dem Erstaunen des
Historikers, der Philosoph zu sein verweigert, aber Philosophie als
den Inbegriff von Verboten, leichtfertig zu sein, absorbiert hat.

Folgenreich für jedes Verständnis des Mythos ist die Verwendung
der Ausdrücke ›Wahrheit‹ und ›Lüge‹. Burckhardts Kulturgeschichte zeichnet sich dadurch aus, daß sie die der Aufklärung
entstammende Verbindung von Mythos und Priesterbetrug aufgegeben, aber auch keine neue Verbindung zwischen dem Mythos

29 Griechische Kulturgeschichte III 2 (Werke VI 44 f.).

und einem Wahrheitsbegriff von höherer als theoretischer Dignität gesucht hat. Nietzsche hingegen will die Umwertung des Ausdrucks ›Lüge‹ erzwingen, um den Moralismus der Wahrheitspflicht zu treffen, indem von der *Schönheit und Anmuth der Lüge* fortan gesprochen werden darf. Aus dem alten Priesterbetrug ist eine Art künstlerischer Tätigkeit geworden: *So erfindet der Priester Mythen seiner Götter: sie rechtfertigt ihre Erhabenheit.* Es sei schwer – aber nichts anderes als etwas Schweres sucht der Philosoph sich und anderen zuzumuten –, *das mythische Gefühl der freien Lüge wieder sich lebendig zu machen.* Die Legitimation dafür ist freilich die der klassischen Geschichtsphilosophie, der Ursprung der Philosophie selbst sei durch die Freiheit des Mythos möglich gemacht worden. Die Größe der griechischen Denker beruht darauf, daß sie *noch ganz in dieser Berechtigung zur Lüge* leben. Die Ausgangssituation der frühen Philosophie mit und nach dem Mythos hat Nietzsche nicht in einer ersten und ahnungsvollen Wahrheitsbeziehung gesehen, sondern im blanken Wahrheitsmangel – und dem Recht, das sich aus diesem ergibt: *Wo man nichts Wahres wissen kann, ist die Lüge erlaubt.*[30]

Mag die Formulierung in ihrem Immoralismus aggressiv sein, so prädiziert sie doch nur als ›erlaubt‹, was ohnehin in der Verlegenheit um Wahrheit oder Wahrheiten geschieht – sogar bei erklärten Verzichten: Vakanzen werden allemal besetzt. Alles, was das Dogma erfordert, erläßt der Mythos. Er fordert keine Entscheidungen, keine Bekehrungen, kennt keine Apostaten, keine Reue. Er erlaubt Identität noch in der Verformung zur Unkenntlichkeit, ja noch in der Anstrengung, ihn zu Ende zu bringen.

Die *conversio* ist die Antithese zum mythischen Ereignis. Sie muß historisch strikt datierbar sein, und Datierbarkeit gehört denn auch zu ihren klassischen Zeugnissen. Es ist erstaunlich, in wie vielen Biographien von Philosophen und anderen Theoretikern der Zeitpunkt scharf angegeben werden kann, an dem die neue Wahrheit ihren Adepten gewann, der – nach der Beschreibung Wilhelm Ostwalds von seiner Entdeckung des ›energetischen Imperativs‹ – *auf einmal stehenbleiben mußte und die beinahe physische Empfindung hatte, die das Umklappen eines Regenschirms im Sturm verursacht.* Ich habe absichtlich nach einem Autor gegriffen, der der

30 Vorarbeiten zu einer Schrift über den Philosophen (a. a. O. VI 29).

Banalität fähig ist und Höhenlagen scheut. Lange nach der Berufbarkeit auf Erleuchtung und Inspiration ist doch noch der anekdotisch untertriebene ›Ruck‹ obligat, der die Betroffenheit durch Evidenz signalisiert. Anhänger einer ›Wahrheit‹ verlangen, daß ihr Begründer oder Erfinder, da er sonst keine Geschichten mehr zu erzählen hat, wenigstens die eine zu erzählen vermag, wie es ihn traf und das Kontinuum eines Lebens in zwei Teile zerlegte, die Nullpunktsituation schuf, von der aus sich ein Horizont neuer Möglichkeiten erschloß.

Die Sigmund Freud-Gesellschaft in Wien konnte im Januar 1976 zu Beiträgen für ein Denkmal aufrufen, das an dem Ort zu errichten sei, wo Freud nach seiner eigenen Mitteilung am 24. Juli 1895 dem Geheimnis des Traumes auf die Spur gekommen war. Er schreibt dies fünf Jahre später am 12. Juni 1900 an Wilhelm Fließ. Erstaunlicherweise schweigt er darüber in dem Brief, den er an denselben Adressaten am Tag der Geheimnisfindung geschrieben hatte. Nietzsche ›überfiel‹ im August 1881 am See von Silvaplana die Idee der ewigen Wiederkunft. Sie war ineins die Idee der Erneuerung des Mythos als der letzten und einzigen, weil den Menschen absolut machenden Wahrheit. Das geschah wie eine Epiphanie, in einem Akt der momentanen Evidenz. Datiert waren: Descartes' Wendung zur Idee der Methode am 10. November 1619, ebenso wie Pascals Mémorial der Abwendung von der Idee der Methode am 23. November 1654; Rousseaus folgenreicher Einfall auf dem Weg nach Vincennes ebenso wie Husserls Entdeckung der apriorischen Korrelation; Kants großes Licht im Jahre 69, Goethes Entdeckung der Urpflanze, William James' Wendepunkt durch die Lektüre des Essays von Renouvier am 30. April 1870, Gibbons Entschluß, die Geschichte des Niedergangs von Rom zu schreiben, Valérys Verzicht auf ästhetische Produktion. Mit einem Wort: Die Begriffsgeschichte von *conversio* hört leider dort auf, wo der Name des Begriffs nicht mehr verwendet wird, selbst die Lust an rhetorischer Säkularisierung vergangen ist – weil man sich scheut, eine andere Legitimation in Anspruch zu nehmen als die der authentischen Konfrontation mit dem X, das gerade daran ist, zu legitimieren.

Nietzsche widerlegt sich der frühe Gedanke von der Schönheit der Lüge wie von selbst durch die kaum ein Jahrzehnt spätere Erfahrung von Silvaplana, daß die schönste der schönen Lügen ihm wie eine der verachteten alten Wahrheiten begegnet. Sie führt sich auf wie diese, indem sie auf den ›Ernst‹ der Begründungsfähigkeit, auf die ›Leistung‹ der absoluten Verantwortlichmachung des Menschen hindrängt, der für alle Welten statt nur für eine geradestehen soll und daran erfährt, was es heißt, mit dem Hammer zu philosophieren. Im Maße ihrer Belastung mit Überleitungsfähigkeit zum Übermenschen verliert die nicht mehr schöne Lüge von der ewigen Wiederkunft weiter an Schönheit. Nietzsche hätte sie am liebsten durch ein Studium der Physik bewiesen. Damit wäre die Wiederkunft wenigstens dieses einen Elements, der Wahrheit, vollendet gewesen, auch wenn sie seit dem »Zarathustra« *Wahrsagung* hieß und alle Merkmale des Selektionsdrucks angenommen hatte.

Aus solcher Wiederkunft der Wahrheit keine Satire zu machen, ist schwer. Dazu muß man auch schärfer ins Auge fassen, was das Mythologem der ewigen Wiederkunft im Verbund der Philosophie Nietzsches abzuleisten hatte. Aufs unverkennlichste ist sie der als endgültig gemeinte Antipodengedanke zum Christentum, zu seinem Zentralmassiv: Die Wiederkehr des Gleichen macht gegenüber ihrem einmal entschiedenen Muster jeden Durchgang des Zyklus gleichgültig; der Realismus der Christologie jedoch war die Auszeichnung der einen Welt als der einzigen gewesen. Nur sie konnte der monströsen Anstrengung Gottes angelegen sein, das Opfer des eigenen Sohnes zu bringen *und* anzunehmen.

Die Eschatologie war im Neuen Testament aus einer Idee von der zyklischen Ausbrennung und Erneuerung der Welt zu dem ganz anderen, aus der Passionsgeschichte verständlichen Signal geworden: Nicht mehr diese Welt und nie wieder eine Welt! Nochmals eine Welt zu denken, die Gott das Letzte abverlangen würde, um sie bei seiner Absicht zu halten, erscheint als Inbegriff aller Blasphemien. In den Weltzyklen der ewigen Wiederkunft ist kein absolutes Ereignis von diesem Typus denkbar – oder auch: jedes wäre ein solches. Der Ernst der Idee besteht darin, daß wiederholt wird, was durch den Menschen einmal entschieden worden ist. Dadurch wird das Handeln zur Schöpfung; die *eine* verantwortete Geschichte entscheidet über alle Geschichten, die eine gewollte Wirklichkeit über Einschluß oder Ausschluß aller Möglichkeiten. Die Wiederkunftsidee verbindet – so paradox es in bezug auf

Nietzsche klingen mag – den Realismus der christologischen Dogmatik formal mit einer der Kategorien des Mythos, der Umständlichkeit. Es ist die reine, die reinstmögliche Umständlichkeit, die Welt ihre Geschichte ewig wiederholen zu lassen, um den Menschen in ihr – und sei es in der Dimension des Übermenschen – einigermaßen in Disziplin zu nehmen, zum Seinshütertum zu zwingen oder doch nur zu überreden. Denn Rhetorik ist das Wesen der Philosophie Nietzsches.

Für den mittelalterlichen Gott hatte es eine Formel gegeben, die seine Majestät gegen den Vernunftanspruch setzen, den theologischen Überfluß gegen die anthropologische Armut verteidigen sollte: Gott kann durch Vieles bewirken, was auch durch Weniges zu bewirken wäre.[31] Wohlgemerkt, dieser Grundsatz behauptet nicht, daß er umständlich verfahren *muß*, weil er der Einfachheit unkundig oder unfähig wäre; er behauptet nur, die Idee der Einfachheit sei nicht der Triumph des Geistes, sondern nur die Verteidigung des endlichen Intellekts gegen die Zumutungen des unendlichen. Die theoretische Vernunft kann sich nicht darauf verlassen, daß Gott ihre notgedrungene Vorliebe für die Simplizität teilt oder auch nur darauf Rücksicht nimmt. Umgekehrt ist der Begriff der *potentia absoluta* das Korrektiv gegen die Bindung seines Willens an die Verfahrensordnung des faktischen Kosmos. Darin steckt das dem Mittelalter den Garaus machende Prinzip der Unmittelbarkeit, tatsächlich die entwickelte Konsequenz des dogmatischen Stils gegenüber dem mythischen der Umständlichkeit. Der Mensch kann sich jenen Gott genausowenig leisten wie diesen; er könnte ihn sich nicht wünschen oder erfinden, also existiert er, weil er seinem Wunsch widerspricht.

Die Wiederkunftsidee wendet das Überflußprinzip nochmals auf die Welt an, als deren Zwangsmittel gegen den Menschen: Wir sollen es uns nicht leisten können, nur mit der Vergänglichkeit zu rechnen, wenn alles immer wiederkehrt. Die mythische Umständ-

---

31 Wilhelm von Ockham, Sentenzenkommentar I q. 42 F: *Deus potest facere per plura quod potest fieri per pauciora.* Von hier aus gesehen ist Ubiquität die reinste Ausprägung des dogmatischen Prinzips. Die Frage, ob Gott alle Wirkungen auch unmittelbar ausüben könne, hielt Ockham für rational unentscheidbar, also für nicht ableitbar aus dem Begriff der *potentia absoluta.* Zur Bedeutung dieses Prinzips für die Exklusion eines mittelalterlichen Geozentrismus: H. Blumenberg, Die Genesis der kopernikanischen Welt. Frankfurt 1975, 149-199.

lichkeit als Abschwächungsprinzip des Absolutismus der Mächte ist zur Weltumständlichkeit geworden. Gegen den Menschen als Wesen der Weltvereinfachung gerichtet, erzeugt sie den Überdruck hin zum Übermenschen, der allein dieser Daseinsbedingung gewachsen wäre. Gott hatte sich das Überflüssige geleistet, weil Unendlichkeit keine Ökonomie der Einschränkungen enthält. Gleiches soll nun für den Menschen gelten, wenn an die Moral nicht gedacht zu werden braucht, und als Zeichen dafür, daß an sie nicht gedacht worden ist, als Stigma der Großzügigkeit von Amoralität. Die Wiederholung des Gleichen muß gerechtfertigt werden durch die Qualität des Einmaligen, das ihr zum Eidos wird. Dieses schafft nur, wer die *große Probe* bestanden hat, von der Nietzsche spricht: *wer hält den Gedanken der ewigen Wiederkunft aus?*

Die dogmatische Denkform ist hinsichtlich ihrer fundamentalen Vorgaben auf sekundäre Rationalisierung der Umständlichkeit angewiesen: Nachdem einmal die Geschichte erzählt worden ist, ist die Vorschrift dazu zu finden, welchen Gründen und welchen Zwecken die Teilhandlungen zuzuordnen sind. Damit man hier nicht sogleich an die Dogmatisierung der Christologie denkt, sei zunächst auf die knappe Formel hingewiesen, die der jüdische Religionsphilosoph Franz Rosenzweig für den Unterschied zwischen dem Mythos und der Bibel gefunden hat: jener handle von den *Seitensprüngen,* diese von den *Wegen* Gottes.[32] Wege als Gegenmetapher der Seitensprünge schließen Umwege nicht aus; dennoch tendiert die dogmatische Rationalität auf Begründbarkeit. Die Wiederkunftsidee ist insofern dogmatisch, als sie im Menschen den einzigen und zureichenden Grund für die Qualität der Welt sieht – sie ist Zuspitzung des von Augustin erfundenen Musters der Weltverantwortung, jedoch ohne die Absicht auf eine Theodizee.

Nietzsche hat ganz konsequent gedacht, der Wirklichkeit der Welt maximale Extension zu geben, um damit ihre Gottlosigkeit auszudrücken. Das theologische Attribut der Allmacht hatte der Umständlichkeit des Weltverlaufs, der Extension entgegengestanden, weil Allmacht jedes punktuelle Verfahren gestattet; zu Ende gedacht, macht sie sogar die bloße Existenz der Welt, als deren

Machtgrund sie erdacht worden ist, überflüssig. Denn jedes Subjekt könnte im Augenblick seines Ursprungs durch Dekret unverweilt seiner endgültigen Glücksbestimmung zugeführt werden. Die Welt also ist die Umständlichkeit *in nuce.* Durch sie wird es die Geschichte des Menschen, eingeschlossen die seiner Heilsfindung durch Sünde und Erlösung. Daß Gott, um den Menschen zu retten und mit sich zu versöhnen, nicht nur ein ›geregeltes Verfahren‹ benötigen sollte, sondern auch ein schmerzhaftes und tödliches, ist unter der Voraussetzung seiner absoluten Macht unbegreiflich. Nur als Sporn der *fides quia absurdum* ist es dem Prinzip der Umständlichkeit zuzuordnen. Die Idee der ewigen Wiederkunft holt das mythische Muster der Umständlichkeit in die Rationalität zurück, indem sie ihm eine Funktion für die Sinngebung der Geschichte erfindet.

Alle Begründungsansprüche kulminieren in der Seinsgrundfrage. Auf sie konvergieren alle Anforderungen, die sich nach dem Prinzip des zureichenden Grundes aufstellen lassen. Soll der Sachverhalt, daß eine Welt ist, als kontingent begriffen werden, als Resultat einer Entscheidung, die auch gegenteilig hätte ausfallen können, so daß dann das Nichts vor dem Sein bewahrt geblieben wäre, und soll diese Entscheidung als vernünftige, womöglich als ethische dargestellt werden, so muß sich mit Gründen verteidigen lassen, daß überhaupt etwas und nicht eher nichts ist. Leibnizens beste der möglichen Welten ist diese zureichende Begründung keineswegs, denn sogar das Beste des Möglichen könnte ausgestochen werden durch die Feststellung, es sei immer noch nicht so gut, daß nicht der Vorzug des Nichts bestehen bliebe. Die Wiederkunftsidee von Nietzsche ist die Verteidigung des Seins durch das schlichte *Da capo!*, als Wiederholungswürdigkeit eines Musters, das aus der Verantwortung des Übermenschen hervorgegangen wäre. Dieser wird geradezu definibel dadurch, daß er die Geschichte der Welt als repetierbare im absoluten Ernst verantwortet.

Ein Einwand also mußte zugelassen werden, dem die theologische Heilsgeschichte unmöglich hätte standhalten können. Ihre Rationalisierung muß innehalten vor der letzten Petulanz der Frage, ob es nicht vernünftiger gewesen wäre, eine Welt und einen Menschen, welche ihren Urheber in solche Verlegenheiten seiner Gerechtigkeit wie seiner Güte versetzen würden, gar nicht erst zu machen. Da es zu den einstimmigen Versicherungen der christlichen Metaphysik gehört, daß ihr Gott niemals genötigt oder durch Mangel motiviert sein konnte, aus seiner ewigen Einsamkeit herauszutreten und etwas anderes urzuheben als sich selbst noch einmal, muß davon ausgegangen werden, daß sich für den Schöpfer durch die Schöpfung nichts verändern konnte.

Im Gegensatz zu Nietzsches Urheber des Musters für die ewige Wiederkunft des Gleichen war der biblische Schöpfergott derselbe, der jederzeit endgültig mit der Geschichte Schluß machen konnte, die ihm so unliebsam zu mißraten drohte. Doch ist die Konsequenz der christlichen Dogmatik eben diese, daß er sich statt dessen immer tiefer und schließlich endgültig auf diese Geschichte einläßt, sich mit ihr so realistisch und unlösbar verquickt wie der Täter-Mensch durch die Idee der ewigen Wiederkunft. Es war der Widerspruch der Inkarnation zur Eschatologie gewesen, daß diese der Geschichte trotz jener das sofortige Ende zu setzen versprochen haben sollte.

Die Spitzenfrage der metaphysischen Tradition, Leibnizens *Cur aliquid potius quam nihil?*, konnte niemals beantwortet werden. Nietzsches Wiederkunftsidee ist ihre ›Umbesetzung‹ durch ein Mythologem. Er brauchte sich nicht darauf einzulassen, ob überhaupt eine Welt ein Recht zu sein habe, sondern ersetzte die Frage durch das Postulat, daß alle nächsten Welten in der unendlichen Sequenz der ewigen Wiederkunft ihr Recht zu sein in dieser noch begründet bekämen. Bei Nietzsche muß es den Menschen geben, weil die Qualität der Welt ausschließlich von ihm für alle ihre Umläufe abhängt. Aber hatte es den Menschen auch geben müssen in einer Welt, die ihr Schöpfer zu seinem eigenen Ruhm erschaffen haben sollte?

Nimmt man an, die Welt wäre auch ohne den Menschen geeignet, den Ruhm ihres Urhebers vor einem himmlischen Publikum zu mehren, so fragt sich, wozu es den Menschen geben mußte, ob es ihn geben durfte. Wenn trotz der Qualität der Welt, trotz der Zurichtung des Paradieses auf seine Bedürfnisse, trotz der Entsendung des Menschensohnes zu einer Erlösung am Ende, das schreckliche Übergewicht der *massa damnata* übrigblieb – gab es dann noch eine Rechtfertigung für diese Kreatur? Die Frage ist nicht außerhalb aller Geschichte und aller Konsistenz mit dem vorgegebenen Standard der Fragen gestellt. Denn mehr oder weniger ausdrücklich mußte sie im christlichen System zusammen mit der zentralen Frage beantwortet werden, weshalb der Gott Mensch wurde, in allem erstmaligen Realismus ›wahrer Gott und wahrer Mensch‹ sein mußte.

»Cur deus homo« ist der Titel des für die Grundeinstellung der ganzen mittelalterlichen Scholastik paradigmatischen Werkes des Anselm von Canterbury. Man sollte vermuten, diese Frage wäre in dem Jahrtausend seit den Heilsdaten der christlichen Geschichte vielfach gestellt und beantwortet gewesen. Erstaunlicherweise ist das nicht so. Ein neuer Typ der systematischen Problementwicklung kündigt sich damit an. Anselm, der Erfinder des berühmtesten und philosophisch schlechthin grenzwertigen der Gottesbeweise, läßt erkennen, daß er seine theologische Kernfrage nur beantworten kann, wenn sich auch die nach dem Grund der Erschaffung des Menschen beantworten ließ. Nur damit war das göttliche Interesse an dieser Kreatur abzuleiten. Es besteht kurz gesagt darin, daß die im göttlichen Plan vorgesehene Zahl der seinen ewigen Jubelchor bildenden Engel nach dem Sturz des Luzifer und seiner Gefolgschaft wieder auf den *status quo ante* zu bringen war und dies durch Aufrücken der in Schuldlosigkeit bewährten Menschen geschehen sollte.[33]

Solche Sätze sind in ihrer exotischen mittelalterlichen Demut oft bewundert worden. Die Ungeheuerlichkeit, daß Aufwand und Plage der ganzen Menschengeschichte nichts anderes sein sollten als der unzulängliche Versuch, die Hofhaltung der Ewigkeit auf den alten Glanz zurückzubringen, vergißt sich fast vor dieser Quelle unerschöpflicher Imagination. Der Respekt vor der Schönheit der narrativen Erfindung läßt die Frage verstummen, wozu der Gott, dem die Fülle aller Erfüllungen in sich selbst und dazu noch die trinitarische Zeugung und Hauchung im inneren Prozeß zugeschrieben wurden, solche Jubelchöre überhaupt unterhalten mußte. Und warum der, der sich die Engelbesetzungen seiner Musik einmal ohne menschliche Zutaten hatte schaffen können, nicht neue Engel zum Ersatz der gefallenen kurzerhand schaffen konnte. Man wird vor der Zudringlichkeit solcher Fragen unmittelbar gewahr,

---

33 Anselm von Canterbury, Cur deus homo. Ed. F. S. Schmitt, I 16: *Deum constat proposuisse, ut de humana natura quam fecit sine peccato, numerum angelorum qui ceciderant restitueret.*

daß man an der Wegscheide von Mythos und Dogma, Bildwelt und Scholastik, steht und der christologische Traktat selbst den Widerspruch enthält, die Geschichten auf die sekundäre Rationalisierung zu bringen, sie seien Antworten auf Fragen, doch ohne die Lizenz des Weiterfragens.

Der Mythos brauchte sich eben nicht fragen zu lassen, weshalb denn die ewige Planung statt neuer Engel das Abenteuer des Ersatzes durch Menschen riskiert hatte. Er brauchte den Blick nur auf die unerträgliche Lücke in den Rängen der jubelnden Chöre zu lenken, um der Erzählung folgen zu lassen, daß hier etwas mit aller Umständlichkeit geschehen mußte, dem abzuhelfen. Mythisch ist wieder, daß eine Geschichte als die letzte den Ausblick auf Weiteres, auf die Abgründe, auf den Rand der Welt, auf das Unbefragbare besetzt hält und ihre Hörer mit allem Folgenden atemlos beschäftigt.

Ist der Preis der Akzeptation der letzten Geschichte entrichtet, eröffnet sich die Dimension der vielbewunderten mittelalterlichen Folgerichtigkeiten. Deren unüberschreitbare und intangible Prämisse ist der Gott als Wesen, das sich selbst einziger Gegenstand der Anschauung und absolutes Ziel des Willens ist. Hat man diese Voraussetzung hingenommen, wird es fast zu einem Urgedanken der Ästhetik, Musik sei diejenige Form der Selbstbezogenheit, in der die ersten und der Absicht nach einzigen Geschöpfe der Gottheit auf diese in ihrem ausschließlichen Officium gerichtet sind. Wenn die absolute Macht ihre Zwecke nicht zu erreichen vermag, fällt der Schatten des Widerrufs auf ihr Werk; aus der Katastrophe des Abbruchs wenigstens die zu retten, die der ursprünglichen Absicht gemäß geblieben oder geworden sind, ist dann nur noch das Arrangement mit dem Mißerfolg. Am Ende muß mit den Menschen getan werden, was bei den Engeln nach dem Sturz Luzifers nicht getan worden war: das Mißlungene dennoch zu retten und für den ursprünglichen Zweck – aber auch nur im Umfange dieses Zwecks – zurückzugewinnen.

Glücklicherweise habe ich hier nicht darüber zu befinden, ob diese Geschichte die Bewunderung verdient, die sie gefunden hat. Doch was das mittelalterliche System zugrunde richten sollte, ist hier am Anfang der scholastischen Formation schon greifbar: die ungehemmte Nachgiebigkeit gegenüber dem Bedürfnis, mehr zu

fragen und an Antworten sich zuzutrauen, als in den Gründungs-
urkunden des Christentums auch nur erahnbar geworden war.
Dazu kommt als von der antiken Metaphysik übernommene Last
das Verbot, den Menschen zum Weltzweck zu machen, weil nur
der Gott und damit der unmittelbar auf ihn bezogene Teil der
Welt es sein durften.
Es ist beinahe unfaßbar, daß ein Mann wie Anselm diesem Verbot
gehorcht. Er hat den höchsten Ausdruck dafür, daß der Mensch
dieser Weltzweck ist, ständig vor Augen, da seine ganze spekulative Aufmerksamkeit darauf gerichtet ist, daß Gott diese und keine
andere Natur angenommen hatte. Er übernimmt aber noch eine
weitere antike Voraussetzung, die der Indifferenz der Zahl gegenüber dem Wesen. Das Individuum ist nur dessen hyletisch bedingte
Vervielfältigung. Daraus resultiert, daß die naturhafte Vermehrung der Menschheit in keinem Verhältnis zu ihrer hintergründigen Funktion steht, in die Vakanzen der himmlischen Chöre als
Ersatz einzutreten. An dieser Stelle entsteht der Verdacht auf den
kontingenten Überschuß, der zwangsläufig zur *massa damnata*
führt und den Heilswillen der Gottheit für die Gesamtheit der
Menschen unglaubwürdig, weil funktionslos bleiben ließ.
Wäre unbestimmt geblieben, wie viele Menschen in den Rang der
Engelchöre aufrücken mußten, so wäre rückwirkend die ursprüngliche Beschaffenheit dieses Klangkörpers ohne die Vollkommenheit
der aus dem Auftrag zwingend folgenden Zahl gewesen. Anselm
bekommt ein Stück des gnostischen Dilemmas zu spüren, indem er
die Vollkommenheit der Schöpfung herabsetzen muß, um nicht die
Größe der Erlösung zu verkleinern. Vorsichtig entscheidet er sich
gegen den *perfectus numerus* der weltvorgängigen Engelschöpfung.
Wenn er schon nicht vermeiden kann, daß der Mensch nur als
Ersatzlösung für den Teufel ins Konzept kam, kann er doch wenigstens auf den engsten Nexus verzichten und den Spielraum gewinnen, daß eine Menschengeschichte überhaupt stattfinden durfte. Der
Mangel am himmlischen Personal war weniger drängend, die sofortige Notwendigkeit des Menschen für die *gloria* Gottes gemin-
dert, wenn die ursprüngliche Zahl nicht schiere Notwendigkeit
war.
An dem Traktat Anselms schält sich ein Grenzwert der dogmatischen Disziplin heraus, der implizite zu Lasten der Seinsgrundfrage

geht. Gott hätte seine Identität als Normerfüllung seiner Attribute nur einhalten können, wenn er auf die Schöpfung ganz verzichtet hätte. Anders ausgedrückt: Was zu seiner Autarkie hinzutritt, wird *eo ipso* zum Mythos.

Der Erzbischof von Canterbury und Primas von England, der diesen Traktat in der zeitweiligen Verbannung geschrieben hat, demonstriert indirekt das Ungenügen seiner Zeit an der seit mehr als einem halben Jahrtausend nahezu abgeschlossenen christologischen Dogmatik. In diesem 11. Jahrhundert wird ja nicht mehr über die ›hypostatische Union‹ der zwei Naturen in einer Person gestritten, sondern über ihre Mitwirkung bei der Hauchung des Heiligen Geistes. Anselm arbeitet nicht mit dem Instrument der antiken Metaphysik an der Verfeinerung der Begriffe und der Verdichtung des Systems. Statt Gott unverwandt sich selbst denken zu lassen, wie es der scholastische Aristotelismus der »Metaphysik« entnehmen wird, erzählt Anselm so etwas wie die ›Vorgeschichte‹ des Menschen. Dabei hat er ihn zu einem unvorhergesehenen Bestandsstück der Geschichte Gottes mit sich selbst gemacht.

Sucht man nach einem Grundmythos für die mittelalterliche Scholastik und ihre Besorgnisse um die göttliche Majestät und Autarkie, so hat man seine schon ausgebaute Schematik in Anselms Spekulation vor sich. Dies ist nicht Ausweichen einer unzulänglichen Intelligenz vor strengeren methodischen Anforderungen; was Anselm in dieser Hinsicht konnte, erwies er durch sein ›ontologisches Argument‹, das wie nichts anderes die Nachwelt beschäftigte. Es sollte noch die Verächter der Scholastik zu verdienter Bewunderung hinreißen, weil die Tiefgründigkeit des Gedankens, die Darstellung letzter philosophischer Sehnsucht und Selbstvollendung der Vernunft in der Überschätzung des Begriffs, an der erfolgreichen Widerlegung fast keinen Schaden nahm. Anselm wußte nicht, daß er dem Anspruch und der Form nach so etwas wie den ›letzten Gedanken‹ der philosophischen Vernunft erfunden hatte.[34]

Das Verhältnis von Dogma und Mythos, Vernunft und Imagination läßt sich am Beispiel Anselms als quantitatives darstellen. Der Glaube soll kraft der biblischen Urkunde, der Symbole und Konzilsbeschlüsse mehr zur Kenntnis geben als die Vernunft zu leisten

34 D. Henrich, Der ontologische Gottesbeweis. Sein Problem und seine Geschichte in der Neuzeit. Tübingen 1960.

vermag; der Mythos jedoch überschreitet noch das, was aus beiden Quellen zusammen entnommen werden kann. Dieses Mehr ist die Geschichte Gottes mit sich selbst, die seiner *gloria*, als Voraussetzung für den substantiellen Realismus der Inkarnation. Anselm löst endgültig den gnostischen Grundmythos vom Freikauf der Menschen aus dem Gewahrsam des Weltherrschers ab durch den neuen von der unendlichen Genugtuung des Sohns gegenüber dem Vater. Erst im 14. Jahrhundert sind daraus dogmatische Definitionen als letzte Stufe der ›sekundären Rationalisierung‹ geworden. Es geht nicht mehr darum, das durch den Sündenfall begründete Rechtsverhältnis Satans gegenüber den Menschen durch Ablösung rückgängig zu machen und den vorherigen Zustand wiederherzustellen, sondern die durch das bevorzugte Ersatzgeschöpf der Engel Gott zugefügte Beleidigung zu sühnen.

Solange in einem Handel mit Satan dessen rechtliche Verfügungsgewalt über den Menschen abzugelten war, blieb die mythische Kategorie der List, auch ohne das Extrem des Doketismus, für den Heilshandel über den Menschen dominant. Nachdem die Notwendigkeit des Menschen für Gott und seine *gloria* auf neue Weise begründet werden konnte und er der einzige Adressat für die Begnadigung des Menschen geworden war, galt das Postulat des strikten Realismus: der substantiellen Äquivalenz von Unendlichkeit der Beleidigung hier, Unendlichkeit der Genugtuung dort – bis in den letzten Winkel der Ausdeutung dieser Geschichte hinein. Begründbar war jetzt geworden, weshalb keine geringere und keine andere Darbringung die Absicht Gottes – nicht nur mit dem Menschen, sondern mit sich selbst – wiederherstellen konnte, als eben diese Passion und dieser Tod des eigenen Sohnes. Im Handel mit dem Teufel konnte es keine Logik der Äquivalenz geben, im Handel mit Gott mußte sie alles beherrschen. Diese Gleichung hat Anselm der weiteren Geschichte der Theologie obligat gemacht.

So erstaunlich es klingt: Der neue Grundmythos gestattet der Sprache Anselms die Modalität der Notwendigkeit. Absicht seines Traktats ist nicht nur, die Güte Gottes gegenüber dem Menschen am Dogma der Inkarnation zu zeigen, sondern die schlichte Unausweichlichkeit dieser einen Lösung für den Heilswillen.[35] Deshalb

---

35 Cur deus homo. Praefatio: *ac necesse esse ut hoc fiat de homine propter quod factus est, sed non nisi per hominem-deum; atque ex necessitate omnia quae de*

kann er dem Leser mehr versprechen als das *credo ut intelligam*;
er verspricht ihm Freude auch aus der *Anschauung* des Glaubens-
inhalts, die ihm der Traktat verschaffen werde. *Fides, intellectus,
contemplatio* sind gleich am Anfang die Stichworte für dieses Angebot. Anselm widersetzt sich damit der Tendenz zur Unanschaulichkeit in der ersten großen Entmythisierung durch den ›dialek-
tischen‹ Flügel der Theologie seiner Zeit.
Seither konnte man wissen, daß es keine erfolgreiche, keine erträgliche Entmythisierung des Christentums geben würde. Die dogmatische Tendenz ist aufs Stehenlassen des Angefochtenen gerichtet,
das, wie noch und wieder in Luthers Lied, eine Welt, wenn nicht
voll Teufel, so doch voll Anfechtung voraussetzt. Anselms Grundmythos sucht demgegenüber eine endgültige Position diesseits der
Gnosis zu bestimmen. Nicht umsonst und nicht zufällig fällt das
Wort von der liebenswürdigen Schönheit der gesuchten Begründung. Was genügt, sei schon von den Vätern gesagt worden, was
erfüllt, sei noch zu sagen – und das nach einem vollen Jahrtausend
der Heilszeit.
Über dieses Jahrtausend hinweg ist abschließend noch einmal auf
die Szene ›Paulus auf dem Areopag‹ zurückzublenden, weil in dieser Fiktion alle Probleme der Einlassung des Christentums auf
den Mythos als einer kaum freiwilligen schon stecken. Während
wir Anselm seinen Grundmythos aus den Bedürfnissen der konsolidierten, aber ihm zu unanschaulichen Dogmatik heraus entwickeln
sehen, stößt Paulus auf die fast geschlossene Front des im Staatskult aufgegangenen Mythos. Ihm bleibt nichts, als die Lücke für
die Invasion seines Gottes zu suchen, sich der Idee des Pantheon zu

---

Christo credimus fieri oportere. Das Äquivalenzprinzip seiner Lehre von der
humana restauratio ist ausdrücklich auch als ästhetische Symmetrie aufgefaßt, als
inenarrabilis nostrae redemptionis pulchritudo (I 3). Die ausgeprägte ästhetische
Komponente, auch in den Metaphern, ist konstitutiver Beitrag zur Verteidigung
der Mythizität des großen Musters, das Anselm den Fragen des Boso im Dialog
entgegenstellt, die sich auf die Kurzformel bringen ließen: Warum so umständlich, wenn es auch einfach ginge? Oder: *Quomodo ergo indigebat deus, ut ad
vincendum diabolum de caelo descenderet?* (I 6) Jenes mythische Schriftstück des
Kolosserbriefes (2. 14), das durch den Tod Christi nichtig geworden ist, bedeutet
nicht mehr den Übereignungsvertrag der Menschen an den Diabolus als Gewinn
aus der Ursünde, sondern das Dekret Gottes über den Sünder: *Decretum enim
illud non erat diaboli, sed dei.* (I 7) So prägnant kann Anselm seine Umbesetz-
zung des Grundmythos deklarieren.

beugen, aus der Fülle der Götter deren Vollständigkeit zu machen und einem etwa noch unbekannt gebliebenen vorzusorgen. Sein Kunstgriff ist, aus dem letzten, noch nicht erkannten und anerkannten Gott den ersten zu machen – und sogleich aus diesem den einzigen; dazu noch den allein des Kults der Tempel und Altäre unbedürftigen, Bilderverehrung ausschließenden.

Durch die vermeintliche Lücke des Mythos dringt das Dogma. Es definiert diesen Gott nicht nur als Schöpfer und Herrn der Welt, sondern auch als ihren Richter, der sein Urteil vollstrecken wird durch einen Mann, den er vom Tode hat auferstehen lassen. Paulus verdirbt es nicht mit dem Philosophengott der attischen Schulen, überhöht ihn aber als den Erfüllenden einer jedem Menschenherzen eigenen Erwartung. Es kommt nicht mehr darauf an, in einem System der Gewaltenteilung es mit keiner Instanz zu verderben, sondern den Bedingungen der einen und bis dahin unbekannten Gewalt, die das Schicksal der Welt nach Gerechtigkeit entscheidet, zu genügen. Alle Legitimation dessen, den der Apostel verkündet, kommt aus der Überwindung des Todes. Nicht einmal sein Name wird genannt. Paulus verschweigt ihn in diesem namenreichen Horizont. Nichts macht die Fiktion der Szene deutlicher als dieser Apostel, der den Namen verschweigt und sich nicht darauf beruft, was er ›gesehen‹ hatte, obwohl die Christophanie sonst seine Legitimation schlechthin ist.

Das Recht, den Namen an diesem Ort zu nennen, hätte er aus der Konstruktion entnehmen können, mit der er der Scheidung der Menschheit in Hellenen und Barbaren entgegentritt: Alle entstammten der einen Herkunft, und es sei für die Auferstehung daher gleichgültig, daß sie nicht in Griechenland geschehen sei. Diese Zumutung von der einen Geschichte der einen Adamserbschaft mag zum Mißerfolg des Paulus in Athen beigetragen haben.

Dogmatisch ist dieser Versuch des Einbruchs in den Mythos, weil er nur aus Restriktionen besteht. Die Vielheit der Götter wird auf den einen bis dahin unbekannten reduziert, die Vielheit der Völker in ihren begrenzten Wohnräumen auf die eine Deszendenz, die Mannigfaltigkeit der Schicksale von Individuen und Völkern auf die eine Erwartung des Gerichts. Im Maße dieser Reduktionen werden die faktischen Besetzungen bedeutungslos: die Nennung

von Namen, die Hinweisung auf Lokalitäten, die Urkunden der
Verkündigung. Paulus präsentiert sich als den von seinen Faktizi-
täten emanzipierten Übermittler einer universalen Botschaft. Der
Verfasser der apokryphen Rede läßt ihn kein Wort von der Rechtfertigung durch den Glauben sprechen, dafür von der Welt und
von der Menschheit.[36]

Das Unerfundene und wohl auch Unerfindbare an diesem siebzehn-
ten Kapitel der Apostelgeschichte ist der rhetorische Einstieg auf
die Weiheinschrift *Einem unbekannten Gott.* Erfindung aber, und
zugleich Pointe des ohnehin pointierten Zusammentreffens von
Mythos und Dogma, ist der Singular. Denn die Überlieferung lautet überwiegend, es habe in Griechenland *Unbekannten Göttern*
geweihte Altäre gegeben. Selbst der argumentationstüchtige Tertullian erwähnt zweimal die Athener Inschrift im Plural: *Ignotis
deis.*[37] Tertullian mußte gegenüber seinen Lesern vorsichtiger mit
diesem einzigen Faktum des Textes sein als der Verfasser der
Apostelgeschichte, der seinen Helden den Altar der Athener genauso ›entmythisieren‹ ließ wie die Kundmachung des Unbekannten,
das doch eben nicht nur das Fehlende, sondern die radikale Umkehrung des Verhältnisses von Bestand und Lücke war.

Die Areopagrede enthält nichts vom Evangelium; sie ist Darstellung von Legitimationen und Herrschaftsverhältnissen. Das apokalyptische Element, mit dem sie der am Ort entstandenen und
herrschenden Kosmos-Metaphysik entgegentritt, nimmt seine Rechtfertigung aus der Weltschöpfung und beglaubigt die Besetzung

36 M. Dibelius, Paulus auf dem Areopag. Heidelberg 1939 (Sitzungsberichte der
Heidelberger Akademie der Wissenschaften. Phil.-hist. Kl. Jg. 1938/39, Nr. 2).
37 Adversus Marcionem I 9; Ad nationes II 9, 3-4: *Sed et Romanorum deos
Varro trifariam disposuit (in certos), incertos et electos. Tantam vanitatem!
Quid enim erat illis cum incertis, si certos habebant? Nisi si Attico stupore reci-
pere voluerunt: nam et Athenis ara est inscripta:* ›*ignotis deis*‹*. Colit ergo quis,
quod ignorat?* Pausanias hat den Plural für Altäre unbekannter Götter im Hafen
von Phaleron (Graeciae descriptio I 1,4) und in Olympia (V 14,8), Minucius
Felix auch in Rom (Octavius VI 2). Erstaunlich aber ist, daß Hieronymus ausdrücklich die Acta korrigiert und Paulus unterstellt, er habe nach seinem dogmatischen Bedarf geändert: *Inscriptio autem arae non ita erat, ut Paulus asseruit
›ignoto deo‹, sed ita:* ›*Diis Asiae et Europae et Africae, diis ignotis et peregrinis.
verum quia Paulus non pluribus diis indigebat ignotis, sed uno tantum ignoto
deo, singulari verbo usus est.* (Ad Titum I 12) Zum Alter dieser Inschrift:
O. Weinreich, De dis ignotis. Halle 1914, 27. Zum Tertullian-Text: M. Haiden-
thaller, Tertullians zweites Buch »Ad nationes« und »De Testimonio Animae«.
Paderborn 1942.

des Richteramts über die Welt mit der Auferstehung. Aber erzählt
wird von den beiden Polen der biblischen Welt nichts.

Es war den Griechen aus dem Mythos nicht ungeläufig, daß ein im
Leben bewährter Mann zum Totenrichter avancieren konnte. Darauf mochte der Erfinder der Areopagrede Paulus anspielen lassen,
wenn er ihn mit dem gegenüber aller Apokalyptik lakonischen
Hinweis enden ließ: *Denn angesetzt hat Gott einen Tag, an dem
er in Gerechtigkeit die Erde richten will durch einen Mann seiner
Wahl. Ihn hat er vor aller Welt beglaubigt, als er ihn von den
Toten auferstehen ließ.* Immerhin wird so an dem Ort gesprochen,
an dem Sokrates gewirkt hatte, für den Plato im Kunstmythos
vom Totengericht die Versicherung einer über das Leben hinausgehenden moralischen Gerechtigkeit entwickeln mußte, weil die
Athener ihm diese Gerechtigkeit versagt hatten. Abgesehen von der
Beglaubigung durch Auferstehung, bleibt Paulus im Rahmen dessen, wovon im Dialog »Gorgias« jener Sokrates gesagt haben
sollte, ihm gelte der Mythos vom Totengericht durchaus als Logos.
Und im »Phaidon«: Bei dieser Sache lohne das Wagnis die Mühe
zu glauben, daß es sich wirklich so verhalte, auch wenn es sich ein
wenig anders als vorgestellt verhalten sollte.

Das erste Paradigma für das Verhältnis von Mythos und Logos
im Christentum haben wir also noch vor der Rezeption metaphysischer Terminologien vor uns. Die dogmatische Denkform ist
nicht an die Definitionsmittel der patristischen und scholastischen
Autoren und der Konzilien gebunden, nicht durch sie entstanden.
Friedrich Theodor Vischer hat in seinem »Lebensgang« 1874 geschrieben, sein einstiges Studium der Theologie habe ihn hinter die
Kulissen und in die Karten der Kirche wie des Dogmas sehen
lassen. Dies sei ein Vorteil, der durch keine andere Art wissenschaftlicher oder weltmäßiger Befreiung des Denkens ganz ersetzt
werden könne. Das Fazit, das er aus diesem Einblick in die großen
Geheimnisse gezogen hat, bedarf aber der Nachprüfung: *Jedes
Dogma ist ein Konvolut aus einem Gedanken, der ein Problem
der Philosophie ist, und einem Stück Mythus; der erste Bestandteil
löst nach und nach den zweiten auf und schält sich heraus.*[38] Für

---

38 F. Th. Vischer, Ausgewählte Werke, Berlin 1918, III 23. Das Zitat darf für
deutsche Lebensläufe des 19. Jahrhunderts eine bestimmte Typik beanspruchen.

die Paulusrede in Athen gibt diese Formel jedenfalls kein zurei-
chendes Resultat.

Prüft man sie noch an einem anderen verwickelten Sachverhalt,
dem des Erbsündendogmas, so stößt man zwar auf das verstär-
kende Moment der gegen die Gnosis entstehenden Theodizee
– ihrer Verbindung mit einem neuen Freiheitsbegriff und der ihm
zugeschriebenen weltverderbenden Schuld durch Augustin und das
Konzil von Karthago 418 –, bekommt aber die früheste Schicht
der pharisäischen Erfahrung des Paulus mit der Unerfüllbarkeit des Gesetzes nicht zu fassen. Weshalb war das Gesetz unerfüllbar? Die Antwort darauf könnte etwas zu tun haben mit
dem Kern aller Antworten, die in der Philosophie auf die Frage
gegeben worden sind, weshalb dem Menschen die Erfüllung der
sittlichen Norm schwer wird: Die Endlichkeit des Lebens auf den
Tod zu verhindert jede Gelassenheit in der Erreichung unserer
Zwecke unter Rücksicht auf die der anderen, auf ihre mögliche
Allgemeinheit.

Die erste Sünde mag den Tod in die Welt gebracht haben; der Tod
mußte die Sünde in ihr perpetuieren. Dann gehört das Erbsündendogma ursprünglich zu der Geschichte vom Eintritt des Todes in
die Welt. Wenn man nicht wissen kann, daß der Tod der organischen Natur immanent ist, läßt sich erzählen, wie die Resistenz der
Welt gegen ihn durchbrochen wurde. Paulus hätte nur zu sagen
brauchen und hat vielleicht sogar sagen wollen, durch die Sünde
sei der Tod in die Welt gekommen und *infolgedessen* hätten fortan
alle gesündigt.[39] Der erste Teil des Satzes wäre mythisch gewesen,
der zweite rational, denn er enthält die einsichtige Aufklärung
dafür, daß der unendliche Wille ein endliches Leben nicht erträgt.
Die Herrschaft des Todes wäre etwas am Zustand der Welt, die
einmal eingelassene Macht nicht wieder zu brechen gewesen, die
Fortdauer der Schuld nur der sekundäre Befund.

Diesen Weg, das Unerklärbare mythisch, das Erklärbare als dessen
einsichtige Konsequenz auszusagen, ist die theologische Dogmatik
nicht gegangen. Sie hat die Sünde des einen unmittelbar zum Erbe
aller gemacht und die der Vernunft unerträglichen Schwierigkeiten

39 Im paulinischen Römerbrief 5,12 so zu lesen, habe ich gegen Bultmanns
kosmisch-gnostische Auslegung vorgeschlagen in: Philosophische Rundschau 2,
1955, 129.

dieser Zumutung auf sich genommen, um mit der Einheit der Schuld die Einheit der Erlösung tiefer oder wenigstens sinnfälliger zu begründen. Hieran zeigt sich die Vordergründigkeit des Blicks, den Friedrich Theodor Vischer hinter die Kulissen und in die Karten der Theologie getan haben wollte. Das Dogma ist nicht die Aufzehrung des Mythos durch das Stück Philosophie, das auch in ihm steckt, sondern selbst schon ein Stück Remythisierung dessen, was unter Voraussetzung eines minimalen Mythos – im Sinne des platonischen Verhältnisses von Mythos und Logos – auch als Einsicht in ein Bedingungsverhältnis zu leisten gewesen wäre. Die philosophische Herkunft oder Vorprägung einer dogmatischen *Begrifflichkeit* entscheidet nicht darüber, ob auch ein *Problem* der Philosophie, nur auf andere Weise, eingebracht worden ist und nicht vielmehr die Konsequenz einer Vorgabe, die nur als Geschichte hatte erzählt werden können.

Es ist nicht richtig, wie man an Plato, Paulus, Origenes oder Anselm beobachten kann, daß die philosophische oder dogmatische Disziplinierung eines Systems in der Aufzehrung der mythischen ›Rückstände‹ in ihm endet, wie Vischer erfahren haben will. Im Gegenteil, die Ausbreitung und Durchsetzung definibler Aussagemittel steigert den Anspruch an die narrative Vorgabe, an den mythischen Rahmen von Anfang und Ende, Grund und Abgrund. Die christologische Dogmatik mit ihrem Abwehrgestus gegen das ihrem Gott Unzumutbare wirkt nach einem Jahrtausend gehaltarm im Vergleich mit Anselms neuem Grundmythos. Dafür, daß er weiterem Nachfragen Einhalt gebietet, hat er doch vorab eine umfassende Geschichte Gottes mit den Menschen geliefert, die der strikten Glaubensforderung nicht unterliegt, sich aber wie eine Ikonostase vor die letzten Unergründlichkeiten schiebt und das Gemüt vom nachfragenden Vordringen zurückhält.

Die Philosophie hat gegen den Mythos vor allem das rastlose Nachfragen in die Welt gebracht und ihre ›Vernünftigkeit‹ darin proklamiert, vor keiner weiteren Frage und keiner Konsequenz möglicher Antworten zurückzuschrecken. Das Dogma hat sich darauf beschränkt, der Fragelust der Grenzüberschreiter Einhalt zu gebieten und das Minimum des Unverzichtbaren auszuzeichnen; deshalb ist etwa die späte Mariendogmatik der römischen Kirche ganz atypisch, wenn auch nicht inkonsistent. Der Mythos läßt das

Nachfragen auf den Wall seiner Bilder und Geschichten auflaufen: nach der nächsten Geschichte kann gefragt werden, danach also, wie es weitergeht, wenn es weitergeht. Sonst fängt es wieder von vorn an.

Flaubert notiert am 12. Juni 1850 in sein ägyptisches Tagebuch, man habe tagsüber einen Berg erstiegen, auf dessen Höhe sich ein Haufen dicker und runder Steine fand, die fast mit Kanonenkugeln Ähnlichkeit hatten. Man erzählte ihm, das seien ursprünglich Melonen gewesen, die Gott in Steine verwandelt habe. Die Geschichte ist zuende, der Erzähler offenkundig befriedigt; nicht der Reisende, der nach dem Warum fragen muß. Weil das Gott Vergnügen machte, lautet die Antwort, und weiter gehe die Geschichte nun einmal nicht. Es genügt ihr, die zufallswidrige Regelmäßigkeit der Steine um einen Schritt zurück zu verfolgen, wo sie ganz ›natürlich‹ erscheinen muß. Melonen wachsen nun einmal so, und es bedarf für sie keiner Erklärung, weshalb sie so gleichartig und gleichmäßig aussehen. Also verhilft die Einführung der Melonen dazu, an den verwunderlichen Steinen etwas hinzunehmen, was diese durchgängig und von Natur nicht an sich zu haben pflegen. Es ist ein Rückgriff auf die Lebenswelt, auf etwas, was in dieser vertraut ist, und kein Gedanke daran, daß Gott auch mit den Melonen schon etwas zu schaffen haben müsse. Dieser Splitter eines Mythos tut nur den einzigen Schritt von der Lebenswelt zum Ungewöhnlichen, und dann ist die Geschichte zuende. Wer *Warum?* fragt, ist selbst schuld, wenn er durch die Antwort geärgert wird. Er hat die Spielregel der mythischen Welt verletzt. Es ist ihm nichts zugemutet, im Gegenteil, etwas angeboten worden, was vor dem Verwunderlichen nur eine Zugabe sein kann. Das Dogma verweigert solche Angebote, weil es seinem Gott alles zuzutrauen gebietet.

Wenn bei Lukas der Engel der Mariam den Thron Davids und ewiges Königtum für ihren Sohn Jesus verheißt, fragt sie den Engel mit allem Recht: *Wie soll das geschehen, da ich keinen Mann kenne?* Die Antwort, die sie erhält, ist die Verweigerung einer Antwort, denn sie geht in dem Satz auf, bei Gott sei kein Ding unmöglich. Da bleibt nichts als Unterwerfung, denn was der Engel sonst noch anbietet – Überkommen des heiligen Pneuma und Überschattung von der Dynamis des Höchsten – ist Anfüllung der

Geschichtsleere mit Namen, mit nahezu dogmatischen Abstraktionen, die leicht metaphorisch auf Begattung getönt sind.

Ein Satz wie der, am Anfang habe Gott Himmel und Erde geschaffen, tut nichts dazu, dies unserem Verständnis näher zu bringen, sondern eignet sich vorzüglich, die Nichtzulassung weiterer Fragen mit dem Risiko der Anathematisierung gewagter Antworten einzuleiten. Augustin, der die Lehre von der Schöpfung aus dem Nichts gegen die dualistische Auffassung der Materie abschließend formuliert, geht dennoch einen Schritt weiter. Er fragt nach dem Grund dieser Schöpfung: *Cur creavit caelum et terram.* Die Frage ist aber nicht gestellt, um eine Antwort zu geben, sondern um das Nachfragen schlechthin zu diskreditieren oder auf die Erwartung immer desselben Musters zu verweisen: *Quia voluit.* Der Typus dieser abweisenden Formel, die Substitution des Willens für den Grund in der Gottheit, ist der folgenreichste und in seiner Weiterbildung für die dogmatische Rationalität verhängnisvollste. Der Gott, der kann, was er will, wird wollen, was er kann. Am Ende steht das unendliche Universum, das er selbst noch einmal oder nichts als er selbst ist.

Solche Sätze, wie der des Verkündigungsengels bei Lukas an Mariam oder der über den Schöpfungsungrund bei Augustin, sind reine Ausschließungen jeder narrativen Lizenz. Sie sind schon die Vollendung des Dogmas, was auch danach immer noch definiert werden mochte, und Keime seiner Zerstörung zugleich.

Der Satz, am Anfang habe Gott Himmel und Erde erschaffen, hat durch die Geschichte seines Gebrauchs die ehrwürdige Qualität der Unauslotbarkeit angenommen. Tatsächlich verstehen wir von vorn bis hinten kein Wort. Nichts ist an diesem Satz, was uns die Welt verständlicher oder gar erklärbarer gemacht hätte. Es ist hier nicht zu untersuchen, worauf dann seine unbestreitbare und einzigartige Wirksamkeit beruht, deren Inbegriff Erzeugung von Weltvertrauen heißen könnte. Im Augenblick geht es darum, den Satz als die Ausschaltung und Blockierung jeder Geschichte zu betrachten; man soll nicht auf den Gedanken kommen, es würde Einblick in einen unbekannten und rätselhaften Vorgang angeboten.

Wenn das aber so sein sollte, wenn Zumutung und Herausforderung die Funktion des Satzes sind, wird man sich fragen, ob er

bereits das Äußerste des auf Prostratismus gerichteten Verber-
gungswillens ist. Ich lege eine Variante vor, die dieser Erwägung
Deutlichkeit verschafft. Es ist der entsprechende Satz aus dem
gnostischen System des Basilides nach dem Bericht Hippolyts: *So
schuf der nicht seiende Gott eine nicht seiende Welt aus Nichtseien-
dem, indem er ein Samenkorn hervorbrachte, das den Samen der
Welt in sich hatte.*[40] Dieser eine Satz überschreitet mit der Häufung der Negationen die Grenze der dogmatischen Verständlich-
keitssuggestion; er demonstriert die Unzugänglichkeit des Prinzips,
das er behauptet, und verspielt noch die Vorgabe der *creatio ex
nihilo*. Sollte man den ersten Teil klassifizieren, würde man ihn
der Mystik zuweisen. Zugleich aber belegt er die Unerträglichkeit
der Sprache einer negativen Theologie und ihrer Unterwerfungs-
funktion, indem er unerwartet umschwenkt auf eine Metapher, die
den Ansatz zu einer Geschichte oder eine Geschichte im Hintergrund zu verraten scheint. Der als zweiter Teil folgende Nebensatz
nimmt das Paradox, die Sprengung der Intention durch Negationen, zurück, mildert das strenge Bilderverbot und liefert ein zwar
primitives, doch vertrautes Orientierungsmuster, das weltweit in
Mythen verbreitet ist: Die Welt selbst entsteht wie das, was in ihr
entsteht, aus dem Ei oder aus dem Samen.

Die mythische Implikation läßt sich mühelos entwickeln. Es ließe
sich weiter erzählen, in welchen Boden das Samenkorn fällt, von
welchen Wassern es genährt und von welcher Sonne es beschienen
wurde. Dagegen ist der erste Teil des Schöpfungssatzes schlechthin
nicht fortsetzbar. Was sollte weiter gesagt werden? Gott ist nicht,
die Welt ist nicht, und das, woraus sie geschaffen ist, ist gleichfalls,
oder erst recht, nicht. Sollte dies ein Stück der Negationen des
späten Platonismus sein, so braucht man nur zu vergleichen mit der
Anschaulichkeit des platonischen Kunstmythos vom Demiurgen,
der die Welt in ihrem Aufbau durchsichtig zu machen angelegt
ist.

Der Satz aus dem Bericht über Basilides ist so etwas wie die formale Metapher für das Produktionsverfahren eines gnostischen
Systems: Es vollzieht umständlich einen begrifflichen Ikonoklas-
mus, um gleich darauf extensiv Destruktion und Verbot zu

40 Hippolyt, Refutatio VII 21, nach: W. Völker, Quellen zur Geschichte der
christlichen Gnosis. Tübingen 1932, 47.

mißachten. Dazu muß der Pluralismus der Gewalten restauriert sein, der die Erzählung einer Geschichte in Gang setzt. Dogmatisch ist das Eine als das Letzte geboten; aber Geschichten lassen sich nicht von ihm erzählen, es sei denn, wie es aufgehört habe, das Eine zu sein. Das Dilemma der christlichen Dogmengeschichte liegt darin, einen trinitarischen Gott zu definieren, aus dessen Pluralität keine mythische Lizenz folgen darf.

Zeugung des Sohnes und Hauchung des Geistes mögen zur Metapher verblaßte Anknüpfungen an biblische Prädikate in der trinitarischen Dogmatik als Abwehr von Subordinationen sein – letztlich wird der trinitarische Gott dem aristotelischen unbewegten Beweger immer ähnlicher, der seine Autarkie zur reinsten Wirklichkeit steigert, indem er auch Denken nur als Denken seiner selbst vollzieht. Die trinitarischen Hypostasen bleiben Vorgänge reiner Innerlichkeit, und wegen der gleichen Natur der Personen – also ihrer Gleichewigkeit – läßt sich auch keine Geschichte erzählen, wie es zu Zeugung und Hauchung gekommen ist. Das Dogma ruft das mythische Bedürfnis, das es erweckt, sogleich wieder zur Raison.

Wie wenig zufällig eine solche Unfestigkeit der Grenze zwischen Dogma und Mythos ist, zeigt die rabbinische Fassung des innergöttlichen Verkehrs, die keine Hypostasen gestattet: Gott betet zu sich selbst, seine Gnade möge über seine Strenge siegen.[41] Wie schön der Gedanke sein mag, er läßt statt handelnder Figuren gleichsam die Attribute der Gottheit miteinander verhandeln, die Barmherzigkeit mit der Gerechtigkeit. Was sollte es sonst bedeuten, daß Gott zu sich selbst betet? Die Geschichte ist nicht ausgebaut, weil sie ihrer Funktion nach eine abwehrende Geschichte ist, Verhinderung des Mythos durch ein winziges Zugeständnis an ihn.

---

41 E. Stauffer, Artikel *theos* in: Theologisches Wörterbuch zum Neuen Testament III 111. Grundlage dieses Gedankens könnte die rabbinische Exegese der beiden biblischen Gottesnamen sein, des *Elohim* (Wurzel ›El‹ = Macht) auf die Gerechtigkeit, des *Jahwe* auf die Erbarmung Gottes: a. a. O. III 91 A. 113.

IV
Den Mythos zu Ende bringen

Noch eine Geschichte, und dann
werde ich nur noch mit x und y
um mich werfen.

Stendhal, Henry Brulard

Fontenelle hat in seiner Mythologie das Erstaunen des Aufklärers
ausgesprochen, daß die Mythen der Griechen immer noch nicht aus
der Welt verschwunden seien. Religion und Vernunft hätten zwar
von ihnen entwöhnt, Dichtung und Malerei aber ihnen zum Überleben verholfen. Diesen hätten sie sich unentbehrlich zu machen
gewußt.[1] Die Feststellung ist gemeint als ein Beitrag zur Geschichte der menschlichen Irrtümer. Es gehörte zum Schulprogramm
der Cartesianer, mit der Gesamtheit der Vorurteile auch diese
Klasse aus den Köpfen zu entfernen. Die Lebenskraft der Mythen
muß um so unbegreiflicher erschienen sein, da sie die Erklärung
für die Hartnäckigkeit der Vorurteile nicht treffen konnte, sie
hielten sich durch Schmeichelei um die menschliche Natur und

---

1 Fontenelle, L'Origine des Fables (1724). Ed. J. R. Carré, 35: *La religion et le
bon sens nous ont désabusés des fables des Grecs; mais elles se maintiennent
encore parmi nous par le moyen de la poésie et de la peinture, aux-quelles il
semble qu'elles aient trouvé le secret de se rendre nécessaires.* Will man das
Datum des entschiedensten Widerspruchs gegen Fontenelles Mythentraktat bezeichnen, wird man neben Vicos fast gleichzeitiger »Scienza Nuova« vor allem
Herders Reisejournal von 1769 nennen müssen: *Überhaupt kann man nicht zu
viel tun, um das bloß Fabelhafte in der Mythologie zu zerstören; unter solchem
Schein, als Aberglaube, Lüge, Vorurteil hergebetet, ist sie unerträglich. Aber als
Poesie, als Kunst, als Nationaldenkart, als Phänomen des menschlichen Geistes,
in ihren Gründen und Folgen studiert: da ist sie groß, göttlich, lehrend!* Dazu
muß freilich auch noch Schillers Widerspruch gegen Herders Bevorzugung der
nordischen Mythologie vor der hellenischen genommen werden, der sich auf die
Übermacht der Prosa in dem Ganzen unseres Zustandes beruft und für den poetischen Geist *strengste Separation,* als Voraussetzung für diese verlangt, daß *er
sich seine eigne Welt formiert und durch die griechischen Mythen der Verwandte
eines fernen fremden und idealischen Zeitalters bleibt.* (Schiller an Herder,
4. November 1795)

Stellung in der Welt wider alles bessere Wissen am Leben. Fontenelle sah nicht nur ein Ausschließungsverhältnis zwischen der neuen Wissenschaft von der Natur und den antiken Mythen; er neigte auch zu der Annahme, bei angemessener Darstellung könne die Wissenschaft die Vakanz besetzen, die im Zusammenhang der Bedürfnisse durch Kritik an den Mythen entstanden sei. Etwas von der Art seiner »Entretiens sur la pluralité des mondes« hielt er wohl für die Kompensation aller verlorenen Schönheiten der Überlieferung, an deren Destruktion er sich im Jahr des Erscheinens der Weltgespräche mit der »Histoire des Oracles« so erfolgreich beteiligt hatte. Aus diesem Grundgedanken der ›Umbesetzung‹ heraus hatte Fontenelle den literarischen Typus des Lehrgesprächs für die Aufklärung geprägt, die nicht durchaus den Hintergedanken im Auge behielt, den er damit verfolgt hatte.[2]

In der Legende vom Verstummen der alten Orakel in der Geburtsstunde Christi sieht Fontenelle nur eines jener Stückchen aus dem Repertoire von Priesterbetrug. Da er einen Gegner hat, dem die Wahrheit der Geschichte nicht gleichgültig ist, ist auch ihm die Wahrheitsfrage nicht gleichgültig genug, um die bloße Schönheit der Erfindung genießen zu können und zugleich das elementare Bedürfnis nach Bedeutsamkeit der Geschichte am Ausdruck der bloßen Form von Gleichzeitigkeit befriedigt zu sehen. Doch zögert Fontenelle vor der letzten Konsequenz der Kritik, die durchaus als indirekte Kritik am Christentum angelegt ist. Als ihm der Adressat seines Pamphlets, der Jesuit Baltus, antwortet, liest er das Pasquill nicht zu Ende, um sich nicht in die Versuchung einer Duplik zu bringen. An Leclerc schreibt er, einer Fortsetzung der Polemik zöge er es vor, daß doch der Teufel der Prophet in den Orakeln gewesen sei und diese daher beim Auftreten Gottes in der Welt verstummen mußten, da der Jesuit dies nun einmal wolle.[3] Fontenelle macht eine Voraussetzung der Gegenseite mit, die dem legendären Vorgang erst seinen Streitwert gibt; er hebt die

2 An den Gedanken der ›Umbesetzung‹ nahe herangekommen ist: J. R. Carré, La Philosophie de Fontenelle ou le Sourire de la Raison. Paris 1932, 674: *Fontenelle a compris que les préjugés, détruits par la critique, renaissent irrésistiblement, si rien ne vient remplir la place, assurer la fonction vitale, qui était la leur, en dépit de leur stupidité. Il s'est donc employé de son mieux à substituer un équivalent de sa façon à toutes les idées qu'il prétendait ruiner.*
3 Fontenelle, L'Histoire des Oracles (1686). Ed. L. Maigron, p. f-g.

paganen Mythen und Orakel auf das Vergleichsniveau streitender Wahrheiten, historischer Behauptungen, äquivalenter Inhalte eines ›Glaubens‹, um dann auf solche Prätention einzuschlagen und in ihr indirekt den Vergleichspartner zu treffen. Deshalb begreift er auch nicht das Reservat der Mythen in der zeitgenössischen Dichtung und bildenden Kunst; er nimmt es fast für eine List der in ihnen gelegenen Inhalte, ihre Selbstbehauptung zu betreiben, da es ihm als ein unverständliches Geheimnis erscheint, sich derart unentbehrlich zu machen. Was ihm unzugänglich bleibt, ist: Distanz zu den Mythen wird nicht erst dadurch genommen, daß man sich ihrer ›Unwahrheit‹ versichern zu können glaubt. In ihnen selbst stellt sich Distanz dar als Geltung der ›Bedeutsamkeit‹. Dadurch bieten sie sich der ästhetischen Rezeption an, um schließlich als deren Bestimmung zu erscheinen. Goethe wird sagen: *Die griechische Mythologie, sonst ein Wirrwarr, ist nur als Entwicklung der möglichen Kunstmotive, die in einem Gegenstande lagen, anzusehen.*[4]

Für das konkurrierende Verhältnis des ›Vorurteils‹ Mythos mit der neuen Wissenschaft ist die ätiologische Auffassung der Mythologeme notwendige Voraussetzung. Deshalb konnte Fontenelle als Sekretär der Pariser Akademie der Wissenschaften in der Aufklärung der Natur der ›Donnerkeile‹ einen Triumph *der* Aufklärung sehen. Er hatte den Aggregatzustand der ›Überzeugung‹ vom Ursprung dieser Fundstücke vor sich, die er in einer Front mit anderen Bestandsstücken des Bewußtseins sah, so daß mit diesem alle anderen getroffen zu sein schienen. Die Natur des Regenbogens aufzuklären, konnte als Widerlegung der Funktion des biblischen Mythos genommen werden, wenn und solange dieser in der ausschließlichen Beziehung auf das Erklärungsbedürfnis der Vernunft betrachtet wurde und der institutionelle Charakter seiner apotropäischen Funktion gegen alte Wetter- und Flutängste unbeachtet blieb.

Der biblische Text läßt erkennen, daß der Gott der furchtbaren Flut ein Zeichen der endgültigen Distanz, des möglichen Weltvertrauens setzen wollte, als er zu seinem Herzen sprach: *Nicht will ich hinfort den Acker wieder verwünschen um des Menschen willen, weil das Gebild des Menschenherzens von seiner Jugend her*

4 Goethe zu Riemer, Anfang August 1809 (Werke, ed. E. Beutler, XXII 566).

bös ist, nicht will ich hinfort wieder alles Lebende schlagen wie ich tat. Den der Flut eben Entronnenen gibt er eine erste Probe von der Folge der Verträge und Bündnisse, die seinen Umgang mit seinem Volk bestimmen sollten: *Dies ist das Zeichen des Bunds, den ich gebe zwischen mich und euch und alljede lebende Seele, die mit euch ist, auf Weltzeit-Geschlechter: meinen Bogen gebe ich ins Gewölk, er werde Zeichen des Bunds zwischen mir und der Erde.* Man wird nicht sagen wollen, dies sei eine ›Erklärung‹ des Regenbogens, die beim erreichten Stand besseren Wissens möglichst schnell durch eine physikalische Theorie hätte ersetzt werden müssen. Die Theorie erreicht doch nur, daß das derart durchschaute Phänomen für den Menschen seine ›Bedeutsamkeit‹ verloren hat.

Es geht nicht darum, diesem Verlust nachzutrauern, wohl aber den Geschichtsmythos von der Finsternis zu bestreiten, aus der sich die Vernunft erst in ihrer wissenschaftlichen Verfassung selbst herausgeleuchtet hätte. Wir genießen es, daß der romantische Landschaftsmaler den Regenbogen aus seiner aufgeklärten Bedeutungslosigkeit wieder zurückgewonnen hat für eine andere Art der Erfahrung. Das Phänomen auf der Ebene der Erzählbarkeit oder Bildbarkeit zu halten, ist durch keine theoretische Luzidität überflüssig geworden, wie sich an der Geschichtsschreibung deutlicher als irgendwo sonst ablesen läßt: Die Totalität im prägnanten Ereignis faßbar zu halten und nicht in der Wolke der Fakten und Faktoren zerstäuben zu lassen, wird sich als Aufgabe des Historikers immer dann wieder erweisen, wenn lange genug das Gegenteil behauptet und vorgeführt worden ist.

Mag die Geschichte als das Machbare und in ihren großen Ereignissen als das mit Thesenanschlag und Krönungen Gemachte erscheinen, so nimmt die Rezeption den Mythos gerade als das Unmachbare, in seiner Unerfindbarkeit Anfangslose an. So sicher es ist, daß Mythen erfunden worden sind, obwohl wir keinen Erfinder und keinen Augenblick der Erfindung kennen, wird doch diese Unkenntnis zum Indiz dafür, daß sie zum Bestand des Uralten gehören müssen und alles, was wir kennen, schon in die Rezeption eingegangener Mythos ist. Die Arbeit des Mythos muß man schon im Rücken haben, um der Arbeit am Mythos nachzugehen und sie als das Aufregende der Anstrengung an einem Material wahrzunehmen, dessen Härte und Widerstandskraft unabsehbare Ursprünge haben muß. Grenzbegriff der Arbeit des Mythos könnte sein, was ich den Absolutismus der Wirklichkeit genannt habe; Grenzbegriff der Arbeit am Mythos wäre, diesen ans Ende zu bringen, die äußerste Verformung zu wagen, die die genuine Figur gerade noch oder fast nicht mehr erkennen läßt. Für die Theorie der Rezeption wäre dies die Fiktion eines letzten Mythos, eines solchen also, der die Form ausschöpft und erschöpft.

Damit das nicht als bloßes Rätsel stehen bleibt, füge ich hinzu, daß ein solcher letzter Mythos der Grundmythos des deutschen Idealismus gewesen sein könnte. Vielleicht fällt es besser ins Auge, wenn ich ihn hier mit den Worten einführe, mit denen Schiller ihn Goethe vorgestellt hat. Was er da in *einem* Satz von Jena nach Weimar übermittelt, ist eine ironische Kurzfassung der ersten Proklamationen Fichtes nach der Übernahme seiner Professur in Jena – und, wie man hinzufügen darf, nur drei Jahre nach seiner Begegnung mit Kant: *Die Welt ist ihm nur ein Ball, den das Ich geworfen hat und den es bei der Reflexion wieder fängt!!*[5] Wie ist es möglich, daß mitten im Erfolg der Neuzeit, ihres Programms der wissenschaftlichen Destruktion auch aller Mythen, ein letzter – zumindest als letzter gemeinter – Grundmythos entsteht?

Der letzte Mythos war die Konsequenz des letzten Zweifels. Descartes hatte das Gedankenexperiment des *genius malignus* nicht mutwillig, nicht ohne geschichtlichen Druck, aber doch in der Zuversicht eingeführt, ihm mit dem Begriff des *ens perfectissimum* als beweisbarer Garantieinstanz begegnen zu können. Schon Leibniz hat vorgebracht, einem Zweifel von dieser Radikalität ließe sich mit keinem Argument abhelfen, und Kants Beweis der Unmöglichkeit jeder Art von Gottesbeweis ließ die nackte Schärfe des Zweifels subversiv bestehen. Einen einzigen Ausweg gab es, dieses letzte aller Ungeheuer aus der Welt zu schaffen, wenn das erkennende Subjekt sich selbst zur verantwortlichen Instanz für das von ihm erkannte Objekt machen konnte. So ist der idealistische Endmythos eine Festlegung von Distanz zu einem nur noch mentalen, nur noch das theoretische Subjekt in seiner Tiefe treffenden Schrecken. Denn vollständig und durchgängig getäuscht zu werden,

5 Schiller an Goethe, 28. Oktober 1794 (Briefe an Goethe, ed. K. R. Mandelkow, I 172). Schiller fügt hinzu: *Sonach hätte er seine Gottheit wirklich deklariert, wie wir neulich erwarteten.*

braucht das Subjekt der Lebenswelt nicht zu erschüttern, sofern es nur sicher sein kann, aus der Dichte der ihm zugespielten Realität niemals zu einer unbekannten zu erwachen.

Der böswillige Dämon des cartesischen Zweifels ist, vom Standpunkt des idealistischen Grundmythos her betrachtet, das Monstrum einer Vorwelt endgültig überwundener Schrecken. In der zugehörigen Geschichtsphilosophie, die Vergangenheiten als endgültige etabliert, hat die mythische Vorwelt ihre Notwendigkeit für eine Zukunft, von der angenommen werden darf und soll, sie sei gerade Gegenwart geworden. Der von Descartes eingeführte erkenntnistheoretische Dämon sollte etwas zu tun imstande sein, was unter dem Titel der Verblendung den griechischen Göttern als ihr Anteil an der Tragödie zugeschrieben wurde. Doch war dort solches Verhängnis immer partiell gewesen, also auch im Geflecht der Gewaltenteilung durch die Gunst eines anderen Gottes zu durchbrechen. Im Mythos geschieht das Totale und das Endgültige nicht; sie sind Produkte der dogmatischen Abstraktion. Deshalb gehört zum Grundmythos des Idealismus eine Philosophie der Geschichte. Sie ist Inbegriff dessen, daß selbst der Gott nicht alles auf einmal kann, nicht einmal für sich selbst. Die Geschichtsphilosophie macht aus *der* Geschichte wieder *eine* Geschichte, die von dem spielenden oder abenteuernden oder bildnernden Ursubjekt handelt. Es kann nicht mehr jenes vollkommenste Wesen sein, bei dem Descartes die Garantie für die theoretische Zugänglichkeit der Welt gesucht hatte. Denn von einem solchen konnte es keine Geschichte geben; es war nach der klassischen Definition seiner Ewigkeit alles auf einmal. Wenn das Absolute zu sich selbst nur auf dem Umweg über die Zeit findet, stößt ihm doch seine Geschichte nicht zu, vermag sie es nicht zu ängstigen und zu befremden, sondern kommt als von ihm gemachte in den Horizont seiner Erfahrung. Diese Erfahrung ist, genau genommen, ihrem Wesen nach eine ästhetische.

Schopenhauer hatte im Winter 1811/12 in Berlin Fichtes Vorlesung nachgeschrieben und sich in seinem Heft am Rand notiert: *Ich versuche zu erklären wie sich dies ganze Mährchen in Fichtes Gehirn entsponnen hat.*[6] Seine Erklärung geht dahin, daß Fichte

6 Schopenhauer, Handschriftlicher Nachlaß, ed. A. Hübscher, II 60.

Kants Lehre mißverstanden haben müsse, veranlaßt wohl durch deren Unvollständigkeit. Gegen Fichtes Urfaktum des sich selbst anschauenden Seins notiert Schopenhauer den Einwand, das Ich könne zwar anschauend sein, aber niemals selbst das Angeschaute. Grundfigur der Wissenschaftslehre sei, daß das ›Seyn‹ in keiner anderen Weise erfahren werden kann, als indem es sich selbst mitteilt und zu verstehen gibt. Dazu Schopenhauer: *Ist es nicht sehr frech, daß die Erzählung von einem Dinge von dem kein Mensch weiß, bezeugt werden soll, dadurch daß sie von ihm selbst kommt? So haben Schelme Grundstücke die in Amerika liegen sollten in Europa verkauft, nach Vorzeigung ihrer Grundrisse die an Ort und Stelle verfertigt seyn sollten.*[7]

Nun ist die Beschreibung der absoluten Reflexivität als Anschauung nur ein Anstoß zu der Bewegung, ohne die etwas in einer Philosophie überhaupt nicht vorkommen könnte, was doch unweigerlich in ihr vorkommen muß: das Ungenügen des Subjekts an sich selbst als Voraussetzung seiner Weltwilligkeit. Schon drei Jahre später entdeckt Schopenhauer den unschätzbaren Vorteil, den das idealistische Subjekt davon hat, daß es sich von der Welterfahrung der Verlorenheit im unendlichen Raum und der unendlichen Zeit nicht schrecken zu lassen braucht: In der Reflexion auf mich als Subjekt des Erkennens werde ich mir bewußt, daß *die Welten meine Vorstellung sind, daß also ich, das ewige Subjekt, der Träger dieses Weltalls bin, dessen ganzes Seyn nichts ist als eine Beziehung auf mich.* In dieser Erkenntnis summiert sich das ganze Gefühl der Erhabenheit, in dem der Schauder aufgeht, der sich der Welterfahrung beim Blick auf die Jahrtausende und auf *die zahllosen Welten am hohen Himmel* einstellt. *Wo bleibt der Schauder, wo die Bangigkeit? Ich bin, nichts weiter ist, auf mich gestützt ruht die Welt, in der Ruhe die von mir ausgeht: wie sollte sie mich schrecken, wie ihre Größe mich entsetzen, die immer nur das Maas meiner eignen sie stets übersteigenden Größe ist!*[8] Das also ist es: Es wird eine Geschichte von der Welt und dem Subjekt ihrer Objekte erzählt, die den Absolutismus der Wirklichkeit von der Wurzel her ausschließt. Es ist keine beweisbare Geschichte, eine Geschichte ohne Zeugen, aber eine mit der höchsten Qualität, die

7 Nachlaß II 85.
8 Nachlaß I 209.

Philosophen je haben bieten können: mit Unwiderlegbarkeit.
Wenn sich etwas gegen sie ausmachen ließe, wäre von Gewicht
das eine Zeugnis des von ihr Begünstigten, dem die Versicherung
von der Gunst der Welt als seinem Geschöpf dadurch unglaubwürdig wird, daß er insgesamt mit seinen Geschöpfen nicht die eindeutige Erfahrung macht, Urheberschaft garantiere Dienstbarkeit.
Wenn im Grundmythos des Idealismus nur noch die Form eines
Mythos mit abstrakten Namen in bewußter Unüberbietbarkeit
exekutiert werden soll, dann hat dieser seine Pointe in der Vorstellung der Autogenesis, der Selbsterschaffung des Subjekts. Durch
sie wird noch die Urbedingung aller Möglichkeit der Realität vom
Subjekt in Verfügung gehalten, so als wollte es sich von der Qualität der Wirklichkeit nicht überraschen lassen, sogar davon nicht,
daß es überhaupt etwas und nicht eher nichts gibt. Man könnte
diese Pointe als absolute Herrschaft des Wunsches, des Lustprinzips,
am anderen Ende einer Geschichte beschreiben, die mit der absoluten Herrschaft der Wirklichkeit, des Realitätsprinzips, begonnen
haben muß. Daher die zunächst bestürzende, dann aber zur Posi-
tivität umwendbare Feststellung, kreative und neurotische Imagination seien eng benachbart. Beide hätten sich der Herrschaft des
Realitätsprinzips entzogen.
Der tiefste Konflikt, den das auf seine absolute Wurzel reflektie-
rende Subjekt mit sich selbst haben kann, ist die Feststellung seiner
mundanen Kontingenz, seines Mangels an Notwendigkeit. Vielleicht sind die von der Psychoanalyse gefundenen und im Mythos
wiedergefundenen Vater- und Mutterkonflikte nur vordergründige
Spezifikationen des tieferen Konflikts, der darin besteht oder daraus entsteht, daß ein Subjekt aus einem physischen Prozeß hervorgeht und von seiner Selbstkonstitution eben dadurch nichts erfährt,
diese vielmehr aus dem Besitz der einzigen absoluten Evidenz des
Cogito sum als heterogen erschließt. Aus dem Bericht über eine
Analyse bei Otto Rank wissen wir, wie die präziseste Formel für
dieses Dilemma aussieht: *Sie wollten sich selbst erschaffen, Sie
wollten nicht von menschlichen Eltern geboren sein ... Sie haben
versucht, Ihr Leben wie einen Mythos zu leben. Alles, was Sie
träumten oder sich vorstellten, haben Sie ausgeführt. Sie schaffen
Mythen.*[9] Der Neurotiker leistet es sich, aus den ihm unbehaglichen

9 Anaïs Nin, Tagebücher 1931-1934. Dt. Hamburg 1968, 276 f.

Konstellationen und Abhängigkeiten Wünsche werden zu lassen, die noch nachträglich an den faktischen Gegebenheiten ändern zu können vorspiegeln. Dazu gehört der Wunsch, sich selbst erschaffen zu haben. Man inszeniert sich so, als hätte man es.

Der Wunsch nach absoluter Authentizität ist auch im Zentrum des Existentialismus systematisch ausgesprochen worden. Geworfenheit, Faktizität, das sind abstrakte Ausdrücke für den schlichten Sachverhalt, daß der Mensch gegen seinen Wunsch, sich die Existenz und die Bedingungen der Existenz selbst gegeben zu haben, diese als auf dem nüchternsten Wege der Natur erzeugt vorfindet und sich in seinem Selbstentwurf gegen ihre Voraussetzungen zu definieren hat. Nichts anderes besagt die Umkehrung des scholastischen Axioms, die Existenz folge der Essenz, die das Wesen aus dem Dasein erst resultieren läßt. Diese Position erscheint nachträglich als der letzte Widerstand gegen die überwältigende Vermutung der gesellschaftlichen Fremderschaffung, als verzweifelte Anstrengung, sich dieser zu widersetzen oder sie nachträglich ungeschehen zu machen. Erahnbar ist, daß Selbsterschaffung im Kern immer wieder auf ein ästhetisches Geschäft der Selbstdarstellung hinausläuft. Nur ästhetisch läßt sich der Wunsch erfüllen, nicht so zu sein, wie man ist. Schon für den Gott Plotins war die Selbsterzeugung eine Metapher, die das Dasein zur puren Konsequenz des Wesens machen, den platonischen Chorismos im höchsten Prinzip aufheben, das Wesen als Inbegriff des Willens darstellen wollte. Aber dies ist auch die Bestimmung des ästhetischen Gegenstandes geworden. Er ist gegen alles Faktische die Identität von Konzeption und Erscheinung – anders ausgedrückt: die Unverfehlbarkeit des Wunsches als Sein.

Die Auszeichnung eines Mythos als einer letzten und unüberbietbaren Reindarstellung seiner ›Form‹ ist höchster Anreiz des Umgangs mit dem Mythischen, aber kein der Evidenz fähiger Zustand der Endgültigkeit. Anfang und Ende sind auch darin symmetrisch, daß sie sich erweisbarer Faßbarkeit entziehen. Der Mythos ist immer schon in Rezeption übergegangen, und er bleibt in ihr, mit welcher Gewaltsamkeit auch immer seine Fesseln gesprengt, seine Endform festgestellt werden sollen. Wenn er nur in Gestalten seiner Rezeption uns vorliegt, gibt es kein Privileg bestimmter Fassungen als ursprünglicher oder endgültiger. Lévi-Strauss hat vorgeschlagen, ein Mythologem durch die Gesamtheit seiner Fassungen zu definieren. Freud und Sophokles wären danach gleichermaßen als ›Quellen‹ für den Ödipus-Stoff anzusehen. Alle Varianten hätten Anspruch auf den gleichen mythologischen Ernst.[10] Die wichtigste Folge aus dieser Hauptthese ist die Preisgabe von ›Wirkungsgeschichte‹ im strikten Sinne für die Mythologie. Die räumliche oder zeitliche Kontaktbedingung für den ›kausalen‹ Nexus ist aufgegeben. Die Voraussetzung ist eher die einer ständigen Produktivität als die einer übergreifenden Rezeptivität. Denn im Grunde wird angenommen, aus dem konstanten Fundus der menschlichen Natur könne jedes signifikante Mythologem jederzeit virulent werden. Selbst wo Belegbarkeit von Rezeption besteht, kann ihr unterstellt werden, ihre Disposition sei von der zu authentischer Urheberschaft ununterscheidbar.

Das ethnologische Material weit distanter Kulturen begünstigt eine solche Voraussetzung. Wenn ich sie dennoch nicht mitmache, so aus der Scheu vor dem unvermeidlichen Platonismus, der im Gefolge der Preisgabe von Mechanismen der Vermittlung schließlich jeder Tradition zugestanden werden müßte. Dann würde der Begriff der Tradition den der Geschichte entnerven, und erklärt würde schließlich nur noch mit den Beständen einer *black box*, was zwar in der Zeit verteilt vorliegt, aber von seiner Stelle in der Zeit so wenig affiziert wird, wie die platonischen Ideen von ihren Erscheinungen. Aber erst die Zeitbestimmtheit des Früher und Später macht es wichtig, daß Apollon, ursprünglich ein ›Verderber‹, zum strahlend-freundlichen Gott wird, daß Hephaistos aus einer Gottheit der Feuerschrecken zum Begünstiger der Kunstfertigkeiten, der alte Gewittergott Zeus zum Weltordner und auch andere zu anderem werden.

Doch ist der Wert der Hauptthese von Lévi-Strauss mit dem Festhalten am Begriff und Verfahren der Rezeption, ja mit der Ausschließlichkeit ihrer Stellung in der Mythologie, nicht beiseite

---

10 Anthropologie Structurale. Paris 1958. Dt. Frankfurt 1967, 238-241. Den Grundgedanken, das Interesse am Mythos gehe weder auf das Konstrukt eines Urmythos noch auf den Mythenvergleich, sondern auf die *Gesamtsumme seiner verschiedenen Fassungen und Deutungen*, hat Kurt von Fritz in einer zuerst 1947 in The Review of Religion XI, 227-260, veröffentlichten Abhandlung über Pandora, Prometheus und den Weltaltermythos ausgesprochen (dt. in: Wege der Forschung XLIV. Darmstadt 1966, 399; 408).

geschoben. Es bleibt bestehen, daß alle Fassungen konstitutive Elemente des einen Mythos sind, nur die Irrelevanz ihrer Stellung in der Zeit gegenüber der idealen Gleichzeitigkeit ihrer Verteilung im Raum wird umgewertet in den Vorrang der temporalen Ordnungsform. Diese nämlich leistet alle Indikationen für den Anteil der Varianten an der Ausschöpfung eines Potentials, das ohne die Differenz der verformenden und anreichernden geschichtlichen Aussageansprüche unerschlossen bliebe. Was für den Ethnologen die Mannigfaltigkeit der Kulturen leistet, unter deren Vorgaben das Mythologem erzeugt und bearbeitet wird, leistet in einem Traditionszusammenhang wie dem europäischen das, was man sich ›Geschichtlichkeit‹ zu nennen gewöhnt hat. Es kann schlichter als Unmöglichkeit ausgesprochen werden, einen vorgegebenen Inhalt jederzeit in derselben Weise vorzutragen oder als verstanden zu denken. Die Negation dieser Unmöglichkeit ist wiederum das, was in der dogmatischen Denkform unterstellt wird.

Wenn Lévi-Strauss vorschlägt, alle erhobenen Fassungen eines Mythos in einer Blattstruktur übereinander zu projizieren, um dadurch den Kernbestand zu ermitteln, so ist dies die Ausfällung des Zeitfaktors: alle Varianten werden einer unbestimmten Zeitebene zugeordnet. Es ist nicht mehr das ewige Wahre, aber doch eines, für das Zeitverlauf und Zeitstelle gleichgültig sind. Für eine philosophische Mythologie ist das besonders gehärtete Material des Mythos in seinem Geschichtsgang nicht zuletzt dadurch aufschlußreich, daß an seinem Widerstand gegen die Richtung und Stärke der verformenden und destruktiven Kräfte Aufschlüsse für die geschichtlichen Horizonte gewonnen werden können, aus denen sie einwirken. Es ist deshalb kein auf die europäische Geschichte gesetzter Wertvorzug, wenn sich fast ausschließlich in ihr Traditionsgänge von Mythen darstellen lassen. Die ideale Gleichzeitigkeit des Ethnologen erscheint von dieser Möglichkeit her als bloße Verlegenheit um temporale Parameter. Sein Zeitbegriff ist von der Struktur der Überlagerung gekennzeichnet, und die Zugehörigkeit aller Varianten zu einem Mythos erweist sich von daher gar nicht mehr als Forderung, sondern als rationalisiertes Sichabfinden mit einer nur faktischen Mangellage. Die Unerreichbarkeit temporaler Tiefenschärfe wird, in einer der nicht seltenen professionellen Umwertungen, zum Triumph der Erkenntnisleistung. Als solche

vermeidet sie die kulturkreistheoretische These von der konstanten
Tradition – statt der konstanten Disposition – aus einem kulturell
bereits fortgeschrittenen räumlichen und zeitlichen Ausbreitungs-
herd der Menschheit.

Gegen sie spricht heute, daß die Wanderungsbewegungen und physischen Differenzierungen zeitlich in eine immer frühere Phase
zurückgeschoben werden mußten und die theoretisch erforderliche
langzeitige Gemeinsamkeit der kulturellen Ausformung immer
weniger Platz im Zeitschema der Urgeschichte finden konnte. Auch
scheint sich die notwendige Zusatzannahme nicht zu bestätigen, daß
Elemente primitiver Gemeinsamkeit gerade dort zu finden sein
müßten, wo Wanderungsbewegungen in Sackgassen und Abdrän-
gungsräumen zur Abschirmung von späteren Einflüssen und Konservierung des Archaischen geführt hatten. Diese genetische Theorie
wäre ohnehin mit einer so übersteigerten Konstanzannahme für die
Traditionsfähigkeit menschlicher Gesellschaften belastet gewesen,
daß sie an geforderter Geschichtslosigkeit jedem Strukturalismus
gleichwertig war. Zudem, wenn alles schon fertig da gewesen ist,
bleibt zwar nichts für den Traditionsgang zu erklären, alles aber
für das Zustandekommen jenes ursprünglichen Bestandes. Nicht
zufällig hat sich die Kulturkreistheorie besonders gut vertragen
mit der schon in der Romantik für die Mythologie aufgegriffenen
Lehre von einer Uroffenbarung und deren unverstanden fortgeerb-
ten Überresten. Diese fremdartige Vervollständigung einer genetischen Theorie gleicht die Verlagerung aller Probleme an den
Anfang der Menschheitsgeschichte aus: der Paradiesmythos wird
wieder unentbehrlich.

Die großtheoretischen Alternativen interessieren hier nur, weil sie
auch die Grenzsetzung der Rezeption durch ihr Ans-Ende-bringen
betreffen. Diese Idee bleibt unverständlich, wenn Mythen entweder
anthropologisch naturalisiert oder urzeitlich determiniert zum Fundus der menschlichen und menschheitlichen Kultur gehören, für
dessen Einheit es keine Geschichte gibt oder keine geben darf.

Unterstellt man, es sei wirklich das Hauptproblem einer Mythologie zu verstehen, wie die Mythenbestände von einem Ende der
Welt zum anderen sich so sehr ähneln, dann kann von nicht
geringerem Gewicht sein, daß sie auch in der Dimension der Zeit,
von einem Ende der menschlichen Geschichte zum anderen, in

einer erstaunlichen Weise beständig bleiben. Es gibt kein kulturelles Trägheitsgesetz; deshalb muß auch für den Fortbestand von Kulturinhalten Erklärung gefordert werden. Vielleicht steht die morphologische Vergleichbarkeit in der synchron-räumlichen Diffusion der Mythologeme sogar in einem Zusammenhang mit ihrer Haltbarkeit im diachronen Transport.

Dies wäre dann der Fall, wenn die Stabilität der narrativen Kerne auf einer Rezeptionsbereitschaft beruhte, die nicht so sehr mit vorgeformten und eingeborenen Mustern zu tun hätte, als vielmehr mit der geringen Vielfalt derjenigen menschlichen Sachverhalte, Bedürfnisse und Situationen, die sich in mythischen Konfigurationen abbilden und diese zumindest formal ähnlich erscheinen lassen. Unter der Voraussetzung der Gleichwertigkeit räumlicher und zeitlicher Ubiquität wird man genötigt, die Bedingungen der Rezeption des Mythischen jedenfalls nicht als heterogen zu denen seiner Entstehung zu sehen. Dann wären von jener her zumindest Annahmen über Angeborenheiten auszuschließen oder in Zweifel zu stellen.

Hier wie dort, in ihren weltweiten wie zeitweiten Übereinstimmungen, zeigt der Mythos die Menschheit dabei, etwas zu bearbeiten und zu verarbeiten, was ihr zusetzt, was sie in Unruhe und Bewegung hält. Es läßt sich auf die einfache Formel bringen, daß die Welt den Menschen nicht durchsichtig ist und nicht einmal sie selbst sich dies sind. Das besagt noch nicht, daß die *Erklärung* der Phänomene immer schon den Vorrang gehabt habe und die Mythen so etwas wie frühe Verlegenheitsformen für den Mangel an Theorie gewesen seien. Wären sie Ausdruck des Mangels an Wissenschaft oder vorwissenschaftlicher Erklärung, so hätten sie sich spätestens mit dem Eintreten der Wissenschaft in ihre wachsende Leistungsfähigkeit von selbst erledigen müssen. Das Gegenteil war der Fall. Nichts hat die Aufklärer mehr überrascht und ungläubiger vor dem Scheitern ihrer vermeintlich letzten Anstrengungen stehen lassen als das Überleben der verächtlichen alten Geschichten, der Fortgang der Arbeit am Mythos.

Diese setzt Vertrautheit voraus mit dem, woran sie geschieht, nicht nur bei denen, die sie leisten, sondern auch bei denen, die sie rezeptiv wahrzunehmen haben. Sie setzt immer ein Publikum voraus, das auf den Mechanismus der Rezeption zu reagieren vermag.

Es muß erkennen können, was erhalten, verformt oder dem Un-
kenntlichen nahegebracht, was schließlich dem Gewaltakt der Umkehrung unterworfen worden ist. Es sagt sich leicht dahin, dies
sei die typische Voraussetzung eines Publikums bürgerlicher, gar
humanistischer, jedenfalls literarischer Bildung. Daß dies nicht
stimmen kann, mag man dem unschwer zugänglichen Sachverhalt
entnehmen, daß in den Jahrzehnten entschlossener Destruktion
klassischer Anteile am Bildungswesen, zumal in den Vereinigten
Staaten, aber auch in Europa, die Verwendung und Variation
mythischer Stoffe in den literarischen und bildenden Künsten
ungeahnt zugenommen hat. Als Folge dieses Phänomens wurden
viele zur Beschäftigung mit der Antike als Liebhaberei motiviert,
Bibliotheken zur Gängigmachung der Antike sind in wachsendem
Maße erfolgreich gewesen.
Der Blick auf das Publikum der Mythenrezeption ist nicht neu.
Schon Goethe mußte für das Weimarische Hoftheater bei der Aufführung von August Wilhelm Schlegels »Ion« darauf hinweisen,
man habe sich gefälligst vorher zu Hause über den Zusammenhang
anhand eines mythologischen Lexikons aufzuklären und nicht auf
Mitlieferung der Erklärung zu bestehen: *Man kann dem Publikum
keine größere Achtung bezeigen, als indem man es nicht wie Pöbel
behandelt.*[11] Dieser Satz wird wahr bleiben, wie auch immer sich
die Voraussetzungen für vermeintliche ›Klassizismen‹ und deren
Herbeiführbarkeit verändern mögen. Es gehört zum Anspruch auf
Ernstgenommenwerden des ästhetischen Publikums, von ihm die
allgemeine Erwartung zu hegen, daß es ›etwas merken und bemerken wird‹, was nicht in nackter didaktischer Manier ihm aufge-
droschen und eingepaukt werden soll. Dem Publikum zu Gefallen
zu sein, heißt nicht dasselbe, wie ihm gefällig zu sein.
Schon bei der Aussprache von Namen aus dem Mythos habe, wiederum nach Goethe, der Schauspieler darauf zu achten, daß sie
bedeutende, ja den ganzen Sinn festhaltende Eigennamen sind.
Dieser Sinn könne deutlich gemacht werden, auch wenn die Einbildungskraft nur dazu gebracht wird, sich *etwas Analoges* zu dem
vorzustellen, worauf sie tatsächlich verweisen.[12] Das ist für die
Funktion mythischer Namen ein überaus bedenkenswerter Satz.

11 Weimarisches Hoftheater. 1802 (Werke, ed. E. Beutler, XIV 66 f.).
12 Regeln für den Schauspieler. 1803 § 27 (Werke, XIV 80).

Die Einbildungskraft hat eine Chance, auch wenn stichhaltiges Wissen ihr nicht zugrunde liegt. Schon für die Namen gilt, was vollends für die Geschichten beansprucht werden muß, daß sie eine für sich eindrucksmächtige Bedeutsamkeit besitzen und in dieser ohne definible Bildungsbedingungen aufgenommen werden können. Der Anstoß auf die Einbildungskraft darf vieldeutig sein; er wird tun, was man mit dem schlichtesten Ausdruck nennt: sie beschäftigen.

Die Unerschöpflichkeit der mythischen Figur wird an ihrer Rezeption manifest, doch nicht in der Weise der bloßen Sichtbarmachung dessen, was als Präformation schon darin geruht haben mag. Es ist eine reelle Epigenesis. Sie kann jedoch nicht unabhängig gedacht werden von ihrem ständigen Ausgangspunkt, der für eine von ›Quellen‹ abhängige Tradition nun einmal nichts anderes sein kann als der in die Schriftlichkeit eingegangene Endzustand einer unbekannten mündlichen Vorgeschichte. Auch Anreicherung durch die Rezeption, Anlagerung bezüglicher Stoffe, verweisen auf Ansätze für Bindungen, auf Bezugsfähigkeit im überlieferten und erreichbaren Material. Für den Odysseus in der »Divina Commedia« war Voraussetzung, daß es für Dante die Unantastbarkeit des Homer nicht gab und ihm die auf die Gründung Roms zulaufende Nicht-Heimkehr des Aeneas ungleich überzeugender war, als jede kreisläufige Bedeutsamkeit des Weges von Ithaka nach Ithaka hätte sein können.

Wenn ein Mythos zu Ende gebracht werden soll, weil nur an ihm überzeugend demonstriert werden kann, was diese ›Finalisierung‹ erzwingt und bedeutet, hängt alles von dem in der Rezeption entfalteten oder erzeugten Potential an Bedeutsamkeit ab. Nichts hat ästhetisch und zeitkritisch so gereizt, wie die Kraftprobe an dem neuzeitlichen Mythologem des Doktor Faust.

In der ›vorläufigen Fassung‹ der variablen Faust-Oper von Butor und Pousseur ist Goethes »Vorspiel auf dem Theater« zum Ganzen gemacht. Refrain ist das vieldeutige Mandat des Theaterdirektors an den Komponisten *Es muß ein Faust sein!* Und, in der Tat, nichts anderes kann es sein; nicht weil diese Figur zur Unerschöpflichkeit disponiert war, sondern weil sie es durch ihre Affinität zum Bewußtsein der Epoche geworden ist. Nur an ihr können sich neue Formen einer Selbstkonzeption, wenn es sie je schon gegeben hat oder noch geben sollte, durch Bewährung darstellen. Dadurch, daß das Vorspiel zum Ganzen gemacht wird, das unendliche Ausweichen vor der Realisierung trotz des Rückgangs auf Puppenspiel und Jahrmarkt, auf das *ruchlose Leben und das erschreckliche Ende des Doktor Faust*, im mythischen Ambiente der *Qualen des Tantalus, der Geier des Prometheus, der Felsen des Sisyphus*, sogar der Judith und Holofernes, Samson und Dalilah, David und Goliath – trotz dieses Eintauchens ins Medium der Ursprünge bleibt es beim Vorspiel, beim Vorzeigen der Unzumutbarkeit eines Faust für dieses als wahlfähig gedachte Publikum.

Denn von der Ursituation der Bewährung mythischer Gesänge soll auch wieder realisiert werden, daß die Entscheidung über die Angebote der Urheber, über Fortgang und Ende des ›variablen Spiels‹, bei den Rezeptoren liegt. Sieht man genauer hin, entgeht einem nicht, daß diese ästhetische Demokratie fast nichts zu entscheiden hat. Anachronistische Mündlichkeit wird suggeriert, ihr inzisiver Erfolg vorgetäuscht. Oder soll man sagen, das Publikum werde zum Komplizen der Flucht vor der Aufgabe eines »Faust« gemacht: es verhindere, daß es zu diesem kommt? Soll es zeigen, daß kein zeitgenössisches Publikum sich dieses »Votre Faust« zumuten ließe, weil es den Mythos der Neuzeit selbst schon unmöglich gemacht habe? Die Wahlfreiheit des Publikums ist eine ästhetische Fiktion, die die inzwischen ungeliebte oder schamhaft verschwiegene Titulatur der Kreativität der anderen Seite zuspielt. Henri Pousseur hatte den Auftrag zu einer Faust-Oper für Brüssel an Michel Butor als erwünschten Librettisten weitergegeben. Man kann sich vorstellen, daß da mit beiläufiger Indifferenz die Antwort gefallen ist, die im Text eben dem Freund des Komponisten zugeschrieben wird: *Ein Faust?... Mein Gott!... Schließlich, warum nicht?*[13] Und als der Komponist nochmals beim Theaterdirektor rückfragt, ob es denn ein Faust sein müsse, erhält er zur Antwort, es müsse einer sein: *Wir müssen immerhin dem Geschmack und den Wünschen des Publikums Rechnung tragen.*

Das alles wäre undenkbar, ohne daß sich das Thema Faust tief in das Bewußtsein der Epoche eingegraben hatte. Nicht nur, daß jede Anspielung auf den Stoff mit einem Aha! erkannt und akklamiert werden soll, sondern auch, weil immer erwartet wer-

13 M. Butor, Votre Faust. Dt. v. H. Scheffel. München 1964, 14.

den darf, daß jede Umformung wie im Experiment die einwir-
kenden Kräfte deutlicher machen werde, die aus der Gegenwart
auftreten. Was es heißt, sich an diesem Stoff zu messen, wird
vorgegeben durch die Überfülle der Rezeption in den gerade drei
Jahrhunderten seit dem alten Faustbuch und Marlowes »Doktor Faustus«. Wir wüßten von der Bedeutsamkeit der Figur fast
nichts, wenn diese Arbeit an ihr sie nicht ›erschlossen‹ – oder dazu
›erfunden‹ – hätte. Die Last der Rezeption ist gegenwärtig dadurch, daß der Auftrag weder erfüllt noch abgelehnt werden kann.
In einem der Schlüsse ist es Gretchen-Maggy, die dem Opernplan
nur noch unter der einen Bedingung zustimmen will: *Es darf kein
Faust sein.* Als Faust-Henri sich wehrt, erklärt sie ihm kurzerhand,
sie liebe ihn nicht mehr. Im nicht abwählbaren Finale antwortet
Freund Richard auf die nun an ihn ergehende Frage des Theaterdirektors, ob er für ihn eine Oper komponieren wolle, mit dem
letzten Wort: *Nein.* Darüber fällt der Vorhang.
Es ist die Erfüllung des Gebotes der Madame de Staël, so etwas
wie der »Faust« dürfe nicht wieder geschrieben werden – und für
die Franzosen verbürge sie sich. Dennoch war der wichtigste
»Faust« nach Goethe schon in Frankreich geschrieben worden, ehe
Butor die Unerfüllbarkeit des Auftrags durch das finale ›Nein‹
anzeigte.
Der Gestus ist unvergleichlich, mit dem Paul Valéry uns mitteilt,
er habe an einem bestimmten Tag des Jahres 1940 sich dabei überrascht, wie er mit zwei Stimmen sprach – der des Faust und der
des Mephisto –, und er habe nichts getan, als das niederzuschreiben. Man spürt an der Eröffnung gegenüber dem gutgläubigen
und böswilligen Leser, daß da nicht etwas Letztes gegen das Vor-
letzte gesetzt, sondern ein Ende am Maßstab eines weit zurück-
liegenden und niemals überbietbaren Anfangs gesucht wird. Einerseits relativiert die Hinzufügung des Possessivpronomens »Mon
Faust« den Anspruch auf Endgültigkeit zugunsten eines Höchst-
maßes an Subjektivität, das auch in der Einwilligung zum fragmentarischen Bestand Ausdruck findet; andererseits ist die Vertauschung der Rollen von Verführer und Verführtem zwischen
Mephisto und Faust der radikalste, nicht mehr überholbar schei-
nende Eingriff in die Konfiguration.
Was die Relativierung angeht, wissen wir aus dem Bericht von

August Wilhelm Schlegel über ein Erlebnis des Arztes Zimmermann mit Goethe 1775, daß dieser den nach seinem schon ruchbar gewordenen »Faust« nachfragenden Besucher beschied, indem er einen mit Papierschnitzeln gefüllten Beutel auf den Tisch vor ihm entleerte und mit den Worten darauf verwies: *Voilà mon Faust!*[14] Man hat sich wenig Gedanken darüber gemacht, was dieser Sack mit kleinen Papierstücken und Goethes Äußerung dazu bedeuten konnten. Es soll doch wohl nicht heißen, daß er das Manuskript seines »Urfaust« auf kleine Papierstücke geschrieben hatte und diese in einem Sack aufbewahrte. Viel wahrscheinlicher ist, daß er Johann Georg Zimmermann mit den Resten zerrissener Seiten eines Manuskripts irreführte. In »Dichtung und Wahrheit« hat Goethe beschrieben, auf welchen Voraussetzungen der Erwiderung von Gleichem mit Gleichem sein Verhältnis zu Zimmermann beruhte.

Das Possessivpronomen, der unbestimmte Artikel, sogar der Plural beim Namen des Faust, sind die sprachlichen Indizien für Relativierung und Subjektivierung. Von Lessing wird ein fragmentarisch gebliebener Faust-Plan schon 1755 in einem Brief Moses Mendelssohns an ihn erwähnt. In der Hamburger Zeit spricht er dann von *meinem zweiten Faust.* Unsere wichtigste Quelle für diesen verlorenen Faust, der Bericht des Hauptmanns von Blankenburg, gebraucht den Plural, wenn er die Umarbeitung des ersten Plans einer Zeit zuschreibt, *wo aus allen Zipfeln Deutschlands ›Fauste‹ angekündigt wurden.* Lessing habe, wie dem Berichterstatter *mit Gewißheit* erzählt worden sei, mit der Herausgabe des seinigen *nur auf die Erscheinung der übrigen ›Fauste‹ gewartet.* Das Manuskript sei dann auf einem Transport von Dresden nach Wolfenbüttel verlorengegangen.

Das ›Warten‹ auf die anderen Fauste enthält vielleicht eine Hyperbel, denn 1775 kam es zum öffentlich dokumentierten Zusammenstoß mit dem Faust-Plan Goethes. Während Schubarts »Deutsche Chronik auf das Jahr 1775« die Nachricht bringt, Lessing habe in Wien *an die Schauspieldirection sein vortrefliches Traurspiel D. Faust verhandelt,* enthält sie in einer Fußnote das Zitat aus

---

14 A. W. Schlegel an A. Hayward, 31. Dezember 1832. – Dazu: E. R. Curtius, Goethes Aktenführung. In: Die Neue Rundschau 1951, 110 f., der von Goethes späterer Aktentechnik her den Sturm und Drang-Gestus der Szene domestiziert.

Reichards »Theater-Kalender auf das Jahr 1775«: *Göthe arbeite auch an einem D. Faust.*[15] Lessing zögerte also im Blick auf Goethe. Das bestätigt eine Äußerung des Berliner Aufklärers Johann Jacob Engel gegenüber Döbbelin, Lessing werde seinen »Doktor Faust« sicher herausgeben, sobald Goethe mit seinem erschienen sei. Dieser Ankündigung habe Lessing hinzugefügt: *meinen Faust – holt der Teufel, aber ich will G ... seinen holen!*[16] Der Verlust des Kästchens mit dem Manuskript, von dem Engel versichert, es werde *Lessings Meisterstück seyn,* hat die Nachwelt vor der Austragung der Konkurrenz bewahrt.

Lessings Plural ist eine Äußerung des Überdrusses, fast mit der Implikation: zu viele Fauste. Deshalb ist es romantische Umwertung des Plurals, wenn Achim von Arnim 1818 in seinem Vorwort zur Übersetzung von Marlowes »Faust« die auf Unerschöpflichkeit des Themas deutende Feststellung trifft, es seien *noch nicht genug Fauste geschrieben.* Nach Ausweis des Tagebuchs vom 11. Juni 1818 hat Goethe diese Übersetzung und damit auch Arnims herausforderndes Wort gelesen. Kann es dazu beigetragen haben, seinem »Faust« den Stempel der Endgültigkeit zu geben? Erst 1825 nimmt er die Arbeit daran wieder auf, die im Tagebuch vom 11. Februar 1826 die Qualifikation *Fortführung des Hauptgeschäftes* erhält und ihn bis 1831 nicht losläßt.

Nicht ohne Anteil an dieser letzten Zuwendung zum Faustmotiv wird gewesen sein, daß 1824 ein anderer Goethe ins Gesicht das Possessivpronomen mit dem Faust-Namen gekoppelt hatte. Notiert ist nur unterm 2. Oktober 1824 lakonisch: *Heine von Göttingen.* Angesagt hatte sich der Besucher mit der Bitte, ihm *das Glück zu gewähren einige Minuten vor Ihnen zu stehen.* Auf dem Brocken habe ihn das Verlangen ergriffen, *zur Verehrung Goethes nach Weimar zu pilgern,* und demgemäß sei er zu Fuße gekommen.[17] Die entmythisierte Fassung von Brockenbeschluß und Pilgerfahrt liest sich anders: *Den Herbst machte ich eine Fußreise nach dem Harz, den ich die Kreuz und Quer durchstreife, besuchte den Brocken, so wie auch Göthe auf meiner Rückreise über Weimar.*[18]

15 R. Daunicht, ed., Lessing im Gespräch. München 1971, Nr. 623.
16 Lessing im Gespräch, Nr. 668.
17 Heine an Goethe, Weimar 1. Oktober 1824 (Briefe an Goethe, ed. Mandelkow, II 399).
18 Heine an Rudolf Christiani, Göttingen 16. Mai 1825 (Briefe, ed. F. Hirth,

Über den zahnlosen Olympier in seiner menschlichen Hinfälligkeit sei er *bis in tiefster Seele* erschrocken gewesen; nur *sein Auge war klar und glänzend*. Er habe den Kontrast der Naturen empfunden, die Verachtung für einen, der sein Leben nicht geringschätzte und nicht trotzig für eine Idee hingeben wollte. Und er empfindet sich seither als *in wahrhaftem Kriege mit Göthe und seinen Schriften* liegend.

Von seiner Kriegserklärung an den Dichter des »Faust« berichtet Heine selbst nichts. Aber konnte Maximilian Heine in seinen »Erinnerungen«, obwohl sie zuerst in der suspekten »Gartenlaube« 1866 erschienen, wirklich so phantasievoll sein, dem Bruder den lakonischen Wortwechsel mit Goethe schlichtweg anzudichten? Goethe habe nach belanglosen und herablassenden Eröffnungen plötzlich die Frage an Heine gerichtet: *Womit beschäftigen Sie sich jetzt?* Und rasch habe der junge Dichter geantwortet: *Mit einem Faust.* Da habe Goethe gestutzt und nur noch in spitzem Ton gefragt, ob er sonst keine Geschäfte in Weimar habe.[19] Wenn das erfunden wäre, müßte es von Heinrich Heine selbst erfunden sein.

Hinter seiner Äußerung gegenüber Goethe steckte noch mehr, als dieser herausgehört haben mag: die Popularisierung des vom Olympier mit Beschlag belegten Stoffes. Diese versteckte Zumutung geht weiter als die Überlassung der Sequenzen an das Publikum durch Butor und Pousseur. Für die Authentizität der Äußerung Heines gegenüber Goethe spricht, was er im selben Jahr 1824 in einem Gespräch zu Eduard Wedekind sagt. Man sei auf Goethes »Faust« zu sprechen gekommen: *Ich denke auch einen zu schreiben, nicht um mit Goethe zu rivalisieren, nein, nein, jeder Mensch sollte einen Faust schreiben.*[20] Bereits Heine dachte an eine rigorose Umkehrung der Konfiguration, denn sein »Faust« sollte *genau das Gegenteil vom Goetheschen werden.* Dieser sei immer handelnd, dem Mephisto befehlend; er wolle Mephisto zum handelnden Prin-

---

I 210). In dem Brief an Moses Moser vom 1. Juli 1825 bringt Heine den Gegensatz der Naturen auf die Antithese von ›Lebemensch‹ dort, ›Schwärmer‹ hier (Briefe I 216 f.). 1836, am Ende des ersten Teils der »Romantischen Schule«, wird Heine von sich bekennen, es sei der Neid gewesen, der ihn gegen Goethe gestellt habe.

19 Gespräche mit Heine, ed. H. H. Houben, 90 f.
20 Gespräche mit Heine, 74 f.

zip machen, er solle *den Faust zu allen Teufeleien verführen.* Dann
könne er allerdings kein negatives Prinzip mehr sein.

Was Heine für das genaue Gegenteil des Goetheschen »Faust« hält,
macht ermeßbar, welche Distanz zwischen dieser Herausforderung
Goethes und dem Zugriff Valérys von 1940 noch besteht. Sie
verweist in allem auf eine Welt, in der der Wissende dem Bösen
an Möglichkeiten überlegen geworden ist und das dämonische
Prinzip nachsichtig lächelnd an seine vergangene Glorie erinnern
kann. Vom Blickpunkt Valérys her gibt es kein Schwanken mehr,
daß der Faust-Stoff allein noch durch Goethes Werk repräsentiert
wird. Jede Kühnheit der Rezeption muß sich auf die Verselbständigung beziehen, die er seinen Gestalten für das ganze folgende
Jahrhundert gegeben hatte. Dabei war Valéry erkennbar kein
intensiver Goetheleser; ob er »Faust II« jemals gelesen hat, wird
bezweifelt. Die Goethe-Philologie ist ihm fremd, und so wird ihn
der seltsame Bericht nie erreicht haben, den Bernhard Rudolf Abe-
ken von einer Äußerung Wielands aus dem Jahre 1809 über den
Wandel in Goethes Absichten für den »Faust«-Schluß gegeben
hat. Nur einmal in der frühesten Weimarer Zeit habe er sein
Schweigen dazu in einer aufgeregten Gesellschaft gebrochen und
gesagt: *Ihr meint der Teufel werde den Faust holen. Umgekehrt:
Faust holt den Teufel.*[21] Nun ist dies nicht Valérys Problem, denn
er verlegt die Vertauschung der Rollen weit nach vorn, in das
bloße Verhältnis von Verführer und Verführtem; er entdeckt den
Epikureer Faust wieder, der die Unmittelbarkeit des Genusses zu
finden weiß, die allein noch Verführung sein kann.

Valérys Faustproblem ist nicht mehr, wer wen holt, sondern
worin jener höchste Augenblick bestehen könnte, um den die alte
Wette ging. Die Szene im Garten, die das biblische Paradies und
den *Kepos* Epikurs vereinigt, beantwortet diese Frage zugleich mit
der Abweisung jedes Gedankens, der reinen Unmittelbarkeit der
Erfahrung könne Dauer verschafft werden. Man muß mit dem
Goetheschen Faustschluß vergleichen, dessen weiträumige Mensch-
heitsbeglückung – obwohl nur für den erblindeten Illusionär –
doch den Wunsch nach dem Verweilen aus sich heraus nicht zurückweist. Valérys Inversion des Verhältnisses von Faust und Mephisto
ist nicht Unschlüssigkeit über den Ausgang, auch nicht der isolierte

21 Goethe, Werke, ed. Beutler, XXII 156.

Einfall des Umsturzes der überlieferten Beziehung, sondern die
Konsequenz aus der Andersartigkeit der Antwort auf die Frage
nach dem höchsten Augenblick.

Dieser Faust ist daher nicht einer, der geholt wird – weder von
oben noch von unten –, sondern einer, der resigniert. Ein Faust,
der am Ende aufgibt – das ist, von der Überlast der Tat-Figur her
gesehen, eine ungeheure Verformung.

Was Beendigung des Mythos heißt, kann nur in Abwägung der
Kräfte erörtert werden, die dazu erforderlich sind. Wenn Goethe
seinen großen, obwohl nicht schuldlosen Helden trotz der von
Mephisto nach allen Regeln der Kunst gewonnenen Wette nicht
der Hölle verfallen läßt, erscheint uns dies als bloße Vermeidung
eines Barbarismus. Daß dazu einiger Aufwand getrieben werden
muß, wird zu einer Verschuldung des Faust in Beziehung gesetzt,
die nicht allein aus der Leidenschaft der Wißbegierde herstammt.
Der Bruch mit der Tradition seiner Verdammnis wird deutlicher,
wenn er noch ganz der vom Erkenntnisdrang Besessene ist, der
die dem Menschen gesetzten Grenzen der Geheimnisse Gottes
überschreitet. Offenbar hatte Lessing Faust ganz aus der Tragik
dieser Leidenschaft entwickeln wollen und die Versuchungen des
Teufels auf die Bereitstellung ungewöhnlicher Mittel zur Herbeiführung des Erkenntniserfolgs konzentriert. Dann erscheint sein
Eingriff in die Tradition des Stoffes um so gravierender, den Expo-
nenten dieser Leidenschaft der Neuzeit nicht verdammt werden zu
lassen. Er muß nur der Voreiligkeit beim Betreiben des Erkennt-
nisfortschritts entsagen. Was Lessing betrifft, so ist es weniger der
Sachverhalt, daß Unmäßigkeit des Wahrheitsstrebens als Anspruch
auf momentane und abgeschlossene Erkenntnis nicht strafwürdig
sein sollte, als vielmehr der andere, daß es jedenfalls nicht die
Hölle sein darf, der solches Menschenübermaß verfällt. Lessings
Konzeption ist enger an das Selbstbewußtsein der Neuzeit als
einer Epoche der Ausschließlichkeit des Erkenntnistriebs angeschlossen als die Goethes. Noch deutlicher hebt sich von hier
Valérys Loslösung der Faustfigur von aller theoretischen Neugierde ab.

Wenn sich Lessings Faust sieben Geister der Hölle präsentieren,
fragt er sie, welcher unter ihnen der schnellste sei; erst der siebte
genügt ihm, weil er sich als so schnell ausgibt wie der Übergang

vom Guten zum Bösen. Die anderen beschimpft er als *Schnecken des Orkus.* Dieser Faust Lessings ist insofern selbst ein Anti-Lessing, als er vor der Alternative, die ganze Wahrheit zu besitzen oder im Streben nach Wahrheit unendlich fortzufahren, seinem Meister zuwider die ganze und sofortige Wahrheit verlangen würde. Er ist ein Verächter des Prinzips der Allmählichkeit. Von diesem aber ist das Programm der »Erziehung des Menschengeschlechts« geprägt. Er ist ein Schwärmer, denn Schwärmer blicken oft hellsichtig in die Zukunft, aber *er kann diese Zukunft nur nicht erwarten.* Er wünscht sie beschleunigt herbei und sich selbst als den, der sie zu beschleunigen vermag.

Wozu sich die Natur Jahrtausende Zeit nimmt, soll in dem Augenblicke seines Daseins reifen.[22] Indiz für solche Ungeduld ist, daß unter Schwärmern der Gedanke der Seelenwanderung, der Wiederholung des Lebens, keinen Reiz besitzt. Der Schwärmer ist ein Typus, der im Grunde immer mit dem Zugriff der Allmacht kokettiert, die momentan gewähren könnte, was sie ohne Not und Widerstand verzögert und umständlich macht. Es ist ein Satz gegen seinen Faust, wenn Lessing formuliert: *Es ist nicht wahr, daß die kürzeste Linie immer die gerade ist.* Der Mythos von der Seelenwanderung ist Lessings Antwort auf den Einwand, der Fortschritt der Erkenntnis der ganzen Menschheit verdamme den Einzelnen zur kontingenten Nutznießung des gerade Erreichten, zur kontingenten Entbehrung des gerade noch nicht Erreichten. Er macht erahnbar, weshalb für Schopenhauer die Seelenwanderung der vollkommenste und insofern der letzte Mythos sein wird. Auch Lessing geht mit ihm als der ältesten Hypothese um: *Aber warum könnte jeder einzelne Mensch auch nicht mehr als einmal auf dieser Welt vorhanden gewesen sein?* Sein Faust hingegen ist der, der die Frage bejahen würde, die Lessing auf das Nein angelegt hat: *Bringe ich auf einmal so viel weg, daß es der Mühe wieder zu kommen etwa nicht lohnet?* All dies drängt hin auf den Satz, mit dem die »Erziehung des Menschengeschlechts« nicht zufällig schließt, weil sie das Dogma der Unsterblichkeit verbindet mit dem Mythos der Wiederkehr und dadurch Gleichgültigkeit der Zeit für ein Subjekt postuliert, das sonst an dem bloßen Faktum seiner

---

22 Die Erziehung des Menschengeschlechts (1777/1780), §§ 90-100.

Stelle in der Menschheitsgeschichte unüberwindlichen Anstoß nehmen müßte: *Und was habe ich denn zu versäumen? Ist nicht die ganze Ewigkeit mein?*

Was Lessing in den Notizen zum Vorspiel seines Faust als Fehler, als Ursprung des Lasters bezeichnet hatte, nämlich *zu viel Wißbegierde* zu haben, erweist sich von der »Erziehung des Menschengeschlechts« her als Ausdruck eines bedrängten, auf Endlichkeit festgenagelten Zeitbewußtseins, dem die dogmatische ebenso wie die mythische Großzügigkeit fehlt. Faust ist die Figur einer Welt unabschließbaren Fortdrängens, in der man nie genug Zeit haben und nie schnell genug sie nutzen kann. Man braucht mehr als ein Leben. Auf dieses Zentrum der Faust-Tradition läßt sich Valérys Widerspruch beziehen: Der höchste Augenblick seines Faust ist einer der vollendeten Gleichgültigkeit der Zeit, der unüberholbaren Gegenwärtigkeit, damit aber auch der Unwiederholbarkeit. Sie ist an »Mon Faust« das formale Moment der Endigung des Mythos.

Der Faust Valérys ist nicht mehr eine Figur der hypertrophen Wißbegierde. Ihn gegen diese Tradition abzusetzen, heißt auch, ihn wieder auf den Epikureer anzulegen, der dem auf die Versuchungen der Neuzeit verbissenen Mephisto den alten taktilen Genuß, die sensuelle Erfahrung entgegenhält. Die Wißbegierde bedurfte keiner Verteidigung mehr; wohl aber das, was man mit ihren Erfolgen jemals würde anfangen können, mit der gewonnenen oder noch zu gewinnenden Zeit als einem Spielraum für vielleicht Unverhofftes – etwa für den immer alten, durch keinen Fortschritt voranzubringenden Selbst- und Weltgenuß der Gartenszene mit der Demoiselle de Cristal, der Valéry ganz schlicht und ohne Zweideutigkeit den Namen Lust gegeben hat. Sein Faust ist nicht erlösungsbedürftig, ihm genügt ganz die im Augenblick aufgehende Lösung; daher ist auch Lust nicht das irdische oder himmlische Gretchen, sie verwickelt ihn nicht, sie erlöst ihn nicht, sie ist etwas Taktiles in der Impressionistik der Gartenszene.

Vergessen wir nicht, daß der Garten der Schulort des Epikur ist; hier lernt Faust alles, was für ihn noch lernenswert ist. Vor allem den Stillstand der Zeit, die Lösung dieses Drucks, von dem Lessing seinen Faust auf andere, nun nicht mehr nachvollziehbare Weise hatte befreien wollen. Jauß hat nachgewiesen, daß Faustens Entdeckung des Sensualismus in der Gartenszene auf den Traum des

Descartes stilisiert ist.[23] Auch dies ist kein Zufall, wenn man Valérys lebenslange Auseinandersetzung, zumal in den »Cahiers«, mit dem Cartesianismus im Auge behält. Ich denke auch an die von Ernst Mach erzählte Erfahrung seiner ›Bekehrung‹ zum Positivismus in der »Analyse der Empfindungen« von 1886: *An einem heitern Sommertage im Freien erschien mir einmal die Welt samt meinem Ich als eine zusammenhängende Masse von Empfindungen, nur im Ich stärker zusammenhängend. Obgleich die eigentliche Reflexion sich erst später hinzugesellte, so ist doch dieser Moment für meine ganze Anschauung bestimmend geworden.* Ist es so schwer vorstellbar, daß Valéry keine andere Möglichkeit sah, den die Neuzeit faszinierenden Mythos von der Figur des Wissensdranges zu Ende zu bringen, als seinen Faust in einem ganz undoktrinären Sensualismus aufgehen zu lassen, dessen Evidenz die taktile ist? Dann wäre dieser Faust nicht nur eine Gegenfigur zum Goetheschen. Als solche hätte sie wohl auch anders und in deutlicherer Beziehung angelegt sein müssen, ganz abgesehen von der Frage, wie gut und vollständig Valéry Goethes »Faust« wirklich kannte. Doch ist sein Faust mehr als ein Gegen-Faust – ein Un-Faust: die zu Ende gebrachte Möglichkeit eines Faust als Beginn seiner Unmöglichkeit. Für die Verblüffung des Mephisto ist die Gartenszene noch reiner Mythos, Wiederholung der Paradiesesszene, erkennbar an der Überreichung der von Lust angebissenen Frucht. Dazu bedarf es nicht der Variante, jener Apfel sei hier ein Pfirsich (*péché*), zumal im biblischen Text die Frucht überhaupt nicht spezifiziert wird. Mephisto ist nicht zum Un-Teufel avanciert; er strapaziert seinen ganzen obsoleten Unverstand, um festzustellen: *C'est une reprise.* Faust hat recht zu sagen, mit Mephisto stehe das Schicksal des Bösen selbst auf dem Spiel und das könne auch das Ende der Seele sein.

Faust will und kann noch einmal glücklich sein, ungeachtet des fatalen Ablaufs der antiken Versprechung, es werde die Theorie

23 H. R. Jauß, Goethes und Valérys »Faust«: Zur Hermeneutik von Frage und Antwort. In: Comparative Literature 28, 1976, 201-232. Zur These von Jauß, der Monolog der Gartenszene – mit seinen seriellen Antithesen zum *Cogito* – sei auf den Traum des Descartes stilisiert, ist noch nachzutragen, was Valéry schon am 25. August 1894 an André Gide schreibt: *J'ai relu Le Discours de la Méthode tantôt, c'est bien le roman moderne, comme il pourrait être fait.* (Correspondance Valéry-Gide, 213)

sein, auf der sich das Glück des Menschen begründe. Dieser Faust beginnt mit der Erinnerung; er diktiert Lust seine Memoiren, nicht die Memoiren eines Individuums, sondern die der Epoche, deren Prototyp er ist. Er ist sich historisch geworden, und erst die Gartenszene ist sein Ausbruch aus dem historischen Selbstverständnis. Dem Schüler kündigt er an, er sei alles dessen müde, was ihn daran hindere zu sein. Als Faust im Garten schließlich mitten im Diktat seiner Memoiren von der Herrlichkeit des Abends spricht und Lust das mechanisch aus ihrer Niederschrift repetiert, fällt ihr Faust ins Wort: *Mais non ... Je ne dicte pas ... J'existe.* Es ist das Ende des cartesischen Bewußtseins in diesen Augenblicken: ein Ich, das nichts denkt. Das Universum, das Faust so viel bedeutet hatte, ist ihm gleichgültig geworden als Erfüllung dieses Bewußtseins; deshalb denkt es nichts. Dieses Nichts an Welt ist zugleich das Alles an Gegenwärtigkeit des Selbst für sich, die Faust nahezu in die Formel des biblischen Gottes fassen muß: *Je suis celui que je suis.* Sein Kunstwerk sei nur noch zu leben, und sein größtes Werk: zu fühlen, zu atmen. Es ist der Augenblick, der den klassischen Faust die Wette hätte verlieren lassen, dieser *état suprême*, in dem sich mit einem Lächeln alle Fragen und alle Antworten erledigen.

Wenn ich die Gartenszene als positivistisch im Sinne des frühen Erlebnisses von Mach, als sensualistisch qualifizierte, da in ihr alles zur Wolke der Empfindung wird, so ist das nur die Hälfte des Sachverhalts. Sie ist auch mystisch. Denn im Gegensatz zu aller Theorie, die auf der Anschauung und ihrer ursprünglichen Identität mit der optischen Wahrnehmung beruht und alles andere mit deren Metaphern versteht – bis hin zur Unanschaulichkeit –, ist Mystik ihrer Tendenz oder gar Erfüllung nach haptisch. Sie will berühren und nimmt dafür das Dunkel der sich verweigernden Anschauung in Kauf. Weshalb? Weil sie mit der Berührung das unmittelbare Verhältnis zur Wirklichkeit, zu einer Wirklichkeit, auch zu einer unbekannten, zu erreichen glaubt.

Diese Verflechtung von Berührung und Wirklichkeitsbewußtsein ist in Valérys Gartenszene über alles Maß präsent. Die nach dem cartesischen Muster des *Cogito* gebildeten Selbstprädikationen von Sein, Leben, Atmen, Schauen finden ihre unerwartete Steigerung in dem, was das noch Gegenwärtigere in der Gegenwart – und das heißt für den alten Cartesianer auch immer: die zwingendere

Evidenz – sein könnte: *JE TOUCHE* ... In der Berührung verschwindet der Unterschied von Aktivität und Passivität, in dem das Ich seine strikte Ausgrenzung hat von dem, was es nicht mehr oder noch nicht ist. Unüberbietbare Wirklichkeit ist, wenn Berührung ununterscheidbar aus Berühren und Berührtwerden entsteht: *Quoi de plus réel? Je touche? je suis touché.* Das große Problem des Cartesianismus, der Valéry so tief durchdrungen, den er so unermüdlich umkreist hatte, der Solipsismus, ist nicht widerlegt, nicht überlebt – er hat nur sein Subjekt verloren, so wie er den Anderen als Problem der Gewißheit verloren hat. Für Faust, der doch gerade noch ekstatisch seine Selbstgegenwärtigkeit zu erleben glaubte, ist Lust gewisser als er sich. Es ist das *Moi pur* der cartesischen Tradition, das sich in dieser Konvergenz von Sensualismus und Mystik verflüchtigt hat.

Wir wissen nicht, welche Folgen die Gartenszene für Faust und Lust haben sollte, wie sie sich endgültig trennen konnten. Aus dem höchsten Zustand fallen sie ins Diktatverhältnis zurück. Daß sie sich getrennt haben, wissen wir aus dem »Solitaire« und der alles beendenden »Féerie dramatique«. Denn hier wird Faust Zeuge der Verfluchungen des Universums: auf dem Gipfel der eisigsten Einsamkeit die Negation des vermeintlichen Erfolgs in der Gartenszene. Ist dies ihre Widerlegung? Mit großer Wahrscheinlichkeit. Wenn nicht die verzweifelte Konjektur richtig sein sollte, Valéry habe ursprünglich den »Solitaire« der »Lust« voranstellen wollen.

Zwar ist der Einsiedler eine Nietzsche-Figur, auch sprachlich eine Folge von Nietzsche-Lektüre; aber er ist nicht einfach Ausdruck der tödlichen Langeweile der ewigen Wiederkunft, der Einsamkeit des Übermenschen als des von seinen eigenen Möglichkeiten, statt vom Prinzip des Bösen, Verführten. Mephisto behagt die nihilistische Dimension nicht; er steigt alsbald von der Höhe wieder ab, indem er Faust zuruft, sie würden sich wiedersehen, er werde ihn weiter unten erwarten. Das ist es schließlich, was ihm so mißrät, daß es ihn widerlegt. Zwar hat auch Faust die Vorurteile seiner Geschichte weniger überwunden als aufgelöst, aber Mephisto behält sie ganz und gar, er bleibt der Rest von Mittelalterlichkeit, der der Neuzeit nötig war, um sie sich von ihm distanzieren zu lassen – nicht vom Bösen, sondern vom Unterschied zwischen Gut und

Böse. Der Mensch bleibe sich immer gleich, ist der Inbegriff der Vorurteile Mephistos, und er selbst sich ebenso – das sei sein historischer Irrtum, muß er von Faust hören.

Was Faust auf dem Gipfel des Berges erfährt, ist nach seinen eigenen Worten die ungeheure Mächtigkeit des Nichts im Ganzen. Aber der Schwindel angesichts der Abgründe, von dem Pascal noch überwältigt worden war, ist Faust unbekannt geworden: *Je puis regarder le fond d'un abîme avec curiosité. Mais, en général, avec indifférence.* Der Abgrund und der Einsiedler – sie sind die Metaphern des Nihilismus, die Figuren des Versagens der Neuzeit vor einer Frage, die sie sich zuerst in dieser Nacktheit gestellt und für die sie sich jede dogmatische und jede mythische Antwort verboten hatte: der Seinsgrundfrage. Das Thema wird im Mißfallen des Einsiedlers an Faust angeschlagen, das er mit den lakonischen vier Buchstaben ausspricht: *Tu es* – Du bist.

Es ist fast naheliegend, daß ein letzter Faust – der dies als Selbstentdeckung seiner Unmöglichkeit sein soll – auf die Fraglichkeit des Rechts seiner Existenz und ihrer Weltbedingungen stößt. Der »Solitaire« antwortet darauf, was Faust übrigbleibt – was *dem* Faust übrigbleibt, wenn *ein* Faust unmöglich geworden ist. Die Antwort hat die Gestalt der Alternative: Verhöhnung der Bedingungen, unter denen es unmöglich geworden ist, ein Faust zu sein, in den Verfluchungen des Kosmos – *oder* verzichtende Einwilligung in die eigene Unmöglichkeit im Schoße der Feen.

Valéry wäre so ganz auf der Lebenslinie seiner Leonardo-Essays geblieben: der Ergründung der Möglichkeit eines Leonardo hätte er die der Unmöglichkeit eines Faust folgen lassen. Dazu allerdings muß die Gartenszene der Begegnung mit dem Solitaire vorausgehen. Nur jene gibt das Unbegründete als das wirklich Wirkliche aus. Als solches ist es freilich das Unzuverlässige, Momentane, Flüchtige und Unwiederholbare – das also, worauf sich eine faustische Existenz nicht mehr und nicht wieder gründen ließe. Zur Unmöglichkeit des Faust gehört die Darstellung seines Verhältnisses zur Seinsgrundfrage in der momentanen Grundlosigkeit der Gartenszene. Erst aus ihr folgt, was ihm ein Ende setzt, die Erfahrung, die der Resignation vorausgeht. Nach der absoluten Einmaligkeit des Erlebnisses im Garten ist die im Einsiedler verkörperte Monotonie der ewigen Wiederkehr unerträglich geworden. Aber auch das Angebot der Gnade des jungen Seins, das der vom Einsiedler in den Abgrund gestürzte Faust durch die Feen erhält, weist er zurück. Hier schon ist sein letztes Wort: *Nein* – wie noch einmal bei Butor.

In jeder prätendierten Zuendebringung eines Mythos wird die umfassendere, wenn auch implikative Prätention zugänglich, *den* Mythos zu Ende zu bringen, indem *ein* letzter vorgewiesen wird. Die Evidenz, dieser letzte zu sein, erfordert eine Totalität, eine Vollkommenheit, deren fatale Wirksamkeit gerade nicht in der Erfüllung der Intention besteht, auf weitere Mythenproduktion Verzicht zu gebieten, sondern allererst die Faszination erfahrbar zu machen, die nicht ruhen läßt, es dem Muster gleich zu tun, den von ihm gesetzten Standard zu halten oder gar zu überbieten. Unter den Bedingungen der Neuzeit, die keine Götter und kaum noch Allegorien erfinden kann, heißt das, an Stelle der alten Namen neue abstrakte bis hochabstrakte Titel zu setzen: das Ich, die Welt, die Geschichte, das Unbewußte, das Sein. Vom Typus der Anstrengung, dem im Grundmythos des Idealismus gesetzten Paradigma zu genügen, sind nochmals Schopenhauers Seelenwanderung, Nietzsches ewige Wiederkunft des Gleichen, Schelers Totalentwurf vom werdenden Gott und seinem Zwiespalt von Drang und Wesen, Heideggers Seinsgeschichte mit ihrem sprechenden Anonymum.

Solche Totalentwürfe sind gerade darin mythisch, daß sie die Lust austreiben, nach mehr zu fragen und weiteres dazu zu erfinden. Sie geben zwar keine Antworten auf Fragen, nehmen sich aber so aus, als bliebe nichts zu fragen übrig. Die Normierung von ›Letztmythen‹, der sie genügen müssen, hat, wenn ich es richtig sehe, zuerst Schopenhauer niedergelegt. Für ihn ist der Mythos von der Seelenwanderung der Inbegriff einer der philosophischen Wahrheit so nahe kommenden Geschichte, wie sie überhaupt nur ersonnen werden kann. Sie sei als das *Nonplusultra* des Mythos, seine gehaltreichste und bedeutendste Ausprägung, zu erachten.[24] Worin besteht diese Qualität des Mythos der Reinkarnationen? Im Gegensatz zu Nietzsches Wiederkunftsidee läßt er die Welt nicht zurückkehren zu dem, was sie einmal war, in ewig gleicher Repetition ihrer Durchläufe. Vielmehr kommt das Subjekt wieder zu seiner

24 Schopenhauer, Handschriftlicher Nachlaß (1817), ed. A. Hübscher, I 479.

Welt, aber nicht als ewig dasselbe, sondern im Maße der Anwartschaft auf die Daseinsform, deren es sich würdig zu machen fähig ist. Nicht die Erwartung eherner Wiederholung des einmal durch Handlung zu schaffenden Weltablaufs preßt dem Subjekt die Höchstform seiner Verantwortlichkeit ab. Seine Einstellung zur Welt, seine dem antiken Weisen wieder nahekommende *epochē*, entlastet es gerade von der Überlast der Wirklichkeit in dem Maße seiner Selbstentziehung aus ihr.

Ludwig Feuerbach hat sich 1830 jedem Gedanken der Seelenwanderung entschieden widersetzt mit dem Argument, sie ziehe *die große und ernste Tragödie der Natur in den gemeinen Kreis des bürgerlichen, ökonomischen Philisterlebens* hinein, mache *die tiefen Abgründe der Natur zu seichten Wiesenbächen*, in denen die Individuen sich selbst bespiegeln und an denen sie liebliche Blumen pflücken. Feuerbach hat vor allem die kosmische Seelenwanderung von Stern zu Stern im Auge und wirft ihr vor, sie übersehe ganz das *furchtbar Ernste, Finstere und Nächtliche in der Natur*.[25] Was an der Art dieses Einwurfs nun aber aufschlußreich ist, besteht in der unabschiebbaren Dringlichkeit, dem großen letzten Mythos den Umriß eines eigenen und wiederum letzten entgegenzustellen. Da es die Stelle des Letzten nur einmal gibt, nimmt die Rivalität, sie zu besetzen, dogmatische Züge an. Was die vorgefundene Besetzung trifft, ist nicht so sehr der Vorwurf, falsch zu sein, als vielmehr der, unerträglich zu sein: für die Seelenwanderer habe Gott die Welt wie ein Finanzrat oder Ökonom erschaffen. Der junge Feuerbach sieht einen ganz anderen mythischen Gottestypus vor sich, den des zeitgenössischen Poeten im Zustand seiner schöpferischen Zerstreutheit: *Gott vergaß sich selbst, als er die Welt erschuf; wohl mit Wille und Bewußtsein, doch nicht aus Wille und Bewußtsein, sondern aus seiner Natur, im Rücken seines Bewußtseins gleichsam, brachte er die Natur hervor. Nicht als klugberechnender Hausvater und Werkmeister, sondern als sich selbst vergessender Dichter entwarf er das große Trauerspiel der Natur.* Dies ist noch nicht der Gott des Experiments mit der Freiheit des Menschen, des Abenteuers mit der Welt. Dazu mußte nicht nur der Mensch sich als experimentierendes Wesen begreifen, das sich selbst mißlingen kann, wie es sich selbst geschaffen haben konnte; es

25 Feuerbach, Todesgedanken (Sämtliche Werke, edd. W. Bolin/F. Jodl, I 47 f.).

mußte auch die Geschichte mehr als das Risiko seines Glücks oder Unglücks enthalten: das seines möglichen Untergangs an sich selbst.

Aus der neuen Selbsterfahrung erst entsteht so etwas wie eine neue Form des kosmologischen Arguments der Scholastik: Wenn die Welt so ist, daß in ihr ein absolutes Risiko steckt, kann der Gott dieser Welt nur ein Gott des absoluten Risikos sein. *Gottes eigenes Geschick steht auf dem Spiel in diesem All, an dessen wissenslosen Prozeß er seine Substanz überließ, und der Mensch ist zum vorzüglichen Verwahrer dieses höchsten und immer verratbaren Treugutes geworden. In gewissem Sinne ist das Schicksal der Gottheit in seiner Hand.* Hans Jonas hat diesen seinen Mythos einen hypothetischen genannt.[26]

Er hat die Form der Odyssee, denn sein Held begibt sich, damit eine Welt sei, in die Fremde, *entkleidete sich seiner Gottheit, um sie zurückzuempfangen aus der Odyssee der Zeit, beladen mit der Zufallsernte unvorhersehbarer zeitlicher Erfahrung, verklärt oder vielleicht auch entstellt durch sie.* Das organische Leben ist der Inbegriff und Höhepunkt dieser Odyssee, ein *wesentlich widerrufliches und zerstörbares Sein, ein Abenteuer der Sterblichkeit.* Was sucht der Gott auf seiner Irrfahrt? Er sucht *sein verborgenes Wesen zu erproben und durch Überraschungen des Weltabenteuers sich selbst zu entdecken.*

Ganz sicher ist Feuerbachs Wunsch, keinen Philister hinter der Welt zu sehen, durch diesen Gott des großen Abenteuers mehr als erfüllt. Aber erfüllt sich auch die andere Intention, die Jonas mit seinem Mythos hat, nicht nur die riskante Beschaffenheit der Welt eindringlich vorzustellen, sondern dem Menschen seine Verantwortung für mehr als sich selbst, für das Absolute, plausibel zu machen? *In unsern unsichern Händen halten wir buchstäblich die Zukunft des göttlichen Abenteuers auf Erden, und wir dürfen Ihn nicht im Stiche lassen, selbst wenn wir uns im Stiche lassen wollten.* Wie in Nietzsches Wiederkunftsidee geht es auch hier um die Gewinnung eines äußersten Ernstes, in kaum einem Jahrhundert angewachsen zu der Verantwortung für Mittel, von denen sich

26 Immortality and the Modern Temper (The Ingersoll Lecture 1961). Zuerst in: Harvard Theological Review 55, 1962. Dt. in: Organismus und Freiheit. Göttingen 1973, 331-338.

Nietzsche selbst für einen Übermenschen nichts hätte träumen lassen.

Die Schwäche dieses abermals letzten Mythos, der, obwohl hypothetisch, doch ein wenig wahr sein soll, ist in der lakonischen Frage beschlossen, weshalb der Mensch so wenig leichtsinnig sein darf, wenn doch sein Gott der metaphysische Leichtsinn in dem prototypischen Übermaß ist, sich auf eine Welt dieser Mißglückbarkeit eingelassen zu haben? Ist eine Ethik der getreulichen Weltverwaltung wirklich die einzig schlüssige Einstellung auf die Voraussetzungen dieses Mythos? Müßte der Mensch nicht seinem Urheber mit Gelassenheit, vielleicht sogar mit Schadenfreude, die Verantwortung dafür zurückgeben, daß er mit ihm experimentieren wollte?

Schließlich wäre eine ebenso hypothetische, aber nicht weniger wahre Variante des Mythos nicht auszuschließen, in der der Mensch diesen metaphysischen Odysseus an der Heimkehr hindert, damit er nicht zu neuen Abenteuern aufbrechen kann. Rudolf Bultmann hat im Briefwechsel mit Jonas dessen Mythos dadurch ›entmythologisiert‹, daß er die Verantwortung des Menschen als die für das ›Kunstwerk‹ eines anderen qualifiziert, vom absoluten Subjekt des Weltabenteuers sagt, dieser Begriff Gottes sei *letztlich ein ästhetischer Begriff.*[27] Es ist faszinierend zu sehen, wie der Meister der ›Entmythologisierung‹ des Neuen Testaments dem Erschließer des gnostischen Grundmythos entgegentritt, ihm die Erneuerung der Form des Mythischen als einer nur noch ästhetisch befriedigenden Kategorie verweigern will. Jonas verteidigt das Gotteswagnis und bestreitet nicht, daß es um *die Freude der Gottheit* als Billigung des Welterfolgs ginge und diese zugleich *Erleichterung* wäre, denn *die Gefahr des Mißlingens und Verrates war groß.*

Seine Behebung des Einwands ist, daß in diesem hypothetischen Mythos das Ästhetische selbst zum Inhalt des Ethischen werde: *Wir, die wir sein wollen und damit das Opfer der Inkarnation annehmen, müssen die Inkarnation rechtfertigen ... Spiegelung und Beantwortung des Seins in der Kunst, Erkenntnis des Seins in der Wissenschaft sind also sittliche Pflicht des Menschen. Mit seiner Selbsterfüllung hierbei erfüllt er ein Bedürfnis des ganzen*

---

27 Der Briefwechsel zwischen Bultmann und Jonas in: H. Jonas, Zwischen Nichts und Ewigkeit. Göttingen 1963, 63-72.

Seins. Das objektive Wissen kann noch ästhetisch genannt werden; doch seine Erwerbung ist ethisch. Es ist, wie Jonas schließlich dem christlichen Theologen zugesteht, ein Mythos der Inkarnation, aber ohne die Voraussetzungen der trinitarischen Dogmatik – also einer, der, indem er Mißlingen wie Gelingen der Welt noch offenhält, wohl auch den Vorbehalt des Messianismus nicht verspielen will.

Blickt man von hier auf Schopenhauers *Nonplusultra* eines Mythos zurück, wird präziser faßbar, worin seine Auszeichnung besteht. Es ist die Ausschließlichkeit der Verantwortung des Subjekts vor sich selbst und für sich selbst. Schopenhauer hat dem Mythos seinen höchsten Wert dadurch gegeben, daß er in ihm Kants Begriff des Postulats zu erhalten, wenn nicht zu steigern sucht: Unsterblichkeit dürfe keine Erkenntnis und kein Dogma sein, und sie wäre ein falsches in der Verwechslung von Erscheinung und Ding an sich. Mythos bleibt die Seelengeschichte zum praktischen Gebrauch. Er ist dem des Totengerichts über ein einziges und unwiederholbares Leben vorzuziehen, *theils weil er der Wahrheit sich enger anschließt, theils weil er weniger transzendent ist* ...[28] Sichere Erwartung des Gerichts über die Qualität eines einzigen Lebens und die Zufälligkeit seiner Bedingungen muß die Moralität der Handlungen in ihm zerstören. Berechnung auf den Lohn-Strafe-Erfolg würde zwingend, damit das Motiv der Achtung vor dem Sittengesetz nichtig gemacht. Die Erwartung eines anderen, von der Qualität des gegenwärtigen abhängigen Lebens, muß die verbesserten Bedingungen der Wiederkehr nicht als Lohn der Moralität sehen, kann sie als Inbegriff der Voraussetzungen erwünschen, unter denen sich dem Anspruch des Gesetzes leichter genügen ließe. Das Postulat der Unsterblichkeit wird so erst in der Erweiterung zum Mythos, der die Kalkulation ausschließt.

Kant selbst war mit dem Gedanken der kosmischen Seelenwanderung ernsthaft umgegangen, als er dem absoluten Anspruch des Sittengesetzes nur einen unendlichen Fortschritt des sittlichen Subjekts für angemessen erklären konnte. Wie aber ließ sich ein solcher Fortschritt denken? Doch wohl nur, wenn die sittliche Qualität jedes endlichen Lebensganges sich in der veränderten Welt des nächsten günstigere Bedingungen für sittliches Handeln erwarten

28 Schopenhauer, Handschriftlicher Nachlaß I 440.

darf. Also: Minderung der Gefahr moralischer Resignation vor der Divergenz von Glückswürdigkeit und Glückswirklichkeit, so wenig das sittliche Subjekt deren Konvergenz zur Bedingung seiner Unterwerfung unter das Sittengesetz machen darf.

Denkt man sich solche veränderten Lebenswelten als die der Vergesellschaftung sittlicher Subjekte, die weniger voneinander zu befürchten haben, jeder andere werde auf den Vorteil der Unmoralität bedacht sein, so ist es naheliegend, sie nicht als die jeweilige Zukunft der menschlichen Geschichte vorzustellen, sondern als Übergänge auf andere kosmische Körper. Während eine Geschichtsphilosophie unterstellen könnte, daß das entsprechend qualifizierte Subjekt in eine Epoche fortgeschrittener Legalität zurückkehrt, um in ihr die größere Leichtigkeit seiner Moralität zu erlangen, kann der Mythos der kosmischen Seelenwanderung den Sprung im Raum, also in andere Welten, postulieren und dort Wesen von höherer Vernunft als Partner der sittlichen Intersubjektivität annehmen.

Die kosmische Seelenwanderung ist freilich im Resultat der Widerspruch zu Schopenhauers Rücknahme der Individuation; sie ist vielmehr Rechtfertigung der Welt dadurch, daß sie das Faktum der Raum-Zeit-Bedingungen dieser Existenz entschärft, also Individuation und Weltbedingtheit versöhnt. Insofern ist auf Schopenhauers Standard der Höchstform des Mythos auch eine positive Antwort auf die Seinsgrundfrage, eine Ontodizee, möglich.

Die Ontodizee als Konsequenz des Wiedergeburts- und Seelenwanderungsgedankens darzustellen, ist Voraussetzung dafür, Schopenhauers Nichteinwilligung in diese Konsequenz dagegen abzuheben. Wenn für ihn das Sein nur die Schauseite des Willens und dieser das Prinzip des Schmerzes ist, kann die Steigerung des moralischen Subjekts nur das Unheil der Individuation mit steigern. Daher ist in seiner Fassung des Mythos die Seelenwanderung nur die Veranschaulichung der Vergeltung, für zugefügten Schmerz: Reinkarnation dessen, der leiden machte, auf der Seite derer, die zu leiden haben. Ein mythisches *ius talionis* fordert, daß *alle Leiden, welche man im Leben über andere Wesen verhängt, in einem folgenden Leben auf eben dieser Welt genau durch dieselben Leiden wieder abgebüßt werden müssen.*[29] Diese Äquivalenz entzieht sich jedem

29 Die Welt als Wille und Vorstellung IV § 63.

positiven Anspruch, denn *die höchste Belohnung... kann der Mythos in der Sprache dieser Welt nur negativ ausdrücken, durch die so oft vorkommende Verheißung, gar nicht mehr wiedergeboren zu werden.* Alle Wertverlagerung findet so immer nur auf die negative Seite statt, auf der positiven verschwinden die Linien, wird die Konvergenz von Glückswürdigkeit und Glückseligkeit verweigert.

Diese Asymmetrie ist die genaue Umkehrung derjenigen Kants, der das Postulat der Unsterblichkeit im Anspruch des Glückswürdigen auf Glückswerdung zuläßt und bestärkt, für den Unwürdigen aber nur übrig läßt, daß er gar kein Interesse an Unsterblichkeit haben kann.

Wer meint, diese Formen eines ›letzten Mythos‹ seien obsoleter Kram, wird sich täuschen; die Bedrängnis der Kontingenz, die hinter ihm steht, verstummt nicht. Ernst Bloch kommt 1977 auf ein 1969, am Tage des Todes von Adorno, in Königstein geführtes Gespräch über Tod und Unsterblichkeit zurück und wünscht, am Tage der Ermordung von Jürgen Ponto, dessen Veröffentlichung im letzten Band seiner »Gesammelten Schriften«. Der Zeitraum, den diese Daten umspannen, ist vielleicht selbst ein Aspekt des Themas.[30] Es ist auch Thema einer ›Philosophischen Eschatologie‹, wann ihre Fragen gestellt werden können und wann es unverzeihlich ist, sie nicht hören zu wollen. Sie wird keine Beweise mehr herbeischaffen können, diese oder jene Auffassung über das Ende aller Dinge und die letzten Dinge des Menschen sei die richtige. Aber sie wird den Bestand solcher Auffassungen analysieren und erörtern, was sie bedeutet haben und noch bedeuten können, sofern sie Überzeugte finden oder auch nur Agnostiker, die wissen wollen, was das bedeutet, was sie nicht wissen zu können glauben.

Was bedeutet ernsthaft die Seelenwanderung, wenn sie der letzte Mythos und der erlesenste zugleich gewesen wäre? Wenn er eine Darstellung der höchsten Form denkbarer Gerechtigkeit sein sollte, so liegt sein Problem darin, daß jeder gegenwärtig Lebende an seinem Dasein schon die Folge solcher Gerechtigkeit ertrüge. Aber offenbar weiß davon keiner. Daher erscheint uns die Seelenwanderung als eine Identität ohne Folgen. Sie bleibt ohne das Bewußtsein,

30 Über Tod, Unsterblichkeit, Fortdauer. Ein Gespräch mit Siegfried Unseld. In: E. Bloch, Tendenz – Latenz – Utopie. Frankfurt 1978, 308-336.

jemals wieder derselbe zu sein und folglich ohne die ernsthafte Erwartung, den Schmerz selbst empfinden zu müssen, den andere infolge einer unserer Handlungen erleiden. Wenn ich nicht wissen kann, wer ich war, bevor ich dies war, was ich bin, und wer ich sein werde, nachdem ich dies gewesen bin, scheint mich jenes wie dieses nichts anzugehen. Selbst als der Geschlagene empfindet niemand die Gerechtigkeit, die darin liegt, daß er einmal der Schlagende war oder auch nur gewesen sein könnte.[31]

Auch das ist der Mythos als Distanz zu Furcht und Hoffnung: eine Unsterblichkeit, die man nicht zu fürchten hätte. Deren Ausbleiben man aber auch nicht erhoffen kann, denn die Zurücknahme der Individuation bedeutet nicht, der jemals Gewesene werde, wenn er sein Ziel erreicht, noch davon betroffen sein, es erreicht zu haben. Seine Würdigkeit ist die, nicht mehr zu sein – damit aber eo ipso die Unwürdigkeit, je gewesen zu sein.

31 Schopenhauer, Handschriftlicher Nachlaß I 479.

Dritter Teil

Die Entfrevelung des Feuerraubs

I
Die Rezeption der Quellen schafft die Quellen der Rezeption

Es soll Malaienvölker geben, so leicht,
so zauberhaft, fast ungeprägt, Schmetterlinge,
aber es ist die Südsee, es ist ein
Traum, wir sind es nicht. Europa ist der Erdteil
der Abgründe und der Schatten, denken
Sie doch, daß im hellsten Griechenland
Prometheus an den Felsen mußte und wie er litt!
Gottfried Benn an Käthe von Porada

Zu den Grunderfahrungen des Menschen, noch des gegenwärtigen, gehört die Flüchtigkeit der Flamme, des Feuers, auch in der Metapher dessen, was so leicht erlischt wie das Leben. Die selten gewordene Verlegenheit, kein Feuer zu haben, ist nur noch der Nachhall des Bewußtseins, daß Feuer etwas ist, was verloren werden kann. Wenn dies uns gleichgültig zu lassen vermag, so nur deshalb, weil wir gelernt haben und wissen, wie es gemacht wird. Nur unser in die Zeittiefe eindringender Rückblick auf die Frühgeschichte des Menschen läßt uns die Grenze erraten, an der der zufällige Feuererwerb in den ständigen Feuerbesitz übergegangen war, vielleicht unter dem Druck einer Klimaveränderung. Der Mythos berührt diese Schwelle – eine der Absenkungen des Absolutismus der Wirklichkeit – mit der Vorstellung, das Feuer hätte den Göttern geraubt, den Menschen gebracht werden müssen. Unbegreiflich war auch seit je die Selbigkeit der Flamme, die sich bewegt und auch wieder stehen kann, als verbrauche sie sich nicht und sei Gestalt eines Stoffes. Was in der Verbrennung überhaupt geschieht, gehört historisch zu den spätesten Einsichten des Menschen. Wo er das Feuer braucht und gebraucht, wo er ihm einen Teil seiner Kunstfertigkeit und Kulturfähigkeit zuschreibt, tritt

wie bei anderem der Verdacht auf, es müsse sich schließlich doch
verbrauchen, kraftloser werden, entarten, der Erneuerung bedürfen. Daraus haben noch die Stoiker ein System des Weltfeuers
gemacht: Seine anfängliche Gestaltungskraft erlahmt allmählich
und degeneriert zur bloßen Zerstörungskraft. Sie macht jeder
Weltepoche schließlich im Weltbrand ein Ende. Auch dieser Zyklus
ist von einer organischen Hintergrundmetaphorik her gesehen:
das Feuer hat seine vegetative Periodik, seine Weltjahreszeiten.
Wie eindrucksvoll der Gedanke von der Selbsterschöpfung des
Feuers ist, zeigt die weltweite Verbreitung von Kulten der Feuer-
erneuerung. In ihnen steckt noch etwas davon, daß das Feuer
zwar gehüteter Besitz im Zentrum des Lebens und des religiösen
Ritus ist, aber diese Kostbarkeit zugunsten ihrer Reinheit in
einer großen Gebärde der Demut vor ihrer Nicht-Selbstverständ-
lichkeit preisgegeben, der Besitz riskiert werden muß, um ihn zu
erhalten.

Man wird erwarten, daß alte Handwerke, die vom Gebrauch und
Besitz des Feuers leben, seiner rituellen Pflege nahestehen und
Ausdruck verleihen. Betrachtet man, nach der zunächst auf Alt-
ägypten beschränkten Hypothese, den Kult im Verhältnis zum
Mythos als das Ursprünglichere, die Geschichte nur als die Interlinearversion auf das unverständlich gewordene Stereotyp eines
Rituals, so wird man Prometheus als den alten Gott der Erneuerung des Feuers in den Werkstätten der attischen Töpfer und
Schmiede erkennen. Ihnen mußte das gestaltende Feuer von höherer Herkunft sein. Deshalb erhielten die Handwerker im Keramei-
kos-Quartier von Athen das jährlich erneuerte Feuer im Fackellauf
weither vom Altar des Prometheus im Hain des Akademischen
Apollo. Solche Sinnfälligkeit ist die Vorstufe der Verallgemeinerung auf das Leben aller.

Anerkennung von Abhängigkeit ist in kultischen Ritualen die Versicherung von Dauer und Unverderb. Prometheus verbürgt den
Menschen die Unverwehrbarkeit ihrer Kultur. Nur dieser als Titan
konnte das Feuer gestohlen haben, nicht die, zu deren Erhaltung
er es getan hatte. Denn nur er konnte aushalten und überdauern,
am Ende darüber triumphieren, für das Delikt bestraft zu werden.
Nach einer Darstellung des Mythologems wird Prometheus nicht
völlig befreit; er trägt weiter mit sich durch die Welt die Fußkette

seiner Fesselung und an ihrem Ende ein herausgebrochenes Felsstück aus dem Kaukasus.

Der Mythos läßt seine Figur nicht in den Ausgangszustand zurück. Er ist Darstellung von Irreversibilität. Sie wird nur dann deutlich, wenn man den Feuerraub als Vermittlung der Technik, Feuer zu erzeugen, sieht, wie es zumal die psychoanalytische Mythendeutung tun muß, die sonst nicht bekommt, was sie braucht: den Reibequirl und das weichere Reibebrett mit der Höhlung als archaisches Feuerzeug. Wenn man weiß, wie Feuer gemacht wird, ist man gegen Götterzorn resistent geworden. Deshalb kann Zeus den Raub des Feuers schlechthin nicht rückgängig machen und es den Menschen nehmen, um es an seinem himmlischen Ursprung in Ausschließlichkeit zu halten. Es ist am Ende für die Götter nichts, für die Menschen alles anders geworden. Als Titanengeschöpfe müssen sie mit der Ungunst des olympischen Zeus rechnen, aber sie haben einen, der das überdauert hat und keine Folgen haben läßt, dem die Zähmung des Zeus zuzutrauen ist.

Dieses Diagramm disponiert den Töpfergott dazu, für mehr als den Energiebesitz seiner Handwerker einzustehen, nämlich für die ganze Lebensform der Menschen, ihr kulturelles Entwachsensein aus dem nackten Naturzustand, schließlich für ihre Theorie als das, was der Flamme nur noch in der metaphorischen Funktion des Lichts bedarf. Das Prometheus-Mythologem ist die Reindarstellung der archaischen Gewaltenteilung. Hineintragen darf man nicht, der Mythos habe dem Prometheus das Motiv der Liebe zu den Menschen gegeben. Sie sind womöglich erst seine Geschöpfe geworden, weil ihre Begünstigung durch ihn längst feststand und die titanische Herkunft dadurch wenigstens an den Einen aus der verworfenen Göttergeneration gebunden wurde, der Verbündeter des Zeus gegen die Dynastie des Kronos gewesen war. Es ist ganz Stil des Mythos, wenn wir nichts darüber erfahren, weshalb Prometheus bereit ist, Zorn und Verfolgung durch Zeus zu riskieren, um den Menschen so viel Gunst zu erweisen. Entscheidend ist nicht, daß es ein Verhältnis des Töpfers zu seinen Gebilden gab, sondern das Bild des reuelos Unerweichlichen, der als Gefangener und Gepeinigter der Stärkere bleibt.

Unvermeidlich war die Beziehung des Feuerspenders zum kultischen Brandopfer. Deshalb wurde nicht nur an den Festtagen der

Promethien und Hephaistien das Töpfer- und Schmiedefeuer im Fackellauf ausgetragen, sondern auch an den Großen Panathenäen das Opferfeuer im Wettlauf zum Holzstoß für den Kult der Athene gebracht. Das wird den Mythos der Beziehung beider geschaffen haben. Wenn Athene durch heimliche Eröffnung des Zugangs zum Sonnenfeuer beim Feuerraub mitwirkt, darf nicht vergessen werden, daß sie die Tochter der Titanin Metis ist, die Zeus geschwängert und dann verschlungen hatte, weil ein Orakel der Gaia ihm verkündet hatte, Metis werde ihm zwar eine Tochter gebären, beim nächsten Mal aber einen Sohn, der ihn zu entthronen bestimmt sei. In jeder Berührung mit der Titanensippe steckt der Keim einer Verschwörung, liegt Argwohn hin zum Götterschicksal ablösbarer Herrschaft. Wenn Goethe konsequent, aber genealogisch falsch, dem Prometheus den Sohn–Vater-Konflikt mit Zeus zuschreibt, so ist eher in der Beihilfe der Athene beim Feuerraub alte Empörung im Spiel. Homer weiß noch etwas von einem Komplott der Athene mit Hera und Poseidon, den Vater in Fesseln zu legen; doch sah Thetis das voraus und verschreckte die Verschwörer durch einen der Hundertarmigen.

In der Beziehung des Prometheus zum Opferfeuer liegt ein weiterer Ansatz zu seiner Menschenfreundlichkeit. Der Feuerbringer steht der Möglichkeit nahe, gegen das Übermaß der Ansprüche der Götter und ihrer Priester an die Menschen zu deren Helfer zu werden. Kultische Verehrung dafür zu empfangen, daß er den Menschen zu einer erleichterten Opferpraxis geraten, ihnen dazu verholfen hatte, das gute Fleisch vom Opfertier selbst zu essen und den Göttern nur noch die Knochen und das Fett zu lassen, ist eine nur der Leichthändigkeit des Mythos zuzutrauende Begründung. Daraus mag sogar der schwerere Konflikt des Feuerraubs einmal abgeleitet worden sein, denn die Feuerspendung muß nicht ursprünglich mit Raub verbunden gewesen sein. Es wäre genuin die Strafe für den im Opferbetrug sich darstellenden Opfergeiz gewesen, den Menschen das Feuer, das sie der Himmelsspendung des Blitzes verdankten, vorzuenthalten. Die eigenmächtige Erweiterung des Anteils der Menschen am Naturprodukt, die Einschränkung der ausufernden Opferpraxis, wäre der älteste Hintergrund, und erst sekundär trotzt Prometheus mit dem Feuerraub dem zynischen Verdikt des Zeus *Laß sie ihr Fleisch roh essen!* Das ihm in den Mund zu legen, wäre freilich Hesiod noch ganz unmöglich gewesen; es ist erst späte Interpolation des Lukian.

Mit Fug hat Kurt von Fritz erschlossen, daß der Opferbetrug ursprünglich erfolgreich gewesen war. Er wäre durch die Sterblichen selbst, auf den Rat des Prometheus hin, nicht unmittelbar durch diesen, verübt worden. Was Hesiod darüber erzählt, wäre dann die reformierte Version, die dem höchsten Gott nicht mehr zutrauen will, daß er der List des Förderers der Menschen erlegen sein sollte. Diese Vermutung ist schon deshalb wahrscheinlich, weil nur die erfolgreiche Opferlist die straflose Reduktion des Anteils von Göttern und Priestern am agrarischen Ertrag dauerhaft machen konnte. Tatsächlich kommt in dem Umstand, daß bei der verbreiteten Form der Tieropfer den Göttern nicht der bessere Teil zufiel, die im Mythos und zumal durch das Prometheus-Mythologem repräsentierte Schwundstufe des Unterwerfungswillens treffend zum Ausdruck. Nichts bedurfte dringender der mythischen Sanktion als die Zurückhaltung im Eifer der Opfer.

So wenig eindeutig also der Anfang der Promethie, die entscheidende Festlegung des Titanen auf das Schicksal der Menschen, in der Überlieferung erscheint, so vielfältig sind die Versionen ihres Ausgangs. Auf der einen Seite steht die in der narrativen Gegenwart fortdauernde, emblematisch gewordene Anschmiedung des Prometheus auf dem Kaukasus oder anderswo mit der Ausfressung der Leber durch den Adler und ihrer täglichen Wiederherstellung; auf der anderen die Befreiung des Titanen durch den größten der Zeussöhne oder unter dem Druck des geheimen Wissens um den möglichen Sturz des Olympiers durch seine nächste Vaterschaft. Die Frage nach dem Alter der Abschlußlösungen ist oft gestellt und nie zureichend beantwortet worden. Man kann das so hinnehmen, daß beide Lösungen dem im Mythos angesprochenen Grundbedürfnis gerecht werden, die Dauerhaftigkeit des menschlichen Kulturbesitzes, die Unumkehrbarkeit der Entwicklung im Hinblick auf Mißgunst und Rache des Zeus befestigt zu sehen. Dazu genügt, daß der im Bund mit den Menschen stehende Titan dem Zeus trotzt, als ungebeugt und unsterblich Leidender oder als Befreiter und in sein Heiligtum nach Athen Heimgekehrter.

Aufschlußreich für den möglichen Vorrang einer Version ist die Analogiebildung unter den Brüdern des Prometheus, den Titanen

Atlas und Menoitios, die Söhne des Kronosbruders Iapetos und damit Generationsgenossen des Zeus sind. Menoitios wird vom Blitz des Zeus niedergestreckt und Atlas zum Lastträger des Himmelsgewölbes verurteilt. Da gibt es offenkundig keine Befreiungen oder Begnadigungen. Dennoch hat Prometheus eine Sonderstellung, weil er Bundesgenosse des Zeus im Kampf gegen die Titanen gewesen war. Seine Befreiung vom Adler durch Herakles ist auf attischen Vasen als sehr alt bezeugt. Dabei ist die Figur des Befreiers so wichtig wie die des Befreiten; nicht nur, weil jener mythisch designiert ist für solche Taten der Befreiung, sondern mehr noch, weil er nun wirklich als Sohn des Zeus von großer Freizügigkeit gegenüber dem Vater ist. Goethe hätte Prometheus nicht zum Sohn des Zeus gemacht, wenn die Gestalt des Herakles rechtzeitig in seinen Blick gekommen wäre. Der Menschentöpfer in seiner Werkstatt, den er vor sich hat, ist noch zu weit von den anderen Taten und Leiden entfernt, um schon nach Passion und Befreiungsbedürftigkeit des Sturm und Drang-Gottes auszusehen. Herakles ist entscheidend beteiligt an der endgültigen Veränderung dessen, was man die mythische Gesamtlage nennen kann. Der Vertilger der Ungeheuer wird auch zum Sänftiger des Vaters, der vor neuen Zeugungen gewarnt ist und mit dem letzten und gewaltigsten der Söhne vorlieb nehmen muß.

Es ist umstritten, was bei Hesiod ursprünglich stand und was Interpolation ist. Er bekommt Schwierigkeiten mit allem, was die Stellung des Zeus ins Zwielicht setzt. So hat er nicht die endgültige Befreiung des Prometheus. In der »Theogonie« steht die Fesselung des Titanen an einer Säule oder auf einem Pfahl, noch nicht am Fels, sonst ohne Angabe des Ortes, im Präsens. Herakles darf etwas zur Linderung der Qualen tun, den Adler erlegen und die Ausfressung der Leber beenden, nicht aber die Fesselung oder Pfählung. Es ist verständlich, daß Hesiod Zeus nur die Tötung des Adlers durch den Befreier von Ungeheuern billigen läßt; denn die Variante der Entfesselung ist unvermeidlich verbunden mit der Voraussetzung, die Herrschaft des Zeus habe auf dem Spiel gestanden und sei nur um den Preis der Freigabe des Prometheus zu retten gewesen. Davon kann und darf Hesiod nicht sprechen. Da Aischylos die Version der Befreiung kennt, mag sie attischer Lokalmythos gewesen sein, dem an der Rückkehr des Prometheus in sein

Heiligtum lag, während dem Hesiod die fortdauernde Fesselung die bessere Gewähr für die Dauer der Zeusherrschaft sein mochte. Dieser Schluß steht in Analogie zur Behandlung der Hekatoncheiren, die für ihre dem Zeus geleistete Hilfe zwar von ihren Fesseln befreit, dennoch an ihren unterirdischen Verbannungsort zurückgeschickt werden.

Wer der letzte Gott sein soll, darf nicht mehr überlistet werden können. Das wirft von der Schlußfrage auf das Anfangsproblem des Opferbetrugs zurück und entscheidet für das Wissen des Zeus um die List des Opferentzugs. Diese verhindert er nicht, obgleich er sie durchschaut; wohl um den Anwalt der Menschenrechte ins Unrecht zu setzen und seine Vernunft als kurzsichtige Dummheit erscheinen zu lassen. Denn sie unterwirft ihn der Notwendigkeit, das den Menschen entzogene Feuer vom Himmel zurückzuholen. Damit beginnt die mythische Figur, sich für die Tragödie zu qualifizieren.

Zeus läßt Prometheus sehenden Auges in der Vertretung der Menschen nicht nur lächerlich, sondern schuldig werden. So kann er in der harten Verfolgung den gerechten Part der Bestrafung übernehmen. Diese Grundfigur der Tragödie, über die sich Plato entrüstet, ist noch die ihres Kenners Paulus. Er läßt seinen Gott ein Gesetz geben, das der Mensch nicht erfüllen kann und das ihn unausweichlich schuldig macht. Die Geschichte, die dem paulinischen Römerbrief zugrunde liegt, ist die Geschichte eines tragischen Helden, dessen Tod – wenn auch nur der einer mystischen Identifizierung – der einzige Ausweg aus einer Lage ist, in die er gerade durch den pharisäischen Willen, nicht schuldig zu werden, geraten ist. Was ihm hilft, ist die Ersetzung der Realität durch das Symbol, die Taufe in den Tod eines anderen.

Auch der Opferbetrug des Prometheus ist die Erschaffung des Symbols. Denn was er an Stelle des reellen Opfertiers zubereitet und anbietet, ist ein Bild, eine Substitution, ein Zeichen. Seither konnten auf den Altären der Götter symbolische Stücke des Opfertiers verbrannt, der einstige Betrug auf Dauer gestellt und durch Delegation der Schuld an den bestraften Titanen die Duldung des Gottes erwartet werden. Der höhere Begriff vom bloßen Zeichen des Willens ist aber zugleich auch ein gefährlicher, denn der am Symbol befriedigte Gott, der nicht mehr als an der Realität

der Opfergabe genüßlich Beteiligter gedacht wird, muß nun die
Gesinnung wägen, am Ende gar in die Herzen schauen. Das ist es,
was der Mythos nicht gekannt hat und was Religionsgesetze diesseits des Realismus ungeheuerlicher und ungeheurer Opfer wiederum unerfüllbar macht.

Wenn es bei Hesiod so aussieht, als sei das zweite Vergehen des
Prometheus, die Entwendung des Feuers vom Himmel, nur die
Konsequenz der Strafe, die für sein erstes Vergehen, den Opfer-
raub, über die Menschen verhängt worden war, so wird dies
sekundäre Systematisierung sein. Sie läßt wiederum Zeus im Recht
erscheinen, zumal die Auseinandersetzung über den Opferanteil
in Mekone das Ende einer Epoche bezeichnet, in der Götter und
Menschen gemeinsam zu Tische gesessen hatten. Urtümlicher als
diese Konstruktion mutet an, daß Zeus in den Menschen fremde
Geschöpfe der Titanen sah und ihnen das Feuer nicht gönnte, das
sie zwar nicht zum nackten Überleben, wohl aber zum erleichterten
Dasein benötigten. In Hesiods Konstruktion ist die Entbehrung des
Feuers nicht der ursprüngliche Zustand des Menschen in seiner
Wildheit, dem Prometheus auf den Weg der Entrohung hilft, son-
dern bereits das Verhängnis für den Betrug an den Göttern. Deshalb muß der Feuerraub im Hohlraum eines Pflanzenstengels
(*Narthex*) weniger die Entwendung eines dem Himmel und den
Göttern allein zustehenden Elements, als vielmehr die Vereitelung
der Strafe, die Verhöhnung des Gottes gewesen sein. Dadurch, daß
die Entbehrung des Feuers schon Folge einer götterfeindlichen
Handlung ist, wird die im dynastischen Prozeß der Götter begründete Feindseligkeit des Zeus gegen die Menschen verdeckt. Auch
der von Horaz erneuerte Gedanke, es gebe dem Menschen nicht
zustehende Elemente der Natur, deren Besitz oder Beherrschung
Frevel sei: das Wasser im Übermut der Seefahrt, die Luft im für
Ikarus tödlich endenden Flug mit Daedalus, das Feuer im Raub
des Prometheus – dieser nur die Erde als adäquates Element des
Menschen aussparende Systementwurf scheint der Promethie ursprünglich fremd gewesen zu sein.

In der Fassung, die Hesiods »Erga« ihr geben, wird die Ätiologie
der Arbeit mit dem Geschenk des Feuers verbunden; die illegitime
Erleichterung des Lebens durch das Himmelselement wird auf-
gewogen durch die Mühsal der Lebensfristung mit Hilfe desselben.

Ganz unabhängig davon ist in beiden Fassungen des Mythologems der Inbegriff aller Verhängnisse, die über den Menschen durch die Begünstigungen des Prometheus gekommen sind, die Ankunft des Weibes. Sie ist so etwas wie der Gegenbetrug des Gottes an der Menschheit. Dem Schmiedegott Hephaistos war ein Blendwerk in Auftrag gegeben, in dem sich Lustreiz und Lebensplage vereinigen sollten. Sieht man von einer Psychologie des Dichters für diese Herkunftsgeschichte des Weibes ab, so ist Kern der dichterischen Gestaltung die strikte Symmetrie von Untat und Strafe: Mit derselben Unwiderruflichkeit, mit der der Mensch in den Besitz des Feuers gekommen war, ist er durch Pandora auf seine Geschlechtlichkeit festgelegt. Sie sieht der Dichter als eine auf Illusionsbereitschaft angelegte Verfassung, in der es dem Mann ergehen sollte, wie es Zeus zugedacht gewesen und in der Verhöhnung des Feuerraubs ergangen war. Daß dieser seine Strafrede mit einem höhnischen Auflachen schließt, zeigt ihn am Ziel seiner Rachewünsche.

Was Hephaistos mit der kunstvollen demiurgischen Herstellung der Pandora gelingt, ist die mechanische Entsprechung zu der Version, Prometheus selbst habe als Töpfergott die Menschen geformt und sie mit Hilfe der Athene aufleben lassen. Die Athener haben immer abgestritten, daß die Schutzgöttin ihrer Stadt mehr als Hilfe für Prometheus geleistet, daß sie ihn auch geliebt habe. Sie ließen es daher so aussehen, als habe Zeus zur Verschleierung seiner Rachsucht und Grausamkeit gegenüber Prometheus das Gerücht aufgebracht, dieser sei von Athene zu einer Liebschaft verführt worden. So mußte jedermann einsehen, daß schärfste Zwangsmittel zum Schutz der jungfräulichen Göttin geboten gewesen waren.

Das Prometheus-Mythologem, in welcher Gestalt immer es auftritt, hat kulturkritische Implikationen. Es ist nicht gleichgültig, ob Zeus den Menschen als fremdes Relikt feindlicher Götter in seinem Kosmos ansieht und ihm Vernichtung wünscht, ihn so im Hades verschwinden lassen und unsichtbar machen will wie die anderen Angehörigen der vergangenen Dynastien, *oder* ob es der Versuch der Menschen war, sich ihren Vorteil in der Welt und am Ertrag der Welt gegen alte Rechte der Götter mit List und Tücke zu sichern, nur um sich eine angenehme Welt zu schaffen. War der Feuerraub die Gegenwehr des Prometheus gegen die Vernichtungswünsche des Zeus, dann ist die fast selbstverständliche Rechtfertigung der Selbsterhaltung auf der Seite dieser Tat und der von ihr Begünstigten; ist er die Vereitelung einer Strafe des Zeus, dann entsteht die durch das Feuer ermöglichte Kultur auf dem Boden des unrechtmäßigen Zugewinns, der illegitimen Wünsche. Wenn Zeus nach dem Opferkonflikt nicht nur das Feuer vorenthält, sondern den *bios* vor den Menschen verbirgt, erkämpfen sie sich unter dem Schutz des Prometheus die Selbsterhaltung, aber zugleich verschaffen sie sich auch mittelbar mehr als ihnen vorenthalten werden sollte. So begründen die »Erga« die Entstehung der Arbeit aus der Verarmung einer Welt, die durchaus zum Unterhalt des Menschen bestimmt gewesen war: *Denn es halten die Götter verborgen die Güter den Menschen, / Leicht sonst würdest du genug an einem Tage gewinnen, / Daß für ein Jahr du hättest, ob fern du auch bliebest der Arbeit.* Das alles bewegt sich auf dem Niveau zwar der Strafe und Ungunst, aber nicht des Vernichtungswillens. Doch die Menschen wollen mehr als leben.

Der andere Aspekt ist ein eher allegorisches Verständnis der Vorenthaltung und Übermittlung des Feuers. Die Menschen sind von Natur blöd wie die Tiere, des Daseins nicht würdig. Zeus will sie vernichten und setzt darauf, daß sie in ihrem Zustand nicht dauern können. Da ist es Prometheus, der allererst die Menschen zu Menschen macht. Diese ›Vertiefung‹ des Mythologems steht schon auf dem Sprung zur Deutung des Feuers als des schöpferischen und erfinderischen Vermögens, weil es Voraussetzung zur Umwandlung und Verfeinerung aller Stoffe der Natur ist. Die Kultur ist also zugleich Form der Instruktion *und* der Erweckung von Selbsttätigkeit. Prometheus ist nicht erst der Keramiker der Menschen und dann der Feuerbringer, sondern er ist Urheber der Menschen durch das Feuer; es ist ihre *differentia specifica,* wie sie es in der anthropologischen Paläontologie wieder sein wird.

Die Geschichte der Pandora tritt unverkennbar zu derjenigen Kulturtheorie in Beziehung, die die Entstehung des Überflusses und des Überflüssigen suspekt macht. Dann wäre der hervorstechendste Zug an der Entsendung des Weibes durch die Götter die für eine als kriegerisch vorzustellende Männerwelt verblüffende Neuheit der Verschwendung. Was da hinzukommt, ist im Vergleich zum gesicherten Besitz des Feuers und zur Erleichterung der kultischen Opferlasten eine Geringfügigkeit, ein Ärgernis, nicht eine Bedrohung. Deshalb darf der burleske Zug, der an den Gestalten der Kulturheroen und wohl auch an der des Prometheus haftet, auf Pandora übergehen: sie bringt die Übel, aber sie nimmt nicht den Gewinn, für den Prometheus einsteht. Man wird also nicht sagen dürfen, Prometheus habe für die Menschen am Ende nichts erreicht; jede seiner Listen sei durch eine Gegenlist zunichte gemacht worden, am deutlichsten durch die Entsendung der Pandora. Ernsthaft betrachtet, ist das nichts im Vergleich zum Erwerb der endgültigen Existenzmöglichkeit.

Man merkt, was Hesiod anstrebt und erreichen möchte, aber man bemerkt auch den unüberwindlichen Widerstand seines mythischen Materials. Die Verbergung des Feuers, des *bios*, war an den Kern der Lebensmöglichkeit gegangen. Die »Erga« können die Last dieses Lebens schildern und ihre Verschärfung durch die Verschwendungssucht des Weibes ausmalen, aber sie können und müssen von der elementaren Möglichkeit dieses Lebens ausgehen. Allerdings erfährt die Figur der Pandora dadurch eine Dämonisierung, daß ihre Wirkung die Charakteristik weiblicher Eigenschaften für das Männerpublikum des Hesiod übersteigt: in dem von ihr geöffneten Faß sind unter den Übeln vor allem ›unzählige schleichende Krankheiten‹. Aber selbst diese sind so etwas wie die Aufsplitterung des Vernichtungswillens des Zeus, von dem Hesiod nicht spricht und nicht sprechen darf. Ihm ist auch die Deutung des Namens der Pandora als der Allesgebenden nicht mehr zugänglich, da ihr Gefäß doch nur den schlechteren Teil von allem birgt. Das Bild auf einem in Oxford aufbewahrten rotfigurigen Mischkrug zeigt Pandora mit ausgebreiteten Armen aus der Erde auftauchend: für eine Erdgottheit wäre der Name begreiflich, auch die Dämonisierung für ein dem Olymp ergebenes Publikum des Sängers.

Aischylos hat in seiner Prometheus-Trilogie das Thema der Tragödie auf die reinste mythische Gestalt gebracht: Für den Menschen wäre es besser, nicht zu sein. Als Formel hatte es zuerst Bakchylides dem Herakles seiner Fünften Ode in den Mund gelegt, der im Hades ein einziges Mal Tränen vergießt über das Schicksal des Meleager: *Für die Sterblichen ist es das beste, nicht geboren zu sein und nicht der Sonne Licht zu erblicken.* In der Promethie des Aischylos ist das nicht als Auswegeslosigkeit einer subjektiven Verzweiflung, sondern als objektiver Befund des Mythos, der nicht

nur in der Vernichtungsabsicht des neuen Gottes gegenüber den
Geschöpfen der Kronosgeneration Ausdruck findet, sondern sogar
in der Anerkennung ihrer Berechtigung durch Prometheus. Sie
macht den Mythos zu mehr als der bloßen Geschichte der Durchsetzung des Existenzrechts der Menschen. Prometheus erzwingt die
Aufwertung des verächtlichen Eintagsgeschlechts zu einer Welt-
größe, die auch Zeus nicht wieder unsichtbar machen, in den Hades
verschwinden lassen konnte. Aus der objektiven Nichtswürdigkeit
der Menschen mehr als ihre Existenzfähigkeit – ihre Existenz-
würdigkeit gemacht zu haben, ist der von Prometheus selbst un-
bestrittene Verstoß gegen die Weltordnung.

Der Mythos, wie ihn die Tragödie vorstellt, gibt nicht einmal aus
dem Munde des leidenden Titanen der Erhaltung der Menschen ein
höheres Recht. Prometheus schildert diese Gattung so, daß sie es
eher verdient hätte, verdorben zu werden; sie bestand aus stumpf-
sinnigen Wesen, unbehausten Troglodyten. Hätte ihnen nur das
Feuer gefehlt, um überleben zu können, hätte Zeus sie zu Unrecht
verachtet; aber das Feuer fehlte ihnen nur als Letztes zur Vollendung und Ermöglichung der Künste, die Prometheus ihnen
brachte, nachdem sie bis dahin sinnenstumpf und verwirrt vegetiert
hatten. Der Chor der Okeaniden hat recht: Prometheus überschätzt
die Menschen. Aber er hat sie nur deshalb ›erschaffen‹ können, weil
er sie aus der völligen Nichtswürdigkeit herausgeholt hatte. Er
konnte ihnen keine Legitimität im Kosmos des Zeus verschaffen,
aber diesem die Vollstreckung des Urteils unmöglich machen, sie
seien des Seins nicht würdig. Wenn Zeus die Menschen hatte zur
Verzweiflung treiben wollen, um sie selbst ihre Auslöschung aus
der Welt bewirken zu lassen, so hatte Prometheus dies vereitelt,
indem er ihnen eine Realität, das Feuer, und eine Illusion, die
›blinde Hoffnung‹, gab. Das illusionäre Element weist darauf hin,
daß es nicht um die reine Beglückung der Menschen gehen konnte;
sie wurden über ihren *status naturalis* getäuscht, und das war auch
Verhängnis.

Aischylos hat für die Schwierigkeiten, die noch Hesiod mit der
Hoffnung, dieser hartnäckigsten Eigenschaft der Menschen, gehabt
hatte, eine Lösung gefunden. In der Pandora-Geschichte hatte die
Neugier des Weibes alle Übel entweichen und über die Menschheit
kommen lassen, nur die Hoffnung war der vom Schreck Getroffe-

nen im Gefäß ihrer Mitgift zurückgeblieben. Sie wäre, als *illusionäre* Bindung an die Zukunft, genuin eins der Übel gewesen, doch gerade als solche nicht zur Wirkung zugelassen? Als *reelle* Aussicht besserer Zukünfte aber hätte sie schlecht unter den Übeln in der Mitgift der Pandora ihren Platz gehabt. Da war Hesiod also offenkundig mit seinen Vorgaben nicht ins reine gekommen.

Erst der Tragiker homogenisiert das mit dem schlichten Kunstgriff, Prometheus zum Urheber eines subjektiven Daseinswillens der Menschen gegen ihren objektiven Daseinsbefund zu machen: durch Hoffnung. Gegenüber dem Chor, der den Gefesselten mitleidig umgibt, gesteht er die radikalste aller Listen: den Menschen die Grundlosigkeit ihres Daseins vorzuenthalten. Er hatte sie, wohl um sie zur Annahme des Feuers zu überreden, durch die Blindheit der Hoffnung daran gehindert, ihrem wahren Los ins Auge zu sehen. Denn er gesteht das, noch bevor er davon spricht, ihnen das Feuer gegeben zu haben, mit dem viele Kunstfertigkeiten herauszufinden ihnen – in dem Augenblick, da dies gesprochen wird – noch bevorstehen soll. Prometheus tut im Grunde, was in der Tragödie die Götter auch sonst tun: er wirkt durch Verblendung. Seine Form der *atē* sind die ›blinden Hoffnungen‹.

Es ist also List im Spiel, wenn die Menschen in der Welt überleben. Es hätte nicht genügt, ihnen irgend etwas zu schenken; sie mußten dazu kommen, für sich selbst die neuen Möglichkeiten zu gewinnen. Zwar wird dies zum Affront gegen Zeus und seinen Willen, die Menschen zu dem zu bringen, was ihm für sie als das Bessere gilt: überhaupt nicht zu sein. Doch jene List täuscht nicht den Gott, sondern ausschließlich die Menschen. Das wird durch den Chor proklamiert, der zwar voll Mitgefühl mit dem leidenden Menschenfreund ist, ihn aber gegen Zeus ins Unrecht setzt. Er teilt dessen Urteil über die Unwürdigkeit der Menschen, in der Welt zu sein. Der Chor tut, was am Platze ist: er tröstet, aber entschuldigt nicht.

Wenn dies eine Tragödie ist, in der es in letzter Verschärfung der Vorgaben des Mythos nicht nur um die befriedigte Existenz des Menschen geht, sondern um dessen verhindertes Nichtsein, so ist damit doch der Mensch nicht selbst Akteur des Dramas. Friedrich Schlegel sollte Anstoß daran nehmen, daß der Held der Tragödie ein Gott, obwohl ihr Thema die Existenz des Menschen ist. Doch

nur wenn ein Gott dem Kroniden entgegentrat, konnte der Konflikt um die Menschheit überhaupt entstehen und in zuverlässiger
Konsequenz für sie enden. Denn nur ein Gott konnte die Tödlichkeit der Strafe überdauern, konnte zum Monument der Unvernichtbarkeit der Menschheit werden und Zeus zu dem zwingen,
was im politischen Sprachgebrauch ›Anerkennung der Tatsachen‹
heißt. Unvernichtbar mußte sein, wer gegen die Vernichtung des
Menschen auftrat. Auf dem Schauplatz dieser Entscheidung hatten
die indirekt Betroffenen nichts zu suchen. Das bringt schon die
antike *Hypothesis* zum Ausdruck, wenn sie es als dieser wie noch
anderen Tragödien des Aischylos eigentümlich bezeichnet, daß nicht
nur großartige und bedeutende Gestalten den Schauplatz füllen,
sondern ausschließlich Götter: *theia panta prosōpa*, und dazu noch
deren ehrwürdigste: *presbytatoi tōn theōn*.

Nun ist eine der Figuren der Tragödie kein Gott, obwohl am Ende
ihres Weges von den Ägyptern zur Gottheit erhoben. Es ist Io, die
Tochter des Flußgottes Inachos, die von der eifersüchtigen Hera
in eine Hirschkuh verwandelt und von einer Bremse durch die
Welt gejagt wird. Auf ihrer Flucht gerät sie in die skythische
Einöde, in der Prometheus seine Verbannung aus Umgang und
Anblick der Menschen erleidet. Er darf, nach dem Ausspruch des
Handlangers der Exekution Hephaistos, weder Laut noch Gestalt
der Sterblichen wahrnehmen, für die *allzu große Liebe* zu haben
der Antrieb seines Vergehens gewesen sei. Ihm stellt sich die verfolgte Io in ihrem ganzen Elend vor – zwei Opfer der Olympier
stehen sich gegenüber. Zugleich stellt sich die Funktion des Prometheus, Rettung vor den Nachstellungen der neuen Götter zu
verschaffen, paradigmatisch dar. Der Titan wird zum Fluchthelfer
der Io und zum Ankläger des Zeus gegenüber dem Chor, der nach
dem schuldigen Opfer nun das unschuldige vor sich hat. Die argu-
mentative Bedeutung der Io-Szene springt heraus: Das objektive
Recht des Zeus gegenüber Prometheus, begründet aus der Nichtswürdigkeit der Menschen in ihrem ursprünglichen Zustand, gerät
ins Zwielicht durch die Art, wie er als gewalttätiger Tyrann so
offenkundig gegenüber anderen – vielleicht also gegenüber allen –
auftritt.

Die Io-Szene der Tragödie muß gegen ihre Verächter – gegen die
vor allem, die ihretwegen die Promethie ganz dem Aischylos

absprechen zu müssen glaubten – aufs höchste geschätzt werden. Es nicht bei der Abwendung des göttlichen Vernichtungswillens gegen die Menschheit bewenden zu lassen, sondern die Restitution des Seinsvertrauens an einer Gestalt, der tragisch um ihren Lebenssinn gebrachten sterblichen Frau, zu zeigen, war ein Einfall reiner Bedeutsamkeit, voll des metaphysischen Trostes angesichts der Vision von der Selbstwiderlegung des tyrannischen Weltgottes, dem der erste Blick in den Abgrund noch bevorstand.

Die hirschgestaltige Io ist, wenn sie auf Prometheus trifft, am Rande der Verzweiflung, am Ende ihres Lebenswillens. Welcher Gewinn sei es, noch weiter zu leben, fragt sie, und kommt zum Resultat aller Gestalten der Tragödie, es wäre besser – wenn ihr schon nicht beschieden sein kann, niemals gewesen zu sein –, mit einem Mal die Qual zu enden. Dann freilich hätte Zeus auch diese unter seinen Drohungen wahrgemacht, das Geschlecht des Inachos, des Begründers der Dynastie von Argos, zu vernichten. Prometheus steht also in dieser Begegnung vor derselben Situation wie mit dem ganzen Menschengeschlecht. Was er für dieses noch nicht hatte wagen wollen, wird ihm durch den Anblick der verzweifelten Io unausweichlich: das Geheimnis seiner Mutter Gaia vom möglichen Ende der Tyrannei des Zeus laut herauszuschreien. Es ist ein wichtiger Zug, daß er dieses Vorwissen schon besitzt und behütet hat, nicht erst *ad hoc* erfährt.

Die bedeutendste Umformung oder Ausformung des Mythos besteht aber nicht darin, daß seine Selbstbefreiung ihm nicht genügt hätte, das einschneidendste Instrument gegen Zeus anzuwenden, sondern in dem doppeldeutigen Inhalt der Prophezeiung selbst. Da Zeus den verhängnisvollen Schritt zur Zeugung eines übermächtigen Sohnes infolge der Warnung nicht tun wird, muß dem Dichter und seinem Publikum zugetraut werden, daß sie die Weissagung vom Tyrannensturz auch metaphorisch verstehen konnten: Prometheus werde der Tyrannei durch Zähmung des Herrschers ein Ende machen. Io selbst darf und muß, wenn sie in ihrer äußersten Verzweiflung soll getröstet werden können, den visionären Spruch im drastischen Wortsinn verstehen. Die Verzweiflung der Menschen endet, wo der Gott die Grenzen seiner Macht erfährt.

Prometheus ist damit nicht nur der unerbittliche Dulder, der am Felsen seine Unsterblichkeit als Trotz demonstriert, sondern auch derjenige, der auf der Wiederholung seiner Handlung – wie zwischen Opferbetrug und Feuerraub, so auch zwischen Rettung der Menschheit und Rettung der verfolgten Einzelnen – besteht und damit für die Tat, deren Straffolge er erleidet, Allgemeingültigkeit beansprucht. Er weist der gehörnten Io den Weg ihrer Zukunft, zeichnet ihr prophetisch die lange Flucht bis ins Nildelta vor, wo sie die Mutter eines neuen Geschlechts sein wird. Nach ihrer Rückverwandlung zur Menschengestalt wird sie einen Sohn von Zeus haben, den er auf eine dezentere Weise als sonst, nämlich durch bloße Berührung ihres Rückens, mit ihr erzeugt, den Epaphos. Auch so erweist er an ihr seine Enttyrannisierung.

Darin liegt ein anderer Tiefsinn des Dichters, daß Prometheus mit der Rettung der Io die Ahnin seines künftigen Befreiers gerettet hat. Weit ausholend stellt er diese Konstruktion her, verbindet mit ihr die Andeutung der Vielzahl noch nötiger Generationen und der Weite der Wege ihrer Nachkommenschaften bis zu Alkmene. Sie wird, wiederum durch Zeus, zur Mutter des Herakles werden. Dieser Durchblick in die Tiefe der Zeit gibt eine Ahnung, fast eine Anschauung, von der Länge der Marter des Titanen noch nach der Drohung mit dem Geheimnis der Gaia. Der Mythos hat ja keinen anderen Zeitbegriff als den des Geschiebes der Generationen, über die hinweg die langfristigen Wirkungen und Rückwirkungen stattfinden. Io ist ein Opfer des jungen Tyrannen; aber ihr Name eröffnet schon den Blick auf ein letztes Mal, daß Zeus sich eine sterbliche Frau gefügig machen wird – nach Alkmene und dem gewaltigen Sproß dieses subtilsten und tückischsten Betrugs wird er sich nicht mehr zutrauen, ungefährdet Söhne zu zeugen. Schon dieser Herakles trägt, wenn er den Blitzadler des Zeus abschießt, das wohl erst nachträglich gemilderte Zeichen der Rebellion, zumindest der Demonstration geminderter Macht des Gottes.

So weit die Handlung des Prometheus in die Zukunft vorausweist, so weit reichen ihre Wurzeln zurück in die Vergangenheit. Deshalb hat der Dichter die mythische Genealogie zum Uranfang hin gesteigert: Prometheus ist, unter Aussparung einer Generation, des Iapetos und der Klymene, unmittelbarer Sproß der Gaia, der aus dem Chaos herkommenden Urmutter aller Dynastien. Von dort stammt das Vorwissen um die Schicksale der Götterwelt, das die Konfrontation mit Zeus entscheidet. Dieser muß seinen Boten

Hermes zum Sträfling am Felsen schicken, um ihm durch eine Drohung mit dem Blitz erpresserisch zuzusetzen, sein Wissen von der Götterzukunft preiszugeben. Wenn Prometheus sich rühmt, schon bei der Machtergreifung des Zeus geholfen zu haben, läßt er erkennen, wie seine gegenwärtig so hinfällig aussehende Macht den gegenwärtig ebenso übermächtig aussehenden Olympier emporgetragen hat. Seine eigene Geschichte umspannt die des Zeus, als sei diese nur eine dynastische Episode.

Den Ausschlag für das Obsiegen in der Titanomachie hatte gegeben, daß die Brüder des Prometheus lieber auf ihre Kraft als auf seinen Rat vertrauen wollten, während er selbst nach dem uralten Wissen der Mutter auf die List gegen die Gewalt setzt. Das soll anzeigen: Zeus ist gegenüber Prometheus nahe daran, den Fehler der Titanen zu wiederholen, indem er seinen Bundesgenossen und Ratgeber als unbotmäßigen Rivalen behandelt. Es liege im Wesen der Tyrannis eine Krankheit, läßt Aischylos als politischen Reflex den Chor der Okeaniden beklagen, daß sie den bewährten Freunden mißtraut und auf Begünstigte und Günstlinge setzt. Deren Schmeichelei und Akklamation soll es denn auch gewesen sein, was Zeus hatte darauf sinnen lassen, an Stelle der menschlichen Gattung eine der neuen Dynastie würdige Kreation zu setzen. Durch diese Rechnung hatte Prometheus seinen Strich gemacht.

Gleich am Anfang des »Gefesselten Prometheus« erfährt der Zuschauer aus dem Munde von Kratos, der zusammen mit Bia den Gefangenen zum Fels schleppt, daß nicht nur Gerechtigkeit im Namen der Götter am Titanen geübt, sondern auch eine Lehre erteilt werden müsse: Prometheus solle sich der ›Tyrannis‹ des Zeus fügen und Schluß machen mit dem *philanthrōpos tropos*. Er hätte also eine Chance, sich zu wandeln. Das setzt die Pointe ins Licht, daß der Tyrann des Anfangs selbst am Ende ein anderer sein wird. Es darf nicht der schiere Zwang der Furcht sein, wenn er sich darein schickt, den Menschen das Daseinsrecht zu bestätigen und sich aufs Gesetz festzulegen. Sonst hätte sein Wort nicht die Zuverlässigkeit, die aus dieser Konfrontation hervorgehen muß. Das ›menschenfreundliche Wesen‹, das Prometheus nicht hatte sein sollen, muß Zeus selbst werden. Das erfordert Zeit; Prometheus überstürzt es nicht mit der Ausschöpfung seines Wissens. Er will, nach seiner eigenen Formel, die gegenwärtige *tychē* nutzen, um das *phronēma* des

Zeus vom Zorn künftig zu lösen. Seine Strafbefreiung allein könnte seine Absicht mit den Menschen nicht durchsetzen, wenn nicht Zeus seine eigene Geschichte dazu bewegt, in das Dasein der Menschen einzuwilligen. Das Verfahren der Gewaltenteilung nimmt einen eher didaktischen Zug an: man erteilt sich gegenseitig Lehren.

Die Tragödie muß den weiten Weg durch die Zeit suggerieren, den Lehren und Belehrtwerden voraussetzen. Es ist zuerst und vor allem die Unbeugsamkeit des Prometheus, die zu veranschaulichen ist, denn sie garantiert, daß er sein Geheimnis nicht für den kleinsten Erfolg, den der eigenen Entlassung, enthüllt. Was er zum Trost der Io ankündigt, womit er sich immer lauter vor dem Chor mit fast prahlerischer Sicherheit brüstet, gibt er doch nicht genauso leichtfertig preis. Er weiß, welche Chance in dem großen Zeitmaß des eigenen Leidens liegt, das nach der Kapitulationsverhandlung mit Hermes und der Verhöhnung seiner Knechtsgesinnung noch durch den Sturz in den Tartaros und die tägliche Qual des sich von seinem Leibe nährenden Adlers verschärft wird. Was er jetzt leidet, leidet er nicht für Opferbetrug und Feuerraub, sondern um die Zeit für die endgültige Zähmung der olympischen Übermacht zu gewinnen. Alles ist darauf angelegt zu zeigen, daß er fortan aus eigenem Entschluß leidet, auf Herakles wartet, auf den zuverlässigen Wandel des Anderen.

Daß es in der Folge der Zeitalter und Dynastien nichts Endgültiges und Letztes geben könne, auch ein Zeus noch müsse gestürzt werden können, ist der Logik des Mythos tief eingesenkt, auch wenn der waltende Gott das Risiko neuer Zeugung von Rivalen schließlich meidet. Es haftet ihm an, daß er nicht kraft Wesens, sondern aus Resignation und Vorsicht der Probe auf die Zerbrechlichkeit seiner Macht ausweicht, den Wiederholungszwang – den der Mythos aus der Affinität zum kultischen Ritual haben mag – anhält. Die Promethie setzt diesen Gedanken voraus, aber doch nur, um ihm zugunsten des Seinsgrundes der Menschheit eine letzte Wendung zu geben: Wenn Zeus zum Garanten ihrer Existenz zu werden bereit wäre, würde ihm die blinde Aussaat des Verderbens erspart bleiben. Genau genommen beschreibt Aischylos seinem Publikum die Erziehung des Zeus zum letzten der herrschenden Götter, ohne das Vertrauen des Hesiod in seine Eigenschaften vorauszusetzen.

Dazu ist nicht das Scheitern einer weiteren der Rebellionen
vonnöten, sondern die Ablehnung der Unterwerfung, der über
Jahrtausende sich hinziehende Widerstand, auch unter äußerster
Verschärfung der Folter, die Unbeugsamkeit des Wissenden, der
auf die Stunde der letzten Gewaltenteilung warten kann. Die Verfolgung der Io ist zugleich Vorführung des Sachverhalts, daß der
deus novus noch nicht reif ist, in Prometheus mehr als den Träger
eines zu erpressenden Geheimnisses zu sehen. Wenn dieser, von Io
wieder verlassen, in die großsprecherische Sicherheit künftiger Demütigung des Zeus verfällt, leitet er eine Kraftprobe ein, die weder
mit dem Schicksal der Io noch mit dem der Menschheit unmittelbar
etwas zu tun hat: nichts kümmere ihn weniger als dieser Zeus,
der ohnehin nicht mehr lange über die Götter zu herrschen habe.
Solche Sicherheit ruft den Hermes herbei, dessen Zurückweisung
die Zuspitzung der Kraftprobe ohne alle Rücksichten auf anderes
erzwingt. Es ist wiederum die Anschaulichkeit des Dichters, daß
jetzt erst der Blitzvogel des Zeus die Exekution der furchtbarsten
Strafe übernimmt.

Nach der höhnischen Zurückweisung des Hermes besteht zwischen
Zeus und Prometheus nicht mehr das Verhältnis der strafenden
Instanz zu dem für die Begünstigung der Menschen verfolgten
Täter; dafür hatte er schon durch Verbannung und Anschmiedung
gelitten. Was jetzt geschieht, am Ende des »Prometheus Desmotes«,
ist eine heterogene Konfrontation, in der es nur noch um den Bestand der Dynastie des Zeus geht. Nichts bleibt vom Vorherigen
als der mit den verschiedenen Mitteln der beiden Seiten ausgetragene offene Existenzkampf. Prometheus scheint so lange der gefährlichste Rivale zu sein, wie er nicht preisgegeben hat, wer es
einst wirklich sein wird. *Wenn sie alt wird, die Zeit, lehrt sie alles
gründlich*, ist seine Antwort an Hermes – die des langen Atems
eines Mythos, der den neuen Gott alt werden lassen muß, wenn es
für die Menschen eine Chance geben soll.

Was wir vom »Prometheus Lyomenos« aus dem fragmentarischen
Bestand wissen, ist wenigstens, daß der Chor statt mit mißbilligen-
den Okeaniden mit brüderlichen Titanen besetzt ist. Zeus muß sie
nach ihrer Einsperrung im Tartaros freigegeben haben; Prometheus
wird sie, nach dem *descensus ad inferos*, mit sich aus der Unterwelt heraufgeführt haben. Dazu muß ihn der Dichter am Ende des

ersten Teils mit Blitz und Donner in die Tiefe stürzen lassen. Offenbar wollte er nicht nur durch das Auftreten des Herakles und seine Machttat beim Abschuß des Zeusvogels – für uns unverkennbare Ersatzhandlung des Vatermords – die Änderung der Weltlage anzeigen. Wandlung der Sitten erforderte Setzung neuen Rechts, Überredung durch die Urmutter Gaia, die ihren Sohn aus der Geheimhaltung ihrer Weissagung entlassen und dies zu später Stunde nur im Hinblick auf den gewandelten Zeus getan haben wird.

So steht der Chor der Titanen dafür, daß Zeus sein ›Generationsproblem‹ gelöst hat – wovon Hesiod noch nicht, wohl aber Pindar etwas wußte –: er hat den Vater Kronos aus dem Tartaros freigelassen und zum Herrscher über die Inseln der Seligen eingesetzt. Prometheus kann nicht zum Nutznießer der Begnadigung der Titanen werden, weil sein Konflikt mit Zeus nicht mehr auf jener alten Rivalität um die Götterherrschaft beruht, bei der er doch sein Bundesgenosse gewesen war, sondern auf der Drohung einer in ihrem Ausgang feststehenden zukünftigen Rebellion und der Vorenthaltung des zu ihrer Vermeidung nötigen Wissens.

Den vom Blitz des Zeus in die Tiefe geworfenen und danach vom Adler zerhackten Prometheus zeigt der Dichter als einen Verzweifelten. Auch ihm wird der Inbegriff aller Tragik jetzt bewußt, daß es besser wäre, *nicht erst* zu sein. Ausdrücklich wird sich Prometheus darüber beklagt haben, daß ihm sogar der Ausweg vorenthalten sei, *nicht mehr* zu sein. Über die zentrale Klage der Tragödie im Munde des Unsterblichen ist viel gerätselt worden. Mir scheint der Wille des Dichters am ehesten darin bestanden zu haben, Prometheus mit der Verzweiflung der Menschen zu identifizieren und ihn dadurch seine philanthropische Rolle über seinem Titanentrotz nicht vergessen zu lassen. Wir wissen nicht, welche Bedeutung das Auftreten der Gaia im »Befreiten Prometheus« hatte; sie muß durch Überredung seinen Trotz gebrochen haben. Denn erkennbar ist das zweite Stück der Trilogie in eine Welt der Überredung gestellt wie das erste in die der Gewalt. Das vergegenwärtigt die Funktion des Mythos in der den Griechen vertrautesten Form.

Sollte Prometheus glauben, es sei der Wille des Zeus, ihm die Sterblichkeit nicht zu gewähren, so hätte auch das Zusammenhang mit der Lage des Olympiers, der den Hüter seines Schicksalsgeheimnisses gar nicht sterben lassen dürfte, selbst wenn er es könnte. Hätte Prometheus dann auch deshalb in die Preisgabe des Geheimnisses eingewilligt, weil er sich davon die Gegengabe für seinen *amor mortis* versprach?

Nur wenn nicht richtig wäre, daß alles auf die menschheitliche Mission des Prometheus angelegt ist, die sich im dritten Stück der Trilogie – dem »Prometheus Pyrphoros« als der Entstehungsgeschichte seiner attischen Kultfeier – erfüllt, ließe sich der Vermutung weiter folgen, er sei um der eigenen Vernichtung willen der Ewigkeit des Zeusregimes dienstbar geworden. Allerdings wäre die Reindarstellung des Sinns der Tragödie im Wunsch, nicht zu sein, über alles Maß aufgegangen in der Illusion eines Gottes, auch ihm könne schließlich dies als Gnade des erretteten Feindgottes zuteil werden.

Der illusionäre Nichtseinswunsch des Prometheus ist, in der Ökonomie des Dramas, das Pendant jener blinden Hoffnung, mit der er die Menschen vor der Verzweiflung bewahrt hatte. Gaia muß Prometheus gezeigt haben, daß der unverantwortliche Illusionismus jener blinden Hoffnung durch die Milderung des Zeus inzwischen an Realismus gewonnen habe, entsprechend auch sein Weiterleben als freundlicher Hüter ihrer Feuerstätten.

Ein Blick ist noch auf die Rolle des Herakles zu werfen. Er kommt wohl nicht eigens in der Absicht einer Befreiungstat zu Prometheus. Eher wird er im Vorbeiziehen bei der Lösung seiner Aufgaben, sich als Gott zu qualifizieren, das Ungeheuerliche der Szene erfaßt und den Adler getötet haben. Man hat gesagt, es könne ihm nicht angestanden haben, auch die Fesseln des Titanen endgültig zu lösen. Doch ist der Abschuß des Adlers vielleicht die schwerer wiegende Tat. Dieser war ja nicht nur Strafe für Unerlaubtes, sondern das Kampfmittel des Zeus gegen den Widersacher seiner Herrschaft. Es ist nicht wenig, daß Herakles den Blitzadler seines Vaters behandelt wie eins der anderen Ungeheuer und Zeus darauf nichts zu setzen wagt. Er hätte dem größten und letzten seiner Menschensöhne wohl auch die Entfesselung des Prometheus nicht verwehrt – aber daran darf dieser nicht einmal gedacht haben: er hatte Ungeheuer im Kopf, keine Mildtätigkeit.

Nein, nicht weil Herakles dies nicht gedurft hätte, nimmt er dem Titanen nicht die Fesseln ab, sondern weil es von Zeus selbst als

Vollendung seiner Enttyrannisierung bewirkt werden muß. Er soll nicht von außen und unten überrascht werden, sondern im Ausdruck seiner Mäßigung handeln. Eine Vollendung der Befreiung durch Herakles würde die späte Erfindung des *deus ex machina* durch Euripides vorwegnehmen, die Siegfried Melchinger wohl mit Recht als Ausdruck eines letzten Unernstes, einer ironischen Aufhebung der tragischen Verstrickung gedeutet hat. Das ist zwar legitimer Umgang mit dem Mythos, ist Aischylos aber fremd und darf nicht das letzte Wort des Welt und Zeit umspannenden Konflikts seiner Promethie gewesen sein. Dafür hatte er das Satyrspiel vom »Prometheus Pyrkaeus«.

Der Titel des Satyros, der als Abschluß der »Perser« gespielt worden sein soll, hat die der Gattung geziemende Doppeldeutigkeit: der ›Feuerstifter‹ ist es im Sinne des Heilbringers, aber auch in dem des ›Brandstifters‹. Die Griechen hatten immer ein Bewußtsein von der Ambivalenz der Wohltaten ihrer Götter. Nach den Vermutungen Deichgräbers gab es in dem auf Prometheus gezielten Satyros eine Szene, in der die Satyrn sich voll Neugier an das ihnen noch unbekannte Feuer drängen und seinen Glanz mit Entzücken wahrnehmen, um alsbald schmerzlich zu erkennen, daß man sich nur zu leicht verbrennen kann. Es existieren Vasenbilder von Prometheus, der das Feuer bringt und von begeisterten Satyrn umtanzt wird, die nach dem Narthex-Stengel greifen. In einem der erhaltenen Fragmente ist von einem verwundeten Satyr die Rede, und es war nach allem eine Brandwunde, die da behandelt werden mußte.

Der Satyros hatte an den Dionysien nach der dreiteiligen Tragödie mit ihren von den Göttern gegen die Menschen verhängten Greueln und Schrecknissen die erschöpften Zuschauer in aufatmende Erleichterung zu versetzen. Ein schlüssiges Gesamtkunstwerk brauchte daraus nicht zu entstehen. So gibt es in den »Persern« so wenig eine Vordeutung auf den »Brandstifter Prometheus« wie in anderen Tetralogien auch. Im Satyros brauchte der Dichter sich jedenfalls nicht zu entscheiden, ob er die Kulturbegründung des Prometheus eher als Menschenfreundlichkeit oder als Frevel an den Göttern darstellen wollte. Die Gabe selbst erscheint in ihrer Zweideutigkeit von Geschenk und Gefahr, aber beides ohne die Dimension von Heil oder Verhängnis. Die hier sich erstmals andeutende Metapher, daß Lichtbringer unausweichlich auch Feuerbringer sind, hat erst späten Zweifeln an ›Aufklärungen‹ Ausdruck gegeben, ob die Wahrheit den Preis der Brände wert ist, die sie entzünden kann.

Es ist eine frivole Vermutung, daß dieser Satyros vom Feuer- und Brandstifter Prometheus das poetischste Stück der antiken Verwandlungen des Mythologems gewesen sein könnte. Für einen Augenblick mochte die Arbeit am Mythos schon vollendet erscheinen – das ist das Wesen ihrer evidenten Augenblicke. Die tanzenden Satyrn mit den angebrannten Bärten sind die letzte Transformation dessen, was mit dem Chor der Okeaniden und seiner Mißbilligung begonnen hatte und mit dem der befreiten Titanen reflektiert worden war, obwohl dieser Satyros kaum im Anschluß an die Promethie gespielt worden ist. Jacob Burckhardt hat zu den komischen Zügen des Götterlebens schon bei Homer, auf denen die spätere Götterburleske beruht, vorsichtig die Frage gestellt: *Führte vielleicht der Weg aus dem Schrecklichen in das Schöne bisweilen durch das Komische hindurch?* Es gehört für ihn zur Herrschaft der Poesie *über alle Götterauffassung* bei den Griechen nach Homer und Hesiod, daß die Seele *sich von frühe an über die Bangigkeit vor dem Übernatürlichen zu erheben suchte.* Auf dem Weg dieser Anstrengung sei *der Welttag des erlösenden epischen Gesanges angebrochen, vielleicht plötzlich durch eine unerwartete Hebung.* Dabei seien es die Dichter der großen Epen gewesen, *welche vor allem die Götter zu menschenähnlichen und dabei doch völlig wunderbaren Wesen umbildeten und sie von dem fratzenhaften Aussehen, das zuhörende Volk aber von der Bangigkeit befreiten.* Im Zuge dieser Depotenzierung durch den Mythos und die an ihm arbeitende Dichtung ist die leichteste Form das Schwersterrungene, die Schönheit eben vielleicht nur durch das Abschütteln des Komischen hindurch jemals erreichbar. In der Sprache der Tragödientheorie des Aristoteles: Die Katharsis wird als ästhetische Leichtigkeit empfindbar.

Solches Herunterspielen macht Prometheus auch zur Figur der Komödie. In vielen Mythologien verschiedener Kulturkreise sind die Kulturstiftertypen auf das Niveau von schelmenhaften, oft grotesken Gestalten herabgebracht worden. Das ist schon darin begründet, daß ihnen eine ursprüngliche Verschlagenheit zugeschrieben werden muß, wenn die Versorgung der Menschen gegen

den Willen mächtigerer Götter ihnen gelingen soll. Dieses Grundschema gehört zur mythischen Szenerie diesseits des Absolutismus
der Wirklichkeit; in ihm legt sich die Erfahrung des Menschen aus,
die Gefährdetheit seiner irdischen Existenz durch unerreichbare
Mächte ebenso einschließt wie die trotz Unwahrscheinlichkeit gelingende Erträglichkeit des Lebens. Es muß einen geben, weniger
ernstzunehmen als die großen Schicksalsverwaltungen, der es dennoch möglich macht.

Aber jeder Mythos wäre unglaubwürdig, der dies auf die leichteste
und damit unzuverlässigste Weise geschehen ließe. Der den Göttern
nahe oder gleiche Menschenfreund muß nach oben aufsässig und
standfest, nach unten leutselig und strapazierfähig sein. Charaktere
auszutragen ist Sache des Mythos nicht; die Verträglichkeit von
Eigenschaften braucht daher nicht begründet zu werden.

Doch ist der verschlagene und listenreiche Gegenspieler der regie-
renden Götter, der ihrer Macht zu spotten scheint und ihnen Scha-
bernack zuzufügen wagt, auch als Partner der Menschen ein Risiko.
Deshalb ist im Prozeß der allgemeinen Senkung des Niveaus der
mythischen Fürchterlichkeiten nicht nur dies von Bedeutung, daß
sich einer mit den Höheren einen Spaß macht, sondern auch, daß
sich die Menschen im Umgang mit ihm ein Maß an provokanter
Vertraulichkeit herausnehmen, sich wiederum ihren Spaß mit dem
Menschenfreund machen können. Der Kult ist immer auch ein
Formular für seine Umkehrung, die Verehrung für Reizung und
Zumutung: Man muß sich vergewissern und zeigen können, wie gut
man sich mit dem Menschenfreund steht.

Nachdem die Tragödie der Gestalt des Prometheus ihren ganzen
Ernst, die von Ausweglosigkeit gezeichnete Größe des Wunsches
zum Nichtsein gegeben hatte, brauchte nicht mehr befürchtet zu
werden, das für die Menschen und gegen den Gott ausgestandene
Schicksal des Übermuts werde durch Kultfest und Fackellauf, ja
selbst durch die Komödie entstellt oder mißachtet werden können.
Sorgfalt schließt ein, daß die Geschichte ganz und unter allen
Aspekten gesehen wird. Noch der Dichter der epischen Götter-
synopse hatte sich ums weitere Schicksal des Prometheus gar nicht
gekümmert. Es schien ihm nicht so unrecht zu sein, daß dieser
Windbeutel auf Dauer von der Szene der Olympier verschwinden
mochte. Im attischen Kult war die Stellung des Prometheus so

zentral, daß man sich Gleichgültigkeit am wenigsten leisten konnte, was auch immer das Gegenteil davon bedeuten mochte.

Tragödie wie Komödie genießen den Schutz einer kultischen Immunität. In der Komödie wird diese Lizenz respektloser wahrgenommen, zügelloser ausgeübt. Von einem Werk des Kratinos mit dem Titel »Ploutoi« besitzen wir nicht mehr als die Spur eines Papyrus. Wenn die Komödie noch vor 435 aufgeführt worden sein sollte, ist die zeitliche Entfernung von der »Prometheia« des Aischylos kaum drei, vielleicht nur zwei Jahrzehnte. Aber was wir vor uns hätten, ist den Vermutungen nach mehr als Parodie der Tragödie. Wir haben uns wiederum den Chor der Titanen vorzustellen, die hier Ploutoi heißen und sich nun in eben der Situation befinden, die von der Prophezeiung der Gaia als Unheil des Zeus, bei vermiedener Vermeidung, vorausgesagt worden war: er ist gestürzt, und, wie der erhaltene Text sagt, es herrscht der Demos. Der Machtwechsel erst hat den Ploutoi die Freiheit verschafft, und sie sind nach Athen zum Altar des Bruders Prometheus gekommen, der, altersschwach von den vielen Leiden, das Gnadenbrot des etablierten attischen Handwerkergottes ißt. Obwohl der Kampf des Titanen also noch weiter geführt hatte als in der Tragödie, ist die Situation offenkundig melancholisch. Zwar ist Zeus gestürzt, aber die neue Ochlokratie hat insgesamt den Göttern an ihren dynastischen Wechselspielen keine Freude gelassen. Der Kampf war ebenso erfolgreich wie vergeblich. Vielleicht geht diese vermutende Ausmalung der Szene etwas zu weit; aber das Maß an spielerischer Destruktion des mythischen Stoffes muß erstaunlich gewesen sein. Prometheus als Pensionär der Athener, die Titanen auf Verwandtenbesuch – das ist die Idylle als Götterdämmerung.

In den »Vögeln« des Aristophanes tritt Prometheus auf die Szene, wenn Peithetairos durch den Bau der Stadt in den Wolken den Göttern die Zufuhr ihrer Nahrung aus Opferdämpfen abgeschnitten hat. Die Aushungerung der Götter soll den Vögeln die Weltherrschaft, die ihnen zustehe, zurückgewinnen. Die Götterbotin Iris hat Rache des Zeus bereits angekündigt. Da eben erscheint Prometheus, so rechtzeitig wie zuständig, um die Menschen zu beraten. Er weiß Genaueres als irgend jemand über die potentiellen Konflikte im Göttersystem. Mögen auch nur die barbarischen Götter

Zeus noch gefährlich werden können, so werden sie doch um so leichter gegen ihn aufgebracht, wenn man ihnen den Opfergenuß entzieht. Übers Essen wird denn auch eine Gesandtschaft der Götter ins Wanken gebracht. Das Ergebnis des politischen Handels ist, daß die Apotheose der Vögel nichts mehr ändert, sondern nur einen gegebenen Zustand bestätigt, in dem Göttermacht bereits unergiebig geworden ist. Die seit langem erlahmten Opferanstrengungen der Menschen beleben sich zwar zugunsten der Vögel, und die Götter nehmen nach der aufgehobenen Belagerung parasitär am Mehrwert teil. Doch ist es nichts Rechtes mehr, ein Gott zu sein, wenn so viele dessen Privilegien genießen wollen und so wenige den Tribut entrichten, der den Genuß erbringt.

Der Witz der verkehrten Welt ist nun, daß der einst furchtlose Titan Prometheus ausgerechnet unter diesen Bedingungen der Machtzersetzung seiner Feinde als furchtsamer Zimperling erscheint. Der Kulturheros, der in der Maske des Possenreißers herausholt, was für die Menschen unter dem Neid der Götter noch übrig ist, entzieht sich der göttlichen Aufsicht weniger durch List und Verschlagenheit als durch Kostümierung. Seine Freiheit ist die des Narren, die seit je gerade noch und für einen Augenblick zu tun offen ließ, was die Macht sonst strikt ausschloß. Es ist die Rolle des schon buß- und reubereiten Sünders, der noch einmal, in der letzten Nacht vor dem großen Fasten, dem Sündigen obliegt wie einer Pflicht und die sonst fest geglaubte göttliche Allwissenheit in der Maske unterläuft. Für den Zuschauer der Komödie ist die Verfolgung des Prometheus zu einem harmlosen Versteckspiel degeneriert, mit allen Zügen neurotischen Wahns des Verfolgten, der den eigenen Triumph längst vergessen ließ. Unter ängstlicher Verschweigung des Gottesnamens fragt der vermummte, sich mit dem Sonnenschirm abdeckende Prometheus den Menschen, ob er hinter ihm ›einen Gott‹ sehen könne. Der Gefragte antwortet mit dem Witz, den Namen nicht unterdrücken zu können, er sehe *Beim Zeus* nichts. Der Unsterbliche seinerseits macht sich lächerlich mit dem Satz, den er in der Tragödie nicht hätte sprechen können, es werde sein Tod sein, wenn Zeus ihn hier im Lager der Belagerer erblicke. Mit Anspielung auf seinen Namen schmeichelt ihm Peithetairos, das sei *sinnreich vorbedacht.* Von solcher Statur ist der Bote, der vom Niedergang und Ende der Herrschaft des Zeus künden soll. Dennoch erfüllt er seine Funktion hier wie in der Tragödie für den Zuschauer. In dieser Welt von Ängstlichkeit und Narretei gerät die Wirklichkeit der Götter zu freundlichem Hintergrund, wenn die alte Feindschaft nur noch zitiert wird, indem Prometheus vom Götterhaß in seiner Brust spricht und die Bestätigung des Menschen empfängt, er sei *Beim Zeus* seit je ein Götterhasser gewesen. Die verblaßte Erinnerung der mythischen Figur selbst, ihr offenkundiger Identitätsverlust als Mittel der Komödie, gehört in die Rezeptionskategorie des Zuendebringens.

Aus dem alten Menschenfreund ist eine zweifelhafte politische Figur geworden. Der einstige Feuerräuber ist ein kleiner Verräter; wenn er auf die Szene der Wolkenstadt tritt, kommt er geradewegs vom Olymp, wo er Heimatrecht erhalten hat. Als Verschwörer ist er nicht weniger dürftig, da er andere zum Aufruhr antreibt und zum Durchhalten animiert, während er sich selbst den Folgen entzieht. In allem ist das, was einmal Widerstand gegen die Tyrannis war, zur bloßen Umtriebigkeit einer Spätzeit der banalen Konflikte degeneriert. Sogar die große Gabe des Feuers erscheint nicht mehr groß. Es ist der Höhepunkt des Kontrastes zur mythischen Tradition, wenn Prometheus die Menschen an seine Wohlgesonnenheit erinnert und zur Antwort erhält, o ja, man backe an seinem Feuer doch die Fische. Um die Ungeheuerlichkeit der Attacke auf die Empfindungen des Publikums zu ermessen, muß man sich vergegenwärtigen, wie vertraut ihm das Bild des Empörers und Dulders war.

Überraschend ist, daß bis hierher von dem Menschentöpfer Prometheus nicht die Rede zu sein brauchte. Es mußte enttäuschen, daß dieser für die Rezeption so folgenreiche Zug eine Zutat von solcher Verspätung sein könnte, wie es die Quellenlage anzeigt. Es hat denn auch die Philologen nicht ruhen lassen, wenigstens die Bildung der Menschen vom männlichen Geschlecht aus Ton dem Grundbestand des Mythos zuzuweisen. Wolf Aly nimmt eine Quelle aus der Mitte des 7. Jahrhunderts an, die in diesem Punkt über das bei Hesiod und in der Tragödie Gegebene hinausgeht. Doch läßt sich diese Vernachlässigung des Befundes, daß von einem so wichtigen Datum erst im 4. Jahrhundert Gebrauch gemacht wird, nicht akzeptieren. Indem wir uns damit abfinden, daß die Menschenbildnerei nicht ursprünglich zu dem die Geschichte der

Götter und Menschen so ausgreifend umspannenden Mythologem gehört hat, gewinnen wir die Möglichkeit, sie als dessen konsistente Erweiterung zu verstehen. Anschauliche Hilfe mag dabei gegeben haben, daß Prometheus zum Gott der Töpfer geworden oder mit einem solchen verschmolzen war und man vor sich hatte, wie die Kraft seines Feuers auch die Herstellung tiergestaltiger und menschengestaltiger Keramik ermöglichte.

Wichtiger ist, daß die Ergänzung des Mythos eine Motivation aufnimmt, also schon ein Stück ›Mythologie‹ betreibt, das dem archaischen Bestand fremd gewesen sein mußte. Die Erhebung zum Demiurgen der Menschen gibt der sonst so schwer erklärbaren, zunächst aber auch nicht erklärungsbedürftigen Bereitschaft Verständlichkeit, für sie als seine Geschöpfe Unglaubliches auf sich zu nehmen. Die Steigerung seiner Leiden in der Tragödie erforderte eine Ausgestaltung, die über frivole Verstrickung in Folgen des Opferbetrugs und des Feuerraubs hinausging. Bei den bloßen Provokationen der Gottheit konnte es so aussehen, als seien die Vergünstigungen an die Menschen nur nebenbei abgefallen, weniger um sie zu begünstigen als um den Tyrannen zu ärgern. Die Tragödie hat freilich als Tadel an Prometheus die Formel gefunden, er habe allzu viel Liebe für die Menschen gehabt, aber dafür keine Begründung gegeben. Daß er die Gebilde seiner Hand nicht im Stich gelassen hatte, erscheint dann als sekundäre Rationalisierung des Mythos.

Kehrt man die Betrachtungsrichtung um, so kann man die Menschenbildnerei des Prometheus als Hyperbel der Kulturstiftung sehen. Die späte Einsetzung zum Urheber der menschlichen Gattung wäre die Extrapolation der Steigerungen, die epische und tragische Dichtung der Notwendigkeit des Titanen für die Existenz der Menschen gegeben hatten. Dessen höchst dürftige und kümmerliche Ausgangslage hatte den Chor der Okeaniden bei Aischylos veranlaßt, Prometheus die Überschätzung des Menschen vorzuhalten; doch gerade dieses niedrige Ausgangsniveau erlaubt ihm die Aufzählung des ganzen Katalogs seiner lebensförderlichen Wohltaten, die eben sind, was zur Natur hinzukommt. Indem der Wohltäter die Abschätzigkeit des Zeus für die Menschen bestätigt, behält er Distanz von der Verantwortung des Urhebers. Er ist der ›fremde Gott‹, der sich der Verlorenen annimmt, eben aus

Liebe, weil nicht aus Pflicht und Verbindlichkeit, wie ein halbes Jahrtausend später der Fremdgott des Markion. Hätte schon hier Prometheus die Menschen gemacht, wäre solcher Ursprung seiner Verantwortung nur geeignet, ihn vor dem Chor bloßzustellen. Die Menschen sind ein kümmerlicher und unwürdiger Nachlaß der gestürzten Göttergeneration, geeignet, ihren Abgang zu rechtfertigen; aber es bleibt im Dunkel, ob der Dynastie des Kronos ein demiurgischer Zusammenhang mit dem Ursprung der Menschen nachzusagen ist oder ob sie nur den allgemeinen Weltzustand vor dem ›Kosmos‹ an sich forttragen.

Prometheus tritt für das Titanenerbe ein, obwohl er jener Dynastie durch Mitwirkung bei ihrem Untergang selbst die Rechtfertigung entzogen hatte. Nur soll der neue Gott erst recht nicht alles dürfen. Die Erhaltung der Menschengattung wird durch Verhinderung der tyrannischen Selbstdarstellung des Neulings mittels einer konkurrierenden Gattung zur Identifikation, die sich fortan nicht schöner als durch demiurgische Zuständigkeit ausdrücken ließ. Aber da die Komödie diesen Ausdruck geschaffen hat, läßt sich nicht ausschließen, daß sie weniger den Schutz- und Leistungsanspruch gegen den Urheber als vielmehr den Spott für die Gebrechen und Makel seiner Gebilde beabsichtigte. Jedenfalls reichte die Kontrastierung von Nichtswürdigkeit und Erschaffung der Lebensmöglichkeiten bis an die Schwelle dieser Vermutung. Wenn der Mensch alles, was er ist, Prometheus verdankt, ist es kein Handstreich mehr, diesen zum Demiurgen der Gattung zu machen und damit die Töpferei zur Metapher aller ursprünglichen Hervorbringungen. Prometheus wird der *figulus saeculi novi*.

Ganz ungelegen mag diese mythische Rollenzuweisung auch der ›Theologie‹ des Zeus nicht gekommen sein. In ihr steckt eben Entlastung von der Verantwortung für das zweifelhafte Geschöpf Mensch. Schließlich, im platonischen Mythos, wird Zeus mit der Großzügigkeit ausgestattet werden, den Menschen gegeben zu haben, was selbst Prometheus ihnen nicht hatte geben können: ihren bürgerlichen Zustand in der Polis.

Noch später als der Menschentöpfer muß seine Ergänzung durch Athene als Spenderin des Lebens für die keramischen Leiber erfunden sein. Ihre Rolle mag in Analogie zu der, die sie beim Feuerraub gespielt hatte, ausgebildet worden sein. Nicht auszuschließen ist, daß es sich um Induktion aus dem Komplex um Pandora handelt. Dort waren ja schon bei Hesiod alle Götter darum bemüht gewesen, dem Epimetheus das Blendwerk attraktiv auszustatten. Erst seit Lukian ergänzt Athene Prometheus und legitimiert als Tochter des Zeus sein Werk mit der Seelenspendung. Die Verwendung dieses Motivs auf Sarkophagen deutet auf Verbindung zum Unsterblichkeitsglauben hin, dem die bloße Demiurgik des Titanen in ihrer zweifelhaften Rechtmäßigkeit nicht genügen mochte, den künftigen Bestand und das Schicksal der Seele jenseits des Leibes und seines Grabes zu verbürgen.

II
Sophisten und Kyniker:
Antithetische Aspekte der Promethie

So rechtfertigen die Götter das
Menschenleben, indem sie es selbst
leben – die allein genügende Theodicee!
Nietzsche

Wenn auch der Menschenbildner Prometheus zuerst in der Komödie des Philemon und Menander literarisch bezeugt ist, gehört doch
die Steigerung seiner Rolle als Stifter der Lebensgüter zu der des
Erzeugers der Gattung in die Konsequenz der Sophistik. Die
Tendenz ihrer Hochschätzung der Titanenfigur konvergiert mit
der ihrer Kulturtheorie und Anthropologie. Im Verhältnis von
Natur und Kunstfertigkeit mindert sich ihr der Anteil der Natur
an der Bildung und Ausbildung des Menschen und entsprechend
vergrößert sich der Einfluß künstlicher und kunstvoller Praktiken
auf seine Etablierung in der Welt. Das gilt auch normativ: Die
Belieferung des rhetorisch-politischen Verhaltens mit seinen Regeln
und Künsten hatte die Zurückdrängung von Verbindlichkeiten der
Natur als des schlechthin Vorgegebenen und Maßgebenden zur
Bedingung.

Auf das philosophische Rechtfertigungsverfahren der Sophistik hat
Plato wohl eine Parodie geliefert, wenn er im »Sophistes« das
große Argument über der eleatischen Disjunktion aufbaut, es gebe
nur Seiendes oder Nichtseiendes. Folglich müsse auch ein demago-
gisch erzeugtes Trugbild auf die Seite des Seins geschlagen werden,
da es, was auch immer es sei, doch nicht auf die des Nichtseins
gebracht werden könne. In der Karikatur dieses Arguments ist
etwas von der Konsequenz aller ästhetischen Selbstbegründungen
vorweggenommen: Wenn die Bilder vor der Diffamierung der Lüge
nicht durch das Zugeständnis bloßer Wahrscheinlichkeit gerettet
werden können, reißen sie die Aura der Wahrheit an sich und beanspruchen sie allein.

Als Protagonist einer schulspezifischen Kulturentstehungstheorie ist Prometheus für die Sophistik erstmals in die Nähe der Allegorie geraten. Eins seiner künftigen Schicksale. Bei den Sophisten war das Theorem der Kulturgenese nicht ein dogmatisches Hauskapitel unter anderen, wie etwa bei Demokrit, sondern das Zentrum der für jede Bildungstechnik unentbehrlichen Vorentscheidungen über den ›rohen‹ oder ›gebildeten‹ Zustand des Menschen. Für Besorger und Umsorger des Lebens, wie sie hier zum ersten Mal in der europäischen Geschichte sich erfolgreich anbieten, die sich selbst alles zutrauen und alles allen versprechen, muß es darauf ankommen, den Menschen als von der Natur gründlich im Stich gelassenes Wesen glaubhaft zu machen. Er müßte blind und taub und hilflos durch die Welt irren, wenn ihm nicht ohne Rücksicht auf den Besitz zuverlässiger Wahrheiten mit erfinderischer List geholfen werden könnte. Die Polis wird folgerichtig zum Inbegriff von Abstützungen solcher Hilfeleistung. Niemand darf in ihr der Rhetorik das Recht dadurch bestreiten, daß er den Besitz der Wahrheit für sich in Anspruch nimmt.

Protagoras wird das Modell aller späteren Kulturentstehungstheorien geschaffen haben; selbst Demokrit kehrt nur erstmals die Folgerungen um, die aus dieser Voraussetzung zu ziehen waren, indem er den nackten anfänglichen Überlebenszustand zum Kriterium des vermeintlichen späteren Überflusses macht. Es scheint auch, daß Demokrit den Ausdruck ›politische Kunstfertigkeit‹ (*politikē technē*) erfunden hat. Seiner kritischen Wendung der Kulturentstehungstheorie, wie sie von Lukrez bis Rousseau aufgenommen werden sollte, stand die Sophistik fern. Für sie ist Kultur die Notwendigkeit der Natur selbst.

Aber wie sie ausfällt, wie sie sich spezifiziert, welche Inhalte sie ergreift und welche sie fallen läßt, das ist nicht vorgezeichnet, ist offen für die Prozesse, in denen die kunstfertige Stärke des rhetorischen Logos gegen seine schwächeren Naturformen alles entscheidet.

Damit haben wir den potentiellen Antagonismus zwischen der Sophistik und aller Philosophie von der Art der platonischen vor uns, die mit Anamnesis oder angeborenen Begriffen die Vorstellung genuiner Armut des Menschen ausschließt, ihn der Selbstfindung, aber nicht der Fremdrealisierung durch Eingreifen eines überlegenen

Erziehers für bedürftig hält. Die Sophistik sah ja nicht nur das Publikum ihrer rhetorischen Kunst als plastisches Gebilde, sondern dem zuvor schon den Adepten ihrer eigenen Einübungen. An beiden, unmittelbar an dem einen, mittelbar an dem anderen, wiederholte sich nur, was Prometheus in der Frühgeschichte am Menschen getan haben sollte. Nichts lag näher als der Griff nach dieser mythischen Leitfigur. Sie verhalf der Sophistik zu einem anthropologischen Rahmen, der sie mit ihrer rhetorischen Technik ins Recht der Nothilfe setzte, wie der ursprüngliche Zustand des Menschen den Titanen zu Opferbetrug und Feuerraub berechtigt hatte.

Sophistik ist, was aus diesem Mythos am genauesten hervorzugehen scheint. Der Vorwurf, die Sophisten hätten in ihrer Anweisung zum politischen Handeln keine Zielvorstellungen, sondern nur ein Arsenal an Mitteln entwickelt, umgeht ihre anthropologische Implikation, der Mensch sei auf die Mittel angewiesen, weil er mit der Kenntnis von Zielen nicht ausgestattet sei und auf deren evidente Ermittlung aus Existenzgründen nicht warten könne. Daher ist ihre Praxis Poiesis. Auch hier ist es, wie nirgendwo bei den Griechen, keineswegs der Gott, der die Menschen etwas gelehrt hätte, was sie über ihn hätten wissen und zu ihrem Heil beachten müssen. Prometheus ist eine anthropologische, nicht eine theologische Leitfigur.

Wenn die Sophisten Platos Formel entsprochen haben sollten, sie machten den schwächeren Logos zum stärkeren, so hätten sie damit ganz und gar prometheisch gehandelt. Prometheus konnte nicht an die Macht der Wahrheit glauben, sondern nur an die eines Worts, das er bereithielt und verschwieg, bis es seinen günstigsten Wirkungsgrad haben würde. Nicht zufällig argumentieren die Zweifler, die den »Gefesselten Prometheus« nicht Aischylos lassen wollen, mit vermeintlichen Spuren der Sophistik, also mit der Herabsetzungsbedürftigkeit seines Alters. In der Tat besteht hier eine Nahtlosigkeit, die bei Vernachlässigung anderer Kriterien eine Umstellung möglich erscheinen ließe.

Eine der perspektivischen Täuschungen unseres Geschichtsbildes ist, daß wir im Resultat der Antike den Gegensatz von Platonismus und Aristotelismus als die alles beherrschende Ausschöpfung des Spielraums der Grundgedanken über die Welt ansehen. Tatsächlich ist für beide der nahezu exklusive Erfolg über zwei andere

Tendenzen entscheidend geworden: über die Atomistik einerseits, die Sophistik andererseits. Dagegen ist die Differenz zwischen Plato und Aristoteles in ihrer Ausprägung hauseigener Zwist bei der Metaphysik, Narzißmus der kleinen Unterschiede. Die Ausschaltung der beiden großen Figuren des ausgehenden 5. Jahrhunderts, des Protagoras und des Demokrit, hat den Zugang zu dem kaum schon formulierten oder formulierbaren Problem wieder verschüttet, wie der Mensch sich selbst und seine Geschichte ›macht‹. Die obsiegende Metaphysik hat sich durchgesetzt, indem sie beruhigend versicherte, in der Welt sei nichts Wesentliches mehr auszurichten geblieben. Die Entscheidungen seien im Reich der Ideen oder Formen, also: durch die Natur, schon gefallen.

Und damit, daß der Mensch Erscheinung einer Idee oder Verwirklichung einer Form ist, die im Kosmos der Ideen oder der Formen verankert ist, verliert der Mythos von Prometheus seine Bedeutung oder bedarf der einschneidenden weiteren Korrektur. Es ist das Ganze, was das Einzelne trägt und verbürgt, und dann ist der Gedanke an List oder Gewalt zur Durchsetzung und Erhaltung des Menschen heimatlos geworden. Im Abglanz der Ideen kann nicht einmal mehr gefragt werden, ob der Mensch in die Wirklichkeit gehört. Den Gedanken der Nichtswürdigkeit eines in der Welt vorkommenden Wesens, für das es besser sein könnte, nicht zu sein, kann in oder nach dieser Metaphysik kein Gott mehr denken, braucht kein Titan zu widerlegen. Die Tragödie ist von ihrem Grunde her unmöglich geworden, wenn es für nichts und niemand mehr besser sein kann, nicht erst oder nicht mehr zu sein.

Aristoteles wendet sich gegen diejenigen, die vom Menschen behaupten, er sei nicht wohlbeschaffen und das mangelhafteste Lebewesen, nackt und wehrlos gelassen von der Natur. Er richtet sich da ganz wörtlich gegen das, was Plato dem Protagoras in den Mund gelegt hatte, wenn der am Mythos von Prometheus und Epimetheus die Lehrbarkeit aller menschlichen Tüchtigkeiten demonstriert. An diesem Kunstmythos läßt sich ablesen, was in der ironischen Verfälschung der sophistischen Anhänglichkeit an Prometheus unmöglich gemacht werden soll. Denn im entscheidenden Punkt, der Frage nach der Kunst, ein Bürger zu sein, enthält er den Widerruf des sophistischen Bildes von Prometheus.

Vielleicht soll der zweimalige Hinweis des Protagoras darauf, daß er schon ein alter Mann sei und den jungen Leuten wohl eine Geschichte erzählen könne, die Brechung seiner Intention im Verlauf der Geschichte als eine Art Nachlassen der Konzentration abstützen: es kommt etwas zum Vorschein, was der professionellen Observanz entgangen ist. Das erklärt zudem zwanglos, weshalb dieses einzige Mal in den platonischen Dialogen nicht Sokrates vor dem Logos–Mythos-Dilemma steht. Der Sophist macht denn auch nicht den sokratischen Gebrauch vom Mythos, ihn für den nicht erbringbaren Logos einspringen zu lassen, sondern gibt beide Ausdrucksmittel als für ihn beliebig austauschbar oder nacheinander vortragbar aus. Letztlich kommt heraus, daß eben der falsche Mann mit dem Instrument des sokratischen Denkens nicht recht umzugehen vermag, der Meistersophist nicht weiß, wozu ein Mythos sein muß, und ihn zur Altersleutseligkeit stilisiert: *Soll ich euch einen Vortrag halten oder eine Geschichte erzählen?* Das reflektiert sich auf den jungen Sokrates im Dialog: Er weiß noch nichts davon, wie sich ihm das Verhältnis von Mythos und Logos im Grenzfall der äußersten Fragen zum Zentrum seiner Denkart ausbilden wird. Hier jedenfalls, in dem vom platonischen »Protagoras« gegebenen Bildnis, betont Sokrates beim Vorgespräch mit Hippokrates seine Jugend und darin begründete Unfähigkeit, die großen Probleme zu lösen, also auch, das von Protagoras verkannte Verhältnis von Mythos und Logos schon zurechtzurücken. Man darf nicht vergessen, die Einführung des Kunstmythos in die Philosophie ist nicht ein Akt des genuinen Anspruchs, sondern der resignativen Bescheidung. Es ist platonische Subtilität, den Protagoras trotz seines Alters davon nichts wissen und ihm deswegen seinen Mythos außer Kontrolle geraten zu lassen.

Die Brüder Prometheus und Epimetheus sind mit der Herstellung der Lebewesen aus Erde und Feuer sowie dem, was sich damit mischt, beschäftigt. Der Klügere läßt sich von Epimetheus überreden, ihm die Ausrüstung der Geschöpfe mit Überlebensfähigkeiten zu überlassen. Als der festgesetzte Tag der Vollendung des Werks kommt, ist dem zerstreuten Epimetheus das Mißgeschick unterlaufen, den Menschen zu übersehen. So wird dieser zum *akosmēton genos*, was doppeldeutig sowohl den Mangel seiner Ausstattung als auch den Verstoß gegen die Kosmosqualität der Welt bezeichnet. Die Verantwortung des Prometheus beruht darauf, daß er dem Bruder den entscheidenden Anteil am demiurgischen Werk überlassen hat. Um den nackt und schutzlos Gebliebenen wenigstens das Überleben (*sōtēria*) zu ermöglichen, wird er Frevler, indem er den Göttern die *technē* stiehlt: die Fertigkeiten des Schmiedens und Webens zusammen mit dem Feuer, das ohne viel allegorische Umstände den Besitz des Logos darstellt. Er ist der generelle Ersatz für das, was dem Menschen bei der Ausrüstung der Tiere entgangen war.

Entscheidend ist nun, daß diese nachträgliche und ersatzweise Wiederherstellung der Gleichheit mit allen Lebewesen nicht genügt, die Menschen auch nur im Dasein zu erhalten. Sie leben verstreut auf der Erde, haben keine Staatswesen, und man muß unterstellen, daß daraus alle Folgen erwachsen, die erst Hobbes mit dem *status naturalis* als Vernunftwidrigkeit verbunden hat. Zeus nämlich hatte das Stück des Selbsterhaltungswissens den Menschen vorenthalten, das sie instand gesetzt hätte, Bürger eines Gemeinwesens zu sein. Während die übrigen Götter sich die anderen Arten von Kunstfertigkeit stehlen ließen, die sie in Verwahrung hatten, wird Zeus herausgehoben als derjenige, der sich nicht bestehlen läßt, dem selbst dieser Titan nicht gewachsen ist. Das aber bedeutet: Prometheus ist ein unzureichender Schirmherr der Menschheit.

Was sich der Sophist im Mythos attestiert, ist der Vorrang der Kunst, ein *politēs* zu sein, vor allen anderen Überlebenskünsten. Unversehens bestreitet er dabei der mythischen Bezugsfigur der Sophistik die Fähigkeit, diese Kunst für die Menschen zu erwerben und ihnen zu vermitteln. Es ist Zeus selbst, der den Menschen durch seinen Boten zwei neue Fähigkeiten zum Geschenk macht, *aidōs* und *dikē*, Rücksicht und Rechtsempfinden. Sie befähigen zum vereinten Leben in Städten und Staaten. Während die demiurgischen Fähigkeiten ein Raub an den Göttern gewesen waren, sind die politischen das Geschenk des Zeus. Die Benennung der Gaben legt nicht nahe, sie statt als göttliches Geschenk auch durch die Belehrung der Sophisten erhalten zu können. Daß die Verleihung der Bürgertugenden nicht nur eine schöne Zutat und Ergänzung zum Raub des Prometheus ist, geht schon daraus hervor, daß sie als Vorenthalt des Zeus genau an die Stelle des bei Hesiod verborgenen und vorenthaltenen *bios* treten. Daß diese Umbesetzung vom Erzähler zu seinen Zuhörern ankam und wiederum von seinen

Lesern begriffen werden würde, durfte der Autor des Dialogs voraussetzen.

Protagoras behandelt die Pointe des Mythos nun so, als habe Zeus nicht unmittelbar die Befähigung zum Bürgerdasein verliehen, sondern mittelbar über die Lehrbarkeit der Eigenschaften des *politēs*. Diese Folgerung gewinnt er jedoch nicht aus der Mythe selbst, sondern aus dem tatsächlichen Verhalten der Polis: Sie würde diejenigen nicht bestrafen können, die die bürgerliche Norm verfehlen, wenn sie nicht von der Voraussetzung ausginge, daß Bemühung, Übung und Belehrung zur Erfüllung der Norm befähigen. Wenn Tadel, Zorn und Strafe denjenigen treffen, der sich ihr entzieht, muß ihm zugemutet werden können, was die Prämisse der Lehrbarkeit einschließt.

So ist zugleich mit dem Angebot des Sophisten, das Lehrbare mit System zu lehren, der Heros der Sophistik ins Zwielicht geraten. Er hatte sich mit dem Raubzug bei den Göttern übernommen und Zeus unterschätzt, so daß nur dessen Großzügigkeit das Erfordernis des Überlebens dennoch erfüllt. Er hat den Titanen in der neuen und feineren Art des alt und weise gewordenen Gottes durch Bloßstellung seiner dilettantischen Leichtfertigkeit *in humanioribus* bestraft. Da Plato diesen Mythos dem Meistersophisten genauso anerfindet wie dessen angebliche Geheimlehre heraklitisierenden Inhalts, läßt er ihn hinterhältig das Debakel des Protosophisten erzählen. Dessen Verfehlung liegt nicht mehr im Feuerraub, mit dem er nur die Nachlässigkeit des Bruders gutzumachen sucht, sondern in seiner eigenen Vernachlässigung des Unlehrbaren, des menschlichen Bedarfs an *aidōs* und *dikē*, die, ausgedrückt durch Willen und Macht des Zeus, eben nicht wie Dinge angeeignet und weitergegeben werden können. Die Pointe ihrer Unstehlbarkeit ist mythisch darin ausgedrückt, daß Zeus über dem Niveau des Umgangs mit List und Dieberei steht.

Es ist also blühender Philologenunfug, der dem Protagoras in den Mund gelegten Komposition die Elemente wegzunehmen, die unmöglich aus dem Vortrag eines Sophisten stammen können. Gerade durch den Kunstmythos wird möglich gemacht, daß einer sich in seniler Geschwätzigkeit verplaudert, die Geschichte unversehens auf die ihm und seiner Sache ganz ungelegene Konsequenz treibt. Schließlich ist es auch die vom platonischen Sokrates so geliebte

Unausweichlichkeit, daß, was nicht stehlbar ist, auch nicht käuflich sein kann. Deshalb ist Protagoras, wenn er am Ende unweigerlich vom Geld redet, schon in die Falle seines eigenen Mythos gegangen. Was Zeus verschenkt hatte, war gegen dingliche Übertragbarkeit abgeschirmt.

Derartiges steht im Werk Platos nicht isoliert. Er greift im »Gorgias« einen Zug des Prometheus auf, der sich schon bei Aischylos findet, wo der Titan die Menschen davor bewahrt, gebannt auf ihr künftiges Todesgeschick zu starren, und ihnen statt dessen blinde Hoffnungen eingibt. Das könnte zu einer Beschreibung der Wirkungen sophistischer Rhetorik passen, wie Plato sie gern sieht. Aber in der Tragödie war Prometheus dafür gelobt worden, daß er den Sterblichen so hilfreich war, sie vom Bann der Schicksalhaftigkeit zu lösen. Im Totengerichts-Mythos nun hat Prometheus auch dies nicht als eigenmächtige und dem Todesurteil des Zeus widerstrebende Wohltat, sondern als dessen Auftrag auszuführen. Als solcher gehört er zu dem olympischen Dynastiewechsel: Zeus ändert das von Kronos eingeführte Verfahren für die Zulassung zu den Inseln der Seligen. Es soll gerecht gemacht werden, indem Prometheus den Lebenden das Vorherwissen des Todes entzieht, damit sie nicht die wahre Beschaffenheit ihrer Seelen verfälschen können. Ein Blendwerk wird ironisch zum Hilfsmittel der Wahrhaftigkeit; niemand soll aus Todesfurcht oder aus Jenseitsspekulation seine moralische Wirklichkeit zurichten.

Die Totengerichtsreform läuft auf unverhüllten Realismus hinaus. Sie läßt die von ihrem Leib entblößten Toten vor ebenso entleibte Richter treten. Im Geist der neuen Seelenlehre sorgt Zeus dafür, daß alle Verschalungen und Einkleidungen durch den Leib und des Leibes aus dem Endergebnis des Lebens herausgehalten werden. Prometheus ist auch als Funktionär des Zeus noch ein Meister des Blendwerks, indem er den Tod aus dem Bewußtsein der Lebenden zu verbannen hilft, damit er rückhaltlos zu ihrer Wahrheit werden kann. Es ist Sophistik im Dienst eines Mythos, der ausdrücklich als Logos verstanden sein will. Mit den Mitteln einer vergangenen Götterwelt ist Prometheus zum Helfer bei der Reform der neuen Ära geworden. Was er den Menschen als Lebenshilfe durch Abschirmung gegen ihre Hinfälligkeit verschaffen kann, ist mit höherer Hinterhältigkeit der Offenlegung ihrer moralischen Realität dienstbar geworden. Als Getäuschte können sie sich nicht verbergen.

So ist der Zähmung des Zeus die Herabstufung des Prometheus gefolgt. Der alte Konflikt ist entweder ins Intrigantentum der Komödie oder in Dienstbarkeit für die Sophistik umgeschlagen. Die Allegorese wird weiteres leisten. Wenn die Stoiker die höchste Gottheit mit ihrem zentralen philosophischen Begriff der Vorsehung in Einklang zu bringen haben, hilft ihnen die Bedeutungsnähe von *Pronoia* und *Prometheus* als ›Vorbedacht‹ so weit, daß der Titan schließlich, lange vor Goethe, zum Sohn des Zeus werden kann. Bei Johannes Lydus im 6. nachchristlichen Jahrhundert ist das erstmals belegt, und es gehört in ein Verfahren der genealogischen Zuordnung von allegorisch gewordenen Begriffen, das für Spätantike und Christentum gleichermaßen spezifisch ist.

Unvermeidlich war auch, daß Prometheus zwischen die Fronten der Kulturbewertung geriet. Zu viel an Leistungen für die Menschen war ihm aufgeladen worden. Schon bei Aischylos ist das Feuer nur als eine der von ihm vermittelten Gaben nebenher erwähnt. Um so länger wird der Katalog der elementaren Stiftungen von der Schrift bis zur Astronomie, von der Schiffahrt bis zur Traumdeutung, von der Heilkunst bis zum Gipfel aller Sophismata, dem der Zahlen. Für Plato war dies noch zu wenig, da Prometheus nichts fürs Politische hatte tun können. In der über Antisthenes gehenden Nachfolge des Sokrates verbindet sich die Überwindung der Sophistik mit der Ablehnung des Luxus zu einem negativen Bild des Prometheus. Die mythische Leitfigur der Kyniker wird Herakles durch die Allegorese seiner Taten. Wenn dazu auch die Befreiung des Prometheus gehört, so kann sie gar nichts anderes vorstellig machen als seine Lösung aus der Umklammerung der Sophistik, seine Heilung vom Leberleiden des öffentlichen Ehrgeizes, wie Dio Chrysostomos dem Diogenes in den Mund legt. Mit einem anderen Konzept des Menschen, dem seiner möglichen Naturwüchsigkeit und authentischen Glücksfähigkeit, richten sich Sokratismus und Kynismus, nicht anders als Aristoteles, gegen die Voraussetzung, seine ursprüngliche Beschaffenheit sei Daseinsunfähigkeit und Nichtswürdigkeit gewesen. Diogenes von Sinope, der ohnehin die tragische Verblendung zur Dummheit erklärt haben soll, gibt Zeus recht, Prometheus für den Feuerraub

bestraft zu haben. Aber nicht weil er damit der mythischen Eifersucht des Gottes entgegengetreten war, sondern weil seine Gabe an
die Menschen ihre natürlichen Kräfte erschlaffen ließ. Nicht weil
sie hilflos waren, bedurften sie des Feuers, sondern weil sie es zum
Überfluß bekamen, gewöhnten sie sich an die künstliche Hilflosigkeit der Kultur. Prometheus war ihr Verderber, als den ihn
Rousseau wiederentdecken wird. Wenn ihm Menander vorzugsweise die Erschaffung der Frauen anlastet, so ist auch dies im Kern
Polemik gegen Überfluß und Verschwendung, deren Herkunft die
Griechen seit Hesiod der Frau zuschrieben. Er sei, so die Komödie,
zu Recht mit einer derart mäßigen kultischen Ehrung wie dem
Fackellauf bestraft worden.

An diese Art der Auflehnung des Sokratismus gegen Prometheus
wird Nietzsche nicht denken, wenn er als zentralen Antagonismus
im Griechentum den zwischen Sokrates und der Tragödie aufstellt.
Dabei ist sein Begriff des Tragischen an der Promethie des Aischylos abgelesen. Durch die Maske des Titanen hört er den Gott
Dionysos selbst sprechen. Der Sokratismus zerstöre den Mythos im
Kern. Nietzsche hat einen Geschichtsbegriff handelnder Subjekte:
Sokrates, Euripides und Aristophanes sind imstande, Dionysos
verstummen zu lassen. Selbst der späte Widerruf der »Bakchen«
ändert daran nichts, denn Euripides ist nur das dramatische Mund-
werk des Sokrates. Dieser hat mit der Erklärung der Tugend als
Wissen alle Möglichkeiten des Menschen aus ihrem bewußten,
wenn nicht theoretischen Vollzug hergeleitet. Wenn Sokrates, wie
es in der »Geburt der Tragödie« heißt, ein *Wendepunkt und Wirbel der sogenannten Weltgeschichte* ist, dann richtet sich diese
Wendung gegen Prometheus und hin zur ›bürgerlichen‹ Bewußtseinsform. Was da zerstört worden ist, scheint allerdings selbst in
seiner Realisierung bei Aischylos nur noch durch. Denn *der Mythus
findet in dem gesprochenen Wort durchaus nicht seine adäquate
Objectivation.* Immer schon hat er in den Dichtern auch der Tragödie seinen Niedergang begonnen; wenn deren Helden sprechen,
tun sie dies *gewissermaßen oberflächlicher als sie handeln.*

Was Nietzsche damit nicht zuläßt, ist die Arbeit am Mythos als eine
große und lastende Anstrengung der Generationen, sich die Übermacht ins Bild zu setzen, das Übergroße zu sich heran- und herun-
terzuziehen, mit dem besten Recht dessen, der sich so das Leben

möglich macht. Was dem Liebhaber des tragischen Pessimismus als philiströse Degeneration erscheint, ist dies als im Mythos schon angelegte und sich immer wieder selbst antreibende Depotenzierung dessen, was noch hinter dem Mythos als das selbst Unmythische, weil Bildlose und Gesichtslose ebenso wie Wortlose steht: das Unheimliche, Unvertraute – die Wirklichkeit als Absolutismus.

Weshalb will Nietzsche den tragischen Pessimismus wenigstens der Promethie erhalten wissen? Die Antwort ist einfach: Weil er dafür den metaphysischen Trost im voraus weiß. Es ist die Kunst. Wo die Trostbedürftigkeit nachläßt, wo Auswege der Gemütlichkeit und Bequemlichkeit, schließlich der frivolen Leichtfertigkeit sichtbar werden, verliert die Kunst für Nietzsche ihren funktional der Ausweglosigkeit zugeordneten Rang. *Der deus ex machina ist an Stelle des metaphysischen Trostes getreten.* Die Erfindung des Euripides sagt alles über den Abgrund, den sie unter ihren Erleichterungen zudeckt. Was Nietzsche nicht sehen sollte, war das reelle tragische Subjekt der aischyleischen Promethie: der Mensch in seiner natürlichen Seinsunwürdigkeit. Gerade für diesen tragischen Helden im Hintergrund hatte es den *deus ex machina* schon gegeben, bevor das mythische Drama beginnt und ohne daß er als solcher auf die Szene tritt: Prometheus selbst als der, der das Unmögliche möglich gemacht, den Sterblichen das Leben erhalten und gerechtfertigt hatte. Die Kyniker werden weiter gehen als Nietzsche: sie werden schon diesen *deus ex machina* der Menschheitsfrühgeschichte als Ursprung der großen Abweichung von der Leidensfähigkeit, als Ablenkung vom Realismus der menschlichen Selbstbehauptung, aus dem Register ihrer Wahrheitszeugen tilgen.

Gegen die kynische Verachtung wendet sich erst spät, zu spät für alle Verächter der antiken Kultur und für die vielen Arten der Auszügler aus ihr, der Kaiser Julian, kurz vor der Sommersonnenwende des Jahres 362, aus Konstantinopel mit der Streitschrift »Gegen die ungebildeten Hunde«. Die Kyniker hatten den kaiserlichen Zorn damit erregt, daß sie an den asketischen Zügen des Christentums Gefallen gefunden und die Gemeinsamkeit mit ihrer eigenen Kulturverachtung entdeckt hatten. Anlaß genug für den Kaiser, sich gegen diesen epidemischen Überdruß an den Errungenschaften einer Lebensform zu stellen und sich als Schirmherr dessen, was von beiden Seiten der Verachtung anheimgefallen war, so stark zu machen, wie es gerade noch möglich war.

Der Theorie der Kyniker war es gegangen wie ähnlichen Theoremen, die aus dem Anstoß an der Differenz von Theorie und Praxis entstehen: Sie wollen eine Theorie der Praxis selbst sein, welche sich am eindrucksvollsten als Theorie der Verachtung von Theorie formiert, sich selbst dabei übersieht, indem sie sich mit Hilfe des Kunstgriffs unsichtbar macht, die Negation von Theorie *überhaupt* als die *anderer* Theorien zu betreiben. Damit verbindet sich das Ritual, sich nach Regeln zu verhalten, in denen die Veränderung der Welt als schon vollzogener Vorgang simuliert wird. Der platonische Sokrates hatte das durch Erzeugung der Lächerlichkeit des Philosophen für seine Umwelt vorgemacht; der Kyniker hatte es gesteigert durch die Anstrengung, seine Umwelt durch Verachtung ihrer vermeintlichen Werte zur Verachtung seines vermeintlichen Unwerts zu zwingen. Es ist das rhetorische Mittel, sich die Bestätigung des Andersseins zu verschaffen, dem man selbst nie ganz traut. Unter dem Einfluß der Stoa wird die Natur gegen das, was nicht von Natur ist, ausgespielt und die Empfindlichkeit der Kultur gegen das, was ihr als ›Natur‹ zumindest entgegengehalten wird, als Nachweis ihrer Schwächlichkeit aufgemacht. Die Demonstration gegen Prometheus weist Realisten der menschlichen Sache aus: der Mensch kann ohne das Feuer des Titanen existieren, das selbst nichts anderes als jene blinde Hoffnung ist, die die Wirklichkeit übersehen läßt. Als Wirklichkeit bleibt nur zugelassen, was kaum oder gerade noch ertragen werden kann. Darin liegt eine der Gemeinsamkeiten von Kynismus und Mönchtum. Dessen Ursprünge können als eine Art Simulation der mehr und mehr ausbleibenden Gelegenheiten zum Martyrium angesehen werden. Wenn das Zeugnis für die Wirklichkeit der Sache, derentwegen die Grenze des Erträglichen berührt werden soll, nicht mehr durch die Leichtigkeit des Sterbens erbracht werden kann, so doch wenigstens durch die Verachtung des Lebens. Dieses Muster von ›praktischem Realismus‹ stirbt nie aus, denn seine Rhetorik ist unvergleichlich. Es wechselt nur die Rituale.

Auf diese Sachlage nun ist das kaiserliche Pamphlet zugespitzt. Die Kyniker seien zu einer philosophischen Sekte unter anderen geworden, zwar keineswegs zu der schlechtesten und verächtlichsten, aber doch zu einer dogmatischen Formation, die sich dem Maßstab für alle müsse subsumieren lassen. Wenn die Verachtung der Philosophie selbst ein Stück Philosophie geworden ist, wäre der Sprung in die nackte Realität durch bloße Negation mißlungen. Es ist das uralte und niemals alternde Verfahren, daß jemand, der ganz anders sein will, von den anderen auf den Begriff gebracht wird und sich sagen lassen muß, die von seinem Exodus gemeinte Kultur verfolge ihn unabwendbar als Schablone seiner Umkehrungen und Überwindungen.

An dieser Stelle fällt der Name des Prometheus, und man sieht sogleich, daß er gegen Verächter seiner Wohltaten mit all der philiströsen Annehmlichkeit in Erinnerung gebracht wird, die Nietzsche aus dem sokratischen Erbe hervorgehen sieht. Julian vereinnahmt ihn für seine Erneuerung des Heidentums mit einem verfeinerten und systematisierten Pantheon und dem zentralen Sonnenkult: Prometheus habe Geschenke der Götter an die Menschen vom Himmel herabgeholt. Nichts durfte da mehr geraubt werden, nichts brauchte mehr geraubt zu werden, weil der späte Paganismus undenkbar machen sollte, das Wohlwollen der Götter könne den Menschen je etwas vorenthalten haben. Das Feuer vom Himmel ist dann die Austeilung der vernünftigen Kraft und des Geistes an sie. Vernunft ist hier nicht nur das Licht, sondern auch die Wärme, die so schnell vermißt wird, wenn sie die Dinge nur durchleuchtet. Indem Prometheus die über den Sterblichen waltende Vorsehung darstellt, so schreibt der Kaiser, erwärmt er die Natur gleichsam künstlich mit einem warmen Hauch und gibt dadurch allen Wesen ihren Anteil an der unkörperlichen Vernunft. Das Heimweh nach dem verlorenen Kosmos, das den Begriff der Vorsehung so attraktiv machte, legt sich als Bewußtsein möglicher Behaglichkeit aus.

Diese Logogonie des Julian Apostata läßt nicht nur die belebende Erwärmung der gesamten Natur zusammenfallen mit dem Erwachen der Vernunft, sondern harmonisiert auch Mythos und Metaphysik, Götterglauben und Philosophie, um die tödliche Zerfaserung der Spätzeit noch einmal in einer homogenen Weltansicht aus dem Geiste der paganen Tradition aufzufangen. Es sei doch ganz gleichgültig, ob man die Philosophie, wie einige glaubten, als Kunst der Künste und Wissenschaft der Wissenschaften ansieht oder für den besten der möglichen Wege, den Göttern gleichzuwerden, oder für die Befolgung der Weisung des delphischen Gottes, sich selbst zu erkennen. Die Einheit des Ursprungs, die hinter dem vordergründigen Schein der Sektenbildungen steht, verbürgt die innere Einheit der Philosophie. Julian ist der Romantiker der ausgehenden Antike; sein großes Heilmittel für ihre Gebrechen ist der Rückgang auf die Ursprünge. Dort steht Prometheus.

Er fungiert im Zusammenhang einer Verteidigung des Diogenes von Sinope, nicht so sehr gegen dessen Verächter, als vielmehr gegen Epigonen und Nachahmer. Eine solche Berufung auf den Gründer einer Schule, um diese dadurch anzugreifen, daß man sie gegen ihren Verfall zu schützen vorgibt, ist klassisches Bestandsstück der Schulrhetorik: die Jünger im Bündnis mit dem Meister ins Unrecht zu setzen. Wenn Prometheus nicht, wie in der traditionellen Ausstattung der Mythe, unfähig gewesen sein sollte, die Körper der von ihm gebildeten Wesen auch zu beleben und zu beseelen, sondern selbst der große Einheitsstifter von belebter Natur und erhellender wie erwärmender Kultur gewesen war, dann konnte unmöglich der große Diogenes das eine Stück dieser Stiftung gegen das andere, die Natur gegen die Kultur, ausgespielt haben. Julian findet seine Weltvereinfachungsformel am Bild des Prometheus, indem er diesem alles zutraut, was die Gewaltenteilung des Mythos in ein Geflecht von Kompetenzen und Konflikten aufgelöst hatte. Er wußte, daß der Kulturstifter bei den Kynikern seit Jahrhunderten als Protagonist des Verderbens der Menschheit galt, weil er sie nicht der Schutzlosigkeit und kältesten Nüchternheit überließ, vielmehr mit seinen fatalen Himmelsgaben zur weichlichsten Hilflosigkeit verurteilte. Argumentieren mit der Natur hieß auch da, alles als bestandsfähig und lebenstüchtig anzusehen, wie es in der Natur gegeben ist, und jede Zutat, mochte sie auch aus den natürlichen Talenten hervorgehen, als Abweichung vom verbürgten Standard auszugeben. Das ließ die Kyniker Zeus gegen Prometheus recht geben, und das zwingt Julian den Abtrünnigen, Prometheus ohne die Bezugsperson seines Konflikts darzustellen. Er ist nicht Feuerräuber, er ist Funktionär der Sonne als der höchsten und wohltätigsten Gottheit, die bei ihm auch Erzeugerin des Menschen heißt.

Wenn Julian das vorbringt, ist es längst ein Anachronismus. Der Versuch, gegen die kynische, neuplatonische, gnostische, christliche und asketische Entwertung des Kosmos diesen noch einmal als einen Inbegriff der Wünsche des Menschen erscheinen zu lassen, dient vor allem dazu, solche Sehnsucht in organisierte Staatsmacht umzusetzen. Dem Zeitgeist gemäßer und in ihm konsequent erscheint der Versuch des Synesios von Kyrene am Anfang des 5. Jahrhunderts in seinem Buch »Über die Träume«, dem Prometheus jene ›blinden Hoffnungen‹ seiner Tragödie zurückzuerstatten und ihn zur Allegorie der von der Traumdeutung bereitgehaltenen Tröstungen mit der Zukunft zu machen.

Die Bedeutung der Hoffnung in der Welt sei so groß und wohltätig, daß nach dem Urteil bedeutender Autoritäten der Mensch das Leben nicht aushalten könnte, wenn es sich noch wie am Anfang der Welt unmittelbar nur seinen Gefährdungen gegenüber fände. Prometheus hätte den Menschen die Hoffnung als ein Heilmittel gegeben, das sie mehr Vertrauen in die Zukunft als in die widrige Gegenwart fassen ließ. Hoffnungen hätten eine solche Macht, daß der Gefesselte, sofern er nur dem Verlangen seines Geistes zu folgen sich erlaube, sich schon befreit sehe, einen Feldzug mitmache, Anführer und alsbald Hauptmann, schließlich Feldherr werde, den Sieg erringe, das Dankopfer darbringe und im Schmuck des Siegeslorbeers sich das Siegesmahl vorsetzen lasse, nach Belieben von der Güte der sizilischen oder von der Üppigkeit der persischen Speisenfolge.

Prometheus also ist der Bringer der illusionären Gaben, der Ahnherr des Lustprinzips, der Titan der Heiterkeit noch des Gefangenen. Insofern hat Synesios gegen die Ab- und Umwertung des Kosmos mit einem Mythos zu bestehen versucht, der an seinen uns erkennbaren Anfängen Vertrauen in die Natur der herrschenden Götter nicht begünstigen konnte. Die Entwertung des Kosmos ist die Entwertung der Gegenwart; sie kann nur noch im imaginativen Rückblick von der Zukunft her ertragen werden.

Die Verflüchtigung des mythischen Umrisses der Promethie ist die der Dienste, die der Titan den Menschen geleistet haben sollte, dessen also, was, von den blinden Hoffnungen zwar begleitet, doch durch sie nicht ausgemacht wurde. Die zweite Sophistik, die alles zum Schmuck der Rede zu verarbeiten wußte und der anthropologischen Rechtfertigung so wenig wie der mythischen bedurfte – weil die Kunst erstmals nur sich selbst als ihre Rechtfertigung präsentierte –, konnte mit der Leitfigur aus dem fiktiven Mythos des Protagoras so spielerisch umgehen wie mit allem anderen. Ihr wurde der Menschenbildner Prometheus zum Emblem der kaiserzeitlichen Wortemacher. Sie sind, wenn überhaupt Selbstbewußtsein einmal zuvor an der Erzeugung von Worten so hochgetrieben worden sein sollte, die Vorläufer des Geniewesens und -unwesens von Sturm und Drang. Lukian muß oder will sich gegen den boshaften Vorhalt verteidigen, er sei ein Prometheus nur mit Worten. Könnte man voraussetzen, Goethe habe dieses Stück aus dem Lukian vor dem Aufkommen des »Prometheus« gelesen, wäre seine Umformung in den ästhetischen Welturheber nur Änderung des Vorzeichens.

Immerhin gab es seit 1745 Gottscheds Übertragung, dann die 1769 bis 1773 in Zürich erschienene vierbändige Übersetzung des Lukian von J. H. Waser, zu der Wieland 1769 eine Anzeige geschrieben hatte. Wielands eigene Übersetzung beginnt erst 1788 zu erscheinen. Goethe besaß, wie aus seinem Bücherverzeichnis von 1788 hervorgeht, eine 1670 in Köln erschienene französische Übersetzung. Woher auch immer die Aneignung kommen mochte, *jenes famose Stück* »Götter, Helden und Wieland«, ganz im Stil und Geist des Lukian, wird in unmittelbarer Nachbarschaft zum Prometheus-Fragment 1773 entstehen. Wieviel des ›Schöpferischen‹ auch, nach der Vorführung Walzels, auf der Linie von Shaftesbury herkommen und ins Prometheus-Syndrom eingehen mag, die Überschiebung von Menschentöpfer und literarischem Autor ist bei Lukian durch satirische Abwehr der Unterstellung eben dieser Identität hergestellt oder sogar gegen die Erfindung der Spottrede, er sei nichts als ein Wortemacher-Titan, erfunden worden.

Die Spötter hätten ihn doch wohl nicht wegen der Geringwertigkeit des Materials, das der Töpfergott dort, der Wortemacher hier verwendeten, einen Prometheus genannt, wie schon die Athener ihre Töpfer und Ofenmacher zum Scherz Prometheen nannten. Das Gemeinsame läge eher in der Neuheit der Hervorbringungen: Prometheus habe sich die Menschen, die er als eine Art von besonders geschickten und anmutigen Tieren bilden wollte, selbst ausgedacht. Das ist ein bis dahin unbetont gebliebenes Moment, der Vorzug der Einheit von Erfinder und Hersteller. Für ihn als Wortemacher sei Originalität nicht der Wert, den er als solchen und allein anstrebe; das Neue seiner Erfindung, die Vereinigung der philosophischen Tradition des Dialogs mit Elementen der Komödie, werde nur dadurch gerechtfertigt, daß es gefalle. *Dächte ich nicht so, so würde ich mir selber würdig scheinen, von sechzehn Geiern dafür ausgeweidet zu werden, daß ich nicht wüßte, daß ein häßliches Ding dadurch, daß es etwas Neues ist, nur desto häßlicher wird.*

Die Verbindung von Dialog und Komödie ließe freilich einen anderen Vergleich mit Prometheus besorgen, da diesem *bekanntlich ein Hauptverbrechen daraus gemacht wurde, daß er das Mittel, aus Mann und Weib Eins zu machen, erfunden habe.* Obwohl die Promethie in ihrer Verbindung mit der Pandora-Mythe seit Hesiod eine Beziehung zur Sexualität hatte, ist doch die Erfindung der Vereinigung des Unvereinbaren an dieser Stelle eine singuläre Attribution an Prometheus. Näher mußte liegen, daß der Schriftsteller auch in Verbindung zu dem anderen titanischen Verbrechen gerückt wird, dem Feuerraub. Doch benutzt Lukian dies nicht zur positiven Anknüpfung, sich die Aufklärung seiner Leser unterstellen zu lassen, sondern prüft nur den Diebstahlvorwurf. Das gibt ihm Gelegenheit zu betonen, was ihm in dem ganzen Text unter aller Abwehr am Herzen liegt: seine Originalität. Wen sollte er bestohlen haben? Er wüßte nicht, daß vor ihm schon jemand *solche Wunderthiere zu Tage gefördert hätte.*

Wenn sich der Wortemacher dagegen verwahrt, mit dem Menschenmacher verglichen zu werden, dann deshalb, weil er auf seine Maßstäbe hält. Für ihn jedenfalls gelte nicht, daß er nur die Neuerung suche, ohne sich für ihre Qualität verantwortlich zu wissen. Der Seitenhieb geht auf das prometheische Geschöpf, nicht auf seinen Schöpfer.

In einem der Dialoge, für die sich Lukian dieses Vorwurfs, ein Prometheus *en logois* zu sein, zu erwehren hat, stellt er Personen der Tragödie nochmals zueinander: Hephaistos (in Gottscheds und Wielands Übersetzungen Vulkan), Hermes (in den Übersetzungen Merkur) und Prometheus. Dieser Dialog hat weniger die Züge der Komödie als die einer Gerichtsverhandlung. Des Prometheus Selbstverteidigung ist nicht Selbstzweck; sie ist Kritik am Verhalten der Götter in Sachen einer Begünstigung des Menschen, die nun als das Interesse der Götter selbst, zumindest aber als nicht gegen dieses verstoßend, vorgestellt wird. Der Titanismus gibt sich als Theodizee; erst durch die Menschen sei die Welt daseinswürdig geworden – in Gottscheds Deutsch: *die Erde nicht mehr wüste, und ohne Schönheit, sondern mit Städten, gebauten Äckern und Weinbergen ausgeziert, das Meer schiffbar ..., die Insuln bewohnt, überall Altäre, Opfer, Tempel und Feste ..., und alle Straßen, und alle Märkte der Menschen mit dem Jupiter erfüllt ...*

So auch beim Feuerdiebstahl: von diesem Himmelsfeuer fehle doch nichts, nachdem die Menschen davon bekommen hatten. Ein neues entschärfendes Argument aus der Natur des Feuers: Es wird das des anderen nicht weniger, wenn man daran das eigene entzündet. Also wäre es schiere Mißgunst gegen die Menschen gewesen, den Übermittler des Feuers zu verfolgen. Götter aber sollten über Mißgunst erhaben und vielmehr Geber alles Guten sein. Aber mehr noch – und dies gehört zur Typik seiner sophistischen Apologie –, selbst wenn Prometheus den Göttern alles Feuer entwendet hätte, bedeutete dies immer noch nichts, da sie Feuer überhaupt nicht benötigten, weder um sich zu wärmen noch um ihre Ambrosia zu kochen noch um sich Licht zu verschaffen.

Und dann vergißt der Verteidiger des Feuerraubs, daß er selbst der mythische Opferbetrüger gewesen war: Die Menschen seien des Feuers nicht nur bedürftig, um ihren Mangel an Wärme und Licht sowie Kochfeuer zu beheben, sondern nicht zuletzt, um ihren Göttern die schönsten Opfer darzubringen. Prometheus habe die Menschen erst instand gesetzt, den Göttern dieses liebste Vergnügen zu bereiten. Hier aber wird das an Prometheus vorgeführte Selbstverständnis ästhetisch. Es war gar nicht Wahrnehmung des Interesses der Menschen, was ihm den Opferbetrug nahegebracht hatte, sondern der Trick, der Scherz, die Posse, worauf es ihm angekommen war. Der neue Gott, der Emporkömmling Jupiter, war hereingelegt worden und hatte sich zu ernst genommen, um daraus etwas anderes als eine Tragödie zu machen und *wegen eines kleinen Knochens, den er in seinem Anteile gefunden, einen so alten Gott wie mich ans Kreuz schlagen zu lassen.* Welche für die Unsicherheit der neuen Herrschaft bezeichnende Unverhältnismäßigkeit der Mittel, wegen einer Neckerei *den ganzen Kaukasus ins Spiel zu ziehen*, mit Ketten und mit Adlern – eben der Aufwand des gekränkten Parvenu. Was hätte er erst getan, wenn er um einen ganzen Ochsen geprellt worden wäre?

Da kann der gewaltige Sophist auf seine Geschöpfe, die Menschen, hinweisen und sie dem Gott als Beispiel empfehlen; sie ließen doch ihren gelegentlich naschenden Köchen durchaus Vergleichbares durchgehen. Das ist wieder die verkehrte Welt: die Menschen führen sich vernünftiger auf als die Götter. Der Gott macht aus der Posse eine Tragödie, weil er nicht davon absehen kann, daß er ein Gott und dafür ständig beweispflichtig ist.

Die Szene spielt auf dem Kaukasus in Erwartung des Adlers, der die Leber des Prometheus ausweiden wird. Die beiden bediensteten Götter des Zeus müssen für die Anschmiedung eine Stelle wählen, die hoch genug ist, daß die Menschen ihrem Schöpfer nicht zu Hilfe kommen können, und doch nicht so entfernt, daß der gekreuzigte Titan ihnen aus den Augen käme. Die Betonung der Menschenbildnerei, die Epos und Tragödie noch nicht kannten, hat eine Intensität der Beziehung geschaffen, der gegenüber der Konflikt mit Zeus nur Hintergrund ist.

Da der Autor mit einem bildungsverständigen Publikum zu rechnen hatte, muß er die ganze Fülle der literarischen Bezüge einkalkuliert haben. Wenn Hermes vom Opferbetrug spricht, weiß er davon aus seinem Hesiod. Das sei, so merkt Wieland zu seiner Übersetzung an, ein *burlesker Anachronismus, dergleichen Lucian seine Götter öfters machen läßt, weil sie in dem Munde von Wesen, die aus Inconsequenz und Widersprüchen gleichsam zusammengesetzt sind, eine eigene Grazie haben.* Die Satire macht Gebrauch von ihrer Zeitdistanz zum Archaischen: selbst Merkur weiß von dem allen nur, weil er es *gleichsam von der Schule her* hat.

Dasselbe gilt für die Anspielung auf die platonische »Apologie« und deren sophistische Umkehrforderung: Prometheus verlangt für sich wie Sokrates mehr als Freispruch – die öffentliche Speisung im Prytaneion. Das gehört in das Muster der Deklamation, die in Erwartung des Adlers die Abgesandten des Zeus von dem Protosophisten anzuhören sich bereitfinden. Die Wirkung kann nur sein, daß selbst diese Hörer von der anderen Partei begierig auf die Wendung sind, die seine Prophezeiung von der Ankunft des Herakles verkündet, noch bevor die Exekution der Strafe überhaupt begonnen hat.

In Antithese zu Epikur läßt Lukian die Menschen zum Zentrum des Interesses der Götter geworden sein. Sein Prometheus, der

Meister der Rhetorik, begründet das damit, daß sie sonst nichts hätten, womit sie rivalisieren könnten. Er habe gerade deshalb Wesen aus Lehm geformt, die *an Gestalt uns Göttern ähnlich wären,* weil er einen Mangel der göttlichen Natur gesehen habe, *solange es nicht auch sterbliche Wesen gebe, mit welchen sie sich vergleichen und dadurch ihre eigene Vorzüge desto besser fühlen könnten.* Diese Inversion ist der Kern der Satire. Die Anthropomorphie der Götter wird zur Theomorphie der Menschen.

Und dieses Werk sollte ihm mißlungen sein, weil es unter den Menschen Übeltat und Ehebruch, Krieg, Inzest und Vatermord gebe? Wo doch all dies alle Tage unter den Göttern stattfinde und den Erzeugern des Göttergeschlechts, Uranos und Gaia, niemand das anlaste. Sollte das Götterleben bei Epikur, auch mit Blick auf die letzte Möglichkeit des Weisen, die Sorglosigkeit sein, so ist die Promethie in der Sehweise Lukians der Inbegriff der Erzeugung von Göttersorge. Prometheus hat sich mit seinen Geschöpfen etwas aufgeladen und mit ihnen auch den anderen Göttern zu schaffen gemacht. Seine Verteidigung ist, daß ein müßiges Leben zwischen den Welten allem widerstreiten würde, was selbst Götter vor öder Langeweile bewahren kann. Man habe zwar ihn bestraft für die Herstellung der Menschen, zugleich aber hätten seine Mitgötter nichts Besseres zu tun gewußt, als zu Liebhabern ihrer Weiber zu werden, unaufhörlich zu ihnen herunterzusteigen *und ihnen bald als Stiere, bald als Satyrn oder Schwäne die Ehre, Götter mit ihnen zu fabrizieren,* anzutun. Der Mythos erscheint als ein Gesamtprozeß der Verwicklung von Göttern und Menschen, und in der Rhetorik dieses Prometheus ist das die Chance der Menschen, aus ihrer ehemaligen Nichtswürdigkeit in eine Daseinsnotwendigkeit für die Götter selbst überzugehen.

Es ist nur der hinterhältige Ausdruck für diese Verwicklung, mehr als ein rhetorischer Kunstgriff, wenn der Prometheus Lukians seine Menschengeschöpfe durch ihre Ebenbildlichkeit der Götter rechtfertigt. Rhetorisch ist es ein Argument, das den Ankläger zum Verstummen bringt; hinterhältig ist es darin, daß die Rechtfertigung des Ebenbilds über die Diffamierung des Urbilds in Zweideutigkeit übergeht. Wenn Prometheus fragt, woher er ein besseres Vorbild hätte nehmen sollen, als es die vollkommenste aller Gestalten sei, so liegt darin auch Unangreifbarkeit durch Relativierung. Man denkt an die beste der möglichen Welten – die doch schon die Stoiker hatten – und den immer naheliegenden, wenn auch kaum ausgesprochenen, Einwand, dann widerlege die wirkliche Welt noch das Recht der besten der möglichen dazusein.

Die Griechen haben den Anthropomorphismus nie als Behelf des dem Göttlichen nicht gewachsenen Vorstellungsvermögens empfunden. Mit der idealisierten Menschengestaltigkeit ihrer Götter hatten sie nur das diesen Geschuldete, nicht das ihnen selbst Wohlgefällige zu tun geglaubt. Zwar meint Burckhardt, der Zeus des Phidias sei schon in der relativ ungläubigen Zeit entstanden, als Anaxagoras lehrte – aber ›relativ ungläubig‹ waren die Griechen eben, so weit wir zurücksehen können. Daß sie es einmal nicht gewesen sein sollen, ist pure Freundlichkeit philologischer Erfindung, sie den Schwierigkeiten des ungläubig werdenden 18. und 19. Jahrhunderts näher zu bringen. Andererseits kann Burckhardt gar nicht recht glauben, Lukian hätte seinen Prometheus autochthon sagen lassen, er hätte Lebewesen gemacht, die den Göttern gleichen: *Ist dies bei Lukian etwa jüdischer Einfluß?* Dabei erlaubt nur dieser Kunstgriff die frivole Zuspitzung, in der Verspottung der Götter gar nicht mehr diese – hatten sie es noch nötig? –, sondern mittelbar ihre Ebenbilder zu treffen. Zu diesem satirischen Zweck läßt er jene diese sich erfinden, wie es sein Prometheus tut. Was an Burckhardts Anmerkung fehlgeht, ist die Voraussetzung, Lukian habe etwas umgekehrt (unter dem Einfluß fremder Quellen), was bei den Griechen nur in der anderen Richtung bewußt gewesen sei: *Die Götter sind ideale Menschen*, und die Griechen hätten sie gemacht wie Phidias den Zeus.

Nietzsche hat am 1. Februar 1870, fast zwei Jahre also vor dem Erscheinen der »Geburt der Tragödie«, in einem Vortrag über »Sokrates und die Tragödie« gesagt, das Verderben der Gattung habe *seinen Ausgang vom Dialog* genommen. Dieser sei Sokratismus, noch älter als Sokrates, gewesen. Die These läßt sich noch am letzten Ausläufer der Verbindung von Mythos und Dialog bestätigt finden, an Lukians »Göttergesprächen«. Wie deren erstes sich unterfängt, Zeus und Prometheus im Dialog vorzustellen, hätte die Tragödie nicht gewagt; in ihr war der *deus novus* nur durch seine Handlanger präsent. Die Distanz zwischen dem Herrschenden und dem Leidenden war dort ungeheuer groß; sonst wäre dieser Trotz eines Gottes gegen einen Gott nicht die Wende der Epoche, die sich in der Ferne der Zeit als die verborgene Schwäche des gerade Emporgekommenen enthüllt. Der satirische Dialog wagt die ›Bürgerlichkeit‹ der Leugnung jener tragischen Distanz. Die Konfiguration ist wichtiger als der Inhalt, seine gewollt läppische Inhaltlosigkeit. In der beiläufigen Herstellung von Nähe stellt sich die depotenzierende Arbeit am Mythos selbst aus.

Nietzsche hat ganz recht zu sagen, wo der Dialog beginnt, werde es bürgerlich, denn der Handel liegt nicht fern. Man spricht über seine Probleme. Prometheus will losgemacht werden, er glaubt genug gebüßt zu haben; Zeus hält dagegen, für solche Untaten wie die Erschaffung des Menschen und zumal der Weiber seien die Strafen noch viel zu gering ausgefallen. Doch Prometheus erpreßt Zeus nicht mit seinem Wissen um die Gefährdung der Weltherrschaft. Er macht ihm nur das Gegenangebot einer wichtigen Mitteilung für die Freilassung. Er will sie einfach ›nicht umsonst‹ haben. Er will, um mit der späten Travestie des Mythos bei André Gide zu sprechen, nicht den *acte gratuit* des Zeus. Nicht einmal für die Gnade ist der Gott gut genug.

Ausgenommen vielleicht das zehnte Gespräch zwischen Hermes und Helios, ist dieses erste das für die in den Götterdialogen faßbare Arbeit am Mythos prägnanteste Stück. Es zeigt eine ebenso verblüffende wie bestürzende Verbindung von Eschatologie und Gemütlichkeit. Sie ergibt sich aus der Dialogsituation, in der Zeus zu tun im Begriff ist, was über den Fortbestand seines Regiments entscheidet, und Prometheus ihm einen Preis für seine Freilassung anbietet. In Zeus sitzt das alte Mißtrauen; er fürchtet, noch einmal überlistet zu werden. Auch die Demutsgebärde des Prometheus, gegen ihn lasse sich durch List kein Vorteil gewinnen, denn da blieben immer noch der Kaukasus und die Fessel, genügt Zeus nicht. Er denkt in Sicherheit und will vorher wissen, worum es sich bei jenem Angebot handelt. Da gibt ihm Prometheus eine Probe seines Wissens preis: er gehe zum Beilager mit Thetis. Das genügt. Es ist keine Weissagung, die sich auf die ferne Zukunft bezieht und langfristige Vorkehrungen und Vorsichten nahelegt. Prometheus drückt die Dringlichkeit seiner Warnung mit der Erinnerung aus, wie Zeus einst selbst zur Herrschaft gekommen sei, so werde der Sohn der Nereide, den zu zeugen er auf dem Wege sei, auch mit ihm verfahren. Zeus läßt ihn gar nicht erst ausreden; er versteht die Anspielung auf den Wiederholungszwang der dynastischen Ablösungen.

Doch spitzt sich alles auf die Frage zu, weshalb der Titan Zeus vor dem Verhängnis bewahrt, wenn dieser gerade dabei ist, unfehlbar in die selbst gestellte Falle seines Sturzes zu laufen. Denn die Preisgabe des Geheimnisses würde doch nur verständlich, wenn noch eine lange Frist der Strafe und des Leidens nur so abzuwenden wäre. Die Parodie des Mythos läßt sich so wenig wie dieser selbst alle Fragen stellen. Doch wird greifbar, daß Prometheus seinen Triumph und damit die nochmalige Rotation der mythischen Besetzungen nicht will. Dieses Moment indiziert die Entfernung von der tragischen Formation des Mythos: wie der Dialog selbst, so ist die Handlung, die ihn beendet, ein Stück Urbanität. Prometheus ist, noch bevor er entfesselt wird, höflich genug, den Wunsch auszusprechen, Zeus möge erspart bleiben, was ihm zur Macht verholfen habe.

III

Rückkehr aus der Seinsgrundlosigkeit

*On ne marchait dans mon jeune temps
que sur des métamorphoses.*

Voltaire, Le Taureau Blanc

Macht man zur Probe Nietzsches These mit, der von Sokrates hervorgebrachte Typus des Selbstgewinns durch Bewußtsein, Begriff, Dialog habe die Opposition gegen den Mythos schon in die Tragödie hineingetragen, so werden die anderen spezifischen Formen der Mythologie – die Allegorese, die genealogisch ordnende Sammlung, die Ausmünzung durch die Rhetorik, das Handbuch – zu tendenziell konvergenten Verwertungen. In der Sprache der Prozeßform *vom Mythos zum Logos* ist es vielleicht die nicht mehr überbietbare Unterwerfung durch den Logos, daß das Bildungsprinzip des Mythos, ›auf den Begriff gebracht‹, die Arbeitsform am Mythos beherrscht. Der Logos zeigt den Mythos vor, nicht als sein Produkt, nicht als eins seiner authentischen Verfahren, aber als das von ihm Verstandene, Rubrizierte – als gäbe es das Museum schon, diese Spätstufe der gelungenen Darstellung dessen, was die Gegenwart verwahrt, um es nicht mehr zu sein, und woran sie diese Distanz immer mit genießt. Mythologie ist eine der Provinzen des Logos geworden, insofern er die archaische Wirklichkeit auch in der Dimension der Zeit domestiziert hat und antiquarisch verwaltet.

Die Vermutung ist dabei ganz ausgeschlossen, die Einverleibung des Mythos in die Sammlungen könne nicht nur die Sache der Übersicht und Verfügung sein. Nietzsche sieht die Okkupationswilligkeit des sokratischen Typus über die archaische Größe triumphieren. Keine Vermutung auch nur, die Motorik des Prozesses könne ›von hinten‹ kommen, indem das kaum erträgliche Übermaß der Last, das Menschliche so zu sein, daß es besser wäre, es nicht zu sein, doch auch abgeworfen, überstanden, ausgestanden gewesen sein möchte. Gibt es nicht durchaus eine spät erkannte Größe, deren Teilhaberschaft nach Art des Tantalos oder Ixion nicht nur die Form des Abwerfwillens vermuten läßt, es nie geworden und gewesen zu sein, sondern auch die andere, es *nicht mehr* zu sein und mit Gewißheit *nicht wieder* zu werden?

Dann käme die Treibkraft aus der Verfassung des mythischen Formierungsschubs selbst. Wenn schon Hesiods »Theogonie« uns diese Intentionalität vorstellt, an der Gestalt des letzten der Götter ruhige Gewißheit seiner Endmächtigkeit über die Vorwelt zu gewinnen, dann wäre das Gedicht mehr als eine Ordnungsleistung poetischen Ranges; es wäre ein Mythos des Mythos selbst. So läßt sich nicht ausschließen, daß die enzyklopädische, vom Begriff statt von der Genealogie geleitete ›Aufarbeitung‹ in ihrem Zeitbezug nicht weniger leistet als Metamorphose der Metamorphosenwelt zu sein – und gerade in dieser Gestalt der Selbstdarbietung literarische Bereitstellung für die Zukunft zu sein, was schlechthin – anders als in Chroniken und Annalen wie Archiven – nicht gewollt, nicht arrangiert werden kann. Ein Glücksfall auf der Grenze zwischen Auffindung wie Ausstellung des ›Prinzips‹ der mythischen Plastizität und dem Aufblühen einer der Herkunft gegenüber unbefangenen Imagination und Spielfreude sind die »Metamorphosen« Ovids.

Gerade wegen ihrer Verfügung über den mythischen Stoff, als eine den Römern von Haus aus fremde Welt, zeigen sie die ästhetische Distanz zu aller ›Inständigkeit‹ der in den Geschichten aufgegangenen Erfahrung. Aus der genuinen Beziehungslosigkeit zum Mythos ist ein Wunder des Ineinander von Rezeption und Konstruktion entstanden, neben Vergils »Aeneis« das einzige Werk der Antike im mythischen Horizont, das eine kontinuierliche Affektions- und Faszinationsgeschichte nach sich zieht, wie wir sie dem Homer zuzutrauen geneigt, aber nicht nachzuweisen imstande sind. Die europäische Phantasie ist ein weitgehend auf Ovid zentriertes Beziehungsgeflecht. Verwandlung war nicht nur das Stichwort für die Verhältnisse der Götter bis zur jüngsten Dynastie, sondern noch für die Menschengeschichte bis in die Gegenwart der Caesar und Augustus als Ausdruck für die Wandlungsfähigkeit sogar der menschlichen ›Substanz‹. Auch und gerade dieser die Identität Roms von fernher ableitende und sanktionierende Anschluß sollte dem Werk Eingängigkeit für fast zwei Jahrtausende geben, darin wiederum nur dem Epos des Vergil vergleichbar.

Der Dichter rechnet auf ein Publikum, dem die mythischen Kernbestände so vertraut sind, daß es die Finessen der Ergänzungen und Übergänge, der Verformungen und Zuordnungen mühelos erkennen und genießen konnte. Ein Beleg dafür ist nicht zuletzt, daß der Dichter den Namen des Menschenbildners nicht zu nennen braucht. Das hat der ›Umbesetzung‹ seiner Stelle in einer gegen Griechisches lange abgeschirmten Tradition vorgearbeitet.

Wenn die »Metamorphosen« mit dem stolzen Ausdruck des Bewußtseins ihrer Unantastbarkeit für alle Zeiten – zugleich dem der Kongruenz dieser ›Ewigkeit‹ mit der der Herrschaft Roms – schließen, so fällt mit der ausdrücklichen Herausforderung, selbst Jupiters Zorn werde beide so wenig zerstören können wie Feuer, Schwert und Alter, ein letzter Blick auf den Titanen, von dem das gesagt sein könnte.

Metamorphosen ist kein bloßer Sammeltitel für Mythen, sondern das Ausformungsprinzip des Mythos selbst, die Grundform einer noch unzuverlässigen Identität der aus der Formlosigkeit zur Erscheinung herausdrängenden Götter. Unzuverlässigkeit zwar, aber doch nur als das Stigma der Hinterlassenschaft jener Herkunft aus dem Chaos. Deshalb gehört für Ovid, wie schon für Hesiod, jener Anfang selbst in die Geschichte der Geschichten, aber hier als die von der Entstehung der Welt selbst. Der Anfang ist weder demiurgisch noch imperativisch, sondern die Vorgabe der Metamorphose für alles weitere. *Bevor es das Meer und die Länder und den alles überdeckenden Himmel gab, hatte die Natur im ganzen Weltkreis nur ein einziges Gesicht: das der rohen Gestaltlosigkeit, die man Chaos nennt.* Es ist nicht mehr der klaffende ›Abgrund‹ des Hesiod, sondern eher die *hylē* der Philosophen. Diese rohe Urmasse (*rudis indigestaque moles*) hat nichts von Abscheulichkeit; sie erfüllt nur den geheimen Wunsch nach der vollständigen ›Übersicht‹ über die Geschichte der Welt vom Anfang bis zur Gegenwart, indem sie *Verwandlung* zur notwendigen Prozeßform macht – statt etwa *Vermischung* wie in der Atomistik.

Nicht zufällig ist das Chaos selbst schon ein Gesicht (*unus naturae vultus*) vor der Fülle aller Gesichter, die *morphē* vor allen Metamorphosen. Das Chaos ›erklärt‹ nicht, was danach kommt. Es ist nur ein unhaltbarer Zustand, weil es im Konflikt seiner Teile, im Zusammenprall des Unverträglichen besteht. Der Weltprozeß kommt in Gang, weil er aufhebt, was nicht bestehen kann. Nicht die Idealität zieht den Kosmos aus dem Chaos heraus, wie im platonischen Demiurgenmythos, sondern die Unförmigkeit ist auch die Unbeständigkeit und Bestandsunfähigkeit selbst, auf Schlichtung ihrer Unverträglichkeit angewiesen. Dadurch tendiert sie schließlich auch auf die ›Formen‹ der Metaphysik, aber ›von hinten her‹, aus der Verzweiflung des Ursprungs.

Die Geschichte entfaltet zwar das Prinzip der Metamorphose; aber sie könnte nicht auf die Solidität der von Rom beherrschten Welt zulaufen, wenn sie sich nicht in der endlich erreichten Gestalt verfestigte. Dazu gehört schon, daß das Auftreten des Menschen seiner Gestalt nach die Stufe geringster Anfälligkeit für Metamorphosen darstellt. Er ist nicht nur die Figur der Vollständigkeit, sondern auch die der Endgültigkeit, ausgedrückt darin, daß der nur mit seiner Sohnschaft zu Iapetus genannte Prometheus ihn nach dem Bild der alles lenkenden Götter ausformte (*in effigiem moderantum cuncta deorum*). Die Metamorphose der Erde in das Ebenbild der Götter durch Prometheus geht allen Metamorphosen der Götter in die Gestalten bestimmter Menschen voraus. Wenn der Ton nicht auf dem Menschentöpfer, sondern seinem ursprünglichsten Material liegt, erfüllt die Mythe die Vorschrift des Ganzen; aber um die verwandelte Erde (*tellus conversa*) ins Bild zu bringen, genügte nicht die abstrakte und gesichtslose Instanz des *opifex rerum* aller übrigen Weltdinge. Für den Dichter scheint diese Differenz nicht wesentlich zu sein.

Ihm kommt alles auf die Herkunft des Urbilds und die Richtung des Abbilds an; sie ist mit dem Befehl des Prometheus gegeben, das Gesicht zu den Sternen zu erheben. Die Formel dieses Imperativs ist zum Standardzitat der Rezeption geworden. Sie ließ immanente Weltbewunderung ebenso zu wie transzendente Weltübersteigung: *os homini sublime dedit, caelumque videre / iussit et erectos ad sidera tollere vultus*. Die Einführung des Menschenbildners neben dem Weltbildner hat also keinen gnostischen Zug. Sie erklärt sich, neben der Betonung des besonderen Töpfermaterials, am ehesten aus der Schwierigkeit, das Ebenbild der alles lenkenden Götter nur durch eine diesen untergeordnete Figur verwirklichen

zu können. Die Rede des biblischen Elohim, Menschen nach dem
eigenen Bild und Gleichnis zu machen, wird eine der Tradition vom
Demiurgen ganz fremdartige Vorstellung sein.

Kompositorisch soll die heterogene Herkunft der Menschen wohl
darauf vorbereiten, wenn nicht darauf hindeuten, daß Jupiter
alsbald den Beschluß zu ihrer Ausrottung durch die große Flut
treffen wird. Nur Deucalion, ein anderer Noah, in der griechischen
Mythologie Sohn des Prometheus und Ahnherr der Hellenen,
wird sie überleben. Wie ihm das gelingt, ist für die Frage der
rechtmäßigen Zugehörigkeit des Menschen zur Natur aufschlußreich. Nicht Zeus billigt dem Gerechten seine Rettung zu und
instruiert ihn, wie er es anzustellen habe; vielmehr wird der
Gott vor die vollendete Tatsache gestellt und erkennt sie an, indem
er der Katastrophe Einhalt gebietet. Die Menschen, Deucalion und
seine Gefährtin, überleben, doch vom höheren Standpunkt aus ist
dies ein kontingentes Ereignis. Für sie gibt es daher auch kein
sicheres Zutrauen zum Bestand ihres Lebens.

In der durch keine Zusicherung des Gottes vertrauenswürdiger gewordenen Situation taucht noch einmal vage die Figur des Prometheus auf, denn im Irrealis wünscht sich Deucalion für diesen
Augenblick dessen Kunstfertigkeit, Menschen machen zu können:
o utinam possem populos reparare paternis / artibus ... Wenn der
Vatername im Munde Deucalions nicht Metapher der Herkunft
von den Gebilden des Demiurgen ist, sondern beim Wort zu nehmen, wie im griechischen Mythos, dann verderben in der großen
Flut alle keramischen Geschöpfe des Titanen und überleben nur
seine generativen Nachkommen. Ovid hat hier Schwierigkeiten,
weil der Flutmythos die Urgeschichte von Hellenen und Barbaren
getrennt hatte. Die Griechen waren Nachkommen des Deucalion
und damit des Prometheus, nicht die seiner Geschöpfe. Für die Barbaren wurde auf die Fruchtbarkeit der Mutter Themis zurück-
gegriffen, die sich aus Steinen Kinder erwecken konnte, deren
Deszendenz dann aber nicht im günstigsten Licht stand. Ovid
erzählt einen älteren, bei Apollodor überlieferten Zug des Mythos
nicht: Deucalion verdankt die rechtzeitigen Zurüstungen für die
kommende Flut einer Warnung, die er beim Besuch seines Vaters
Prometheus am Leidensort im Kaukasus erhalten hatte. Wieder
wäre es der Schutz des Titanen, der diesmal seinen Nachkommen

und die ihm vermählte Tochter des Epimetheus, Pyrrha, heil durch die vom Zorn des Zeus verhängte Flut hindurchkommen läßt.

Da dieses Paar nicht zu Stammeltern auch der Nichtgriechen werden sollte, wird die Neuschöpfung der Menschheit einem sehr urtümlichen Verfahren zugeschrieben. Das Orakel der Themis veranlaßt die Überlebenden der Flut, am Flußufer Steine zu sammeln und hinter sich zu werfen. Aus ihnen entstehen die Männer und Frauen der neuen Menschheit; ausgenommen die Hellenen, die der Mythos auf ›ordentliche‹ Weise gezeugt sein läßt. Es ist klar, daß Ovid diese Differenz nicht zur Pointe der Metamorphose machen konnte. Er läßt zwar Jupiter am Ende die Rettung des Elternpaars der Hellenen absegnen, verschweigt aber, daß er nur die durch abermalige List des Prometheus – wieder eine demiurgische: den Bau einer Arche – gelungene Protektion hinzunehmen hat, wenn ihm auch diese durch ein Dankopfer der Geretteten genehm gemacht wird.

Ovid läßt sich so wenig durch die Schwierigkeiten des mehrfachen Ursprungs der Menschheit bedrängen wie die christliche Tradition von den vergleichbaren Schwierigkeiten der beiden Versionen des biblischen Textes, die erst spät zur Konstruktion der Präadamiten führten. So wie bei Ovid lapidar der Halbvers *natus homo est* stand, blieb die Einheit des generativen Zusammenhangs der Menschheit die wichtigste Voraussetzung der christlichen Heilsgeschichte zwischen dem alten Adam und dem neuen. Dante zitiert Ovid im Fragment seines »Convivio«, das er während der Verbannung aus Florenz zwischen 1302 und 1321 geschrieben hatte, mit ausdrücklichem Hinweis auf die dogmatische Qualität des Singulars: *Nato è l'uomo; (non disse gli uomini)*. Die Absicht der Auswertung des Zitats ist die Verteidigung des Adels als einer Bewährungsform der Tugendlehre, nicht als einer Naturform der Menschheit. Adel könne kein reelles Merkmal der Geburt sein, sonst wäre der Menschheit in letzter Konsequenz die Einheit ihrer physischen Herkunft abzusprechen. Was also nicht die Ursprünglichkeit der Natur haben kann, muß sich als Erwerb, als Leistungsform, als Tugendgewinn darstellen. Dafür steht Ovid als Zeuge, daß auch die Heiden für falsch gehalten hätten, die Menschheit habe mehrere Ursprungslinien. Nur so hätte sich zumindest verteidigen lassen, Adel sei eine dieser Linien. Dante hat sich mit der

Anonymität des mythischen Menschenbildners bei Ovid nicht begnügt. Er nennt den Namen des Prometheus für jenen alles entscheidenden Singular seines demiurgischen Werks und als paganes Äquivalent des biblischen Gottes. Es ist nur eine der interessantesten argumentativen Verwendungen des mythischen Namens, keineswegs aber die früheste Gleichsetzung von biblischem Schöpfer und paganem Töpfer.

Zwischen der frühchristlichen Rezeption der metaphysischen Begrifflichkeit der Antike und der ihres mythologischen Systems besteht eine funktionale und temporale Differenz. Die Angleichung an die Philosophie war notwendig, um einem ursprünglich nicht vorgesehenen Publikum eine ihm schwerlich plausible Botschaft verständlich zu machen und ihm als Lösung seiner Probleme anzubieten, als Erfüllung seiner Erwartungen, ja als Ergänzung dessen, was seit jeher der Vernunft gehörte oder ihr schon viel früher auf Umwegen zugekommen war. Aber erst im 5. Jahrhundert wird jener ›Kompromiß‹ geschlossen, von dem Manfred Fuhrmann gesprochen hat, worin man sich dazu verstand, die antike Mythologie innerhalb bestimmter poetischer Gattungen zu tolerieren. Dadurch wurde der römischen Oberschicht das ›konservative Privileg‹ genommen, in den Materialien von Rhetorik und Grammatik die Vergangenheit zu kultivieren und dadurch zu repräsentieren.

Der straflose Gebrauch der Bilderwelt dieser Vergangenheit war aber auch Zeichen des endgültigen Triumphes. Die antike Bildung wurde in ihrer durch die christliche Polemik der Frühzeit als gefährlichste ausgewiesenen Form, in der des Mythos, nun als Gefangene im Triumphzug mitgeführt. Nicht einmal die Allegorese auf Christliches blieb obligat. Solche ostentative Liberalität war Schautoleranz der konsolidierten Macht. Die Fortsetzung der literarischen Tradition gab Nachricht von der Unterwerfung, die ihren Glanz eben aus der Dignität des Unterworfenen herleiten mußte. Die tolerierte Mythologie ist zuerst und zunächst Manifestation des geschichtlichen Bewußtseins, die antike Welt trotz des Wütens gegen Tempel, Bilder und Bücher nicht zerstört zu haben. Doch mit dieser Funktion wurden die Stoffe einer sanktionierten Bildung auch wiederum befreiungsfähig: Materialien des überdauernden Trotzes, einer späten Rebellion gegen die Unterwerfung. Es ist überwiegend keine inhaltliche, sondern eine funktionale Latenz. Die historische Zeitverschiebung der ›Renaissance‹, immer tiefer ins Mittelalter hinein, geht aus dieser Latenz hervor und ist selbst ein Stück Mythos zur Vermeidung des Mittelalters.

Am Anfang steht die Versicherung der Identität, nicht von Prometheus und Adam, sondern von Schöpfer und Titan. Jede Differenz zwischen dem Ursprung der Welt und dem des Menschen, jede Andeutung, die wahre Begünstigung des Menschen könne anderswoher kommen als vom Urheber der Welt, mußte den Verdacht der gnostischen Spaltung zwischen dem Alten und dem Neuen Testament auf sich ziehen. Der mythische Demiurg hatte die Welt nicht gemacht, in die er seine Menschengebilde entließ, und er konnte nicht verhindern, daß sie unter Fremdherrschaft gerieten und Ungunst des neuen Kosmokrator zu erdulden hatten. Solche zur Gnosis disponierte Zweideutigkeit nicht aufkommen zu lassen, erforderte dogmatische Bestimmtheit. Seit dem Anfang der Welt habe es gerechte und geisterfüllte Leute gegeben, erklärt Tertullian, die den einen Gott erkannt und verkündet hätten, der das Weltall erschaffen und den Menschen aus Lehm gebildet habe. Dieser sei, interjiziert Tertullian, der wahre Prometheus (*hic enim est verus Prometheus*).[1]

Affinität zur Gnosis darf nicht in der Sprache der Dogmengeschichte beschrieben werden als eine von irgendwoher kommende äußere Gefährdung der christlichen Substanz. Gnosis ist zwar der Ausdruck einer allgemeinen und großen Enttäuschung am Kosmos, die Systemform seiner Umwertung, aber doch auch die aus dem Schoß der authentischen Formation des Christentums kommende Schwierigkeit seiner Selbstinterpretation. Wenn der Name des Prometheus in der christlichen Allegorese und Metaphorik auftauchen durfte, so nur als Prototyp des einen Gottes in beiden Funktionen, als Menschenschöpfer und als Menschenerlöser. Deshalb durfte die Ausstattung der Menschen mit dem Feuer nicht abgetrennt werden von ihrer Erschaffung. Es ist ein einziger Akt, und es gibt keine Frage, wie und mit welchem Recht das Himmelsfeuer zum Menschen gekommen ist, denn es weist ihn aus als ein *animal caeleste*. Die Herkunft des Feuers als einen Raub am Himmelsgut darzustellen, kann nur Verzerrung sein. Der Feuerbesitz ist das *argumentum immortalitatis*. Sein Gebrauch hat den Zug der

1 Apologeticum 18, 2.

blanken Notdurft gegen eine lebensbedrohende Welt verloren und
ist zum Unterpfand der höchsten Bestimmung geworden: *vitae
continet rationem*.[2] Das Feuer ist nicht primär das Element der
Nahrungsbereitung und Metallbearbeitung, sondern die nach oben
verweisende Substanz. Nicht um die Möglichkeit des Aufenthalts
und der Selbsterhaltung in der feindseligen Natur geht es, sondern
um den Ausweg aus dieser.

Die Dichter werden zu Teilhabern der alten Wahrheit. Obwohl sie
stets nur ungenau mit ihr umgegangen seien, hätten sie dennoch
etwas von ihr bewahrt. So den Vorgang der Erschaffung des Menschen aus Lehm und seiner Ausstattung mit dem Feuer, wozu sie
nur den Namen des Prometheus hinzuerfunden hätten: *Res eos
non fefellit, sed nomen artificis*.[3] Weil es jenen alten Dichtern an
Zugang zur Schrift gebrach, wurde der ihnen zugängliche Gehalt
an Wahrheit allmählich verzerrt.[4] Der Prometheus der Dichter
trägt alle Anzeichen solcher Verfälschung, denn wäre er Mensch
gewesen, hätte er Menschen nicht zu machen, sondern nur zu zeugen brauchen, wie ihn selbst sein Vater Iapetos gezeugt hatte.
Wäre er aber ein Gott gewesen, hätte er unmöglich die Strafe im
Kaukasus erleiden müssen.[5]

Der nach dem Geschmack des Hieronymus theologisch allzu zu-
rückhaltende, wenn nicht unentschiedene ›Kirchenvater‹ scheut sich
nicht, seinen Ovid gerade in den drei Versen zu zitieren, die
das Gebilde des Titanen durch die Aufrichtung seines Gesichts zur
Anschauung der Sterne bestimmen, auch wenn das Zitat nicht
haargenau abdeckt, was im Kontext angekündigt war: *ad contem-
plationem sui artificis erexit*.[6] Dieser Schüler des noch zweifel-
hafteren Christen Arnobius und Prinzenerzieher am Hofe Kon-
stantins macht in der Christianisierung des mit den Augen Ovids
gesehenen Prometheus noch einen Schritt, indem er aus dem De-
miurgenbefehl des erhobenen Hauptes die biblische Formel des
›von Angesicht zu Angesicht‹ herausliest: *Der Mensch, durch seinen
aufrechten Stand und sein aufwärts gerichtetes Gesicht zur An-*

2 Lactantius, Divinae Institutiones II 9, 25.
3 Divinae Institutiones II 10, 6-7.
4 *Nullas enim literas veritatis attegerant ... ut veritas a vulgo solet variis
sermonibus dissipata corrumpi, nullo non addente aliquid ad id, quod audierat...*
5 *... de diis autem illum non fuisse, poena eius in Caucaso monte declarat.*
6 Divinae Institutiones II 1, 15.

schauung der Welt getrieben, blickt Gott ins Angesicht (confert cum deo vultum), und Vernunft erkennt Vernunft (rationem ratio cognoscit).[7] Der Schöpfungsbefehl soll den Menschen zugleich an die Natur binden, als in ihr vorgesehenes und durch sie integriertes Wesen, und sie zu verlassen und hinter sich zu bringen, seine Bestimmung außerhalb ihrer zu suchen, antreiben. Deshalb kann das Feuer, obwohl oder gerade weil es vom Himmel stammt, nicht für den Menschen geraubt worden sein. Alle übrigen Lebewesen verstehen nur, vom Wasser Gebrauch zu machen und sind vom höchsten der Elemente ausgeschlossen. Der Feuerbringer erfüllt seinerseits nur den Schöpfungsbefehl, einer legitimen Kreatur des göttlichen Willens dienstbar zu sein.

Die Schwierigkeit, die schon Ovid das Mythologem von der deucalionischen Flut als Ursprungssage nur der Hellenen bereitet hatte, kehrt für den christlichen Autor an der Wende vom 3. zum 4. Jahrhundert wieder. Er hält den biblischen Flutbericht für eine unter seinen Lesern allgemein zugestandene Tatsache. Die Sintflut gerät zum göttlichen Widerruf der bis dahin entstandenen menschlichen Kultur. Erst nach der Katastrophe bindet sich Gott für die Überlebenden an die Zusage, dergleichen nicht wieder geschehen zu lassen. Jetzt wird das Ereignis zum Beweis gegen Prometheus und seine Fähigkeit, dem Menschengeschlecht dauerhafte Indemnität gegen den Willen des höchsten der Götter zu verbürgen. Der Hinweis auf die große Flut soll belegen, daß der Mythos die Gewaltenteilung nicht erreicht hat und es besser ist, sich an die Garantien der einen neuen Höchstgewalt zu halten.

Weshalb sollte dieser Prometheus seinen Menschen mühsam aus Lehm gemacht haben, wenn doch der einzige wegen seiner Gerechtigkeit das Flutverhängnis Überlebende sein auf natürlichste Weise gezeugter Sohn Deucalion gewesen sein sollte?[8] So wendet Lactantius die Unstimmigkeiten im Ovid gegen den titanischen Rivalen seines Gottes mit dem Resultat: *Apparet ergo, falsum esse, quod de opificio Promethei narrant.*

Das Prometheus-Mythologem war die Negation jedes Verdachts

---

7 De ira dei 7, 5.

8 Divinae Institutiones II 10, 10-11: *Si ergo cataclysmus ideo factus est, ut malitia, quae per nimiam multitudinem increverat, perderetur: quomodo fictor hominis Prometheus fuit? cuius filium Deucalionem iidem ipsi (sc. poetae scriptoresque) ob iustitiam solum esse dicunt servatum.*

auf Hinfälligkeit des Kosmos und der Stellung des Menschen in
ihm gewesen und mußte gerade darin die Verwicklung des christlichen Autors zutage fördern, eine solche Funktion ›umzubesetzen‹.
Sein Widerspruch macht uns nachträglich faßbar, was im Mythos
dem Selbstverständnis gegen die Willkür alter und neuer Götter
zugesichert worden war. Der biblische Gott hatte sich durch Selbstbindung seiner Bündnisangebote festgelegt und dabei nur die Teil-
katastrophe ausgeschlossen, nicht aber die des Ganzen. Vom Welt-
ende freilich wird zur Zeit des Lactantius nicht mehr so erwar-
tungsvoll gesprochen. Ein Prometheus, der seine Geschöpfe doch
nicht gegen den Zorn seines Feindes hatte bewahren können, war
ihr geeigneter Bundesgenosse nicht mehr. Was gegen den Mythos
in der Gestalt des Titanen aufgeboten wird, ist Rivalität um die
Meistbegünstigung des Menschen. Da sollte die Promethie mit
dem Bundesgott alter und neuer Verfassung nicht mithalten können.

Was aber mit einer Geschichte machen, die sich auch nicht einfach
verleugnen ließ? Gelogen haben dürfen Mythen schon deshalb
nicht, weil sie auch als Zeugen für Reste einer alten Wahrheit zu
dienen haben. Deshalb bekommt auch Prometheus einen Rest
authentischer Wahrheit, der noch im einschlägigen Artikel der
Französischen Enzyklopädie für den ästhetischen Urbildbedarf
erneuert werden wird: Er war nicht der Gott, der den Menschen
erschuf, doch Begründer der plastischen Kunst, die zum ersten Mal
seine Abbilder aus Ton und Lehm hervorgebracht hatte. Er war
dadurch auch an der Idolatrie der heidnischen Kulte schuldig geworden, indem seine Kunst die Tempel mit den Bildern menschengestaltiger Götter angefüllt hatte.[9] Eine kleine Verwechslung nur
wäre dem Mythos unterlaufen: Der Erfinder der Kunst war zum
Erfinder der Natur überhöht worden.

Die Fähigkeit, mit der sich das Bild und Gleichnis seines Gottes
Bilder von sich selbst zu machen lernte, war eine verabscheuungs-
werte und ungebührliche Kunst; für sie hatte Jupiter, als er sich zur
höchsten Macht aufschwang und seinen Kult zu begründen suchte,
einen kunstfertigen Helfer nötig. Er fand ihn in Prometheus, der
im Dienst des neuen Regimes den erstmals menschengestaltigen

9 Divinae Institutiones II 10, 12: ... *ab eoque natam primo artem et statuas et
simulacra fingendi* ...

Gott glaubhaft machen konnte: *ita verisimiliter, ut novitas ac subtilitas artis miraculo esset.*[10] So kommt es, in apologetischer Absicht, zur frühchristlichen Umwandlung der Titanenfigur in den Prototyp des ästhetischen Selbstbewußtseins. Doch erzeugt sie nur die Verlegenheit, Prometheus nicht zur puren Fiktion machen zu dürfen, um noch das ›Wunder‹ seiner Kunst zur Erklärung der Ursprünge des Bilderkults zu verwenden. Platonisch gesprochen: Das Mißverständnis hätte darin bestanden, daß man dem Künstler, der doch nur ›Nachahmung der Natur‹ betreiben konnte, die Erzeugung des Urbilds zugetraut hätte. Dann aber hätten die Mythologen von einem anderen gesprochen, ohne es zu wissen: von dem wirklichen Begründer der Urbilder.

Der Ursprung der Kunst ist gesteigert und dämonisiert. Das hat den Erfolg des Polytheismus zu erklären: An den Bildnissen der Künstler war mehr als Ähnlichkeit, war jener Glanz (*fulgor*), der die Vernunft berückte, sie durch Schönheit verführte, der wahren Erhabenheit zu vergessen und sich der Unvernunft preiszugeben.[11] Der Ursprung der Irrtümer ist, ein Jahrhundert vor Augustin, eher die Verlockung der Schönheit als die große Sünde. Erst wenn die Freiheit des Menschen für alle Übel an der Welt aufkommen muß, kann der Titan der Bilderfindung vergessen werden.

Die Renaissance bringt eine neue und überraschende Gleichung, die von Prometheus und Adam. Es ist die erste und vorsichtige Annäherung an die Umstellung des Bewußtseins darauf, sich die Selbstwerdung des Menschen vorbehaltlos zuzuschreiben. Dabei mochte, wie schließlich bei Giordano Bruno, die Gleichsetzung gerade damit begründet werden, daß beide, Adam wie Prometheus, die Beziehung zum Verbotenen bestimmt: zur Frucht der Erkenntnis des Guten und Bösen den einen, zum verbotenen Feuer der Entzündung der Vernunft den anderen.[12] In der Gleichsetzung wird das Verbotene darauf festgelegt, daß es nicht das der mensch-

10 Epitome Divinarum Institutionum XX 11-12.
11 Epitome XX 15: *Sic illecti pulchritudine, ac verae maiestatis obliti, insensibilia sentientes, irrationabilia rationabiles, exanima viventes colenda sibi ac veneranda duxerunt.* – Die Aufklärung hat eine Gegenthese hervorgebracht: die Götterbilder hätten die Phantasie des Mythos verarmen lassen, durch zu große Bestimmtheit den Gott mit seinem Bild identisch werden lassen (Wieland, Agathodämon IV 4).
12 Giordano Bruno, Cabala del cavallo Pegaseo I (Opere italiane, ed. Lagarde, 582).

lichen Natur Ungemäße, sondern das ihr Vorenthaltene ist, sie zwar das Paradies der Unschuld verliert, aber das des Wissens gewinnt. Um an Vorbehaltsgüter heranzukommen, deren Entzug geschichtlich unerträglich geworden war, genügte nicht die Verzweiflung der Selbsterhaltung, waren List und Hinterhältigkeit nötig – ein Vorspiel zum Geist einer Wissenschaft, die sich nichts schenken lassen konnte.

Dennoch war die Gleichsetzung von Prometheus und Adam eher bildhaft eindringlich als haltbar. Das biblische Paradies hatte unter Bedingungen einer Bevorzugung gestanden, die nur der Mensch selbst abweisen und hinter sich lassen konnte. Darauf sollte auch Bacons Neuzeitprogramm beruhen, Rückgewinn des Paradieses sei die offene Möglichkeit des Menschen selbst. Er hatte, aus dem Paradies verstoßen, seinen Zustand reduziert auf die Bedingungen einer nur ihm selbst überlassenen Erhaltung. Der altmythische Prometheus macht den Menschen, ohne ihm die Gunst des neuen Gottes oder auch nur die der Natur sichern zu können, ein Geschöpf jämmerlicher Hilflosigkeit und Blödheit. Prometheus muß List und Gewalt anwenden, um nur die Bedingungen der nackten Existenz für seine Geschöpfe herzustellen, auch die ihrer selbsterhaltenden Arbeit. Vernunft liegt nicht darin, daß sie das Feuer besitzen, sondern darin, daß sie es sich selbst erzeugen können: Unwiderruflichkeit der Gabe des Titanen, wie es die Gaben der Vernunft sind. Sie allein kann nicht gezwungen werden, sich selbst aufzugeben. Wenn Prometheus auf Adam projiziert wurde, so konnte das nur bedeuten, daß der Verlust des Paradieses als *felix culpa* gesehen werden sollte: als die Chance des Menschen, er selbst aus sich selbst zu sein, ganz gleich, wodurch er es geworden war.

In der humanistischen Vorbereitung der Renaissance hatte Boccaccio zunächst Tertullians Gleichsetzung des Demiurgen mit dem Schöpfergott übernommen. Doch ist der Mensch, wie er aus der Hand des Schöpfers oder der Natur, jenes ersten Prometheus also, hervorgeht, noch roh und ungebildet und bedarf eines zweiten Prometheus, der diesen Ausgangszustand als Material aufnimmt und daraus Menschen gleichsam nochmals erschafft (*quasi de novo creat*). So läßt er aus dem Naturwesen das bürgerliche Wesen hervorgehen.[13] Zwischen diesen beiden Polen, dem des *homo naturalis*

13 E. Cassirer, Individuum und Kosmos in der Philosophie der Renaissance.

und dem des *homo civilis,* kann sich der Akzent verlagern. Er verschiebt sich säkular zugunsten des überwältigenden Anteils der bildenden Arbeit am natürlichen Substrat, die der Mensch am Menschen leistet. Von den beiden Prometheus-Versionen, die Boccaccio angeboten hatte, bleibt schließlich die des ›zweiten Prometheus‹ beherrschend – die des alten Kulturbringers, der einsteht für den sich seinem Naturzustand entziehenden und sich geschichtlich formierenden Menschen. Der wichtigste Schritt dabei ist die Bestreitung der Sträflichkeit dessen, was Prometheus tut; und das ist deshalb nicht mehr so schwierig, weil der Titan im Kaukasus zumindest nicht mehr der Verbannte eines auf den Menschen eifersüchtigen Gottes sein kann.

Die Verdoppelung des allegorischen Prometheus bringt keine dualistischen Schwierigkeiten oder dynastischen Rivalitäten, obwohl im Text Boccaccios der Anschluß an Ovids zweite Menschenschaffung durch Deucalion hervorscheint: Die Mühsamkeit der neuen Bildung wird mit dem Bild von den aufgehobenen Steinen vorgestellt. Was die innere Spannung der Verdoppelung auflöst, ist die Rechtfertigung der Bildung aus der Natur, nicht gegen die Natur. Der Gott, der diese Natur so roh und vorläufig geschaffen hatte, wollte gerade dadurch sie sich selbst übergeben, einem inneren Bildungsprozeß der Geschichte, die nicht mehr unter dem mythischen Neid der Götter stand. Der zweite Prometheus ist die Figur des aus der Mitte der Menschen entstehenden Weisen, der keine Rivalität oder auch nur Mißbilligung durch den ersten Prometheus zu gewärtigen hat.

[1]Leipzig 1927; [2]Darmstadt 1963, 101. Dort der Beleg aus Boccaccio, De genealogia deorum IV 4: *Verum qui natura producti sunt rudes et ignari veniunt, immo ni instruantur, lutei agrestes et beluae. Circa quos secundus Prometheus insurgit, id est doctus homo et eos tanquam lapideos suscipiens quasi de novo creat, docet et instruit et demonstrationibus suis ex naturalibus hominibus civiles facit moribus, scientia et virtute insignes, adeo ut liquide pateat alios produxisse naturam et alios reformasse doctrinam.* – Zur Stelle: A. Buck, Über einige Deutungen des Prometheus-Mythos in der Literatur der Renaissance. In: Romanica. Fs. G. Rohlfs. Halle 1958, 86-96. – Beide Interpreten übersehen, daß Boccaccio bei der Verdoppelung des Prometheus an Ovids doppelte Menschenschaffung anknüpft, indem er das Aufheben der Steine durch Deucalion und Pyrrha nach der großen Flut auf den zweiten Prometheus allegorisiert; was sonst hätte das *eos tanquam lapideos suscipiens* zu bedeuten? Bei Ovid war auch das Erweichen der Steine und ihr Formannehmen der Wendepunkt: ... *ponere duritiem coepere suumque rigorem / mollirique mora mollitaque ducere formam* (I 400-403). Von diesem Ursprung ist nur geblieben: *inde genus durum sumus ...*

Was an Steigerung und Übersteigerung des Menschenbildes in der Renaissance möglich wird, hat seine Rückendeckung im Prinzip der sich selbst aufgegebenen, aus ihrer ursprünglichen Zweckmäßigkeit schöpfenden Natur. Darin liegt die entscheidende Differenz aller mythologischen Erneuerung des Mythos zu ihren Quellen. Die archaische Gemütslage möge man sich noch einmal mit den Worten Burckhardts vergegenwärtigen: *Der Götterneid war ein stark und allgemein verbreiteter Glaube, welcher den ganzen Mythus durchdringt und in der historischen Zeit neben aller Religiosität sich auf das lauteste Bahn macht* ... *Jedes Erdenglück, jede große Eigenschaft ist gleichsam ein Eingriff in das Glücksprivilegium und in die Vollkommenheit der Götter, wobei dem betreffenden Menschen meist schuld gegeben wird, er habe den Göttern ›Trotz‹ bieten wollen oder sich wenigstens unpassend gerühmt.*[14] Das war unmöglich und die Marter des Titanen auf dem Kaukasus unverständlich, aber auch im Blick auf Golgatha als Passion unzulässig geworden. Das *Bild des Gefesselten auf dem Gebirge* war, wiederum nach Burckhardts Wort, auch ohne die Tragödie des Aischylos *allen Griechen geläufig gewesen* und hatte ihnen eindringlich gemacht, *wie man mit den Göttern eigentlich daran war*, eindringlich genug, *um in der Tiefe der Gemüter eine Stimmung rebellischer Klage gegen Götter und Schicksal wach zu halten.*[15]

Dieses Bild war im Vorfeld der Neuzeit viel schwerer aufzuwerten und einzudeuten als das des Menschenmachers, der sich so mühelos zwischen dem Schöpfergott und der humanistischen Bildungsfigur aufspalten ließ. Daraus ergab sich, daß die Allegorese für den Titanen auf dem Kaukasus die stärkste Verformung zu leisten hatte. Nicht nur, weil er nach Boccaccio frei von Schuld war, sondern vor allem, weil er für die Menschen nicht zum Erlöser werden durfte, war er freigesetzt für die der Selbsterhaltung entlegenen Hochformen der Bildung. Sie hatten sich jetzt gegen das Mittelalter abzusetzen und konnten sich an eine solche Rechtfertigungsfigur heften.

So sei es ein Mißverständnis und eine Erfindung der Unwissenden gewesen, in der Fesselung auf der Höhe des Gebirges eine Strafe

---

14 Griechische Kulturgeschichte III 2 (Gesammelte Werke VI. Darmstadt 1956, 97 f.).
15 Griechische Kulturgeschichte V (Werke VI 352).

der Götter zu sehen. Nach Boccaccio hat Prometheus sich in die Einsamkeit des Gebirges zurückgezogen, um in die Geheimnisse der Natur einzudringen. Selbst der Adler ist Allegorie der vergleichsweise harmlosen Bedrängnis von Einsichten höherer Herkunft. Diese Umerfindung hat die Trennung von Größe und Trotz geläufig gemacht und dem andrängenden Neuen die Farbe des Titanismus genommen.

Der Mythos der Renaissance ist dem Dogma niemals bedenklich geworden, hat keine rebellischen Großformate der Sezession aus dem Mittelalter erzeugt, sondern die Arbeit gegen das Mittelalter mit seinen überlieferten und akkreditierten Mitteln gleichsam eingekleidet. Gerade wenn man meint, der Titel ›Renaissance‹ bezeichne jenes Aufbegehren, als das sich die Neuzeit im Rückblick auf ihre Anfänge gern verstanden hätte, wird Nietzsches Ansicht der Promethie eine Wiederentdeckung von unwahrscheinlicher Schärfe. Ihm wird die biblische Sündenfallsgeschichte als passives Hineintappen in eine Verführung harmlos erscheinen gegenüber dem aktiven Frevel des freien Heraustretens des Titanen zur Selbstvergleichung mit den Göttern. Die Antithese ist gewaltsam, aber sie ist vorbereitet durch die Einebnung, die die Neuzeit selbst an der Prometheus-Gestalt ausgeübt hatte.

Dieses halbe Jahrtausend, das zwischen Boccaccio und Nietzsche liegt und noch einmal alle Überraschungen der Transformation an der Prometheusfigur ausbreitet, alle Kombinationen ihrer Geschichte mit ihren Merkmalen, belegt auch auf einzigartige Weise die Konstanz des Leitfadens, der dies als Wirkung der verformenden Kräfte überhaupt erschließbar macht.

Kurz vor der Wende zum 16. Jahrhundert wirft der Florentiner Erneuerer Plotins, Marsilio Ficino, einen melancholischen Blick auf den mythischen Dulder im Kaukasus. Doch ist es wiederum nicht der Trotz gegen die Gottheit oder das Leiden für die Menschen, was sich ihm darstellt, sondern das auf seinen Vermittler zerstörerisch zurückschlagende Feuer der Vernunft. Inmitten eines Lehrbriefes »Fünf Fragen über den Verstand« taucht das Bild des Prometheus auf. Diese Erkenntnistheorie folgt in der Verwebung platonischer und aristotelischer Elemente dem von Plotin geschaffenen Muster. Was die Einheit aller Akte des Verstandes bestimmt, ist am aristotelischen Begriff der Bewegung orientiert: Prozesse

werden durch ihr Ziel, ihre Vollendung, den Ruhezustand determiniert. Folglich ist der Naturbegriff des Verstandes auf Reife,
Ausgewachsenheit, Vollendung angelegt: Wozu die Welt im ganzen
fähig ist, nämlich sich in der Einheit ihrer Bewegungen zum
›Universum‹ zu integrieren, kann dem menschlichen Geist nicht
verwehrt sein, darf aber auch von ihm nicht verfehlt werden. Es
ist eine Metaphysik der Warnung vor der geschichtlich ins Haus
stehenden Unruhe der unendlichen Erkenntnisbewegung, vor der
Geschichtsform des unendlichen Willens und der Unabschließbar-
keit der Selbstrealisierung des Menschen.[16] Es stimmt einfach nicht,
daß mit der Renaissance und ihrem Naturbegriff die Unendlichkeit
wie eine Epiphanie über das Bewußtsein hereinbricht. Schon deshalb nicht, weil der Begriff der Form mit dem der Erneuerung der
Form (*reformatio*) das alles beherrschende Konzept ist, auch wenn
der Formbegriff nicht mehr die alte Sanktion des Vorgegebenen
hat, sondern das Motiv der Formfindung und Selbstformung zuläßt. Gerade wenn die Warnung vor der Unabschließbarkeitsten-
denz der Vernunft ernst zu nehmen war, ließ sich den Zeitgenossen
nichts Sinnloseres vorstellen, als daß der Mensch, durch die Vernunft das vollkommenste aller Lebewesen unter dem Himmel
hinsichtlich der ihm zuerkannten Bestimmung, infolge derselben
Vernunft das unfertigste bliebe. Das aber, diese Wendung der
Vernunft gegen sich selbst, ihrer Unendlichkeit gegen ihre Voll-
endbarkeit, schien sich an dem unseligen Prometheus bestätigt zu
haben.

Wofür und wovon wird Prometheus gequält? Das Himmelsfeuer,
das er mit Hilfe der Athene an sich gebracht hatte, hat ihn auch auf
den höchsten Gipfel des Gebirges getrieben, denn dies bedeutet
nichts anderes als: auf die Höhe der reinen Theorie. Sie hat ihn
hier zu der Ankettung verurteilt, die ihn zum Opfer des gierig-
sten der Raubvögel macht, des quälenden Wissensdranges. Aber
auch dieser Prometheus hat seine Eschatologie. Er steht für die
nur vorläufige Grenzenlosigkeit auch seiner Theorie: Wenn er
dorthin zurückkehren wird, von wo er dieses Feuer empfangen hat,

16 Marsilio Ficino, Epistolarium II n. 1: Quaestiones quinque de mente (Opera,
Basel 1576, I 678): *Contra naturam ipsam rationemque principii est, ab alio
semper principio ad aliud ascendere sine principio. Contra rationem finis est a
fine deinceps in finem descendere sine fine.*

wird er Ruhe finden. Wie er verzehrt wird durch einen einzigen Strahl des höheren Lichtes, weil dieser nur Verlangen nach dem Ganzen in ihm entfacht, wird er dann von der Fülle des Lichtes ganz und gar durchdrungen sein. Das neuplatonische Seinsdrama findet an Prometheus seine Figuration. Wo er das Feuer der Vernunft zu Unrecht an sich genommen hatte, wird er, nach dem Umweg der Katharsis seines Leidens an der Spärlichkeit des abgefallenen Anteils, dasselbe in der Fülle des legitimierten Besitzes genießen. Es ist das Grundmuster aller neuplatonischen Seinsgeschichten. Hinzugekommen ist ein dort noch ungekannter Überschuß, der den Ab- und Umweg unvergeblich macht: Die Wiederherstellung des Ausgangszustandes wird reicher und gesicherter sein als das, was am Anfang ohne Abwendung gewesen war und ohne sie geblieben wäre. Prometheus ändert den Weltzustand durch seine Geschichte.

In Ficinos Allegorese ist fast nebensächlich, wie und aus welchem Recht die Menschen in den Besitz des Himmelsfeuers gekommen sind; der Rat der Athene ist moralisch nicht qualifiziert. Was aber empirisch ganz naheliegend ist, daß man das Feuer nicht zu stehlen braucht, um dennoch an ihm seinen Anteil zu nehmen und weiterzugeben, wird nochmals übersehen und geradezu umgekehrt: Prometheus hatte nur *etwas vom* Himmelsfeuer, nicht *das* Himmelsfeuer, nehmen und weitergeben können. Athene, die Göttin der Wissenschaft, hatte zwar aus der göttlichen Weisheit geschöpft, aber gerade darin aufgesplittert, was nur in seiner Einheit Weisheit bleiben konnte, als Vielheit und in vielen jedoch die Drangform des Suchens und der quälenden Forschung annehmen mußte. Prometheus erleidet die Schicksale der Vernunft, ihres großen Umweges und Irrweges durch die Welt.

Die Erinnerung an diese Wege ist die Voraussetzung dafür, daß der neue Endzustand unbedroht und ungefährdet durch Selbstvergessenheit sein wird. Wenn dies nicht geschehen wäre, nicht schon geschehen würde, könnte es noch geschehen – das ist die Verschmelzung der mythischen Grundstruktur mit dem Diagramm einer Geschichtsmetaphysik. Deshalb auch ist der Rat der Athene ebenso verhängnisvoll wie notwendig: Es ist die Geschichte selbst, die er verhängt oder doch nicht vermeiden lassen dürfte. Die Vernunft muß die Verwicklung durchstehen, in die sie durch die

Unendlichkeit ihres Anspruchs gezogen wird und an deren Qual der Ruhelosigkeit sie gebannt ist. Die Eigentümlichkeit dieses Gedankens wird ihre exakte Darstellung in Kants Dialektik der reinen Vernunft finden: Es ist die Vernunft, die sich erst um sich selbst bringen muß, um zu sich selbst gelangen zu können. Es bedurfte keiner äußeren Verführung, keines Frevels, keines Sündenfalls, sondern nur dieser Nachgiebigkeit der Vernunft unter ihren eigenen Zwängen.

Ficino kennt nun auch den Kunstmythos im platonischen »Protagoras« wieder, der dem Mittelalter entzogen gewesen war. Er legt dem Prometheus das Wort des biblischen Gottes vor der Sintflut in den Mund, es reue ihn, den Menschen gemacht zu haben: *Paenitet me fecisse hominem.* Prometheus leidet auf dem Kaukasus nicht unter der reinen Theorie, sondern an Mitleid mit den Menschen. Sie sind unglücklich geworden, nicht als Vergeltung für das, was er ihnen gegeben hatte, sondern durch die Gabe selbst. Dabei muß sich Ficinos Allegorese auf die Kunstfertigkeiten, die freien wie die mechanischen Künste, aus den Beständen der Minerva, des Vulkan, des Mars und der Dämonen richten. Prometheus selbst gehört zu solchen Dämonen, die an der Schöpfung beteiligt waren und die deren Gefährdung durch Verselbständigung ihrer Dienste und Leistungen darstellen.[17]

Die Vielheit als Zerstörung der Einheit, das ist auch hier neuplatonisches Schema. Es genügt nicht, eine Gabe als göttlich zu bezeichnen und ihre Herkunft nicht als Raub zu qualifizieren; alles kommt vielmehr auf ihre Integration in die Einheit des Universums an. Prometheus hat die im Feuer dargestellte Gabe der Rede den Menschen geben können, ohne sie zu stehlen; trotzdem enthält sie nicht die zum Heil des Menschen unerläßlichen bürgerlichen Tugenden.

---

17 Ficino, In Protagoram Epitome (Opera, ed. cit. II 1298): *Ab his igitur omnibus Prometheus rationalis animae gubernator in hominem traiecit artis industriam. Quoniam vero divinum id extitit donum, statim ob ipsam cum superis cognationem, homo veneratus est Deum ante quem loqueretur, vel artes aliquas exerceret; quippe cum divinum munus ob mirificam eius potentiam prius erigat in divina, quam porrigat per humana. Prometheum vero ob id munus dolore affectum, significat daemonicum ipsum curatorem nostrum, in quo et affectus esse possunt, misericordia quadam erga nos affici, considerantem nos ob ipsum rationis munus ab eo vel datum, vel potius excitatum, tanto miserabiliorem vitam in terris quam bestias agere, quanto magis sollicitam atque explebilem ... Paenitet me fecisse hominem.*

Deren Verfügung hatte, wie nach Plato, allein bei Jupiter gelegen, zu dem Prometheus nicht hatte vordringen können. Daher fehlt es den Künsten und Wissenschaften an der Zuordnung auf das Ganze.[18] Vor dem Hintergrund der Plotin-Erneuerung durch Ficino bedeutet das: die in den Individuen aufgesplitterte Vernunft vermag die Einheit unter Weltbedingungen nicht wiederherzustellen.

Man kann die ›Verfehlung‹ des Prometheus dann so beschreiben, daß er etwas auf viele verteilen wollte, was sich seiner Natur nach nicht verteilen läßt. Es gibt keinen Plural von Vernunft. Er leidet nicht für die Menschen oder anstelle der Menschen, nicht zur Konsolidierung ihrer Kultur gegen einen fremden Willen; er erleidet bewußt den Mangel, der den Betroffenen als Nicht-Identität mit der Vernunft nicht klar werden kann. Er erleidet die Geschichte dessen, was seinem Wesen nach keine Geschichte haben darf: des Einen, des Nus, der Weltseele. Er erleidet, wenn man es auf eine kürzeste Formel bringen will, was es heißt, nicht das Absolute, ein Mensch und nicht der Gott, zu sein.

Vergleicht man, um die Distanz zu vermessen, Ficinos Allegoresen der Promethie mit der seines Meisters Plotin, so fällt der Unterschied ins Auge, daß kein Herakles mehr erwähnt wird, um den Gefesselten zu lösen.[19] Prometheus war bei Plotin die Weltseele gewesen, die sich nicht nur in der gesamten Natur, sondern auch im Menschen zur Erscheinung bringt, dabei aber in die Bande der Materie gerät. Die Entstehung der Welt und des Menschen ist identisch mit der Abwendung der einen Urseele vom Geist. Insofern ist Epimetheus die Vorzugsfigur; indem er – entgegen aller Mythologie – das Geschenk der Pandora anzunehmen verweigert, die in der Zuordnung Plotins ein Werk des Prometheus ist und von anderen Göttern nur zusätzlich ausgestattet wird, entscheidet er sich für ein Leben in der geistigen Welt als das bessere. Prometheus selbst wird durch sein Werk gefesselt, und zwar so unlöslich, daß es ganz konsequent erscheint, wenn Plotin den großen Rivalen unter

---

18 In Protagoram Epitome: *Quod autem traditur Prometheum civilem virtutem saluti hominum penitus necessariam largiri non potuisse, propterea quod virtus eiusmodi penes Iovem sit, quo Prometheo non licet ascendere, ea ratione intelligendum est, quia civilis virtutis officium est non solum rebus humanis, sed etiam artibus imperare, singulasque cum singulis ordinare, cunctas denique in communem omnium formam dirigere.*
19 Plotin, Enneaden IV 3, 14.

den mythischen Befreiern, den Herakles, einführt. Lesen wir die
Stelle richtig, so hat Plotin jedoch behaupten wollen, die Loslösung
durch Herakles bedeute gerade, daß Prometheus selbst die Mächtigkeit besessen habe, von der Fessel frei zu werden.[20] Plotin hatte
dieser Deutung allerdings hinzugefügt, jeder könne sie nach Belieben annehmen. Ficino, der so übersetzt hatte, mußte allerdings die
Selbstbefreiung erst in Verbindung zu seinem Grundgedanken der
Selbstformung des Menschen bringen.

Fast gleichzeitig mit dieser Vorstellung des Weltschicksals der
Vernunft entsteht eine andere Allegorese der Promethie, die nach
einem Brief des Erasmus von Rotterdam an John Sixtin vom November 1499 aus Oxford zum Inhalt eines Streitgesprächs zwischen
John Colet, einigen Theologen und Erasmus selbst gehört hatte.[21] Es
versteht sich fast von selbst, daß es dabei um die ›Umbesetzung‹
biblischer Funktionen geht, wobei der Sohn des ersten Menschen-
paares, Kain, ohne Nennung eines entsprechenden Namens aus der
antiken Mythologie, im Licht einer Bedeutsamkeit steht, wie sie
nur durch Rezeption und Umbildung des Prometheus-Mythologems geweckt und wachgehalten sein konnte.

Nicht der Weltschöpfer, nicht der Stammvater Adam, sondern der
mit dem Opfer seines Feldprodukts verworfene Kain ist zur
Schlüsselfigur der menschlichen Geschichte geworden. Als Triebkraft dieser Geschichte erweist sich damit eine archaische Unzufrie-
denheit. Die *pugna acerrima* unter den streitenden Gelehrten bricht
aus, als Colet behauptet, Kain habe Gott beleidigt, indem er als
Ackerbauer mehr Vertrauen in seinen eigenen kultivatorischen
Fleiß setzte als in die Güte des Schöpfers der Natur. Abel hingegen
habe sich mit dem zufrieden gegeben, was von selbst wuchs (*sponte
nascentibus contentus*) und was seine Schafe abweiden konnten.

Das Argument Colets enthält einen der Grundkonflikte der menschlichen Welteinstellung. Man muß sich vergegenwärtigen, daß Abel

---

20 Die Übersetzung Ficinos ist wieder gedruckt in der Ausgabe der Enneaden
von F. Creuzer und G. H. Moser (Paris 1855, 208): *Ligatus autem est formator
ille, quoniam opus suum quodammodo videtur attingere: sed ejusmodi vinculum
fit extrinsecus, et ab Hercule solvitur: quoniam ei facultas inest, per quam etiam
quodammodo sit solutus.* Zu beachten ist die Bedeutung, die die Metapher der
Berührung, die sonst der mystischen Erfahrung des höchsten Einen zukommt,
hier als Erfahrungsmodus nach der anderen Extremseite, der der Hyle, hat.
21 Erasmus, Epistolae, ed. Allen, I 268 ff.

sich nach dieser Interpretation immer noch so verhält, als befände er sich auf dem Boden des Paradieses und sei nicht Nachkomme der daraus vertriebenen Eltern, während Kain genau das tut, was sich am Schicksal dieser Verbannung von selbst verstanden haben müßte und ihrem Fluch entsprach: nur auf die Mühsal im Schweiß des Angesichts zu vertrauen. Aber Gehorsam gegenüber der Verbannung gab zugleich Anlaß zum Stolz auf den Erfolg unter den widrigsten Umständen. Das Dilemma aller Kulturkritik scheint sich schon in der zum Brudermord führenden frühesten biblischen Menschheitsszene darzustellen: ob sich in der Welt mit der Unterstellung leben lasse, sie sei noch ein wenig oder etwas mehr das Paradies, oder ob nur so in ihr überlebt werden könne, wenn man unterstellt, sie sei der Inbegriff seiner Negationen. Insofern gehört dieses Streitgespräch an den Anfang der Epoche, deren Pathos mit der Vertreibung aus dem Paradies erst bitterer Ernst gemacht zu haben schien, nicht um sich damit abzufinden, sondern im Gegenteil, um seiner Wiedergewinnung alle Kräfte zuzuführen.

Als der von Erasmus berichtete Streit allzu gewichtig und scharf zu werden droht, bietet er seinen Beitrag als Dichter an, die Entzweiung zu schlichten und das Mahl zu erheitern. Was er zu bieten hat, besteht in der Fiktion eines Mythos, den aber seine Zuhörer, nach platonischem Vorbild, nicht bloß für einen solchen (*pro fabula*) zu halten versprechen müssen. Aus einem alten Kodex unbekannter Herkunft bezieht er eine ›wahr-scheinliche Geschichte‹ (*veri simillimam narrationem*). Kain habe trotz seines Fleißes immer unter Hunger und Gier leiden müssen; da habe er sich der ›Tradition‹ erinnert, nach der seine Eltern aus einem Garten vertrieben worden waren, in dem alles zur Ernährung von selbst und aufs üppigste gewachsen sei. Nichts erinnert ihn an die Gerechtigkeit der Strafe, die die Vertriebenen getroffen hatte, alles an die Aussicht wiederherzustellen, was dort der Natur einmal möglich gewesen war.

Erasmus entschärft die Geschichte, indem er sie einem uralten zerfressenen Kodex zuschreibt. In Wirklichkeit erzählt er nur *die* Variante der biblischen Geschichte, die Heraufziehendes vorstellig macht. Was Kain zu tun hatte, war nichts anderes, als seinem bewährten Fleiß eine Hintergehung des Verdikts hinzuzufügen: *Dolum addidit industriae.* Er macht sich mit durchtriebener List

(*veteratoriis technis*) an den Engel heran, der das verschlossene
Paradies bewacht, und sucht ihn zu bestechen, ihm heimlich ein
paar Körner von der fruchtbaren Saat des Paradieses herauszuge-
ben. Es ist die Macht der Rhetorik, die Erasmus in seinem Kunstmythos durch Kain demonstrieren läßt. Gott habe, so läßt er ihn
sagen, die alte Geschichte längst vergessen und sein Interesse an
ihr verloren. Es ginge ja nicht um jene verbotenen Früchte, die
Adam zu Fall gebracht hätten. Noch mehr aber: Gott könnte ein
allzu großer Pflichteifer seines Paradieswächters gar nicht genehm
sein. Die listige Anstrengung des Menschen könnte ihm wohlge-
fälliger werden als träge Müßigkeit. Vielleicht will dieser Gott
betrogen werden? *Quid si falli etiam cupit . . . ?*
Die Analogie zum Feuerraub des Prometheus ist greifbar. Kain
besorgt dessen Geschäft selbst; er bedarf nicht der Beihilfe eines
Gottes oder einer Göttin, denn er besitzt die Macht der Rede. Sie
vermag noch die verschlossene Pforte des Paradieses durchlässig zu
machen. Sie macht den Torengel zum Komplizen des Ausgestoße-
nen, bringt den Aussperrenden mit dem Ausgesperrten in die Position der Gemeinsamkeit gegenüber dem vorenthaltenen Gut: Das
Paradies zu bewachen, sei noch schlimmer, als es zu entbehren; das
Amt lasse nicht einmal die Freiheit zum Umherschweifen. Die
Voraussetzung dieser Rhetorik ist, daß der von der Szene entfernte
Gott der *deus absconditus* des späten Mittelalters ist. Er steht unter
dem Verdacht nicht nur der Verborgenheit, sondern des Desinteresses an den menschlichen Angelegenheiten, sofern sie nicht das
abstrakt gewordene jenseitige Heil betreffen. Dadurch ist Heim-
lichkeit angesichts des Allwissenden dennoch möglich wie alle Art
von Kunst des Menschen, mit der Natur zu seinen Gunsten auch
gewaltsam zu verfahren. Anfang aller Möglichkeiten aber ist die
Verfügung über die Macht des Wortes.
Noch immer setzt der Mythos, auch in seiner künstlichsten Spätform, eine depotenzierte Macht der Götter voraus, und sei es die
eines angenommenen Desinteresses an der Welt wegen der durch
den Glauben geregelten Fragen des jenseitigen Heils. Es ist der
Mythos eines nicht nur verborgenen, sondern wegsehenden Gottes.
Die Rhetorik Kains erblüht, weil Gott nicht als ihr Zuhörer gedacht ist. Er entfaltet vor dem Wächterengel ein Panorama locken-
der Diesseitigkeit, das visionäre Programm einer Epoche, die kaum

angebrochen ist. Er vertauscht die Rollen: Es sei ein obsoletes –
wenn er das Wort hätte: ›mittelalterliches‹ – Schicksal, auf der
Seite der theologischen Funktionäre zu stehen, ein Amt wie das der
Bewachung des Paradieses zu haben. *Falls du es nicht wissen*
solltest: zum Trost in unserer Verbannung besitzt auch unsere Erde
grüne Laubwälder, tausend Baumarten, die wir noch kaum be-
nannt haben, Quellen, die überall aus Bergen und Felsen hervor-
brechen; mit reinstem Wasser berühren die Flüsse Wiesenufer,
ragende Berge, schattige Täler und tiefgründige Meere. Er zweifle
nicht daran, daß in den innersten Eingeweiden der Erde reiche
Belohnungen auf den warten, der sie ergraben und alle ihre Adern
durchforschen werde. Vieles wachse auch diesseits des Paradieses
von selbst: goldene Äpfel, fleischige Feigen und Früchte aller Art.
Man würde das Paradies gar nicht so sehr vermissen, wenn man
nur immerwährend hier leben dürfte (*si liceat hic aeternum vivere*).
Tröstlich ist da sogleich der Gedanke, daß, was der einzelne wegen
der Kürze seines Lebens nicht mehr von den Schätzen der Erde
nehmen könne, von seinen Enkeln genommen werde.
Zwar würden die Menschen von Krankheiten bedrängt, aber ihr
Fleiß werde auch dagegen Heilmittel finden. Er sehe Kräuter,
schwärmt er dem Engel vor, die wunderbar dufteten – was, wenn
sich dabei eines fände, welches das Leben unsterblich machen
könne? Von der verbotenen Wissenschaft jener paradiesischen
Frucht sehe er nicht ein, welche Bedeutung sie haben solle. Was
habe er mit dem zu tun, was ihn nichts anginge: *Quid mihi cum*
his quae nihil ad me attinent? Er werde keinen Schritt zurück-
weichen, solange es nichts gebe, was hartnäckiger Fleiß nicht erreichen könne (*non cessabo, quando nihil est quod non expugnet*
pertinax industria). So habe man gegen die Enge eines kleinen
Gartens die Weite einer Welt eingetauscht.
Die rhetorische Qualität ist nicht abhängig von der moralischen.
Das ist nicht selbstverständlich, denn die Kunst, es richtig zu sagen,
sollte nach der gegensophistischen Tradition die Sache selbst und
ihre Güte zur Geltung bringen. Aber hier, im Kunstmythos des
Erasmus, ist es der übelste Mann, der den Engel zum Komplizen
der schlechtesten Sache macht, und zwar nur dadurch, daß er die
beste Rhetorik besitzt: *Persuasit pessimam causam vir pessimus,*
orator optimus. Es gelingt Kain, den Engel, obwohl Teilhaber

himmlischer Seligkeit, zum Bewußtsein seines ihm bis dahin verborgenen Elends zu bringen. Er sei an eine Aufgabe gefesselt, für
die die Menschen sich schon der Hunde bedienten, müsse außerhalb
des Paradieses stehen und dürfe doch an der Welt keinen Anteil
haben. Er appelliert an die Gleichheit in der Hoffnungslosigkeit:
Miser fave miseris, exclusus exclusis, damnatis damnatior.

Dieser aus der Töpferwerkstatt des Erasmus kommende Prometheus mit Namen Kain ist ein Mann des großen Wortes mehr noch
als des großen Fleißes. Mit der Vision einer künftigen Welt, ausgesprochen an der Wende zum 16. Jahrhundert als Parade reiner
Rhetorik, bezwingt er die Treue eines Engels zugunsten der Menschen. Er erhält, was die Erinnerung ihn begehren ließ, und bringt
die Erde zu so reichem Ertrag, daß es selbst dem vergeßlichen und
abgewendeten Gott nicht verborgen bleiben kann, wie reich *labor
et sudor* den Dieb gemacht hatten. Er überschüttet ihn mit Schäd-
lingen und Unkräutern, Wetterschlägen und anderem Unheil. Den
Wächterengel verwandelt er in das, was zu sein ihn in Versuchung
gebracht hatte, in einen Menschen. Da entschließt sich Kain zum
Brandopfer mit einem Teil seines Ertrages. Der Mißerfolg steht in
der Bibel.

So scheitert der auf den Anfang der Menschheit projizierte erste
Versuch zur ›Neuzeit‹ in Verzweiflung; und als Mythos der Vergeblichkeit war er von Erasmus gemeint. Die Identifikation Kains
mit Prometheus soll die Großtat der Rückgewinnung des Paradieses in schändlichen Verruf bringen. Aber sie berührt einen gedank-
lichen Entwurf, der seine Attraktion erst entfalten sollte.

Das Wort des Kain-Prometheus ist Rhetorik, es hat nichts von
Magie. Ein Jahrhundert später wird es auch für Francis Bacon
entscheidend, das richtige Wort zu finden; aber jetzt ist es der
ursprüngliche und im Paradies durch den Menschen gefundene
Name der Dinge, der Macht über sie verleiht. Das ist eine magische, nicht eine rhetorische Grundvorstellung. Auch Magie setzt
voraus, daß Gottes Weltverwaltung von verminderter Aufmerksamkeit ist und ihm entgehen könnte, wenn der Mensch sich mit
neuer Macht über die Dinge ein Äquivalent des Paradieses verschafft, das ihn die alte Sünde vergessen ließe. Theorie und List
erneuern ihr frühes Bündnis.

Für den Opferbetrug hat Bacon eine erstaunliche Auslegung:

Prometheus hätte gegen die Götter dieselbe Vordergründigkeit der Erscheinung herausgekehrt, die gegen die Menschen in der theoretischen Undurchdringlichkeit des Sternenhimmels für die Astronomie gewendet ist. Daraus ergibt sich, trotz oder wegen der Erhabenheit des Gegenstandes, die Unzulänglichkeit ihres Wissens über ihn. Wie Prometheus dem Zeus am Opferstier, bietet die Astronomie uns nur das Äußere der Himmelswelt: Zahl, Lage, Bewegung und Periodik der Sterne, gleichsam die Haut des Himmels (*tanquam pellem coeli*).[22] Das Fleisch, die Innereien, die Substanz, theoretisch gesprochen: die kausalen Bedingungen der Erscheinung, sind nicht dabei. Die List aber bleibt auf der Seite des Schwächeren: Die Menschen schaffen sich mit viel Geschicklichkeit – und gelegentlich so absurden Unterstellungen wie der Tagesbewegung der Erde (*quod nobis constat falsissimum esse*) nach Kopernikus! – eine künstliche Innenwelt ihres Opfertiers, die ihren Bedürfnissen genügt, auch wenn sie nichts mit dem wahren Sachverhalt der Natur zu tun hat.[23]

Die Verbindung zu der Konfiguration des prometheischen Opferbetrugs ergibt wiederum die Begünstigung des Menschen, diesmal in seinen theoretischen Bedürfnissen; er verzichtet auf die Wahrheit, um nicht überhaupt auf eine Vorstellung des Ganzen zu verzichten. Mit Hilfe des Mythos entsteht eine Theorie, die sich wie eine Theorie des Mythos selbst ausnimmt, aber eine der Theorie ist. Die Allegorese des Feuerraubs ist harmloser; sie zeigt Prometheus nicht in der Rolle der List, sondern in der der Nutzung des Zufalls. Der Schlag mit dem Feuerstein zeigt den Funken, indem er ihn erzeugt, und der Raub besteht nur darin, das von der Natur beiläufig Gezeigte auf Dauer in die Hand zu bekommen.[24]

22 De dignitate et augmentis scientiarum III 4 (Works, edd. Spedding, Ellis, Heath, I 552; engl. Vers. IV 347 f.): *Certe Astronomia talem offert humano intellectui victimam qualem Prometheus olim, cum fraudem Jovi fecit.*
23 De dignitate III 4 (ed. cit. I 553): *Eae autem ostendunt quomodo haec omnia ingeniose concinnari et extricari possint, non quomodo vere in natura subsistere; et motus tantum apparentes, et machinam ipsorum fictitiam et ad placitum dispositam, non causas ipsas et veritatem rerum indicant.*
24 De dignitate V 2 (ed. cit. I 618): *... Prometheum ad ignis inventionem ... casu in illud incidisse, atque (ut aiunt) furtum Jovi fecisse.* Ein Prometheus des Neuen Indien, Amerika, muß das Feuer anders erfunden haben als der europäische, weil es dort den Feuerstein nicht so reichlich gebe (Cogitata et visa. Ed. cit. III 614).

Hat Bacon beim Blick auf den Opferbetrug die unzuverlässige
Gegenseitigkeit des Verhältnisses von Göttern und Menschen,
von Erkennbarkeit der Natur und faktischem Erkenntnisstand des
Menschen, im Blick, so wird ihm bei seiner großen Allegorese der
Promethie im Rahmen der mythischen Weisheit der Antike der
›Status‹ des Menschen zu dem des bevorzugten Zentrums der Welt
(*homo veluti centrum mundi*) unter der in Prometheus sich darstellenden Vorsehung.[25] Offenbar ist diese Vorsehung aber etwas, was
der Natur nachhelfen muß, denn der Mensch ist in seinen Ursprüngen ein nacktes und bedürftiges Wesen. Deshalb gibt ihnen
Prometheus das Feuer als Inbegriff ihrer Möglichkeiten, als *forma
formarum*, als *instrumentum instrumentorum*, als *auxilium auxi-
liorum*. Weshalb aber fand dieses Geschenk den Unwillen der
Götter?

Die Antwort auf diese Frage steht im Gegensatz der Epochen zu
der Deutung des leidenden Prometheus, die Marsilio Ficino gegeben hatte. Der Mensch habe sich zu früh mit dem Erfolg des ihm
verliehenen Organs zufrieden gegeben, das Vorläufige für das
Endgültige genommen, den Gipfel seiner Entwicklung mit der
Antike und ihrem Erbe, zumal dem des Aristoteles, für erreicht
angesehen. Falsche Endlichkeit und Zufriedenheit haben das lebendige Bewußtsein von der Herkunft der Himmelsgabe veröden lassen, statt es durch ständig neuen Gebrauch und neue Entdeckun-
gen lebendig zu erhalten. Die Unrechtmäßigkeit des Feuerbesitzes
besteht danach gerade in der Beruhigung am einmaligen und vermeintlich endgültigen Gewinn. Nicht die Gunst der Götter hat der
Geschichte der Menschen gefehlt, sie selbst sind sich alles schuldig
geblieben (*ipsos sibi deesse*).

Thomas Hobbes hat die Prometheus-Allegorese – in einer Anmerkung zu seiner Vergleichung der drei Staatsformen: Demokratie,
Aristokratie und Monarchie – auf den Vorrang der monarchischen
Form angewendet; er sieht das Pantheon unter dem Patriarchat des
einen Jupiter. Dieser Vorrang muß nicht nur sachlich, sondern auch
historisch sein, weil sich nur daran die Theorie des Staatsvertrages
als der Rationalität des Übergangs vom Naturzustand in den
Absolutismus darstellen läßt. Die Errungenschaften der anderen
Staatsformen wären nur unter Verkennung der ursprünglichen

25 De sapientia veterum XXVI (ed. cit. VI 668-676).

Funktion durch Aneignung formaler Elemente abzuleiten. Das hätten auch die Alten an Prometheus gesehen. Der Feuerraub bedeute, daß die menschliche Erfindungsgabe Gesetze und Gerechtigkeit durch Nachahmung von der Monarchie entlehnt habe. Der Menschenbildner Prometheus stellt sich dar an der Belebung der Menschenmasse, gleichsam des Lehms und Bodensatzes der Menschheit, durch das aus seiner natürlichen Quelle entnommene Feuer zu der einen bürgerlichen Person, deren Machtausübung dann Aristokratie oder Demokratie heißt. Die Urheber und Helfershelfer dieser Übertragung des ursprünglichen Prinzips, die unter der naturgemäßen Herrschaft der Könige sicher und behaglich hätten leben können, müssen dafür nach ihrer Entdeckung die Strafe erleiden, an hoher Stelle herausgehoben zu sein und dort durch ständige Sorgen, Verdächtigungen und Streitigkeiten gepeinigt zu werden.[26]

Prometheus auf dem Kaukasus erscheint so als der Demagoge, der im rational nicht mehr abgeleiteten politischen Zustand die Last der Unnatürlichkeit und Instabilität der Ämter und Funktionen trägt. Er hat sich vom Ausgangszustand der politischen Vernunft, der gleichsam die Substanz aller ihrer Möglichkeiten enthielt, entfernt. Dabei sind die anderen Staatsformen aus den Trümmern der durch Aufstände aufgelösten Monarchie von den Menschen künstlich (*artificio hominum*) zusammengefügt worden. Prometheus ist dieses vom Ursprung der Vernunft abgefallene, zu labilen Ersatzkonstruktionen genötigte *ingenium humanum* selbst. Aber die politische Kunstfertigkeit ist eine des eigenen Rechts unfähige und daher auf Usurpation, auf ›Feuerraub‹, angewiesene Größe.

Obwohl bei Hobbes der staatliche Zustand gerade dadurch definiert ist, daß er aus der Überwindung des inneren Widerspruchs im Naturzustand hervorgeht, gibt es in der weiteren Geschichte nochmals die Differenz von Natürlichkeit und Künstlichkeit. Rationalität liegt in einem einzigen Akt und in dem aus ihm hervorgehenden einzigen Zustand ein für allemal beschlossen. Es ist der durch Prometheus präfigurierte Widersinn, die Erfindungsgabe auf deren Resultat in artistischer Leichtfertigkeit nochmals anzusetzen. Prometheus steht nicht für den Primärakt der Begründung des Staates,

26 Hobbes, De cive 10, 3-4. Eine andere, von der Figur des Adlers der Zukunftssorge beherrschte Ausdeutung im »Leviathan« I 12.

dessen Form vielmehr in der Herrschaft des Zeus präfiguriert ist, sondern für die wuchernde sekundäre Künstlichkeit, deren Motiv in jener Mißgunst gesehen wird, aus der die Gegner der Monarchie ihre politischen Bestrebungen betreiben. Von ihnen heißt es, sie würden sich mit Sicherheit auch der Herrschaft des einen Gottes entziehen, wenn sie es vermöchten.

Jakob Brucker, der erste nachhaltig wirksame Verfasser einer Geschichte der Philosophie nach den Regeln der historischen Kritik Bayles, von Goethe eifrig gelesen und Kants Hauptquelle für seine Kenntnis von der älteren Geschichte der Philosophie, hat aus der allegorischen Erhebung des Prometheus zum ersten Philosophen ein pedantisches Kapitel seiner Geschichtsschreibung gemacht. Getreu seinem Meister erörtert er sogar die Frage nach der historischen Existenz des Prometheus: *Zuforderst ist man noch nicht einig, wer Prometheus gewesen; Einige behaupten gar, es seye nie kein Mensch in der Welt gewesen, der also geheißen, sondern die Alten hätten dadurch den Menschlichen Verstand, Klugheit und Vorsichtigkeit verstanden, welche Gott den Menschen gegeben, die zum menschlichen Leben nöthige Wissenschafften zu erfinden.* Wie es sich gehört, werden auch die Versuche berichtet, in der Figur des Prometheus den Reflex biblischer Personen, des Adam, des Noah, des Magog, des Moses, zu finden. Freilich werden solchen Deutungen *schlechte Wahrscheinlichkeiten* zugebilligt.[27]

Daß in einer Philosophiegeschichte, trotz aller Zweifel an seiner Existenz, von Prometheus gesprochen werden müsse, liegt im Bedürfnis, die Behauptung nachzuprüfen, man habe ihn als den *ersten Erfinder aller guten Künste und Wissenschafften, und folglich auch der Philosophie bey den Grichen* anzusehen. Alle dieser Gestalt beigelegten Geschichten ergeben sich aus dem, was er für die Griechen getan hatte, indem er *ihre wilde und rauhe Sitten gebessert, und ihre Gemüther zahm gemacht, und cultivirt* habe. Bei Brucker hat die Menschenbildnerei keinen rebellischen Zug mehr, keine Beziehung auf Sündenfall und Paradiesverlust. Menschen gebildet zu haben, ist nur die Metapher einer kultivierenden Leistung, die *wilde Gemüther der Grichen erst zu einer Menschlichen Gestalt gebracht* habe. Eine Bestrafung für Prometheus wäre

27 Brucker, Kurtze Fragen aus der Philosophischen Historie. Ulm 1731-1736, I 2 c. 1 q. 4 (p. 227-229).

in diesem Zusammenhang ganz unverständlich; die Anschmiedung an den Felsen ist daher Fehldeutung seiner Beharrlichkeit in der Ausübung von Wissenschaft. Es bedeutet, daß er *auf diesem Ge-bürge lange Zeit der Astronomie obgelegen*. Wo es also auf Besei-tigung von Widersprüchen ankommt, entscheidet Brucker sich für die konsistente Version, während sonst der historische Befund nur zur Inventarisierung Anlaß gibt: *So lautet die Fabel; was aber derselbigen Verstand seye, davon gibt es unendlich viel disputirens.*

IV
Ästhetische Aufheiterung

Wer philosophisch denkt, dem ist keine
Geschichte gleichgültig, und sollte es
auch die natürliche Geschichte der
Affen seyn.
Heinrich Martin Gottfried Köster,
Über die Philosophie der Historie. 1775

Zwar ist Giambattista Vico nicht der erste, der dem Mythos seine eigene Ausübung von Vernunft gegeben oder zurückgegeben hätte, aber doch darin der erste, sie ihm ›systematisch‹ und im großen Verbund einer Theorie der Geschichte zugestanden – und vor allem: dies dem Geschmack der Nachwelt plausibel gemacht – zu haben.

Vicos Geschichtsbegriff macht die Nullpunktfiktion des Descartes nicht mit. Sie widerstreitet seiner fundierenden Annahme, daß Geschichte die Zeitform der Erfahrung ist, folglich nicht ihre Neuanfänge ohne Rücksicht auf Gewesenes und Überkommenes setzen kann. In dieser Einheit einer menschheitlichen Geschichte der Erfahrung sind die Entscheidungen sehr früh gefallen. Der schönste Vergleich dafür, wie das geschah, liegt in der Herausfindung und Benennung der Sternbilder durch die Astronomie, die damit schon in ihren Anfängen die Wahrnehmung auf ein mythisch geprägtes Gestaltensystem der Orientierung festgelegt hatte.

Was erscheint, erscheint nicht nur, sondern bedeutet auch etwas oder ist Ausdruck für etwas. Die Einbildungskraft übersetzt Bedeutung und Ausdruck in Geschichten, holt sie nachträglich aus ihnen zurück. Geschichten kann es nur geben, wenn die Träger von Bedeutung und Ausdruck Namen haben. Der paradiesische Mensch war zuerst Namengeber; der von dort Vertriebene müßte Namenfinder sein – verlegenerweise wird er zum Namenerfinder.

Die Konfiguration Prometheus-Adler-Herakles ermöglicht Vico

eine seiner Grundentscheidungen: Nicht der Feuerbringer, sondern der Bezwinger der Ungeheuer ist sein Stifter der Menschenmöglichkeit. Man erinnert sich daran, daß, aufs Ganze gesehen, die hellenische und hellenistische Welt die Entscheidung für Herakles trägt. Ohnehin gibt es den Dienst der Befreiung vom Adler nur in der attischen Version von Prometheus, während der dorisch-peloponnesische Formenkreis das hilfreiche Hinzutreten des Herakles nicht kennt. Der Sohn der Alkmene konnte mit seinen Taten, mit den Physiognomien seiner Niederstreckungen, die Phantasie anders entzünden als der Leidende auf dem Kaukasus. Man könnte auch sagen: Vico ist die Töpferei des Prometheus zu realistisch, zu dürftig in der Abgrenzung des bloßen Überlebens, Herakles eine weltläufige, sich erst zur Apotheose qualifizierende Figur. Prometheus erscheint gegen ihn als der *Typus des unwissenden und daher von stetiger Sorge um die Erhaltung des Daseins getriebenen lebensweltlichen Subjekts.*[28] Für Vico, der zu wissen glaubt, wie Mythen aus einer ursprünglichen Sinnlichkeit entstehen, steht Herakles für das, was in der von mir gebrauchten Sprache ›Arbeit des Mythos‹ genannt werden kann, auf die Vermutungen zu richten allein die ›Arbeit am Mythos‹ erlaubt – während Prometheus eher die Figur einer lähmenden Beklemmung ist, die so zu sehen und aus dem Zentrum der Aufmerksamkeit zu verbannen ihn die Allegorese im »Leviathan« von Hobbes veranlaßt haben mag.

Prometheus ist Vico suspekt. Er weiß nicht, daß er dem Zeus beim Kampf gegen die Titanen geholfen hatte. Vor allem beunruhigt ihn, der sich an die Namen hält, die Abtrennung der ›Vorsehung‹ von der mächtigsten Gottheit. Wenn die ›poetische Metaphysik‹ des Mythos auf eine urtümliche Wahrheitsquelle zurückgehe, wenn ihr Hauptinhalt die *auf Vernunft gegründete Theologie der Vorsehung in der Geschichte* sein soll, dann darf diese Geschichtsinstanz nicht in Konflikt mit Jupiter stehen.[29] Die Anschmiedung auf dem Kaukasus gehört zur Fesselung der Giganten durch die höchste Autorität; Fesseln sind die *Furcht vor dem Himmel und Jupiter und seinem Blitz*, der Adler, der hier sogar das Herz zerfrißt, ist *die Ehrfurcht vor Jupiters Auspizien.*

28 F. Fellmann, Das Vico-Axiom: Der Mensch macht die Geschichte. München 1976, 53-82.
29 Vico, Scienza Nuova (1744) II 1, 2 (dt. v. E. Auerbach, 160 f.).

In der »Poetischen Moral« werden die Giganten, unter ihnen wiederum Prometheus (den Vico nicht den Titanen zuordnet), durch Zähmung zu Begründern der Nationen und Beherrschern der ersten Gemeinwesen.[30] Die Furcht vor den Schrecken des Jupiter ließ sie von ihrer Gottlosigkeit und dem Kampf gegen den Himmel abstehen. Die Idee von Jupiter ist ganz aus tiefem Schrecken geboren und führt dennoch über die Domestikation des Schreckens der anderen zu einer Welt, in der selbst die Giganten fromm geworden sind. Denn der Geist ist von Haus aus gigantoman, er muß durch die Erkenntnis Gottes zur Erde gebeugt werden. Aber da dies in einer Geschichte geschieht, ist der Ursprung nie das Ganze. Für den Liebhaber des Herakles kann sich eben der Schrecken in Poesie verwandeln, während aus den Giganten nur brauchbare Häuptlinge werden, zur Seßhaftigkeit in einem verborgenen Leben der Scheu vor den Blitzen des Jupiter gezwungen. Verborgenheit heißt hier zugleich Sänftigung durch Scham: die Giganten scheuten sich, ihre bestialischen Begierden unter dem offenen Himmel zu befriedigen und zogen sich mit ihren Frauen in die Höhlen zurück, um dort in verborgener Lebensgemeinschaft der Liebe zu leben. Die Entstehung der Ehe als Institution ist an den Rückzug in die Höhle, an die Furcht vor den Schrecken des Blitzes im Freien außerhalb des Gehäuses gebunden. Die Höhle ist also nicht der ursprüngliche Raum, sondern die Retraite des offenen Trotzes, des Verzichts auf tierische Unstetigkeit, mit der sexuellen Prämie der Seßhaftigkeit.

Nochmals in der »Poetischen Ökonomie« läßt Vico Prometheus Dienst tun, das Feuer vom Himmel holen, indem er es von der Sonne nimmt. Vico weiß das aus dem Kult der Hütung des heiligen Feuers in Rom, das nur mit Hilfe der Sonne neu entzündet werden durfte, wenn es durch Nachlässigkeit erloschen war. Der früheste Zweck der Feuerspendung war aber nicht Handwerk und Kunst, sondern die Rodung der Wälder. Mehr als für diese Niederbrennung interessiert sich Vico für das Problem der nachherigen Festlegung von Gemarkungen ohne öffentliche Gewalt. Dies sei zwischen wilden Menschen die Sache einer furchtbaren Religion gewesen, die sie in ihre Grenzen bannte und mit blutigen Riten die ersten Mauern sanktionierte.[31] Überall geht es darum, den *ter-*

---

30 Scienza Nuova II 3, 1 (trad. cit. 213 f.).
31 Scienza Nuova II 4, 1 (trad. cit. 231).

minus a quo der Geschichte zu gewinnen, der diesseits der Schrecken liegt und ganz Poiesis sein soll. Es ist schon ein romantischer Grundgedanke, hier in der Mitte des Jahrhunderts der Aufklärung und noch vor dem deutschen Sturm und Drang, daß das Genie (*ingenium*) die Menschenmöglichkeit schafft, indem es Setzungen und Satzungen, Gestalten und Grenzen in die Wirklichkeit einführt.

Indem Vico sich dem cartesischen Programm des absoluten Anfangs gegen alles Bisherige als mögliche Vorbelastung widersetzte, vermied er das ungelöste Hauptproblem der Aufklärung, das ihrer geschichtlichen Selbsterfassung. Sie beansprucht, einen neuen Anfang kraft der natürlichen Vernunft gemacht zu haben und diesen Faden nicht wieder verlieren zu können. Aber auf ihr lastet, nun auch begründen zu müssen, wie es dieselbe Vernunft dahin kommen lassen konnte, daß ein radikaler Geschichtsschnitt überhaupt notwendig wurde. Wenn Vernunft eine Konstante der menschlichen Ausstattung ist, auf die man sich fortan sollte verlassen können, läßt sich nur schwer einsehen, weshalb sie nicht eine Konstante der menschheitlichen Geschichte seit jeher gewesen war. Die absolute Selbstsetzung der Vernunft in ihrer Richterlichkeit enthüllte unausweichlich ihre Kontingenz – und Kontingenz macht keine Zukunft zuverlässiger als ihre Vergangenheit.

Die Lösung – oder der Versuch zu ihr – lag darin, den Menschen aus anderen Bestandsstücken seiner Verfassung zu diskriminieren, um die neue Epoche in der Möglichkeit ihrer Leistung freizusetzen. Selbst Kant bezeichnet die Unmündigkeit, aus der herauszugehen die Aufklärung ermöglichen sollte, als *selbstverschuldet*; doch bleibt er uns schuldig zu sagen, worin diese Selbstverschuldung gegen eine Vernunft bestanden haben sollte, die sich nun so erfolgssicher präsentierte. Offenbar war Kant zum Zeitpunkt seiner viel nachgesprochenen Definition der Aufklärung, 1784, noch nicht bereit, wie in seiner Religionsschrift zehn Jahre später, das alte Erbsündendogma philosophisch aufzurüsten, um sich einen frühen Ausgangspunkt für die Unmündigkeit der Vernunft zu verschaffen. Mit Recht, denn dies schloß Anerkennung einer Bestrafung ein, die offenkundig ein Verhängnis über der Geschichte bedeutete und jeder selbstmächtigen Erhebung des Menschen in den Zustand vollen Vernunftgebrauchs das Recht und den Atem benahm. Diese

Affinität jeder Schuldfeststellung für die Korruption der Vernunft zum Erbsündendogma hat der Aufklärung Antworten auf die Frage nach der Selbstentmachtung der Vernunft erschwert.

Unter diesem Aspekt ist Rousseau deutlicher geworden als landläufig gewagt wurde. Er hat die Grenzen des Lebensraumes im Naturzustand des Menschen als die Demarkationslinie beschrieben, deren Überschreitung – aus den natürlichsten Gründen der Neugierde und der exotischen Wünsche – die Geschichte auf einen Umweg führen mußte, dessen Anstrengungen wie Gewinne immer neue Belastungen und Bedürfnisse aufbrachten, aus dem es aber auch keine Rückkehr zur vernünftigen Dürftigkeit mehr gab. Unwiderruflichkeit gehörte zur Existenz des Menschen als des jeder Härte fähig eingeschätzten Wesens wie zu seiner Geschichte, auch als einer schon mißratenen. Der Urzustand hätte der Vernunft genügen können und müssen, weil er der Selbsterhaltung genügte. Mehr schließt Vernunft nicht ein.

Daß die von der Vernunft inszenierte Unvernunft des geschichtlichen Umwegs nicht tödlich ausgehen kann, scheint dadurch verbürgt zu werden, daß Vernunft wiederum darin besteht, durch die Herausforderung ihrer Fehler zur Kontrolle und Gegensteuerung gebracht zu werden. Die Vernunft reguliert die von ihr in Gang gebrachte Unvernunft so, daß sie anhand der Rücksichtslosigkeit gegen sich selbst – so die Idee der Vernunftkritik – durchgestanden werden kann.

Dieses Konzept hat alle Bestimmungsstücke, die den Blick auf Prometheus zwanglos nahelegen. Rousseau beginnt den zweiten Teil seiner Preisschrift auf die Frage der Akademie von Dijon im Jahre 1750 mit dem Hinweis auf einen ägyptischen Vorfahren des Prometheus, den Gott Teut, der durch Erfindung der Wissenschaften *un dieu ennemi du repos des hommes* geworden sei. Die originale Anmerkung zum Text verweist auf eine selten bemühte Nebenform der griechischen Prometheus-Bearbeitung, auf den »Prometheus Pyrkaeus«, das Fragment des Satyrspiels von Aischylos in dessen bei Plutarch überlieferter anekdotischer Fassung: Der Satyr, der zum erstenmal Feuer sieht, will es küssen und umarmen, aber Prometheus warnt ihn vorm Ansengen seines Bartes: *Satyre, tu pleureras la barbe de ton menton, car il brûle quand on y touche.* Prometheus also bringt das Feuer – und er warnt vor den

Folgen seines Raubgeschenks. Das mußte Rousseau gefallen, und er scheut sich nicht, den Text bei Plutarch um ein entscheidendes Satzstück zu kürzen; denn Prometheus hatte dort seiner Warnung hinzugefügt: ... *aber es gibt Licht und Wärme*.[32] Aus dieser Deszendenz also kommt Prometheus auf das Titelblatt des ersten Discours.

Christoph Martin Wieland hat 1770 sein »Traumgespräch mit Prometheus« im Zusammenhang mit seiner Abhandlung »Über die von J. J. Rousseau vorgeschlagenen Versuche den wahren Stand der Natur des Menschen zu entdecken« veröffentlicht.[33] Hier ist der neu gestiftete Zusammenhang zwischen der Prometheus-Exegese und der Aufklärungsfrage nach der Natur des Menschen greifbarer als bei Rousseau selbst. Wieland sieht als Rousseaus Problem, die natürliche Beschaffenheit des Menschen durch Erfahrung zu ermitteln unter Bedingungen, die diese natürliche Beschaffenheit längst beseitigt haben. Die raffinierte Iteration, ob denn unter Bedingungen *im Schoße der Gesellschaft* nicht das Organ der Erfahrung selbst bis zur Unfähigkeit, das Natürliche zu unterscheiden, deformiert worden sei, wird zum Glück für den Leser nicht ins Auge gefaßt.

Was man als das ›platonische‹ Problem einer solchen Untersuchung bezeichnen kann, nämlich vorher schon wissen zu müssen, was man sucht, um die Mittel der Untersuchung entsprechend einrichten zu können, ist als Zirkel eingeführt: *Denn, wenn diese Mittel so gewählt werden müssen, daß wir gewiß sein können, der Natur die Antwort, welche sie uns geben soll, nicht selbst untergeschoben zu haben, so – müssen wir die menschliche Natur schon sehr genau kennen; und eben, weil wir sie gern kennen möchten, sollen diese Versuche angestellt werden.* Welche Paradoxien der Versuch am Aufwachsen von Menschenkindern außerhalb der Gesellschaft zutage fördern müßte, wird von Wieland besprochen. Aber seine These ist, daß ein solches Experiment ganz unnötig wäre, selbst wenn sich seine Vorbedingungen herstellen ließen, weil es uns nichts Neues lehren könnte. Schon die menschliche Geschichte sei

32 Plutarch, De capienda ex inimicis utilitate (Moralia VI; 86 EF. Ed. H. Gärtner, I 173). Die These des Traktats ist umwegig teleologisch: Nicht alles in der Welt ist dem Menschen freundlich; aber auch, was ihm unfreundlich ist, versteht er zu nutzen.

33 Wieland, Sämmtliche Werke. Leipzig 1857, XIX 203-239.

nämlich, statt die monströse Perversion des natürlich Möglichen,
die mit größten Mitteln angestellte Durchführung des von Rousseau
vorgeschlagenen Experiments. Der Naturzustand ist der Inbegriff
der Bedingungen des Geschichtszustandes. *Das große Experiment
wird auf diesem ganzen Erdenrunde schon viele tausend Jahre lang
gemacht, und die Natur selbst hat sich die Mühe genommen, es zu
dirigieren, so daß den Aristotelessen und Pliniussen aller Zeiten
nichts übrig gelassen ist, als die Augen aufzutun und zu sehen, wie
die Natur von je her gewirkt hat und noch wirkt und ohne Zweifel
künftig wirken wird ... Nein, lieber Rousseau! so arme Wichte
wir immer sein mögen, so sind wir es doch nicht in einem so ungeheuern Grade, daß wir nach den Erfahrungen so vieler Jahrhunderte noch vonnöthen haben sollten, neue unerhörte Experimente
zu machen, um zu erfahren – was die Natur mit uns vorhabe.*
Wenn das Experiment mit den von der Gesellschaft Unberührten
im Schoße der Gesellschaft weder gemacht werden kann noch gemacht zu werden braucht, so wird daraus eine nur noch ästhetische
Konfiguration, *deren Möglichkeit sich wenigstens träumen läßt.*
Der Träumer sieht sich im Gebirge vor dem an den Felsen ge-
schmiedeten Prometheus. Beide werden, *wie es in Träumen ge-
bräuchlich ist, in einem Augenblick die besten Freunde.*
Der Träumer glaubt, wirklich den Urheber der menschlichen Gattung vor sich zu sehen, der die Menschen aus Lehm und Wasser
gemacht *und Mittel gefunden hatte, ihnen, ich weiß nicht wie,
dieses wundervolle ich weiß nicht was zu geben, das sie ihre Seele
nennen.* Prometheus will Nachricht von den Menschen, wie es um
sie stehe und wie sie sich ihr Dasein zunutze machten. Der Träumer gibt Auskunft, aber er möchte nicht sagen welche. Jedenfalls
habe Prometheus daraufhin den Kopf geschüttelt und etwas dazu
gesagt, was keinesfalls eine Lobrede auf seinen Vetter Jupiter war,
von dem er sagt, daß er ihm *die Freude nicht gegönnt habe, seine
Geschöpfe glücklich zu machen.* Die Weisen hätten sich bemüht,
dem nachzuhelfen, und einer ihrer Ratschläge sei, in den Stand
der Natur zurückzukehren. Auf die Rückfrage des Prometheus
berichtet der Träumer ohne großes Wohlwollen, wie man sich
diesen Naturzustand vorstelle: ... *nichts denken, nichts wünschen,
nichts thun, sich nichts um andere, wenig um sich selbst und am
allerwenigsten um die Zukunft bekümmern ...*

Hier geschieht etwas, was in philosophischen Dialogen, selbst in geträumten, kaum je geschieht und was im jämmerlichen Zustand des angeschmiedeten Gottes keine Tragödie hätte zulassen können: Prometheus bricht in ein *herzliches Gelächter* aus. Denn er erinnert sich offenkundig an eine früheste philosophische Szene, in der ebenfalls gelacht wurde, an den Sturz des Protophilosophen Thales und seine thrakische Magd. Er sagt nämlich, die gegenwärtigen Philosophen seien noch immer wie ihre Vorgänger, welche *nie sehen, was vor ihrer Nase liegt, weil sie sich angewöhnt haben, immer wer weiß wie weit über ihre Nase hinauszusehen.* Das ist fast wörtlich der Kommentar, den bei Plato die thrakische Magd zu ihrem Gelächter gibt.[34]

Der satirische Trick Wielands ist, daß er den mythischen Urheber des Menschen gegen den philosophischen Absolutismus der Natürlichkeit auftreten läßt: *Aber ich denke doch, – ich, der die Menschen gemacht hat, sollte am besten wissen, wie ich sie gemacht habe.* Von diesem gut in das Jahrhundert des Träumers passenden Argument darf allerdings der ›Menschenmacher‹ sich nicht viel versprechen: *Deine Philosophen scheinen mir die Leute nicht zu seyn, die sich von Prometheus belehren lassen...* Sie würden sich nicht anders verhalten als Jupiter, der die von Prometheus gemachten Menschen als *albernes Machwerk* bezeichnet habe; noch im Nektarrausch würde er Besseres zustande gebracht haben.

Wie war Prometheus dazu gekommen, Menschen zu machen? Hier gibt es eine Lücke im Mythologem auszufüllen. Er habe gerade nichts Besseres zu tun gehabt, erzählt Prometheus dem Träumer, als er darauf verfiel, die Erde mit Lebewesen zu bevölkern, mit Tieren von allen Gattungen, *unter denen manche grotesk genug aussehen, um die Laune zu verrathen, worin ich sie machte.* Es ist die Welt des Rokoko, nicht die des antiken Kosmos, die hier entsteht. Auch als Prometheus *endlich die Lust ankam, eine Gattung zu versuchen, welche eine Mittelart zwischen uns Göttern und meinen Thieren seyn sollte,* war dies immer noch *ein bloßes Spiel.* Aber unter der Hand geriet es ihm zu einer Schöpfung, zu der er *eine Art von Liebe* in sich entstehen fühlte, daß er glückliche

34 H. Blumenberg, Der Sturz des Protophilosophen. Zur Komik der reinen Theorie, anhand einer Rezeptionsgeschichte der Thales-Anekdote. In: W. Preisendanz, R. Warning (Hrsg.), Das Komische. München 1976 (Poetik und Hermeneutik VII), 11-64.

Geschöpfe zu machen sich vornahm. Was ihm vorschwebte, war ein musikalisches Instrument mit unendlich subtilen Saiten, auf dem die Natur die schönste Harmonie spielen würde.

Nach Wielands Absicht soll es offenkundig dieser verspätete Entschluß sein, an dem Produkt des Zeitvertreibs in ein moralisches Engagement einzutreten, was die Schwierigkeit der menschlichen Natur und ihr künftiges Geschick zu erklären hat. So entsteht eine Pygmalion-Fabel, die noch in der Erinnerung des Bildners die Schwärmerei für sein Gebilde wiederholt. Sie ließ ihn den Zorn des übermächtigen Göttervetters riskieren, um den Menschen das Glück zu verschaffen. Prometheus begreift nicht, wie sie es angefangen haben, daß sie nicht glücklich geworden sind. Der Titan greift nach dieser zunächst konsistenten Selbstauslegung seines Werks zu dem verzweifelten Mittel, das sich dem eigenen Mythologem als eine Art Theodizee angeschlossen hatte: es muß die Büchse der Pandora gewesen sein, der Behälter der *tausend in die Farbe des Vergnügens gekleideten Bedürfnisse.*

Genau genommen, entpuppt sich der Prometheus des Traumes selbst als Rousseauist: Er habe seinen Menschen gerade nur so viel Verstand gegeben, wie sie nötig hatten, *um glücklicher zu seyn als sie es durch die Sinne allein gewesen wären.* Aber indem Prometheus die Idylle des Naturzustandes, der ursprünglichen Schäferszene ausmalt, verliert er für den Träumer alle Glaubwürdigkeit, weil um so mehr an unfaßlicher Kausalität auf eine fremdbestimmte Tücke, auf das Unheil der Pandora entfällt. Was wird der so unbefriedigt gebliebene Träumer beim Erwachen aus dem Gefäß der Pandora machen? *Was für eine Büchse konnte das wohl seyn, die so viel Unglück anzurichten vermochte?* Der Wieland von 1770 macht aus der fatalen Büchse der Pandora schließlich auch noch ein Stück Rokoko. Sie sei eine wirkliche Büchse im Wortverstande gewesen, nämlich eine Schminkbüchse.

Die Auseinandersetzung mit Rousseau endet in einer Parodie auf Rousseau: Die vermeintliche Unnützlichkeit der menschlichen Kultur konzentriert sich in der Mode der falschen Jugend und Schönheit, der gestaltgewordenen Differenz von Schein und Sein, dem unseligen Hang, die *kunstlose Unschuld und Aufrichtigkeit der menschlichen Natur* zu überlisten. Die Möglichkeit zu scheinen, was man nicht ist, habe bald auf alle Lebensgebiete des Menschen übergegriffen: wie es kein natürliches Gesicht mehr gab, so auch keinen natürlichen Charakter. *Alles war geschminkt und verfälscht; geschminkte Frömmigkeit, geschminkte Freundschaft, geschminkter Patriotismus, geschminkte Moral, geschminkte Staatskunst, geschminkte Beredsamkeit. – Himmel! was wurde nicht geschminkt? – Die menschliche Gesellschaft glich nun einer großen Maskerade ...* Aber dieser Kunst des Scheins folgte notwendig die andere, mit dem Schein fertig zu werden, ihn zu durchdringen, um ihm nicht zum Opfer zu fallen, kurz: die Notwendigkeit, *immer auf neue Künste zu denken, um diese Kunst zu vereiteln.* Der List folgt die Hinterlist, der Maskerade die Entlarvung, der Kosmetik das Pathos der nackten Wahrheit, der Rhetorik die Aufforderung, zu den Sachen zu kommen. Der mythisch initiierte Prozeß verselbständigt sich, gerät ganz in die Hand des Menschen. Dessen Vernunft erweist sich als ein iteratives Organ. Sie muß immer wieder auf das zurückkommen, was hinter ihr zu liegen scheint; als Kritik ist sie wieder der Kritik bedürftig – *quousque tandem?*

Die genuine Bereitschaft, mit der die Menschen nach der Schminkbüchse der Pandora griffen, um ganz in der Technik und Gegentechnik des Scheins aufzugehen, führt Wieland von seinem Prometheus-Traum zu der Schlußthese seines Traktats, die Menschen wären um ihre Ursprünglichkeit auch dann gekommen, wenn es eine Pandora und ihre Büchse nie gegeben hätte. Prometheus konnte die Menschen für glücklich halten, weil er, verbannt in den Kaukasus, nicht mehr Zeuge ihrer Geschichte geworden war: *man mußte so sehr in sein eigenes Werk verliebt seyn, als er es war, um nicht zu sehen, wo der Fehler lag.*

Worin aber lag er? *Geschöpfe, deren Unschuld und Glückseligkeit von ihrer Unwissenheit abhängt, ... befinden sich immer in einer sehr unsichern Lage ...* Jetzt erst versteht man, weshalb in dem »Traumgespräch« des Feuerraubs keine Erwähnung geschah: Die Aufklärung durfte durch Prometheus nicht stattgefunden haben, damit sie im 18. Jahrhundert stattfinden konnte. Der Fehler des Prometheus, ausgewiesen durch die bisherige Geschichte, sollte sich als kleiner Mangel einer insgesamt glücklichen Konzeption und damit als höherer Eingriffe nicht bedürftig erweisen. Etwas zu wenig Verstand – das mußte sich durch ein Bildungsprogramm ausgleichen lassen.

Als Wieland 1792 im vorletzten seiner »Göttergespräche« das
Prometheus-Mythologem erneut berührt, hat sich der Prospekt
verdüstert. Die Revolution hatte dem Rokoko den Garaus gemacht. Rousseaus Erwartungen hatten sich nicht erfüllt; an die
Stelle der kostümierten Schäfer waren nicht die urwüchsigen Naturmenschen getreten, sondern die ebenfalls kostümierten Tugend-
bürger der altrömischen Republik. Der politische Disput auf dem
Olymp über die philosophische Abstammung der Revolution führt
sehr schnell von den ›Sankülotten‹ über die ›Cyniker‹ zu den
›Naturmenschen‹, die statt aller Philosophen *die wahren Urbilder
der Sankülotterie, die Sankülotten in der reinsten und erhabensten
Bedeutung dieses ehrenvollen Namens* gewesen seien, wenn die
›fortschrittliche‹ Tochter des Zeus, Minerva, recht haben sollte. Zu
diesem Urzustand würde es im letzten Resultat von Freiheit und
Gleichheit auch zurückführen, *wenn es Ernst damit wäre, und
diese schönen, aber übel gemißbrauchten Worte nicht bloß einer
Bande schlauer Betrüger zu Talismanen dienten, um sich ungestraft
jeder Autorität und Ordnung, die ihrer Herrschsucht und Habsucht
Schranken setzen will, entgegen zu bäumen.*[35]
Seinen Jupiter läßt Wieland meinen, der moderate Kern des großen Geschreis läge in der Absicht, durch eine *ganz besondere
Umbildung der ganzen Nation* die verheißenen goldenen Zeiten
wenigstens für eine künftige Generation durch eine *ganz neue Art
von National-Erziehung* vorzubereiten, die *unter den jetzt lebenden nicht zu Stande kommen, aber wovon doch, wenn sie endlich
Wurzeln geschlagen habe, die dritte oder vierte Generation unfehlbar die Früchte sehen werde.* Man müsse nur warten können.
Dem Realismus der Minerva erscheint es unglaubwürdig, daß auch
eine beliebige Fähigkeit zu warten jemals die späteste Nachkommenschaft in den Genuß der verheißenen Früchte setzen könne.
Hier fällt nochmals der Name des Prometheus, um eine Antithese von Natürlichkeit und Künstlichkeit zu formulieren. Keine
Anstrengung der Kunst könne möglich machen, was die Natur
unmöglich gemacht habe, *und Prometheus müßte nur einen ganz
neuen Lehm finden und daraus eine ganz neue Menschenart bilden,* um mit ihnen die utopische Republik der Revolution zu

35 Wieland, Göttergespräche XII (Ausgewählte Werke, ed. F. Beißner, III
727-741).

besetzen. Es hätte nicht genügt, die Monarchie zu Staub zu zermahlen, um daraus die plastische Masse für die neuen Gebilde zu erzeugen. Nicht das philosophische Programm der Utopie findet den Spott der Götterfamilie, sondern die demiurgische Unzulänglichkeit des Prometheus. Die mythische Sachlage bleibt, daß der Mensch eben kein legitimes Geschöpf derjenigen Götter ist, auf deren Weltordnung solche Ideen hätten bezogen sein können. Das philosophische Kunstwerk der Utopie kann sich nicht auf die gegebene Weltordnung berufen, weil es ohnmächtig ist gegen den Riß in der Ursprungsgeschichte des Menschen.

Jupiter ist voller Resignation. Er ist nach dem Dekret des Theodosius vor Langeweile zum Philosophen geworden, und das läßt ihn daran zweifeln, ob sich durch den Kulturprozeß der Geschichte die Vernunft habe kultivieren lassen. *Nichts davon zu sagen, daß wir Götter mehr als die Hälfte unserer Macht mit dem Glauben der Menschen an uns verloren haben, würde ich sie etwa durch Blitze und Donnerkeile vernünftiger machen? ... Haben wir an unserer Seite nicht vorlängst alles getan, um der Unvollkommenheit und Schwäche ihrer zweideutigen Natur zu Hülfe zu kommen?* Die Götter hätten den Menschen aus seinem wilden Urzustand herausgeführt, Familie und Gesellschaft begründet, das Leben durch Ackerbau und Künste erleichtert und verschönt, Gesetze, Religion und Polizei eingeführt, die Musen und die Philosophie ihnen zugeschickt, *um sie von allen Überbleibseln der tierischen Wildheit ihres ersten Zustandes zu befreien.* Die Menschen seien glücklich gewesen und geblieben, solange sie sich von den Göttern hätten regieren lassen. Doch habe die Vollkommenheit dieser Anleitung zugleich die Illusion ihrer Überflüssigkeit geschaffen. *Wir brachten sie so weit, daß sie unser zuletzt entbehren zu können glaubten; sie kehrten unsere eigenen Wohltaten gegen uns, kündigten uns den Dienst auf, liefen einem neuen Phantom von übermenschlicher Vollkommenheit nach, und verfielen unvermerkt, durch die Geringschätzung und Verabsäumung der Mittel, wodurch wir sie zu Menschen gemacht hatten, in eine Barbarei, die ganz nahe an die rohe Tierheit ihres ersten Zustandes grenzte.*

Es ist offenkundig das finstere Mittelalter nach dem antiken Paganismus, das aus Jupiters Aspekt geschildert werden soll. Die Renaissance erscheint als ein kurzes Zwischenspiel der Besinnung auf die ursprünglichen Quellen der Kultur, die durch das alte Spiel wiederum zunichte gemacht worden sei, indem *die Epoke der höchsten Aufklärung immer diejenige war, worin alle Arten von spekulativem Wahnsinn und praktischer Schwärmerei am stärksten im Schwange gewesen seien.* Die Erziehung des Menschengeschlechts ist gescheitert, weil *so schwache und unhaltbare Geschöpfe, wie dieses Töpferwerk des Prometheus,* die Probe nicht bestanden haben.

Unter der These, der Mythos als früheste Verarbeitung der Schrekken des Unbekannten und der Übermächtigkeit sei selbst eine Handlungsform der Vermenschlichung der Welt und die Arbeit am Mythos setze diese Handlung als geschichtliche fort, ergibt sich zwangsläufig die Frage nach der reflexiven Erfassung dieser Funktion und der Möglichkeiten, seine immanente Tendenz fortzusetzen: zu humanisieren, was schon Humanisierung ist. Anders gefragt: Wann ist zum Programm erhoben und ausdrücklich gemacht worden, was schon immer zu leisten, aber auch geleistet worden war? Daß das mit der Reflexionsstufe des Historismus zu tun haben könnte, wird man von vornherein vermuten dürfen.

Herder hat seine Szenen »Der entfesselte Prometheus« 1802 in der »Adrastea« veröffentlicht. Sowohl die Handschrift, auf der der Druck beruht, als auch eine abweichende sind erhalten. Vorangestellt ist eine Widmungsvorrede an den alten Gleim. Wir kennen die Veranlassung zu dieser Widmung. Gleim hatte Herder am 14. November 1802 zu einer anderen Dichtung, dem Melodrama »Ariadne«, Lobendes geschrieben, zugleich aber durchblicken lassen, er würde, sofern noch bei schriftstellerischen Kräften, über die *unmenschlichen Mythen der Griechen* schreiben und sich gegen sie erklären. Das kräftigste Beispiel ist ihm zur Hand, denn er hat gerade Stolbergs Übersetzung der Prometheus-Tragödie des Aischylos gelesen. Diese Mythe scheine ihm *eine der unmenschlichsten zu sein. Ein Menschenfreund wird so entsetzlich gestraft! Welch einen Nutzen kann solch eine Mythe unter uns, die wir bessere Begriffe von den Göttern haben, stiften?*[36]

Herder glaubt, den Gegenbeweis antreten zu können und sogar zur Hand zu haben. Caroline antwortet Gleim am 30. Dezember, ihr Mann hätte gerade den »Entfesselten Prometheus« als *ein Gemälde* gemacht, als Gleims *Aufmunterung kam, die unmenschlichen*

36 Herder, Sämtliche Werke. Ed. B. Suphan, XXVIII 563.

Mythen der Alten menschlicher zu machen. Da ist die Formel, die
noch und wieder Thomas Mann gebrauchen wird. Gleim hatte
noch nichts davon geschrieben, die Mythen seien menschlicher zu
machen; er hatte vielmehr am Beispiel des Prometheus seinen
Abscheu für sie entdeckt und sich gegen sie erklärt. Da aber hatte
Herder schon eine Arbeit am Mythos vollendet, die er dem Abscheu entgegenstellen konnte.

Die Vorrede an Gleim macht keine Anstrengung zum Widerspruch
gegen den Vorwurf der Unmenschlichkeit des Mythos. Herder
bestätigt, er sei stets der Meinung Gleims gewesen, daß *die harte
Mythologie der Griechen aus den ältesten Zeiten von uns nicht
anders als milde und menschlich angewandt werden dürfe.*[37] Seine
Probe solcher Anwendung könne sich daher schon der Gattung nach
nicht mit der Tragödie des Aischylos vergleichen; sie nenne sich
nicht einmal Drama. Wenn man aber nicht wagen dürfe, *zu unserer
Zeit Prometheus' Charakter, wie Aeschylus ihn darstellt, fortzu-
führen,* was bleibt dann an der mythischen Vorgabe verbindlich?
Sie sei, so Herders trockene Antwort, *ein sehr lehrreiches Emblem.*

Diese Auskunft mochte selbst Herder zu dürftig erscheinen. Er stellt
sich deshalb in die Tradition der Allegorie und läßt den Mythos
selbst zu einem Stoff werden, der aus dem von Prometheus geraubten und den Menschen gebrachten Feuer stamme, so daß jeder,
der Arbeit an dieser Substanz von höherer Abkunft leistet, einer
menschheitlichen Verbindlichkeit nachkomme. Die Elemente des
Mythologems seien *ein so reicher Stoff zur Bildung eines geistigen
Sinnes in ihren Gestalten, daß sie uns zuzurufen scheinen: ›Ge-
brauchet das Feuer, das Euch Prometheus brachte, für Euch! Lasset
es heller und schöner glänzen: denn es ist die Flamme der immer-
fortgehenden Menschen-Bildung.* Herder führt also nicht nur zur
Begründung seiner Absicht den Mythos als Allegorie ein, sondern
er bezieht auch die Art seines Vorhabens auf eine ihm spezifisch
erscheinende Freiheit der Tradition. Es habe Francis Bacon und
anderen freigestanden, in die Mythe ihren Sinn zu legen – wem
sollte dann diese Freiheit versagt sein? Zumal *wenn er den edel-*

---

37 Herder, Der entfesselte Prometheus. Scenen. Zuerst in: Adrastea IV 1. 1802
(Sämtliche Werke, ed. B. Suphan, XXVIII 329-368; mit der abweichenden Fassung: 352 ff.).

sten, vielleicht auch den natürlichsten Sinn in sie legt, die Bil-
dung und Fortbildung des Menschengeschlechtes zu jeder Cultur;
das Fortstreben des göttlichen Geistes im Menschen zu Aufweckung
all seiner Kräfte.

Nun wird man nichts mehr fürchten, als daß der mythische Prometheus unter diesen Prämissen gemütlich und bieder geworden
wäre. Die Szenenanweisung läßt ihn auf dem Felsen sitzen, statt
an ihm stehen. Die Fesselung ist zumindest in der Handschrift in
ein ›lose gefesselt‹ gemildert, was auch der Text des ersten Monologs begründet, indem er nicht nur sagt, die Zeit helfe alles tragen,
sondern auch, daß *bei hochherzigem gefaßten Muth / Die Bande*
selbst sich weiten... Vor allem aber leidet dieser Prometheus
nicht unter der Vergeblichkeit seines Leidens. Sein stärkstes Trost-
mittel ist seine Geschichtsphilosophie. Die Fessel des Prometheus
ist die Allegorie der unvollendeten Geschichte seiner Geschöpfe:
Wenn der Stärkste deiner Menschen / Die größte That vollbracht
hat, wenn du selbst / Die Tapferste vollführt, dann lösen sich / Die
Fesseln, und du siehst dein großes Werk / Gedeihn auf Erden. Das
ist, im inneren Monolog, die Stimme der Weissagung. Sie schließt
mit dem einen Satz, den man in diesem Jahre 1802 keinem Prometheus zugetraut hätte: *Vernunft gedeiht auf Erden.*

Später wird Mutter Themis von ihrem Thron zu dem befreiten
Prometheus sagen, seine Fesselung am Felsen des Kaukasus sei
nichts anderes als die Begünstigung seiner eigenen Zwecke gewesen, die Verhinderung demiurgischer Übereilung mit der Geschichte
des Menschen, die Überzeugung selbst der Olympier zur Menschenfreundlichkeit: *Hättest du, / Was langsam nur geschehen konn-*
te, schnell / Und rüstig übereilt; du hättest selbst / Dein Werk zer-
trümmert...

Prometheus betreibt die Sache seiner Menschen bei den anderen
Göttern, exemplarisch bei Oceanus. Es ist eine Komposition aus
naturrechtlichen und biblischen Elementen. Die Beschwerde des
Meeresgottes über die Störung durch den seebefahrenden Menschen
weist Prometheus mit einem aus der stoischen Tradition kommenden Argument zurück: *Im weiten Welten-Raum / Gehöret Alles*
Allem. Das ist der Grundsatz, nach dem auch der Feuerraub nur
als erste Wahrnehmung des Naturrechts erscheint. Er wird Vollstreckung eines Eigentumsrechts an der Natur, das zu vollziehen

die Menschen nur zu ohnmächtig gewesen waren. Der Demiurg Prometheus steht auf der Seite des demiurgischen Menschen gegen das alte Unberührtheitsprinzip der Natur als der *terra inviolata*. Die Menschen, so kündigt er dem Oceanus an, würden die Grenzen seines Reiches verändern, Meer und Meer verbinden oder trennen – und auf die Frage des Oceanus, ob das auch recht getan sei, verweist der Titan nur darauf, daß die Menschen stark genug sein würden, es zu tun. In dem von der gedruckten Fassung abweichenden handschriftlichen Entwurf heißt es: *Der Mensch, wenn es ihm frommt, / Soll, was er kann.*

Herder meinte, alles getan zu haben, das Prometheus-Mythologem menschlich erscheinen zu lassen, indem er die Götter zu Prometheus und damit zum Daseinsrecht der Menschheit bekehrt zeigte. In dem abweichenden Entwurf hat er eine Schlußszene zwischen Prometheus und seiner alten Gönnerin Pallas Athene, in der sie die mit seinem Namen verbundene Moral von der Geschichte ausspricht, ›Voraussicht‹ ohne tugendhafte Taten sei verderblich, und dem Titanen den Sieg zuspricht – den er doch nach der Götterordnung nicht mehr erringen kann –: *der Götter Göttlichstes / Und Seligstes wird reine Menschlichkeit.*

Die Härte des Mythos hatte darin bestanden, in der Unbezwingbarkeit des Titanen, nicht in seinem Sieg, die Unwiderruflichkeit des Menschen und seines Lebensrechtes erstritten zu sehen. Es war ein Mythos von der Unvernichtbarkeit des Menschen, nicht von der Vollendung seines Glücks, die ihm unbekannt und unglaubwürdig bleiben mußte. Deshalb erscheint, entgegen Herders berückender Absicht, der genuine Mythos humaner als die ›Szenen‹ auf der Schwelle zwischen Aufklärung und Romantik. Im Mythos erfährt Zeus zwar von der Bedrohung seiner Herrschaft, aber er wendet sie ab durch den Verzicht auf die Endgültigkeit seiner Rache. In der abweichenden Handschrift von Herders Dichtung läßt er Prometheus auf die durch Merkur überbrachte Frage nach dem Geheimnis der bedrohten Herrschaft des Jupiter antworten, der Gott stürze sich selbst vom Throne: die Götter verließen bereits den Olymp, um die Erde, die vom Menschen kultivierte und verwandelte, zu ihrem Himmel zu erwählen. Die Allegorese des Mythos deklariert das Ende des Mythos, für dieses Mal durch Emigration seiner Götter.

Herders »Adrastea« ist ein Werk der Jahrhundertwende. Es
suggeriert die Endgültigkeit der Erfolge des vergangenen, die Per-
spektive des beginnenden Jahrhunderts. Aber es ist etwas an Kants
Urteil, Herder sei ein *großer Künstler von Blendwerken,* und an
dem Goethes, er *existierte in einem unaufhörlichen Blasenwerfen.*
Die Prometheus-Szenen machen sich die Erleichterung zu leicht. Es
ist, als habe er von Jacobis Publikation der Prometheus-Ode im
Spinozismus-Streit, an dem doch auch Herder mit seinen Gott-
Gesprächen von 1787 teilnahm, niemals Kenntnis genommen. Die
Unausgetragenheit des innersten Konflikts wurde zwar erst erkennbar, als Goethe den Stoff mit der »Pandora« wieder aufnahm,
aber sie hätte zumindest Hemmung vor der Ungewichtigkeit dieser
Auflösung sein müssen. Anders gesagt: Herder war entgangen,
welche Arbeit am Mythos, ausgedrückt durch die an diesem einen,
noch anstand.

Es ist gewiß nicht gleichgültig, aus welchen Quellen sich die Spät-
horizonte des Mythos aufspannen. Gewichtig ist die große Verspätung, mit der die griechischen Texte zugänglich und über den
engsten Kreis der Philologen hinaus vertraut wurden. Für Prometheus gilt das zumal von der Tragödie des Aischylos. Zumeist
jedoch ist die Variationsbreite der rezeptiven Veränderungen in
den Eigentümlichkeiten der Information aus zweiter und dritter
Hand angelegt. Man kann sich fragen, wie Goethes erste Arbeit
am Prometheus-Mythologem ausgefallen wäre, wenn er einer
anderen Quelle als dem Mythologischen Lexikon des Pedanten Hederich begegnet wäre – der im Jahrzehnt dieser Dichtung nächst-
liegenden etwa, der Französischen Enzyklopädie.

Werke dieser Art stehen wegen des alphabetischen Vollständig-
keitszwangs, gerade in ihren peripheren Stichworten, oft eher für
den Zeitgeist von gestern als für den von morgen, auf den sie es
abgesehen haben. Doch läßt eben diese programmatische Schwäche
den Spielraum für eine exzeptionelle Verarbeitung, während der
schon seinerseits prononcierte Artikel – etwa eines Diderot – die
Lizenz des kräftigen Zugriffs nicht mehr gibt, weil er sie selbst in
Anspruch genommen hat. Deshalb beruht originäre Qualität der
Rezeption so oft auf der mediokren Vorgabe ihres Substrats.

Der Artikel »Promethée« steht im dreizehnten Band der Enzyklopädie, der im Jahre 1765 erschienen ist. Der Artikel ist gezeich-

net mit D. J., stammt also von De Jaucourt, der gewiß nicht zur Avantgarde der Enzyklopädisten zu zählen ist. Er vermeidet am Mythos bewußt die pagane Härte, um die Gefälligkeit der ästhetischen Allegorie auszuschöpfen. Prometheus, der Sohn des Iapetos und der schönen Okeanide Klymene, bildet zwar zuerst einen Menschen aus dem Lehm der Erde, aber er wird dadurch nicht zum Demiurgen der Menschheit, sondern nur zum ersten Skulpteur ihrer Bildnisse. Das ist hier nicht mehr Verleitung zum Polytheismus, sondern Vermeidung aller metaphysischen Anstößigkeit zugunsten des reinsten Rokoko. Anstatt den Menschen zu schaffen und sich seinem Schicksal zu verpflichten, bildete Prometheus nur seine erste Statue aus Ton und lehrte die Menschheit damit lediglich, sich ihre Kunstwerke zu verfertigen: *il fut le premier qui enseigna aux hommes la statuaire.* Ein Kulturstifter also, der es kaum mit der ersten Entrohung des Menschen, sondern nur noch mit seiner letzten Verfeinerung zu tun hatte.

Man denke, wie schwer es Goethe geworden wäre, die trotzigsten Zeilen seiner Ode zu bilden, wenn er auf einen Prometheus angewiesen gewesen wäre, der nicht Menschen nach seinem Bilde geformt, sondern nur Bilder nach dem Bilde eines anderen zu fabrizieren gehabt hätte.

Die zweite Nivellierung des Mythos durch den Enzyklopädisten betrifft die Anschmiedung des Prometheus im Kaukasus. Mehr darf nun nicht geschehen als daß der Titan, der dem Jupiter bei der Niederwerfung der Titanen geholfen hatte, dazu gezwungen wird, sich in das Gebirge zurückzuziehen, *von wo fortzugehen er nicht wagte, solange die Herrschaft des Jupiter dauerte.* Was an seiner Leber nagt, ist nichts anderes als die Sorge um die Fristung des Lebens in einem so wüsten Lande wie diesem, in welchem die Skythen hausen, die seit je für alles Wüste und Ungestüme herhalten mußten. Nur als Frage ist noch angehängt, ob nicht der Geier auch ein lebendiges Gleichnis für die tiefen und quälenden Überlegungen eines Philosophen sein könnte: *... au bien ce vautour ne seroit-il point une image vivante des profondes et pénibles méditations d'un philosophe?* Damit ist ein Stückchen der Tradition wieder aufgenommen, daß Prometheus im Kaukasus, wenn nicht als Beruf, so doch als Trost die Theorie, zumal die des Sternenhimmels, ausgeübt haben sollte. Dann konnte die ganze Strafaktion des Zeus sogar als der Irrtum erscheinen, der sich aus dem für rohe skythische Gemüter unverständlichen Anblick des der Betrachtung der Welt anheimgegebenen Titanen herleiten ließ.

Dem Enzyklopädisten genügt solche autarke Rolle eines antiken Theoretikers nicht. Als Kulturbringer und Aufklärer übt Prometheus noch am Ort seiner Verbannung oder Zurückgezogenheit die Funktion des Zeitalters aus, indem er die gesetz- und sittenlosen Bewohner des Kaukasus zu einer *vie plus humaine* heranzubilden sucht. Sollte nicht dies, so fragt der Verfasser des Artikels, die Ausübung von Aufklärung am Objekt des größten Widerstandes und also der geringsten Aussicht, Anlaß zu der mythischen Hyperbel gewesen sein zu sagen, Prometheus habe den Menschen mit Hilfe der Zeus-Tochter Minerva, der Patronin aller Bildung, allererst ›gebildet‹: ... *c'est peut-être ce qui a fait dire qu'il avoit formé l'homme avec l'aide de Minerve.*

Zur Epoche gehört, daß das Element des Feuerraubs sich verwandelt in die Geschichte der Industrialisierung des Skythen-Landes. Prometheus richtet dort Werkstätten ein für die Bearbeitung der Metalle, und dazu paßt als untergeordnetes Moment, daß er allererst das Feuer importiert haben mochte, im Schaft einer als ›Steckenkraut‹ bezeichneten Pflanze, die zur Verwahrung und zum Transport über mehrere Tage hinweg geeignet sein sollte.

Die Skythen scheinen sich für ihre Kultivierung nicht besonders dankbar erzeigt zu haben. Aber das Motiv, das Prometheus seinen Aufenthalt im Kaukasus beenden ließ, ist das im Jahrhundert der Enzyklopädie schlechthin charakteristische aller Motive: Er langweilt sich, er ist *ennuyé du triste séjour.* Er kehrt nach Griechenland zurück, um dort seine Tage zu endigen und die Ehrungen eines Gottes oder zumindest die eines Heroen zu erfahren.

Frönt man der Systematik des Enzyklopädisten, so war die Voraussetzung dieser Rückkehr das Ende der Herrschaft des Zeus. Das Ende der Geschichte fällt also bereits in *die* Geschichte. Der Aufklärer sieht es zwar noch im paganen Kontext, aber doch als Prozeß der Entmachtung der Götter. Weil ›die Geschichte‹ bereits begonnen hat, kann Prometheus seinen Aufenthalt wieder frei wählen, als Gegner und Opfer des Zeus in der durch die akademische Philosophie so weit aufgeklärten Polis Verehrung im Hain der Akademie erfahren. Erst nach der Beendigung der absoluten Herrschaft der mythischen Götter, im Zuge ihrer beginnenden Ästhetisierung, ist es für einen der ihren möglich, nach getaner Arbeit der Zivilisierung in der Ferne und aus dem Motiv der Langeweile als hochgeehrter Gast in die Polis zurückzukehren und in ihr, wie der Text nicht anders zuläßt, zu sterben. Die Auslegung des einen Mythos ist wieder die Geschichte des Mythos selbst.

Alle harten und grausamen Züge am Mythologem müssen nun, wenn diese Historisierung abgesichert werden soll, dem Dichter der Tragödie allein zugeschrieben werden. Dabei erst entsteht der Widerspruch, daß der vermeintliche Erfinder der Künste und Fertigkeiten, der Urheber aller nutzbaren Erkenntnisse in der Welt, gegen die Tyrannei des Zeus dennoch nichts vermag. Für die Tragödie sei es letztlich nicht die Macht, sondern das Schicksal, welches bestimmt, was mit den Göttern geschieht. Gegen das Wissen der Zukunft und damit die Kenntnis des Endes seiner eigenen Herrschaft weiß Jupiter nichts anderes zu tun als den Dulder Prometheus in den Abgründen der Erde mit einem schrecklichen Wirbelsturm verschwinden zu lassen. Angesichts solcher rohen und unästhetischen Schrecknisse der tragischen Verzerrung des Mythos vermag der Enzyklopädist seinen Artikel nur mit dem Ausruf eines ungläubigen Staunens zu schließen, daß deren dramatische Darbietung den Leuten gefallen haben könnte: *que tout ce spectacle devoit être beau!*

Vierter Teil

Gegen einen Gott nur ein Gott

Alles Bisherige in diesem Buch hat ein Gefälle, alle Linien konvergieren auf einen verborgenen Lebenspunkt hin, an dem sich die Arbeit am Mythos erweisen könnte als das, was nicht vergeblich war. Sie war unvergeblich, wenn sie in die Totalität *eines* Lebens eingehen, ihm die Konturen seines Selbstverständnisses, seiner Selbstformulierung, ja seiner Selbstformung geben konnte, eines uns zur Zugänglichkeit aufgeschlossenen Lebens, ohne die gnädigen Schlupfwinkel, die wir alle für uns beanspruchen. Denn die Dezenz des ›feinen Schweigens‹, auf das sich nach Nietzsches Wort Goethe verstand, hat ihn dem Blick so wenig entzogen, daß für ›Entlarvungen‹ prätendierter Schonungslosigkeit nicht viel zu tun blieb. Die anderen werden nicht entwertet, wenn Einer vollendet, was allen möglich ist. Wer hätte sich je durch Goethe gedemütigt gesehen? Aber weshalb kreisen die Gedanken noch um dieses Massiv, wenn keiner mehr recht weiß, was ein Hofmann des kleinen Weimar gewesen sein kann? Wenn alle Umstände dieses Lebens kaum noch als Begünstigungen erscheinen, weder im Naturell noch im Weltbesitz, wenn die Entmythisierer die Steifheit, die Ungroßzügigkeit, den Aktensinn, schließlich den Egotismus dieses duodezfürstlichen Ministers bloßgelegt haben?

Es ist kein exemplarisches Leben, das dieses Theaterdirektors und Sammlers von allem und jedem, keins eines möglichen Führers und Geleiters zur Sinnentdeckung oder Sinnerfindung des Daseins. Aber, frage ich dagegen, gibt es ein anderes Leben, das wir je in so vielfachen Wirklichkeits- und Illusionsbeziehungen vor uns ausgebreitet gesehen hätten? Dessen Durchbildung in Selbstgewinn und Selbstverlust, Selbstfiktion und Selbstenttäuschung uns vergleichbar einsichtig geworden wäre? Und das nicht in der rüden oder rüde gemeinten Gestalt einer den Rousseauschen ›Confessions‹ auch nur angenäherten Rücksichtslosigkeit der Entblößung, sondern wegen der in ihm vollzogenen ›Arbeit‹ an der Realität in allen ihren Abschattungen, die sie dem Leben zuwenden kann.

Dazu gehört auch die Einzigartigkeit seiner Affektionen, seine Empfindlichkeit für Bilder, für die Genauigkeit, mit der sie in die Passungen des Lebens einrasten. Keine Leichtfertigkeit der Selbstüberschätzung, die uns in dieser Existenz nicht begegnete; aber auch kein Ernst der Selbstzurücknahme, der nicht aus Realitätsgewinn hervorgegangen wäre. Auch wenn wir hier, wie an aller Geschichte, lernen müssen, daß wir nichts lernen können, erfahren wir, wie es mit dem Unerlernbaren inmitten der Illusionen von Lernbarkeit aufzunehmen ist.

Nicht *das* Leben also, nicht einmal *ein* Leben, das uns noch die Bewunderung vergangener Bildungsenthusiasmen abnötigen kann. Wohl aber die einzigartige Anstrengung an diesem Leben, die sich mit der Arbeit am Mythos nicht nur aneignend, variierend, Bilder suchend verbindet, sondern anders sich selbst nicht wahrnehmbar werden würde. Dabei hat diese Erfahrung selbst nichts Mythisches – sie paßt, wie sich erwiesen hat, weder in die Tragödie noch in die Komödie. Erstaunlicherweise sind es die Einbildungen, die zum Mythos Beziehung stiften: die Selbstvergottung des Sturm und Drang-Schöpfers, die Überwindung der Geschichtskatastrophe von 1789, die Erhebung durch und an Napoleon, das Fertigwerden mit der Weltaufgabe des Faust. Welche Mühsal, welche Illusionen! Und welche Durchsichtigkeit beider in ihrer Verwebung vor dem Auge des Zuschauers!

Aber wo bleibt die Vernunft? In der Fähigkeit, das Widervernünftige noch aus dieser intellektuellen Organisation heraus zu bewältigen. Am 19. März 1827 schreibt Goethe an den Freund Zelter zum Tod des einzigen Sohnes Georg, er glaube an die Unsterblichkeit der durch ihre Lebenstätigkeit ›gehärteten‹ Monade. Sie werde durch den Weltgeist zu neuen Tätigkeiten geführt, für die sie sich hier zu qualifizieren hatte. So könne es ihr *in Ewigkeit nicht an Beschäftigung fehlen.* Diesen Blick in die heimliche Umsetzung des Postulats der niemals angeeigneten und nur aus Pietät gegen Schiller angeblickten Philosophie Kants nimmt Goethe fast im Augenblick, da er dem todestraurigen Freund dies sagen zu müssen glaubt, wieder zurück, um zugleich den Mythos zu rechtfertigen, der den Trost spendet: *Verzeih diese abstrusen Ausdrücke! man hat sich aber von je her in solche Regionen verloren, in solchen Sprecharten sich mitzuteilen versucht, da wo die Vernunft nicht hinreichte und wo man doch die Unvernunft nicht wollte walten lassen.* Niemals ist präziser ausgesprochen worden, weshalb sich die Vernunft Bedürfnisse zugesteht, die sie selbst erweckt, ohne sie in ihrer regulären Disziplin erfüllen zu können, nicht um sich den versagten Überfluß heimlich doch noch anzueignen, sondern um die Unvernunft nicht Macht übers Unbesetzte gewinnen zu lassen.

Goethe hat das im nachgelassenen zwanzigsten Buch von »Dichtung und Wahrheit« als die Summe dessen ausgesprochen, was *im Verlaufe dieses biographischen Vortrags umständlich* habe gesehen werden können: der ungelöste Rest seiner Erfahrung, dem er den Titel des Dämonischen gibt. Es kommt auf diesen Titel und die Deutungslust, die er erweckt hat, nicht an; es kommt auf den ›Rest‹ an. Seine negativen Bestimmungen genügen: *Es war nicht göttlich, denn es schien unvernünftig, nicht menschlich, denn es hatte keinen Verstand, nicht teuflisch, denn es war wohlthätig, nicht englisch, denn es ließ oft Schadenfreude merken ... Nur im Unmöglichen schien es sich zu gefallen und das Mögliche mit Verachtung von sich zu stoßen.* Goethe kokettiert nicht mit diesem Umgang, er sucht sich zu retten *vor diesem furchtbaren Wesen,* und er tut es eben nicht, wie Sokrates seine intellektuelle Rettung beschreibt: als Flucht *in die ›Logoi‹,* sondern als Flucht *hinter ein Bild.* Flucht ist beides: die in den Begriff und die hinter das Bild – aber Philosoph ist Goethe gerade deshalb nicht, weil er hinter das Bild flieht.

Das Verfahren seiner Flucht, der Bildsuche und Bildwahl, hatte Goethe im letzten der noch von ihm selbst zum Druck beförderten Bücher, dem fünfzehnten, von »Dichtung und Wahrheit« beschrieben. Er sei seiner produktiven Naturgabe gewahr geworden und habe auf sie sein *ganzes Daseyn in Gedanken gründen* wollen: *Diese Vorstellung verwandelte sich in ein Bild, die alte mythologische Figur des Prometheus fiel mir auf, der, abgesondert von den Göttern, von seiner Werkstätte aus eine Welt bevölkerte.*

I
›Zündkraut einer Explosion‹

Glaub unsereinem: dieses Ganze
Ist nur für einen Gott gemacht!
Mephisto zu Faust

Goethe hat den spärlichen Umriß der Fabel zu seiner Prometheus-
Ode und seinem Dramenfragment einem mythologischen Lexikon
entnommen, nachdem die erste Berührung mit dem Mythologem
auf eine der emblematischen Darstellungen zurückging, die den
Menschentöpfer in seiner Werkstatt zeigen. Noch 1830, als er die
Ode in die Ausgabe seiner Werke letzter Hand aufnimmt und ihr
die Stelle eines dritten Aktes im geplanten Drama zuweist, hält er
sich in der szenischen Anweisung an die früheste anschauliche Berührung mit dem *Prometheus in seiner Werkstatt.* Nach der zum
Monolog gewordenen Ode heißt es nur noch, Minerva trete auf,
nochmals eine Vermittlung einleitend. Diese späteste Andeutung
eines versöhnlichen Ausgangs blieb in der Rezeption unbemerkt;
sie reflektiert die ganze Geschichte des Gedichts.

Das »Gründliche mythologische Lexikon« von Benjamin Hederich
aus dem Jahre 1724 war Goethe in der *sorgfältigst durchgesehenen,*
ansehnlich vermehrten und verbesserten Bearbeitung von Johann
Joachim Schwabe zugänglich, die 1770 in Leipzig erschienen war.
Dieses Werk ansehnlicher Gelehrsamkeit war zwar zum *bessern*
Verständnisse der schönen Künste und Wissenschaften nicht nur für
Studierende, sondern auch viele Künstler und Liebhaber der alten
Kunstwerke bestimmt, betonte aber nicht die ästhetische Bedeutung
der Gestalten und Geschichten gegenüber der historisch-aufklären-
den und moralischen Ausschöpfung des Mythos. Hederichs Voraus-
setzung war, *daß alle und jede, so nicht unter dem gar gemeinen*
Pöbel mit hin laufen wollen, etwas von dieser gelehrten Galanterie
zu wissen nöthig haben. Fast ein halbes Jahrhundert später schon
mußte der Bearbeiter Schwabe seine Revision der Schreibart doch

damit rechtfertigen, Hederich habe *mannichmal die Laune, scher-
zen zu wollen, wozu die mythologischen Geschichte vielen Anlaß
geben. Er that es aber gemeiniglich in einer Sprache, die etwas in
das Pöbelhafte fiel.* In anderer Hinsicht nimmt der Bearbeiter der
Mythologie etwas von ihrer kanonischen Schwere, indem er bei
allem Festhalten der Alten am Charakteristischen doch die Weite
ihres Spielraums betont: *wie sie sich aber auch gar nicht haben
binden lassen, stets bey einer Bildung sclavisch zu beharren.*
Ist nun, was die Alten in Ausschöpfung ihrer Lizenz getan, im
Zeitalter der Gelehrsamkeit ein für allemal ausgeschlossen? Hier
liegt die Möglichkeit eines entscheidenden Anstoßes, den die Lektüre des Artikels »Prometheus« im mythologischen Lexikon dem
jungen Stürmer und Dränger gegeben haben kann. Denn der Artikel schließt zwar, wie alle anderen, mit der Anführung allegorischer Auflösungen des Mythologems, aber nicht ohne die nach so
viel pedantischer Akribie erstaunliche Ermunterung an den Leser im allerletzten Satz: *Mehrere solche Deutungen kann sich ein
jeder selbst machen.* Diese Lizenz ist im gelehrten Milieu der Zeit
schlechthin einzigartig. Man mag sich vorstellen, wie sich Goethe,
zu diesem Endpunkt gelangt, angesprochen gefühlt haben muß.
Um dies wahrzunehmen, genügt der zentrale Punkt, daß in der
Frage der Abstammung des Prometheus Hederich der spätantiken
Version von der Vaterschaft des Zeus keine Erwähnung tut, sondern Prometheus eindeutig als Sohn des Iapetos den Titanen zuordnet. Um die Promethie zu einem Vater-Sohn-Konflikt zu trans-
formieren, war hier – zumal wenn die Unkenntnis der spätantiken
allegorischen Variante vorausgesetzt werden muß – der schwerst-
wiegende Eingriff nötig. Die Ungenauigkeit der Kenntnisnahme
ermöglicht eine Umdeutung, die im Pathos des Sturm und Drang
ihre eigene Wahrheit annahm. Das Durchscheinen der reduzierten
Ikone ließ Goethe in der bloßen Anspielung seine eigene Thematik
zum Vorschein bringen, wie er 1773 an Röderer schreibt: *Ich bear-
beite meine Situation zum Schauspiel, zum Trutz Gottes und der
Menschen.* Ein anderer Brief enthält auch schon Elemente der Prometheus-Szene: den Bildner und seine Hütte. *Die Götter haben
mir einen Bildhauer hergesendet,* schreibt er Mitte Juli 1773 an
Kestner, und was es koste, *in Wüsten Brunnen zu graben und eine
Hütte zu zimmern.*

Einiges, was zum Kernbestand der Geschichte seit je gehörte, wie Opferbetrug und Feuerraub, übergeht Goethe zunächst ganz. Hederich hatte diese beiden Elemente des Mythologems derart harmonisiert, daß Zeus – der als höchster Gott natürlich die List beim Opferbetrug durchschaut – zur Strafe dem Prometheus und seinen Menschen das zum Opfer doch schon gebrauchte Feuer wegnimmt: *daß sie ihren Theil des Fleisches nicht kochen konnten.* Der Feuerraub ist nicht deshalb ein Vergehen, weil er dem Himmel etwas nimmt und den Menschen erstmals gibt, was sie allein am Leben erhalten kann, sondern weil er einen Strafakt des Zeus durchbricht und rückgängig macht. Hederich hat seine eigene Logik; es muß ihm unerträglich erschienen sein, daß der höchste der Götter den Menschen ursprünglich und ohne Anlaß nicht wohl wollte. Unvereinbar ist diese Version freilich mit dem von Hederich gegebenen Zug an der demiurgischen Herstellung des Menschen, dieser sei ohne Sinn und Empfindung gewesen, bis Prometheus ihm mit Hilfe der Minerva das geraubte Feuer an die Brust gehalten habe, *wodurch denn derselbe lebendig wurde.* Dann wäre das Feuer zweimal geraubt worden: einmal um den Menschen überhaupt zu beleben, dann um ihn an dem durch den Opferbetrug seines Herstellers verwirkten Leben zu erhalten.

Diese Art von Trotz im Opferbetrug und Feuerraub affizierte Goethe wohl deshalb nicht, weil seine Übernahme der Rolle des Prometheus nur durch dessen Kunstfertigkeit begründet erschien: der Bildermacher in seiner Werkstatt, der sich seine eigene Menschenwelt erzeugt, als der Gegenspieler des Zeus. Nicht der listige Opferbetrüger und Feuerräuber, der als solcher allenfalls Nebenfolgen seiner kreativen Tätigkeit zu bewältigen hat. Den Feuerbringer Prometheus hat Goethe erst 1826 beim Anhören von Haydns »Schöpfung« begriffen. Haydn selbst hatte gegenüber Carpani sein musikalisches Bild des Sonnenaufgangs mit der Erzeugung des Funkens aus Stahl und Stein in den Händen des Vaters des Lichts in Verbindung gebracht. Dieses Bild habe man subaltern und kindisch gefunden, schreibt Goethe in einem von ihm bearbeiteten Artikel Zelters; aber ihm sei *dabei die uralte Fabel des Prometheus klargeworden, ja ich wüßte mir kein erhabeneres Bild zu denken als das allmächtige Licht im Funken.*[1] Die Pointe

1 Joseph Haydns Schöpfung. Aufgeführt an dessen Geburtstage den 31. März

der frühen Prometheus-Rezeption durch Goethe liegt in der aufs ästhetische Genie beziehbaren Werkstatt-Ikone. Daß er bei Hederich lesen konnte, unter den allegorischen Deutungen sei auch die auf das Exempel, *wie Gott die strafe, welche aus Hochmuthe gleichsam in den Himmel steigen, und ihn zu betriegen suchen,* mag allenfalls die späteren Schwierigkeiten der Identifikation mit Prometheus vorformuliert haben.

Wenn Goethe mit dem Blick auf die Töpferwerkstatt des Prometheus und seiner Menschenkeramik die eigene Situation bearbeiten zu können glaubt, entsteht der Konflikt eben nicht durch die übergroße Gebärde des Trotzes, die in der Bezugnahme auf den Feuerraub als den zentralen Ausdruck des mythischen Ungehorsams gelegen hätte. Daß Goethe dennoch und schon im Bildermachen den Widerstreit anlegt und auf sich nimmt, hat etwas zu tun mit der Überwindung seiner pietistischen Phase. Was er jetzt tun will und tut, erscheint ihm als ein Akt gegen den Willen seiner Gottheit. Er hat das ganz klar ausgesprochen: *Gott will so scheint's nicht haben daß ich Autor werden soll.*[2] Das ist nur die Kurzformel für einen Widerstreit, den er zwei Monate zuvor demselben Adressaten beschrieben hatte: *Mein feuriger Kopf, mein Witz, meine Bemühung und ziemlich gegründete Hoffnung, mit der Zeit ein guter Autor zu werden, sind jetzt, daß ich aufrichtig rede, die wichtigsten Hindern*iße *an meiner gänzlichen Sinnesänderung, und des eigentlichen Ernsts die Wincke der Gnade begieriger anzunehmen.*[3] Das ist der Konflikt. In der alten dogmatischen Sprache der zwischen Natur und Gnade. Um dennoch tun zu können, was Gott nicht will, gibt es nur ein schlüssiges Konzept: selbst ein Gott zu werden. Das hat, wie unausdrücklich auch immer, eine polytheistische Voraussetzung: die des unbestimmten Artikels beim Gottesnamen.

Die biographische Lokalisierung der Prometheus-Identifikation an den Ausgang des Konflikts, entweder die Winke der Gnade anzunehmen oder die Hoffnung auf Autorschaft zu erfüllen, gibt eine Verbindung von Bild und Selbstbewußtsein zu verstehen, die durch Positionen und Negationen hindurch noch die Entscheidung

1826. In: Über Kunst und Altertum. Fünften Bandes drittes Heft 1826 (Werke, ed. E. Beutler, XIV 135 f.).
2 An Ernst Theodor Langer, 17. Januar 1769 (Werke XVIII 113).
3 An Langer, 24. November 1768 (Werke XVIII 108).

bestimmte, an den Schluß des Gesamtwerks die »Pandora« setzen zu lassen. Also die sowohl gewaltsamste als auch versöhnlichste Umdeutung des Mythos, die es in diesem Werk gibt.

Bevor es so weit war, gab es andere Mittel der Verarbeitung und Bewältigung; nicht zuletzt das des Vergessens. Das Manuskript der Prometheus-Ode übergab Goethe ein oder zwei Jahre nach dem Entstehen an Friedrich Heinrich Jacobi, offenbar ohne eine Abschrift zu behalten. Doch den Text besaß schließlich nicht nur Jacobi, der Abschriften vom Autograph gestattet und aus der Hand gegeben haben muß. Georg Forster zitiert aus der Ode mehrfach vor der Veröffentlichung; es ist das häufigste seiner Goethe-Zitate. Aber sein Eingehen auf das Gedicht ist ganz unspezifisch und inadäquat: *Ich fühle es, Goethe hat recht mit seinem Menschen, der auf sich selbst vertraut.*[4] Noch einmal wird das Manuskript des »Prometheus« gegenüber Jacobi erwähnt. Dieser hatte das Fragment des Dramas schon am 6. November 1774 zurückgegeben: *Lieber Göthe, da hast du deinen Prometheus zurück, und meinen besten Dank dabei. Kaum mag ich dir sagen, daß dies Drama mich gefreut hat, weil es mir unmöglich ist dir zu sagen, wie sehr.*[5] Bei dieser Rückerstattung könnte Goethe die ausstehende Ode schon vergessen haben. Jedenfalls nennt er ein halbes Jahr später die Manuskripte der »Stella« und des »Prometheus«, aber nur dem einen von beiden gilt seine Bitte: *... gieb mir Stella zurück! – Wenn du wüßtest wie ich sie liebe ...*[6] Diese Akzentsetzung klingt wie ein Verzicht auf das, was vom »Prometheus« noch bei Jacobi lag. Das Fragment des Dramas sollte erst 1819 aus dem Nachlaß des einstigen Sturm und Drang-Genossen Lenz wieder auftauchen.

So verwundert nicht, was ein Jahrzehnt später mit der Ode geschieht. Nichts läßt erkennen, daß sie, so privat wie nur möglich als Äußerung und als Weggabe in die Welt gekommen, zu jenem *Zündkraut einer Explosion* bestimmt gewesen wäre, als das Goethe sie im Rückblick von »Dichtung und Wahrheit« wirksam sehen sollte. Das ist eine der Disproportionen von Absicht und Effekt,

4 Georg Forster an Friedrich Heinrich Jacobi, Dezember 1778. In: A. Leitzmann, Georg und Therese Forster und die Brüder Humboldt. Bonn 1936, 194 f.
5 Briefe an Goethe, ed. Mandelkow, I 41.
6 An Jacobi, etwa erste Hälfte April 1775 (Werke XVIII 265).

wie sie Wirkungsgeschichten eigentümlich sein können und darin oft
unergründbar bleiben. Für diese eine soll wenigstens der Versuch
einer Ergründung gemacht werden.

Im Portefeuille Jacobis war die Ode allenfalls ein Spekulationspapier, keinesfalls ein Explosivstoff. Als einen Beleg der Vertraulichkeit mit dem Berühmten, als eine Kuriosität zur Belebung der
Konversation trug er es auf seinen vielen Reisen bei sich. So auch,
als er Lessing im Juli 1780, nicht lange vor dessen Tod, in Wolfenbüttel besuchte. Nichts läßt darauf schließen, daß Jacobi mit der
Absicht einer Herausforderung, der Zumutung einer Selbstentblößung, gekommen wäre. Dazu hat er denn doch zu lange nach
jenem Besuch gewartet, daraus eine postume Enthüllung zu machen.

Was Jacobis Verhältnis zu Goethe betraf, so war da freilich eine
alte Rechnung zu begleichen. Es gibt eine Spiegelbildlichkeit der
Handlungen beider. Goethe hatte 1779 hinter dem Rücken Jacobis
dessen »Woldemar« im Park von Ettersburg einer rituellen Verspottung und Hinrichtung unterzogen. Er hatte ein Exemplar des
Buches unter lästerlichen Reden an eine Eiche genagelt. Jacobi
machte hinter dem Rücken Goethes den »Prometheus« zum Köder
des metaphysischen Dialogs mit Lessing, dem er entlockte, was
niemand je von ihm vernommen hatte. Es gibt jedoch einen deut-
lichen Unterschied: Goethe wollte ein übermütiges und unverhüll-
tes Spektakel an einem Buch vollziehen, dessen ›Geruch‹ schon er
nicht ertragen konnte, während Jacobi wohl kaum das Geheimnis
Lessings mitsamt dem Auslöser seiner Konfession preisgegeben
hätte, wenn nicht dessen Freunde nach seinem Tod darangegangen
wären, ihn *als einen Apostel der Providenz, als einen Märtyrer der
reinen Gottesverehrung* hinzustellen.[7]

Trotz der Spiegelbildlichkeit der Handlungen spricht alles gegen
die Unterstellung, Jacobi habe seine alte Rechnung mit Goethe
begleichen wollen. Dieser hatte inzwischen vieles, wenn auch nicht
alles, getan, um von dem, was Wieland eine ›Büberey‹ nennen
sollte, abzurücken.[8] Als ganz so knäbisch war der Streich eines

7 Jacobi an Goethe, 13. Dezember 1785 (Briefe an Goethe, ed. Mandelkow, I
89).
8 Wieland war es, der den Vorgang als verkapptes Exempel der historischen
Kritik an beglaubigten Ereignissen benutzte. Bei der Abstrafung des Buches sei er

Dreißigjährigen, der im Monat nach dem Ritual an »Woldemar«
zum Geheimrat ernannt wurde, nicht zu nehmen. Zwei Jahre später schreibt er denn auch an Lavater: *Über Woldemars Kreuz-*
erhöhungsgeschichte kan ich dir nichts sagen, das Facktum ist wahr,
eigentlich ists eine verlegne und verjährte Albernheit die du am
klügsten ignorirst ... *Der leichtsinnig truncke Grimm, die muth-*
willige Herbigkeit, die das halb gute verfolgen, und besonders
gegen den Geruch von Prätension wüthen, sind dir ia in mir zu
wohl bekannt.[9] Der Rundspruchverkehr der Zeit funktionierte
gut. Jacobi besaß schon im September 1779 Kenntnis von jenem
Vorgang und hatte ihn Goethe als *eine schimpfliche und schändliche*
Exekution vorgehalten: *Dies Gerücht ist so allgemein geworden,*
daß es auch mir endlich zu Ohren kommen mußte.[10] Das Erstaunliche an dieser Freundschaft ist, daß Jacobi den umgearbeiteten
»Woldemar« 1794 Goethe widmen wird mit den Worten: *Wie*
hätte ich Dir widerstanden, Du Mächtiger!
Aber schon im September 1784 war er für mehr als eine Woche

nicht dabei gewesen, schreibt er an Sophie La Roche, habe aber in Weimar alsbald so viele detaillierte Berichte von Leuten gehört, die auch nicht dabei gewesen waren, daß er etliche Tage danach beim Spaziergang im Wald bei der Ettersburg nach Spuren der Tat Ausschau gehalten habe. *Ich erblickte endlich eine in*
blau Pappier geheftete Brochure, die an eine Eiche genagelt war, ungefähr wie
man die Raubvögel an das große Thor an einem Pachthof oder einer gentilhom-
mie anzunageln pflegt. Was für eine Brochure es sey, wollte mir niemand sagen;
man überließ es der Schärfe meines Fernglases oder meines Verstandes, es selbst
herauszubringen. Bis hierher läuft alles auf solide Nachprüfung und autoptische
Bestätigung hinaus. Aber nun nimmt Wieland eine Wendung, die des kritischen
Historikers würdig ist und aller Seitenblicke des Aufklärers auf das eine Dokument seines Mißtrauens verdächtig: *Wenn ich nun sagte, ich vermuthete, dass es*
Woldemars Briefe gewesen, so würde ich soviel als Nichts damit sagen; denn
Vermuthung in solchen Dingen ist Nichts; für gewiß kann ich nichts sagen; denn
ich konnte nicht sehen, was für ein Buch es war. (An Sophie La Roche, 21. September 1779. In: Aus F. H. Jacobis Nachlaß. Ungedruckte Briefe von und an
Jacobi. Ed. R. Zoeppritz, Leipzig 1869, II 175 f.)
9 Goethe an Lavater, 7. Mai 1781 (Werke XVIII 587).
10 Jacobi an Goethe, 15. September 1779 (Briefe an Goethe, ed. Mandelkow,
I 63). Johanna Schlosser berichtet Jacobi, Goethe habe ihr gesagt, *er könne nun*
einmal für sich das was man den Geruch dieses Buches nennen möchte (anders
wisse er sich nicht auszudrücken) nicht leiden. (An Jacobi, 31. Oktober 1779, in:
Goethe als Persönlichkeit, ed. H. Amelung, I 388) Schon Jacobis »Eduard All-
will« (1775) hatte Goethe, obwohl unter dem Eindruck der ersten Begegnung mit
ihm entstanden, durch Kritik am Genialismus des Sturm und Drang herausgefordert. Seither war der Briefwechsel abgebrochen, und Goethe hatte also nichts aus
heiterem Himmel getan, als er im Sommer 1779 den »Woldemar« mißhandelte.

Goethes Gast in Weimar gewesen. Daraus nun ergibt sich etwas Merkwürdiges: er muß Goethe den Besuch bei Lessing und die Rolle des Odenmanuskripts dabei verschwiegen haben. Denn bereits am 4. November 1783 hatte er den großen Brief an Mendelssohn mit der ausführlichen Darstellung des Besuchs bei Lessing und der Wirkung des »Prometheus« geschrieben, wie er ihn 1785 mit dem Spinoza-Buch veröffentlichen sollte. Er befand sich also, als er Goethes Gast war, bereits in der Beweisnot, die ihn alsbald mit dem Gedicht herauszurücken zwang. Nichts lag näher, als zu Goethe von dieser Wirkung des »Prometheus« zu sprechen; nichts muß Jacobi mehr gescheut haben.

Wie war es dazu gekommen? Im März 1783 hatte Jacobi von Elise Reimarus, der Tochter des heimlichen Begründers der deutschen Aufklärung, erfahren, daß Moses Mendelssohn einen Nachruf auf *Lessings Charakter* zu veröffentlichen vorhabe. Jacobi konnte dessen sicher sein, daß Mendelssohn nicht verfehlen würde, sich auf Lessing als Zeugen seines metaphysischen Theismus zu berufen. Es ist für uns nicht mehr leicht zu klären, weshalb Jacobi sich zum Widerspruch genötigt sah. Wollte er nur der biographischen Wahrheit die Ehre geben, wollte er Mendelssohn den gewichtigen Zeugen nicht überlassen oder wollte er gar vermeiden, daß der Zeuge für die auch ihm nicht gleichgültige Sache des Theismus durch Enthüllungen aus dem Nachlaß von dritter Seite gleichsam vor den Augen der Öffentlichkeit ›platzte‹? Die Warnung, die er an Elise Reimarus und damit auch an Mendelssohn aussprach, enthält am ehesten einen Anhaltspunkt dafür, daß Jacobi befürchtete, es könnten noch andere Eingeweihte der wahren Überzeugungen Lessings leben und Mendelssohns öffentliche Berufung auf den Toten zurückweisen. Wenn es die Absicht war, Mendelssohn und seine Sache vor dieser Bloßstellung zu bewahren, wird sein späterer Zorn nicht ungerecht genannt werden dürfen. Jedenfalls schrieb er an Elise Reimarus: *Sie wissen vielleicht, und wenn Sie es nicht wissen, so vertraue ich Ihnen hier unter der Rose der Freundschaft, daß Lessing in seinen letzten Tagen ein entschiedener Spinozist war.* Es folgt der Satz, der für die Beurteilung von Jacobis Warnung beachtet werden muß: *Es ist möglich, daß Lessing diese Gesinnungen gegen mehrere geäußert hätte; und dann wäre es nötig, daß Mendelssohn in dem Ehrengedächtnisse, das er ihm setzen*

will, gewissen Materien entweder ganz ausweiche, oder sie wenig-
stens äußerst vorsichtig behandelte.[11] Mendelssohn gibt sich mit der
ihm übermittelten Warnung nicht zufrieden; er insistiert darauf,
alles zu erfahren. Das führt zu Jacobis umfassender Antwort vom
4. November 1783, die er zwei Jahre später in seinem Spinoza-
Buch abdrucken sollte. Die Auskunft befriedigt Mendelssohn nicht.
Er zögert kaum, Jacobi als das Opfer eines Scherzes von Lessing
hinzustellen und in seinen »Morgenstunden oder Vorlesungen über
das Dasein Gottes« die ›Rettung Lessings‹ gründlich zu betreiben.
Diese schwer erträgliche Kontroverse braucht hier nicht ausgebreitet zu werden. Alles kommt darauf an, den mythologischen Erre-
ger einer mythischen Selbstpreisgabe näher zu bestimmen.
Wir besitzen den Brief nicht, mit dem Jacobi Lessing seinen Besuch
ankündigte und ihm die Themen seiner Neugierde bekanntmachte.
Dieser weist in seiner Antwort vom 13. Juni 1780 solche Pedanterie ein wenig in die Schranken: *Unsere Gespräche würden sich*
zwar wohl von selbst gefunden haben. Aber es war doch gut, mir
einen Fingerzeig zu geben, von wannen wir am besten ausgehen
könnten.[12] Dennoch sieht Lessing dem Besuch *mit großem Ver-*
langen entgegen. Aus dem Themenkatalog erwähnt er nur, daß
er inzwischen die Fortsetzung des »Woldemar« eingesehen habe.
Jacobi wird später Mendelssohn über seinen verlorenen Brief sagen, er habe darin sein Bedürfnis ausgesprochen, in Lessing *die*
Geister mehrerer Weisen zu beschwören, die ich über gewisse Dinge
nicht zur Sprache bringen könnte.[13] Die Vermutung, Jacobi habe
Lessing ein Gespräch über den 73. Abschnitt der »Erziehung des
Menschengeschlechts« vorgeschlagen, bleibt Spekulation, die nach
dem Anknüpfungspunkt für ›Spinozismus‹ sucht, ohne dem »Prometheus« Goethes die evozierende Kraft zutrauen zu müssen.
Nicht ohne Aufschluß für die Konstellationen, die hier im Spiel
sind, ist Goethes zu spät gefaßter Plan, Lessing zu besuchen. Fünf
Tage nach dessen Tod schreibt er an Charlotte von Stein, er sei mit
dieser Absicht gerade umgegangen, als die Nachricht vom Tod Lessings eintraf.[14] Für einen Mann, der die Omina nicht mißachtete,

11 Lessing, Gesammelte Werke, ed. P. Rilla, VIII 649.
12 Lessing, Werke IX 862.
13 Lessing, Werke VIII 616.
14 Goethe an Charlotte von Stein, 20. Februar 1781 (Werke XVIII 570).

konnte das kaum gleichgültig sein, zumal er im Mai 1768 die
Begegnung in Leipzig gemieden hatte. Wenn man Christian Felix
Weiße glauben darf, ist Goethe *bloß durch einen Zufall* einem der
zornigen kritischen Ausfälle Lessings entgangen.[15]
Als Jacobi am 5. Juli 1780 in Wolfenbüttel eintrifft, wird noch am
selben Tage gesprochen *von Personen, moralischen und unmoralischen, Atheisten, Deisten und Christen.* Am nächsten Morgen macht
Lessing Jacobi einen Besuch auf dessen Zimmer, und da dieser mit
der Abfertigung seiner Post noch nicht fertig ist, reicht er dem Besucher einiges aus seiner Brieftasche zum Zeitvertreib. Es war nicht
sogleich das Interessanteste dabei, denn bei der Rückgabe fragt
Lessing, ob nicht noch mehr zu lesen sei. Da Jacobi schon ans Siegeln der Post geht, reicht es nur noch für ein Gedicht – und er hält
Lessing Goethes Prometheus-Ode hin, nicht ohne die herausfor-
dernde Bemerkung: *Sie haben so manches Ärgernis gegeben, so
mögen Sie auch wohl einmal eins nehmen.* Es war also von seiten
Jacobis ein kaum erfundenes Zögern da, dann ein tastendes Angebot von Vertraulichkeit, der Eröffnung von Unerlaubtem. Als
Lessing das Gedicht gelesen hat, sagt er, er habe kein Ärgernis
genommen, denn das habe er *schon lange aus der ersten Hand.* Jacobi mißversteht diese Formel und meint, Lessing kenne das Gedicht schon. Aber er hat es noch nie gelesen und meint die ›erste
Hand‹ ganz anders: *Der Gesichtspunkt, aus welchem das Gedicht
genommen ist, das ist mein eigener Gesichtspunkt ... Die orthodoxen Begriffe von der Gottheit sind nicht mehr für mich; ich kann
sie nicht genießen.* Es ist die Überleitung zu dem Eingeständnis
radikaler Heterodoxie, wie sie zwar in dem Gedicht Goethes nicht
dogmatisch ausgesprochen ist, aber der Einstellung, der Intention
nach, als Stimmung ausgedrückt wird. *Dahin geht auch dies Gedicht; und ich muß bekennen, es gefällt mir sehr.* Es ist Jacobi,
der zuerst den Namen des Spinoza und seine Vermutung des
Einverständnisses Lessings mit ihm ausspricht. Es sei, so meint er,
ein schlechtes Heil, das wir in seinem Namen finden!
Das Gespräch wird unterbrochen; aber Lessing, der das Erschrek-
ken seines Gastes bemerkt hat, kommt am folgenden Morgen
spontan darauf zurück. Jacobi verschärft die Situation, indem er
gesteht, gerade deshalb auch zu Lessing gekommen zu sein, um

15 Lessing im Gespräch, ed. R. Daunicht, 345 f.

von ihm *Hilfe gegen den Spinoza* zu erhalten. Da mußte er schon überrascht sein, *und ich mag wohl rot und bleich geworden sein, denn ich fühlte meine Verwirrung. Schrecken war es nicht. Freilich hatte ich nichts weniger vermutet, als an Ihnen einen Spinozisten oder Pantheisten zu finden.* Lessing fackelt da nicht mehr länger und spricht einen Satz aus, den sich Jacobi in der Folge dem Tenor nach zu eigen machen wird, freilich in Umkehrung der Richtung seiner Konsequenz: *Es gibt keine andere Philosophie, als die Philosophie des Spinoza.* Eben das wird er dem deutschen Idealismus entgegenhalten: er sei die entfaltete Konsequenz aller Philosophie und darin notwendig und unvermeidlich Spinozismus.

Von Lessings Äußerung her muß man auch verstehen, daß Jacobi sogar Kant – dem so gewissenhaft um Vermeidung der spinozistischen Konsequenz Bemühten – in der ersten Auflage der Spinoza-Briefe vorhalten wird, die transzendentale Ästhetik der »Kritik der reinen Vernunft« sei *ganz im Geiste des Spinoza* geschrieben. In der zweiten Auflage ist diese Behauptung nur verbal revoziert: *Daß die Kantische Philosophie dadurch des Spinozismus nicht beschuldigt werde, braucht man keinem Verständigen zu sagen.* Inzwischen hatte Jacobi nämlich bemerkt, was mit diesem Ausdruck anzurichten war, der die Substruktur der Aufklärung als ein Amalgam von Atheismus und Naturfrömmigkeit denunzierte. Dennoch wollte er die »Kritik der reinen Vernunft« nur ihrer Ausdrücklichkeit, nicht ihren Implikationen nach vom Vorwurf des Spinozismus ausnehmen. Daß er gegenüber Kant nichts zurückgenommen hatte, geht noch aus einem Brief von 1797 hervor, wo er zu der Vorhaltung, er habe in seinem »Spinoza« das idealistische System *eigentlich erfunden,* nur zu sagen vermag, dies sei insofern gerechtfertigt, als er *gezeigt habe, die Kantische Philosophie, um consequent zu werden, müsse zu diesem Ziele eilen.* Er lasse sich von den Vertretern dieser Konsequenz ›ruhig loben‹ – und schweige.

Der Gebrauch, den Jacobi von dem Schlagwort ›Spinozismus‹ gegenüber Kant machen sollte, erweckt zunächst den Eindruck des leichtfertigsten Umgangs mit einer gefährlichen Vokabel. Das würde die skeptische Vermutung zulassen, Jacobi habe – wie für den Anfang des Gesprächs von ihm selbst zugegeben – Lessing wenigstens die Eindeutigkeit des Bekenntnisses zu Spinoza in den

Mund gelegt. Dagegen spricht der Kernsatz aller Äußerungen, die Lessing von Jacobi zugeschrieben werden, daß es gar keine andere Philosophie als die des Spinoza gebe, also alle genuine Philosophie auf Spinozismus hinauslaufe. Das wird Jacobi in seinem »Spinoza« belegen, indem er die Linie von Giordano Bruno her auszieht: Der Pantheismus ist die unvermeidliche Konsequenz aus der Verbindung des Schöpfungsbegriffs mit dem Attribut der Unendlichkeit. Ist diese Verbindung einmal hergestellt, gibt es kein Halten mehr. Es bleibt dann auch ganz gleichgültig, ob sich das Schöpfungsprinzip in das absolute Ich verwandelt hat oder im Begriff des Urhebers einer unendlichen Natur impliziert bleibt. Jacobi hat in diesem Gespräch mit Lessing nicht nur eine sensationelle Intimität erfahren, er hat bei ihm auch ein Kriterium für die Beurteilung aller Philosophie und damit schon ein Instrument für die eigene Herausforderung an den Idealismus gewonnen, die er sonst so wirkungsvoll zumindest nicht hätte aufs Schlagwort bringen können.

So betrachtet, hat Goethe im fünfzehnten Buch von »Dichtung und Wahrheit«, bei der Schilderung der Entstehung und Wirkung seines »Prometheus«, mit Recht davon gesprochen, dieser habe zum ›Zündkraut einer Explosion‹ gedient, *welche die geheimsten Verhältnisse würdiger Männer aufdeckte und zur Sprache brachte: Verhältnisse, die ihnen selbst unbewußt, in einer sonst höchst aufgeklärten Gesellschaft schlummern.* Und Goethe fügt die schmerzlichste Konsequenz dieser Explosion für alle, die daran so oder so beteiligt waren, hinzu: *Der Riß war so gewaltsam, daß wir darüber, bey eintretenden Zufälligkeiten, einen unserer würdigsten Männer, Mendelssohn, verloren.*

Hat Goethe, so wird man fragen müssen, die Wolfenbütteler Szene im späten Rückblick dämonisiert, um seinem »Prometheus«, der schon vergessenen Ode, epochale Bedeutung für das Ende der Aufklärung zu geben? Wohl kaum, wenn man auf das hört, was Elise Reimarus schon am 24. Oktober 1785 zum Empfang des »Spinoza« an Jacobi schrieb: *Sey es immer Vorurtheil, was mich lenkte, ich erschrack als ich unsern Lessing da so blos vor einer Welt gestellt sah, die ihn nicht versteht, nicht beurtheilen kann, nicht werth ist, ihn ohne Schleyer zu sehen.*[16] Was Jacobi preisgegeben

16 Aus F. H. Jacobis Nachlaß, ed. R. Zoeppritz, I 66 f.

habe, sei *das große Detail eines vertraulichen Gesprächs, jener kleiner Scherzreden, die man sich nur gegen die Vertrauten seiner
Seele und seines Kopfes erlaubt und die außer diesem engen Kreise
sich sogleich in Blasphemien verwandeln.* Sie habe Jacobis Werk
nicht so herzlich aufnehmen können, wie er es verdiene, und sie
könne es nur dann, wenn er sie überzeuge, *daß die Folgen davon
nicht so schlimm seyn werden, als ich sie ahnde.* Ausdrücklich
nimmt Elise Reimarus ›das Gedicht‹ nicht aus, wenn sie von dem
spricht, was – wohl nach dem Vorbild der »Schutzschrift« ihres
Vaters – *ewig nur für die intimsten Freunde Lessings oder für die
Stärkeren im Volke* zugänglich bleiben sollte. Wenn sie sich vorstelle, daß aus diesem ›Wettstreit um Wahrheit‹ die Wahrheitsfor-
scher und Freunde Lessings in einen ›Privatstreit‹ geraten könnten,
bei dem *nur die Feinde Lessings und der Wahrheit siegen werden,*
so versinke sie in wehmütigen Kummer: *O lieber Jacobi, mich
schaudert vor dem Gedanken! Nimmer, nimmer lassen Sie es dahin
kommen!*

Lessings Freundin Elise, die Verwalterin des größten Erbes der
deutschen Aufklärung, hatte nicht erst an den Folgen der Indiskretion Jacobis den Niedergang der Aufklärung diagnostiziert. Sie
habe noch dem lebenden Lessing, wie sie wenige Tage nach seinem
Tode an den Kopenhagener Juristen August Hennings schreibt,
so oft sie konnte das Verdikt ihrer Diagnose über die Vernunft des
Jahrhunderts zugerufen: *Es soll Finsternis bleiben!*[17] Dieses Wort
der schrecklichen Resignation steht auch hinter dem Brief, mit dem
sie Jacobis Zusendung des »Spinoza« beantwortet. Es ist keine
Rede vom äußeren Eingriff in den Vollzug der Vernunft, von
der Wiederkehr finsterer Mächte, romantischer Verschwörung,
sondern es ist die aus dem Wolfenbütteler Vorgang selbst hervorge-
hende Belehrung, daß die Vernunft in ihrer Exekution auf einen
Absolutismus der Identität hinausläuft, der alle anderen Absolu-
tismen ununterscheidbar macht.

---

17 Lessing im Gespräch, ed. R. Daunicht, 543. Schon Dilthey hat 1859 in seinem
Aufsatz über Schleiermacher das Datum des Streits um Lessings letzte Wahrheit
als den *sichtbaren Ausgangspunkt für eine mächtige philosophische Bewegung*
bezeichnet und dabei noch einmal auf die Lichtmetaphorik der Aufklärung angespielt: *An dem hellen Tage des kritischen Rationalismus begann der Schatten
Spinozas, des großen Pantheisten, umzugehen* ... (Dilthey, Gesammelte Schriften XV 22 f.).

Zu sagen, Goethes Prometheus-Ode sei, über das Jahrzehnt ihrer Vergessenheit hinweg, das Bindeglied zwischen dem Göttertrotz des Sturm und Drang und der transzendentalen Gottidentität der Romantik, ist keine Feststellung einer historischen Kausalität. Das Gedicht bringt nicht hervor, es bringt zutage, es ist Auslöser der Konfession eines Lebensfazits. Man muß sich genau ansehen, wie Goethe die Wirkung seines Gedichts beschreibt. In »Dichtung und Wahrheit« setzt er den Sachverhalt voraus, der seiner Zuordnung der Ode zu dem Fragment eines Dramas in der Ausgabe letzter Hand von 1830 zugrunde liegt: das Gedicht sei als Monolog im Plan des Dramas vorgesehen gewesen. Das kann schon deshalb nicht zutreffen, weil es eine Textgleichheit von fast vier Zeilen zwischen beiden gibt. Tatsächlich hatte umgekehrt das Dramenfragment erst ein halbes Jahr nach deren Entstehung die Ode absorbiert. Aber deren nachträgliche Integration gibt dem frühen Prometheus-Komplex jene Einheitlichkeit einer momentanen Konzeption, wie sie der lebensgeschichtlichen Selbstauffassung Goethes genügt. Das Gedicht kann so das Ganze der Selbstanmessung des *alten Titanengewands* vertreten, dessen Zuschnitt sich in der Formel ausspricht, er habe, *ohne weiter nachgedacht zu haben, ein Stück zu schreiben* angefangen. Für die Sicht des Dichters auf die Wirkung seines Werks ist es wichtig, daß er an sich diese Wirkung als geballte Evidenz *einer* Konzeption erfahren hatte. Die Rezeption des Mythos gibt sich mythische Züge: Genetische Umgruppierungen in einem solchen Prozeß sind dem unangemessen, was für das Selbstbewußtsein des Dichters reine Momentaneität besessen hatte.

Was Goethe für den Monolog aus jener *seltsamen Composition* prometheischer Selbstauffassung ausgibt, ist seinem Rückblick als Gedicht *in der deutschen Literatur bedeutend geworden, weil dadurch veranlaßt, Lessing über wichtige Puncte des Denkens und Empfindens sich gegen Jacobi erklärte.* Was hieran das spezifische Moment der ›Veranlassung‹ geworden sein könnte, sagt Goethe nicht. Darüber gibt auch die Metapher vom *Zündkraut einer Explosion* nur den erschließbaren Anhalt, daß es jedenfalls mehr als der bloße Zündfunke, aber weniger als die Sprengladung gewesen sein müsse. Der Ausdruck scheint nicht ohne Sorgfalt gewählt, um zwischen der Substanz des Streits um Lessings Andenken und seiner bloßen Auslösung eine mittlere und nicht unvage Aussage zu treffen. Weshalb dann die metaphorische Gewaltsamkeit einer ›Explosion‹? Eben weil etwas aufzudecken war.

Goethe gibt dem, was dabei zutage trat, die anspruchsvolle Formel, es habe sich um *die geheimsten Verhältnisse würdiger Männer* gehandelt. Nun mochten würdige Männer jederzeit geheime Verhältnisse welcher Art auch immer haben – die, die dieses Gedicht *zur Sprache brachte*, hatten die Besonderheit, daß sie *ihnen selbst unbewußt* geblieben waren. Aber noch mehr: Die letzte und entscheidende Verschärfung, die dem Vorgang den Charakter einer Sprengung geben mußte, war, daß jene dem Bewußtsein entzogenen Verhältnisse *in einer sonst höchst aufgeklärten Gesellschaft schlummerten*. In einer Gesellschaft also, in der der Prozeß der Vernunft als schon erfolgreich betrachtet worden war, und dazu unter denen, die diesen Prozeß eingeleitet und betrieben hatten. Was Goethe derart metaphorisch berührt, ist sein unwillentlich und mit erkennbarem Schaudern angestelltes Experiment auf die Erfolglosigkeit der Aufklärung. Mit Worten, die keinen ausdrücklichen Bezug auf die Anfänge der Romantik nehmen, beschreibt er die Wirkung des mythischen Poems als das Hervorbrechen eines der Rationalität des Jahrhunderts und den Absichten ihrer vornehmsten Vertreter unbekannten und von ihnen ungewärtigten Untergrunds. Einem solchen Ereignis ist das, was er inzwischen als den zentralen Mythos seiner Daseinsform identifiziert hat, im Rückblick spezifisch genau zugeordnet.

Es ist daher nicht gleichgültig, daß Goethe sich kaum scheut, dem Gedicht Anteil noch an dem tragischen Ausgang des Streits zu geben, den das Gerücht zu seiner Wirkung gemacht hatte: *Der Riß war so gewaltsam, daß wir darüber, bey eintretenden Zufälligkeiten, einen unserer würdigsten Männer, Mendelssohn, verloren.* Heinrich Heine wird das mit salopper Distanz als gegebene Tatsache aussprechen: ... *und er ärgerte sich bei dieser Gelegenheit zu Tode.* Daß Goethe solcher Überhöhung nicht ganz abhold war, zeigt die viel spätere Äußerung gegenüber Knebel zu Stolbergs Tod vom 29. Dezember 1819, er habe durch die Invektive von Voß gegen ihn *einen tödlichen Schmerz empfinden* müssen. Natürlich gehört das auch in eine Grundfigur, der geistigen Äußerung die äußerste Wirkung zuzutrauen. Der Tod nicht mehr als Zeugnis der

Wahrheit, aber doch noch als solches der Wirkung intellektueller Handlung.

Woher stammte der Befund, Mendelssohns Tod habe etwas mit der Kontroverse über Lessings letzte Wahrheit zu tun gehabt? Es war der Aufklärer Johann Jakob Engel, der in seinem Vorwort zur postumen Edition der letzten Streitschrift Mendelssohns in dieser Sache die kategorische Feststellung getroffen hatte: *Den nächsten Anlaß zu diesem hier so gerecht und so allgemein bedauerten Tode gab eben das, was den Anlaß zu dieser Schrift gab.*[18]

Hier waren Faktoren der Prägnanzverformung im Spiele. Der von Engel abgedruckte Bericht des Arztes und Kant-Schülers Markus Herz enthält nur den Befund einer sehr indirekten und beiläufigen Kausalität des Streites mit Jacobi: Der Kranke habe ihm gesagt, er habe sich erkältet, als er die Schrift gegen Jacobi zum Verleger Voß brachte. Der Arzt schließt mit der Feststellung: *Sein Tod war der so seltene natürliche, ein Schlagfluß aus Schwäche.* Das also war schon 1786 in Händen aller, die an dem Streit überhaupt Interesse hatten. Aber wie hätte sich die noch undefinierte Bedeutsamkeit dessen, was sich in so wenigen Monaten als Potential neuer Entwicklungen zusammengefunden hatte, sinnfälliger erfassen lassen als durch die willige Einlassung auf eine Koinzidenz der Ereignisse, die dem Betrachter ihr Opfer vor Augen stellte?

Unstreitig hatte dieses Opfer selbst am wenigsten von dem begriffen, was die Intensität einer ›Explosion‹ annehmen konnte. Sonst hätte Mendelssohn nicht so leichthin wagen können, als Ausweg zur Rettung des Andenkens von Lessing der Szene in Wolfenbüttel die Ernsthaftigkeit abzusprechen. Er unterstellte, Jacobi sei einer *Menge von witzigen Einfällen* aufgesessen, *mit welchen unser Lessing Sie in der Folge unterhalten, und von denen es schwer ist zu sagen: ob sie Schäckerey oder Philosophie seyn sollen. Er war gewohnt, in seiner Laune die allerfremdesten Ideen zusammen zu paaren, um zu sehen, was für Geburten sie erzeugen würden... Die mehresten aber waren denn freylich bloß sonderbare Grillen,*

18 An die Freunde Lessings. Berlin 1786. In: Heinrich Scholz (ed.), Die Hauptschriften zum Pantheismusstreit zwischen Jacobi und Mendelssohn. Berlin 1916, 285.

die bey einer Tasse Caffee noch immer unterhaltend genug waren.[19]

Es war nicht nur die Apologetik Mendelssohns, die Jacobi einer ›Schäckerey‹ Lessings aufgesessen sein ließ. Auch andere scharfsinnige Zeitgenossen hielten aus größerer Distanz die Szene von Wolfenbüttel für ›gestellt‹. So zwischen zwei anderen bewährten Aufklärern, dem Göttinger Abraham Gotthelf Kästner und Friedrich Nicolai: *Man sollte doch HE. Jacobin gedruckt sagen, daß Lessing ihn zum Besten gehabt hat. Alle Leute, die Lessingen gekannt haben, werden dieses bestätigen.*[20] Tatsächlich hat dann Nicolais Allgemeine Deutsche Bibliothek den Vorgang auf fast siebzig Seiten behandelt und Zweifel an der Logik des von Jacobi berichteten Gesprächs angemeldet, und zwar gerade hinsichtlich der Rolle, die die Prometheus-Ode darin gespielt haben sollte: *Wir müssen gestehen, daß uns der Übergang von dem Gedichte zum Spinozismus so jähe erscheint, daß man beinahe sagen möchte, Lessing habe die Gelegenheit vom Zaune gebrochen, sein philosophisches Glaubensbekenntnis anzubringen.*[21] Eine andere Lösung auf das Wolfenbütteler Rätsel hatte Friedrich Leopold Stolberg in einem satirischen Gedicht »Die Dichterlinge« schon 1783 unwissentlich vorbereitet, indem er Lessings Neigung zur Schläfrigkeit in den letzten Jahren auf den Besuch eines dichtenden Jünglings anwendete, bei dem der erwachende Lessing mit dem falschen Beifall auf das eben gelesene Gedicht reagiert.[22] Zwar weiß Stolberg vom »Prometheus« noch nichts, aber unausbleiblich mußte Jacobis Bericht an Stolbergs Zeile denken lassen: *Zu Lessing kam ein Jüngling, las ihm vor, / Und schläferte ihn ein . . .* Auch das steht im Zusammenhang mit der Herausforderung, die Jacobi schließlich in Beweisnot gebracht und ihn genötigt hatte, mit allem herauszurücken, was er an Beglaubigungen seines Berichts beibringen konnte.

19 Erinnerungen an Herrn Jacobi. Beilage zum Brief Mendelssohns an Jacobi vom 1. August 1784 (Scholz, a. a. O. 117 f.).
20 Kästner an Nicolai, 22. Oktober 1786. In: A. G. Kästner, Briefe aus sechs Jahrzehnten. Berlin 1912, 154 f.
21 Allgemeine Deutsche Bibliothek LXVIII 1786, 2. Stück (Scholz, a. a. O. p. LXXXII).
22 Stolberg, Die Dichterlinge. In: Deutsches Museum. Leipzig 1783, 3. Stück, 195 (Lessing im Gespräch, ed. R. Daunicht, 542).

Ich kann dem Historiker des Pantheismusstreits, Heinrich Scholz, nicht folgen, wenn er in Mendelssohn den ›geübteren Interpreten‹ der dialogischen Situation zwischen Lessing und Jacobi sieht. Zwar kannte Mendelssohn Lessings Vorliebe für das dialektische Experiment, aber er verschätzte sich völlig hinsichtlich der möglichen Wirkung des »Prometheus« auf seinen Freund. Deren Voraussetzung, *das Wohlgefallen an schlechten Versen, das einem Lessing so unnatürlich ist,* könne diesem nicht ernsthaft zugeschrieben werden. Es genügt Mendelssohn vollauf, den ganzen Bericht Jacobis aus dessen Verkennung der ironisch vertauschten Positionen abzuleiten und zurückzuweisen. Die ästhetische Unglaubwürdigkeit soll die intellektuelle aufdecken: *Konnte sich Lessing in einer aufrichtigen freundschaftlichen Herzensergießung so sehr vergessen? – Und nun vollends sein Urtheil über das Gedicht Prometheus, das ihm Jacobi in die Hände gab; das er ihm sicherlich nicht seiner Güte, sondern seines abentheuerlichen Inhalts wegen, in die Hände gegeben haben kann, und das Lessing so gut fand. Armer Kunstrichter! wie tief mußtest du gesunken seyn, diese Armseeligkeit im Ernste gut zu finden!*[23]
Da liegt es nicht fern, auch noch die delikate Art zu verhöhnen, in der Jacobi mit der Ode Goethes umgegangen war. Er hatte sie seinem Spinoza-Buch auf zwei nicht paginierten losen Blättern beigegeben und das Verfahren in einer Anmerkung mit dem Hinweis auf den grassierenden Atheismus der Hume, Diderot, Holbach und der Lukian-Übersetzungen gerechtfertigt. Nur der Umstand, daß das Gedicht *als Beleg hier kaum entbehrlich* war, habe ihn seine Bedenken beiseite setzen lassen, es überhaupt aus der Vergessenheit ans Licht zu befördern. Es war ein infames Verfahren, das Gedicht als sowohl vergessenswürdig wie verdachtsfähig zu präsentieren, statt es, *ohne weiteres ganz unschuldig hingesetzt,* dem Text beizugeben. Stattdessen diese demonstrative Vorsicht, wie mit einem konspirativen Gegenstand, die ihn dem Buch noch eine als *Nachricht* bezeichnete Einschaltung auf besonderem Blatt beigeben ließ: Das Gedicht »Prometheus« sei separat gedruckt worden, *damit jedweder, der es in seinem Exemplare lieber nicht hätte, es nicht darin zu haben braucht.* Und eine weitere Rücksicht habe ihn diesen Weg einschlagen lassen: *Es wäre nicht ganz unmög-*

23 An die Freunde Lessings (Scholz, a. a. O. 299).

lich, daß an diesem oder jenem Orte meine Schrift des »Prometheus« wegen konfisziert würde. Ich hoffe, man wird nun an solchen Orten sich begnügen, das strafbare besondere Blatt allein aus dem Wege zu räumen. Nun hat Jacobi begriffen, was in dem ›Spekulationspapier‹ steckte. Und er kostet es aus.

Da war für den sanften Mendelssohn Gelegenheit draufzuschlagen gewesen: *Herr Jacobi hat Bedenken getragen, diese Verse, ohne Verwahrungsmittel mit abdrucken zu lassen, und daher ein schuldloses Blättchen mit eingelegt, das Leser von zärtlichem Gewissen, an die Stelle der verführerischen Verse, können einheften lassen. Meinem Geschmacke nach, hätte Lessing die Warnung schädlicher finden müssen, als das Gift. Wer durch schlechte Verse um seine Religion kommen kann, muß sicherlich wenig zu verlieren haben.* Mendelssohn also, weil er meint, Lessing hätte die Ode schlecht finden müssen und schon deswegen nur ironisch auf sie ansprechen können, kalkuliert das Risiko seiner Vermischung von Ästhetik und Religionsphilosophie nicht ein. Wenn schlechte Verse der Religion unmöglich gefährlich sein konnten, mußte ein Irrtum über ihre Qualität oder Lessings Geschmack sich unvermeidlich gegen solche Argumentation kehren.

So hat denn auch Jacobi in seiner Zurückweisung »Wider Mendelssohns Beschuldigungen« Lessings *Wohlgefallen an den schlechten Versen* als zwar möglicherweise ästhetisch bedauerlich, aber unwidersprechlich wahr bestätigt. In der Sprache des Zeugen vor dem Tribunal schreibt Jacobi: *Ich sage aus: Lessing habe nicht allein mehrgedachte schlechte Verse gut gefunden, sondern sie öfter wiederbegehrt, sie ein Gedicht genannt, das Gedicht gelobt und – sogar bewundert.* Jacobi geht ohne Furcht vor Mendelssohns Verdikt den Schritt weiter, Lessings ästhetischer Einstellung zur Prometheus-Ode Vorrang vor dem in ihr vermeintlich gefundenen Spinozismus zu geben. Bei ihrem letzten Abschied in Halberstadt Mitte August 1780 sei Lessing noch einmal auf Goethes Ode zurückgekommen: *... beim Frühstücken, da von nicht schlechten Versen die Rede kam, forderte Lessing den Prometheus mir noch einmal ab, lobte und bewunderte – den echten lebendigen Geist des Altertums, nach Form und Inhalt, darin von neuem.*[24]

Diese letzte Äußerung zum »Prometheus« ergibt einen noch unbe-

24 F. H. Jacobi, Werke, edd. F. Roth / F. Köppen, IV/2, 215.

achteten Aufschluß über das, was Lessing bei der ersten Begegnung mit dem Satz gemeint haben konnte, er *habe das schon lange aus der ersten Hand*. Die Bemerkung deutet Jacobi auf Spinoza. Dieses Mißverständnis bleibt für das Gespräch bestimmend; aber die späteste Äußerung macht unzweifelhaft, daß Lessing die authentische antike Quelle, die Tragödie des Aischylos, gemeint haben muß. Er bemerkt oder beachtet also nicht die Einkleidung des Selbstbewußtseins von Sturm und Drang in das ›alte Titanengewand‹, sondern die Grundstimmung der antiken Tragödie. Indem Jacobi das Stichwort ›Spinoza‹ gibt, liegt dies für die philosophische Tradition doch nicht völlig außerhalb jener primären Zuordnung. Denn die letzte Gemeinsamkeit von Polytheismus und Pantheismus, von Epikureismus und Spinozismus, war seit je in der Ableugnung der göttlichen Sorge um den Menschen gesehen worden. In diesen Gesamttypus fällt auch Goethes Ode. Die Unbekümmertheit des Gottes um den Menschen ist die Prämisse für die Selbstermächtigung und Selbstbestätigung des schöpferischen Poeten. Spinoza war also ein zwar mögliches, nicht aber das zwingende Stichwort für den Gehalt des Gedichts.

Schließlich kam noch ein Moment hinzu, das Jacobi an die Angemessenheit seiner Interpretation glauben lassen konnte: Er hatte mit Goethe zur Zeit der Entstehung des »Prometheus« ein vergleichbares Bekenntnis-Erlebnis gehabt, und zwar in der ersten Stunde ihrer Freundschaft. Jacobi hat darüber, sicher nicht ohne auf Widerspruch gefaßt sein zu müssen, sehr viel später an Goethe geschrieben, als er den dritten Teil von »Dichtung und Wahrheit« erwartete und darin des eigenen Auftretens gewärtig sein mußte: *Ich hoffe, Du vergissest in dieser Epoche nicht des Jabachschen Hauses, des Schlosses zu Bensberg und der Laube, in der Du über Spinoza mir so unvergeßlich sprachst ... Welche Stunden! Welche Tage! – Um Mitternacht suchtest Du mich noch im Dunkeln auf – mir wurde wie eine neue Seele. Von dem Augenblick an konnte ich Dich nicht mehr lassen.*[25] Spinoza in der Jasminlaube, wohl nicht als heimliche, aber doch als begeistert-vertrauliche Eröffnung – das ist Jacobis Prototyp für die Inszenierung der Begegnung mit

25 Jacobi an Goethe, 28. Dezember 1812 (Briefe an Goethe, ed. Mandelkow, II 131 f.).

Lessing, zugleich Anweisung zu seiner hermeneutischen Zuschreibung des »Prometheus« an Spinoza.

Jacobi hatte geglaubt, die so begonnene Freundschaft müsse, zumal
nach dem verwundenen Zwischenfall von Ettersburg, sich schließlich in einer Gemeinsamkeit der Überzeugung und des Denkens
erfüllen, während Goethe diese Möglichkeit kühl ausschloß:...
*wir liebten uns, ohne uns zu verstehen. Nicht mehr begriff ich die
Sprache seiner Philosophie... Über unsere späteren Arbeiten
haben wir nie ein freundliches Wort gewechselt.*[26] Jacobi mochte
erzwingen wollen, was ihm derart verweigert wurde. Er tat daher
etwas vom magischen Typus: Er suchte die frühe Szene der Vertraulichkeit mit Goethe in der Jasminlaube zu wiederholen, wie
er sie schon auf die Begegnung mit Lessing ›angewendet‹ hatte.

Varnhagen von Ense berichtet, Jacobi habe Goethe 1805 auf der
Durchreise in Weimar besucht und in der alten Vertraulichkeit
manches Thema wieder hervorgerufen und besprochen. *Als sie
aber allein geblieben waren, kam Jacobi mit der vertraulichen
Anfrage: Goethe möchte ihm doch nun einmal unter vier Augen
offen und wahr bekennen, was er mit seiner Eugenie (sc. in der
»Natürlichen Tochter«) eigentlich gewollt habe. Goethen war es,
wie er nachher selbst gestand, als wenn man ihm einen Eimer kalt
Wasser übergösse; er sah plötzlich eine nie zu füllende Kluft zwischen sich und jenem, einen Abgrund ewigen Mißverstehens, und
dabei war das Begehren so dumm und albern. Doch faßte er sich,
und um nur den Freund und den Abend leidlich abzutun, sagte er
begütigend: Lieber Jacobi, lassen wir das! Das würde uns für heute
zu weit führen.*[27] Wir haben also drei einigermaßen vergleichbare
Situationen, in denen Jacobis Bedürfnis nach vertraulichem Bekenntnis, nach persönlicher Offenbarung unverkennbar ist. Er war
ein Mann, der wunde Punkte zu berühren wußte. Wie war er
imstande zu erahnen, daß Goethe jede Anfrage nach der Eugenie in
der »Natürlichen Tochter« unbegreiflich betroffen machte? Obwohl
er doch bei diesem Drama so viele *Heimlichkeiten, Geheimnisse,
Unausgesprochenes* hatte mitklingen lassen und obwohl er von

26 Biographische Einzelheiten (Werke XII 634). Doch schreibt Goethe an die
Nichte Auguste Jacobi 1824: *Um Ihren Namen ... versammeln sich die schönsten
und wichtigsten Erinnerungen meines Lebens ...* (Werke XXI 593).
27 Goethe, Werke XXII 376.

keiner seiner Gestalten, wie hier, als von *meiner lieben* Eugenie sprach?[28] Muß man nicht annehmen, daß er mit weltmännischer Abweisung sein Geheimnis wahrte, weil er sich an Jacobis Verfahren mit Lessing erinnerte?

Als Goethe 1820 eine autobiographische Aufzeichnung über die Entzweiung zwischen den Jugendfreunden Voß und Stolberg niederschreibt, geht ihm die Artung seines eigenen Verhältnisses zu Jacobi auf. Voß hatte es Stolberg verübelt, daß er ihm seine wahre Überzeugung, seine Absicht der Konversion, verheimlicht hatte. Goethe jedoch meint, es handle sich um eine Verheimlichung dessen, was nicht auszusprechen war und was, als es dennoch ausgesprochen wurde, die verständigsten, gesetztesten Männer zur Verzweiflung brachte. Indem er dies niederschreibt, muß ihm Jacobis Indiskretion gegenwärtig geworden sein. *Man erinnere sich nur an die unglückliche Entdeckung von Lessings geheimer spinozistischer Sinnesart durch Friedrich Jacobi, worüber Mendelssohn in buchstäblichem Sinne sich den Tod holte.* Das ist nun noch etwas buchstäblicher, als es in »Dichtung und Wahrheit« ausgesprochen worden war. Nochmals zeigt sich, wie fest Goethe von der Wahrheit der spinozistischen Enthüllung Lessings und dessen, was Jacobi darüber berichtet hatte, überzeugt war. *Wie hart war es für die Berliner Freunde, die sich mit Lessing so innig zusammengewachsen glaubten, auf einmal erfahren zu sollen, daß er einen tiefen Widerspruch vor ihnen zeitlebens verheimlicht habe.*[29]

Bedeutet die Abweisung von Jacobis Zudringlichkeit, daß Goethe am Ende weniger seinen »Prometheus« als den Besucher in Wolfenbüttel bei Lessings Selbstentblößung am Werke sah? Das paßt nicht zu der Einschätzung, die er seinen Promethien entgegenbrachte. Schon daß er die Ode vergessen haben sollte, ist ein unwahrscheinliches Arrangement. Er hatte die außerordentliche Fähigkeit, fremde und eigene Gedichte, wenn er sie einmal gelesen oder geschrieben hatte, noch nach einem halben Jahrhundert zitieren zu können.[30] Daß er die Ode seit 1790 in die Ausgaben seiner Werke aufgenommen hat, bezeugt eine Wendung; mit der nachträglichen

---

28 Heinrich Meyer, Goethe. Das Leben im Werk. Stuttgart 1967, 531.
29 Voß und Stolberg (Werke XII 647). Johann Heinrich Voß' »Wie ward Fritz Stolberg ein Unfreier?« war 1819 im dritten Heft des »Sophronizon« erschienen.
30 H. Meyer, a. a. O. 175.

Absegnung von Jacobis Eigenmächtigkeit, die doch Goethes Namen verschwiegen hatte, fand er sich in das Unvermeidliche. Als die Abschrift des Dramenfragments aus dem Nachlaß von Lenz wieder auftauchte, schrieb er warnend an Zelter, bei dem er keine Erinnerung an Mendelssohns Ende vorauszusetzen scheint, obwohl der Komponist sein Leben in Berlin verbracht hatte: *Wunderlich genug, daß jener von mir selbst aufgegebene und vergessene Prometheus grade jetzt wieder auftaucht. Der bekannte Monolog, der in meinen Gedichten steht, sollte den dritten Akt eröffnen. Du erinnerst dich wohl kaum, daß der gute Mendelssohn an den Folgen einer voreiligen Publikation desselben gestorben ist. Lasset ja das Manuskript nicht zu offenbar werden, damit es nicht im Druck erscheine.*[31] Das Jahr 1820 brachte so die frühe Promethie und, mit der Voß–Stolberg-Affäre, die Assoziation zu Jacobis Lessing-Enthüllung nochmals zusammen.

Die Befürchtung, die Goethe nun mit der Veröffentlichung seines Jugendwerks verbindet, hat inhaltlich nichts mehr mit dem zu tun, was vier Jahrzehnte zuvor an Lessing wirksam geworden war. Die möglichen Explosionen sind von anderer Art, nur das ›Zündkraut‹ ist geblieben. Dazu fährt Goethe in dem Brief an Zelter fort: *Es käme unserer revolutionären Jugend als Evangelium recht willkommen, und die hohen Kommissionen zu Berlin und Mainz möchten zu meinen Jünglingsgrillen ein sträflich Gesicht machen.* Die schon in »Dichtung und Wahrheit« für die Wirkung der Ode gewählte Metaphorik liegt immer noch nahe. Sie hat sich offenbar

---

31 An Zelter, 11. Mai 1820 (Werke XXI 393). Nachricht von dem *verirrten Dichtwerke* hatte zuerst der Revaler Arzt Bernhard Gottlob Wetterstrand im Juni 1819 gegeben; der Brief war über das Mitglied der Berliner Akademie Thomas Johann Seebeck an Goethe gelangt, der zunächst nur vermutet: *Nur zwei Akte können es sein, der Monolog Prometheus, der durch Jacobis Unvorsichtigkeit so vielen Lärm machte, gehörte eigentlich hierher, kann aber nicht in dem Manuskript stehen, welches sich bei Lenz gefunden.* (An Seebeck, 5. Juni 1819; Werke XXI 336) Als er wieder an Seebeck schreibt, hat er das Fragment bereits in Händen, erwähnt es aber nur ganz nebenher am Ende des längeren Briefes: *Der Prometheus nimmt sich wunderlich genug aus; ich getraue mir kaum ihn drucken zu lassen, so modern-sansculottisch sind seine Gesinnungen . . .* (An Seebeck, 30. Dezember 1819; Werke XXI 372) Als Sekretär Kräuter 1822 die ›Paralipomena‹ – Goethes Etikett fürs Sekretierte – neu ordnet und ein »Repertorium über die Goethesche Repositur« verfertigt, steht unter Rubriken wie *Occasionis, Politica, Erotica, Priapeia, Invectiven, Moralia* mit anderem auch vermerkt: *Prometheus (doppelt).* (Weimarer Ausgabe III. Abth. VIII 371 f.)

an der intimeren Kenntnis des Mythologems insofern weiter ausgebildet, als der Transport des von Prometheus geraubten Feuers in
der Höhlung des Schaftes eines Riesenfenchels jetzt etwas über die
lange Verborgenheit der gefährlichen Substanz zu verbildlichen
vermag: *Merkwürdig ist es jedoch, daß dieses widerspenstige Feuer
schon funfzig Jahre unter poetischer Asche fortglimmt, bis es zuletzt, real entzündliche Materialien ergreifend, in verderbliche
Flammen auszubrechen droht.*

Was aber in dieser späten Äußerung vor allem bestätigt wird, ist
das Fehlen jeder eindeutigen Zuordnung der mythischen Konfiguration zu einer bestimmten Dogmatik. Der Reiz und sein Risiko
bestanden gerade in der Vieldeutigkeit von Auslegung und Beant-
wortbarkeit, die nichts anzubieten, alles zu fordern schienen. Das
Schlagwort Spinozismus war der Promethie so wenig adäquat gewesen wie nun das der Revolution, der sie zum ›Evangelium‹ hätte
werden können.

Die mythische Figur erweist ihre Evidenz in der Wiederholung.
Die Wiederholung steht zwischen Ritual und Parodie. So konnte es
sich der witzigste der Zeitgenossen nicht verkneifen, Jacobis Aus-
holung Lessings nachzuspielen. Lichtenberg – wer könnte es sonst
gewesen sein? – hat die Szene von Wolfenbüttel als Parodie inszeniert. Nicht zufällig mit seinem Antipoden – dem Vertreter
dessen, was ihm nicht nur am widerwärtigsten war, sondern ihm
auch als das extreme Gegenspiel der Aufklärung erschien –, dem
Verfasser der »Physiognomischen Fragmente«. Über Johann Kaspar Lavaters zweifelhafte Tätigkeit und Wirkung hat der von der
Goethe-Verehrung ungern angehörte Gymnasiumsdirektor in Weimar, Karl August Böttiger, nicht durchaus wohlwollend berichtet:
*In der Genieperiode hieß jeder, der Ordnung und Anstand nicht
mit Füßen treten wollte, Spießbürger. Alles wurde silhouettiert
und Lavaters Urteil unterworfen, der die unverschämtesten Aussprüche tat und die bravsten Menschen auf die Schädelstätte zu
den Räubern verwies. Überhaupt hat Lavater einen vielfältigen
Einfluß auf die hiesige Genieperiode gehabt.*[32] Dies ist der Mann,

---

32 Literarische Zustände und Zeitgenossen in Schilderungen aus K. A. Böttigers
handschriftlichem Nachlaß. Ed. K. W. Böttiger, Leipzig 1838 (Ndr. Frankfurt
1972) I 51 ff. – Lichtenbergs Brief an Ramberg: Schriften und Briefe, ed. W. Pro-
mies, IV 678-680.

dessen Besuch Lichtenberg gegen alle Wahrscheinlichkeit und Dezenz 1786 empfängt, wie er am 3. Juli an den Kriegssekretär in Hannover Johann Daniel Ramberg berichtet.

Wenn die »Physiognomischen Fragmente« alles verkörperten, was Lichtenberg zuwider war, ist es um so überraschender, wenn er von Lavater sagt, er könne *nicht genug beschreiben, wie gut dieser Mann ist.* Er meine alles ehrlich, und wenn er betrüge, so sei er *ein betrogner Betrüger.* Den Empfänger des Berichts bittet er um äußerste Diskretion, denn er wisse, daß man von derartigem *oft den schändlichsten Gebrauch* mache. Dies ist zwar eine Anspielung auf die Folgen der Szene von Wolfenbüttel, aber doch insofern mit vertauschten Rollen, als hier der ›Bekenner‹ selbst für die Verbreitung seiner ›Enthüllung‹ sorgt.

Lichtenberg bringt das Gespräch mit Lavater sogleich auf Mendelssohn, Lessing und Jacobi sowie auf den Spinozismus. Es ist eine entschlossene Provokation. Allerdings bekennt er nicht wie Lessing seinen eigenen und gegenwärtigen Spinozismus, sondern proklamiert diesen als künftige Geistesform, als letzte Konsequenz derjenigen Naturforschung, an der er selbst beteiligt ist. Die Langfristigkeit der Perspektive ist ironisch; sie beruht auf dem Grundgedanken, daß durch den Fortschritt der Physik der Spielraum für die Annahme okkulter Kräfte und spiritueller Substanzen immer enger werde. *Das einzige Gespenst, was wir noch erkennten, sei das, was in unserm Körper spüke und Würkungen verrichte, die wir eben durch ein Gespenst erklärten so wie der Bauer das Poltern in seiner Kammer; weil der hier, so wie wir dort die Ursachen nicht erkennten.* Der Dualismus von Seele und Körper beruhe nur auf einer falschen Auffassung von der Materie als einer trägen Substanz. Der theoretische Prozeß werde jene metaphysische Entzweiung von der Seite der physischen Körper her aufrollen und zu einem substantiellen Monismus hinführen. Im Resultat: Die Erforschung der Natur, *noch Jahrtausende fortgesetzt, werde endlich auf Spinozismus führen.*

Die Provokation Lichtenbergs gleitet an Lavater ab, wie die Lessings an Jacobi abgeglitten war. Mit aller Treuherzigkeit erwidert Lavater, was er da soeben von Lichtenberg gehört habe, *das glaube er auch.* Lichtenberg gesteht seinem Besucher, so viel Unparteilichkeit habe er bei ihm nicht erwartet. Aber hat Lichtenberg seinen

Gast richtig verstanden? Ist er ihm nicht seinerseits auf den Leim einer zweideutigen Zustimmung gegangen? Lavater mochte es die eingeräumte Frist von Jahrtausenden für die Unvermeidlichkeit des Spinozismus erleichtert haben, sich nicht zu widersetzen. In Jahrtausenden läßt man leichten Herzens Welten untergehen. Näher kommt dem Sachverhalt wohl die Vermutung, Lichtenbergs Prophezeiung möchte Lavater als die eines ganz legitimen Unheils erschienen sein, das dem aufklärerischen Umgang mit Wissenschaft als dessen innere Konsequenz bevorstehe: Vernunft würde in den Mythos zurückfallen, dessen Überwindung sie sich zuschreibe.

Diese Vermutung würde der Schilderung entsprechen, die Goethe einmal von Lavater gegenüber Charlotte von Stein gegeben hatte: *Er kommt mir vor wie ein Mensch der mir weitläufig erklärte die Erde sei keine akkurate Kugel, vielmehr an beyden Polen eingedruckt, bewiese das auf's Bündigste, und überzeugte mich daß er die neusten ausführlichsten richtigsten Begriffe von Astronomie und Weltbau habe; was würden wir nun sagen wenn solch ein Mann endigte: schließlich muß ich noch der Hauptsache erwähnen, nämlich daß diese Welt deren Gestalt wir aufs genauste dargethan, auf dem Rücken einer Schildkröte ruht sonst sie in Abgrund versincken würde.*[33] Zum Zeitpunkt dieser Charakteristik war Lavaters Einfluß auf das Weimarer Genietreiben schon gebrochen.

Auch mit Jacobi gibt es eine kurze und unpersönliche Berührung Lichtenbergs. Sie verdeutlicht schlaglichtartig die gefährdete Situation der Aufklärung, für die der Spinozismus-Streit die einschneidende Markierung gewesen war. Die Parodie auf die Szene von Wolfenbüttel wird dabei insofern beleuchtet, als auch sie von der Skepsis bestimmt ist, mit der Lichtenberg nach Anzeichen für Erfolg oder Mißerfolg der Vernunft Ausschau hält. Es scheint, als wolle er hier wie dort die Stabilität der Errungenschaften der Aufklärung testen.

Anfang 1793 erscheint ein ungewöhnlicher Komet. Lichtenberg schreibt an den Bruder Friedrich August, ihm sei die Stelle im Tacitus eingefallen, ein Komet bedeute in der Volksmeinung Wechsel im Staatsregiment. Da mit dem gegenwärtigen Kometen solche politischen Ereignisse zusammengetroffen seien, wäre zu jeder anderen Zeit die Gültigkeit des Vorzeichens für bestätigt gehalten

33 Goethe an Charlotte von Stein, 6. April 1782 (Werke XVIII 653).

worden. Der Komet sei erschienen, als sich der Prozeß des französischen Königs dem Ende näherte und sei sogleich nach dessen Enthauptung verschwunden gewesen: *Was würde man in früheren Zeiten nicht aus dieser Erscheinung gemacht haben?* Selbst seine eigene Immunität gegenüber den Sonderbarkeiten des Zusammentreffens von himmlischen und irdischen Ereignissen hält Lichtenberg nicht für selbstverständlich. Die Lehren, die ihm zuteil geworden seien, aber auch der Umstand, daß er eben in Darmstadt und nicht in München oder Paderborn geboren sei, ließen ihn unempfindlich. Und als sei dies der äußerste Test der Aufgeklärtheit, nennt er nun als den Probefall Jacobi selbst. Er habe es immerhin so weit gebracht, daß er *die Schriften des Pempelfortischen Weisen mit Entzücken lesen* könne. Nicht nur für sich, sondern für sein Zeitalter zieht Lichtenberg die Folgerung, daß die Nichtbeachtung der Vorzeichen am Himmel, des Kometen für den französischen, einer Sonnenfinsternis für den englischen König, die Wirkung der Philosophie bestätige: *Das ist allerdings sehr schön und ein Zeichen, daß die papiernen Assignate der Philosophen im Werte zu steigen anfangen.*[34] Wie für Lessing mehr als ein Jahrzehnt zuvor, ist nun auch für Lichtenberg gerade das, was von Jacobi nicht befallen und befangen werden kann, genauso identisch mit der Ersichtlichkeit des Erfolgs der Philosophie wie die Spurlosigkeit der Kometenbahn im öffentlichen Bewußtsein.

Goethe, um auf diesen zurückzukommen, hat das der Aufklärung zustoßende Unheil nicht erst im Rückblick von »Dichtung und Wahrheit« auf den Spinozismus-Streit datiert. Monate bevor er den »Spinoza« mit dem Abdruck seiner Ode in Händen hielt, schrieb er Anfang 1785 an Jacobi herausfordernd und angstvoll zugleich: *Ich übe mich an Spinoza, ich lese und lese ihn wieder, und erwarte mit Verlangen bis der Streit über seinen Leichnam losbrechen wird...*[35] Im Herbst desselben Jahres muß er dann über seine von Jacobi durch den Abdruck eines weiteren Gedichts verstärkte Verstrickung in den Vorfall schreiben: *Jacobi macht mir einen tollen Streich. In seinem Gespräche mit Lessing kommt doch das Gedicht Prometheus vor, ietzt da er seine Götterlehre drucken*

---

34 Lichtenberg an Friedrich Heinrich Jacobi, 6. Februar 1793 (Schriften und Briefe IV 842 f.).
35 An Jacobi, 12. Januar 1785 (Werke XVIII 834).

läßt, setzt er das andere Gedicht: edel sey der Mensch! mit meinem
Nahmen voraus, damit ia iedermann sehe daß Prometheus von
mir ist.[36]
Goethe hat an Jacobis Recht, in Beweisnot den »Prometheus« zu
veröffentlichen, nicht einmal gezweifelt. Woran er Anstoß nahm,
war die dubiose Art der Veröffentlichung und der Kenntlichma-
chung des Verfassers: *Das Beste wäre gewesen, Du hättest pure den*
Prometheus drucken lassen, ohne Note und ohne das Blatt, wo Du
eine besorgliche Konfiskation reizest...[37] Dabei wußte Goethe
wohl nicht einmal, daß Jacobi auch für den Fall aller Fälle vor-
gesorgt hatte. Er konnte sein Buch mit einer abgeänderten Seite
11/12 ersatzweise versehen, auf der das Risiko in nackten Worten
beschrieben stand und zugleich ausgeschaltet war: *Dieses in sehr*
harten Ausdrücken gegen alle Vorsehung gerichtete Gedicht kann
aus guten Ursachen hier nicht mitgeteilt werden.[38]
Die Ereignisfolge, die mit dem Rückverweis auf Jacobis überspitz-
teste Vorkehrung abgeschlossen vorliegt, hat mythische Qualität.
Alles ist auf ›Bedeutsamkeit‹ hin, nicht nur getrimmt, sondern
erlebt und gesehen. Die Steigerung der Bestätigungen, wirklicher
und nur vermeintlicher, verstärkt rückwirkend die Profile, die
Konturen. Am unmittelbarsten fällt ins Auge, was man die kausalen Mißverhältnisse nennen muß: Was nicht nur aufeinander,
sondern auseinander gefolgt sein soll, läßt sich nur nach dem
principium rationis insufficientis betrachten, das für rhetorische
Wirkungszusammenhänge gilt.[39] Die Erzeugung von ›Bedeutsamkeit‹ wie auf Bestellung kann auch nicht nach der Redensart von
den kleinen Ursachen und großen Wirkungen betrachtet werden –
denn die Ursachen sind auf ihre Art ›groß‹, wie der »Prometheus«.
Das Verhältnis zu den Bildern hat eigene Regularien. Goethe läßt
den Schelmenstreich eines anderen in seine Optik umspringen. Er
läßt sich fast die, wenn nicht vergessene, so doch verblaßte Titanie
zunächst wieder aufzwingen, um sie, wie er es sonst mit dem
Unvermeidlichen tat, als das Seine zu übernehmen, als Relief seiner
Selbsterfassung zu akzeptieren. Den »Prometheus« wird er nicht

36 An Charlotte von Stein, 11. September 1785 (Werke XVIII 871).
37 An Jacobi, 26. September 1785 (Werke XVIII 875).
38 H. Scholz, Pantheismusstreit, Anmerkungsteil 12*.
39 H. Blumenberg, Approccio antropologico all'attualità della retorica. In:
Il Verri. Rivista di Letteratura 35/36, Mailand 1971, 49-72.

wieder von sich stoßen können, obwohl es ihm nicht nur zu diesem
Mal Unbehagen bereitet, seine Primärwahl wiederzuerkennen und
nicht lassen zu können, wie sie war. Was eine Figur von Triumph
und Selbstbestätigung hatte sein sollen, sollte es nicht bleiben.

II
Ein Götterkonflikt

Mit einem Vulkanisten
ist nicht zu reden.
Goethe an den Sohn,
29. Juli 1822

Wie hat sich in Goethes Bewußtsein die Promethie zu einer zentralen Konfiguration seines Selbst- und Weltverständnisses herausbilden können? Läßt sich etwas von der Disposition erfassen, die ihm dieses Mythologem lebenslang nahe sein ließ, von dem er immer wieder ergriffen wurde wie vergleichbar nur von Faust? Ich will versuchen, einige Aspekte dessen vorzuweisen, was man auch die ›Affinität‹ Goethes zu diesem Mythos nennen könnte.

Man wird Bettina von Arnim, der Fabulierfreudigen und noch in der Phantasie skrupellos Selbstbezogenen, glauben müssen, was sie kaum erfunden haben kann: Goethes Mutter habe ihr von dem Sechsjährigen berichtet, wie er nach dem Erdbeben von Lissabon 1755 von der Frage der Rechtfertigung des Ereignisses bewegt worden sei. Die Aussage der Mutter klingt kühn, ist aber von großem Gewicht, die *revolutionären Aufregungen bei diesem Erdbeben seien später beim Prometheus wieder zum Vorschein gekommen.*[1]

Die Latenz einer Verletzung des Glaubens an den Weltsinn läßt sich zwar hier wie anderswo nur vermuten. Nichts gestattet anzunehmen, daß die Mutter etwa zu Zeiten des ersten Prometheus-Plans nachgefragt haben könnte. Aber auch als schiere Vermutung

1 Bettina von Arnim, Goethes Briefwechsel mit einem Kinde. Berlin 1835. Dies unterliegt nicht Bettinens wunschbesessener Unwahrhaftigkeit über Goethe, die ihren Höhepunkt in dem Geständnis an Varnhagen haben sollte: *Und er hat's gethan! grade das hat er gethan!* (Varnhagen von Ense, Tagebücher, ed. Ludmilla Assing, XIII 418 f.: 10. Juli 1857) Goethe selbst hat aber auch der Fabulierfreude der Mutter nicht ganz getraut. Am 25. Oktober 1810 schreibt er an Bettina: *Nun hast du eine schöne Zeit mit der teuren Mutter gelebt, hast ihre Märchen und Anekdoten wiederholt vernommen und trägst und hegst alles im frischen belebenden Gedächtnis.* (Werke XIX 621)

ist es immer noch hell genug gesehen, wenn man das tiefe Eindringen der Prometheus-Empörung in den Lebensgrund als Bestimmungsmächtigkeit für Späteres erfassen will. Gegenüber Riemer
hat Goethe 1809 selbst erzählt, er sei als Sechsjähriger ins Grübeln
gekommen und habe nicht verstanden, warum Gott in Lissabon
nicht wie im Alten Testament wenigstens Weiber und Kinder verschonen konnte.

Man muß sich zunächst genauer ansehen, was der Knabe gesagt
haben soll, um die Aufspürung der Mutter spezifisch zu finden. Er
war mit dem Großvater aus einer Predigt gekommen, die das Muster der Theodizee in der Nachfolge von Leibniz, angesichts der
den Kontinent erschütternden Katastrophe, zur Verteidigung der
Weisheit und Güte des Schöpfers ausgebreitet haben mochte. Der
Vater erkundigt sich, was der Knabe von der Predigt verstanden
hätte. Er mag berichtet haben, was zum vertrauten Repertoire des
populären Zwischenreichs von Theologie und Metaphysik gehörte;
zum Staunen aber war, wie er in eigener Folgerung und Abweichung zu verstehen gab, die Dinge möchten doch viel einfacher sein,
als der Prediger gemeint habe. Denn der Gott, der Erdbeben geschehen lasse, werde wohl wissen, daß *der unsterblichen Seele durch*
böses Schicksal kein Schaden geschehen kann. Erstaunlich ist das
deshalb, weil es das Problem eher von der Unantastbarkeit der
Betroffenen her aufgreift als zur Einwilligung in die geheimnisvolle
Gerechtigkeit des handelnden Gottes führt. Man denkt sogleich an
die Zeilen der Prometheus-Ode, die mit der Hyperbel einsetzen:
Mußt mir meine Erde / Doch lassen stehn . . . Es mag dies der Punkt
sein, an dem die Mutter den Typus des Gedankens in der Dichtung
wiedererkannt hat.

Was die Richtung festlegt, ist dies, daß der Knabe wohl im Widerspruch zum Prediger wenig auf die Frage gibt, wie Gerechtigkeit
und Güte des Gottes gerettet werden könnten. Dem geht es um die
andere, was der Gott, der das Erdbeben schickt oder zuläßt, dem
Menschen, den er damit trifft, nicht antun und nicht nehmen kann.
Solange die Moralität des Gottes nicht – kraft der absoluten Geltung der praktischen Vernunft – mit seiner Existenz postuliert
werden darf, wie nach Kants zweiter Kritik, muß alles Fragen um
die Begrenzung seiner Macht kreisen. Diese Begrenzung konnte
nur in den von Kants erster Kritik verworfenen Bedingungen der

Substantialität des Subjekts gesehen werden. Das alte Kronjuwel der Metaphysik, die Unsterblichkeit, hatte auch den Aspekt einer durch keine Macht verletzlichen Konstante.

Was wir in dieser kindlichen Szene vor uns haben, ist ein Auftritt aus dem letzten Akt des Dramas der Rechtfertigungen Gottes, das Plato mit dem Mythos von der Schicksalswahl der Seelen eröffnet hatte und dem Augustin die systematische Konstruktion gab, indem er die Freiheit des Menschen allein zu dem Zweck erfand, ihn zur Entlastung der Gottheit für die Übel in der Welt verantwortlich zu machen. Unter dieser Voraussetzung war das Übel (*malum*), das dem Menschen widerfährt, nur das Äquivalent des Bösen (*malum*), das er begeht. Die so entdeckte Freiheit ist nun allerdings zugleich Begründung der Unerreichbarkeit für physische Kausalität. Sie macht letztendlich unbetreffbar durch eben jene Weltübel, für die sie die Verantwortlichkeit schafft. Das ist es, was der Knabe Goethe herausbekommen hatte: Das der Weisheit und Gerechtigkeit durch die Theodizee integrierte Übel trifft den Menschen zwar noch, aber nicht mehr in der Substanz. Es wird noch der Grundgedanke sein, der den Schluß des Faust bestimmt, wenn sich Mephisto – bei aller Rechtmäßigkeit der gewonnenen Wette – das Unsterbliche Faustens muß entgehen lassen.

Wer auch immer im Falle des Erdbebens von Lissabon den Menschen vielleicht so wohl nicht gewollt haben mochte, wie sie es gerne glaubten, er kam nicht heran an das, was ihnen unauslöschlich zu eigen war. Nun wird man kaum behaupten dürfen, Goethe habe sich durch Kants Paralogismen von dem Gedanken der substantiellen Unantastbarkeit des Menschen abbringen lassen. Noch der Greis wird sagen, es sei ihm natürlich, so an den Tod zu denken: *Mich läßt dieser Gedanke in völliger Ruhe, denn ich habe die feste Überzeugung, daß unser Geist ein Wesen ist ganz unzerstörbarer Natur . . .*[2] Aber dies ist doch nicht die einzige und auch wohl eine zu abstrakte Lösung für die Sorge um die Unantastbarkeit durch einen übermächtigen Willen. Die Stiftung des Freiheitsbegriffs durch Augustin hatte die Weltverantwortung auf den schuldigen Menschen geladen, um die durch die Gnosis manifeste Drohung der Zweiteilung des Seinsgrundes in Gut und Böse zu überwinden; alles Tröstliche daran, der Mensch könne aus den Bedrängnissen

2 Zu Eckermann, 2. Mai 1824 (Werke XXIV 115).

der Welt und der Verstrickung in Schuld unter einem unerfüllbaren Gesetz durch ein ihm freundlicheres Wesen gerettet werden, ging verloren mit der Unerbittlichkeit des Gedankens, die Qualität der Welt liege ganz bei der Freiheit des Menschen und seiner uranfänglichen Verfehlung. Doch schon in der Theodizee des altklugen Kindes Johann Wolfgang läßt sich der Ansatz dazu wahrnehmen, die rigide Verantwortlichkeit des Menschen wieder als mythische Verwicklung um den Menschen vorzustellen.

Der Sechsjährige denkt nicht strikt monotheistisch, wenn er sagt, Gott werde wohl ›wissen‹, daß der Mensch unsterblich sei und seine Verhängnisse ihm im letzten Grunde daher nichts anhaben könnten. Das macht den Sachverhalt als den einer Begrenzung des Zugriffs zumindest möglich, wenn dieser Mensch nicht Geschöpf desselben Gottes wäre, der ihm in der Welt so hart wie in Lissabon zusetzen konnte. Es wäre die Rahmenbedingung dafür, schon bei der flüchtigsten Kenntnisnahme von dem Mythologem des Prometheus die Anamnesis des frühen Gedankens von der Unvernichtbarkeit des Menschen zu wecken. Die mythische Imagination konnte einen anderen Gott zur Partei des Menschen machen als den, der die Schrecknisse und Erschütterungen der Natur zwar bewirken, aber sie selbst nicht umstürzen und zunichte zu machen vermochte. Darin liegt Konsequenz der Prometheus-Ode aus dem frühen Gedanken des Knaben, wenn schon dort der monotheistische Rigorismus der klassischen Theodizee, obwohl nicht gebrochen, so doch geschwächt gewesen war.

Diese Überbrückung einer Latenz wäre freilich noch zu fragil, wenn nicht Goethe selbst im Rückblick aus dem Jahre 1813 an seiner Affinität zur Promethie eben dies herausgehoben hätte. Es sei *ein schöner, der Poesie zusagender Gedanke, die Menschen nicht durch den obersten Weltherrscher, sondern durch eine Mittelfigur hervorbringen zu lassen, die aber doch, als Abkömmling der ältesten Dynastie, hierzu würdig und wichtig genug ist* ... Der gnostische Anschein, der sich bei jeder Herauslösung des menschlichen Ursprungs aus dem der Welt einstellen muß, wird hier nicht nur durch den Ausdruck ›Mittelfigur‹ und die Enthaltung von jeder Bewertung der Urheberfiguren vermieden, sondern auch durch den unbestimmten Pluralismus, der sogleich als Rahmen von Dynastie und Genealogie um das Konzept gelegt wird. Es wird eine Bahnung zugänglich, auf der der ästhetische Polytheist Goethe eben ein solcher in Verhinderung oder Überwindung eines dualistischen Metaphysikers geworden ist. Dies läßt ihn in »Dichtung und Wahrheit« jenen schönen und der Poesie zusagenden Grundgedanken der Promethie mit der Verallgemeinerung verbinden: *... wie denn überhaupt die griechische Mythologie einen unerschöpflichen Reichtum göttlicher und menschlicher Symbole darbietet.* Zu demselben Zeitpunkt dieser Heraushebung seines Eingehens auf die Promethie erklärt sich Goethe fast systematisch – und nicht zufällig gegenüber Jacobi – zur Triplizität seiner ›Theologie‹: *Ich für mich kann, bei den mannigfaltigen Richtungen meines Wesens, nicht an einer Denkweise genug haben; als Dichter und Künstler bin ich Polytheist, Pantheist hingegen als Naturforscher, und eins so entschieden als das andere. Bedarf ich eines Gottes für meine Persönlichkeit, als sittlicher Mensch, so ist dafür auch schon gesorgt.*[3]

Nach dem Blick auf den sechsjährigen Verformer der gerade mit Lissabon zugrunde gehenden Theodizee ist ein weiteres indirektes Kindheitsdokument heranzuziehen, das den Lateinschüler des Vaters am Werk zeigt. In Frankfurt befindet sich ein Schreibheft des Knaben, das mit anderem Übersetzungsübungen aus dem Deutschen ins Lateinische enthält, darunter eine datiert auf Januar 1757, deren Textvorlage offenkundig vom Vater verfaßt und der sonntäglich in den Elternhäusern reihum gehenden Schülergruppe diktiert worden war.[4] Denn die Dialogszene zwischen Vater und Sohn spielt unverkennbar im wohlversorgten Bürgerhaus am Großen Hirschgraben.

Der Vater geht in den Weinkeller, der Sohn fragt, ob er ihn begleiten dürfe. Er soll erst, zugunsten der kleinen grammatischen Finesse, sagen, was er da denn vorhabe. Sich eine richtige Vorstellung vom Wiederauffüllen des Verdunstungsschwundes in den Weinfässern zu machen, antwortet der Sohn. Einer solchen Bildungsabsicht traut der Vater, wie Väter nun einmal sind, nicht; er

3 An Friedrich Heinrich Jacobi, 6. Januar 1813 (Werke XIX 689). Bekannter die Kurzformel in den »Maximen und Reflexionen« Nr. 807. Wie wenig man sich dies als ein Nebeneinander vorstellen darf, ergibt sich aus dem Eingeständnis in »Dichtung und Wahrheit«, daß *bei meinem Charakter und meiner Denkweise Eine Gesinnung jederzeit die übrigen verschlang und abstieß.*
4 Labores Juveniles: Colloquium Pater et Filius (Werke XV 20-27).

vermutet eine andere dahinter. Da muß der Sohn gestehen, er
wolle den Grundstein des Hauses (*lapidem fundamentalem*) und
den Schlußstein des Kellergewölbes (*lapidem clausularem*) sehen.
Man erfährt nicht, ob solcher Trieb, den Dingen auf den Grund zu
gehen, noch oder erst recht die Billigung des Vaters findet. Jedenfalls verheißt er, als der Sohn, zurückschreckend vor der Finsternis
auf der Kellertreppe, zögert, im Bunde mit der Epoche und ihrem
Bildungsvertrauen, baldiges Licht: *descende mi fili provide et mox
infra lucem invenies,* übersetzt der Sohn. Und wirklich erweist
sich in dieser paideutischen Umkehrung des Höhlengleichnisses,
daß ein wenig Licht durchs Kellerloch genügt, um den Dingen im
Dunkel ihr Geheimnis zu nehmen.

Als Grundstein und Schlußstein gefunden sind, fordert der Vater
den Knaben auf, sich an das Zeremoniell zu erinnern, in dem er
selbst den Grundstein hatte legen dürfen. Höhepunkt des Dialogs
ist aber die Frage, was er sich denn beim Anblick des Grundsteins
denke. Bei dem im übrigen zum Zweck der Übersetzungsübung
verschönten, aber kaum erfundenen Dialog wird es dem Vater auf
Wörtlichkeit der Antwort und Anbringung einer kleinen Zurecht-
weisung angekommen sein. Wenn das so ist, haben wir es mit einem
in den Ausgaben der Gespräche vernachlässigten frühesten origina-
len Stück zu tun.

Die Antwort des Sohnes, wie der Vater sie aufgeschrieben hat,
lautet: *Ich gedencke und wünsche daß er nicht eher als mit dem
Ende der Welt verrucket werden möge.*[5] Dem Vater ist der An-
spruch auf so viel Dauerhaftigkeit zu groß, und mit stilisierter
Zurückhaltung schränkt er ein: *Das wollen wir Gott anheim-
stellen . . .* Man sieht am Fortgang des Gesprächs, wie der Knabe
auf die Festigkeit der Statik bedacht bleibt. Offenbar ist der
Weinkeller erst später dem Hause untergebaut worden, denn der
Sohn wundert sich darüber, daß man während des Baus trotz aller
Gefahr der Aushöhlung und Abstützung habe im Hause wohnen

5 Wenn die Authentizitätsannahme für die Erinnerung des Vaters an den ›Kin-
dermund‹ richtig ist, hätte der Sohn sein eigenes Diktum übertragen: *Cogito
mecum et opto, ut iste haud prius, quam cum mundi ipsius interitu universali de
loco suo moveatur.* – Der Schlußstein kehrt wieder als Metapher *Schlußstein zum
Menschen* in der Nachricht über die Entdeckung des *Os intermaxillare* an Herder
(27. März 1784; Werke XVIII 761).

bleiben können. Charakteristisch für den haushaltenden Vater – wir werden ihn alsbald in der Rolle des Buchhalters für ästhetische Aufwendungen des Sohnes kennenlernen – ist noch die Ermahnung an die nächste Generation, sich von den alten Jahrgängen der Weine später einmal nur mäßig zu bedienen und so auch der Nachwelt davon zu überliefern.

Die ganze Szene ist fast eine Zeremonie der Initiation in bürgerliche Solidität. Das wird am deutlichsten mit dem Schluß: Der Vater überreicht im dunklen Keller, damit der Sohn nicht unbelohnt für seine Antworten fortgehe, diesem ein unansehnliches Holz, von welchem er ihm eröffnet, es sei ein Stück aus dem Mastbaum des Schiffes, auf welchem Kolumbus die neue Welt entdeckt habe. Der Sohn verspricht, es aufzubewahren.

Es wäre vielleicht übertriebene Hermeneutik zu sagen, die Bedachtheit des Achtjährigen auf die Festigkeit der Fundamente des Hauses, auf Verknüpfung ihres Bestandes mit dem der Welt selbst und im ganzen, lasse noch das Trauma verspüren, mit dem weniger als zwei Jahre zuvor die Schilderungen vom Erdbeben in Lissabon das Kind betroffen hatten. Greift man aber weiter aus auf dieses Leben und seine Textur, so wird die kindliche Attitüde vor dem Grundstein und dem Boden, auf dem er ruht, zur figuralen Prägung einer Subjektivität des Weltverhaltens, die man vor dem Verbrauch des Wortes getrost ›existentiell‹ genannt hätte. Dazu Weiteres.

Als Eckermann an einem schönen Herbsttag des Jahres 1823 auf der Straße nach Erfurt spazierengeht, findet sich ein bejahrter Mann zu ihm, der sich im Gespräch als Goethes einstiger Kammerdiener Sutor zu erkennen gibt. Eckermann läßt sich aus den zwanzig Jahren dieses Dienstes erzählen. Einmal habe Goethe mitten in der Nacht nach ihm geklingelt, und als er in seine Kammer trat, hatte er das eiserne Bett vom anderen Ende des Raumes zum Fenster geschoben und beobachtete aus dem Liegen den Himmel. Ob er nichts am Himmel bemerkt habe, hätte Goethe ihn gefragt; und als er verneinte, ihn nach der Wache geschickt und den Posten fragen lassen, ob der nichts gesehen habe. Seinem Herrn, der immer noch dalag und den Himmel unverwandt beobachtete, mußte er bei der Rückkehr sagen, auch dem Posten sei nichts aufgefallen. Da habe Goethe zu ihm gesagt: *Höre, wir sind in einem*

*bedeutenden Moment, entweder wir haben in diesem Augenblick
ein Erdbeben, oder wir bekommen eins.* Dann habe er Sutor gezeigt, an welchen Kennzeichen er diese Feststellung gewinne. Da es
sehr wolkig und schwül gewesen sei, kann es sich um keine Stern-
beobachtung gehandelt haben. Wir erfahren nicht, was Goethe
seinem Kammerdiener gezeigt hatte. Doch muß es ihn überzeugt
haben, diesmal wie auch sonst: Er *glaubte ihm aufs Wort; denn
was er vorhersagte, war immer richtig.* Auch der Herzog und
andere bei Hofe hätten am nächsten Tag Goethes Beobachtungen
geglaubt. Nach einigen Wochen sei dann die Nachricht eingetroffen, daß *in derselbigen Nacht ein Teil von Messina durch ein Erdbeben zerstört worden* war.[6] Das Erzählte müßte sich also im Februar 1783 zugetragen haben.

Wenn Goethe zu Eckermanns Erzählung von der Begegnung mit
Sutor lakonisch im Tagebuch unterm 21. Dezember 1823 vermerkt:
Sutors Tradition einer Himmelserscheinung, so muß man daraus
noch nicht schließen, seine eigene Erinnerung habe von der telepathischen Beziehung auf das Erdbeben nichts bewahrt oder sogar
nichts gehalten. Gerade wenn ihm seine Erinnerung deutlich und
bedeutsam gewesen sein sollte, hätte er nur einen datierenden
Merkposten benötigt und im übrigen so ostentativ geschwiegen, wie
es ihm beim Bedeutsamen eigen war. Er liebte es schon gar nicht,
bei seinen Neigungen zum Ominösen betroffen zu werden.

Aufschluß darüber, wie es wirklich gewesen sein kann, gibt uns
aber ein Brief an Frau von Stein vom 6. April 1783, in dem es
heißt: *Heute nacht sah ich ein Nordlicht im Südosten, wenn nur
nicht wieder ein Erdbeben gewesen ist, denn es ist eine außerordentliche Erscheinung.* Dies zumindest war nicht der 5. Februar,
und Goethe wußte in dieser Nacht bereits vom Untergang Mes-
sinas; darauf deutet das Wort ›wieder‹ beim Erdbeben, nicht bei
der Himmelserscheinung. Ergibt sich nicht die Vermutung, daß
die Verbindung von Erdbeben und Himmelserscheinung in dieser
Nacht erst hergestellt worden ist? Wäre zwei Monate zuvor auch

6 Eckermann, Gespräche mit Goethe, 13. November 1823 (Werke XXIV 69-71).
Von einem Fall seismischer Telepathie berichtet Ulrich von Wilamowitz-Moellendorff in seinen »Erinnerungen 1848-1914« (Leipzig o. J. Vorwort 1928, 152): der
Astronom Schmidt erwachte aus dem Schlaf von leisesten fernen Erderschütterungen, die er aufzeichnete und mit den Messungen verglich.

schon eine Himmelserscheinung beobachtet worden, würde Goethe
die Begründung der Außerordentlichkeit nicht benötigen. Dann
aber war Sutor in der Erinnerung geneigt, wegen der Differenz von
zwei Monaten den inzwischen so großen Mann nicht um seine Auszeichnung durch Ahnungen betrogen wissen zu wollen, was so gut
zu ihm und zu seiner Vorstellung von der Einheit der Natur
paßte, die es nahelegte, eine außergewöhnliche Erscheinung nicht
ohne Hinweis auf die andere sein zu lassen. Goethe selbst verwahrt sich denn auch nicht gegen die von Eckermann berichteten Erinnerungen Sutors – auch ihm selbst lag solches ganz nahe.
Vergleichbar telepathisch ist dann die Sensibilität, mit der er zwei
Jahre später an der Halsbandaffäre den beginnenden Einbruch
des politischen Bodens verspürte, auf dem der Zustand Frankreichs
und damit Europas aufruhte. Es ist das Jahr, in dem er von den
anderen Erschütterungen zuerst erfährt, die sein »Prometheus«
über jene würdigen Männer brachte, von dem gewaltsamen ›Riß‹
in einer sonst höchst aufgeklärten Gesellschaft, der nur das Pendant
zu dem ›Abgrund‹ zu sein schien, der sich im Nachbarland geöffnet
hatte – Metaphern, die sich auf den Lebensboden einer Welt bezogen.
Die Sorge um den Boden unter den Füßen war nicht erst Sache
der Risse und Abgründe; als Furcht, den Boden bei der Selbsterhebung zu den Sternen zu verlieren, ist es schon in den »Grenzen
der Menschheit« ausgesprochen, die Erich Schmidt als *getroste
Parodie des »Prometheus«* bezeichnet hat, weil Zeus der uralte
heilige Vater geworden ist, der segnend Blitze über die Erde
schleudert und in der Brust seiner Geschöpfe kindliche Schauer
erregt. Da steht, was ein weiteres Stück der ›Arbeit‹ an der Promethie genannt werden muß: *Denn mit Göttern / Soll sich nicht messen / Irgend ein Mensch.* Es ist eine Alternative zwischen der frühen
Promethie und den doch nur ein halbes Jahrzehnt späteren »Grenzen der Menschheit«: Wer feststehen will auf der Erde, kann nicht
mit dem Scheitel die Sterne berühren. Auch das verwandte Bild des
Schiffbruchs taucht auf: Der ewige Strom, auf dem der Mensch
treibt, hebt ihn mit der Welle und läßt ihn versinken. Daß es nicht
sicher und unangefochten ist: *Auf der wohlgegründeten / Dauernden Erde* zu stehen – das ist es, was Prometheus den großen Gestus
kostet. Am 25. Juli 1779 steht im Tagebuch, er bitte die zuschauen-

den Götter, über sein *Streben und Streiten und Bemühen* nicht zu
lachen –: *Allenfalls lächlen mögt ihr, und mir beystehen.*
In die Fluchtlinie der Beunruhigungen über die Zuverlässigkeit des
Bodens, die bei dem Eindruck des Erdbebens von Lissabon auf
den Knaben beginnt, gehört Goethes Parteinahme im Streit zwischen Neptunismus und Vulkanismus. Diese Kontroverse war aus
dem Bestreben der Aufklärung hervorgegangen, sich von den
Auflagen des biblischen Schöpfungsberichts über die Anfänge der
Welt freizumachen und nach immanenten Formungskräften der
Natur, und der Erdoberfläche zumal, zu forschen. Die Bibel hatte
den festen Grund für das Leben der Menschen durch den Befehl
des zweiten Tages der Schöpfung gelegt, Urflut und Festland zu
scheiden. Dagegen schien die vulkanische Lösung, als die Theorie
der von innen kommenden Formgewalt, fast bildhaft die reine
Immanenz zu bekräftigen. Die Erde gab sich selbst ihre endgültige
Physiognomie. Um dem Wasser auch nur annähernd vergleichbare
Gestaltungskraft zuzuschreiben, fehlte es noch den kühnsten Aufklärern an Vorstellungen über die Länge der Zeit, die für sedimen-
tative Prozesse zuzugestehen war. In der Konkurrenz mit der
Schöpfungsgeschichte überzog der Vulkanismus sehr schnell seine
theoretische Leistungsfähigkeit. Alexander von Humboldt mußte
sich 1790 in seinem ersten Buch, den »Mineralogischen Beobachtungen«, von Georg Forster angeregt und ihm gewidmet, nicht nur
mit einer Theorie über den Einfluß des Basalts auf Charakter und
Regierbarkeit der Menschen auseinandersetzen, sondern auch umständlich den Rostocker Professor Witte zurechtweisen, der die
ägyptischen Pyramiden, die Ruinen von Baalbek und Persepolis
wie die Bauten der Inka aus Lavaergüssen und natürlichen Ba-
saltbildungen erklären wollte. Die Art, wie die Vulkanisten in jedem Teich einen Kratersee zu erkennen vermochten, ließ Humboldt
zögern, sich ihren theoretischen Errungenschaften zu beugen; erst
sein Aufenthalt auf Teneriffa 1799 und seine Besteigung des Vesuv
1805 öffneten ihm die Augen für die vulkanischen Phänomene.
Nach dem Bericht im fünften Band des »Kosmos« entschied er sich
1825/26 für den vulkanischen Ursprung des Granits. Auf der
anderen Seite läßt sich der enge Zusammenhang zwischen dem
Neptunismus und der Romantik nicht übersehen; von der ›Geo-
gnosie‹ Abraham Gottlob Werners kamen nicht nur Novalis,

Baader und Theodor Körner mit ihrer zumindest metaphorischen Neigung zum Bergbau und ihrer Abneigung gegen die demiurgische Funktion des Feuers her.[7]

Für Goethe war dies keine Entscheidung einer wissenschaftlichen Streitfrage. Er wählte vielmehr zwischen zwei elementaren Metaphern für die Vertrauenswürdigkeit des Bodens unter unseren Füßen – noch mehr: des Grundes unserer Lebenswelt. Bei Gelegenheit anderer Erdbeben schreibt er an Charlotte von Stein: *Die Erde bebt immer fort. Auf Candia sind viele Orte versunken, wir aber auf dem uralten Meeresgrund wollen unbeweglich bleiben wie der Meeresgrund.*[8] Versteht man nicht besser Goethes Ergriffenheit vor dem Granit, deren literarischer Niederschlag in der Abhandlung vom Januar 1784 vielleicht dem geplanten »Roman über das Weltall« zuzuordnen ist, und von deren Pathos Böttiger berichtet, Goethe habe *in der Organisation des Granits die göttliche Dreieinigkeit, die nur durch ein Mysterium erklärt werden könne,* gefunden.[9]

Die »Abhandlung über den Granit« und der Neptunismus seiner Geologie bildeten die Formen, durch Anschauung des gewachsenen Bodens mit dem Verfall des Weltvertrauens nach Voltaires Hohn über Leibniz und Pope fertig zu werden. Schließlich ist es keine Spekulation mehr, in ähnlicher Weise Goethes Blick auf Napoleon, ein Vierteljahrhundert nach dem ersten Beben der Halsbandaffäre, als die elementare Erfahrung eines neuen festen politischen Bodens zu begreifen, wie schrecklich ihm später auch der Preis erscheinen mochte, um den diese Festigkeit zu haben gewesen war.

Wenn er 1814 auf die Entstehung des »Prometheus« zurückblickt,

---

7 H. Beck, Alexander von Humboldt. Wiesbaden 1959/61, I 23 f., 41 f.; II 247 f. – Das Resultat des langen Streits hat Ludwig Feuerbach 1839 ganz von der ästhetischen ›Erhabenheit‹ des Vulkanismus her bewertet: *Schade! daß wir dem Schauspiel nicht beiwohnen konnten; aber gewiß würde, wenn wir zugegen gewesen wären, unser Sensorium auf eine höchst disharmonische und extraordinäre Weise erschüttert worden sein. Warum verlangt ihr vom Bilde, was euch das Original nicht geben kann?* (Christian Kapp und seine literarischen Leistungen. Sämtl. Werke, edd. W. Bolin, F. Jodl, II 153 ff.)

8 An Charlotte von Stein, 7. November 1780 (Werke XVIII 549).

9 K. A. Böttiger, Literarische Zustände und Zeitgenossen. Leipzig 1838 (Ndr. Frankfurt 1972), I 22. Böttiger sieht den Granitkult nur als Mode, die sich aus dem erneuerten Interesse am Bergbau in Ilmenau ergeben hätte, eine der *lächerlichsten Genieperioden* im Ganzen des »Sturm und Drang«: *Da war der Mensch gar nichts, der Stein alles.*

ist auch da der ästhetische Trotz der mythischen Figur ganz verwandelt in eine Gebärde der Anstrengung, unerschütterlichen Grund zu gewinnen. Indem er nach *Bestätigung der Selbständigkeit* suchte, fand er *als die sicherste Base derselben mein productives Talent.* Es war die Naturgabe, die ihm insofern ganz gehörte, als sie *durch nichts Fremdes weder begünstigt noch gehindert werden* konnte. Die Vorstellung, *hierauf mein ganzes Daseyn in Gedanken zu gründen,* sollte es gewesen sein, die sich ihm in ein Bild verwandelt hätte: *... die alte mythologische Figur des Prometheus fiel mir auf, der, abgesondert von den Göttern, von seiner Werkstätte aus eine Welt bevölkerte.*[10]

Wer daraufhin neuerdings Fragment und Ode ansieht, wird allererst gewahr, wie Goethe die Kongruenz seiner Lebensformen mit seiner Lebensformel allmählich auffindet. Die Zeilen der Ode *Mußt mir meine Erde / Doch lassen stehn* heben sich als Ausdruck der innersten Besorgnis dieser Welterfahrung heraus. Das Dramenfragment ein Jahr zuvor hatte das noch weniger anschaulich, aber auch noch näher am Grundgedanken des Sechsjährigen über die Unantastbarkeit der Seele ausgesprochen. Es war argumentativ nun wirklich Spinozas Bestandstheorem nahegekommen: *Wir alle sind ewig. / Meines Anfangs erinnr ich mich nicht, / Zu enden hab ich keinen Beruf / Und seh das Ende nicht. / So binn ich ewig denn ich binn.* Im Frühjahr 1773 hatte Goethe erstmals Spinoza gelesen. Unerwartet für die Wirkungsgeschichte ist die Ode, insofern sie weniger argumentativ, stärker metaphorisch verfährt, vom ersten Spinoza-Eindruck schon weiter entfernt.[11]

Die lebensweltliche Selbstverständlichkeit des Bodens, auf dem wir stehen, wird erst durch ihre Gefährdung, ihre Negation erfahren. Wenn Faust am Anfang des zweiten Teils, auftauchend aus der Verfinsterung der Gretchentragödie, in *anmutiger Gegend* zu neuem Leben erwacht, *auf blumigen Rasen gebettet,* ist er nicht nur darüber erstaunt, noch und wieder da zu sein, sondern vor allem,

10 Dichtung und Wahrheit III 15 (ed. Scheibe, 526).
11 Auch im »Werther« ist ganz nahe an Spinozas *perseveratio* argumentiert: *Nein, Lotte, nein – Wie kann ich vergehen, wie kannst du vergehen, wir sind ja!* Aber das abstrakte Rationalitätsprinzip steht nicht für sich: *Vergehen! – Was heißt das? das ist wieder ein Wort! ein leerer Schall ohne Gefühl für mein Herz.* (Werke IV 373) In der zweiten Fassung von 1783/86 ist das, bis auf geänderte Zeichensetzung, so stehen geblieben (Werke IV 502).

daß der Boden unter seinen Füßen noch trägt, ihn noch trägt. Was in der mythischen Elementenlehre der »Pandora« als Widerstand gegen die demiurgische Nutzung von den Schmieden besungen wird: *Erde sie steht so fest!*, ist für Faust die Erfahrung einer in dieser Katastrophe ihn überwältigenden Zuverlässigkeit: *Du, Erde, warst auch diese Nacht beständig.* Daß es anders sein könnte, macht die kaum ausgestandene Gefährdung zum elementaren und dennoch als unbillig zurückgenommenen Verdacht.

Doch mit »Pandora« und der Eingangsszene des zweiten »Faust« ist weit vorgegriffen, um den Übergang der telepathischen Erdbebenerfahrungen in die Metaphorik der Zuverlässigkeit des Bodens vorzuzeichnen. Schon in der ersten Hälfte der achtziger Jahre häufen sich die Zeugnisse dafür, daß Goethe die Festigkeit des Bodens nicht mehr ›lebensweltlich‹ selbstverständlich ist, auf dem er und die Voraussetzungen seiner Existenz aufruhen.

1781 – in dem Jahr der ersten Erwähnung des Plans zum »Roman über das Weltall«, einem schon ›romantischen‹ Projekt darin, daß der allenfalls für Lehrgedichte qualifizierte Gegenstand nun als romanfähig erkannt ist – warnt Goethe Lavater vor den *geheimen Künsten* des Cagliostro, die auf den jederzeit zur Leichtgläubigkeit Disponierten großen Eindruck gemacht hatten. Goethe hat *Spuren, um nicht zu sagen Nachrichten von einer großen Masse Lügen, die im Finstern schleicht.* Das Bild, mit dem er auf den ahnungslosen Lavater einzuwirken sucht, beschwört die Verwechselbarkeit des vermeintlich Überirdischen mit dem faktisch Unterirdischen. *Glaube mir, unsere moralische und politische Welt ist mit unterirdischen Gängen, Kellern und Cloaken miniret, wie eine große Stadt zu seyn pflegt, an deren Zusammenhang, und ihrer Bewohnenden Verhältniße wohl niemand denkt und sinnt; nur wird es dem, der davon einige Kundschaft hat, viel begreiflicher, wenn da einmal der Erdboden einstürzt, dort einmal ein Rauch aus einer Schlucht aufsteigt, und hier wunderbare Stimmen gehört werden.*[12] Man erfährt hier, was ›Lebensgefühl‹ ist und wie es sich metaphorisch zu äußern vermag.

Mehr als drei Jahre später – es ist das Jahr des »Granits« – schreibt Goethe an den Herzog, der gerade auf Reisen in der Schweiz ist, mit Anspielung auf die politische Lage und die Winzigkeit

12 An Lavater, 22. Juni 1781 (Werke XVIII 601).

des Großherzogtums, über den Fortgang der heimischen Betriebsamkeit und die mögliche Vergeblichkeit all dessen bei Erschütterung der größeren Gefüge: *Wir fahren indess mit unsern Amei-
senbemühungen fort als wenn es gar keine Erdbeben gebe.*[13]
Welcher Art Goethes Grundstimmung in diesen Jahren gewesen
war, seine Empfindlichkeit für das Unfeste des Bodens, seine Abneigung gegen jede Annäherung an Abgründe, reflektiert sich noch
ein Jahr vor dem politischen Beben in einem Brief des Karl Philipp
Moritz, Autor des »Anton Reiser« und der späteren »Götterlehre«,
aus Rom vom 9. August 1788: *Ich höre Ihre warnende Stimme,
wenn ich an Abgründe gerate, und ziehe schnell meinen Fuß zurück...*[14]
Gibt es einen Anhalt dafür, daß Goethe sich jemals dessen bewußt
geworden wäre, wie seine telepathische Teilnahme an den Erschütterungen des Bodens ihn für seine faktische Erfahrung vom Gang
der Geschichte als dem Untergang einer Welt disponiert hat? Es ist
fast nicht mehr erstaunlich, daß es in dem widerwilligen und wi-
dersprüchlichen Festspiel zur Bezwingung Napoleons »Des Epimenides Erwachen« gleich zwei Erdbeben gibt, die die zwei großen
Untergänge seiner Geschichtserfahrung verbildlichen. Diese Doppelung des Bewußtseins von der Unsicherheit des Bodens, auf dem
alles steht, wird erst nach der durchgestandenen Konfrontation mit
Napoleon und dem Zusammenbruch auch dieser Solideszenz begreiflich. Die Symmetrie im Festspiel zum Untergang des Bewunderten besteht gerade darin, daß die Wiederbringung glücklicherer Zustände auf demselben Prinzip beruht wie der Zusammenbruch der vormaligen Sicherheit: auf der Unterminierung des
Bodens. Die allegorische Figur der Hoffnung spricht es im zweiten
Aufzug aus: *Im Tiefsten hohl, das Erdreich untergraben... Doch
wird der Boden gleich zusammenstürzen / Und jenes Reich des
Übermuts verkürzen.*[15] Im Festspiel wird, was einst nur Abgrund
und Drohung gewesen war, die einzige Aussicht auf eine freie Zukunft. Hier spricht Goethe einen jener apokalyptischen Sätze, die
nach gelungener Konsolidierung tröstlich klingen mögen, als An-
weisungen für wieder andere Zukünfte aber das Fatale utopischer

13 An Carl August, 26. November 1784 (Werke XVIII 815).
14 Briefe an Goethe, ed. Mandelkow, I 107.
15 Des Epimenides Erwachen II 3 (Werke VI 468).

Eschatologien ausmachen: *Die Welt sieht sich zerstört – und fühlt sich besser.*

Zur Symmetrie gehört, daß Goethe das Bild des erwachenden Epimenides schon einmal auf sich angewendet hatte. Es war alsbald nach der Rückkehr aus Italien und im Gefühl seiner Entfremdung gegenüber der Realität von Weimar gewesen, zu einem Zeitpunkt also, an dem Moritz noch die warnende Stimme vor den Abgründen zu hören glaubt: *... und mir geht es nun gar wie dem Epimenides nach seinem Erwachen.*[16]

Auf diese Zeit bezieht sich auch, was er in den »Tag- und Jahresheften« auf das Jahr 1789 schreibt, er hätte sich in den Verhältnissen und Geschäften von Weimar kaum wieder eingerichtet gehabt, *als sich die Französische Revolution entwickelte und die Aufmerksamkeit aller Welt auf sich zog.* Doch schon vier Jahre vor dem Erdrutsch, fährt er fort, habe die Halsbandgeschichte *einen unaussprechlichen Eindruck* auf ihn gemacht. Das Wirken Cagliostros, vor dem Goethe Lavater gewarnt hatte, reicht unmittelbar in die Affäre hinein, von der niemals vollends geklärt worden ist, wer in diesem Gaunerstück Drahtzieher und wer Genarrter war. Goethes Reaktion auf den fernen Vorgang, durch den sich über die Königin unwiderruflich das Zwielicht der Zweifelhaftigkeit legte, scheint zur Bedeutung des Vorgangs in keinem Verhältnis zu stehen; sie ist telepathisch wie beim Erdbeben von Messina. *In dem unsittlichen Stadt-, Hof- und Staatsabgrunde, der sich hier eröffnete, erschienen mir die greulichsten Folgen gespensterhaft, deren Erscheinung ich geraume Zeit nicht los werden konnte...* Ihm selbst mochte die Stärke der Behauptung die Zuverlässigkeit seiner Erinnerung unglaubwürdig erscheinen lassen. Aber es gab Zeugen, die sich erst diese vier Jahre später über die Seltsamkeit seines damaligen Verhaltens zu äußern wagten, weil sie es in anderem Sinne für bedenklich gehalten hatten. So außerhalb der Normalität hatte es gelegen, *daß Freunde, unter denen ich mich eben auf dem Lande aufhielt, als die erste Nachricht hievon zu uns gelangte, mir nur spät, als die Revolution längst ausgebrochen war, gestanden, daß ich ihnen damals wie wahnsinnig vorgekommen sei.*[17]

Dieses Verhalten darf man nicht mehr den Tollheiten der Genie-

16 An Karl von Knebel, 25. Oktober 1788 (Werke XIX 124).
17 Tag- und Jahreshefte 1789 (Werke XI 622).

periode zuschieben. Ein durch hermetische Absicherung hochgradig künstliches Leben, wie das nur durch die *Lebensdünne in Weimar* möglich gemachte[18], war ganz auf innere Konsistenz, gewahrt durch eine pedantisch waltende Selbstobhut, angewiesen. Goethe reagiert auf das Gefühl der Ohnmacht gegenüber äußeren Ereignissen überstark. Seine Daseinskonzeption ist auf die Selbstmächtigkeit des Individuums angelegt, authentisch sein Leben zu ›machen‹. Sein Bündnis mit den Mächtigen, auch das mit dem Herzog von Weimar, beruht immer darauf, sie nicht zu Übermächtigen für sich werden zu lassen, so nötig sie sind, um andere Faktoren zu neutralisieren. Es ist Methode darin. Er hat das selbst einmal, im Hinblick auf sein Verhältnis zu Schiller, mit dem für seine Selbstbehauptung fundamentalen Satz ausgesprochen: *Jeder Mensch in seiner Beschränktheit muß sich nach und nach eine Methode bilden, um nur zu leben.*[19]

Der Ausdruck ›Methode‹ muß seine neuzeitlich-cartesische Intention auf Objektivität abgelegt haben, um ganz in den Dienst der sich immanent formierenden Subjektivität zu treten. Was ihren theoretischen Sinn ausgemacht hatte, ihre schlackenlose Übertragbarkeit von Individuum auf Individuum, von Generation auf Generation, ist hier negiert. ›Methode‹ ist gerade das, worin die Väter immer versagen und was aus dem Widerspruch gegen sie entsteht. Für Riemer gibt Goethe das so zu verstehen: *Methode ist das, was dem Subjekt angehört, denn das Objekt ist ja bekannt. Methode läßt sich nicht überliefern. Es muß ein Individuum sich finden, dem die gleiche Methode Bedürfnis ist. Eigentlich haben nur Dichter und Künstler Methode, indem ihnen daran liegt, mit etwas fertig zu werden und es vor sich hinzustellen.*[20] Das Gebaren in den Tagen der Halsbandaffäre ist Symptom für die Ahnung vom Versagen der ›Methode‹ des ersten Jahrzehnts in Weimar. Es ist der Herbst, in dem Goethe in Jacobis »Spinoza« die Prometheus-Ode wiederfindet.

Dieser Sensibilität kündigt sich eine Epoche an, in der es nicht mehr möglich sein wird, das eigene Lebenskonzept zu verteidigen und durchzusetzen. Erst als das Fremde in Gestalt auf das Eigene zu-

18 H. Meyer, Goethe. Stuttgart 1967, 330.
19 Aus meinem Leben. Fragmentarisches (Werke XII 623).
20 Zu Riemer, 29. Juli 1810 (Werke XXII 597).

rückkommt, Napoleon auf den »Werther«, beginnt eine neue
Phase. Von dem Punkt der ersten Erschütterung seiner Welt her
vermag man zu begreifen, daß Goethe sich mit der Realität erst
wieder zu arrangieren begann, als er den Erben und Vollstrecker
der damals erahnten Umwälzung nicht nur in seinen schicksalhaften
Auswirkungen am eigenen Leib verspürte, sondern leibhaftig vor
sich sah als einen, der auch seine ›Methode‹ inszenierte und demon-
strierte und den Autor des »Werther« dieser zu integrieren suchte.
Und zur Niederkämpfung dieses Schirmherrn seiner unersättlichen
Sicherheitsbedürfnisse muß Goethe das Festspiel schreiben! Es wurde selbst Ausdruck für den Wiedergewinn seiner Sicherheit in jener
›Methode‹, mit der er ein Vierteljahrhundert zuvor den ersten Blick
in den Abgrund der Halsbandaffäre theatralisch zu verwinden
gesucht hatte. Nichts war bezeichnender, als daß Goethe zuerst beabsichtigte, aus dem Cagliostro–Halsband-Stoff eine komische Oper
zu machen, die der Zürcher Komponist Kayser vertonen sollte.
Es wurde dann eines seiner schwachen Theaterstücke, der »Groß-
Kophta«. Von jener ersten Verwirrung läßt sich fast nichts mehr
bemerken, eine einzige Stelle ausgenommen, an der die ursprüngliche Erregung mit den ursprünglichen Worten ausgedrückt wird:
*Was hab ich gehört, und in welchen Abgrund von Verräterei und
Nichtswürdigkeit hab ich hineingeblickt!*[21] Dies die Worte des
Ritters Greville, der die Anstiftung des an Cagliostros Hellseher-
betrug beteiligten Mädchens zu dem großen Coup belauscht hatte.
Man sieht, wie ich meine, die späte Metapher vom ›Zündkraut einer
Explosion‹, die auf die andere große Erschütterung des Jahres 1785
geht, in ihrem imaginativen Zusammenhang, wenn man die Bildwelt der Erdbeben, Abgründe, Unterminierungen, Schiffbrüche
hinzunimmt, die sich auf diesen Zeitpunkt beziehen.
Für das Jahr 1793 schreibt Goethe eine Bemerkung nieder, die sich
auf den Zweifel seines Schwagers Schlosser bezieht, ob in der gegenwärtigen Welt überhaupt und zumal in der deutschen irgendeine
Aufgabe noch durch eine wissenschaftliche Gesellschaft behandelt
werden könne. Er, Goethe, habe weiter fest daran geglaubt. *Und
so hielt ich für meine Person wenigstens mich immer fest an diese
Studien, wie an einen Balken im Schiffbruch; denn ich hatte nun
zwei Jahre unmittelbar und persönlich das fürchterliche Zusam-*

21 Der Groß-Kophta (1791) IV 8 (Werke VI 650).

menbrechen aller Verhältnisse erlebt.[22] Darin erscheinen ihm die
Tage, die er während der Kampagne in Frankreich verbringt, nachträglich als *Symbole der gleichzeitigen Weltgeschichte.* Ihm, dem
tätigen produktiven Geiste, würde man es zugute halten, *wenn ihn
der Umsturz alles Vorhandenen schreckt, ohne daß die mindeste
Ahnung zu ihm spräche was denn Besseres, ja nur anderes daraus
erfolgen solle.* Ende 1793 sieht er den »Bürgergeneral« auf der
eigenen Bühne mit Erfolg aufgeführt. Dabei wird ihm nun doch
die Bewältigung von Realität durch Theater suspekt: ... *das Stück
ward wiederholt, aber die Urbilder dieser lustigen Gespenster
waren zu furchtbar als daß nicht selbst die Scheinbilder hätten
beängstigen sollen.*

Als Goethe im März 1802 »Die natürliche Tochter« vollendet, gibt
er nicht nur die Weisheit, politisch durch Verborgenheit zu überleben, preis. Gegenüber der Tagesdramatik der Revolutionsstücke
ist sie die gereifte Ausformung einer persönlichen Erfahrung von
der Unfestigkeit des Bodens, von der ominösen Verweisung der
physischen auf die politische Instabilität, von der Austauschbarkeit
ihrer bildhaften Drohungen. Eugenie, die natürliche Tochter und als
solche Opfer dynastischer Intrige, erfaßt sich selbst als politische
Figur erst, wenn ihr der Mönch die über sie verhängte Verbannung
als Möglichkeit der eigenen Rettung wie der Hilfe für die Elenden
auf den fernen Inseln suggeriert und mit der großen Rhetorik der
Hinfälligkeit alles Gegenwärtigen, Nahen und Heimatlichen zu-
stimmungswürdig erscheinen lassen will. Dabei kehrt das Schrek-
kensbild des Untergangs von Lissabon wieder. Im Anblick der
stolzen Hafenstadt, von der aus Eugenie ihr Land für immer verlassen soll, wird ihr die nächtliche Vision dieses Untergangs vor
Augen gestellt: Der Verlust, der ihr durch menschlich verordnete
Ausstoßung droht, betreffe nur das, was in jedem Augenblick durch
die Natur von Nichtigung getroffen werden kann. Was als felsen-
fest erscheint, wie für die Ewigkeit gegründet und geordnet, ist in
seinen Fundamenten unterwandert von seiner Hinfälligkeit. Nur
nächtliche Ahnung vermag gewahr zu werden, wie der Boden schon

---

22 Tag- und Jahreshefte 1793 (Werke XI 631). Zu Goethes Schiffbruchmeta-
phern: H. Blumenberg, Schiffbruch mit Zuschauer. Paradigma einer Daseinsmetapher. Frankfurt 1979, 20 f.; 47-57.

wankt und die Prachterscheinung des Tages in Schutt zu zerfallen vermag.

Der mönchische Prediger vertraut der Eindrucksmacht seiner rhetorischen Bilder. Er hält nicht einmal für nötig, sie eigens auf die Situation der ratsuchenden Fürstentochter anzuwenden. Er läßt das Verhängnis für sich sprechen, treibt nur die schon gewonnen Geglaubte zur Beeilung der Abreise an. Aber die Äquivalenz der Bilder, des Naturschreckens dort, des politischen Schicksals hier, macht ihre Tücke geltend. Die Rhetorik ist umkehrbar, das eine kann Metapher des anderen werden. Eugenie hat für sich eine andere Evidenz abgelesen: die der Hinfälligkeit auch der politischen Gefüge, aus denen und durch die sie verstoßen werden soll. In der Erdbebenvision des Mönches hat sie vor sich, was sie nicht einen Augenblick zögern läßt, die hinterhältig-dienstbare Wegweisung auszuschlagen. Was ihr bis dahin unmöglich und unerträglich erschien, sich in den Schutz einer ihr angebotenen bürgerlichen Ehe zurückzuziehen und der Bedrohtheit dessen zu vertrauen, was sie bedroht, ist nun ihre Folgerung. Es ist kein Entschluß zum politischen Untergrund, sondern zum privaten Interim.

Eugenie stellt assoziativ dieselbe Beziehung zwischen den tellurischen und den politischen Zuständen her, die Goethe für sich zwischen Lissabon und Messina auf der einen, Halsbandaffäre und Revolution auf der anderen Seite erfahren hatte. Auch für Eugenie sind plötzlich Erinnerungen da, Erinnerungen an mahnende und drohende Hinweise auf die Unfestigkeit der politischen Zustände. Fast aufs Haar gleicht das, was ihr aus der eigenen Frühe aufsteigt, dem, was der Mönch ihr soeben als den nächtlichen Alptraum des drohenden Verfalls ihrer Welt vorgestellt hat, um ihr den Abschied zugunsten einer anderen zu erleichtern: *Diesem Reiche droht / Ein jäher Umsturz. Die zum großen Leben / Gefugten Elemente wollen sich / Nicht wechselseitig mehr mit Liebeskraft / Zu stets erneuter Einigkeit umfangen.*[23] Wenn Eugenie sich in die enge Welt des bürgerlichen Hauses zurückzieht, eröffnet sich ihr eine neue Metaphorik von Dauerhaftigkeit des Bodens, der nun nicht mehr der fragwürdige Baugrund des Staates, sondern der gewachsene Boden der Heimat ist, der sich für das Überdauern in der Latenz anbietet:

23 Die natürliche Tochter V 7 (Werke VI 401 f.).

Nun bist du, Boden meines Vaterlandes, / Mir erst ein Heiligtum, nun fühl ich erst / Den dringenden Beruf, mich anzuklammern.

Als Goethe dies schrieb, wußte er noch nicht, daß ihm im Wanken aller Festigkeiten noch eine andere Form stabilisierender Kraft begegnen könnte, unerwartet und entgegen dem Resultat der »Natürlichen Tochter«: die politische Macht selbst in Gestalt des korsischen Imperators. Für Ludwig Börne, der das als verächtlich erfaßt, wird Goethe der *Stabilitätsnarr* sein. Und was seine frühen Wendungen angeht, hat er selbst in »Dichtung und Wahrheit« beschrieben, wie ihm in der kurzen Phase der Näherung an den Pietismus der Glaube als *ein großes Gefühl von Sicherheit für die Gegenwart und Zukunft... aus dem Zutrauen auf ein übergroßes, übermächtiges und unerforschliches Wesen* erschienen sei, dessen Angebot er nur deshalb nicht wahrnehmen konnte, weil der dogmatische Gehalt in den Gesprächen zwischen Lavater und den frommen Damen sowie in den Querelen von Basedow ihn abstieß.[24]

Über ein halbes Jahrhundert hinweg bricht in der »Natürlichen Tochter« das Schreckensbild von Lissabon wieder durch. Aber die Gebärde der Selbstbehauptung hat sich verändert. Der metaphysische Trumpf des Knaben mit der Garantie der Unsterblichkeit sticht so wenig mehr wie der Trotz des ästhetischen Göttersohnes *Mußt mir meine Erde / Doch lassen stehn.* Nun geht alles in den Gestus ein, den der Dichter als den *dringenden Beruf, mich anzuklammern* Wort gewinnen läßt. Die Stärke zu überdauern wandelt sich in die Fähigkeit zur Resignation, zur Verkürzung der Front der Kollisionen mit der Realität. Als der Untergang Napoleons das zweite Erdbeben bringt, das der überdauernden Selbstbehauptung neuen Raum schaffen könnte, ist es zu spät; die Projektion der Promethie auf den Kaiser macht es unmöglich, aus dessen Katastrophe Selbstgewinn zu ziehen. Vielmehr vollendet sie die Resignation. Selbst der Dämon, dem der Dichter standzuhalten vermochte, hatte es mit dem Gott, mit dem Schicksal, an dessen Stelle er die Politik – und zwar sich selbst als diese – hatte setzen wollen, nicht aufnehmen können.

Das Doppelerdbeben im »Epimenides« ist die letzte im Bild bleibende Antwort auf die Theodizeefrage des Knaben: Was zerstört, ist insgeheim das Schaffende schon. Der den Untergang überschla-

24 Dichtung und Wahrheit III 14 (ed. Scheibe, 505).

fende Tempelpriester ist nicht mehr selbst der schaffende Titan, sondern nur der Zuschauer höherer Mächte, die sich Endgültigkeit des Ruins nicht vorschreiben lassen. Epimenides ist Zuschauer wie der Dichter. 1806, nach Jena, hatte er an Zelter geschrieben, es sei in den bösen Tagen, durch die er ohne großen Schaden durchgekommen sei, für ihn nicht Not gewesen, sich der öffentlichen Angelegenheiten anzunehmen; *so konnt' ich in meiner Klause verharren, und mein Innerstes bedenken.*[25]

Der zehn Jahre jüngere Zelter ist der erste Andere, der etwas von einem Prometheus hat, es aufzunehmen gewürdigt wird, nachdem Goethe sich dessen als des Unbewältigten entledigt hatte und nun geneigt war, es an anderen zu verehren: *Es ist wirklich etwas Prometheisches in Ihrer Art zu sein, das ich nur anstaunen und verehren kann. Indessen Sie das kaum zu Ertragende gefaßt und gelassen tragen und sich Plane zu künftiger erfreulicher und schaffender Tätigkeit bilden, habe ich mich wie ein schon über den* Cocyt *Abgeschiedener verhalten und an dem letheischen Flusse wenigstens genippt.*[26] Weit zurück liegt die Tagebucheintragung, in der Goethe schon das, was er unter dem *bösen Clima* zu leiden hatte, mit der titanischen Rolle benennt: *Lidte Prometheisch.*[27] Der Blick lag nicht mehr auf dem bildnerischen Gott, sondern fiel, wenigstens für einen Augenblick, auf den duldenden am Kaukasusfelsen. Zu jener wie zu dieser Größe gehörte derselbe Gott.

Gelegenheit, sich dem leichtfertigen Sprachgebrauch mit dem Prädikat eines Gottes zu stellen, kommt zu Anfang des Jahres 1808. Nach dem Bericht Riemers hatte Goethe gehört, man nenne ihn ›einen göttlichen Mann‹. Seine Erwiderung ist aufs Paradox angelegt: *Ich habe den Teufel vom Göttlichen!* Ist das eine Abdankung? Kann er der Gott nicht mehr sein oder will er es nicht? Die Begründung, die Goethe nach Riemer gibt, deutet auf Erfahrung der Ohnmacht, aber auch auf Unwillen gegenüber der

25 An Zelter, 26. Dezember 1806 (Werke XIX 506). Zum »Epimenides« gehört der kühnere Selbstvergleich mit den Göttern Epikurs, wiederum gegenüber Zelter (16. Dezember 1817; Werke XXI 254): Er habe vorausgesehen und rechtzeitig geraten, sagt er nach dem Wartburgfest, *und zwar das was alle, da die Sache schief geht, getan haben möchten.* Das berechtige ihn zur Impassibilität: *deshalb ich mich denn auch wie die Epikurischen Götter in eine stille Wolke gehüllt habe, möge ich sie immer dichter und unzugänglicher um mich versammeln können.*
26 An Zelter, 30. August 1807 (Werke XIX 525).
27 Ende April 1780 (Tagebücher, Artemis-Ausg. 101).

olympischen Rolle hin. Es helfe ihm nichts, wenn man ihn so nenne und dann doch tue, was man wolle, ihn sogar hintergehe. Nur wer sie gewähren lasse, werde von den Leuten so genannt. Der vermeintliche Gott sei der Betrogene: was er von seiner Absolutheit nachlasse, nähmen die anderen, um auch absolut zu sein. Der Gott setzt den Anlaß dafür, daß andere auch Götter sein wollen, um ihm zu widerstehen. Es ist eine Rolle der Vergeblichkeit durch sich selbst.[28]

Man kann sich nicht vorstellen, daß dieses Stückchen Dialektik zwischen Goethe und Riemer gespielt worden wäre, ohne daß sie sich des Spruchs erinnert hätten, den sie im Jahr zuvor am Tage der Besichtigung des Schlachtfeldes von Jena gefunden und unter sich festgemacht hatten. Goethes Abdikation auf das Attribut des Göttlichen an diesem 1. Februar 1808 steht deutlich im Kontext einer Krise, die sich um das mythische Diagramm der Schwierigkeit, ein Gott zu sein, herausgebildet hat. Das frühe Pathos des ästhetischen Titanen hatte auf der Implikation beruht, ein Gott könne es mit einem Gott aufnehmen, wie Prometheus mit Zeus. Dem gegenüber wird der ›ungeheure Spruch‹ zur letzten Formel der Resignation werden, sobald man ihn im Irrealis der Melancholie liest: Nur ein Gott hätte es mit einem Gott aufnehmen können.

So weit ist Goethe in der Selbstapplikation des Spruchs 1808 wohl kaum. Er verwahrt sich dagegen, ein ›göttlicher Mann‹ genannt zu werden, weil die Menschen dies nur zum Anlaß der Selbsterprobung ihrer Eigenwilligkeit machten. Man wird sich den Horizont dieser Erfahrung nicht allzu weit gespannt zu denken haben. Goethe genügte oft die kleine Theaterwelt als repräsentativer Ausschnitt der großen. Im September 1807 war die Weimarer Bühne mit dem zum »Faust« geschlagenen »Vorspiel auf dem Theater« wieder eröffnet worden. Man kann dieses nach 1800 entstandene Vorspiel als ein Stück der endgültigen Entprometheisierung des Dichters, hin und hergerissen zwischen den Ansprüchen der Welt, seines Selbst und seiner Sache, lesen. *Wer sichert den Olymp? vereinet Götter? / Des Menschen Kraft, im Dichter offenbart!* Das ist nur noch ironisches Pathos, auf der verlorenen Seite im Kraftfeld des Vorspiels, das vom ›Realismus‹ der Praktiker beherrscht wird:

28 Zu Riemer, 1. Februar 1808 (Werke XXII 481 f.).

Was träumet Ihr auf Eurer Dichterhöhe? / Was macht ein volles
Haus Euch froh? / Beseht die Gönner in der Nähe! / Halb sind sie
kalt, halb sind sie roh. Die Unerschütterlichkeit des Göttersitzes
war in der Sprache der Homer, Hesiod und Pindar das Gegenbild
zur Unfestigkeit der Erde; jetzt ist es Mittel der Ironie, die Selbst-
anpreisung des Dichters ad absurdum zu führen, der die Sicherung des Olymp und die Vereinigung der Götter der Menschen-
kraft attestiert, wie sie sich im Dichter darstelle. Darauf weiß nur
die Lustige Person die passende Antwort: *So braucht sie denn, die*
schönen Kräfte ...
Goethes Einspruch gegen den ›göttlichen Mann‹ von 1808 verweist
zurück auf die Szene des Sturm und Drang, auf der solche Voka-
beln wie ›Götter‹, ›Riesengeister‹, ›Dämonen‹ und ›Teufel‹ ebenso
wohlfeil wie unspezifisch und gegeneinander austauschbar gewesen
waren. In den wirren Steigerungen dieser Sprache war jedes Mittel
schnell verbraucht und Göttlichkeit nicht ernster zu nehmen als
Dämonie. Von denen, die sich den christlichen Wahrheiten nicht
beugen, habe Goethe als von ›Riesengeistern‹ gesprochen, berichtet
Stolberg im Juni 1776 aus Weimar: *Dieser unbeugsame Trotz*
wird, wenn er in ihm weiter wuchert, auch sein Herz kalt machen.[29]
Stolberg, der mit seinem Bruder Goethes Eintreffen in Weimar am
26. November 1775 miterlebt hatte und vor der Entscheidung
stand, selbst als Kammerherr dorthin überzusiedeln, hat im Dezember 1776 eingestimmt in die strengen Abmahnungen, die Klopstock dem Treiben Goethes in Weimar hatte zuteil werden lassen.
Der Briefwechsel ging von Hand zu Hand. Klopstock fürchtete den
verwildernden Einfluß Goethes auf den Herzog durch eine allzu
genialische Lebensweise, mit der er die Chance eines Bündnisses
zwischen Fürsten und Gelehrten wie Dichtern aufs Spiel gesetzt

29 J. Janssen, Friedrich Leopold zu Stolberg. Freiburg 1877, I 70 f.: *Göthe ist*
nicht bloß ein Genie, sondern er hat auch ein wahrhaft gutes Herz, aber es
ergriff mich ein Grausen, als er mir an einem der letzten Tage meiner Anwesen-
heit in Weimar von Riesengeistern sprach, die sich auch den ewigen geoffen-
barten Wahrheiten nicht beugen. Stolberg hat Goethe dämonisiert. Er hat 1780
zuerst den Vierzeiler veröffentlicht, den Goethe der Schwester Auguste am 17.
Juli 1777 brieflich anvertraut hatte und der seither in aller Bildung begann:
Alles geben Götter, die unendlichen, / ihren Lieblingen ganz ... Seit in der
Yale Library die verloren geglaubte Handschrift wiedergefunden wurde, wissen
wir, daß Stolberg das Präsens hineingelesen hat, wo leibhaftig steht: *Alles gaben*
Götter ... (W. Vulpius, in: Jahrbuch d. Goethe-Gesellschaft Bd. 29, 1967, 280 f.).
Goethe spricht von einer mythischen Fernzeit.

sah. Goethes Antwort war rüde, Klopstocks Schlußwort Kündigung der Freundschaft gewesen.[30] Stolberg schreibt darauf an ihn, Goethe verdiene, seine Freundschaft zu verlieren. Das alles stehe im Zusammenhang mit der Übersteigerung seines Selbstbewußtseins und der Selbstdefinition einer Rolle, die Stolberg so beschreibt: *Starrkopf ist er im allerhöchsten Grade, und seine Unbiegsamkeit, welche er, wenn es möglich wäre, gern gegen Gott behauptete, machte mich schon oft für ihn zittern. Gott welch ein Gemisch, ein Titanenkopf gegen seinen Gott, und nun schwindelnd von der Gunst eines Herzogs.*[31] Alle Sprachelemente der prometheischen Selbstauffassung und Selbstdarstellung werden dem Beobachter des ersten Auftritts Goethes in Weimar anschaulich. Und nicht nur ihm – dies ist für eine kleine Welt der Schauplatz eines Vorganges, von dem nicht nur Klopstock Großes erwartete: die endgültige Begünstigung des Geistes durch die Macht.

Charlotte von Stein schwankt, wie sie den Eindruck der neuen Figur in der Welt von Weimar beschreiben soll. Immerhin ist der Brief, in dem sie das tut, zum ersten Mal ein deutsch geschriebener, zugestandenermaßen schon unter dem Einfluß eben dieses Goethe. Daß er das vermocht hatte, veranlaßt sie zu der ängstlichen Bemerkung: *... was wird er wohl noch mehr aus mir machen?* Sie hat also Schwierigkeiten mit der Sprache, und wenn sie schreibt, es gehe ihr ›wunderbar‹ mit Goethe, kann man auch oder eher lesen ›wunderlich‹. Je mehr ein Mensch fassen könne, um so dunkler und anstößiger werde ihm das Ganze und um so eher verfehle er den ruhigen Weg. So etwa schreibt sie, wenn man ihr Deutsch ins Deutsche übersetzt. Und weiter: das alles erinnere sie an den Sturz der Engel, denn *gewiß hatten die gefallnen Engel mehr Verstand wie die übrigen...*[32] Die verwirrende Zweideutigkeit, die sich

30 Klopstock an Goethe, 8. Mai 1776 (Briefe an Goethe, ed. Mandelkow, I 58). – Goethe an Klopstock, 21. Mai 1776: *Also kein Wort mehr über diese Sache!* (Werke XVIII 325). – Klopstock an Goethe, 29. Mai 1776 (Briefe an Goethe, ed. Mandelkow, I 59): *Sie haben den Beweis meiner Freundschaft so sehr verkannt, als er groß war.*
31 Briefwechsel zwischen Klopstock und den Grafen Christian und Friedrich Leopold zu Stolberg. Ed. J. Behrens, Neumünster 1964, 189 f. Stolberg geht nicht nach Weimar, wo er sich, nach Goethes Äußerung an Auguste Stolberg vom 30. August 1776, *in Cammerherrlichkeit abgetrieben hätte.*
32 Charlotte von Stein an Johann Georg Zimmermann, 10. Mai 1776 (Goethe als Persönlichkeit, ed. H. Amelung, I 164 f.).

moralisch für sie nicht fassen läßt, treibt sie sogar dazu zu sagen, sie nenne ihn jetzt *meinen Heiligen und darüber ist er mir unsichtbar worden, seit einigen Tagen verschwunden, und lebt in der Erde fünff meilen von hier in Bergwercke.*

Goethe sieht sich selbst nicht anders, als er eine seiner Glücksproben, Forcierungen des, wenn nicht Unmöglichen, so doch unmöglich Erscheinenden bestanden hat: den Brocken im Winter zu ersteigen. Daß der zuständige Förster vor Verwunderung außer sich gewesen sei, *da er viele Jahre am Fuße wohnend das immer unmöglich geglaubt hatte*, schreibt er erst im August 1778 in Stilisierung der Verwegenheit an Merck. An Charlotte schreibt er sogleich und von Ort und Stelle: *Es ist schon nicht möglich mit der Lippe zu sagen was mir widerfahren ist ... Mit mir verfährt Gott wie mit seinen alten heiligen, und ich weis nicht woher mir's kommt.* Er hat das begehrte *Befestigungs Zeichen* für die *übermütterliche Leitung zu meinen Wünschen* gewonnen, sein Dasein um einen weiteren Zug *simbolisch* gemacht, ist auf dem Gipfel gewesen – *ob mir's schon seit 8 Tagen alle Menschen als unmöglich versichern.* Es ist ein blasphemischer Zug in diesem Gang auf den Gipfel, in alter Tradition dessen, was auf Bergen geschieht, denn er habe dort oben *auf dem Teufels Altar meinem Gott den liebsten Danck geopfert.* Noch ein Jahr später feiert Goethe das Datum und erbittet von Charlotte Teilnahme: *Vorm Jahr um diese Stunde war ich auf dem Brocken und verlangte von dem Geist des himmels viel, das nun erfüllt ist.*[33]

Nicht mehr Glücksprobe und Zeichenerhebung, aber doch in das säkularisierte Sprachmittel der Gottgleichung gefaßt, ist das, was er der Frau von Stein nochmals zwei Jahre später über sein Schweifen mit dem Herzog berichtet: *... wir stiegen, ohne Teufel oder Söhne Gottes zu seyn, auf hohe Berge, und die Zinne des Tempels, da zu schauen die Reiche der Welt und ihre Mühseeligkeit und die Gefahr sich mit einemmal herabzustürzen.*[34] Wenn dann im weiteren

---

33 An Charlotte von Stein, Torfhaus und Clausthal 10. und 11. Dezember 1777 (Werke XVIII 383). – An Johann Heinrich Merck, 5. August 1778 (Werke XVIII 399 f.). – An Charlotte, 10. Dezember 1778 nachmittags 2 Uhr (Werke XVIII 409). – Zur geschichtlichen Zuordnung der Bergbesteigung: H. Blumenberg, Der Prozeß der theoretischen Neugierde. Frankfurt 1973 (stw 24), 142-144.
34 An Charlotte von Stein, Ostheim (vor der Rhön), 21. September 1780 (Werke XVIII 530). Dazu: H. Meyer, Goethe. Stuttgart 1967, 263.

Brieftext zur Assoziation auf die biblische Versuchungsgeschichte auch noch die auf die Verklärung hinzukommt, so schlägt das Zuviel des Blasphemischen schon ins Ironische bloß sprachlicher Grenzberührung um.

In der Sprache der Zeit – oder besser: der bewegten Zeitgenossen – wird die Konfrontation mit ihren Überwundenheiten, und seien es auch nur die vermeintlichen, gesucht. Dabei ist der Unterschied zwischen dem Versucher und den Versuchten so wichtig nicht, und von einer besonderen menschlichen Erscheinung zu sagen, sie sei ein Gott, sei göttlich, ein Heiliger, oder sie sei ein Teufel, dämonisch, ein gefallener Engel, eine unerhebliche Differenz. Die Aufklärung hat, indem sie ihren Ernst zerstörte, diese Ausdrücke ästhetisch freigesetzt, wenn auch versucht, das Gewagte an ihnen zu belassen und mitzuführen. Der später redensartlich ›alte‹ Gleim berichtet von einem Besuch in Weimar Ende Juni 1777, was er auf einer Abendgesellschaft bei der Herzogin Amalie zu fassen bekam. Man las aus dem neuesten Göttinger Musen-Almanach vor; auch Goethe, von Gleim zunächst nicht erkannt, beteiligt sich. Da widerfährt Gleim eine Evidenz: *Auf einmal aber war es, als ob den Vorleser der Satan des Übermutes beim Schopfe nehme, und ich glaubte, den wilden Jäger in leibhaftiger Gestalt vor mir zu sehen. Er las Gedichte, die gar nicht im Almanach standen, er wich in alle nur mögliche Tonarten und Weisen aus ... Das ist entweder Goethe oder der Teufel! rief ich Wieland zu, der mir gegenüber am Tische saß. Beides – gab mir dieser zur Antwort ...*[35] Fast gleichzeitig hatte Wieland in dem Gedicht »An Psyche« Goethe alle Attribute eines schaffenden Gottes zuerkannt: *Er schafft, / Mit wahrer, mächtiger Schöpferkraft / Erschafft er Menschen; sie atmen, sie streben! / In ihren innersten Fasern ist Leben!*[36] Wenn Teufel

35 J. W. L. Gleim, in: Goethe, Werke XXII 110 f.
36 Wieland, An Psyche: *... Und niemand fragte, wer ist denn der? / Wir fühlten beim ersten Blick, 's war Er! ... So hat sich nie in Gottes Welt / Ein Menschensohn uns dargestellt ...* (Teutscher Merkur, Januar 1776; Wieland selbst hat das Gedicht nicht in seine Werke aufgenommen). Goethe seinerseits war großzügig mit der Apotheose; so über Gerstenbergs Tragödie »Ugolino« (1768), sie sei *mit Götterkraft gemacht*. Diese Äußerung steht in unmittelbarer Nähe zum »Prometheus«; der sie berichtende Brief des dänischen Diplomaten Schönborn an den gleichfalls im dänischen Staatsdienst stehenden Gerstenberg vom 11. Oktober 1773 aus Frankfurt enthält auch die Mitteilung, Goethe arbeite *mit ausnehmender Leichtigkeit* an einem Drama »Prometheus«, von dem er ihm zwei

und Gott so ineinander verfließen, darf nicht die *Fixidee* dieser Lebensfigur vergessen werden: Prometheus ist der Funktion nach identisch mit Luzifer. Beide sind Lichtbringer im Ungehorsam gegen den herrschenden Gott.

Der Übermut, ohne den die Distanz im späteren Zurückkommen auf diese Figur nicht verständlich wäre, ist vom Typus der ›Glücksprobe‹: alle Herausforderungen ›nach oben‹ dienen der Vergewisserung dessen, was unbetreffbar bleibt. Die Erde, die Hütte, der Herd – das waren die Stichworte der Ode für das Unantastbare, das ihr Prometheus dem Zeus ebenso vorhalten wie seiner Gewalt vorenthalten wissen wollte. Feuer versteht sich von selbst, Erde vom Bebentrauma her. Zur Hütte muß noch etwas gesagt werden. Über sie wissen wir in etwa, wie Goethe sie gesehen haben wird. Denn schon im November 1772 taucht der Name des Prometheus ganz am Ende seiner ersten und anonym veröffentlichten Prosaschrift »Von deutscher Baukunst« auf. Der Baumeister des Straßburger Münsters, Erwin von Steinbach, wird dem Titanen nicht nur gleichgesetzt; er übertrifft ihn, indem er die Seligkeit der Götter auf die Erde leitet, mit der Schönheit zwischen Göttern und Menschen vermittelt. Es ist ein ästhetischer, aber darin noch nicht rebellischer, eher versöhnender Prometheus.

Die Beziehung zur Ode, wie sie zwei Jahre später entsteht, ergibt sich daraus, daß in der Hütte des Prometheus der Prototyp für das gotische Münster vorgestellt wird. Die Eloge Erwin von Steinbachs ist nämlich eine Polemik gegen den Traktat des französischen Jesuiten Logier »Essai sur l'architecture« von 1753/55, der in der deutschen Übersetzung von 1768 »Versuch über die Baukunst« in der Bibliothek des Vaters stand. Logier verteidigt den Klassizismus mit dem Argument der ursprünglichen Natürlichkeit, von der einfachsten Bauform, der Laubhütte aus vier Eckpfählen und einem aus Ästen darüber gelegten Giebeldach, lasse sich die klassische Form der von Säulen getragenen Giebelhalle herleiten.

Wo Kultur vom Urzustand her kritisiert oder legitimiert werden kann, sind solche Konstruktionen nicht unverächtlich. Ebensowenig dann auch die Polemik gegen sie, wie Goethe sie führt. Am Ursprung stehe die zeltartige Hütte, die aus gekreuzten Pfählen vorn

Akte vorgelesen habe, worin *ganz vortreffliche, aus der tiefen Natur gehobene Stellen* seien (Goethe, Werke XXII 39 f.).

und hinten mit einer verbindenden Firststange besteht. Dies sei die in Straßburg vollendete Urform des gotischen Spitzbogens und Gewölbes.

Dieser Disput, von dessen Argumentationsmitteln Goethe selbst geringschätzig als von *protoplastischen Märchen* spricht, wäre weniger interessant, wenn er uns nicht zu erschließen gestattete, aus welcher Imagination heraus er den Prometheus der Ode auf seine Hütte zeigen lassen wird. Denn ihre Unantastbarkeit besteht in der urtümlichen Einfachheit ihrer natürlichen Wuchsform. Deren Machart zu beherrschen, ermöglichte nach jedem Wetterschlag, die Unterkunft augenblicklich zu erneuern, von der Unempfindlichkeit gegen Beben gar nicht zu reden. Es ist wie mit dem Feuer, dessen Raub und Besitz nichts anderes bedeuten, als es entzünden zu können. Das Bündnis mit den Elementen, mit der elementaren Form macht unanfechtbar. Denkt man an die Domestizierung der Kometen und des Blitzes, die das Jahrhundert der Aufklärung als Zeichen seines Gelingens sah, so wird auch der Rückschlag einleuchtend, mit dem die Unbeherrschbarkeit der menschenfeindlichsten Ungewißheit, der des Bodens, ins Bewußtsein getreten war. Das Ereignis von Lissabon hatte letzten Endes Rousseau begünstigt, der auch hier hinter dem Urbild der einfachen Hütte und ihrer Unzerstörbarkeit steht. So konsolidiert Prometheus den Trotz der Vernunft auf dem niedrigsten Niveau des Überlebens. Es war die Unsterblichkeit, an die der Knabe nach der Predigt über Lissabon gedacht hatte, doch nun ganz in irdischer Materialität begriffen. Zwischen der Urhütte des Prometheus und der gotischen Kathedrale bedurfte es freilich einer Überbrückung insofern, als die Hütte nur ein Werk der bittersten Notdurft, die Kathedrale eins des höchsten konstruktiven Aufschwungs war und das neue Bewußtsein ästhetischer Originarietät sich kaum die Herkunft des einen aus dem anderen eingestehen mochte. In der strikten Dissoziierung des Notwendigen und des Schönen sieht aber der Lobsänger des Erwin von Steinbach die Gefahr der Abwertung der Kunst zum bloßen Lebensschmuck, dem die Fraglosigkeit dessen, was Goethe mit der Metapher von dem Baume Gottes ausdrückt, verlorengehen muß. *Sie wollen euch glauben machen, die schönen Künste seien entstanden aus dem Hang den wir haben sollen, die Dinge rings um uns zu verschönern. Das ist nicht wahr!* Der Genius, der die produzierende Natur selbst ist, verziert nicht die Dinge, die zuvor lange im Gebrauch waren, sondern er bringt mit dem Mittel zugleich die Form hervor, mit der ersten Hütte schon Bogen und Gewölbe. Nicht gegen die Welt der Furcht und Sorge setzt er eine andere, sondern aus dem, was Furcht und Sorge notgedrungen produziert haben, nimmt er den Stoff weitergehender Formung. *Die Kunst ist lange bildend, eh sie schön ist, und doch so wahre, große Kunst, ja oft wahrer und größer als die schöne selbst. Denn in dem Menschen ist eine bildende Natur, die gleich sich tätig beweist, wann seine Existenz gesichert ist. Sobald er nichts zu sorgen und zu fürchten hat, greift der Halbgott, wirksam in seiner Ruhe, umher nach Stoff, ihm seinen Geist einzuhauchen...*[37] Hätte Goethe das Prometheus-Mythologem schon genauer gekannt, als er so schrieb, wäre ihm an dieser Stelle greifbar geworden, daß Prometheus mit den Mitteln der Selbsterhaltung die Freiheit zur Fortbildung einer Formenwelt der bloßen Notdurft, also der Hütte zur Kathedrale, gegeben hatte. Noch der Grundgedanke der Ode wird aber, bei aller neuen Trotzhaltung, der Hinweis auf Hütte und Herd sein. Der Menschentöpfer Prometheus in der letzten Strophe der Ode ist nur die Konsequenz des seiner Unbetreffbarkeit an Erde, Hütte und Herd gewiß gewordenen in der ersten Strophe.

Wenn jetzt die letzte Schicht abgetragen wird, unter der sich das früheste Hervortreten des Prometheus in Goethes Werk fassen läßt, so verwundert es nicht, daß noch vor der flüchtigen, erst in der letzten Zeile vollzogenen Verbindung des Titanen mit Erwin von Steinbach die andere Assoziation mit Shakespeare sich eingestellt hatte. Denn wenn am Archetyp des gotischen Doms die Idee der Naturwüchsigkeit gegen den Klassizismus ausgespielt werden konnte, so war Shakespeare die literarische Entsprechung. Was Goethe über den Eindruck des gotischen Münsters sagt, um die Anmaßung des Schöpferischen zu integrieren in die Evidenz des Natürlichen, gilt genauso für Shakespeare. Auch darin, bei den Menschen vergessen zu sein, liegt *gleiches Schicksal mit dem Baumeister, der Berge auftürmte in die Wolken.* Und diesen Gedanken führt Goethe sogleich fort mit der legitimierenden Gleichsetzung von Werk und Wachstum: *Wenigen ward es gegeben, einen*

---

37 Von deutscher Baukunst. November 1772 (Werke XIII 16-26).

Babelgedanken in der Seele zu zeugen, ganz, groß, und bis in den kleinsten Teil notwendig schön, wie Bäume Gottes.
In der Rede »Zum Schäkespears Tag«, die Goethe nach der Rückkehr aus Straßburg und nach dem Gesuch um Zulassung zur Advokatur in Frankfurt am 14. Oktober 1771 zum Namenstag Shakespeares gehalten hatte, war ebenso die Natürlichkeit Shakespeares dem Klassizismus der Tragödie mit ihren Einheiten entgegengestellt, wie ein Jahr später die Steinbach-Eloge das Prinzip der Gotik dem klassizistischen Muster der Säulenhalle konfrontiert. Der Wahrnehmungstypus mittels des Kontrastes ist derselbe. In diese Kontrastierung hinein fällt erstmals der Name des Prometheus.
Shakespeare und Erwin von Steinbach ist gemeinsam, daß ihr Kunstwerk nicht nach einer ihm vorgegebenen Regel erzeugt wird, sondern in seiner Hervorbringung die Regel evident macht, auch wenn es faktisch kein anderes seiner Art gibt. Shakespeare sei auf das Schöpfungsprinzip zurückgegangen, um seine Menschen ganz als Natur erscheinen zu lassen. Es ist nicht selbstverständlich, daß gerade hier Prometheus auftritt. Denn das Mythologem läßt das Verhältnis der Geschöpfe seiner Werkstatt zu den Vorgaben und Vorschriften einer schon bestehenden Natur offen; in der Ode wird Goethe, die Blasphemie durch den nacholympischen Bezug steigernd, Prometheus Menschen nach seinem Bilde herstellen lassen: *Ein Geschlecht, das mir gleich sey...* Der antike Mythos setzt die Lebensunfähigkeit der keramischen Geschöpfe voraus, den Zwiespalt zwischen ihrer Ausstattung und den Voraussetzungen einer Natur, zu der sie nicht gehören. Auch der Shakespeare der Namenstagsrede – wie nachher Erwin von Steinbach ein ästhetischer Konkurrent des Prometheus – muß dessen Werk überbieten, das Goethe, nach der antiken Bildüberlieferung, mit verkleinerten Menschlein in der titanischen Töpferwerkstatt vor Augen hatte: *Er wetteiferte mit dem Prometheus, bildete ihm Zug vor Zug seine Menschen nach, nur in Colossalischer Größe: darin liegts daß wir unsere Brüder verkennen; und dann belebte er sie alle mit dem Hauch seines Geistes, er redet aus allen, und man erkennt ihre Verwandschaft.*[38]
Dieser Prometheus befindet sich also nicht in der Verlegenheit,

38 Zum Schäkespears Tag. 14. Oktober 1771 (Werke IV 122-126).

seinen Terrakotten ohne Hilfe der Zeus-Tochter Leben nicht ein-
blasen zu können; er verfährt schon hier mit dem eigenen Hauch
von Geist nach Art des biblischen Menschenbildners. Die Berufung
auf Prometheus als eine Figur unvorgegebener Ursprünglichkeit
verstärkt den Akt der Rücksichtslosigkeit, der mit der Nennung
Shakespeares gegenüber dem Geschmack der Zeit vollzogen wird,
die Goethe unfähig geworden sieht, von der Natur her und nach
der Natur auch nur zu urteilen – weil *wir von Jugend auf, alles
geschnürt und geziert, an uns fühlen, und an andern sehen.* Shakespeare ist die Antwort aufs Rokoko, die Erfüllung des Schreis nach
der Natur, aus der seine Menschen sind. Denn der verdorbene
Geschmack der Gegenwart habe nichts Geringeres nötig als *fast
eine neue Schöpfung,* um aus seiner Verfinsterung heraus sich zu
entwickeln. Es gibt Bedarf für einen neuen Prometheus.

Mythisch ist nicht nur der Schöpfungstag des Menschen durch Prometheus, der sich ästhetisch wiederholen läßt. Mythisch ist auch
das Erlebnis des Zugangs zu solcher Ursprünglichkeit. Der Dichter,
der mehr dazu beitragen sollte als irgendein anderer, die Aufklärung scheitern zu lassen und der Romantik ihre größte Leistung
– die der Übertragung seiner Werke – zu ermöglichen, wird unter
der Vorprägung der Lichtmetaphorik wahrgenommen. Auf ihn,
so sagt es Goethe feiernd, habe die erste Seite Shakespeares gewirkt
wie das wiedererlangte Augenlicht auf einen Blindgeborenen: *Ich
erkannte, ich fühlte auf's lebhafteste meine Existenz um eine
Unendlichkeit erweitert, alles war mir neu, unbekannt, und das
ungewohnte Licht machte mir Augenschmerzen.* Shakespeare ist
der Prometheus, der die Natur der dramatischen Dichtung gegen
die klassische Regelrechtheit vertritt, von deren französischen Mu-
sterstücken Goethe hier sagt, sie seien *Parodien von sich selbst.*
Nicht wahrgenommen ist die Möglichkeit, diese Gegnerschaft in der
des Prometheus gegen Zeus präfiguriert zu sehen. Der Prometheus
der Shakespeare-Rede, ebenso wie der der Eloge auf Erwin von
Steinbach, ist noch nicht eine Figur des Götterkonflikts, sondern die
einer ästhetischen Überbietbarkeit unter Demiurgen.

Goethes kleines Ritual war die Investitur Shakespeares für ein
neues ästhetisches Selbstverständnis, die Entdeckung einer Viru-
lenz, die sich kaum darin angekündigt hatte, daß Voltaire bei
seiner Rückkehr aus England 1728 die Dramen Shakespeares als

Konterbande auf den Kontinent eingeschmuggelt hatte, ohne zu ahnen, wie endgültig sie seiner eigenen Geltung als dramatischer Dichter den Garaus machen würden. Merkwürdig für die deutsche Szene und für Goethes Verhältnis zu seiner jugendlichen Selbstauffassung ist, daß er auch dieses Stück seiner frühen Produktion mit dem Namen Prometheus vergessen hat. Nicht nur den Text, auch die Feier erwähnt er in seinen Erinnerungen mit keinem Wort. Er nahm die Rede nicht in seine Werkausgaben auf, er besaß sie nicht einmal mehr. Dem für das Ominöse so Zugänglichen wäre wohl bedenklich geworden, daß die Shakespeare-Rede durch denselben Jacobi der Nachwelt erhalten, wenn auch nicht gleichermaßen ausgeliefert wurde, der die Prometheus-Ode verwahrt und ans Licht gebracht hatte. Ernst Beutler vermutet, daß Goethe eine eigenhändige Abschrift der Rede 1774 an Jacobi gegeben hatte, wohl nicht ohne die Veranlassung, daß Herder 1773 seinen Shakespeare-Aufsatz in den Blättern »Von deutscher Art und Kunst« hatte erscheinen lassen. 1854 wurde die Rede zum ersten Mal gedruckt.

Daß die Namenstagsfeier wirklich ein Ritual war und nicht erst nachträglich von Goethe zum Text hinzuerfunden wurde, wissen wir nach dem Ausgabenbuch des Vaters. Da sind Speisen und Musikanten für den *Dies onomasticus Schakspear* vermerkt. In der Bibliothek des Vaters fand sich auch der erste Band von Wielands Shakespeare-Übertragung von 1762 mit einer Einlage, dem handschriftlichen Auszug aus dem »Mercure de France« vom Dezember 1769 über die erste englische Shakespeare-Feier in Stratford in eben diesem Jahr. Mit ihr war die postume Erhebung Shakespeares zum Ehrenbürger von Stratford vollzogen worden.

Der Posten für das Namenstagsritual in der Buchführung des Vaters läßt uns stutzen. Denn der gerade um die Advokatur bemühte Sohn mochte mit dieser Rede die Zweifel des Vaters bestärkt haben, ob die Ausgabe für Tafel und Musik nicht der falschen Richtung Vorschub geleistet hätte. Ein Schlaglicht fällt auf den Antagonismus, der sich im Götterkonflikt der Promethie abbilden wird. Denn für den Dichter von Dramenfragment und Ode ist Prometheus auch und nicht zuletzt ein Sohn, der Sohn des Zeus.

Seit Hesiods »Theogonie«, und mit der Autorität des in der Tradition durchdringenden Mythologen Diodorus Siculus, war der Titan Iapetos der Vater des Prometheus gewesen. Aber es gab die Variante der Vaterschaft des Zeus. Bei dem häuften sich ohnehin die Fehltritte, so daß es auf einen mehr, mit der Tochter des Okeanos, nicht ankam. Diese Genealogie hat gute allegorische Gründe, die mit dem Namen zusammenhängen. Eine ›voraussinnende‹ Prometheia war in der allegorischen Systematik nur noch erträglich, wenn sie zum Attribut der ›Vorsehung‹ des Zeus und so auch zu dessen Sprößling wurde. Davon wußte Goethe nichts, denn im Lexikon von Hederich stand gerade dies nicht. Obwohl am Ende des Artikels auch die ›anderweitige Deutung‹ mitgeteilt wird, einige verständen unter dem Prometheus allegorisch die göttliche Vorsehung, *durch welche die ersten Menschen und alles geschaffen worden*, wird genealogisch dazu keine Verschiebung bemerkt. Goethe brauchte, um seinen Konflikt in der Konfiguration zu erfassen, nur die Lizenz der Vieldeutigkeit.

Was er allenfalls hätte nachschlagen können, war die aparte Version im »Dictionnaire« von Bayle, der die Überlieferung zur besten erklärt hatte, Prometheus sei aus einem Fehltritt der Hera mit dem Giganten Eurymedon hervorgegangen und Zeus habe den Feuerraub nur zum Anlaß genommen, sich des von dieser Seite schimpflichen Bastards zu entledigen. Solcher Konstellation hätte allenfalls der ältere Goethe Reize abgewinnen können.

Man würde übertreiben, in Goethes Beziehung zum Vater Feindschaft ausmachen zu wollen. Aber wie es ästhetische Selbstproklamationen einmal an sich haben, Gegenpositionen zu sein: Kunst gegen Kunst, potentiell Gott gegen Gott, so ist auch Goethes Selbstbestimmung zum Dichter gegen den Realismus, gegen den Lebensplan, gegen die nüchterne Pedanterie und, trotz der Auswerfung für den Shakespeare-Tag, gegen das Kontobuch des Vaters formiert. Vor allem dies: der Vater nahm ihm den genialischen Aufbruch, den Künstler-Gott, den Demiurgen-Titanen nicht ab. Das zeigte sich beim Widerstand gegen die Verlockung des Sohnes an den Hof von Weimar.

Als der Kontakt mit dem Erbprinzen in Frankfurt entstanden war, trat das Mißtrauen des Vaters gegen jede Berührung mit der höfischen Welt zutage. Als Frankfurter hatte er immer den Trumpf der Erinnerung in der Hand, wie es doch nicht lange zuvor in dieser Stadt Voltaire auf der Flucht vor dem Preußenkönig ergangen sei. Die Annäherung an die ›Großen‹ wollte dem Vater keineswegs gefallen, *denn nach seinen reichsbürgerlichen Gesinnungen hatte er sich jederzeit von den Großen entfernt gehalten.*

Nun ist, für die Einholung des Sohnes durch den Vater in der lebenszeitlichen Dimension, von unvergleichlicher Prägnanz, daß dieser sich der volkstümlichen Spruchweisheit bedient, um seine eingewurzelte Abneigung gegen das Höfische zu untermauern. Dazu gehört das nicht gleichgültigerweise mythologische Diktum, wer Abstand zu Jupiter halte, bleibe auch seinen Blitzen unerreichbar: *Procul a Jove procul a fulmine.* Neben diesem berichtet Goethe auch von dem Verfahren, mit dem er sich der väterlichen Penetranz erwehrte; es ist genau das der freien Variation solcher Spruchweisheiten bis hin zu ihrer Parodie und Umkehrung, das uns für die Annahme seiner Erfindung des ›ungeheuren Spruchs‹ vom Gott gegen Gott unentbehrliche Voraussetzung sein wird.

Die Prozedur der Gegenwehr gegen den Vater vor dem Abgang nach Weimar muß noch dem alten Goethe als für seine Selbstfindung, wohl auch als ein zukünftig trächtiges Verfahren, so wichtig erschienen sein, daß er uns im fünfzehnten Buch von »Dichtung und Wahrheit« an einer Kollektion von Beispielen vorführt, wie er die jeweilige Umkehrbarkeit des Sinns seiner Sprüche demonstriert habe. Der Perspektive einer Weltbetrachtung ›von unten‹ sei so deren Gegenpol konfrontiert worden, *indem wir uns was Großes einbildend auch die Partey der Großen zu nehmen beliebten.* Die Lesarten des ›ungeheuren Spruchs‹ werden zeigen, wie nahe er nicht nur stilistisch, sondern auch noch in seinem resignativen Aspekt der unvergessenen Warnung des Vaters steht. Als ihn am 13. Dezember 1813 der Historiker Heinrich Luden besucht, um ihm den Plan eines »Teutschen Journals« gegen Napoleon vorzutragen, beschwört er ihn fast mit den Warnungen des Vaters, *die Welt ihren Gang gehen zu lassen und sich nicht in die Zwiste der Könige zu mischen, in welchen doch niemals auf Ihre und meine Stimme gehört werden wird.*[39]

Wie die Vatersprüche sich ihm in den Weg stellten, hat er indirekt

39 Heinrich Luden, Rückblicke in mein Leben. Jena 1847 (Ndr. Berlin 1916, 89 ff.).

anläßlich Wielands Rezension des »Götz«, nach der Verstimmung durch »Götter, Helden und Wieland«, hervorgestoßen. Nach dem Bericht der Johanna Fahlmer weist er ihr die Seiten des »Merkur«; das sei es, was ihn an Wieland so geärgert und gereizt habe, sich gegen ihn auszulassen: *Da der Ton ... Ja, das ist's! das ist's! Just, just so spricht mein Vater ... Der Vater-Ton! der ist's just, der mich aufgebracht hat.*[40] Der Vaterton: Noch am Tage seines Abgangs aus Frankfurt, am 30. Oktober 1775, notiert sich Goethe aus frischester Erinnerung, was ihm der Vater als letztes Wort *zur Abschiedswarnung auf die Zukunft* sagen ließ, die apokalyptische Drohung der Naherwartung aus dem Matthäus-Evangelium: *Bittet daß eure Flucht nicht geschehe im Winter, noch am Sabbath.* Nicht ohne Malice fügt der eben Entflohene ein, solches sei *noch aus dem Bette* gesagt worden.[41]

Aber es ist nicht nur der Ton. Die Zweifel des Vaters am Genietum und am Umgang mit den Großen hatten der ästhetischen Auslebung im Wege gestanden. Und da verschmelzen Vater und Gott zum Inbegriff des einen Widerstandes, mit dem er es schon zu tun hat, als er sich aus seiner pietistischen Phase löst mit dem Bewußtsein, dies sei ein Akt gegen den Willen einer Gottheit, die ihn nicht zu sich selbst kommen lasse. Um es noch einmal zu zitieren, was er im Januar 1769 dem Leipziger Studienfreund Langer geschrieben hatte: *Gott will so scheint's nicht haben daß ich Autor werden soll.* Daß er gegen jenen Gott sich behauptet hatte, machte ihn fähig, sich mit Prometheus zu identifizieren und seine Situation als Schauspiel *zum Trutz Gottes und der Menschen* zu bearbeiten. Dahin gehört die Stoßformel, mit der im Prometheus-Fragment der Sohn den Abgesandten des Vaters und dessen Willen zurückweist: *Ich will nicht ... Ihr Wille! Gegen meinen! / Eins gegen eins! / Mich dünckt es hebt sich.* Das ist doch schon das Bauprinzip des ›ungeheuren Spruchs‹, die erste Spur seiner Unaufhaltsamkeit. Der Vater–Gott-Ton gehört zur Sprache des Angebots vorgegebener Lebensformen und Daseinskonzepte, einer fertigen Welt, einzutreten und in ihr Platz zu nehmen, so wie die des Naturgotts Zeus eine vollendete Welt ist, in die noch Geschöpfe hineinzutöpfern Rebellion sein muß. Der Demiurg Prometheus kann die Welt

---

40 Zu Johanna Fahlmer, Anfang Mai 1774 (Werke XXII 44 f.).
41 Loses Quartblatt in der Universitätsbibliothek Straßburg (Werke IV 988).

nur als Wüste sehen, als *materia bruta,* als Szenerie einer einzigen
ungeheuren Anstrengung, aus dem Fast-Nichts eine Welt erst zu
machen. So empfindet Goethe, als er den Trotz seiner Situation
bearbeitet: *Was das kostet in Wüsten Brunnen zu graben und eine
Hütte zu zimmern . . .*[42]
Doch der Demiurg in der Wüste, im Unvorgegebenen, mit Hütte
und Brunnen, ist eine Illusion, nicht eine mögliche Metapher für
den tatsächlichen Weg. Dieser ist bestimmt durch das, was der
Vater abgelehnt hatte, durch die Nähe der Großen, durch die Abschirmung des Hofes, durch die Künstlichkeit der Weimar-Sphäre.
Daher stehen in der späten Erinnerung auch unmittelbar nebeneinander die Promethie und das Bündnis mit Weimar, als Übergang von der einen Welt in die andere. Sie allein mochte das Maß
an Irrealität gewähren und ertragen, das nötig war, um Prometheus ohne Trotz zu sein, Autor ohne den Götterkonflikt. In der
Begegnung mit dem dämonischen Mann schließlich vollendet sich
die Negation der väterlichen Bürgerweisheit, dem Jupiter und
seinen Blitzen fernzubleiben.
Doch dann in Rom hat Goethe sein Verhältnis zu Jupiter normalisiert. Bei der Pyramide des Cestius erbat er Duldung, vollzog der
Titan eine feine und schwebende Art der Kapitulation: *Dulde
mich, Jupiter, hier, und Hermes führe mich später / An Cestius'
Mal vorbei, leise zum Orkus hinab.* So schließt in der siebten der
»Römischen Elegien« das flehende Gespräch mit Jupiter Xenius.
Der titanische Trotz erweist sich von diesem Standort her als Irrtum der nordischen Welt, in der sich Jupiter nicht in seiner Fülle
darstellt und – indem er als ein Gott erscheint, der zu ärmlich sich
verausgabt – den ästhetischen Gegenwillen evoziert. Hier aber,
wo nicht Brunnen in Wüsten zu graben sind, bleibt dem Titanentrotz nichts zu tun, verwandelt er sich in die Beruhigung der
Anschauung. Alles ist schon da als die Natur des anderen, nicht
farb- und gestaltlos die Welt, der ein *unbefriedigter Geist* Eigenes
entgegensetzen müßte. Und dieser gastliche Jupiter ist ausdrücklich
der ›Vater‹, der zurückruft, als habe er es noch mit dem Übermut
des Prometheus zu tun: *Dichter! wohin versteigest du dich?* Im
Februar 1788, während des römischen Carnevals, hat Goethe die

---

42 An J. C. Kestner, Mitte Juli 1773 (Werke XVIII 201).

Pyramide des Cestius gezeichnet und den Wunsch geäußert, dort begraben zu werden. Dem Sohn sollte er sich erfüllen.

Die Anrufung des Jupiter Xenius an der Cestius-Pyramide ist der Widerruf der ersten Prometheus-Konzeption. Aber es ist nicht das letzte Wort zu ihr. Von diesem Lebenspunkt her wird verständlich, was die Umformung des Mythologems in der »Pandora« bedeuten wird. Sie wird eine der Umkehrungen sein, die Goethe seit dem Kampf mit Spruchweisheiten gegen den Vater so liebte: Prometheus ist Titan und dennoch Vater, Prometheus in der Rolle des Vaters, Prometheus ohne Gegenpol des Trotzes. Am Mythos selbst wird so die Arbeit der *coincidentia oppositorum* vollzogen. Nur indem Prometheus Vater des Phileros ist, bleibt er eine Figur der Hoffnung für Künftiges, obwohl er einer dumpfen demiurgischen Vorwelt der Höhlen und des Feuers angehört. Aus der möglichen Identität mit dem Dichter ist die Gestalt zurückgenommen. Sie vertritt Bedingungen und Verhältnisse, die in ihrer Beziehung auf elementare Bedürfnisse vor aller ästhetischen Freiheit liegen. Prometheus ist nicht mehr der Erfinder der urtümlichen Hütte, in deren Form der gotische Dom vorgeprägt war; seine Sphäre ist in die Höhlen der Erde verlegt, wo seine dienstbaren Demiurgen das Werkzeug der Geschichte schmieden, deren Gang Goethe seit der Anrufung des Jupiter an der Cestius-Pyramide so nahe gekommen war. Die äußerste Näherung stand ihm bevor.

III
Prometheus wird Napoleon,
Napoleon Prometheus

Schlecht! So nimmt man keinen
Kaiser gefangen . . .
Goethe auf der Theaterprobe
zur »Zenobia« Calderons 1815

Nietzsche hat 1885 eine eindringliche Beobachtung über Goethes
Verhältnis zu Napoleon niedergeschrieben. Sie steht im Zusammenhang der Frage: *Was Goethe eigentlich über die Deutschen*
gedacht hat?[1] Wie über viele Dinge um sich herum, habe er dar-
über nie deutlich geredet. Er habe sich *zeitlebens auf das feine*
Schweigen verstanden. Mit einem Gedankensprung ins Allgemeinere sucht Nietzsche diese Verschweigung zu unterlaufen. Er
möchte wissen, was Goethe überhaupt zu bewegen vermocht habe.
Weder die Freiheitskriege noch die Französische Revolution – *das*
Ereignis, um dessentwillen er seinen Faust, ja das ganze Problem
›Mensch‹ umgedacht hat, war das Erscheinen Napoleons.
Hat Nietzsche hier übertrieben? Übertrieben vielleicht darum,
weil es ihm darauf ankam, den Übermenschen seines Sinnes vorzuführen, ihn an der Wirkung kenntlich zu machen, die er gerade
dort ausgeübt hätte, wo sie sich zu potenzieren vermochte, wo
Wirkung wiederum Wirkung hervorrief?
Ich glaube nicht. Um Goethes Selbstbeziehung auf Napoleon liegt
ein Dunkel, das nicht dadurch aufzuhellen ist, daß man den Imperator bei der Begegnung von Erfurt sich als Leser des »Werther«
bekennen und dem Dichter seinen Orden verleihen sieht. Dies wäre
nur als eine *recht belanglose Ehrung* durch einen Mann zu qualifizieren, der *sein Leben lang Schriftsteller beim Dejeuner zu sich*

---

1 Nietzsche, Jenseits von Gut und Böse VIII § 244. Nietzsche sah in Napoleon
einen der *größten Fortsetzer der Renaissance* (Die fröhliche Wissenschaft V
§ 362).

kommen ließ.[2] Daß Goethe die Ehrenlegion auch nach der Niederlage des Kaisers trug, war nicht nur Starrsinn des Alters, der sich der patriotischen Raserei widersetzte, sondern eine elementare Geste der Selbsterhaltung.

Nietzsche spricht von Goethes Umdenken des Menschen angesichts des Napoleon. Für ihn ist das nur eines der vielen großen Worte, die er gemacht hat und an denen er zerbrochen ist. Für Goethe als den, der es heil überstanden hat, war dieses Umdenken ein Trauma der Identität. Die Kontinuität der Napoleon-Beziehung reicht über alles im Leben Goethes hinaus, ausgenommen die der beiden Figuren Prometheus und Faust, die ihrerseits den Komplex Napoleon umschließt. Auf dem Niveau dieser Motive liegt die Verteidigung der eigenen Identität, die immer die Identität eines Lebenskonzeptes und -entwurfs ist. Ihre Verteidigung vollzieht sich auf dem Umweg der Mythisierung. Als je schrecklicher sich die Figur Napoleons dem historischen Rückblick erweist, um so kunstvoller wird der Hilfsbegriff des Dämonischen, der die Evidenz des großen Augenblicks der Begegnung von Erfurt harmonisiert mit dem Unsinnigen vom Typus des ägyptischen Abenteuers.

Als Goethe 1829 die »Mémoires sur Napoléon« des kaiserlichen Sekretärs Louis-Antoine de Bourrienne zu lesen bekommt, sagt er von dem Buch, es habe ihm *die merkwürdigsten Aufschlüsse* gegeben, denn, obwohl es ganz nüchtern und ohne Enthusiasmus geschrieben sei, sehe man dabei doch, *welchen großartigen Charakter das Wahre hat, wenn es einer zu sagen wagt.*[3]

Das Buch beschäftigt Goethe noch am folgenden Tag. Es lasse allen Nimbus und alle Illusion der Geschichtsschreiber und Poeten über Napoleon verschwinden *vor der entsetzlichen Realität.* Aber für Goethe bleibt die Figur von der Wirkung ihrer Handlungen geschieden: ...*der Held wird dadurch nicht kleiner, vielmehr wächst er, so wie er an Wahrheit zunimmt.* Dennoch werden die Aussagen über Napoleon härter. Als die Rede auf den Verfasser eines langen und wertlosen Epos kommt, äußert sich Eckermann erstaunt darüber, daß die Menschen es sich so sauer werden lassen und selbst zu falschen Mitteln greifen, nur *um ein wenig Namen.* Was erwidert einer, der es sich auch darum hat sauer werden lassen? Fast

---

2 H. Meyer, Goethe. Stuttgart 1967, 22.
3 Gespräche mit Eckermann, 5. April 1829 (Werke XXIV 339 f.).

herablassend weist er Eckermann zurecht und lenkt ab auf Napoleon: *Liebes Kind, ... ein Name ist nichts Geringes. Hat doch Napoleon eines großen Namens wegen fast die halbe Welt in Stücke geschlagen!*

Im Zuge dieser Lektüre spricht Goethe am 7. April mit Eckermann über den Feldzug in Ägypten. Aus der ›entsetzlichen Realität‹, von der am Vortage die Rede gewesen war, sind nun *die Facta in ihrer nackten erhabenen Wahrheit* geworden. An dem orientalischen Unternehmen hat sich jede vermutete Zweckmäßigkeit als pure Umhüllung der Willkür herausgestellt: *Man sieht, er hatte bloß diesen Zug unternommen, um eine Epoche auszufüllen, wo er in Frankreich nichts tun konnte, um sich zum Herrn zu machen.* Napoleon habe die Welt behandelt wie der Virtuose und Komponist Hummel seinen Flügel. Aber in all dem hatte er etwas, was Goethe offenbar nicht für selbstverständlich hält: *Napoleon war darin besonders groß, daß er zu jeder Stunde derselbige war. Vor einer Schlacht, während einer Schlacht, nach einem Siege, nach einer Niederlage, er stand immer auf festen Füßen und war immer klar und entschieden, was zu tun sei. Er war immer in seinem Element und jedem Augenblick und jedem Zustande gewachsen, so wie es Hummeln hinten gleichviel ist, ob er ein Adagio oder ein Allegro, ob er im Baß oder im Diskant spielt.* Das Buch widerlege eine Reihe von Legenden über Napoleons Verhalten in Ägypten. So über seinen Abstieg in die Pyramiden. Die Pestkranken jedoch habe er wirklich besucht, um ein Beispiel zu geben, daß die Pest zu überwinden sei, wenn man die Furcht vor ihr überwinden könne.

Und nun, an dieser Stelle, wo zum Abenteurer und seiner Entsetzlichkeit die weiteste Distanz erreicht zu sein scheint, tut Goethe etwas, was er immer wieder unmittelbar, noch häufiger aber indirekt getan hat: er sucht den Selbstvergleich mit Napoleon. Bei einem Faulfieber sei er selbst der Ansteckung unvermeidlich ausgesetzt gewesen, *wo ich bloß durch einen entschiedenen Willen die Krankheit von mir abwehrte.* Die folgende Verallgemeinerung dient als Vermittlung des Blicks, der zwischen Napoleon und Goethe hin und her geht. *Es ist unglaublich, was in solchen Fällen der moralische Wille vermag! Er durchdringt gleichsam den Körper und setzt ihn in einen aktiven Zustand, der alle schädlichen*

Einflüsse zurückschlägt... Das kannte Napoleon zu gut, und er wußte, daß er nichts wagte, seiner Armee ein imposantes Beispiel zu geben.

Obwohl er den Selbstvergleich gelegentlich sogar gewaltsam heranholt, zögert er sprachlich dennoch vor Gleichungen. Der ›moralische Wille‹, den er sich selbst attestiert, ist zugleich Ausweichen vor der Nähe zum ›Dämonischen‹, das er sich abspricht. Es gibt ein Mittelfeld von Attributen der Außerordentlichkeit und Produktivität, in die man sich teilen kann. Dazu gehört erstaunlicherweise auch ›Erleuchtung‹.

Im Frühjahr 1828 ist Eckermann unwohl und schlaflos, auch unentschlossen, dem Übel abzuhelfen, Ratschläge anzunehmen. Goethe verhöhnt ihn deswegen. Dabei fallen Stichworte, die fast zwangsläufig auf Napoleon verweisen: das des Schicksals und das des Dämons. Für Eckermanns Unlust, sich selbst zu helfen, wandelt er das Wort ab, das er über die Politik aus dem Munde Napoleons hat: *Des Menschen Verdüsterungen und Erleuchtungen machen sein Schicksal!* Und dann folgt ein Konjunktiv zum anderen Stichwort: *Es täte uns not, daß der Dämon uns täglich am Gängelband führte und uns sagte und triebe, was immer zu tun sei.* Eckermanns Schwäche führt auf Napoleons Stärke. Dieser sei *immer erleuchtet, immer klar und entschieden* gewesen, um das als notwendig Erkannte sogleich ins Werk zu setzen. Von ihm könne man sagen, er habe sich *in dem Zustand einer fortwährenden Erleuchtung* befunden – insgesamt *ein Kerl, dem wir es freilich nicht nachmachen können!* Eckermann setzt dagegen, im höheren Alter sei Napoleon die Erleuchtung doch wohl abhanden gekommen. Da willigt Goethe ein; auch er habe seine Liebeslieder und seinen »Werther« nicht zum zweiten Mal gemacht, denn jene *göttliche Erleuchtung, wodurch das Außerordentliche entsteht, werden wir immer mit der Jugend und der Produktivität im Bunde finden...*

Nun gibt Eckermann ein Stichwort zurück, auf das Goethe sich einläßt, das des Genies. Da liegen die Hervorbringungen nahe beieinander: *Denn was ist Genie anders als jene produktive Kraft, wodurch Taten entstehen, die vor Gott und der Natur sich zeigen können und die eben deswegen Folge haben und von Dauer sind.* Nichts von der ›Qualität‹ der Taten und ihrer Folgen; nur ihre Intensität verschlägt etwas. An diesem Napoleon hätte nach den

Entbehrungen, durchwachten Nächten, den fürchterlichen Anstrengungen und Aufregungen dieses Lebens, kein heiles Stück mehr sein dürfen, als er vierzig war. Vierzig war Napoleon, als er Goethe in Erfurt und Weimar begegnete.

Noch einmal kommt das Gespräch an diesem 11. März 1828 auf Napoleon, als von Byron die Rede ist. Im mittleren Alter nehme das Schicksal solcher Menschen, die in ihrer Jugend vom Glück begünstigt waren, oft eine ungünstige Wendung. Der Dämon ist nicht nur ein Treiber, er ist auch ein Verräter. Immer wenn Goethe auf das Dämonische zugeht, gewinnt er den Vorteil, sich aus dem Selbstvergleich wieder herausziehen zu können. Da lassen sich harte Worte leichter sprechen: *Der Mensch muß wieder ruiniert werden!* – wenn er seine Sendung erfüllt hat. Die Dämonen stellen ihm ein Bein nach dem andern, bis er zuletzt unterliegt. *So ging es Napoleon und vielen anderen.*

Nichts deutet darauf hin, Goethe könnte sich dessen bewußt gewesen sein, daß er auch von sich selbst sprach, wenn er sagte, für die von ihrem Dämon Verlassenen sei es dann wohl Zeit, daß sie gingen, *damit auch anderen Leuten in dieser auf eine lange Dauer berechneten Welt noch etwas zu tun übrig bliebe.* Das sollte erst nach seinem Tod manifest werden, wie viele und wie dringend sie darauf gewartet hatten. In diesem Augenblick, am 11. März 1828, ist es Goethe unausgesprochen um die bloße Selbstbestätigung zu tun, daß er Napoleon auf dem Zenit seines Schicksals gegenübergetreten war und seinem Blick standgehalten hatte, als der noch ganz unter dem Trieb seines Dämons stand.

Urszene aller Selbstvergleiche Goethes mit Napoleon ist die Begegnung von Erfurt Anfang Oktober 1808, näherhin der Moment, in dem er dem Auge des siegreichen Eroberers standgehalten hatte. Was es bedeutete, dem ausgesetzt gewesen zu sein und es überstanden zu haben, wurde ihm erst allmählich bewußt. Dies mag in einer Zeit, die allenfalls erfordert, dem unbestimmt gerichteten Blick der Zeitgrößen auf dem Fernsehschirm zu begegnen, nicht mehr nachempfunden werden können. Aber Napoleon war schon seit der Schlacht von Jena, genau zwei Jahre zuvor, der Mann, der Goethes Leben unerwartet gefährdet und dadurch verändert, den Staat, dessen Minister er war, mit Annihilierung bedroht hatte, also die Festigkeit des Bodens, auf dem er stand, unsicher gemacht und die ferne Erinnerung an das Beben von Lissabon zur nahen und akuten Metapher hatte werden lassen.

Das Wanken der selbstgeschaffenen Welt hatte Goethe sogleich zum Unwahrscheinlichsten bewogen, was ihm zuvor hätte angesonnen werden können, die Mutter seines Sohnes zu heiraten, seinen menschlichen Verhältnissen Unwiderruflichkeit zu geben. Nach diesem und angesichts des Schlachtfeldes von Jena hatte er zum ersten Mal den Gedanken ausgesprochen, der seinem Prometheus-Selbstverständnis das artikulierte Ende setzen sollte: nur ein Gott könne einem Gott widerstehen. Dem Blick des Imperators standgehalten zu haben, das war eine Probe darauf. Es ist an diesem Mann nichts Kleines, daß er – nach dem Bericht des zuverlässigen Zeugen Soret, der aus Genf als Prinzenerzieher an den Hof von Weimar gekommen war und dort Hofrat wurde – noch zwei Jahre vor seinem Tod errötete, als er auf seine Begegnung mit Napoleon angesprochen wurde und die Frage nach einer Niederschrift jener Unterredung zurückwies.[4] Er habe über aktuelle Zeitereignisse nichts geschrieben, was Interessen berühre, die noch beständen; er vermeide alles, was peinliche Konflikte hervorrufen könnte:... *laissons ce soin à nos successeurs et vivons en paix.*

Sein häufiger mineralogischer Begleiter während seiner Kuraufenthalte in Marienbad, der Magistrats- und Kriminalrat in Eger Joseph Sebastian Grüner, versteht gar nicht recht, worauf sich Goethes gesteigerte Empfindung bezieht, als dieser ihm im August 1822 im bevorzugten Gesprächszusammenhang von Farbenlehre und Napoleon die Ode Manzonis auf den Tod des Kaisers in der eigenen Übersetzung vorliest: *Er war wie in einem verklärten Zustande, dabei ganz ergriffen, das Feuer blitzte aus seinen Augen...*[5] Das will erst verstanden sein.

Was war in Erfurt geschehen, das aufzuzeichnen sich Goethe weigerte, wenn man nicht sagen will: zierte – was er als die Erinnerung einer singulären Erfahrung verwahrte, die sich nicht teilen, vielleicht nicht einmal mitteilen ließ? Ein Brief an Silvie von Ziegesaar läßt erkennen, daß er zumindest ihr sogleich von der

---

4 Tagebuch Frédéric Jacob Sorets, 18. Januar 1830 (Werke XXIII 657): *Je lui ai dit qu'il s'y trouvait des passages de mémoires de Talleyrand où il était question de lui et de son entrevue avec Napoléon, cela l'a fait rougir.*
5 8. August 1822 (Werke XXIII 226).

Unterredung mit Napoleon in Erfurt erzählt hatte. Dabei war es
Christiane gewesen, die den Zaudernden gedrängt hatte, nach
Erfurt hinüber zu gehen, wo der Kaiser die Fürsten um sich scharen wollte. Am 4. Oktober, zwei Tage nach der ersten Begegnung
mit Napoleon, dankt er noch aus Erfurt Christiane, *daß du mich
hergetrieben hast*, bemerkt vom Ereignis aber nur lakonisch, daß
der Kaiser *sich auf die gnädigste Weise lange mit mir unterhielt.*[6]
Die 1824 auf Betreiben des Kanzlers von Müller niedergeschrie-
bene Disposition eines Berichts über sein Stehen und Bestehen vor
Napoleon ist nirgendwo in die autobiographischen Schriften hinein
wirksam geworden.

Am 1. Oktober 1808 sieht Goethe Napoleon zum ersten Mal beim
Lever. Sogleich verbindet sich ihm dies mit der eigenen Lebensgeschichte, denn die Szenerie des Ereignisses ist ihm vertraut: *Das
altbekannte Lokale und neues Personal.*[7] Als er am folgenden
Vormittag zum Kaiser bestellt wird, gestaltet sich ihm die Erinnerung zur Regiebemerkung eines Dramas: *Die Menge entfernte
sich... Ich werde in das Kabinett des Kaisers gerufen. In demselben Augenblick meldet sich Daru, welcher sogleich eingelassen
wird. Ich zaudere deshalb. Werde nochmals gerufen. Trete ein.
Der Kaiser sitzt an einem großen runden Tische frühstückend...
Der Kaiser winkt mir heranzukommen. Ich bleibe in schicklicher
Entfernung vor ihm stehen.* Es folgt der Blickwechsel, der alles
entscheidet: *Nachdem er mich aufmerksam angeblickt, sagte er:
Vous êtes un homme. Ich verbeuge mich...* Und so weiter. Das
Ganze ist nicht beschreibend, es ist die szenische Anweisung für
eine Liturgie der Initiation.

Goethe betont, daß er in diesem Gespräch das Notwendigste und
dieses auf natürlichste Weise geantwortet habe. Dieser Betonung
der Natürlichkeit korrespondiert, daß der Kaiser an einer Stelle
des »Werther« auszusetzen hat, sie sei nicht naturgemäß, ebenso
wie er *das Abweichen des französischen Theaters von Natur und*

6 Werke XIX 560. – Auch an Zelter genügt ihm die vage Andeutung: *Der Kaiser von Frankreich hat sich sehr geneigt gegen mich erwiesen.* (30. Oktober 1808;
Werke XIX 567) Ein wenig mehr läßt schon durchscheinen, was er an Cotta
schreibt: *... ich will gerne gestehen, daß mir in meinem Leben nichts Höheres
und Erfreulicheres begegnen konnte, als vor dem französischen Kaiser und zwar
auf eine solche Weise zu stehen.* (2. Dezember 1808; Werke XIX 572).
7 Werke XII 635.

Wahrheit sehr tief empfunden hatte. Als Daru Napoleon darauf hinweist, Goethe habe Voltaires »Mahomet« übersetzt, legt der Kaiser umständlich auseinander, er fände an dem Stück unschicklich, daß *der Weltüberwinder von sich selbst eine so ungünstige Schilderung mache.* Das ist so hingeschrieben, daß kaum ein Zweifel bleiben kann, weshalb Napoleon mißbilligt, wenn Weltüberwinder derart ins Unrecht gesetzt werden. Dazu bemerkt Goethe gegenüber Boisserée am 8. August 1815, der Einwand Napoleons sei *so richtig, als nur zu verlangen,* gewesen. Vor allem kann er jetzt begründen, wie Napoleon dazu kam, aus der Erfassung des Religionsstifters Voltaire so einleuchtend zu korrigieren. Nur die Äquivalenz des Erfassenden mit dem Erfaßten kann solche Evidenz erklären: *Ei, er, der ein anderer Mahomet war, mußte sich wohl darauf verstehen.*

Nun muß man, bei aller Beugsamkeit Goethes gegenüber Napoleon, doch genauer hinsehen, wie er sich dem Vorwurf wegen jener einzelnen Naturungemäßheit im »Werther« entzieht. Er antwortet *mit einem vergnügten Lächeln,* er müsse gestehen, daß *an dieser Stelle etwas Unwahres nachzuweisen sei* – allein dem Dichter sei es vielleicht zu verzeihen, wenn er sich eines Kunstgriffs, noch dazu eines nicht so leicht zu entdeckenden, bediene, *um gewisse Wirkungen hervorzubringen, die er auf einem einfachen natürlichen Wege nicht hätte erreichen können.* Der Dichter nimmt auf seinem Felde in Anspruch, was sein Gegenüber längst und jederzeit auf einem anderen in Anspruch genommen hat. Es ist da etwas, was keiner Rechtfertigung zu bedürfen scheint und auch gar keiner fähig ist. In Napoleon ist ihm der Faktor einer Geschichte ohne mögliche Theodizee begegnet – wie der Dichter des Sturm und Drang keiner anderen Rechtfertigung bedurft hatte als der seines Werkes. Napoleon versteht momentan, daß sich ein Vergleich aufbaut. Seine Kritik an der französischen Tragödie der Klassik schließt er mit den Worten, solche Schicksalsstücke hätten einer dunkleren Zeit angehört – was wolle man jetzt mit dem Schicksal? Jetzt, da man doch gerade dabei sei, dieses selbst zu verwalten. Das steckt in dem, Goethe so wenig adäquaten, Wort des Kaisers, die Politik sei das Schicksal. Was doch nichts anderes besagen soll als die Ersetzung des ästhetischen Fatum der Klassik durch die Ansprüche des imperialen Willens.

Durch eine Indiskretion von Goethes Sohn August kennen wir noch ein anderes Detail der Unterredung. Er erzählt dem Kanzler von Müller in Gegenwart des Vaters, dieser habe dem Kaiser versprechen müssen, einen Tod Cäsars – und zwar einen besseren als »La Mort de César« Voltaires – zu schreiben.[8] Sinnigerweise war dieses Drama von 1732 zum Fürstentreffen zur Aufführung gebracht worden. Napoleon trug Goethe da ein Thema an, das er selber als Jüngling hatte bearbeiten wollen, und konnte nicht wissen, daß sein Gegenüber gleichfalls den Jugendtraum eines Cäsar-Dramas geträumt hatte.

Hat Goethe versprochen, wie es die Äußerung des Sohnes zu verstehen zuläßt, was er versprechen mußte? Die Indiskretion Augusts ist von untergründiger Tücke. Auch über seinem Leben lag der Schatten der Konjunktion des Vaters mit Napoleon, nachdem ihm verweigert worden war, am Befreiungskampf und damit am Hochgang des Zeitgeistes teilzunehmen. Dadurch war ihm Fichtes Stammbucheintrag zur Last geworden: *Die Nation hat große Anforderungen an Sie, einzigen Sohn des Einzigen in unserem Zeitalter.* August war, wie Charlotte von Stein 1813 bemerkt hatte, *der einzige junge Mensch von Stand, der hier zuhause geblieben war.* So wurde sein demonstratives Vorzeigen der Einweihung in die Erinnerung des Vaters an Napoleon auch verzweifelter Trotz gegen die erzwungene Teilnahme an der späten Absonderung Goethes von den Emotionen seiner Zeitgenossen.

Es war also in Erfurt über Werke gesprochen worden, auf beiden Seiten. Wie es damit auf der Seite des Kaisers zuging, schien er dem Dichter sogleich demonstrieren zu wollen, als er sich abwandte und mit seinem Generalintendanten in Preußen Daru die Frage der Eintreibung von Kontributionen besprach. Von dieser Art Werk tritt Goethe – zum Zeugen geworden, wie mit Politik Schicksal gemacht wird – fast unwillig etwas zurück und stellt sich in einen Erker. Eben in diesem Erker habe er, so wird ihm jetzt bewußt, dreißig Jahre zuvor frohe und trübe Stunden erlebt.

Es ist die Identität des eigenen Lebens, die der Zuschauer des Geschichtemachens zu retten sucht. Was er wahrnimmt, vertreibt

8 30. August 1827; Werke XXIII 500.

ihn in den schützenden Winkel der Erinnerung. Wiederholt betont
er, während er die Beobachtungen über das Treiben um den Kaiser
niederschreibt, daß er nicht unterlassen konnte, *der Vergangenheit
zu gedenken.* Dem widmet er einen größeren Teil der Niederschrift
als allem, was diese Gegenwart betraf: den alten Tapeten, den
abgenommenen Portraits an den Wänden. Es ist der Kaiser, der
die Erinnerung durchbricht, indem er sich erhebt und auf Goethe
zugeht, um ihn *durch eine Art Manöver* von den übrigen Teilneh-
mern des Vorgangs zu separieren. Daraus wird der Augenblick der
großen Heraushebung. Die Situation kommt in ihr Gleichgewicht
durch die Umkehrung des Ganges, in welchem sich Goethe beim
Eintritt dem frühstückenden Imperator genaht hatte. Nun wendet
Napoleon den anderen den Rücken und spricht nur Goethe an –
und nur, um ihn zu fragen, ob er verheiratet sei und Kinder habe.
Napoleon konnte nicht wissen, daß diese Frage nur durch sein
gewalttätiges Eingreifen dem Adressaten keine Peinlichkeit mehr
bereiten konnte. Wenn es zutrifft, daß Napoleon ihn nach Paris
eingeladen hat, so gehört dies jedenfalls zu dem, was er selbst uns
über das Gespräch verschweigt. Wichtig genug, aber vielleicht von
Wichtigerem ablenkend ist die Mitteilung der Niederschrift, daß
Napoleon ihm am 14. Oktober den Orden der Ehrenlegion verliehen habe. Nur Silvie läßt er am 15. Oktober außer der Beehrung
durch die Legion auch wissen, er sei nach Paris *dringend eingeladen,* müsse nun aber die Dinge in Frankfurt nach dem Tod der
Mutter ordnen – *das sind alles Winke und Reizungen die mich
nach Südwest locken, weil ich sonst mein Heil nur in Südost zu
suchen pflegte.*
Die Zeitgenossen der Verhaltensforschung wissen, was es bedeutet,
dem fremden Blick unverwandt standzuhalten. Für die Zeitgenossen Goethes war es ein nahezu mythisches Moment. Heine
schreibt über die Augen Goethes, sie seien *ruhig wie die eines
Gottes* gewesen: *Es ist nämlich überhaupt das Kennzeichen der
Götter, daß ihr Blick fest ist und ihre Augen nicht unsicher hin
und her zucken.*[9] Und nicht zufällig stellt Heine gerade hierin
Napoleon und Goethe auf dasselbe Niveau: *Letztere Eigenschaft
hatten auch die Augen des Napoleon. Daher bin ich überzeugt,
daß er ein Gott war.* Was Goethe betraf, so wußte Heine, was er

9 Heine, Die Romantische Schule I (Sämtliche Schriften, ed. Briegleb, III 405).

sagte, denn er hatte nicht standgehalten, als er Jupiter gegenübergetreten war: *Wahrlich, als ich ihn in Weimar besuchte und ihm
gegenüber stand, blickte ich unwillkürlich zur Seite, ob ich nicht
auch neben ihm den Adler sähe mit den Blitzen im Schnabel. Ich
war nahe dran ihn griechisch anzureden ...*
Napoleons Götterblick war Goethe bis ins hohe Alter gegenwärtig.
Er hat darüber nur indirekt gesprochen. Am 17. Januar 1827 –
einem Tag, an dem Goethe heiter war, wie Eckermann betont –
wird diese Stimmung nicht einmal dadurch getrübt, daß im Kreise
mit dem Sohn, der Schwiegertochter und dem Kanzler von Müller
das Gespräch auf die Okkupationszeit kommt. Müller verweist auf
einen Brief des damaligen französischen Gesandten am Weimarer
Hof, in welchem auch Goethes Erwähnung getan sei. Der Brief
preise Weimar glücklich, *wo das Genie mit der höchsten Gewalt
ein so vertrautes Verhältnis haben könne.* Das ist Stichwort für
das Thema Napoleon. Trotzdem bedarf es noch der Umwege, um
dahin zu gelangen. Es ist von Anschaffungen der Frau von Goethe
die Rede, die nicht die Zustimmung Augusts gefunden hatten. Der
alte Goethe weiß dazu etwas von Napoleon: *Man muß den schönen Frauen nicht gar zu viel angewöhnen ..., denn sie gehen leicht
ins Grenzenlose. Napoleon erhielt noch auf Elba Rechnungen von
Putzmacherinnen, die er bezahlen sollte.*[10] Er habe auch in früheren Zeiten weiblichen Wünschen nicht leicht nachgegeben. Ein
Modehändler gab ihm bei Gelegenheit einer Präsentation zu verstehen, daß er in dieser Hinsicht für seine Gemahlin zu wenig tue.
Auf diese geschäftstüchtige Unverschämtheit habe Napoleon mit
keinem Wort erwidert, *aber er sah ihn mit einem solchen Blick an,
daß der Mann seine Sachen sogleich zusammenpackte und sich nie
wieder sehen ließ.* Auf die Frage der Schwiegertochter, ob dies noch
in der Zeit des Konsulats gewesen sei, antwortet Goethe nicht ohne
Selbstbezug, *wahrscheinlich sei vom Kaiser die Rede, denn sonst
wäre sein Blick wohl nicht so furchtbar gewesen.* Das Dämonische
wohnt doch nicht so ganz dem Menschlichen inne. Goethes Heiterkeit bleibt bei dieser mittelbaren Erinnerung an das Auge, dem er
standgehalten hatte, ungetrübt: *Aber ich muß über den Mann
lachen, dem der Blick in die Glieder fuhr und der sich wahrscheinlich schon geköpft oder erschossen sah.*

10 Werke XXIV 205 f.

Am 15. Dezember 1812 notiert Goethe, daß der französische Diplomat von Wolbock die Durchreise des Kaisers durch Weimar notifiziert habe, *sowie daß er sich nach mir erkundigt.* Fortan enthält das Tagebuch laufend den Aufenthalt des Kaisers, so als seien es Daten des eigenen Lebensganges. Er hat das Erinnern des geschlagenen Imperators nicht geringer eingeschätzt als den Blickabtausch mit dem Sieger von Jena. Die tiefe Beteiligung Goethes am Schicksal Napoleons bis hin zu seinem Ende überdauert noch das wachsende Entsetzen über die Taten des Korsen. Am 13. August 1813 begegnet er dem Kaiser in Dresden bei der Besichtigung von Schanzarbeiten. 1815 reflektiert sich die hunderttägige Episode im Tagebuch. Am 30. April 1817 heißt es: *Nachts Napoleons Konfession.* Am 14. Januar 1822, wiederum mit Angabe der Tageszeit: *Nachts allein. Übersetzte Manzonis Ode auf Napoleon.* Am 15. August 1828 steht die für Goethe nicht untypische Doppelung des christlichen Heilskalenders mit dem mythischen: *Mariä Himmelfahrt, Napoleons Geburtstag.* Niedergang und Ende des Kaisers auf Sankt Helena haben in der Lektüre ausgebreiteten Anteil gefunden. Er liest das »Mémorial de Saint-Hélène« von Hudson Lowe und andere Werke über Niederlage und Gefangenschaft. Auf der Felseninsel im südlichen Atlantik vollendet sich für Goethe das Schicksal eines Prometheus, an den er in Erfurt seine frühe ästhetische Selbstdeutung und Selbstanmaßung delegiert hatte. Auf dieser Delegation beruhen sowohl die Loyalität mit dem Schicksal des Korsen als auch die Selbstabhebung von seiner dämonischen Qualität.

Vor der Schlacht bei Leipzig hatte Goethe eine Wette auf den Sieg Napoleons über die Verbündeten abgeschlossen. Als nach dessen Niederlage Offiziere der Alliierten ihn aufsuchten, der Graf Colloredo bei ihm einquartiert wurde, trat er ihnen mit dem Ritterkreuz der Ehrenlegion entgegen.

Goethes Affinität zu den Omina wird nirgends deutlicher als in seinem Verhältnis zu Napoleon. Als dieser von Elba entflohen ist, ereignet sich, nach dem Bericht des Sulpiz Boisserée, die Geschichte eines Ringes mit dem Kopf des Serapis, dem Goethe lange nachgestellt habe, ohne ihn erlangen zu können. Da sei ein Freund zu ihm gekommen mit den Worten: *Raten Sie ein Ungeheueres.* Goethe, ironisch auf diese reißerische Aufforderung eingehend:

Der Jüngste Tag. Der Besucher, wie konnte er anders, verneint. Das nächste, was Goethe unter den Möglichkeiten des Ungeheuren einfällt, ist dies: *Napoleon ist entflohen.* Dazu fügt sich die Pointe im Bericht von Boisserée: *Den andern Tag kam der Ring.*[11] Was sich um das Napoleon-Verhältnis aufschichtet, ist – unabhängig von der Zuverlässigkeit der Fakten, weil Erfundenes oder Überhöhtes dies nicht weniger belegen – von der Dignität der ›Bedeutsamkeit‹.

Da ist ferner ominös der Sturz des Napoleon-Bildes, den nach Goethes eigener Erzählung wieder Joseph Sebastian Grüner, sicher mit Zuverlässigkeit, überliefert. Das ist in ein anderes Omen eingebettet: Bei einem Ausflug nach Franzensbad zeigt Grüner Goethe die plastische Darstellung des Kaisers und seiner zweiten Frau auf der dortigen Luisen-Quelle. Grüner weist darauf hin, wie ›geistreich‹ der kleine Mann neben Marie-Luise wirke. Goethe erwidert: *Geistreich ... war er wohl im hohen Grade, wenn er nur auch in Grenzen wie hier geblieben wäre.*[12]

Der Kriminalrat erzählt von der Errichtung der Einfassung der Quelle. Man habe Sachverständige aus Prag herangezogen, deren Erfolg jedoch nur darin bestand, daß kurz nach ihrer Abreise die Konstruktion zusammenstürzte. Daraufhin ließ man den ortsansässigen Zimmermann kurzerhand eine billigere Fassung machen; durch sie sei allerdings die nach Napoleon benannte Sprudelquelle von der Luisen-Quelle abgetrennt worden. Diese Vorbedeutung habe sich in der Wirklichkeit bestätigt.

Hier hakt Goethe ein. Wie sollte *er* in bezug auf Napoleon keine Vorbedeutung erfahren haben? *Nach der Schlacht von Leipzig fiel ohne bekannte Veranlassung sein Bild vom Nagel in meinem Zimmer herab; was sagen Sie dazu?* In finsteren und abergläubischen Zeiten würde man dies für ein Zeichen des Himmels gehalten haben, das Geburt oder Tod großer Männer ankündigte, erwidert Grüner. Die ominöse Ergiebigkeit der Franzensbader Quelle erscheint ihm auf einmal als zu harmlos. Er greift zurück auf das

---

11 Werke XXII 799. Sogar im Tagebuch notiert Goethe ein Napoleon betreffendes Omen: beim Napoleonsfest in Frankfurt habe sich beim Feuerwerk der Name des Kaisers zuletzt in einer Rauchwolke verhüllt, so daß er nicht mehr sichtbar war, *welches von der Menge als ein Omen aufgenommen wurde* (Eintragung vom 22. August 1806; Tagebücher, ed. cit. 268).
12 Werke XXIII 170 f.

Stichwort ›Grenze‹. Es kennzeichnet Goethe, wie er sich nicht gefallen läßt, daß ein anderer ihm die Befugnis zur Maßregelung des Großen nimmt. Deshalb muß zunächst Grüner wörtlich wiedergegeben werden: *Wenn ich hier die Sprudelquelle neben der Luisen-Quelle ansehe, denke ich mir Napoleon getrennt von seinem Sohn auf der Insel Helena, wie er hier eingeengt innerlich lebt, ohne die Grenzen überschreiten zu können. Nur ein großer Geist vermag in solcher Lage standhaft zu bleiben. Indes, seine Haft sollte ihn unschädlich machen; Millionen Menschen sind durch ihn geopfert worden.* Auch Goethe denkt an die Menschheit und an ihr Wohl, aber er weicht dem angebotenen Verdikt über Napoleon aus, um bei der Quelle zu bleiben und ihr Menschheitswirkung zuzutrauen: *Lassen wir gute Wirkungen von dieser Sprudel- oder wie Sie meinen Napoleons-Quelle für die Menschheit hervorbringen.* Lakonisch schließt der Bericht, hierauf sei man nach Eger zurückgefahren.

Der Gipfel der Bedeutsamkeit liegt in einer Koinzidenz, die Napoleon postum und auf obskurem Wege für das eintreten läßt, was für Goethe selbst an seinem Lebenswerk zweifellos zentral war, für die Farbenlehre. Hier wächst das Ominöse aus dem Dämonischen heraus, das die Macht hat, Heterogenes zu unerwarteter Signifikanz zusammentreffen zu lassen. Daß Napoleon den »Werther« gelesen, ihn *immer mit sich geführt* und noch auf Sankt Helena bei sich hatte – wie Goethe seit 1829 weiß und gegenüber Roschalin, seinem russischen Übersetzer, ausspricht –, wird nicht als ominöse Bedeutsamkeit empfunden. Als literarisch Urteilender hat der Kaiser nichts Dämonisches. Wie aber Napoleon, obwohl oder gerade weil nicht mehr unter den Lebenden, für die Farbenlehre einstand, das konnte Goethe tief betroffen machen.

Im Herbst dieses Jahres 1830, in dem Goethe am Schluß von »Faust II« arbeitete und mit dem vierten Teil von »Dichtung und Wahrheit« begann, der den ›ungeheuren Spruch‹ enthalten sollte, als er das Ende Napoleons auf Sankt Helena umkreiste und die Nachricht vom Tod des einzigen Sohnes in Rom erhielt, geschieht etwas Seltsames. Eckermann hatte auf der Rückreise aus Italien, wo er sich in Genua von August von Goethe getrennt hatte, in Straßburg im Schaufenster eines Friseurs eine kleine Büste

Napoleons aus opalisierendem Glas gesehen, die ihm alle Phänomene der Farbenlehre darzubieten schien, je nachdem ob man sie
gegen das Dunkel des dahinter liegenden Raumes oder umgekehrt
von dort gegen das Licht der Straße anblickte. Eckermann sieht
sofort, daß Goethe von diesem Gebilde fasziniert sein würde.
*In meinen Augen hatte dies gläserne Bild einen unschätzbaren
Wert...*[13] Er erwirbt es und sendet es nach Weimar.

Noch auf der Reise und noch bevor die Nachricht vom Tode des
jungen Goethe ihn erreicht hat, erhält Eckermann den Dankesbrief
für das merkwürdige Reisegeschenk. Goethe bestätigt seinem
Eckermann, daß er *beim Anblick des merkwürdigen, Farbe vermittelnden Brustbildes* beeindruckt und durchdrungen gewesen sei
*von dem herrlichen Urphänomen, welches hier in allen seinen
Äußerungen hervortritt.* Daß im Zufall dieses Fundes, in der
Fähigkeit, derartiges wahrzunehmen, das Dämonische seine Hand
im Spiele gehabt hätte, wird wenigstens in der Wahl eines Ausdrucks angedeutet, der zu diesem Zeitpunkt keine Redensart sein
kann: *Wenn Ihr Dämon Sie wieder nach Weimar führt, sollen Sie
jenes Bild in der heftigen klaren Sonne stehen sehen...* Ohne zu
zögern, vindiziert Goethe Napoleon für die Farbenlehre: *Man
sieht hier wirklich den Helden auch für die Farbenlehre sieghaft.
Haben Sie den schönsten Dank für diese unerwartete Bekräftigung
der mir so werten Lehre.* Welcher Hunger nach anderem als Beweisen.

Nach allem, was Goethe je zwischen sich und Napoleon erfahren
und erfunden hatte, mußte ihm diese nippeshafte Beiläufigkeit
unvergleichlich wichtig sein. Hatte er doch schon am 2. Mai 1824
Eckermann gegenüber den gewagtesten, im Horizont seiner Selbstauffassung und Geschichtserfahrung höchstgegriffenen Bezug gestiftet: *Napoleon erbte die Französische Revolution..., und mir
ist der Irrtum der Newtonischen Lehre zuteil geworden.*

Den Namen des Dämon gebraucht er, wie anderes so oft, gleichsam
versetzt: für das Geschick des anderen, während er ihn auf sich
gerade bezogen hatte. Etwas später, am 2. März 1831, bestätigt er,
daß das Dämonische nicht nur in und an Personen, sondern sogar
ganz besonders in Begebenheiten auftritt, *und zwar in allen, die
wir durch Verstand und Vernunft nicht aufzulösen vermögen.* Das

13 Werke XXIV 429-431.

ist noch kein Definitionsversuch für das Dämonische, aber die Beschreibung des Widerstands, durch den es charakterisiert ist. Für seine eigene Natur bestreitet Goethe, daß in ihr Dämonisches liege; aber er sei ihm *unterworfen*. Napoleon hingegen sei dämonischer Art gewesen, und zwar *im höchsten Grade, so daß kaum ein anderer ihm zu vergleichen ist ... Dämonische Wesen solcher Art rechneten die Griechen unter die Halbgötter*. Dazu hat Eckermann den Einfall zu fragen, ob nicht auch Mephisto dämonische Züge habe. Es ist auffallend, daß Goethe das sofort und begründet zurückweist: *Nein, ... der Mephistopheles ist ein viel zu negatives Wesen; das Dämonische aber äußert sich in einer durchaus positiven Tatkraft.*[14]

Wie ernst, wie gewichtig, vor allem: wie genau hat man einen solchen Ausdruck wie den des ›Dämonischen‹ bei Goethe, und zumal in seiner Anwendung auf Napoleon, zu nehmen? Zunächst, meine ich, ist die Rede vom Dämonischen nur ein Verzicht auf die Leichtfertigkeit, mit der die Jugend des Sturm und Drang das Attribut des ›Göttlichen‹ vergeben hatte. Für Napoleon liegt es Goethe noch verräterisch auf der Zunge. Im Gespräch mit dem Kanzler Müller am 23. März 1830 ist diese Verbindung in domestizierter Altersform hergestellt. Wieder ist die Unterredung mit Napoleon Thema. Müller forciert Goethes Erinnerungskraft mit der Bemerkung, es sei doch schrecklich, sich sagen zu müssen, daß es schon zweiundzwanzig Jahre her wäre. Goethe weicht aus: Man müsse sich derartiges auch gar nicht sagen, *sonst wäre es zum Tollwerden*. Napoleon ist nicht einbezogen in den fast bescheidenen Selbstvergleich mit Gott, den Goethe folgen läßt; aber, ohne daß die Rede von ihm gewesen wäre, läßt sich die Assoziation kaum noch vorstellen: *Vor Gott sind tausend Jahre wie ein Tag; warum sollen wir uns nicht auch wie kleine Götter darüber hinwegsetzen?* Es ist die Umkehrung von Müllers Demutsgebärde vor der Unerbittlichkeit der Zeit; wer eine solche Begebenheit hinter sich hat, wird durch die Zählung der Jahre nicht mehr affiziert.

Hier ist auch nichts mehr von dem, was Jean Paul verspottet hatte, als er in einem Brief an Christian Otto vom 18. Juni 1796 seinen Besuch bei Goethe beschreibt: das Haus, das ihn mit seinem italienischen Geschmack verblüfft, das Pantheon der Bilder und Statuen,

14 Werke XXIV 469.

die beklemmende Kühle *der Angst,* die ihm die Brust preßt.
Schließlich das Erscheinen Goethes: ... *Endlich tritt der Gott her,
kalt, einsilbig, ohne Akzent.*
Erst ganz am Ende, nach dem Ende, wird Eckermann den Ton der
Apotheose noch einmal aufnehmen. Der Schluß des zweiten Teils
der Gespräche gehört zum Schönsten deutscher Prosa. Am Morgen
nach Goethes Tod läßt sich Eckermann vom Diener Friedrich das
Zimmer aufschließen, in welchem der Leichnam liegt. Das Ineinander von Verwegenheit und Ehrfurcht dieser Zeilen gipfelt darin,
daß Eckermann sich das Leichentuch zurückschlagen läßt, in dem
der nackte Körper eingehüllt liegt. Es ist ein Augenblick der
Epiphanie: *Friedrich schlug das Tuch auseinander, und ich er-
staunte über die göttliche Pracht dieser Glieder... Ein vollkomme-
ner Mensch lag in großer Schönheit vor mir, und das Entzücken,
das ich darüber empfand, ließ mich auf Augenblicke vergessen,
daß der unsterbliche Geist eine solche Hülle verlassen. Ich legte
meine Hand auf sein Herz – es war überall eine tiefe Stille – und
ich wendete mich abwärts, um meinen verhaltenen Tränen freien
Lauf zu lassen.* Das ist nicht mehr Goethe, das ist Eckermann, doch
Eckermann vor dem toten Goethe.
Wenn das Attribut des ›Dämonischen‹ bei Goethe ein Indiz dafür
ist, daß die Leichtfertigkeit im Umgang mit dem anderen Attribut,
dem des ›Göttlichen‹, geschwunden ist, so ist der Grund dafür vor
allem im vertieften Umgang mit dem Spinozismus zu sehen. In der
pantheistischen Absorption ist das Göttliche im wörtlichen Sinne
›gleichgültig‹ geworden: als die Auszeichnung von schlechthin
allem. Das Göttliche konnte nicht mehr das Exzeptionelle sein; es
wurde dies das Dämonische. Auf seinen Rang wird alles verwiesen, was die Gewöhnlichkeit des Menschlichen übersteigt, was die
Qualität der ›Unerreichbarkeit‹ besitzt. Es ist nicht das Wider-
göttliche, das im Pantheismus ohnehin noch präziser ›utopisch‹ ist
als im Monotheismus, nämlich ›keine Stelle‹ hat. Wo es dennoch
sprachlich aufzutreten scheint, wird sich immer ein polytheistischer
Hintergrund erschließen, den man als so etwas wie ›Pantheismus
mit verteilten Rollen‹ verstehen darf. Es ist die ästhetische Lizenz
einer Metaphysik, die für sich genommen nur die Ästhetik der
Natur rechtfertigt und die des Menschen überflüssig macht, weil
es dafür keinen Spielraum mehr gibt.

Goethe hat sehr deutlich gesehen: Der metaphysische Pantheist muß in der Kunst seine doppelte Wahrheit des Polytheismus praktizieren. Aber auch moralisch ist im Pantheismus für die Übergröße des Guten wie des Bösen kein Platz; für oder gegen den Gott kann nichts sein, weil nichts außerhalb seiner zu sein vermag. Hier deutet sich an, was die Kategorie des Dämonischen als eines nicht eindeutig bestimmbaren Zwischenreichs für den ›ungeheuren Spruch‹ bedeuten wird, in dem der vierte Teil von »Dichtung und Wahrheit« kulminiert. Gegen einen Gott kann alles sein, was seinerseits ein Gott ist – wovon zu reden nur Sinn hat, wenn es nicht nur *einen* gibt.

Goethe bestreitet zwar, daß auch Mephisto als Dämon gesehen sei. Aber es könnte die Wette zwischen Gott und Mephisto nicht geben, wenn zwischen ihnen der Todernst des Dualismus oder die Ausschließlichkeit des Monotheismus bestände. So verwandelt sich der Hintergrund des »Faust« wenigstens in das Als-ob eines Polytheismus. Dessen Kraftproben sind ernstlich; aber nicht definitiv, vielmehr episodisch. In diesem letztlich weder metaphysischen noch moralischen, sondern eher ästhetischen Zwischenreich hat Goethe Napoleon angesiedelt. In seiner Übersetzung der Ode Manzonis »Der 5. Mai« ist er nachbildend der ›Schreckensmann‹ genannt; aber er konnte für Goethe niemals den reinen bösen Willen darstellen und niemals den bloßen Mißerfolg des Unglücks hervorgebracht haben. Das Dämonische ist eine gegenüber dem Moralischen exotische Kategorie.

Im Anschluß an ein Gespräch mit Eckermann über Faust, das ihn *eine Weile in stilles Nachdenken* versetzt hatte, nimmt Goethe, um seine Ansicht vom Dämonischen zu begründen, ausdrücklich für sich eine Alterssicht der Dinge in Anspruch. Er könne sich des Gedankens nicht erwehren, daß *die Dämonen, um die Menschheit zu necken und zum besten zu haben, mitunter einzelne Figuren hinstellen, die so anlockend sind, daß jeder nach ihnen strebt, und so groß, daß niemand sie erreicht.*[15] Als Beispiel nennt Goethe Raffael, Mozart und Shakespeare. Mit Shakespeare wiederum, den er in der frühesten Geniephase dem Prometheus gleichgestellt hatte, vergleicht er – nicht ohne Aufschluß für die ästhetische Valenz der Kategorie des Dämonischen – Napoleon. Er wird freilich nur

15 Gespräche mit Eckermann, 6. Dezember 1829 (Werke XXIV 373 f.).

als ›unerreichbar‹, nicht auch als ›anlockend‹ qualifiziert. Eckermann denkt zuende, was ihm hier wie immer schon mitzudenken
vorgegeben ist, daß *auch mit Goethe die Dämonen so etwas möchten im Sinne haben, indem auch er eine Figur sei, zu anlockend, um
ihm nicht nachzustreben, und zu groß, um ihn zu erreichen.*
Die Verbindung geht über Faust. In einem Gespräch mit Sulpiz
Boisserée am 3. August 1815, das sich um Spinoza, die Farbenlehre und vor allem die Vollendung des »Faust« dreht, über dessen
Ende Goethe noch nichts sagen will, obwohl er es als fertig, *sehr
gut und grandios geraten* bezeichnet. Die Überleitung, die sich auf-
drängt, entspricht aufs genaueste Nietzsches These, das Erscheinen
Napoleons habe ihn den Faust und das ganze Problem ›Mensch‹
umdenken lassen: *Faust macht im Anfang dem Teufel eine Bedingung, woraus schon alles folgt. – Faust bringt mich dazu, wie ich
von Napoleon denke und gedacht habe. Der Mensch, der Gewalt
über sich selbst hat und behauptet, leistet das Schwerste und
Größte.*[16]
Noch höher greift die Äußerung, die das Attribut des Dämonischen
gleichermaßen mit Christus und Napoleon verbindet. Das Kriterium ist die Gewalt über die Elemente, also über die Natur. Von
Christus sagt er: *Die magische Wirkung, die von seiner Person ausgeht, so daß die Gesunden ihm anhängen und die Kranken sich
geheilt fühlen, seine Gewalt selbst über die Elemente, so daß die
Wut der Stürme und Meereswogen sich vor ihm beschwichtigen:
alles dieses, obgleich in einer überwiegend göttlichen Natur, erscheint dämonischer Art.* Unmittelbar anschließend an diesen Satz
folgt der über den Korsen: *So war in Napoleon das Dämonische
wirksam wie in der neueren Zeit vielleicht in keinem anderen.*[17]
Eine von der Napoleons abgeleitete Gewalt über die Natur ist
Goethe selbst erfahrbar geworden. Zelter berichtet er am 3. Mai
1816, er sei krank zu Bett gelegen und es sei ihm *beinahe unmöglich* erschienen, an einer großen Zeremonie bei Hofe teilzunehmen.
Da sei ihm *glücklicherweise ein Napoleontischer Spruch ins Gedächtnis gefallen: l'Empereur ne connoît autre maladie que la
mort.* Daraufhin sagt er dem Arzt, er werde, wenn nicht tot,
pünktlich zur Stelle sein. *Es scheint daß der Arzt und die Natur*

16 Werke XXII 802.
17 Gespräche mit Eckermann, 28. Februar 1831 (Werke XXIV 743).

*sich diesen tyrannischen Spruch zu Gemüte genommen haben, denn
ich stand Sonntag zur rechten Stunde an meinem Platze* . . . Nun
wird man noch fragen, um welche große Zeremonie es sich gehandelt habe. Es war die Huldigung der Stände für den durch Napoleons Untergang zum Großherzog erhobenen Carl August, zur
Entgegennahme des Verfassungsversprechens, das er als erster der
deutschen Fürsten schon im Monat darauf erfüllen wird. Noch
zur Teilnahme an der Feier des letzten Triumphes über ihn
hatte Napoleon dem gleichfalls avancierten ›Staatsminister‹ Goethe
durch dämonische Induktion verholfen.

Die gegenüber Eckermann gemachte Einschränkung, das Dämonische sei in Napoleon wirksam wie *in der neueren Zeit* sonst nicht,
hatte noch gefehlt, als Goethe am 3. Januar 1807 an Knebel
geschrieben hatte, man hätte voraussehen müssen, daß *die höchste
Erscheinung, die in der Geschichte möglich war,* so wie diese aus
Frankreich kommen würde. *Man verleugnet sich das Ungeheure,
solange man kann.* Doch scheint es so etwas wie eine Depotenzierung ursprünglicher Mächte zu geben. Bevor Goethe jetzt, 1831,
auf Christus und Napoleon zu sprechen kommt, leitet er ein: *Es ist
mir, als sei das Dämonische in früheren Zeiten mächtiger gewesen
und als ob es in einem prosaischen Jahrhundert nicht solche Gelegenheit finde, sich zu manifestieren. Im Alten und Neuen Testament
kommen davon bedeutende Spuren vor, und selbst in Christus
erscheinen Züge, die man dahin rechnen möchte.* Man wird sich
hieran erinnern, wenn Sigmund Freud in seinem Brief an Thomas
Mann vom 14. Juni 1936, auf einem höheren Niveau der Ironie,
Napoleon mit dem ägyptischen Joseph vergleicht.

Kennzeichen der dämonischen Figur ist nicht nur, daß sie selbst
den Elementen gebietet, sondern daß sie diese Fähigkeit zu indu-
zieren vermag. Bei einer Spazierfahrt mit Eckermann kommt
Goethe auf die Nachricht vom Tode des Eugen Napoleon Beauhar-
nais, des Herzogs von Leuchtenberg, zu sprechen. Er sei einer von
den großen Charakteren gewesen, die immer seltener würden.
Noch im Sommer zuvor sei er in Marienbad mit ihm zusammengetroffen. Dabei habe er von seinem Plan der Verbindung von
Rhein und Donau durch einen Kanal erfahren. *Ein riesenhaftes
Unternehmen, wenn man die widerstrebende Lokalität bedenkt.
Aber jemandem, der unter Napoleon gedient und mit ihm die Welt*

erschüttert hat, erscheint nichts unmöglich.[18] Auch hier ist das
Schema festgehalten, daß das Widerstreben der Umstände, der
Materie, der Elemente noch die Größe eines Mannes und seiner
Handlung ausmacht, der im Einflußbereich der dämonischen Na-
tur steht.

Sie wird auch gemessen an dem Vakuum, das sie hinterläßt. Es ist
für Goethe fast selbstverständlich, daß Napoleon eine Unruhe
gestiftet hat, die nach Figuren seinesgleichen verlangt, aber tatsächlich nur solche niederen Ranges begünstigt. Der Erbe der Revolution, der den Abgrund geschlossen zu haben schien, in den Goethe
zuerst bei der Halsbandaffäre geblickt hatte, hinterließ, als er gegangen war, erneut einen Abgrund. Im Jahr der Erhebung gegen
Napoleon wird Goethe klar, daß nur der Haß die Deutschen verbunden hatte, wie er an Knebel am 24. November 1813 schreibt:
*Ich will nur sehen was sie anfangen werden, wenn dieser über den
Rhein gebannt ist.* Er sieht es noch bis zuletzt. Als am 21. März
1831 Nachrichten von fortwährenden Unruhen aus Paris eintreffen, führt er *den Wahn der jungen Leute, in die höchsten Angelegenheiten des Staates mit einwirken zu wollen,* auf das Beispiel
Napoleons zurück. Er habe in der Jugend seines Landes einen
Egoismus aufgeregt, der sie nicht ruhen lassen werde, *als bis wieder ein großer Despot unter ihnen aufsteht, in welchem sie das auf
der höchsten Stufe sehen, was sie selber zu sein wünschen.*[19]

Dennoch liegt das Recht, wie immer in solchen Äußerungen Goethes, auf der Seite des dämonischen Mannes. Für die Welt, für die
anderen bleibt der Nachteil, daß die durch jenen geweckten Bedürfnisse nicht wieder durch Seinesgleichen befriedigt werden können. *Es ist nur das Schlimme, daß ein Mann wie Napoleon nicht
sobald wieder geboren wird, und ich fürchte fast, daß noch einige
hunderttausend Menschen daraufgehen, ehe die Welt wieder zur
Ruhe kommt.*

Goethe selbst ist immer der Bezugspunkt, offen oder verdeckt,
wenn er von Napoleon spricht. Denn zu dessen Folgen gehört
auch, daß der tätige Mann nur noch im stillen für die Zukunft
manches Gute vorbereiten könne, an literarische Wirkung aber
auf Jahre gar nicht zu denken sei. Erstaunlicherweise enthält

---

18 Gespräche mit Eckermann, 29. Februar 1824 (Werke XXIV 100 f.).
19 Gespräche mit Eckermann, 21. März 1831 (Werke XXIV 484 f.).

Goethes Fazit keine Bitterkeit gegenüber dem, der sich selbst für die Welt zum Mangel gemacht hatte. Denn, als ob die Bilanz von Größe und Opfern nicht durch den ›Schreckensmann‹ eröffnet worden wäre, erscheint er nun als das, was der Welt wiederum fehlt, um diese Bilanz endlich abschließen zu können.

Mit der Entscheidung für die stille Vorbereitung einer ihm selbst kaum noch zugänglichen Zukunft steht Goethe an der Schwelle seines letzten Lebensjahres. Man fragt sich, ob er sich im Augenblick dieses Gesprächs an die Worte erinnern ließ, die Napoleon am 26. April 1813 zum Kanzler von Müller gesprochen hatte: *Wißt ihr Deutschen auch, was eine Revolution ist? Ihr wißt es nicht, aber ich weiß es!* Es enthält Goethes historische Legitimation für Napoleon. Zwar nicht in seiner Größe, aber in seiner Rolle war er für ihn determiniert durch das Erbe der Revolution. Es war wiederum Nietzsches Hellsicht für untergründige Gleichungen extremer Niveaus, die Goethes Verhältnis zu Napoleon ganz auf den Pol der Französischen Revolution, näherhin ihres Rousseau-Aspekts, zentriert sah. Goethe ist für Nietzsche ganz Abwendung vom 18. Jahrhundert und seiner Revolution: *Ich sehe nur Einen, der sie empfand, wie sie empfunden werden muß, mit Ekel – Goethe...*[20] Das ergibt eine gemeinsame Formel für Napoleon und Goethe aus ihrer Art der trotz Rousseau und gegen Rousseau vollzogenen ›Rückkehr zur Natur‹: Goethe war das europäische Ereignis als ein *großartiger Versuch, das achtzehnte Jahrhundert zu überwinden durch eine Rückkehr zur Natur, durch ein Hinaufkommen zur Natürlichkeit der Renaissance, eine Art Selbstüberwindung von seiten dieses Jahrhunderts,* wie auch Napoleon *ein Stück ›Rückkehr zur Natur‹* war.[21]

Alle Rede vom ›Dämonischen‹ kann Nietzsche nicht darin irre machen, daß sich Goethe gerade deshalb so nachhaltig auf Napoleon einließ, weil er selbst *ein überzeugter Realist* war. Realismus ist immer, wo er auftritt, ein Kontrastbegriff zu den Unwirklichkeiten einer Epoche – und eben dies, *inmitten eines unreal gesinnten Zeitalters* zu stehen, sein Ende zu bestimmen oder zu erleiden, macht den ›Realismus‹ im Bezug Goethes zu Napoleon aus: *er*

20 Nietzsche, Götzen-Dämmerung oder Wie man mit dem Hammer philosophiert (1888) § 48 (Musarion-Ausg. XVII 149).
21 Nietzsche, a. a. O. § 49 (ed. cit. XVII 149 f.).

hatte kein größeres Erlebnis als jenes ens realissimum, genannt Napoleon.

In der Sicht auf dieses Phänomen berührten sich der Historiker und der Dämonologe Goethe nicht immer nahtlos. Das Dämonische ist auch eine Gegenkategorie zur Geschichte, sofern sie die Implikation der Machbarkeit hat – Gegenkategorie ebenso wie das Tragische. Auch das erfährt Goethe an Napoleon, an seinem Untergang.

Im März 1832, kurz vor seinem Tod, spricht Goethe mit Eckermann über die *tragische Schicksalsidee der Griechen.* Sie sei der gegenwärtigen Denkungsweise nicht mehr gemäß. Selbst vor dem Vergleich mit der Mode scheut er nicht zurück: eine Tragödie sei ein längst aus der Mode gekommener Anzug. Was ist an die Stelle des Tragischen getreten, um menschliches Dasein in einer seiner extremen Möglichkeiten zu qualifizieren? Zweifellos nicht etwas, was durch die religiösen Vorstellungen der Zeit bestimmt gewesen wäre; diese sind wohl nur deshalb erwähnt, weil sie eine Daseinsidee ausschließen, die antike, die nicht auf das Prinzip der Freiheit gegründet war, sondern die Bestimmung durch Verblendung und verhängnishafte Verschuldung zugelassen hatte. Für diese Veränderung erscheint Napoleon als exemplarisch. Goethes letzte Äußerung über den dämonischen Partner seiner Selbstkonstitution ist ernüchternd, zumal in ihrer Fremdheit zum Ästhetischen. Sie nimmt vorweg, was erst durch Goethes Tod vollends manifest werden sollte, weil es durch ihn selbst so lange verzögert worden war: die Politisierung der Literatur in der Zeitgestalt des Jungen Deutschland.

Denn Napoleon hatte es nicht nur ausgesprochen, sondern auch zum ersten Mal über den Kontinent hin erlebbar gemacht, daß Lebensschicksale – und eben nicht nur dynastische oder soldatische – durch politische Akte bestimmt werden. Im Augenblick dieses letzten Gesprächs erinnert sich Goethe an das, was ihm Napoleon im Erker des Schlosses von Erfurt gesagt hatte und was er damals trotz der Erfahrungen nach Jena kaum akzeptiert haben konnte. Jetzt ist es die Grenzformel für alle ästhetischen Bemühungen: *Wir Neueren sagen jetzt besser mit Napoleon: die Politik ist das Schicksal.*[22]

22 Werke XXIV 508 f.

Für das Wesen der Literatur bedeute das nichts, denn dieser Satz dürfe nicht mit den *neuesten Literatoren* so verstanden werden, als sei dadurch die Politik auch schon die Poesie oder ein für sie qualifizierter Gegenstand. Als Gegenstand würde sie allemal durch die Parteilichkeit verdorben, die der Dichter annehmen müsse, wenn er politisch wirken wolle. Seine Stoffe hätten nichts mit den Bindungen und Einschränkungen zu tun, die das Politische charakterisieren. Der Dichter sei *dem Adler gleich, der mit freiem Blick über Ländern schwebt, und dem es gleichviel ist, ob der Hase, auf den er hinabschießt, in Preußen oder in Sachsen läuft.* Der Dichter ist der Adler, nicht der Imperator.

Auf jener Gedenkmünze von Manfredini für die Schlacht bei Jena, die Goethe im Tagebuch anläßlich der Besichtigung des Schlachtfeldes beschrieben hatte, war, mit dem Bildnis des Kaisers auf der Vorderseite, Jupiter mit dem Adler auf der Rückseite abgebildet gewesen.[23] Da war Napoleon noch nicht Prometheus, Jupiter noch nicht sein Feind, der Adler noch nicht die Qual, die an seiner Leber fraß.

Inzwischen weiß Goethe, daß eine Generation herangewachsen ist, in deren Augen sein Wirken *für nichts geachtet wird, eben weil ich verschmäht habe, mich in politische Parteiungen zu mengen.* Um es diesen Leuten vom Typus Uhlands recht zu machen, hätte er *Mitglied eines Jakobinerklubs werden und Mord und Blutvergießen predigen* müssen.[24] Den Nachhall des Wortes von der Politik als Schicksal hätte Goethe auch nicht vergessen, wenn er in dem Auseinanderleben mit seinen Zeitgenossen nicht zu verspüren bekommen hätte, wie recht Napoleon gegen ihn für den Rest seiner Lebenszeit behalten hatte. Es ist sein Problem – und seine Antithese: *Die Leute wollen immer, ich soll auch Partei nehmen; nun gut ich steh' auf meiner Seite.*[25] Das war das Fazit schon aus seinem Sichversagen gegenüber den Forderungen der jungen Generation in der Erhebung gegen Napoleon, auch gegenüber den Erwartungen des herzoglichen Freundes.

Als Goethe Ende April 1813 in Dresden das ihm befreundete Körnersche Haus besucht, hat er nach den Erinnerungen Ernst

23 Tagebücher, 23. Mai 1807.
24 Gespräche mit Eckermann, März 1832 (Werke XXIV 510).
25 Goethe zu F. Förster, 4. August 1831 (Werke XXIII 761).

Moritz Arndts *weder Hoffnung noch Freude an den neuen Dingen*;
vielmehr weist er den Sohn, den Lützower Jäger und Sänger des
Freiheitskampfes, wie den Vater ›gleichsam erzürnt‹ zurecht. *Schüt-
telt nur an Euren Ketten, der Mann ist Euch zu groß, Ihr werdet
sie nicht zerbrechen.*[26] Als man über den schon Gestürzten in seiner
Gegenwart heftig herzog, habe Goethe nach einem Bericht Varnhagens zunächst geschwiegen, dann aber ›mit strenger Ruhe‹ gesagt:
Laßt mir meinen Kaiser in Ruh![27] Hat Goethe aus seiner Natur
heraus dem Engagement der Patrioten abgesagt oder hat ihm die
Bindung an Napoleon den Zugang zu deren Enthusiasmus verwehrt? Heine sieht in ihm das *große Zeitablehnungsgenie*, das *sich
selbst letzter Zweck ist.* Deshalb könne ihn *eine Zeit der Begeisterung und der That . . . nicht brauchen.*[28]
Aber Goethe verweigerte sich nicht nur der patriotischen Erhebung
gegen Napoleon, er hatte sich auch Napoleon selbst verweigert,
sobald es um mehr – oder muß man sagen: weniger? – als den
Blickabtausch ging. Da ist die Einladung, nach Paris zu kommen
und ein Cäsar-Drama zu schreiben. Nach den Erinnerungen des
Kanzlers Friedrich von Müller war das ein Antrag von höchstem
Rang, von deutlichster Auszeichnung, aber auch von deutlichster
Beziehung auf den Anspruch und das Selbstbewußtsein des Kaisers: *Das Trauerspiel sollte die Lehrschule der Könige und der
Völker sein, das ist das Höchste, was der Dichter erreichen kann.
Sie z. B. sollten den Tod Cäsars auf eine vollwürdige Weise,
großartiger als Voltaire, schreiben. Das könnte die schönste Aufgabe Ihres Lebens werden. Man müßte der Welt zeigen, wie Cäsar
sie beglückt haben würde, wie alles ganz anders geworden wäre,
wenn man ihm Zeit gelassen hätte, seine hochsinnigen Pläne auszuführen. Kommen Sie nach Paris, ich fordere es durchaus von
Ihnen. Dort gibt es größere Weltanschauung! dort werden Sie
überreichen Stoff für Ihre Dichtungen finden.*[29] Die Einladung
Napoleons beschäftigte Goethe, nach dem Zeugnis des Kanzlers,
noch geraume Zeit recht lebhaft. Er hat kein ›großes Wort‹ dazu

---

26 E. M. Arndt, Erinnerungen aus dem äußeren Leben. Hg. v. F. M. Kirch-
eisen. München 1913, 193.
27 Werke XXII 719.
28 Heine an Varnhagen, 28. Februar 1830 (Briefe, ed. F. Hirth, I 426).
29 Friedrich von Müller, Erinnerungen aus den Kriegszeiten von 1806-1813.
Leipzig 1911, 172 ff.

gesprochen, wie über die ganze Audienz nicht. Er ließ das Angebot an beiläufigen ›Unbequemlichkeiten‹ scheitern. Sich politisch instrumentalisieren zu lassen, lag außerhalb seiner Selbstdefinition. Als Napoleon von ihm erbat, dem Zaren Alexander über ihre Begegnung in Erfurt einen Bericht zu widmen, wich er aus: Dergleichen habe er nie getan, um es nicht später bereuen zu müssen. Napoleon insistiert, die großen Schriftsteller im Zeitalter Ludwigs XIV. hätten sich anders verhalten. Wenn wir dem Bericht Talleyrands vertrauen dürfen, der diesen Teil des Gesprächs allein wiedergibt, antwortete Goethe furchtlos: *C'est vrai, Sire, mais Votre Majesté n'assurerait pas qu'ils ne s'en sont jamais repentis.*[30] Eine große Antwort. Es ist diese doppelte Verweigerung gegenüber Napoleon, die Goethe legitimiert, sich später den Gegnern des Kaisers und dem Triumph über ihn zu verweigern.

Das Wort von der Schicksalhaftigkeit der Politik spricht Napoleon im Zusammenhang seiner Äußerungen über die klassische Tragödie Frankreichs, nicht nur als Zurückweisung der Kategorie des Tragischen, sondern als Umbesetzung ihrer ›Stelle‹ im geschichtlichen System durch die Kategorie des Politischen. Dieses Wort ist bis zum Überdruß wiederholt worden. Es klang bald wie der Appell an alle, sich an der Okkupation des vormaligen Schicksals zu beteiligen – in Kurzformel: Geschichte zu machen. So aber konnte es Napoleon gegenüber Goethe nicht gemeint haben; so wird es erst meinbar, wenn die Vakanz dieses einen Geschichtssubjekts eingetreten sein wird. Napoleon hatte, als er es sagte, einen Mann vor sich, von dem er wußte, daß ihn ›Schicksal‹ nur getroffen hatte, ohne daß es von ihm gemacht war oder auch nur hätte gemacht werden können. Goethe seinerseits hat die ›Umbesetzung‹ jenes Tragischen erst viel später, erst ganz am Ende mit seiner Resignation, akzeptiert. Schließlich war es Napoleon gewesen, der in der Nachwirkung seiner Handlungen alle gezwungen hatte, das von ihm ganz anders gemeinte, nämlich auf die passive Betroffenheit der Unterlegenen bezogene, Wort zu übernehmen. Als Goethe in dem letzten überlieferten Gespräch vom März 1832 Napoleons Wort selbst an sich nimmt, unterbricht er sich bei dem ihm unleidlichen und dennoch unvermeidlichen Thema: *Doch kein Wort*

---

30 Werke XXII 508 f.

mehr über diesen schlechten Gegenstand, damit ich nicht vernünftig werde, indem ich das Unvernünftige bekämpfe.

Die Politik als Schicksal – das hieß ursprünglich und im Blick auf Napoleon für Goethe immer: die Politik *wie* das Schicksal. Noch die Unterbrechung der literarischen Wirksamkeit am Ende erschien ihm nur als Pression der höheren Gewalt, nicht der Gewalt des Höheren. Dennoch muß man sagen, daß Goethe die Gleichgültigkeit des Mächtigen gegenüber den Folgen seines Geschichtemachens in eigentümlicher Affinität verstanden hat. Für den Betrachter liegt diese Affinität in der gemeinsamen Distanz des Ästhetischen wie des Politischen zu den eigenen Zeitgenossen, und dies in der Perspektive der großen Rücksichtslosigkeit gegenüber der kleinen Sphäre des Menschlichen, die aus dem Bewußtsein der Kontingenz von Zeitgenossenschaft herzukommen scheint. Auch Geschichte zu machen, als das Machbare zu unterwerfen, kann in Gleichgültigkeit bestehen.

So kommt Goethe am 6. März 1828 mit dem Kanzler von Müller auf den Bezwinger Napoleons zu sprechen. Es sei absurd, das Machtstreben Wellingtons zu schelten; man solle eher froh sein, daß er endlich den ihm angemessenen Platz eingenommen habe. Es dürfe doch wohl der, der Indien und Napoleon besiegt habe, nun mit Recht über eine lumpige Insel herrschen. Und dann, über zwei Zwischenschritte, kommt Goethe auf sich selbst zurück: *Wer die höchste Gewalt besitzt, habe recht. Ehrfurchtsvoll müsse man sich vor ihm beugen. Ich bin nicht so alt geworden, um mich um die Weltgeschichte zu bekümmern, die das Absurdeste ist, was es gibt; ob dieser oder jener stirbt, dieses oder jenes Volk untergeht, ist mir einerlei; ich wäre ein Tor, mich darum zu bekümmern.*[31] Sich mit dem Bezwinger Napoleons zu vergleichen – selber sein Bezwinger, wenn auch nur ein solcher des Blickabtauschs –, überbietet die Reihe der Selbstvergleiche mit dem Imperator. Die schreckliche Faszination durch eine Gleichgültigkeit, die der Dichter nur ästhetisch zu simulieren vermag, sich aber einst im Vergleich mit Prometheus als Täter gedanklicher Taten zutraute, hat ihre Formel gefunden.

Wir könnten uns glücklich schätzen, wenn der Weimarer Pädagoge Johann Daniel Falk zuverlässiger wäre, denn dann hätten wir

31 Werke XXIII 531.

einen Bericht von Goethes Äußerungen über Napoleon aus der unmittelbaren zeitlichen Nähe der Begegnung in Erfurt. An jenem 14. Oktober 1808, auf den Falk sein Gespräch mit Goethe datiert, war der Zar in Weimar eingetroffen. Was Falk berichtet, ist wegen der ästhetischen Gleichung aufschlußreich: ... *Goethe gab zu verstehen, daß Napoleon ungefähr die Welt nach den nämlichen Grundsätzen dirigiere, wie er das Theater. Er fand es ganz in der Regel, daß er einem Schreier wie Palm, einem Prätendenten wie d'Enghien eine Kugel vor den Kopf schießen läßt, um das Publikum, das die Zeit nicht abwarten kann, sondern überall störend in die Schöpfungen des Genies eingreift, ein für allemal durch ein eklatantes Beispiel abzuschrecken.* Napoleon wird zur Metapher dafür, wie Goethe als Theaterdirektor mit seinen Zuschauern zu verfahren pflegte. Sogleich läßt Falk seinen Bericht in die direkte Rede übergehen: *Er kämpft mit den Umständen, mit einem verdorbenen Jahrhundert mitten in einem verdorbenen Volk. Lasset uns ihn glücklich preisen, ihn und Europa, daß er bei seinen großen ungeheuren Weltplänen selbst nicht verdorben ist.*[32] Der Mann, der Goethe in die Welt des französischen Theaters hatte hineinziehen wollen, erweist sich für ihn – immer nur, wenn wir dem Bericht Falks trauen dürfen – als ein Exponent dieser Theaterwelt. Er nehme *alles mit hohem Ernst, selbst das französische Theater, das ihn durch römische Charaktere, große Sentenzen, wie eine Art Regentenschule notwendig anzieht und einen Geist wie den seinen anziehen muß ... so aufmerksam sitzt Napoleon vor dem Cäsar, als gelte es einen Kriminalprozeß anzuhören.* Dies kann kaum erfunden sein, denn es entspricht der gesicherten Nachricht, daß zwischen Napoleon und Goethe über den »César« Voltaires und die Möglichkeit eines neuen Cäsar-Dramas gesprochen worden war. Das Schicksal, welches fortan die Politik sein sollte, war seinem genuinen Typus nach eine theatralische Instanz.

Auch die Urszene der Begegnung von Erfurt eine Theaterszene? Das ist eine Frage, über die man nicht leicht hinwegkommt, wie allemal, wenn es um die Differenz von Wirklichkeit und ihren Schwundstufen wie Negationen geht. War erst Sankt Helena die

32 Johann Daniel Falk, Goethe aus näherem persönlichem Umgang dargestellt. Leipzig 1832 (Werke XXII 512 f.). Auch Falk hatte sich 1803 an einem »Prometheus« versucht.

Wirklichkeit? Für Nietzsche, ich darf daran erinnern, war Goethe *ein überzeugter Realist,* und eben diesem sollte Napoleon als *jenes ens realissimum* entgegengetreten sein. Das personalisiert seinen Realitätsmangel, wie es Nietzsche auf der Suche nach den Wiederholungen des Renaissance-Typus zu sehen naheliegt; aber die Personalisierung war Goethe doch wohl nur notwendig und evident, weil unter diesem Namen und von diesem Willen ausgehend die Realität ihn plötzlich erreicht hatte. Wirklich ist immer nur, was nicht oder nicht mehr unwirklich ist. Wollte ich das in einer anderen Sprache als der meinen ausdrücken, müßte ich sagen, das Realitätsprinzip sei immer nur in dem Maße wirkungsfähig, in dem das Lustprinzip seine Wunschwelt bereits durchgesetzt hat. Das war bei Goethe in singulärer Weise der Fall; die Eigenwelt des Promethiden hatte ihre Idole in der hermetisch abgeschirmten Sphäre von Weimar widerstandslos aufgestellt. Wie anders hätte der Blick in den Abgrund der Halsbandaffäre solche schaudernden Ahnungen auslösen können?

Der Fingerzeig, der in diesem Zusammenhang am deutlichsten auf die ›Realismus‹-Thematik hinführt, ist die Datierung des Eheschlusses mit Christiane auf den Tag der Schlacht bei Jena und der Plünderung Weimars. Der Tag hatte Goethe erfahren lassen, an der Vulpius erfahren lassen, was ›Realismus‹ dann bedeutete, wenn es ans Leben und die Eigenwelt ging. Sie verteidigte den hilflosen Olympier mit einer Verschanzung aus Küche und Keller gegen die plünderungswütige Soldateska. Die Herzogin Luise sollte am folgenden Tag, dem Eroberer mutig entgegentretend, dasselbe auf einer anderen Ebene zeigen. Nebenbei rettete sie dem Minister Goethe Amt und Existenz.[33]

Nur unwillig hat sich Goethe mit den Realitäten abgefunden. Der Name Christianes fehlt für den 14. Oktober im Tagebuch, wo es nach *Brand, Plünderung, schreckliche Nacht* in gezwungener Impersonalität heißt: *Erhaltung unseres Hauses durch Standhaftigkeit und Glück.* Wessen? Wer hatte das eine, wer das andere? Und am folgenden Tag ist der Umfang der Zuständigkeit wieder ganz

---

33 Als die Frau, die noch vor Goethe dem Blick des Korsen standgehalten hatte, 1830 starb, empfand Goethe eben daran eine Änderung seiner eigenen Wirklichkeit unter den Zeitgenossen: *Ich komme mir selber mythisch vor, da ich so allein übrig bleibe.* (Zu Jenny von Pappenheim, 14. Februar 1830; Werke XXIII 664)

klar bezeichnet, obwohl doch der neue Fixpunkt erst undeutlich erkennbar ist: *Bei Hofe wegen Ankunft des Kaisers. Nach Hause. Beschäftigt mit Sicherung des Hauses und der Familie.* Tatsächliches Datum der Trauung in der Sakristei der Hofkirche ist der 19. Oktober. Im Tagebuch steht nur das einzige Wort: *Trauung.* Man sieht, daß zwei Jahre später Christiane, als es ihr gelang, Goethe zur Fahrt nach Erfurt und damit zur Begegnung mit Napoleon zu drängen, nur vollendete, was mit dem Tag von Jena begonnen hatte. Sie verkörpert die Realität, der Goethe sich so selbstverständlich verweigert hatte. Wirklichkeit erweist sich als das, was in ein ästhetisch konzipiertes Leben ausschließlich innerer Konsistenz, in ein selbstgeschaffenes Leben prometheischen Anspruchs, von außen als Fremdes hereinbricht. Auch die Gegenwart Christianes in seinem Leben war eine Wirklichkeit, die er zwar selbst verursacht, aber nicht selbst ›geschaffen‹ hatte, die er hätte hinnehmen müssen und selbst gegen den Einfluß der Mutter hinzunehmen nicht bereit war. Er akzeptierte sie in dem Augenblick, *als er sah, daß die selbstgeschaffene Welt, in der er träumte und dichtete, gar nicht die wirkliche Welt war.*[34]

Napoleons momentane Evidenz als Wirklichkeit, die jede vorhergehende ästhetische ausstach, stammt von Jena, nicht von Erfurt. Unter diesem Gesichtspunkt ist Erfurt bereits ein Stück Wiederherstellung der Identität: Das neue *ens realissimum* erwies sich als ein solches, das den »Werther« siebenmal gelesen hatte und seinen Autor für ein neues Werk gewinnen wollte. Die Neustiftung dieser Identität ist schon eine Zurücknahme des rüdesten ›Realismus‹. Das angesichts des Schlachtfeldes von Jena geprägte Wort, widerstehen könnte einem Gott nur ein Gott, das nichts anderes als ein Ausdruck der Vergeblichkeit gewesen war, weil sich gegen diesen Gott eben kein Gott finden und aufbieten ließ, wird nun zur Figur eines Grenzwertes, dem sich schon nähert, wer dem Blick des Allmächtigen standzuhalten vermag.

Bis zum Einbruch Napoleons war Weimar für Goethe die Epoche

34 Heinrich Meyer, Goethe. Stuttgart 1967, 14. Das Fazit der Legitimierungsverweigerung gegenüber Christiane beschreibt dieser nüchternste Biograph Goethes so: *Er hat sich dadurch selber in dauernde Gegensätzlichkeiten gebracht, von der Gesellschaft abgeschnitten, häusliche Gastlichkeit zerstört, dem Sohn ein tragisches und zerstörendes Leben zugemutet, und doch kaum mehr dadurch gewonnen, nicht mehr produziert als vorher und nachher.*

der Identifizierung von ästhetischer Fiktion und gelebter Form gewesen. Der Zugang zur Macht durch den Einfluß auf Carl August hatte ihn eine Welt nach seinem Entwurf und Willen errichten lassen, in der unverhofft seine Spielregeln galten, wie im Theater. Niemals hat jemand sich die äußere Realität, in der zu leben ist, derart auf den Leib zuschneiden können. Die Berichte derer, die von außen auf diese Sphäre zu oder in sie hinein traten, wirken verständnislos, befremdet, gespenstisch.

Karl Ludwig von Knebel, der das erste Zusammentreffen Goethes mit dem Prinzen Carl August von Weimar in Frankfurt vermittelt hatte und damit zur Stifterfigur der Weimarer Welt geworden war, berichtet in einem Entwurf zu seiner Selbstbiographie über die Ankunft Goethes in Weimar 1775: *Er hatte noch die Werthersche Montierung an, und viele kleideten sich darnach. Er hatte noch von dem Geist und den Sitten seines Romans an sich, und dieses zog an. Sonderlich den jungen Herzog, der sich dadurch in die Geistesverwandtschaft seines jungen Helden zu setzen glaubte. Manche Excentricitäten gingen zur selbigen Zeit vor, die ich nicht zu beschreiben Lust habe, die uns aber auswärts nicht in den besten Ruf setzten. Goethes Geist wußte indessen ihnen einen Schimmer von Genie zu geben.*[35]

Ein Kaspar Riesbeck berichtet in den 1784 anonym erschienenen »Briefen eines reisenden Franzosen über Deutschland an seinen Bruder zu Paris« über Goethes Auftreten in Weimar: *Er ist in allen Dingen – aus Grundsatz – für das Ungezierte, Natürliche, Auffallende, Kühne und Abenteuerliche. Er ist der bürgerlichen Polizei ebenso feind als den ästhetischen Regeln. Seine Philosophie grenzt ziemlich nahe an die rousseauische ... Als das Gefühl seines Genies in ihm erwachte, ging er mit abgekremptem Hut und unfrisiert, trug eine ganz eigene und auffallende Kleidung, durchirrte Wälder, Hecken, Berg und Tal auf seinem ganz eigenen Weg; Blick, Gang, Sprache, Stock und alles kündigte einen außerordentlichen Mann an.*[36]

Und der indezente Archäologe Karl August Böttiger schreibt über diese Phase: *Das Genie Goethe konnte seinen Weltgeist (damaliger*

35 K. L. v. Knebel, Literarischer Nachlaß und Briefwechsel, edd. K. A. Varnhagen von Ense und Th. Mundt, Leipzig 1835/6, I p. XXIX.
36 Goethe als Persönlichkeit, ed. H. Amelung, I 139.

Modeausdruck) nicht in einer engen Ausdünstungspfütze, vulgo Stadt, gefangen nehmen. Bertuch mußte ihm seinen Garten am Park abtreten, und dort etablierte er nun seine Geniewirtschaft. Eine gewisse Gemeinschaft der Güter machte die Genies den Quäkern und Heilandsbrüdern ähnlich... In der Genieperiode hieß jeder, der Ordnung und Anstand nicht mit Füßen treten wollte, Spießbürger.[37]

Gewiß, es hatte sich seither ausgestürmt und ausgedrängt, zumal seit den Reisen in die Schweiz und nach Italien. Auch das hat Böttiger bemerkt, daß Goethe jedesmal von einer Reise verändert, *ganz metamorphosiert,* zurückkehrte; aber das entsprach nur dem Sachverhalt, daß er zu einer solchen Reise eben deshalb aufbrach, weil die Konsistenz seiner künstlichen Welt nicht mehr bruchlos zu erhalten war: *Überhaupt rettete sich Goethe, wenn es in einer Periode bedenklich zu werden anfing, allezeit durch eine Reise...* Aber damals wie heute konfrontieren Reisen nicht mit der Wirklichkeit, schon gar nicht mit der eigenen, sondern sind eher ein Kunstgriff zu finden, was den beschädigten Kontext zu retten gestattet. Diesmal genügte Goethe für die Bewältigung der Krise seiner selbstgeschaffenen Welt eine Reise nicht, obwohl er mit dem Gedanken umgegangen ist – in einem Zustand der Weinerlichkeit in den Tagen nach Jena, wie ihn Heinrich Voß der Jüngere, Lehrer seines Sohnes August, berichtet hat. Goethe sei ihm *in den traurigen Tagen ein Gegenstand des innigsten Mitleidens* gewesen: *Ich habe ihn Tränen vergießen sehen. Wer, rief er aus, nimmt mir Haus und Hof ab, damit ich in die Ferne gehen kann?*[38] Er dachte, wenn man es diesmal nicht ›Reise‹ nennen darf, an Flucht. Das läßt uns erschließen, was Christiane fertigbrachte: ihn vor die Wirklichkeit zu stellen. Daß Goethe sie nicht hatte heiraten können, war auch eine Sache seines Mangels an Realismus, der sein Verhältnis zu Frauen insgesamt charakterisiert. Ein verheiratetes Genie, ein Prometheus

---

37 Literarische Zustände und Zeitgenossen in Schilderungen aus Karl August Böttigers handschriftlichem Nachlaß, ed. K. W. Böttiger, Leipzig 1838, 51 ff. Und: *Alle Welt mußte damals im Wertherfrack gehen, in welchen sich auch der Herzog kleidete, und wer sich keinen schaffen konnte, dem ließ der Herzog einen machen. Nur Wielanden nahm der Herzog selbst aus...* (a. a. O. I 203 f.).
38 Heinrich Voß an F. K. L. v. Seckendorff, 6. Dezember 1806 (Goethe als Persönlichkeit II 72).

mit Familie, das war in der Tat ein Erschwernis in dieser Weimar-Welt gewesen, die zu jeder Illusion bereit zu sein schien.

Goethe hielt sich selbst für das große Erlebnis aller Frauen, mit denen er in Berührung kam. Deshalb bedeutete es ihm so viel, daß wenigstens eine dieser Frauen, nämlich Lili Schönemann, in späten Jahren ihm bestätigte, daß er dies auch gewesen sei. Ihr Sohn, Wilhelm von Türckheim, besuchte ihn gerade am Tage der Schlacht bei Jena. Im übrigen hatte sich Goethe jede Illusion geleistet, die sich ausdenken läßt. Als bei den Kestners im Mai 1774 das erste Kind eintrifft, ist er Pate und hält es für ganz selbstverständlich, daß Werthers Lotte den Wunsch haben müsse, der Knabe solle Wolfgang heißen. Er schreibt das auch völlig unbefangen dem Vater, noch dazu mit den Worten, er wünsche, daß das Kind seinen Namen führe, *weil er mein ist.*[39] Daß der Knabe nicht seinen Namen erhielt, scheint er nicht mehr zur Kenntnis genommen zu haben; auch nicht, daß keiner der nachfolgenden Kestner-Söhne Wolfgang hieß. Die Episode steht hier als Fingerzeig dafür, daß die Verwechslung von Taktlosigkeit mit Freiheit auf dem Mangel an Realitätsbezug beruht.

Die Beziehung zu Frau von Stein ist von Goethes Seite völlig fiktiv geführt worden. Sie hat alle Briefe, die sie an Goethe gerichtet hatte, von ihm zurückgefordert und vernichtet. Seinen Roman mit ihr besitzen wir in Gestalt seiner Briefe. So machte er sich aus seinen Verhältnissen zu Frauen Literatur, ließ aber überall dort, wo die Wirklichkeit nicht in den Kontext passen wollte, diese nicht an sich heran. Derart mächtig ist, das ist hier zu vergegenwärtigen, der Verschluß seiner Welt gegen das in ihr nicht Vorgesehene, nicht ästhetisch Aufhebbare.

Auch bewundernden Frauen entging Goethes Realitätsschwäche nicht. Sie zeigte sich als Störanfälligkeit gerade für das Elementare. Henriette von Knebel, die Schwester des Goethe-Freundes, hat die erstaunlich scharfsinnige Beobachtung gemacht, in diesem Weimar, *wo das Leben aus vollen Pulsen quillt und die Thätigkeit und Wirksamkeit zur höchsten Anstrengung steigt,* sei von Toten und vom Tode nicht zu sprechen. Sie verallgemeinert das für Goethe zu dem diesen Aspekt ausschöpfenden Satz: *Aber in dem sogenannten*

39 Goethe an Kestner zur Geburt des ersten Sohnes, 11. Mai 1774 (Werke XVIII 222).

Genuß seines vollen Lebens darf ihn nichts stören.[40] Man kann das getrost als Bestimmung des Ausgangsniveaus für die alsbald anstehenden Erfahrungen, für die große Störung und Verstörung durch Napoleon, für die Tage von Jena und Erfurt, nehmen.

Erst diese Überlegung eröffnet den Zugang zur Wiederholung der Frage, was denn nun wirklich der ›Inhalt‹ jenes Gesprächs am 2. Oktober 1808 gewesen sein mag, wenn es Goethe so große Zurückhaltung in der Preisgabe von Details zu wahren auferlegte. Goethe tat so diskret, als verwahre er ein Mysterium. Aber tat er das wirklich? Gab es da überhaupt noch mehr mitzuteilen als was ihm seine Umgebung schon abgenötigt hatte? Meine These ist, daß dieses Gespräch von seinem ›Inhalt‹ her keine Bedeutung hatte. Anders ausgedrückt: daß jeder Inhalt bedeutungslos sein mußte gegenüber dem bloßen Faktum dieser Konfrontation und des Standhaltens gegenüber der in ihr kulminierenden ›Störung‹.

Goethe hat selbst einmal zugegeben, daß ihn die Erinnerung im Stich lasse. Es ist bezeichnend, in welchem Zusammenhang er dies tut. Napoleon habe ihn zum Lachen gebracht, erzählt er Boisserée, und zwar so, daß er sich deswegen entschuldigen zu müssen geglaubt habe – er *wisse nun aber nicht mehr zu sagen, was es denn eigentlich betroffen.*[41] Von einem lachenden Goethe wissen wir so wenig, wie es sich für Götter auch sonst gehört, nicht zu lachen. Daß er sich aber des Anlasses seiner Entgleisung nur sieben Jahre später nicht mehr sollte erinnert haben, ist erst dann glaubwürdig, wenn ihn die Belanglosigkeit genieren mußte. Und das wird es

40 Henriette von Knebel an Karl von Knebel, 1. Dezember 1802. (K. L. v. Knebels Briefwechsel mit seiner Schwester Henriette, ed. H. Düntzer, Jena 1858, 157 f.) Das Gedicht wird Goethe zum Organon der Umgehung mehr als der Umwandlung von Realität der Tageslasten und -belästigungen. *Er schaffe sich so die Dinge vom Halse, wenn er sie in Gedichte bringe.* (Zu S. Boisserée, 8. August 1815)

41 Goethe zu Boisserée am 8. August 1815 (Werke XXII 814 f.). Als Eckermann endlich wissen will, auf welche Stelle im »Werther« sich denn Napoleons Einwendungen bezogen hätten, läßt Goethe ihn erst einmal raten und, als er dies nicht ohne Geschick tut, mit dem Bescheid sich abfinden, ob Napoleon dieselbe Stelle gemeint habe oder eine andere, *halte ich für gut nicht zu verraten* (2. Januar 1824; Werke XXIV 546). Die Skepsis des Historikers, in dieses Internum eindringen zu können, formuliert knapp Heinrich Meyer: *Das Einzige, was mir wirklich beweiskräftig für Goethes eigne Einschätzung dieser Audienz schien, war die Tatsache, daß Napoleon auf der Flucht aus Rußland an Goethe dachte; aber weshalb er das damals tat, wissen wir schon wieder nicht.* (Die Kunst des Erzählens. Bern 1972, 118)

denn auch gewesen sein, was er so aufwendig für die Neugier mit dem Schleier der Bedeutsamkeit verhüllt.

Für den 9. Juni 1814 berichtet der Kanzler Müller, Goethe sei ergrimmt gewesen über das, was nach Napoleons erstem Gang in die Gefangenschaft von Elba erzählt worden sei; der französische General Koller werde da genausowenig die Wahrheit gesagt haben wie er, Goethe, sie über seine Unterredung mit Napoleon berichtet habe. Niemals habe er das *aufrichtig erzählt*. Aber weshalb nicht? Nichts überzeugt weniger als das, was Goethe dazu anfügt: ... *um nicht zahllose Klatschereien zu erregen.*[42]

Was Goethe scheute, wenn er schwieg, war, was wir ›Entmythisierung‹ nennen würden. Wer entmythisiert, läuft Gefahr, nichts in der Hand zu behalten. Oder nur noch jenen formalen Grenzwert, den Bultmann für sein Neues Testament das ›Kerygma‹ genannt hat und der am ehesten in dem nichts und alles sagenden *Ich bin es* aufgeht. Wendet man das, ohne blasphemische Überhöhung, auf Goethes Konfrontation mit Napoleon an, so fällt sogleich die Symmetrie auf, die auf beiden Seiten der Front entsteht. Auch Napoleon hatte ja eine momentane Evidenz, als er Goethe nach dessen Abgang das lakonische und doch unüberbietbare *Voilà un homme!* nachsagte.[43] Auf Goethes Seite wirken am überzeugendsten die Aussagen, die den punktuellen Eindruck noch mitzuteilen vermögen oder versuchen. Eckermann hat die knappste und intensivste Formel Goethes über Napoleon über-

---

42 Werke XXII 727.

43 Heinrich von Müller, Erinnerungen aus den Kriegszeiten von 1806-1813, Leipzig 1911, 172 ff. Müller bezieht sich darauf, daß Goethe ihm *nach und nach die* (sic) *Einzelheiten jener Unterredung* mitgeteilt und kurz vor seinem Tode eine *immer noch sehr lakonische Niederschrift* gegeben habe. In Goethes eigener Disposition von 1824 steht Napoleons Ausspruch an anderer Stelle, als Begrüßung statt als Nachruf: *Der Kaiser winkt mir heranzukommen. Ich bleibe in schicklicher Entfernung vor ihm stehen. Nachdem er mich aufmerksam angeblickt, sagte er: Vous êtes un homme. Ich verbeuge mich ...* Da sogleich die Frage des Kaisers folgt: *Wie alt seid Ihr?*, könnte das Ganze auch eine Vernehmung zum Personenstand sein. (Werke XII 636) Müller hat das besser getroffen, wenn auch nicht alles an seinem Bericht vertrauenerweckend ist. Was mag der Korse gesagt haben, als er seine Forderung an den Dichter, nach Paris zu kommen, mit dem Satz begründete: *Dort gibt es größere Weltanschauung!*, da er doch noch kaum dies später so geläufige und berüchtigte Fremdwort gebraucht haben kann – das Goethe erst 1815 erfinden, nämlich aus der seit 1797 vorgezogenen ›Weltansicht‹ unter dem Einfluß der Romantik umbilden sollte? (A. Götze, ›Weltanschauung‹. In: Euphorion 25, 1924)

liefert, die selbst am Schluß die Behauptung ihres erschöpfenden Zugriffs enthält: *Er war etwas, und man sah ihm an, daß er es war, das war alles.*[44]

Wie ist diese Äußerung zustande gekommen? Eckermann erzählt Goethe, daß er am Vortage den Herzog von Wellington, auf der Durchreise nach Petersburg im Weimarer Gasthof abgestiegen, gesehen habe. Goethe läßt sich berichten, und Eckermann tut es voller Bewunderung und mit der unverkennbaren Absicht, für die Einmaligkeit dessen, was Schiller vor Zeiten in einem Brief an Goethe den ›Total-Eindruck‹ genannt hatte, die adäquate Formel zu finden. Er sagt: *Und man braucht ihn nur ein einziges Mal anzusehen, um ihn nie wieder zu vergessen, ein solcher Eindruck geht von ihm aus.* Wie Goethe darauf reagiert, zeigt sogleich, daß er das Erlebnis des anderen depotenzieren muß, um sich die Einzigkeit seines eigenen nicht abschwächen zu lassen. Das hört sich fast geringschätzig an: *Da haben Sie einen Helden mehr gesehen, ... und das will immer etwas heißen.* Heroen dieser Garnitur gab es reihenweise, wenn auch in Weimar nur auf der Durchreise. Unausbleiblich führt diese Nivellierung auf Napoleon, den Eckermann nie gesehen zu haben bedauern muß. *Freilich, sagte Goethe, das war auch der Mühe wert. Dieses Kompendium der Welt! – Er sah wohl nach etwas aus? fragte ich. Er war es, antwortete Goethe, und man sah ihm an, daß er es war; das war alles.*

Dieses ›Das war alles‹ gilt auch jetzt noch, fast zwei Jahrzehnte später, für das Versprechen, das Goethe Riemer schon am 4. Oktober 1808 gegeben hatte: *Über die Erfurter Sachen. Daß er den Kaiser gesprochen. Wolle es aufschreiben, was er mit ihm gesprochen. Er hat ihm gleichsam das Tippelchen auf das i gesetzt.* Nein, es war nichts weiter zu sagen als dieses ›Er war es‹.

Erst diese Schrumpfung der momentanen Evidenz auf ihr *atomon eidos* gibt ihr die empirische Unantastbarkeit. Keine Niederlage, keine Absurdität, keine Enthüllung der wahren Schrecknisse, die den Völkern zugefügt worden waren, konnten Goethe aus dieser Konstellation, in die er mit dem Rückgewinn seiner Identität eingetreten war, herausreißen. Nach dem Sturz Napoleons wahrt er

---

44 Gespräche mit Eckermann, 16. Februar 1826 (Werke XXIV 175). Der Ausspruch läßt sich isoliert nicht ohne eine leichte Veränderung wiedergeben; er folgt sogleich wörtlich in seinem Kontext.

eine Loyalität, deren Preis die Entfremdung von seinen befreit aufatmenden Zeitgenossen war.

Napoleon hatte in Goethe den Dichter des »Werther«, den prospektiven Schöpfer eines imperialen Theaters gesehen; Goethe geht auf Napoleons Untergang vom Theater her zu, sein altes Kunstmittel der Irrealität zum Selbstschutz aufbietend. In den »Tag- und Jahresheften« für 1815 schildert er umständlich Vorgänge auf seinem Weimarer Theater, das gerade *auf seinen höchsten ihm erreichbaren Punkt zu dieser Epoche angelangt* war. Auf den letzten Coup Napoleons als Theatereffekt überzuleiten, *von der eingeschränkten Bretterbühne auf den großen Weltschauplatz hinaus zu treten*, erleichtert ihm die Distanz wie auch die Impersonalität der Sprache: *Napoleons Wiederkehr erschreckte die Welt, hundert schicksalsschwangere Tage mußten wir durchleben... Die Schlacht von Waterloo, in Wiesbaden zu großem Schrecken als verloren gemeldet, sodann zu überraschender, ja betäubender Freude, als gewonnen angekündigt.*[45]

Das ihn selbst einbeziehende ›Wir‹ ist am Ende zurückgenommen. Vor allem aber: Der Imperator, der sich in Erfurt einen »Tod des Cäsar« von Goethe erwartet hatte, einen erhabeneren als den des Voltaire, ist als Abenteurer der hundert Tage selbst zur theatralischen Figur, zumindest in der Metapher, geworden. Schon Boisserée hatte den Verdacht, die Audienz in der Statthalterei von Erfurt sei eine große Inszenierung gewesen, von Napoleon darauf angelegt, dem Dichter des »Werther« zu imponieren, nur habe dieser vom künstlichen Aufwand nichts gemerkt oder nichts merken wollen.[46]

St. Helena ist die Reduktion auf den harten Kern der Realität. Das Bild des erniedrigten, schließlich sterbenden Kaisers ist für Goethe die schreckliche Anwendung des Worts von der Politik als dem Schicksal auf seinen Urheber. Erst in dieser Verbindung wird deutlich, daß seine ständige Selbstbeziehung auf Napoleon nicht nur Selbsterhebung gewesen war. Als ihn im November 1823

---

45 Tag- und Jahreshefte 1815 (Werke XI 873 f.).
46 Sulpiz Boisserée fügt seiner Aufzeichnung eines Gespräches mit Goethe am 8. August 1815, unter anderem über die Erfurter Audienz, in Klammern die Bemerkung hinzu: *Goethe scheint nicht gemerkt zu haben, oder nicht bemerken zu wollen, daß dies alles angelegt gewesen, um ihm zu imponieren; wie ich mir's auslege.* E. Firmenich-Richartz, Die Brüder Boisserée. Jena 1916, 400-410.

ein schwerer Krampfhusten befällt und zwingt, Tage und Nächte im Sessel zu verbringen, fragt ihn eines Morgens Eckermann, wie er sich befinde: *Nicht ganz so schlecht als Napoleon auf seiner Insel, war die seufzende Antwort.*[47]

Zu Anfang des Jahres 1830 gibt die Todeskrankheit der Groß-herzoginmutter Anlaß, ihres mutigen Auftretens gegenüber Na-poleon nach der Schlacht von Jena zu gedenken. Goethe wird für eine Weile still, wenn er sich dieser Szene erinnert, die ihm die Kontinuität seiner Existenz mit dem Bestand des Staates gerettet hatte, von dem sie abhing. Aber seine mitfühlende Erinnerung gilt dem Mann auf der Felseninsel. Die Schrecknisse von Jena und danach scheinen zu verblassen angesichts der Erniedrigung des Gefangenen, die sich an einer Äußerlichkeit zur Anschauung brin-gen ließ. Goethe erwähnt die abgewetzte dunkelgrüne Uniform des Imperators, die mangels eines geeigneten Tuches auf der Insel nicht ersetzt werden konnte und schließlich auf Wunsch Napoleons gewendet werden mußte. *Was sagen Sie dazu? Ist es nicht ein vollkommen tragischer Zug?* Also gab es das Tragische doch noch, und zwar nicht als Antithese zur Politik, sondern als deren Folge. Wie zur Bestätigung jeder Theorie der Tragödie, ist Goethe zum Mitleid bereit: *Ist es nicht rührend, den Herrn der Könige zuletzt so weit reduziert zu sehen, daß er eine gewendete Uniform tragen muß?* Aber diesmal übersieht Goethe nicht den ›Schreckensmann‹: *Und doch, wenn man bedenkt, daß ein solches Ende einen Mann traf, der das Leben und Glück von Millionen mit Füßen getreten hatte, so ist das Schicksal, das ihm widerfuhr, immer noch sehr milde; es ist eine Nemesis, die nicht umhin kann, in Erwägung der Größe des Helden immer noch ein wenig galant zu sein.*[48]

Die Überlegung schließt mit einer ›Moral‹, die doch das Moralische zum Maßstab für Napoleon zu machen sich nicht entschließen kann: *Napoleon gibt uns ein Beispiel, wie gefährlich es sei, sich ins Absolute zu erheben und alles der Ausführung einer Idee zu opfern.* ›Gefährlich‹, das ist hier ein vager Ausdruck, der unbe-stimmteste, der sich finden ließ. Aus der dämonischen Erscheinung, welche Gefährdung des Sturzes ihr immer nahe sein mochte, eine moralische zu machen oder machen zu lassen, das gestattet Goethe

47 Gespräche mit Eckermann, 7. Dezember 1823 (Werke XXIV 536).
48 Gespräche mit Eckermann, 10. Februar 1830 (Werke XXIV 392).

sich und anderen nicht. Das wird gemeint gewesen sein, wenn er schon auf die Nachricht von der Abdankung Napoleons – von dieser zum Befremden der Zeugen *etwas unangenehm berührt* – geäußert hatte, Napoleon habe er weniger geachtet oder geliebt denn vielmehr *als eine merkwürdige Naturerscheinung* betrachtet. Das ›Natürliche‹ ist hier weniger Rechtfertigung als Abhebung von moralischer Qualifikation. Goethe wird einmal Victor Hugos Gedicht »Les deux îles« loben, wo die Blitze den Helden aus der Wetterwolke von unten treffen. So sei es im Gebirge.[49]

Darin hatte Goethe seiner Erfahrung weit vorausgegriffen, als er noch vor der Niederlage von Jena, in einer ihm selbst singulär erscheinenden Handlung, der Moralisierung des Phänomens Napoleon entgegengetreten war. Diese früheste Stellungnahme zu der heranziehenden Gefahr einer Übergröße muß berichtet werden. Goethe war gerade in Jena, um eine Gesteinsendung aus Karlsbad auszupacken, als der preußische Oberst von Massenbach ein Manifest gegen Napoleon drucken lassen wollte. Der Drucker und andere hatten Angst vor dem Zorn des nahenden Eroberers und versuchten, den Minister des Großherzogs zum Eingreifen zu überreden. Die Druckschrift war *nichts Geringeres als ein moralisches Manifest gegen Napoleon,* erinnert sich Goethe, das man leicht zum Ausdruck für den *Verdruß eines betrogenen Liebhabers über seine untreue Geliebte* hätte übersetzen können, als solcher aber *ebenso lächerlich als gefährlich.* Wie es nur ein Dokument der Enttäuschung großer Erwartungen sein konnte: Napoleon hatte nicht gehalten, was man sich von ihm versprochen hatte, *indem man dem außerordentlichen Manne sittlich-menschliche Zwecke unter-*

---

49 Karl August Varnhagen über eine Mitteilung Gersdorffs an seine Frau Rahel vom 8. Juli 1815 aus Frankfurt (Briefwechsel Rahel und August Varnhagen, ed. L. Assing, IV 188 f.). Wir haben von Varnhagen noch eine Notiz über einen Nachmittag und Abend bei Goethe am 8. Juli 1825. Ausgehend von Varnhagens »Biographischen Denkmalen«, die seit 1824 erschienen, zumal der Heerführer Derfflinger und Leopold von Anhalt-Dessau, deren Sache *das eigentliche Losschlagen* sei, wird Goethe an seine *bezeichnenden Worte* über Napoleon erinnert – er erwidert mit Achselzucken: *Ja, das ist ein Versuch, den wir gewagt, ein bedenkliches Stück, wir müssen sehn, wie wir damit ankommen!* (Werke XXIII 393) Um welche *bezeichnenden Worte* es sich handelte, bleibt ungewiß. – Zu Eckermann am 4. Januar 1827 über Hugos Napoleon-Gedicht: *Das ist schön! Denn das Bild ist wahr*... Darauf Eckermann: *Ich lobe an den Franzosen, daß ihre Poesie nie den festen Boden der Realität verläßt.*

legen zu müssen wähnte.[50] Ein Dokument also weniger des politischen Widerstandes als der Verschätzung gegenüber der wahren Natur dieser Erscheinung. Goethe weiß die Kundgebung zu verhindern; ein einziges Mal überschreitet er, wie er selbst sagt, das sich gegebene *Gesetz, mich nicht in öffentliche Händel zu mischen.* So kündigte sich das Dämonische an mit der Nötigung, den Ausnahmezustand vom eigenen Lebensgesetz über sich zu verhängen. Mit dem Abschied von Prometheus wird es ernst. Die ästhetische Eigenwelt ließ sich nicht mehr freihalten von den Einbrüchen der ihr fremden Realität.

Schließlich fand er in der Gestalt auf der Felseninsel die Bestätigung dafür, daß ihm die Rolle des Prometheus endgültig abgenommen und von einem anderen, jenseits ihrer ästhetischen Qualität, zuende geführt worden war. Wir besitzen Riemers kostbare Aufzeichnung vom 8. März 1826, in der die Konvergenz der beiden großen Linien unter den Namen ›Prometheus‹ und ›Napoleon‹ bezeugt ist. *Warum büßt er?*, fragt Goethe im Rückblick auf St. Helena und fährt fort: *Was hat er wie jener Prometheus den Menschen gebracht?* Die Antwort ist nicht eindeutig, sie beginnt spürbar überlegt mit einem ›Auch‹, nämlich: *Auch Licht: eine moralische Aufklärung.* Der Zwangserbe der Revolution ist in das Jahrhundert zurückgerückt, aus dem er gekommen war.

Auch Goethe scheint hier den der Zeit geläufigen Gedanken von der Geschichtslist der Vernunft zu denken, indem er den moralisch nicht qualifizierbaren dämonischen Mann wider seinen Willen und sein Wissen zum Aufklärer der Völker werden läßt. Er hat nicht ›gelehrt‹, aber er hat ›gezeigt‹: *Er hat dem Volke gezeigt, was das Volk kann ...* Er hat die Unzulänglichkeit der Regenten aufgedeckt, die ihm unterlegen waren, er hat *zum Gegenstand der Betrachtung, des Interesses von einem jeden* gemacht, sich auf den *bürgerlichen Zustand des Menschen, seine Freiheit und was diese betrifft, ihren möglichen Verlust, ihre Erhaltung, ihre Behauptung* einzulassen. Gäbe es den Hegelianer Goethe, so müßte er hinter der Notiz Riemers verborgen sein. Napoleon, der leidende Prometheus, auch der Lichtbringer Prometheus, mit dem schönsten Effekt jeder denkbaren Aufklärung, den Goethe ihm mit der Formel zuschreibt: *Er hat einen jeden aufmerksam auf sich gemacht.*[51]

50 Tag- und Jahreshefte 1806 (Werke XI 803 f.).

Diese Konvergenz ist so wenig zufällig, wie es sich nur denken läßt. Denn schon mit der »Pandora« hatte sich die Figur des Gewaltherrschers in den Umkreis des Prometheus-Mythologems eingefügt. Für das Jahr 1807 ist in den »Tag- und Jahresheften« als *das wichtigste Unternehmen* vermerkt, was zu einem in Wien begründeten Musenalmanach beigetragen worden sei, der nach Goethes Angabe »Pandora« heißen soll, tatsächlich aber den Titel »Prometheus« führte und das Fragment eines Festspiels »Pandorens Wiederkunft« 1808 auch enthielt. Bei dieser Gelegenheit macht Goethe notorisch, daß *der mythologische Punkt, wo Prometheus auftritt, mir immer gegenwärtig und zur belebten Fixidee geworden ist.*[52] Dies war offenkundig der Hauptgrund, sich einem Unternehmen dieses Titels nicht zu versagen, obwohl er den ihm so naheliegenden »Prometheus« nicht einmal festzuhalten vermochte.

Goethes Fehlleistung ist nicht beiläufig, denn unter dem Namen der Pandora wurde ihm etwas möglich, was der des Prometheus nicht zuließ: eine ebenso gewalt- wie wohltätige Umwandlung des genuinen mythischen Sinnes der Göttergabe, die er nicht weiter Unheil stiften läßt. Denn ihre Gaben sind dem Kriterium der äußeren Wohltat gänzlich entzogen. Was seine Weimar-Welt bis dahin zusammengehalten hatte, mußte auch der aufgestörten weiteren Wirklichkeit Bestand geben können. Zu dem Weimarer Bibliothekar Karl Ludwig Fernow, den er in Rom kennengelernt hatte, wo dieser Vorträge über Kant hielt, sagte Goethe anfangs des Jahres 1807, daß jetzt *Deutschland nur eine große und heilige Sache habe – die, im Geiste zusammenzuhalten, um in dem allgemeinen Ruin wenigstens das bis jetzt noch unangetastete Palladium unserer Literatur aufs eifersüchtigste zu bewahren...*[53]

---

51 Goethe zu Riemer, 6. März 1826 (Jb. Slg. Kippenberg IV, Leipzig 1932, 44). Daß Napoleon *einen jeden aufmerksam auf sich gemacht* habe, kann im Kontext nicht als Behauptung von Selbstwerbung gelesen werden. Unverfehlbar ist, daß gesagt werden soll, jeder sei *auf sich selbst* aufmerksam gemacht worden.

52 Tag- und Jahreshefte 1807 (Werke XI 821). Eine der Handschriften hat abweichend, jener ›mythologische Punct‹ sei ihm *immer lebendig und zu einer immerfort belebten fixen Idee geworden* (G. Gräf, Goethe über seine Dichtungen II 4, Frankfurt 1908, 50 Anm. 7). – Während der Almanach, der »Prometheus« hieß, mit der eigenen »Pandora« verschmilzt, notiert Goethe diese wiederum als »Prometheus« (Gräf Nr. 3657, 3659).

53 K. L. Fernow an Böttiger, 7. Januar 1807 (Goethe als Persönlichkeit II 77).

Prometheus kann nur wiederkehren, indem er eingebunden ist in eine Konfiguration, die angesichts der äußeren Ohnmacht die ästhetische Selbstmächtigkeit nicht als pure Illusion erscheinen läßt, sondern als die wohltätige Gelegenheit, gerade den Illusionen der äußeren Bedingtheit des Glücks oder Unglücks zu entsagen. Der Name Prometheus benennt nur noch den einen Aspekt einer Wirklichkeit, deren bewältigte oder zu bewältigende Ambivalenz am ehesten mit dem Stichwort dieser Jahre als ›Balance‹ bezeichnet werden kann.

Dies hatte sich schon angekündigt, als Goethe 1783 in dem großen Geburtstagsgedicht für seinen Herzog »Ilmenau« die Prometheus-Figur mit einem gewandelten Anspruch nochmals mitgeführt hatte. In einem Gespräch mit Eckermann am 23. Oktober 1828 hat er selbst noch dieses Gedicht gedeutet und gesagt, es enthalte *als Episode eine Epoche, die im Jahre 1783, als ich es schrieb, bereits mehrere Jahre hinter uns lag, so daß ich mich selber darin als eine historische Figur zeichnen und mit meinem eigenen Ich früherer Jahre eine Unterhaltung führen konnte.*

Die visionäre Erscheinung des eigenen Ich in der nächtlichen Waldlandschaft ermöglicht Distanz ohne Identitätsbruch. Sie gibt Ausdruck jenen *schweren Gedanken*, die nicht weniger als *Anwandlungen von Bedauern über mancherlei Unheil, das meine Schriften angerichtet*, mit sich brachten. Dem Herzog wird vorgehalten, was das Heraustreten aus der Periode des Sturm und Drang dem Freund wirklich bedeutet hat: vor allem den Verlust jenes Begriffs von ästhetisch-schöpferischer Unmittelbarkeit, die keinen Hiatus zwischen Willen und Werk, Werk und Wirkung, Anspruch und Wirklichkeit kannte. Dies wird das neue Problem des Prometheus, das die Figur zur Konvergenz mit der des Napoleon disponiert, mit der Geschichte machenden Naturerscheinung, die ihre Wirkungen nicht mit ihren Handlungen, das Machen nicht mit dem Gemachten in Identität zu halten vermag.

Die Verselbständigung der Wirkung gegenüber dem Werk ist in »Ilmenau« durch Prometheus erstmals ausgesprochen und konnte wohl nicht anders als unter Berufung auf diesen Namen gesagt werden. Es ist nicht mehr der Konflikt mit Zeus, die Erzwingung der eigenen Welt gegen die schon bestehende, was an Prometheus vorgeführt wird, sondern die elementare Differenz der Verszeile:

Und was du tust, sagt erst der andre Tag... Am alten Mythos tritt neu hervor das Moment der Unbewußtheit im Herstellen des Menschen, das den Prometheus in seiner Werkstatt nicht wissen ließ, was für eine Zukunft und Geschichte er da anrichtete, indem er seine Kreaturen unweigerlich sich selbst anheimgeben mußte. Es ist das Paradox, daß Geschichte gemacht wird, aber sich nicht machen läßt.

Das ist die große Enttäuschung, daß Ursprung, Absicht und Zutat nicht entscheiden über das Geschick des Bewirkten: *Ließ nicht Prometheus selbst die reine Himmelsglut / Auf frischen Ton vergötternd niederfließen? / Und konnt er mehr als irdisch Blut / Durch die belebten Adern gießen?* Immer noch ist der Dichter Prometheus, aber der ohnmächtig gefesselte Demiurg fern von seinen Geschöpfen, denen nicht einmal das Himmelsfeuer den Erfolg der Fürsorge ihres Schöpfers zu sichern vermag: *Ich brachte reines Feuer vom Altar; / Was ich entzündet, ist nicht reine Flamme. / Der Sturm vermehrt die Glut und die Gefahr, / Ich schwanke nicht, indem ich mich verdamme.*

Nur wenn man »Ilmenau« voranstellt, wird begreiflich, daß die Wiederbelebung des Sturm und Drang-Mythologems in der »Pandora« nicht abseits der Napoleon-Erfahrung stattfinden konnte. In der opernhaften Urzeitszenerie des Festspiels ist Prometheus, konfrontiert dem anderen Titanen Epimetheus, nicht mehr der Menschentöpfer und Lichtbringer, sondern der Verächter seiner eigenen Gabe an die Menschen. Die Gebärde der trotzigen Unabhängigkeit gegenüber Zeus und seiner Natur hat sich verwandelt in die Tyrannei einer harten Fron von Schmieden, Hirten und Kriegern unter der rüden Herrschaft dieses Titanen. Seine Werkzeuge und Waffen beherrschen das Feld. Auf der Seite des Epimetheus stehen die Beschaulichen, Besinnlichen, die Genießenden sowohl wie die Leidenden. Aber Pandora, die von Prometheus verschmähte, haben auch sie nicht halten können. Greise sind nun beide Titanen, Mythos ist die Geschichte ihrer fernen Jugend, die auch die Vergangenheit des Dichters ist und, wie noch jede Vergangenheit, nicht im Vergessen auf sich beruhen gelassen werden kann. An ihr ist ›Arbeit‹ zu leisten, wenn sie dem Lebenszug einfügbar bleiben soll.

Dabei wird nun »Pandora« zur großen Umbesetzung jenes urzeitlichen ›Stellenplans‹, den Prometheus-Fragment und -Ode aufgestellt hatten. Bezeichnend ist die Wanderung der frühesten Kulturform, der urtümlichen Hütte, für deren Muster sich Goethe einmal zwischen der Ursprünglichkeit von klassizistischer Säulenhalle oder gotischem Gewölbe entschieden hatte. Jetzt gibt es auf der Seite des Prometheus nur noch die Höhle, auch als künstlich ausgeschachtete, während die Hütte der Seite des Epimetheus zukommt. Ihre Beschreibung klingt wie die Versöhnungsformel zu jenem alten Streit. Sie ist *ein ernstes Holzgebäude nach ältester Art und Konstruktion, mit Säulen von Baumstämmen.* Die Folge dieser Umbesetzung ist, daß das demiurgische Reich des Prometheus nicht mehr mit dem Anfang der Kultur identifiziert werden kann. Die Prometheus-Welt, diese Verbindung von Höhle und Arbeit, ist zu einer rohen und derben Unterwelt geworden, für die der Besitz des Feuers und die dadurch möglich gewordene Verarbeitung des Eisens nur die Bedingung der nackten Gewalttat und der härtesten Fron ist.

Ein Motiv der Prometheus-Ode besteht auch in der neuen Konfiguration fort: die Unerschütterlichkeit der Erde. Ihre Festigkeit ist nun aber Zuverlässigkeit und Widerstand zugleich. So ›feiert‹ sie der Gesang der Schmiede an ihren Essen: *Erde, sie steht so fest! / Wie sie sich quälen läßt! / Wie man sie scharrt und plackt! / Wie man sie ritzt und hackt!* Das antike Gebot der *terra inviolata* scheint durch mit der Blickrichtung auf die Ungeheuerlichkeit der Kräfte, die es erfordert, dem Unverletzlichen dennoch die Mittel für Werkzeug und Waffe abzugewinnen. Die Strophe der Schmiede endet mit den einzigartigen Zeilen: *Und wo nicht Blumen blühen, / Schilt man sie aus.* Es gibt keinen Triumph des Demiurgen mehr. Er ist nicht der Urheber und Hüter der Menschen, sondern ihr Fronherr. Das Lied der Schmiede endet mit einer Anspielung auf den Feuerraub; aber sie gibt jetzt nur das Zeichen zur Unterwerfung, das Werk rasch zu leisten, das Feuer zu schüren, weil der, der es gebracht hat, zu Recht seine Nutzung fordert.

Diese Konstellation erfordert zwingend die nächste und wichtigste Umbesetzung: Vater ist nicht mehr Zeus, gegen den sich der Menschentöpfer empört, sondern Prometheus selbst, gegen den es keinen Trotz mehr gibt, sondern dem sich alle Kraft unterwirft: *Sieht's doch der Vater an, / Der es geraubt. / Der es entzündete, /*

Sich es verbündete ... Prometheus hat das Feuer nicht als Wohltat den Menschen gebracht, sondern es sich als Mittel seiner Herrschaft über sie verbündet, die Bedingung ihres Überlebens sich dienstbar gemacht. Auch wenn die Schmiede Prometheus den Vater nennen, ist die Stelle des Sohnes nun anders besetzt: durch Phileros, der im unausgeführten Plan des Werkes mit der Epimetheus-Pandora-Tochter[54] die nächste Generation darstellt, die nicht mehr vor dem urzeitlichen Dilemma von Trotz oder Unterwerfung steht. Der Enthusiasmus zugunsten des Trotzes der Söhne ist verflogen.

Aber auch sie beginnen mit Gewalttätigkeit. Epimetheus muß die Epimeleia vor dem Zugriff des Phileros retten. Er steht in einer anderen Vaterrolle, als es die des Zeus der frühen Ode war. Er muß der fremden Gewalt widerstehen, der Prometheus am eigenen Sohn nicht Einhalt gebieten kann, obwohl er diesem mit den Ketten droht, die Zeus ihm im Kaukasus hatte anschmieden lassen: *Denn wo sich Gesetz, / Wo Vaterwille sich Gewalt schuf, taugst du nicht.* Was einst als Willkürmacht des Zeus gegen das schöpferische Geschlecht des Prometheus und seiner Menschen erschien, ist der zähmende Zwang der legitimen Gewalt geworden, die allein die Wildheit des Ursprungs in neuen Geschlechtern zu hemmen vermag. Jetzt macht Prometheus für sich bedenkenlos geltend, was er einmal hochmütig und trotzig mißachtet hatte. Als Phileros ihn bittet, seinen Griff zu lockern und ihm Respekt vor seiner Gegenwart zusichert, fordert Prometheus die weitergehende Unterwerfung auch in seiner Abwesenheit: *Abwesenheit des Vaters ehrt ein guter Sohn.*

Auf der anderen Seite der Szene braucht nicht erzwungen zu werden, was der Prometheus-Sohn des Sturm und Drang vor allem und in allem bestritten hatte, wenn Epimeleia nach der Rettung

---

54 Den Namen der Braut des Phileros *Epimeleia* hat Goethe erfunden, aber nicht ohne Rückgriff auf Herders Prometheus-Szene und sein Gedicht von 1787 »Das Kind der Sorge«. Dort nimmt Herder die »Sorge« aus einer Fabel bei Hyginus (220): *Cura* ist die Schöpferin der Menschen und schon durch diese Gegenbildlichkeit zu Prometheus mit diesem assoziiert. Zur Vorlage des Gedichts: Jacob Bernays, Herder und Hyginus. In: Rheinisches Museum 15, 1860, 158-163 (Ges.Abh. II 316-321). Cura bildet gedankenverloren, also ohne trotzig-demiurgische Absicht, eine Tonfigur, die Zeus auf ihre Bitte belebt, um sogleich Ansprüche auf sie geltend zu machen; im Kompromiß erhält die Sorge das Recht, lebenslang über die Menschen zu herrschen. Die Allegorie hat keinen mythischen Hintergrund.

aus den Händen des Phileros zu Epimetheus sagt: *O Vater du! Ist doch ein Vater stets ein Gott!* Wenn diese Epimeleia und jener Phileros als Ahnen künftiger Generationen am Ende des Festspiels vereint gedacht werden sollen, wird ihre Lebensform auf der Bewährung hier, der Durchsetzung dort der Vatergewalt beruhen. Das Bauprinzip des Mythos, die Wiederholung der Prototypik als Ritual der Umbesetzung, bestimmt Goethes Rückgriff auf das Thema des jugendlichen Götterkonflikts.

Die Höhle ist demiurgischer Raum. Insofern sie Abschirmung von allem Naturhaften und Gewachsenen ist, ist sie Raum sowohl der Schatten und Bilder – wie in Platos Mythos – als auch der Zeugwelt technischer Produkte im weitesten Sinne. Werktätigkeit ins Unendliche ist die Forderung in den Höhlen des Prometheus, der nun sieht, daß aus der Rettung des Menschengeschlechts, die er gebracht hatte, etwas ganz Anderes und Unerwartetes geworden ist: etwas über alle Bedürfnisse der Selbsterhaltung Hinausgehendes von radikaler Einseitigkeit. Dem Nutzungszwang dürfen selbst die Felsen nicht widerstehen, die mit Hebeln herabgestürzt werden, um durch den Schmelzungsprozeß hindurch als Werkzeuge alle Kraft zu verhundertfältigen. Prometheus rühmt seine Schmiede nach ihrem Chorlied dafür, daß sie das eine Element ihrer Unterwelt allem anderen vorgezogen hätten. Solche *Parteilichkeit* komme dem Tätigen zu: *Drum freut es mich, daß, andrer Elemente Wert / Verkennend, ihr das Feuer über alles preist.* Der Vulkanismus hat die Gestalt der von Menschenhand betriebenen Umorganisation der neptunisch gewachsenen Massen angenommen, die ohne die Einwirkung von Licht, Luft und Wasser für sich nur die nackte Sterilität darstellen.[55] Der Verzicht auf das Tageslicht, die Blickrichtung höhleneinwärts auf Amboß und Feuer, ist Abwehr jeder Ablenkung, rücksichtslose Schwerlebigkeit der demiurgischen Konzentration.

Man bedenke, Goethe wollte eine Allegorie der Entbehrung

---

55 Zur Metaphorik der Elemente: G. Diener, Pandora. Bad Homburg 1968, 173-187. – Feuer und Wasser bedrohen die Erdenfestigkeit gleichermaßen; doch wäre der Preis für reine Dauer ebenso reine Sterilität. Zuverlässigkeit und Fruchtbarkeit sind polar, Arbeit am Boden zwingt sie zusammen. Der Schmied ist in dieser Elementenlehre extreme Figur, weil er mit dem Element der äußersten Flüchtigkeit das der äußersten Starrheit zur Gefügigkeit zwingt, also das Schema der Bodenkultur noch überbietet.

schreiben, eine Welt ohne die Anwesenheit des Göttlichen nach
Pandorens Entschwinden und vor ihrer Wiederkehr beschreiben.
Die himmlische Herkunft des Feuers ist vergessen, und ein neuer
Realismus in der Einschätzung des Menschen bestimmt die Szene.
Gaben höherer Herkunft, die bloßen Lichter der Aufklärung, sind
nichts für das Troglodytengeschlecht. Aus den Höhlen kommen die
Mittel der Gewalt, das kaum gebändigte Feuer der Essen wird zur
Kraft der Zerstörung der Hütten.
Es ist die Welt, in der Napoleon möglich geworden war und als-
bald Goethe begegnen wird. Der Titan ist in der »Pandora« als
Napoleonide gezeichnet. Lange bevor Napoleon Prometheus werden wird, wäre Prometheus Napoleon geworden. Er ruft zwar
nicht zu den Waffen, aber seine Entscheidung liegt in dem, was
einer der Hirten den Schmieden entgegenhält: *Doch nah und fern /
Läßt man sich ein, / Und wer kein Krieger ist, / Soll auch kein Hirte
sein.* Diesem Appell folgt Prometheus, indem er die Produktion
der Schmiede augenblicklich umstellt: *Nur zu Waffen legt mir's
an, / Das andre lassend, was der sinnig Ackernde, / Was sonst der
Fischer von euch fordern möchte heut. / Nur Waffen schafft!* Der
Grund dafür – seltsam aus dem Munde des Menschentöpfers, der
seine Geschöpfe gerade noch am Leben erhalten konnte – ist die
dichtgedrängte Übervölkerung der Erde. So ergeht – unter aus-
drücklicher Berufung darauf, daß der Urheber zu seinen Geschöpfen spricht – die Aufforderung zum Kampf ums Dasein, zur Gewinnung von Übermacht der einen gegen die anderen: *Drum faßt
euch wacker, eines Vaters Kinder ihr! / Wer falle? stehe? kann ihm
wenig Sorge sein ... Nun ziehn sie aus, und alle Welt verdrängen
sie. / Gesegnet sei des wilden Abschieds Augenblick!*
Goethes Umdeutung der Pandora, die gewaltsamste seiner My-
thenumformungen, ist von der Grundvorstellung geleitet, daß alles
zur Episode wird, was in ihrer Abwesenheit und mit der flüchtigen
Lizenz ihrer Verborgenheit geschieht. Die Umformung tendiert
auf eine ›geschichtsphilosophische‹ Figur. Die Extreme der Ausprägung menschlicher Möglichkeiten realisieren sich nur durch die
Entmächtigung der übermenschlichen Kraft, die allein sie zusam-
menzwingen könnte. Die Titanen Prometheus und Epimetheus
sind in diesem Interim nicht gleichermaßen fähig, sich ihrer episodischen Beschränkung bewußt zu werden. Nur auf der Seite der

Beschaulichkeit wird Entbehrung empfunden. Sie ist kein menschheitlich-allgemeines Empfinden. Nur deshalb kann Dynamik im Machtzuwachs, vom Fortschritt verblendet, bleiben. Die Kinder und Knechte des Prometheus, die Schmiede, Krieger und Hirten, die motorischen, martialischen und demiurgischen Grundtypen der *vita activa*, sind zwar auf Pandorens Wiederkunft angewiesen, aber sie wissen es nicht, sie können nicht wahrhaben: *Der Liebe Glück, Pandorens Wiederkehr.* Das Dämonische ist noch ganz in Kraft als Betriebsamkeit, die keine Grenze kennen läßt. Pandorens Fernbleiben bestimmt diese Welt und ist durch sie bestimmt. Ihre Wiederkunft wäre die bloße Überraschung, ein mythisches also und kein geschichtliches Ereignis. Der Prozeß der Menschen mit sich selbst kann ihr nicht den Einsatz geben. Über ihrer Wiederkehr steht: *Gabe senkt sich, ungeahnet vormals.*

Konnte Goethe diese *conversio* zeigen oder bleibt, auf dem Sprung in den Mythos, alles nur Sache der Götter? Der Schluß des allein ausgeführten ersten Teils – aber auch, was wir über den zweiten Teil wissen – läßt das offen. Entgegen allem jedoch, was an Unentschiedenem belassen wird, steht das einzige dramatische Ereignis des Festspiels: das Selbstgericht des Phileros, der sich nach der rasenden Verletzung der Braut, der Pandora-Tochter, ins Meer gestürzt hat. Sturz und Rettung des Phileros sind eingefaßt durch die eigentümliche Doppelallegorie des Erscheinens der falschen und der wahren Morgenröte. Während Prometheus den um Pandora untröstlichen Bruder zu trösten sucht und seinen Blick auf die vermeintliche Morgenröte lenkt, wird ihm plötzlich bewußt, was dort wirklich geschieht; es brennt in den Wäldern und Wohnungen der Menschen. Es ist dasselbe Feuer, das der Titan ihnen gebracht und das er in seiner Kraft nur an den Essen der Schmiede gekannt hat.

Das ist der Augenblick, in dem der nachdenkliche Epimetheus in seinem Seelenschmerz versagt, Prometheus aber seine gewalttätigen Scharen schnell an den Brandherd heranbringen kann. Bevor sie in der Ferne Krieg führen, sollen sie noch in der Nähe dem Nachbarn hilfreich werden. Das Kriegerlied besingt die Indifferenz der Promethiden gegen Zerstörung oder Schonung, Beutezug oder Hilfszug. In dem jedoch, was seinen Trabanten so gleichgültig ist, erkennt Prometheus ein Neues. Nicht nur den erwünschten *Dienst der Hochgewalt,* sondern auch das seiner mythischen Prägung

Angemessene: *Und brüderlich bringt würdge Hilfe mein Ge-*
schlecht. Nach der bloßen Illusion von Morgenröte darf jetzt Eos
wirklich anbrechen, um mit ihrem ersten Blick auf Land und Meer
das Schicksal des Phileros zu gewahren und dem Vater zu berichten. Der will mit dem schnellen Kunstgriff des Demiurgen den
Selbstgerichteten dem Leben zurückgeben. Eos hindert ihn daran,
denn nur unter dem Willen der Götter kann eine Metamorphose
des verfehlten Lebens in ein neues glücken. Indem Eos den Prometheus von seiner Eigenmächtigkeit zurückhält, wird der Bruch
mit der titanischen Vergangenheit der Promethiden möglich und
die Vereinigung mit Epimeleia zur Begründung einer nachtitani-
schen Menschheit eingeleitet. Im Verhältnis zur Apotheose des
Phileros war es nur eine beiläufige Wendung, daß Prometheus seine
Gewalttäter dem Bruder zu Hilfe entsandt hatte; aber die Episode
verhindert, daß seine Zurückhaltung von der Wiederbelebung des
Sohnes durch Eos ihm denselben Quietismus aufzwingt, in dem das
Warten seines Bruders auf Pandora verharrt.
Dieser Doppeldeutigkeit entspricht nun auch der Schluß mit der
Verabschiedung des Menschenvaters durch Eos. Einerseits ist da ein
gewandelter Prometheus, der den Verlust seiner Freude am demiurgischen Werk und die Hinneigung zur Daseinsform des Bruders Epimetheus ausspricht. *Neues freut mich nicht, und ausgestat-*
tet / Ist genugsam dies Geschlecht zur Erde. Der Realismus des
handgreiflichen Nutzens, wie er aus den Höhlen der Schmiede
hervorgekommen war, ist in Melancholie über die Verluste umgeschlagen, die jeder Tag an dem erlitten hat, was er nicht mehr ist
und gegenüber seinen Anforderungen nicht mehr sein kann. Die
Resignation des Prometheus ist epimetheisch, zweifelnd an der
Frischfröhlichkeit der von ihm angetriebenen Generation: *Also*
schreiten sie mit Kinderleichtsinn / Und mit rohem Tasten in den
Tag hinein. / Möchten sie Vergangnes mehr beherzgen, / Gegen-
wärtges, formend, mehr sich eignen, / Wär es gut für alle; solches
wünscht ich. Es ist der Wunsch nach Vereinigung der entzweiten
Titanenstämme.
Dieser reformierte Prometheus hat nicht das letzte Wort. Die ver-
blassende Eos, die Helios weichen muß, spricht es. Sie hat dem
Prometheus noch die Vision der aus Fluten und Flammen geretteten Titanenkinder eröffnet, denen die Himmelsgabe sicher sei,

deren Entbehrung das Irren der Väter unausweichlich gemacht hatte. Hier herrscht das reine Gnadenprinzip der wiederkehrenden Pandora: *Gleich vom Himmel / senket Wort und Tat sich segnend nieder, / Gabe senkt sich, ungeahnet vormals.* Das Prinzip der Grundlosigkeit regiert. Zu allen Zeiten hat es erwarten lassen, der neue Mensch würde dann und gerade dann Wirklichkeit werden, wenn er alle Erwartung gegen sich hätte. Hinter der Erwartung steht hier schon deshalb keine Entwicklung, weil Goethe der Anschluß des Neuen an den Wandel des Prometheus nicht gelungen ist: Der Vater des Phileros hatte noch strafen dürfen, retten schon nicht mehr.

Die letzten Worte, die Eos mit dem *Fahre wohl, du Menschenvater!* verbindet, sind denn auch nochmals Mahnung, sich nicht in den neuen Gang der Geschichte einzumischen. Den Göttern sei die Erfüllung der wirklichen Bedürfnisse des Menschen zu überlassen: *Groß beginnet ihr Titanen; aber leiten / Zu dem ewig Guten, ewig Schönen, / Ist der Götter Werk; die laßt gewähren.* Dies ist der vollendete Widerruf dessen, was Goethe einmal mit dem Namen des Prometheus verbunden hatte. Der Versuch, die Identität auf den Gegenpol seiner ursprünglichen Selbstbestimmung hin durchzuhalten, erfordert nun eine übermächtige Pandora, mehr noch: ein Pantheon, ein Organ der Gewaltenteilung – in Goethes neuem Vorzugswort: der *Balance.*

Es liegt nahe, daß Prometheus im Plan des zweiten und vollendenden Teils der Allegorie nichts mehr zu suchen hat. Das ist zwar nicht Grund, wohl aber Symptom dafür, daß wir uns, wie ich meine, glücklich schätzen dürfen, den zweiten Teil des Festspiels nicht zu besitzen. Das Reich der Pandora sei, so hat Wilamowitz einmal geschwärmt, identisch mit dem platonischen Reich der Ideen. Das mag falsch oder richtig sein – Anlaß zum Gefühl des Verlustes kann es schwerlich geben. Das Stichwort *Symbolische Fülle* hat Goethe sich noch für die Parusie der Pandora notiert, die mit Winzern, Fischern, Feldleuten und Hirten ankommen sollte. Was sie bringt, wird mit *Glück und Bequemlichkeit* jeder biederen Vermutung ausgesetzt. Am Ende gibt es *Sitzende Dämonen. Wissenschaft. Kunst. Vorhang* – aber zwischen Jena und Erfurt war es leichter, von der Entbehrung der Pandora zu sprechen als von ihrer Wiederkunft.

Die Skizze für den zweiten Teil ist auf den 18. Mai 1808 datiert. Man begreift, daß schon fünf Monate später der Dichter, von dem Napoleon einen »Tod des Cäsar« verlangt hat, keine Anschaulichkeit mehr in seinem Konzept und kein Verhältnis mehr zu einer platonischen Göttergabe fand. Daß »Pandora« Fragment geblieben ist, hat seine eigene Indikation: Noch gab es für Prometheus keine Ablösung. Im Exposé von ihm kein Wort mehr. Ausweg also, den Resignierten aus dem Tableau verschwinden zu lassen.

Sich die Identität durch den Tyrannen retten zu lassen, das war, versteht sich, auch Goethes Wunsch nicht. Da nun einmal die Weimarer Lebenswelt sich nicht über die Krise bewahren ließ – was wäre sein Wunsch gewesen, welches die Alternative zu den Tagen von Jena und Erfurt? Goethe gab die Antwort, als im Mai 1814 Iffland, Leiter der königlichen Bühne in Berlin, an ihn herantrat, zur Feier des Triumphes der verbündeten Monarchen über Napoleon – als der *erste Mann der Nation* – mit einem Festspiel aufzuwarten. »Des Epimenides Erwachen« kam zum Jahrestag des Einzugs in Paris zur Aufführung.

Epimenides läßt Goethe eine andere Gabe als die der Pandora, das Geschenk des Schlafes, zuteil werden: *Da nahmen sich die Götter meiner an, / Zur Höhle führten sie den Sinnenden, / Versenkten mich in tiefen langen Schlaf.* Schlaf ist die extreme Form der Realitätsvermeidung, der Reduzierung jenes Anspruches, Identität gegen den Einbruch der Geschichte in die gehütete Sphäre des selbstgeschaffenen Lebens zu bewahren. Nicht die Erfahrung der Wirklichkeit, sondern der Höhlenschlaf als extreme Figuration der unangefochtenen Abschirmung, ästhetisch vielleicht durch seine Träume, ist *der Weisheit unversiegte Quelle.* Es sind die Götter, die die Vergünstigung gewähren, die Krisen der Geschichte zu verschlafen: *Zeiten, sie werden so fieberhaft sein, / Laden die Götter zum Schlafen dich ein.* Während noch die Tore vor der Lagerstatt des Epimenides von Genien verschlossen werden, ist schon das ferne Donnern des Krieges zu hören. Es ist nur eine dürftige Verkleidung der gerade ohne die Gnade des Verschlafens erfahrenen Geschichte, wenn Goethe den Heereszug im *Kostüm der sämtlichen Völker, welche von den Römern zuerst bezwungen und dann als Bundesgenossen gegen die übrige Welt gebraucht worden,* auftreten läßt. Auch hier versteckt sich Goethe; wenn schon besiegte Völker auf-

treten mußten, so wenigstens die von den Römern besiegten. Seine *Vorliebe für das Römische*, einmal mit seiner Präexistenz unter Hadrian begründet, durfte er für diesmal nur indirekt zeigen: *Dieser große Verstand, diese Ordnung in allen Dingen*...[56]
Während die Geschichte ihren Auftritt hat, träumt Epimenides seine Vergangenheit oder seine Zukunft. Mit dem nahenden Heereszug tritt der Napoleonide auf, das Dämonische in figura, der Dämon des Kriegs selbst. Seine *Wonnezeit* sei, wenn *umher die Länder beben*. Selbst mit dieser tiefst versenkten und weitest herkommenden seiner Metaphern sagt Goethe nicht, was er gesehen hat, *das Schreiten eines Halbgottes von Schlacht zu Schlacht und von Sieg zu Sieg.*[57] Aber er läßt doch wissen, daß er die Erneuerung nicht als den Zwang aus der Vernichtung, sondern die Vernichtung als Bedingung der Erneuerung sieht. Im Brandschein der Zerstörung läßt er den Dämon das freie Feld für den schöpferischen Befehl proklamieren: *Ein Schauder überläuft die Erde, / Ich ruf ihr zu ein neues Werde.*

Entgegen aller seiner Erfahrung ist die opernhafte Wunscherfüllung für den Dichter, daß die Dämonen auftreten, während er schläft – und sie vielleicht nur träumt. Sie und die Erschütterungen der Erde, die nur in diesem Traum so doppeldeutig sein können: Untergang einer bestehenden Welt und Übergang zu den Schrecknissen des Interim, aber auch Heraufkunft einer neuen Verfassung der Wirklichkeit. In der Duplikation des Erdbebens hat Goethe seine lebenslange Ängstigung um die Festigkeit des Bodens aufgefangen. Nicht nur der schlafende Tempelpriester Epimenides, auch der in Gestalt eines Hofmanns auftretende Dämon ist Selbstdarstellung. Wer sonst sollte das Sensorium für das bevorstehende Erdbeben besitzen? *Ich fühle sie wohl, doch hör ich sie nicht; / Es zittert unter mir der Boden; / Ich fürchte selbst, er schwankt und bricht.* Diesem feinfühlig lauschenden Dämon scheinen sogar die Säulen des Tempels das Erdbeben zu wittern und ihm ratsam zu machen, mit Argwohn gegen das noch Bestehende in die freie, von Einstürzen unerreichbare Mitte zu treten. Die szenische Anweisung sogar zeigt, wie der Dichter, wenn er schon nicht der Schlafende sein kann, seine Stellung zur Geschichte wünscht: *In dem Augen-*

56 Zu Boisserée, 11. August 1815 (Werke XXII 816).
57 Zu Eckermann, Frühjahr 1828 (Werke XXIV 672).

blicke bricht alles zusammen. Er steht in schweigender, umsichtiger Betrachtung.

Wie hatte der Höfling Vorahnung des Erdbebens haben können? Wir erfahren es im nächsten Auftritt aus dem Mund des Dämons der Unterdrückung, der im Kostüm eines orientalischen Despoten erscheint und dem Dämon der List für seine Vorarbeit Anerkennung zollt. Zusammenstürzen könne das in langer Freiheit Erschaffene nicht auf einmal, wenn die Posaune des Krieges erschallt, sondern nur, wenn der Boden dafür sorgsam vorbereitet ist: *Doch hast du klug den Boden untergraben, / So stürzt das alles Blitz vor Blitz.* Man denkt zurück an das, was Goethe schon 1781 anläßlich der Umtriebe des Cagliostro an Lavater über die Unterminierung der moralischen und politischen Welt und die Vorbereitung ihres Einsturzes geschrieben hatte.

Das pflichtschuldig gelieferte Festspiel der Befreiung zeigt viele Züge der mangelnden Einstimmung des Dichters in den Jubel der Zeitgenossen, die ihm dies nicht verzeihen sollten. Goethe zeigte ihnen seine Grundfigur für das Verständnis der Niederlage: Das neue Reich der Tugend, das von allegorischen Gestalten recht lustlos und ohne Konkurrenz an Dichte mit den dämonischen Napoleoniden angekündigt wird, erfordert einen Untergang zuvor. Die Wiederkehr glücklicherer Zustände beruht auf demselben Prinzip der Unterhöhlung des Bodens, auf dem sich das imperiale Intermezzo abspielt, wie der vorherige Zusammenbruch der alten Welt. Nun gibt es wieder ein geheimes Bündnis, eine Verschwörung der Tugend für diesen Einsturz: *Im Tiefsten hohl, das Erdreich untergraben, / Auf welchem jene schrecklichen Gewalten / Nun offenbar ihr wildes Wesen haben ... Doch wird der Boden gleich zusammenstürzen / Und jenes Reich des Übermuts verkürzen.*

Es ist die Formel aller apokalyptischen Träumer, das Alte müsse zugrunde gehen, damit das Neue aufgehen könne: *Die Welt sieht sich zerstört – und fühlt sich besser ...* Die allegorischen Figuren Glaube, Hoffnung und Liebe werden von einem Genius aufgerufen, den Jüngsten Tag still zu bereiten. Es ist der Tag des Gerichts über den dämonischen Eroberer: *Denn jenes Haupt von Stahl und Eisen / Zermalmt zuletzt ein Donnerschlag.* Was dem Abgrund kühn entstiegen war, so singen die Genien, die Schwestern der Tugenden, kann zwar den halben Weltkreis unterwerfen, es muß doch zum Abgrund zurück. Das Dämonische, was auch immer es der Welt antun kann, verfällt am Ende dem Zug seiner Herkunft.

Die Problematik des Festspiels liegt in der Glaubwürdigkeit des Doppelspiels von unheilvollem und hoffnungsvollem Untergang. Unterwirft nicht Goethe sein die Freiheit bejubelndes Publikum der Ironie aller von Untergängen abhängigen Heilsverheißungen, wenn er gerade den Dämon der Unterdrückung, wie er aus den Ruinen des für ihn bereiteten Zusammenbruchs hervortritt, den Kernsatz aller eschatologischen Heilbringer aussprechen läßt: *Das Paradies, es tritt herein!* Wollte Goethe noch vermeiden, was er objektiv nicht vermeiden konnte, daß der schließlich erwachte Epimenides, wenn er *der Schöpfung wildes Chaos* antrifft, der Rhetorik in dieser Formel doch weniger zu trauen scheint als dem furchtbaren Zeichen des am Himmel stehenden Kometen? Denn offenkundig hält er das, was ihm im Tempelschlaf an Bildern vorbeizog, für die Wirklichkeit; was ihm die Genien mit ihren Fackeln jetzt zeigen, für einen *Traum von Ängstlichkeiten.* Erst beim Nähertreten im Fackelschein wird ihm bewußt, daß während seines Schlafs *ein Gott / Die Erd erschüttert, daß Ruinen hier / Sich aufeinander türmen* ... Er erkennt, daß die Wirklichkeit ihre Geschichte gehabt hat und diese ihm alles Gegenwärtige entfremdet: *So ist es hin, was alles ich gebaut / Und was mit mir von Jugend auf emporstieg. / Oh, wär es herzustellen! Nein, ach nein!*[58]

58 Goethe konnte nicht mehr erfahren, daß es den Rip van Winkle der politischen Bebenjahre wirklich gegeben hatte und daß er einer noch umfassenderen Abwesenheit vom Schicksal gewürdigt war. Nach dem Bericht der »Gazette des Tribunaux« vom 20. Mai 1838 war am 14. Mai 1837 vor dem Zivilgericht der Seine (1. Kammer) gegen den Marquis de Saint P. ›wegen Unehrerbietigkeit gegen die Königin Marie-Antoinette‹ verhandelt worden. Ein grotesker Anachronismus, denn der Beschuldigte war seit seiner Entmündigung 1790 in einer jener Maisons de Santé verschwunden gewesen und von der Zeit verschont worden, die von einflußreichen Familien verwendet wurden, um straffällig gewordene Mitglieder der Verfolgung zu entziehen, unter dem Vorwand der geistigen Debilität. Dieser junge ›Philosoph‹ hatte 1787 den ersten Akt der revolutionären Rhetorik vollzogen, indem er während der Begrüßung der Königin in der Oper einen Pfiff ausstieß, der jedoch nicht die erwartete mitreißende Wirkung hatte. G. Lenôtre, der diesen Vorgang ausgegraben hat (Das revolutionäre Paris. Dt. Ausg. München o. J., 291-304), schreibt dazu: *Wenn er seinen Pfiff zwei Jahre später ausgestoßen hätte, wäre er der Abgott des Volkes gewesen.* Dieser Marquis also hatte, als er der Form halber vor Gericht gestellt wurde, ein halbes Jahrhundert ›verschlafen‹, denn ihm war keine der eingetretenen ›Veränderungen‹ bekannt geworden.

Auch das Siegesfestspiel läßt noch Goethes Schmerz verspüren, daß
ihm der Wunsch nicht in Erfüllung gegangen war, die Herrschaft
der Dämonen in priesterlicher Rolle im Tempel zu verschlafen und
das Trauma der bedrohten Identität des prometheischen Ich zu
vermeiden. Er tröstet sich offenkundig damit, daß er Epimenides
auf die spiegelbildliche Schwierigkeit der Identität stoßen läßt, mit
der Vergünstigung der vegetativ unterbrochenen Geschichte hinter-
drein fertig zu werden. Die alten Tafeln sind zerschlagen und nicht
mehr leserlich, und laut ist die Klage, daß das Gedächtnis versagt.
Nur ein Lied hält es noch fest, das ein unsichtbarer Chor wiederholen muß; es ist so etwas wie eine Beschwörung gegen alle Beben
des Bodens: *Hast du ein gegründet Haus, / Fleh die Götter alle, /
Daß es, bis man dich trägt hinaus, / Nicht zu Schutt zerfalle . . .*
Epimenides ist erfüllt vom Verdacht, daß die ihn mit ihren Fackeln
geleitenden Genien Dämonen sein könnten. Doch aus der Verzweiflung, die verlorene Zeit nicht überbrücken zu können, reißt
den Greis die kriegerische Musik der heranziehenden verbündeten
Heere. Die peinliche Szene eröffnet nur, was der Autor nicht vermag. Vom vielfachen *Hinan! – Vorwärts – hinan!* bis hin zu der
lakonischen Regieanweisung, die Ruinen seien nun wieder aufge-
richtet und ein Teil der wild eingedrungenen Vegetation – Erinnerung an Rom! – bleibe zur Zierde stehen, geht es nicht ab, ohne
Ächzen und Knarren der vaterländischen Pflichtmäßigkeit zu Gehör zu bringen. Schließlich muß Epimenides erklären, er schäme
sich seiner Ruhestunden und es wäre Gewinn gewesen, mit den
anderen zu leiden, die um den Preis ihres Schmerzes nun die Größeren geworden seien. Der Dichter zollt seinen triumphierenden
Zeitgenossen Tribut. Aber auch seinem eigenen Traum, denn er
läßt den Epimenides zurechtweisen mit dem Vorhalt seiner Begleiter, er sei durch die Bewahrung im stillen zu reinerer Empfindung
befähigt worden und gleiche vorab dem, was erst in künftigen Tagen die übrigen erreichen könnten. So hätte der Wunschtraum
schon erfüllt, was die Zeit dem Dichter verwehrte: sich in der Konvergenz der Sehnsucht wenigstens eines Sinnes zu wissen mit seiner
Welt und um die schmerzhaften Jahre zwischen den Abgründen
und Erdbeben ihr voraus zu sein.

Epilog

Im »Epimenides« wimmelt es von Dämonen, die noch nicht recht *das* Dämonische an sich haben. Dessen Kolorit wird Goethe erst allmählich bestimmter begreifen. Was er an Napoleon dämonisch nennen wird und wofür er nur vage begriffliche Äquivalente gelegentlich anbietet, gehört der Kategorie des Mythischen an. Damit soll nicht mehr gesagt sein als dies, daß es unaufgelöste historische Potenz umgreift, nicht erklärt, vielleicht nur benennt. Das mag der Urteilsschwäche eines einzelnen Faszinierten anzulasten sein. Aber ein ganzes Jahrhundert analytischer und deskriptiver Auflösung des Phänomens durch die Historie, die Mythisches nicht dulden darf, läßt als Widerstand gegen den theoretischen Zugriff etwas von der Art übrig, was der Dichter zumindest benannt hat. Die Verblüffung Goethes angesichts eines vermeintlich Numinosen transformiert sich in die theoretische Enttäuschung, das Zentrum der Erscheinung, die Kraftquelle ihrer Dominanz, die Herkunft ihrer Energien und Imaginationen seien im Grunde unberührt, unaufgedeckt geblieben.

Die Verarbeitung solcher Enttäuschungen der Wissenschaft fällt gerade dann, wenn Wissenschaft selbst nicht auf die Beschränktheit ihrer Möglichkeiten gefaßt ist und vorbereiten konnte, auf mythische Lineaturen zurück. Der von der Theorie als verdrängt oder resorbiert vermeinte Mythos hat aber seine unterirdische Präsenz: Die Singularität, die nicht aufgearbeitet werden konnte, verliert im undatierten Zug des Typischen wenigstens ihre Unvertrautheit. Vertrautheit erklärt nichts, aber sie macht eben dies verwindbar. Geschichte kann nie die Vertrautheit des Rituals haben. Wo ihre Theorie versagt, wo sie sprachlos bleibt in der Herstellung von faßbaren Zusammenhängen, schließlich wo ihre Verachtung zur Institution werden kann, scheint es immer das Angebot der Mythisierung zu geben. Oder kann die theoretische Rationalität selbst eine Grundform des Mythos annehmen, die der Wiederholung des Gleichen? Dann wäre dies zwar noch nicht die Anstrengung des Begriffs, wohl aber die des Typus. Welche Verwechselbarkeiten mit Mythisierung hier naheliegen, zeigt die Studie des halb ironischen Falls, dem dieser Epilog gilt.

Sigmund Freud hat in einem einzigen Absatz eines Briefes an

Arnold Zweig den inkommensurablen Vorgang mitgeteilt, der
sich im Juni 1936 aus Anlaß seines 80. Geburtstages abgespielt
hatte. *Thomas Mann, der seinen Vortrag über mich fünf- oder
sechsmal an verschiedenen Orten gehalten hat, war so liebenswür-
dig, ihn Sonntag 14. d. M. nur für mich persönlich in meinem Zimmer hier in Grinzing zu wiederholen.*[59] Die Szene mit diesem
Redner und seinem Zuhörer zu diesem heillosesten Zeitpunkt an
diesem bedrohtesten aller Orte kann man sich in ihrer Prägnanz
nicht mehr gegenwärtig machen. Dazu gehört auch das ganz und
gar Unzufällige, daß der eine mitten in seinem größten epischen
Werk stand, der Joseph-Tetralogie, an der er bereits ein Jahrzehnt
schrieb, während der andere an der letzten und die Zeitgenossen
wohl am meisten in Erstaunen versetzenden seiner Spekulationen
arbeitete, dem aus drei einzelnen Aufsätzen bestehenden »Mann
Moses«. Beide schrieben auf ihre Art am Mythos eines mythenlosen
Gottes, der keine Bilder und Geschichten um sich duldete.
Eine der Voraussetzungen dieser großen Szene des Zeitgeistes, der
vergleichbare kaum hatte, ist die beiden Partnern gemeinsame Beziehung zu Nietzsche. Dessen gegen allen Geschichtsgeist gerichtete
Idee der Wiederkunft des Gleichen als der einzigen Ereignisform
der Wirklichkeit, die ihren Sinn in sich selbst erzeugen können
sollte, stand im Hintergrund ihrer Konzeption der Menschheits-
prozesse. Freud allerdings hatte von einem bestimmten Zeitpunkt
an den Kontakt zu diesem Denker verweigert; aber doch nur, weil
er wußte, daß und wie weit ihm da vorgedacht worden war. *Den
hohen Genuß der Werke Nietzsches habe ich mir dann in späterer
Zeit mit der bewußten Motivierung versagt, daß ich in der Verarbeitung der psychoanalytischen Eindrücke durch keinerlei Erwar-
tungsvorstellung behindert sein wolle. Dafür müsse er bereit sein,
Prioritätsansprüche für die Fälle zurückzustellen, in denen die
philosophische Intuition die Ergebnisse mühevoller Forschung vorweggenommen hätte.*[60]

59 Sigmund Freud an Arnold Zweig, 17. 6. 1936 (Briefwechsel, Frankfurt 1968,
141). Über das Zustandekommen des Privatvortrags hat Freuds letzter Arzt,
der es vermittelt hatte, berichtet: Max Schur, Sigmund Freud. Leben und Sterben. Frankfurt 1973, 566 f.
60 Freud, Zur Geschichte der psychoanalytischen Bewegung. 1914 (Werke X
44 ff.; wieder in: »Selbstdarstellung«. Schriften zur Geschichte der Psychoanalyse.
Ed. I. Grubrich-Simitis, Frankfurt 1971, 152).

Thomas Mann hatte, obwohl vieles Frühere Hindeutungen zeigt und der »Zauberberg« Abwehr gegen die Irrationalität einer romantisierten Naturwissenschaft erkennen läßt, Freud doch erst 1925 zu lesen begonnen. Seine eigene Äußerung und die Benutzungsspuren in der Werkausgabe seiner Bibliothek belegen, daß »Totem und Tabu« für ihn die wichtigste der Schriften Freuds war. Eine Marginalie aus dem Jahre 1929 zu Oskar Goldbergs »Wirklichkeit der Hebräer« gibt schon die Formel für den Rückgewinn des Mythos aus seiner bereits sichtbar gewordenen politischen Okkupation: *Freuds unreaktionäre Betonung des Urmenschlich-Unbewußten-Vorintellektuellen. Seine Unbenutzbarkeit für den bösen Willen.*[61] In dasselbe Jahr 1929 fällt der erste Vortrag über Freud in der Münchener Universität »Die Stellung Freuds in der modernen Geistesgeschichte«, wo er den Gegentypus des *großen Zurück* mit Alfred Baeumlers Bachofen-Essay belegt.

Auf die Einsichten und Spekulationen, die Freud in »Totem und Tabu« erstmals über den Zusammenhang zwischen dem Seelenleben des Individuums und dem der Völker vorgelegt hatte, gehen die Ursprünge seines »Moses« wie die des »Joseph« von Thomas Mann letztlich zurück. Wie so oft ist es die Gleichzeitigkeit weltweit getrennter gedanklicher Entwicklungen, was den Augenblick der Wiener Begegnung von 1936 selbst der Faktizität zu entheben scheint und mythisch qualifiziert. Fast gleichzeitig mit »Totem und Tabu« hatte Thomas Mann die früheste Probe seines mythisierenden Verfahrens der ›Anspielung‹ und Zeitaufhebung 1911 im »Tod in Venedig« gegeben.

Nun gibt es zu der Wiener Szene noch ein Satyr-Spiel: Freuds Selbstparodie auf seine Folgen. Im November desselben Jahres schreibt Freud an Thomas Mann über die wohltuende Erinnerung an dessen Besuch in Wien und über die Lektüre des neuen Bandes der Josephsgeschichte. Für ihn sei dieses schöne Erlebnis vorüber, denn er werde die Fortsetzung nicht mehr lesen können. Es habe sich aber bei der Lektüre in ihm etwas gebildet, was er *eine Konstruktion* nennen wolle. Er nehme sie nicht sehr ernst, aber sie habe *einen gewissen Reiz* für ihn, *etwa wie das Peitschenknallen für den ehemaligen Fahrknecht.*

61 H. Lehnert, Thomas Manns Vorstudien zur Josephstetralogie. In: Jb. Schillergesellschaft 7, 1963, 479 ff.

Erkennbar ist die Struktur der Überlegung: Wenn der ägyptische
Joseph die Regularien seines Lebens in den mythischen Vorprägungen der Patriarchen-Vergangenheit fand, für wen könnte Joseph
seinerseits, mit gehöriger Latenzphase, der mythische Prototyp,
der geheime dämonische Motor gewesen sein? Die Antwort lautet:
Für Napoleon.

In dem abgekürzten Verfahren, das ihm nur an seinen historischen
und literarischen Patienten gelang, analysiert Freud bei Napoleon
einen eigens erfundenen Josef-Komplex. Über den Motor des
Unbewußten treibt das Prinzip der Wiederholung als die fortwir-
kende, bedrohlich ungeschlichtete, jederzeit sprungbereite Übermacht des schon gelebten, ein für allemal geformten Lebens. Nicht
mehr allein, welches denn die Motive, Überlegungen, Entwürfe
einer historischen Figur gewesen seien, sondern vor allem, aus welchem Untergrund oder Abgrund sie ihre Energien bezog, erweist
sich für einen Betrachter wie Freud aus der Position Wien 1936
als das zentrale Problem der Geschichte.

Das Attribut des Dämonischen taucht auch hier auf, wenn der
geheime Motor der Josephsphantasie an Napoleon ›erraten‹ wird;
aber es ist nur noch eine literarische Vokabel, eine Reminiszenz
des Goethe-Lesers. Entscheidend ist, daß diese vage Klassifikation
des Phänomens das Neutrum bestehen lassen muß und darin die
Unvertrautheit zum definitorischen Moment erhebt – so weit Rudolf Ottos deskriptiven Neutra *numinosum, augustum, tremendum*
und *fascinans* ähnlich –, während erst Namengebung Kontur und
erste Umgänglichkeit eines so Befremdlichen verschafft. Man bekommt erneut vor Augen, was an Namen gehängte und aus
Namen herausgezogene Geschichten einmal leisten konnten, weil
sie es im neuen Unbehagen vor dem Unbewältigten, den Exklaven
des Unbekannten im wissenschaftlich dicht belegten Gelände, immer noch leisten müssen. Insofern erfaßt Freud an seinem eigenen
Werk in dieser späten Parodie gerade das, was dem Jahrhundert,
mit dessen Anfang es begonnen hatte, am meisten nachgegangen
war und nachgehen mußte, weil es eine ganz und gar unheimliche
Dimension ›schlechthinniger Abhängigkeit‹ aufgerissen hatte.

Freud hat vier Analogien entwickelt, die den ersten Napoleon
gleichsam unterirdisch oder auch unterhalb der Zeit mit dem biblischen Joseph verbinden. Das Kindheitsproblem des Bonaparte war,

in einer Schar von Geschwistern nicht der Erste gewesen zu sein. Der Erste aber, der älteste der Brüder, hieß Josef (so schreibt es Freud). Korsika belegt das Vorrecht des ältesten Sohnes mit einer besonders starken Sanktion. Dadurch wurde nochmals gesteigert, was ohnehin schon schwierig zu verarbeiten ist, das ewig unverwindliche menschliche Problem, daß nicht jeder der Erste sein kann. *Der ältere Bruder ist der natürliche Rivale, ihm bringt der kleinere eine elementare, unergründlich tiefe Feindseligkeit entgegen, für die spätere Jahre die Bezeichnung Todeswunsch, Mordabsicht passend finden mögen. Josef zu beseitigen, sich an seine Stelle zu setzen, selbst Josef zu werden, muß die stärkste Gefühlsregung des kleinen Kindes Napoleon gewesen sein.*

Nun kommt der Begründer der Psychoanalyse mit einem ihrer großen Kunstgriffe, der an den »Studien über Hysterie« erlernten List der Konversion. Wenn man schon so hoffnungslos verloren ist, daß man dem Rivalen den Tod nur wünschen, aber nicht bereiten kann, dann ist es psychisch zweckmäßiger, den Spieß umzukehren. Da man der Älteste nicht werden kann, heißt das, sich aus der Reihenordnung der Geschwister überhaupt herauszuschwingen und die Vaterrolle an sich zu reißen, deren Ausübung nun statt Haß Liebe erfordert. Es wird nicht nur ein aufgebrachtes Energiequantum anders eingesetzt, sondern auch in einer ganz anderen Sprache gesprochen. Da wir nur Zeugnisse in dieser späteren Sprache der nachsichtigsten Bruderliebe besitzen, wird die unterstellte List der Natur ganz zur List der Interpretation. Den so wenig Liebenswürdigen geliebt zu sehen, kann nicht mit rechten Dingen zugegangen sein, und das wiederum muß verhängnisvolle Folgen haben. *Der Urhaß war also überkompensiert worden, aber die damals entfesselte Aggression wartete nur darauf, auf andere Objekte verschoben zu werden. Hunderttausende gleichgültiger Individuen werden dafür büßen, daß der kleine Wüterich seinen ersten Feind verschont hat.*

Hätte nicht die Literatur seiner Schule ganz andere Blüten der Deutungskunst getrieben, wäre man schon hier zu der Unterstellung versucht, einer Selbstparodie des Meisters beizuwohnen. Aber erst die weiteren Bindungen des Korsen an den Archetyp Josef entheben jedem Zweifel. Die zwar junge, aber dennoch ältere Witwe, die der General zu heiraten für zweckmäßig halten muß, hat zum

Entzücken des Analytikers den Namen Josefine. Wie auch immer
sie ihn behandeln und hintergehen wird, durch die Vermittlung
des Namens hat er ein Stück der Beziehung zum älteren Bruder an
ihr festgemacht, und so kann auch diese Charakterschwäche seiner
unbegrenzten Nachsicht und leidenschaftlichen Anhänglichkeit sicher sein. Welche Unausweichlichkeit!

Der Erfinder der Psychoanalyse wird zwangsläufig am historischen
Gegenstand zum rückwärts gewandten Propheten, wenn er Napoleons ägyptischen Seitensprung aus dem Josefkomplex extrapoliert.
Was den spekulativen Aspekt angeht, trifft Freud sich hier mit
Kant, der seinen Tischgenossen gern die Sensation riskanter Pro-
gnosen über Zeitereignisse bot. Seine *Vermutungen und Paradoxen* über militärische Operationen während der Revolutionskriege
seien, nach dem Bericht seines Biographen Wasianski, so pünktlich
eingetroffen *wie jene seine große Vermutung, daß es zwischen Mars
und Jupiter keine Lücke im Planetensystem gäbe* ... Die Meldung
von Napoleons Landung in Ägypten hielt Kant nur für ein Stück
der von ihm bewunderten Kunst Bonapartes, seine wahre Absicht
der Landung in Portugal zu verschleiern.[62]

Dieser scharfsinnige Fehler eines großen Philosophen wird erst
durch die Erklärung Freuds verständlich, daß den Zeitgenossen
rationale Einsicht verschlossen bleiben mußte in die Handlungen
*dieses großartigen Lumpen Napoleon, der an seine Pubertätsphan-
tasien fixiert, von unerhörtem Glück begünstigt, durch keinerlei
Bindungen außer an seine Familie gehemmt, wie ein Nachtwandler
durch die Welt geflattert ist, um endlich im Größenwahn zu zer-
schellen.*[63] Daß die unbegreiflichste der Handlungen Napoleons,

---

62 E. A. Ch. Wasianski, Immanuel Kant in seinen letzten Lebensjahren, ed.
F. Groß, Berlin 1912, 224.

63 Sigmund Freud an Arnold Zweig, 15. Juli 1934 (Briefwechsel, 96). Dieser
Brief belegt vor allem, daß Freud den ›Josef-Komplex‹ zwei Jahre später
nicht aus dem Ärmel zog. Selbst wenn es keinen historischen Beleg dafür
gäbe, daß Napoleon selbst auf die Joseph-Präfiguration gestoßen war, paßt das
Verfahren, das Freud seinem Unbewußten nachweist oder einkonstruiert, doch
zur faktischen Mentalität. Napoleon hat fast zwanglos die Verbindung zum
biblischen Joseph hergestellt, als er auf der Überfahrt nach Ägypten im Mai
1798 mit den 165 Gelehrten an Bord, die die Weisheitsschätze des Orients aus-
schöpfen sollten, seine abendlichen Dispute hatte, darunter über die Bewohn-
barkeit der Planeten – und über die Träume und Traumdeutungen des ägyptischen Joseph (J. Presser, Napoleon. Das Leben und die Legende. Amsterdam
1946. Dt. Stuttgart 1977, 55).

gerade weil sie dies ist, in diesen Formeln versteckt und aus ihnen herauszuholen sein würde, läßt sich mit Händen fassen. Napoleon mußte nach Ägypten gehen. Da wird keine okkasionelle Gefälligkeit für den Autor des »Joseph« hergestellt: *Wohin anders soll man gehen als nach Ägypten, wenn man Josef ist, der vor den Brüdern groß erscheinen will?* Alle Begründungen für dieses Unternehmen seien *nur gewaltsame Rationalisierungen einer phantastischen Idee* gewesen.

Die Klimax ist noch nicht vollendet. Weil Josef in Ägypten gescheitert war, mußte er die Voraussetzungen wiederherstellen, unter denen es ihm möglich wurde, sich so zu verhalten, als ob er in Ägypten erfolgreich gewesen wäre. Dazu genügt wieder ein Kunstgriff der Konversion: Er mußte Europa behandeln, als ob es Ägypten wäre, um so zum Ernährer seiner Brüder werden zu können. *Er versorgt die Brüder, indem er sie zu Fürsten und Königen erhöht. Der Nichtsnutz Jérôme ist vielleicht sein Benjamin.*

Schließlich wird Napoleon seinem Mythos untreu. Er verleugnet den Knechtsdienst, dem archaischen Ritual nachzugehen. Er wird ›Realist‹. Mit der Verstoßung Josefines beginnt sein Abstieg. *Der große Zerstörer arbeitet nun an seiner Selbstdestruktion.* Die Leichtfertigkeit, mit der er etwas tut, was nicht in seinem ›Programm‹ steht, der Zug gegen Rußland, ist *wie eine Selbstbestrafung für die Untreue gegen Josefine.* Die großen Fiktionen aus den Antrieben des Unbewußten, das Als-Ob-Ägypten Europa und der Als-Ob-Vater der Brüder, werden aus ihrer Verankerung in der psychischen Vorgeschichte herausgerissen.

Das liest sich, ich sagte es schon, wie Selbstparodie. Aber es ist auch Erwiderung der Ironie des Tones, den Thomas Mann den Wiederholungen der Urgeschichte durch seinen Joseph gegeben hatte. Die Wiederholungen, die in der Sicherung durch die Urgeschichte eingebettet sind, haben es leicht, den Ernst jener Urgeschichten aufzugeben, die von ihrer Prototypik gleichsam ›noch nichts gewußt‹ haben. Auch Freud nimmt in seinem Vokabular den *klassischen Anti-Gentleman* Napoleon, obwohl er ihm *großartiges Format* zubilligt[64], nicht ernst, weil er ein Nachspieler, ein auf seine

64 Sigmund Freud an Arnold Zweig, 15. Juli 1934 (Briefwechsel, 96). Zweig hatte Freud von der Abfassung seines historischen Schauspiels »Bonaparte in Jaffa« geschrieben, das von der Niedermetzelung von dreitausend türkischen

Rolle Fixierter und nur dadurch, im wörtlichen Sinn, aus ihr
Fallender ist.

Goethes Schwanken zwischen Faszination und Mißbilligung war
von ganz anderer Art. Für ihn ist die Einmaligkeit der dämonischen Figur noch nicht angetastet, auch nicht durch die Projektion
des alten Titanen. Denn Napoleons Konvergenz mit Prometheus
ist die mit einer dem Mythos ästhetisch und biographisch schon
entrissenen Figur. Sie selbst zu sein, mußte Goethe zuvor resigniert
haben.

Gefangenen handelt. Freuds Antwort zeigt, wie er auf das Stichwort Napoleon
schon zwei Jahre vor dem Brief an Thomas Mann eingestellt war, ohne die
Pointe des Josefkomplexes bereits erkennen zu lassen.

IV
Lesarten des ›ungeheuren Spruchs‹

Demjenigen, der, wie Knebel, das Licht
zu kurz oder gar ausputzte, gestattete
Goethe nie wieder, sich diesem Geschäft
zu unterziehen.
Aufzeichnung Karl Eberweins

Wenn Goethe zu Eckermann sagt, Napoleon habe ein Beispiel gegeben, *wie gefährlich es sei, sich ins Absolute zu erheben*, weiß er, daß er mit dieser Äußerung auch seinen eigenen Jugendtraum trifft.[1] Jener hatte schließlich gewagt, was Goethe sich in der Metamorphose als Prometheus zugetraut hatte: eine Welt zu machen, obwohl schon eine Welt bestand. Es genügte, daß dieses – eine Welt aus *einem* Gedanken und *einem* Guß – fast einmal erreicht war, um es in manchen Augenblicken gleichgültig erscheinen zu lassen, daß diese Welt wieder zerfallen war, und auch, was sie gekostet hatte. Bei allem Aufgebot der Schrecknisse ist das noch in »Des Epimenides Erwachen« zu spüren.

Weil nun Napoleon wirklich der Prometheus geworden war – bis hin zu seiner Anschmiedung an den Felsen von St. Helena –, eben der göttliche Typus, der zu sein Goethe resigniert hatte, tritt sein Andenken in Konjunktion zum ›ungeheuren Spruch‹ im vierten Teil von »Dichtung und Wahrheit«. An dieser Stelle ist der Spruch nicht entstanden, aber hier vollendet sich in ihm der Selbstvergleich Goethes mit Napoleon, als die mythische Summe ihrer unvergleichlichen Beziehung und ihrer einzigartigen Daseinsansprüche.

Denn in dem letzten gerade noch fast vollendeten Stück von »Dichtung und Wahrheit« steht der ›ungeheure Spruch‹ als Kulminationspunkt und Schlußsatz in der Entwicklung der Kategorie des Dämonischen. Hier wird – weil die Erfahrung dessen, was sich nur

1 Zu Eckermann, 10. Februar 1830 (Werke XXIV 393): *Napoleon gibt uns ein Beispiel, wie gefährlich es sei, sich ins Absolute zu erheben und alles der Ausführung einer Idee zu opfern.*

im Unmöglichen zu gefallen und *das Mögliche mit Verachtung von sich zu stoßen* schien, in der Figur des Grafen Egmont bildhaft zu werden vermag – der Name Napoleon nicht genannt. Goethe deutet nur an, er habe während seines Lebensganges das Hervortreten des Dämonischen mehrfach *theils in der Nähe, theils in der Ferne* beobachten können.

Eckermann hat, als er das Manuskript zu diesem Teil in der Hand hielt, Goethe zu abschließender Deutlichkeit gedrängt. Er hat die Andersartigkeit der letzten fünf Kapitel innerhalb des Ganzen bemerkt, die ahnungsschwer vom Künftigen dieses Lebens sind, statt nur das jeweils Gegenwärtige zu erzählen; in ihnen werde bemerkbar *eine heimlich einwirkende Gewalt, eine Art von Schicksal, das mannigfaltige Fäden zu einem Gewebe aufzieht, das erst künftige Jahre vollenden sollen.*[2] Zwei Tage später bei Goethe zu Tisch, bringt Eckermann das Gespräch auf dieses *unaussprechliche Welt- und Lebensrätsel* des Dämonischen. Goethe gesteht, daß durch Verstand und Vernunft nicht Aufzulösendes seiner Natur fern liege, er ihm aber unterworfen sei. Napoleon dagegen sei dämonischer Art gewesen, *im höchsten Grade, so daß kaum ein anderer ihm zu vergleichen ist.*[3] Eckermanns Rückfragen schaffen zwar Namen herbei, klären aber nicht die Beziehung des Dämonischen zum ›ungeheuren Spruch‹. Er ist gebannt von der Frage nach der Gewalt, die die dämonischen Menschen über andere, über die Masse und selbst über die Natur ausüben; aber er geht vorbei an den Aussagen des Manuskripts, das er in Händen hält, soweit es die Überwindung der dämonischen Wesen selbst betrifft. Innerhalb der Welt widerstehe ihnen nichts, nicht einmal die Elemente und schon gar nicht die *vereinten sittlichen Kräfte*; wohl aber erliegen sie schließlich *durch das Universum selbst, mit dem sie den Kampf begonnen...*[4]

Diese Aussage, die dem Katalog der durch das Dämonische Über-

2 Zu Eckermann, 28. Februar 1831 (Werke XXIV 465 f.): *Es war daher in diesem Bande am Ort, von jener geheimen problematischen Gewalt zu reden, die alle empfinden, die kein Philosoph erklärt und über die der Religiöse sich mit einem tröstlichen Worte hinweghilft. Goethe nennet dieses unaussprechliche Welt- und Lebensrätsel das Dämonische, und indem er sein Wesen bezeichnet, fühlen wir, daß es so ist, und es kommt uns vor, als würden vor gewissen Hintergründen unsers Lebens die Vorhänge weggezogen.*
3 Zu Eckermann, 2. März 1831 (Werke XXIV 469).
4 Dichtung und Wahrheit IV 20 (ed. Scheibe, 642).

wundenen eine überraschende Wendung gibt, indem sie es selbst als das Überwindbare darstellt, ist nur durch ein Semikolon getrennt von der sogleich anschließenden und das Ganze abschließenden Einführung des ›sonderbaren aber ungeheuren‹ Spruchs *Nemo contra deum nisi deus ipse.* Im dichtesten Anschluß an das Vorhergehende wird über das Diktum gesagt, es möge wohl *aus solchen Bemerkungen ... entstanden seyn.* Auf diesen Anschluß kommt alles an, wenn man nicht unter dem Aufwand von spekulativem Scharfsinn den Spruch isolieren will, wie es immer dann geschieht, wenn man ihn als Motto des ganzen vierten Teils von »Dichtung und Wahrheit« betrachtet. An diese Stelle aber ist er nicht durch Goethe selbst und nicht mehr mit seiner Zustimmung gekommen.

Ganz überraschend ist, wenn man den logischen Anschluß im Text beachtet, daß der Spruch hier weder rein monotheistisch ist, indem er eine Gegenposition gegen den Gott als illusorisch qualifizierte, noch auch exklusiv polytheistisch, indem er einen Gott gegen einen anderen stellt, sondern eine pantheistische Implikation hat: Nur das ganze Universum kann gegen eine dämonisch-göttliche Natur aufkommen, die innerhalb dieses Universums alle einzelnen Gewalten zu überwältigen vermag. Das Universum ist das Absolute, das in seiner Herrschaft nicht erschüttert werden kann durch das, was in ihm geschieht. Unter diesem Aspekt wird deutlich, daß der ›ungeheure Spruch‹ von Äquivalenzen handelt, die ihrem Typus nach nur in einem Pantheon paganer Art möglich sind, zugleich aber mit einer Grenzvorstellung überboten werden können, die das Absolute Spinozas wie eine singuläre Größe in den mythischen Kontext einführt.

Was auch immer der Spruch in seiner Entstehungsgeschichte bei Goethe anfänglich und später bedeutet haben mag, die seinen Gebrauch abschließende Stellung in »Dichtung und Wahrheit« determiniert ihn innerhalb des Bezugsternars von Monotheismus, Pantheismus und Polytheismus. Das Fazit der Sicht auf das Prometheus-Schicksal ist auf höchster metaphysischer Ebene mit Versöhnlichkeit, doch ohne Verwaschung gezogen. Von hier aus kann man getrost den Rückblick auf die *Entstehung* wagen, von der Goethe ja ausdrücklich spricht – was er kaum tun würde, wenn er von irgendwoher den Spruch als fixes Datum übernommen hätte. Dadurch wird die Frage nach einer fremden und fernen Herkunft

des Spruches, sei sie gnostisch oder pietistisch, mystisch oder spinozistisch, nicht nur irrelevant, sondern sogar ihrer Berechtigung nach
unverständlich. Wenn der Spruch *aus solchen Bemerkungen entstanden* war, wie sie seiner pointierten Anführung an diesem Punkt
der Selbstdarstellung vorausgehen – wer sonst sollte sie gemacht
haben, da sie doch unverwechselbar die Einzigkeit der Lebens-
erfahrung Goethes ausmachen?

Die vollständigen Handschriften dieses letzten Teils von »Dichtung
und Wahrheit« weisen kein von Goethe selbst vorgesehenes Motto
auf. Es kann als gesichert angesehen werden, daß die Wahl des
Mottos unter den Nachlaßverwaltern Eckermann, Riemer und von
Müller abgestimmt wurde. Eine Äußerung Goethes über das Motto
kann keinem der drei Nachlaßverwalter bekannt gewesen sein,
sonst hätte nicht Eckermann in einem Brief an den Kanzler von
Müller vom 19. Januar 1833 schreiben können: *Ich habe dem
Bande ein Motto vorgesetzt, welches die Gewalt des Dämonischen
ausdrückt und Riemer vollkommen billigt und für vorzüglicher
hält als diejenigen die er Ihnen zugesendet hat.*[5]

Wie steht es dann aber mit dem Zeugnis Riemers in seinen 1841 in
Berlin zuerst erschienenen »Mittheilungen«, er habe Goethe bei der
Suche nach einem Motto für den dritten Teil seiner Autobiographie
den Vorschlag dieses Spruches gemacht und Goethe habe ihn akzeptiert?[6] Muß man diese Nachricht – nachdem man den Irrtum
der Nennung des ›dritten Theils‹ anstatt des vierten berichtigt
hat – anhand der Quellenlage für den bestimmenden Akt der
Nachlaßverwalter ganz und gar verwerfen? Ich meine, es bleibt
eine schwache Wahrscheinlichkeit dafür, daß der ›ungeheure Spruch‹
schon vorher einmal und tatsächlich für den dritten Teil des Werkes
in Erwägung gewesen sein konnte. Dort steht: *Es ist dafür gesorgt,
daß die Bäume nicht in den Himmel wachsen.* Dieses ist gewiß
nicht die Verdeutschung des ›ungeheuren Spruchs‹; aber doch im
Hinblick auf die Entwicklungen, mit denen der dritte Teil schließt,
eine seiner möglichen Ausdeutungen, indem man sein fehlendes
Prädikat als einen Irrealis nimmt. Was Riemer schon für den drit-

5 S. Scheibe, »Nemo contra deum nisi deus ipse«. Goethes Motto zum vierten
Teil von Dichtung und Wahrheit? In: Jahrbuch der Goethe-Gesellschaft 26,
1964, 320-324. Zitat des Eckermann-Briefes: 323.
6 F. W. Riemer, Mittheilungen über Goethe, ed. A. Pollmer, Leipzig 1921, 188.

ten Teil ohne Erfolg vorgeschlagen hatte, wäre dann unter seiner Mitwirkung für den vierten verabschiedet worden. Dies scheint mir, weil es den geringeren Erinnerungsfehler enthielte, trotz mangelnder weiterer Anhalte jedenfalls nicht ausschließbar zu sein. Es wäre dann richtig, daß Goethe keine Entscheidung über das Motto zum *vierten* Teil gefällt hätte, wohl aber schon für den *dritten* Teil diesen Vorschlag Riemers in die engste Wahl gezogen hatte. Der ›ungeheure Spruch‹ war für Riemer über ein Vierteljahrhundert hinweg zu eindrucksvoll und nachhaltig umtreibend geworden, als daß man ihm eine allzu große Leichtfertigkeit der Erinnerung anlasten dürfte.

Riemer war es gewesen, der den Spruch zum ersten Mal und in der schlechthin originären Situation aus dem Munde Goethes gehört hatte. Es war der 16. Mai 1807, nach der Besichtigung des Schlachtfeldes von Jena, ein Tag der Verstimmung Goethes durch Politisches und – durch Hundegebell. Nach dem Essen bei den Frommanns ein Rundgang um die Stadt und dabei jene *Späße aus dem Zinkgräf.*[7] Die Notiz ist doppelt, oder die zweite Erwähnung des Zinkgräf für diesen Tag bezieht sich auf eine andere Tageszeit: *Geschwätz mit Goethe. Aus Zinkgräfs Apophthegmen.* Riemer vermerkt nicht, wer inmitten von Geschwätz aus der Spruchsammlung die Definition Gottes zitiert habe: er sei *ein unaussprechlich Seufzen, im Grund der Seelen gelegen.* Es ist zu vermuten, daß dies vom zitatbeschlagenen Riemer kam. Sonst würde er auch nicht fortfahren: *Ein anderes führte Goethe an* ... Ich meine, dieser Übergang sei vom Herausgeber des Tagebuchs verlesen. Denn Goethe ›führt‹ gar nicht an, sondern er ›fügt‹ ein anderes an. Aus Riemers späterer Festlegung auf Zinkgräf erschien es zu selbstverständlich, daß er nur ›angeführt‹ haben könnte. Philologen sind ohnehin leicht geneigt zu meinen, es könne nur ›angeführt‹ gewesen sein. Aber es handelt sich hier um eine Szene reiner Mündlichkeit,

7 Werke XXII 450. Für die Schreibung stütze ich mich auf M. Mommsen, Zur Frage der Herkunft des Spruches ›Nemo contra deum nisi deus ipse‹. In: Goethe-Jahrbuch 13, 1951, 87, wo Riemers Tagebücher nach der ersten Mitteilung von R. Keil (Deutsche Revue XI 1, 63) zitiert werden und u. a. der Name ›Zinkgräf‹ in der Schreibung von der Gedenkausgabe Beutlers abweicht. Die »Apophthegmata« von Julius Zinkgräf waren zuerst 1626 in Straßburg erschienen und hatten viele spätere Ausgaben; in keiner war der ›ungeheure Spruch‹ aufzufinden. Der Name ist in der ersten Ausgabe ›Zinkgref‹ geschrieben.

und da sagt man eben nicht so leicht ›zitiert‹. *Deshalb* hat ja auch Riemer in den »Mittheilungen über Goethe« aus einer Unterhaltung *ambulando* viel später eine Leseszene gemacht, mit ›Hunderten von Sprüchen und Sentenzen‹, die doch wohl eine andere Situation als die der ursprünglichen Notiz voraussetzt.

Der Übergang zur Uraufführung des ›ungeheuren Spruchs‹ fordert also nicht zwingend, auch Goethe habe aus der Spruchsammlung des Zinkgräf zitieren wollen, als er nun sagt: *Nihil contra Deum, nisi Deus ipse.* Dies ist, wie sich versteht, die Schreibung Riemers. Woher nahm Riemer *ambulando* die Schreibweise des Spruchs? Hatte Goethe sie ihm erläutert? Doch wohl nicht, da Goethe das einzige Mal, da er den Spruch selbst in sein Werk aufnahm, ihn anders schreiben ließ.

Erst 1841 in den »Mittheilungen über Goethe« hat Riemer eindeutig und ohne den unsicheren Anschluß der Tagebuchnotiz die Zuweisung an Zinkgräf vorgenommen. Nun spricht er vor allem von dem Eindruck, den unter jenen Hunderten von Sprüchen und Sentenzen dieser eine auf ihn gemacht habe: *Mit einem Male ahndete ich eine grenzenlose Anwendung* ... Aus diesem Eindruck ergibt sich die Begründung dafür, daß er den Spruch als Motto zum dritten Teil von Goethes Selbstbiographie vorgeschlagen zu haben beansprucht. Der Anspruch muß nicht schon dann unberechtigt sein, wenn sich die Datierung der Notiz auf das Jahr 1807 nicht halten läßt; sie müsse, wie Scheibe meint, *beträchtliche Zeit nach Goethes Tod niedergeschrieben* sein.[8] Doch ist Scheibes Verhältnis zum Gewicht des ›ungeheuren Spruchs‹ nicht ohne eine Merkwürdigkeit. Seine Forderung, der Spruch müsse aus einer kritischen Ausgabe von »Dichtung und Wahrheit« als Motto zum vierten Teil eliminiert werden, ist zwar voll berechtigt, aber seine Folgerung daraus einfach unbegreiflich, der Spruch verliere *somit die überragende Bedeutung.*[9] Diese Bedeutung wird doch wohl durch die Stellung im Text bestimmt und könnte um kein Gran gesteigert werden, wenn Goethe selbst den Satz dazu noch als Motto ausgewählt hätte.

---

8 S. Scheibe, a. a. O. 322 A. 11.
9 S. Scheibe, a. a. O. 324. – Das Motto ist in der Historisch-kritischen Ausgabe »Aus meinem Leben«, herausgegeben von der Deutschen Akademie der Wissenschaften, bearbeitet von Siegfried Scheibe, Berlin 1970, nicht enthalten.

Auch wenn der Spruch der besagten oder irgendeiner anderen
Quelle entnommen gewesen wäre, müßte viel größeres sachliches
Gewicht haben, aus welcher Disposition heraus Goethe unter jenen
Hunderten von Sentenzen gerade diese anzueignen imstande war.
Vergleichbare Bedeutung kommt nur noch der Frage zu, wie er den
Spruch beim ersten Gebrauch verstanden hatte und verstanden
wissen wollte, um Konstanz oder Wandel seiner Auffassung nachzugehen. Bei einem so vieldeutigen Gebilde und während einer so
langen Lebensfrist des Umgangs damit darf nicht vorausgesetzt
werden, es sei vom ersten Augenblick der Auffindung oder Erfindung an ein festgelegtes Interpretament dagewesen und dageblie-
ben.

Wenn wir davon ausgehen dürfen, daß Riemers Tagebücher authentischer und zuverlässiger sind als seine ein Jahrzehnt nach
Goethes Tod gemachten »Mittheilungen«, dann verdient eine auf
das Jahr 1807 ohne Tagesangabe datierte Notiz mit einer Äußerung Goethes, die *in die Nähe des 16. Mai gerückt werden muß*[10],
vor allem Beachtung: *Ein Gott kann nur wieder durch einen Gott
balanciert werden. Die Kraft soll sich selber einschränken, ist
absurd. Sie wird nur wieder durch eine andere Kraft eingeschränkt.
Dieses spezifizierte Wesen kann sich nicht selbst einschränken, sondern das Ganze, welches sich spezifiziert, schränkt sich eben dadurch selbst ein, aber nicht das einzelne sich.*[11] Nimmt man an,
hierin sei etwas ausgesprochen, wofür Goethe noch nach einer
prägnanteren und prägnantesten Formel gesucht habe, dann ergibt
sich für die alsbald herausspringende Endform des Gedankens
eine Interpretation, die beherrscht wird durch den unbestimmten
Artikel bei dem Substantiv ›Gott‹. So wie Riemer den ›ungeheuren
Spruch‹ allemal schreibt – wie er aber in Goethes einziger auto-
risierter Schreibung in dem Manuskript von »Dichtung und Wahrheit« eben nicht steht – ist durch die Großschreibung von ›Deus‹
der unbestimmte Artikel ausgeschlossen. Die Lesung als Gottes-
name und damit als Ausdruck für personale Identität wäre wie

10 M. Mommsen, a. a. O. 87.
11 Werke XXII 434 f. In Beutlers Ausgabe ist die Äußerung auf ›Anfang des Jahres‹ 1807 datiert, wohl nicht ohne die Vermutung, sie müsse ihrer
Logik nach der Erfindung des ›ungeheuren Spruchs‹ am 16. Mai vorausgegangen
sein.

selbstverständlich vorgegeben und damit der Weg des Verständnisses in eine monotheistische Mystik unausweichlich: *Gegen Gott nur Gott selbst*. Ein innergöttliches Zerwürfnis, eine Spaltung auf dem Grunde der Gottheit nach der Art Jakob Böhmes, wäre dann naheliegend. Sofern man nicht durch den Irrealis die Resignationsformel entstehen läßt: *Gegen Gott (könnte) nur Gott selbst (sein und etwas ausrichten)*. Doch gerade solche Lesung wird ausgeschlossen, indem Goethe die Rede von der Kraft, die sich selbst beschränkt, für absurd erklärt. Absurdität bezeichnet die Grenze, die dem Paradox gezogen ist.

Als Paradox trifft der Spruch allerdings Goethes ›Verstimmung‹ am Tage des Ganges über das Schlachtfeld von Jena; zugleich auf die Lösung dieser Verstimmung, denn am nächsten Morgen beginnt er mit dem Diktat der »Wanderjahre«. Damit endet für ihn eine Periode der Erlahmung seit etwa 1802/03, vor allem nach Schillers Tod und der eigenen schweren Erkrankung. Es ist bekannt, daß Goethe an das Versiegen seiner kreativen Kräfte gedacht hatte. Diese Phase der Niedergeschlagenheit und des Zweifels ist das Ende der Selbstfiguration in Prometheus. Alles deutet hin und voraus auf die Bereitschaft, die Rolle einem anderen zu delegieren, dessen Wirkung er auf dem Schlachtfeld von Jena verspüren wird, dessen Bedeutungswende für sich selbst er aber erst mehr als ein Jahr später erfassen sollte.

Der Spruch bezeichnete dann die Lösung einer Lebenskrise, den Verzicht auf das Prometheische durch den Gedanken der Balance, der seinen dichterischen Ausdruck noch in demselben Jahr in der eigentümlichen szenischen Symmetrie der »Pandora« finden sollte. Vergessen wir nicht, in welcher Asymmetrie sich die ästhetische Empörung in der Nähe des »Prometheus« dargestellt hatte: *Mir geht in der Welt nichts über mich, / Denn Gott ist Gott, und ich bin ich.*[12] Eben deshalb läßt sich das Scheitern der prometheischen Selbstdefinition beschreiben mit der Lesart des Spruchs, gegen einen Gott (hätte sich) nur ein Gott (empören können). Nach der Dunkelzeit des Jahrfünfts von 1802 bis 1807 ist dies die Einwilligung, Titanentum nicht mehr zu beanspruchen.

Die Titanen in der »Pandora« vertreten das neue Prinzip der

---

12 Satyros. Zweyter Ackt (Werke IV 201).

Balance, den zutiefst polytheistischen Grundgedanken, daß die einschränkende Gegenwirkung immer eine andere Kraft sein muß. Es ist das mythische Prinzip der Gewaltenteilung. Aber auch die pantheistische Möglichkeit der Versöhnung, die alles Einzelne und jede besondere Gewalt wiederum als Spezifikation des Ganzen sieht, das sich einschränkt, indem es sich verwirklicht. Der Spinozismus wird durch den Polytheismus nicht ersetzt, aber festgelegt auf seine ästhetische wie geschichtliche Selbstdarstellung.

Die Vorstellung der Balance tritt in Verbindung mit dem ›ungeheuren Spruch‹ wieder auf, nachdem Goethes Verhältnis zu Napoleon seine Wendung genommen hatte, und zwar derart, daß er nun die Lebensmetapher auch auf dieses Verhältnis beziehen kann. Wieder ist es Riemer, der für den 3. Juli 1810, abends nach Tisch, die Erwähnung des Spruchs notiert. *Nihil contra Deum, nisi Deus ipse. Ein herrliches Dictum, von unendlicher Anwendung. Gott begegnet sich immer selbst; Gott im Menschen sich selbst wieder im Menschen.* Das erscheint, aus der ›unendlichen Anwendung‹ herausgegriffen, als monotheistische Version, am ehesten als eine personalisierte, vom Naturpantheismus entfernte und gegenüber der Inkarnation jedenfalls nicht ausschließende Auffassung. Denn die Moral folgt auf dem Fuße, daß keiner Ursache habe, sich gegen den Größten gering zu achten; wenn der Größte ins Wasser falle und nicht schwimmen könne, *so zieht ihn der ärmste Hallore heraus.*[13] Von hier der Sprung in die Anwendung auf die Begegnung mit Napoleon, auf die in ihr manifest gewordene ›Gleichheit‹: Der Mann, der den ganzen Kontinent erobert habe, *findet es nicht unter sich, sich mit einem Deutschen über die Poesie und die tragische Kunst zu unterhalten, einen artis peritum zu konsultieren.*

Was in der Formel von Jena noch Irrealität der Balance als prometheische Resignation enthalten hatte, ist durch die Begegnung von Erfurt in einer unvermuteten Konstellation mit dem Dämonischen zur Realität der Auswägung geworden. Die persönliche Erfahrung mit Napoleon wird so zur Spezifikation, Anwendung,

13 Halloren waren die Arbeiter in den Salinen von Halle, die einen besonderen, ihrer Umwelt unverständlichen Dialekt sprachen und infolgedessen als versprengte Reste entweder slawischer oder gar keltischer Herkunft galten. ›Ärmster Hallore‹ wäre also *der fremdeste Mensch, der, welcher aus ungewissen Bezirken hergeweht ist.* So: A. Grabowsky, Das Motto des IV. Teils von »Dichtung und Wahrheit«. In: Trivium 3, 1945, 247.

Erscheinungsweise des allgemeinen Weltprinzips: *So göttlich ist die Welt eingerichtet, daß jeder an seiner Stelle, an seinem Ort, zu seiner Zeit alles übrige gleichwägt (balanciert).* Es ist die Formel eines neuen Selbstbewußtseins, das aus dem Standhalten gegen den Blick des Korsen hervorgegangen war, die Beschreibung einer Gewaltenteilung aus einer im Grundtypus polytheistischen Situation.

Dabei ist ganz konsequent, daß, was zuerst angesichts der Stätte der schicksalhaften Niederlage ausgesprochen worden war, nun im Hinblick auf die Bewältigung dieses Schicksals durch diesen einzelnen wiederholt und transformiert wird. Die geheime Einstimmigkeit zwischen Goethes frühem Spinozismus und seinem ästhetischen Polytheismus ist im Gebrauch des ›ungeheuren Spruchs‹ aufrecht erhalten. Denn die Legitimation der Gleichheit in der Begegnung von Erfurt ist nicht mehr die der singulären Göttlichkeiten, sondern der allgemeinen Göttlichkeit. Vordergründig bleibt der Polytheismus das Schema: Da ist ein Gott, und wer sich ihm entgegenstellt oder auch nur seinem Blick standhalten will, muß schon ›auch ein Gott‹ sein. Es ist nicht mehr die ästhetische Selbstermächtigung, sondern die Offenlegung durch die bestandene Lebenssituation gegenüber dem ganz Anderen.

Zwar hat Riemer wiederum in den späten »Mittheilungen« sich selbst für das Jahr 1807 zugeschrieben, er habe bei dem Spruch *eine grenzenlose Anwendung* ›geahndet‹. Aber die Eintragung im Tagebuch vom 3. Juli 1810 macht unzweifelhaft, daß dies eben nicht seine Formel ist, denn hier hat Goethe für das *herrliche Dictum* die Charakteristik *von unendlicher Anwendung* geäußert. Dies kann nicht belanglos sein. Bloße Vieldeutigkeit des Spruches vom ersten Augenblick an wäre für jeden auslegenden Versuch nicht nur entmutigend, sondern auch den Gegenstand der Befragung seiner Bedeutung entleerend. Es sei denn, jene ›Anwendungen‹ kämen aus der Mitführung des Spruches durch Goethes eigene Erfahrung, wären Anreicherung seiner Bedeutung durch das, was er jeweils herzugeben vermochte. Ergiebig wird der Spruch nur, wenn er anders gelesen werden darf als Riemer ihn schreibt, wenn er aus seiner monotheistischen Eindeutigkeit einer Mystik innergöttlicher Dualisierung herausgelöst und in das umfassendere Bezugssystem mit Pantheismus und Polytheismus gestellt werden kann. Dazu gibt der ständige, von 1807 bis 1830 durchgehaltene Hinblick auf Napoleon – auch mit der Zurücknahme des Göttlichen ins Dämonische – die sicherste Rückendeckung.

Unter diesem Aspekt gibt es kein ›rechtes Verständnis des Spruchs‹, sondern nur die Frage, welche seiner Vieldeutigkeiten dem Extrakt der Selbsterfahrung Goethes jeweils genügen konnte. Die Kenntnis der Quelle, jede Evidenz der Herkunft vorausgesetzt, wäre immer noch nicht eine *wesentliche Voraussetzung für das rechte Verständnis des Spruchs*.[14] Es ist deshalb nur eine Nebenbemerkung, wenn ich sage, es erscheine mir als ausgeschlossen, daß eine solche Quelle nicht schon gefunden worden wäre, wenn es sie gäbe.[15] So abgelegen waren Goethes Lektüren nicht, daß philologischer Ubiquität etwas davon hätte entgehen können. Nach keinem humanistischen Beleg ist jemals so intensiv gesucht worden. Aber Goethe war das Muster der Gattung Paradoxa vertraut, und formale Nachbildung fiel ihm nicht schwer. Alles kommt darauf an, daß ihm selbst der Sprachgebrauch des Ausdrucks ›Gott‹ mit dem unbestimmten Artikel der naheliegende war. Nicht die Erwartung, es könnte endlich eine solide Quellenangabe vorgezeigt werden, kann uns in die Irre führen, sondern die Insistenz darauf, das Ergebnis jeder Untersuchung über den Gebrauch des Spruchs müsse eine eindeutige Auslegung sein. Es entspricht im Gegenteil Goethes Zulassungen wie Absichten, die Adressaten seiner Aussprüche, im weitesten Sinne sein Publikum, vor deren Vieldeutigkeit gerade dort unaufgeklärt stehenzulassen, wo für ihn Wesentliches mitgeteilt werden sollte. Der Pedant Riemer ist ein deutliches Beispiel für solche Vorenthaltungen Goethes.

Enttäuschung kann aus dem unüberwindlichen Vorbehalt nur

---

14 Entgegen M. Mommsen, a. a. O. 86.

15 Hätte dieser Satz nach der Erfindung des Buchdrucks jemals irgendwo zu lesen gestanden, wäre er nicht erst von Goethe beachtlich und zitierenswert gefunden worden. Man braucht sich aber nur vorzustellen, welch zweifelhaften Gewinn der Nachweis der Herkunft des Satzes der Goetheforschung bringen würde, sollte er entgegen meiner Voraussetzung eines Tages gelingen. Die dann vielleicht nicht leichtere Frage, was er an seinem Fundort bedeutet haben möge, würde ganz die wichtigere verdrängen, was Goethe daran nun doch ›gefunden‹, statt ›erfunden‹, hatte. Insofern wäre die These, Goethe habe den Spruch erfunden, in jedem Fall förderlicher gewesen, auch wenn sie durch faktischen Fund einmal aufgegeben werden müßte. Sie führt zu der einen zentralen Frage: Ist es so selbstverständlich, daß der Spruch Goethe als ›ungeheuer‹ erscheint?

entstehen, wenn eine singuläre Situation das Interesse an dem
›ungeheuren Spruch‹ so eindeutig bestimmt, wie dies unmittelbar
nach dem Zweiten Weltkrieg zutage getreten war. Carl Schmitt hat
die damals auflebenden wissenschaftlichen Anstrengungen zu Recht
darauf zurückgeführt, daß der Satz *während des letzten Krieges
1939-1945 in zahllosen nichtöffentlichen Gesprächen von Goethe-
Kennern zitiert und interpretiert worden ist.*[16] Fast zwangsläufig
war die Bewunderung für das Apophthegma auf die in der Zeit-
lage unverfehlbare Bedeutung fixiert, es sei die Blasphemie des
Anspruchs gemeint, sich mit Gott zu messen. Der heimliche Trost
aus »Dichtung und Wahrheit«, mit dem sich die Kenner Zuspruch
leisteten, wird darin bildhaft geworden sein, daß Goethe in jenem
Vierten Teil den gescheiterten Napoleon vor Augen hatte, den
verkörperten Dämon, der, wenn überhaupt einer, Gott hatte herausfordernd entgegentreten können und den nur das Aufgebot des
Universums zu überwinden vermochte. Aber, vergessen wir dies
nicht, bei Goethe ist bis zum Schluß mit der Kategorie des Dämonischen dasjenige Stück Rechtfertigung verbunden, das ihm unentbehrlich war, um seine eigene Identitätsfindung unter dem Blick
des Napoleon auch nach dessen Ende auf dem Felsen von St.
Helena unverglich bleiben zu lassen.

Nicht alles, was entdeckt werden kann, kann jederzeit entdeckt
werden. Es gehört zur Signifikanz der dem Spruch Goethes zugewandten Erkenntnissorge nach dem deutschen Untergang, daß
inmitten der unendlichen Anwendungen des Spruches noch eine
unvermutet neue auf durchaus konventionell-philologische Weise,
nämlich nach der Quelle suchend, gefunden werden konnte. Daß
der Spruch auch einer Christianisierung fähig sei, hätte man am
wenigsten vermuten können. Dennoch, wenn Carl Schmitt sagt,
der Ausspruch Goethes – *den er wohl selbst in lateinischer Sprache
formuliert hat* – sei ›christologischer Herkunft‹, so schiene mir dies
der Konfiguration nach, die Goethe vertraut war, noch eher plausibel zu sein, als im Dunkel von Mystizismen der göttlichen Selbstentzweiung nach der Art Jakob Böhmes zu suchen. Denn Goethe
hat ja aus Unkenntnis des genuinen Mythos in Prometheus den
Sohn des Zeus und im Mythologem auch immer seinen eigenen

16 Carl Schmitt, Politische Theologie II. Die Legende von der Erledigung jeder
Politischen Theologie. Berlin 1970, 121 f.

Konflikt mit dem Vater gesehen. Die Zuordnung des Spruchs zur christlichen Tradition hätte der Unendlichkeit seiner Anwendungen im Besitz Goethes keine Einschränkung auferlegen müssen. Nicht mehr als auf die ›Quelle‹ kommt auf vorgeprägte Deutungen an. Der Spruch hat keinen Kontext; er reißt ihn erst an sich.

So steigert der Fund, den Carl Schmitt vorgelegt hat, nur die Besetzung des Horizonts möglicher Bedeutsamkeiten. Es ist ein Stück aus dem Entwurf zu einem Drama »Catharina von Siena« des Jakob Michael Lenz, eine der Gestaltungen von Empörung gegen den Vater im Sturm und Drang, die sich mit höheren Weihen und Berufungen – wie denen des ästhetischen Genies oder, im nur metaphorischen Falle, des Geistes der Heiligkeit – legitimieren mochten. Im Fragment von Lenz wird die Flucht der Catharina vor der tyrannischen Liebe ihres Vaters in die Gottzuwendung zum Thema. Für Catharina ist der Verzicht auf den irdischen Künstler-Geliebten, den der Vater zugunsten seiner Wahl nicht will, und die Wendung zum himmlischen Geliebten, den er nicht nicht-wollen kann, die Exposition für die Heiligkeit als Flucht, auf der ihr der liebende und liebend gewalttätige Vater nachsetzt. In schaudernder Vergegenwärtigung der Gefahr, von der liebenden Tyrannei eingeholt zu werden, sieht sie zwar nicht sich selbst im Götterkonflikt, aber doch in diesem vertreten: *Mein Vater blickte wie ein liebender / Gekränkter Gott mich drohend an. / Doch hätt' er beide Hände ausgestreckt – / Gott gegen Gott!* Bei diesen Worten zieht sie, nach der Anweisung des Dichters, ein kleines Kruzifix aus ihrem Busen und küßt es, dem anderen Gott sich angelobend: *Errette, rette mich / Mein Jesus, dem ich folg', aus seinem Arm!*[17] Der Gott, der gegen den Vatergott steht, ist also der Gottessohn. Wenn Catharina sich gegen die nur vorgestellte Versuchung der ausgestreckten Vaterhände durch den apotropäischen Griff nach dem Kruzifix versichert, so ist eben dies in übersteigerter theologischer Metaphorik der Götterkonflikt als monologischer Ausdruck für die Unmöglichkeit der Umarmung: sie wäre das unausdenkbare Unheil der Konfrontation Gott gegen Gott.

Wer so will, findet in diesem Monolog der Catharina den Nachweis, im Genialismus des Sturm und Drang die säkularisierte

---

17 Jakob Michael Reinhold Lenz, Werke und Schriften, edd. B. Titel / H. Haug, II 435.

Gestalt des absoluten Anspruchs von Gnade, Inspiration, Weltverachtung, Heiligkeit vor sich zu haben. Lenz selbst legt diese Deutung nahe. Die Szene stammt aus der ersten von vier Bearbeitungen des Dramas, dem Lenz in der letzten Fassung zunächst den Titel *Ein religiöses Schauspiel* gegeben hat, um dann das Attribut ›religiöses‹ durchzustreichen und zu setzen: *Ein Künstlerschauspiel*.[18] Da die dritte Fassung in Weimar geschrieben ist, wo Lenz sich von April bis November 1776 aufhielt, und die Absicht einer Widmung des Schauspiels an Goethe belegt ist, kann man dessen Kenntnis des Monologs mit dem *Gott gegen Gott!* nicht ausschließen. Aber da hatte doch Goethe längst sein *Eins gegen eins!* an den Anfang seiner Promethie gesetzt.

Lassen wir einmal beiseite, daß Lenz in dieser Zeile des Monologs wohl nur das *deus contra deum* des Aischylos aus den »Choephoren« herbeizieht, wo es den Konflikt der Götter des staatlichen Rechts und der Götter der familiären Bindung bezeichnet hatte, eine Konstellation also weniger der Gewaltenteilung als der geschichtlichen Ablösung der Göttergenerationen.[19] Auch wenn es eine Wahrscheinlichkeit dafür gibt, daß Goethe das Fragment Lenzens gekannt hat und ihm der pagane Hintergrund verschlossen blieb, so würde ich es für mindestens genauso wahrscheinlich halten, daß ihm diese Art ›christologischer‹ Einbettung die Formel verleidet und zum eigenen Gebrauch untauglich gemacht hätte. Man denke an das sechsundsechzigste der »Venezianischen Epigramme«, wo der Gott mit dem unbestimmten Artikel es ist, der gibt, was der Dichter ertragen kann, aber der Gott des Kreuzes, der nur in der eigenhändigen Niederschrift mit Namen genannt wird, ihm wie Gift und Schlange zuwider ist, und dies in der niedrigsten Gesellschaft von Tabakrauch, Wanzen und Knoblauch. Ein namenloser Gott, dem er sich beugt, gegen den namentlichen Gott, der ihm zuwider ist.

Das führt auf den Punkt zurück, an welchem Carl Schmitt mit

18 Lenz, Werke und Schriften II 762.
19 W. Bröcker, Der Gott des Sophokles. Frankfurt 1971, 18 f. sowie 36, wo nachgewiesen wird, daß der bei Aischylos mögliche Konflikt bei Sophokles nicht mehr besteht. Götter gegen Götter, das ist nicht nur das Prinzip der aischyleischen Tragödie, sondern auch das der Genealogien des Mythos, des Gegensatzes von Oben und Unten in ihm. Hierzu vor allem: J. J. Bachofen, Das Mutterrecht I. Gesammelte Werke II, Basel 1948, 190-206.

seinem Lenz-Fund recht behalten wird: Es ist hier wie dort nicht von dem einen Gott und seiner möglichen Selbstentzweiung die Rede, sondern von zwei Göttern, von dem in der christlichen Dogmengeschichte nur mühsam verhinderten Dualismus des Schöpfers und des Erlösers, des Demiurgen und des Menschengottes, des bindenden Vaters und des frei machenden Sohnes.

Wenn davon auszugehen ist, daß der ›ungeheure Spruch‹ nirgendwo aufzufinden war und deshalb auch nicht ›angeführt‹ oder angelesen werden konnte, dann wird seine definitive Fassung für »Dichtung und Wahrheit« von Goethe kaum ohne Austausch mit dem Latinisten Riemer festgelegt worden sein. Dieser rühmt sich zwar in den »Mittheilungen«, ihn Goethe als Motto in Erinnerung gebracht zu haben, läßt aber nirgendwo irgendeinen Anteil an seiner definitiven Herstellung erkennen. Dem toten Goethe konnten die Verwalter seines Nachlasses den kühnsten Ausspruch aufs Titelblatt des vierten Teils der Autobiographie setzen. Eine andere Frage aber ist, ob sich jemand diese ans Blasphemische streifende Vieldeutigkeit selbst zugeschrieben sehen mochte, insbesondere wenn aus dem Text, der alles mit dem Namen Egmont abschirmt, doch schon der Größenordnung nach die Beziehung auf Napoleon unverkennbar für den Leser hervorgehen mußte.

Riemer kann, als er dem Vorschlag der Nachlaßverwalter für das Motto zum Vierten Teil zustimmte, seine Tagebuchnotiz von 1810 über den engen Zusammenhang der Äußerung des ›herrlichen Dictum‹ mit der über Napoleon und die Weltbalance aus dem Sinn gekommen sein. Die Entscheidung, so wissen wir aus lange unbekannten Zeugnissen, ist Anfang 1833 gefallen. Es war nicht Riemer, der diesmal an den ›ungeheuren Spruch‹ dachte. Er hatte sich vielmehr dafür entschieden, ein auf Lili bezogenes Motto zu wählen, wie er an den Kanzler von Müller am 18. Januar 1833 schreibt: *Das Motto betreffend so bin ich auch mehr für die Lilliana; und habe daher mehrere vorschläglich aufgeschrieben...*[20] Das war Riemers Antwort bezüglich der von Eckermann aufgestellten Alternative, im Motto entweder den thematischen Bezug auf das Verhältnis zu Lili oder den auf das Dämonische herauszustellen. Schon am folgenden Tag teilt Eckermann Müller eine

20 S. Scheibe, a. a. O. 322 f.

andere und endgültige Entscheidung mit, die dem Dämonischen den Ausschlag zuteilt: *Ich habe dem Bande ein Motto vorgesetzt, welches die Gewalt des Dämonischen ausdrückt und Riemer vollkommen billigt und für vorzüglicher hält als diejenige die er Ihnen zugesendet hat.*

Behält man diesen erst 1964 durchsichtig gewordenen und damit der Nachkriegsdiskussion um den Spruch noch entzogenen Vorgang im Auge, so wird ein anderer schon 1954 aus dem Weimarer Archiv gezogener Beleg beredter, der aus demselben Jahr 1833 stammt. Es ist eine auf den Nachmittag des 7. Mai 1833 datierte Notiz Riemers bei der Lektüre von Heines gerade in Paris und Leipzig erschienener Schrift »Zur Geschichte der neueren schönen Literatur in Deutschland«: *Nemo contra Deum nisi Deus ipse. habe ich im Stillen immer auf den Napoleon angewendet, wiewohl es nicht auf diesen allein, sondern auf alle Zustände paßt, die durch eine Reaction wieder aufgehoben werden müssen – und siehe da Heine in s. neusten Schriftchen S. 59 wendet diesen Gedanken, ohne den Spruch nahmhaft zu machen eben so an. ›Und in der That, gegen den Napoleon konnte auch gar kein anderer helfen als der liebe Gott selbst‹.*[21]

Diese Notiz ist schon deshalb kostbar, weil in ihr Riemer die Fassung des Spruches in »Dichtung und Wahrheit«, wie sie für das Motto übernommen worden war, ein einziges Mal bestätigt, abgesehen von der Schreibung des Gottesnamens. Sonst schreibt er in allen seinen Notizen und Mitteilungen, also auch noch ein Jahrzehnt nach dieser Aufzeichnung: *Nihil contra...* Man könnte das als die impersonale Fassung des Spruchs bezeichnen, die eher in das pantheistische als in das polytheistische Konzept zu passen scheint. Die Differenz mag im Hinblick auf Riemers diffuses Verständnis des Spruchs zweitrangig sein – für die Frage ›Zitat oder Erfindung‹ ist die Abweichung entscheidend. Riemer wäre wohl kaum Goethes Schreibung gefolgt, wenn er die von ihm sonst gewählte *Nihil contra...* als durch irgendeinen Beleg gedeckte gekannt hätte. Der Philologe und Pedant wäre dem Vorrang einer Quelle vom Typus des Zinkgräf nicht ausgewichen. Das frei Erfundene war das weniger Verbindliche. Deshalb konnte ausschließlich der von Goethe

<hr>

21 R. Fischer-Lamberg, Aus dem Riemernachlaß. In: Jahrbuch der Goethe-Gesellschaft 16, 1954, 346.

hinterlassene Text den Wortlaut des Mottos bestimmen, auch entgegen Riemers Aufzeichnungen über das von Goethe Gesagte und von ihm, Riemer, Bevorzugte.

Nun besteht aber die zweite Differenz zwischen Riemers Schreibung und der Goethes, wie sie in das Motto übernommen wurde, eben in der Großschreibung des Gottesnamens durch Riemer und der Kleinschreibung des Ausdrucks durch Goethe. Wenn Riemer die Anwendung des Spruches auf Napoleon als von ihm im stillen immer schon vollzogene in Heines Satz wiederfand, dann ist erwiesen, daß er nicht nur den Spruch, sondern auch die Anwendung auf Napoleon völlig anders verstand als Goethe, nämlich lesen mußte: gegen einen Gott (wie Napoleon) hilft nur (der eine) Gott selbst. Denn eben so hätte Heine den Spruch verstanden haben müssen, wenn er ihn bei dem von Riemer zitierten Satz tatsächlich im Sinn gehabt hätte. Einmal abgesehen davon, daß Riemer dem Spruch damit eine zusätzliche und Goethe ganz fremde Bedeutung abgewinnt, erweist sich seine Tendenz markant, auf jeden Fall die monotheistische Auslegung, wie sie sich aus seiner Großschreibung des Namens ergibt, festzuhalten: Napoleon kann dann nur dem Paradox zuliebe auch ›Gott‹ heißen.

Riemer wußte, daß Goethe darin einen anderen Weg eingeschlagen und mit der Kategorie des Dämonischen endgültig bestimmt hatte. Wenn ich sage, er wußte es, dann gehe ich zumindest für die Zeit nach Goethes Tod über die Annahme eines diffusen, am Tiefsinn der Formel Genüge findenden Verständnisses hinaus. Mit welchem Recht? Aus dem in Weimar verwahrten Nachlaß Riemers ist ein Zettel zutage getreten, der in einem Umschlag mit der Aufschrift *Ausgesondert aus dem Material der Reflexionen und Maximen* enthalten war und einen Fund Goethes vorweist, den Riemer selbst ausdrücklich als *gute Interpretation* des ›ungeheuren Spruchs‹ qualifiziert.[22] Auf dem Zettel ist zunächst folgender Vers notiert: *Saepe premente Deo fert Deus alter opem.* Riemer fügt hinzu, der Vers scheine aus Ovid zu sein und Goethe habe ihn sich in seinem ›Memorandum‹ angemerkt.[23] Wegen des nochmaligen Belegs von

22 R. Fischer-Lamberg, a. a. O. 345 f. Obwohl Goethes Exzerpt nach der Stellung im Notizbuch auf *ungefähr Ende 1809* zu datieren sei, lasse sich eine Beziehung zum Spruch nicht feststellen. Philologie geht nun einmal nicht weiter.
23 Der Vers steht bei Ovid, Tristien I 2, 4.

Riemers bevorzugter Schreibung des ›ungeheuren Spruchs‹ ist seine
Bewertung des von Goethe gefundenen Verses von eigenem Interesse: *Ich notire ihn als gute Interpretation von Nihil contra Deum
nisi Deus ipse.* Es ist die Lesart der Gewaltenteilung: Wenn ein
Gott bedrängt, hilft ein anderer – aber ein Gott muß es schon
sein.

Auf dem Zettel Riemers steht noch ein letzter Vermerk, der zweifellos erkennen läßt, daß er sich der polytheistischen Differenz
bewußt geworden war, die in der Anerkennung des Ovid-Verses
als einer ›guten Interpretation‹ des Spruches impliziert war. Denn
er spricht nichts Geringeres als die Verallgemeinerung des ovidi-
schen Verses zu einem strukturellen Prinzip der Mythologie aus:
*In der griech. u. röm. Mythologie ist es gewiß daß öfters der eine
Gott gegen den andern hilft. Im Indischen wohl auch.* Hier spätestens mußte Riemer erkannt haben, daß Goethes Notiz, einmal in
Zusammenhang mit seinem Verständnis des ›ungeheuren Spruchs‹
gebracht, seiner eigenen Auffassung und Schreibung nicht entsprach. Denn in dem Ovid-Vers muß zweifellos der Ausdruck
›Gott‹ mit dem unbestimmten Artikel gelesen werden. Es ist der
Gott des Venezianischen Epigramms: *Duld ich mit ruhigem Mut,
wie es ein Gott mir gebeut.*

Auch wenn sich nicht belegen läßt, daß Goethe den Ovid-Vers im
Hinblick auf die Auslegbarkeit und seine Auslegung des ›ungeheuren Spruchs‹ herausgeschrieben hatte, so trifft doch das darin ausge-
sprochene mythische Strukturprinzip von Ausgleich und Gewaltenteilung präzis seine mit dem Spruch verbundenen Äußerungen
von der Balance der innerweltlichen Potenzen bis hin zu dem
Grenzwert dieses Gleichgewichts, der Überwindbarkeit des Dämonischen nur durch das Universum selbst. Von diesem Grenzwert
weiß der Mythos noch nichts, denn er setzt bereits die Verbindung
von Polytheismus und Pantheismus voraus. Darin geht die letzte
und einzig authentische Äußerung Goethes im vierten Teil von
»Dichtung und Wahrheit« über alles vorher von anderen Notierte
hinaus: Sie ist das Fazit, welches erst Napoleons Schicksal zugänglich gemacht hatte, das Ende des Dämons durch das Ganze.

Goethe sagt zum Abschluß des Exkurses auf seine frühen religiösen und metaphysischen Wendungen, auf seine Annäherungen an
das Übersinnliche in den Extremgestalten von Naturreligion und

Pietismus, er spreche in dieser ›empirischen Dämonologie‹ etwas aus, was den behandelten Lebensphasen bis zu der Flucht vor Lili an den Hof von Weimar weit vorgreife, etwas, wovon er sich *erst viel später überzeugte.* Denn damals, bei jener *Zusammenziehung in sich selbst,* entstand doch vielmehr die Einsicht, *daß es besser sey den Gedanken von dem Ungeheuren, Unfaßlichen abzuwenden.* Nur im Bild des Grafen Egmont war schon da, was durch eigene Erfahrung begriffliche Deutlichkeit erst so viel später gewinnen sollte.

Ich möchte nun versuchen, die Hermeneutik des ›ungeheuren Spruchs‹ auf eine Fragestellung zu bringen, die noch methodisch einlösbar wäre. Ich verwende dazu das wichtigste Apophthegma, das Goethe selbst über die wesentliche Vieldeutigkeit seines Gottesbegriffs gegeben hat. Wir seien *naturforschend Pantheisten, dichtend Polytheisten, sittlich Monotheisten.*[24] Kann diese zentrale Selbstauslegung auf die Vieldeutigkeit des Paradoxes über denselben Gegenstand aufschließend angewendet werden?

Dies wird schon dadurch wahrscheinlich, daß die drei Positionen in ihrer eigentümlichen Nicht-Ausschließlichkeit in der späten Dämonologie von »Dichtung und Wahrheit« deutlich genug durchscheinen: die moralische Weltordnung, die von der dämonischen Macht durchkreuzt wird, und das Dämonische, das nur vom Universum selbst überwunden werden kann.

Man wird da weit zurückgeführt auf das eigentümliche Mißverständnis, das sich bei der Prometheus-Szene zwischen Lessing und Jacobi ergeben hatte, als der Polytheismus der frühen Ode Goethes Lessing zur Preisgabe seines Spinozismus veranlaßt haben sollte. Es scheint, daß sich für Goethe selbst der ›ungeheure Spruch‹ in die drei Aspekte von Theismen zerlegt hat. Dabei ist die sprachliche

24 Maximen und Reflexionen 807 (Werke IX 745). Der Aphorismus über die drei Theismen und ihre humanen Korrespondenzen findet sich auf einem Entwurf zum Brief an Jacobi vom 6. Januar 1813, der die Auseinandersetzung mit dessen Schrift »Von den göttlichen Dingen und ihrer Offenbarung« vollendet, die mit der Herausforderung des Gedichts »Groß ist die Diana der Epheser« begonnen hatte (23. August 1812). Ein Vierteljahr nach dem Jacobi-Brief findet Goethe erstmals die Verbindung zwischen dem »Egmont«, der ihn so lange beschäftigt hatte (1774-1787), und der Kategorie des ›Dämonischen‹ (Tagebücher, 4. April 1813), die in »Dichtung und Wahrheit« (der vierte Teil ist 1830/31 geschrieben) Napoleon verbirgt.

Gestalt nicht kontingent, nicht äußere Zutat, sondern mit der immanenten Genese eng verknüpft.

Hinsichtlich der formalen Machart des Spruches haben sich die Interpreten – soweit sie der Urheberschaft Goethes zuneigten oder wenigstens Raum ließen – darauf verlassen, der Schulmann Riemer werde schon dem lateinischen Formulierungsvermögen Goethes nachgeholfen haben. Kein Zweifel besteht ja, daß Goethe gerade im Mai 1807 die Sammlung der Apophthegmen Zinkgräfs aus der Weimarer Bibliothek entliehen und nach Ausweis der Tagebuchs vielfach, vorwiegend nach Tisch, darin gelesen hat. Ebenso gut ist überliefert, daß Riemer gern latinisierte und Goethe zuschrieb, er fände lateinische Formeln vom Typus *difficilia quae pulchra* oder *ars est de difficili et bono* besonders ausdrucksvoll und beziehungsreich.[25] Leicht vergessen wird dabei, daß, selbst wenn die Quelle der Zinkgräf gewesen wäre, immer noch die Übersetzung ins Lateinische zu leisten gewesen war, denn die Anthologie enthält ausweislich ihres Titels *Teutsche Scharpfsinnige kluge Sprüch Apophthegmata genannt*. Bloßes Zitieren eines deutschen Spruchs hätte also keinesfalls genügt, auch dem Formverlangen Goethes nicht, denn er empfiehlt den modernen Autoren, lateinisch gerade dann zu schreiben, *wenn sie aus nichts etwas zu machen haben*.[26]

Aber Riemer war fünfundzwanzig Jahre jünger als Goethe und wurde erst 1803 dessen Sekretär und der Hauslehrer seines Sohnes. Was war vorher? Am 10. Oktober 1786 notiert sich Goethe in Venedig in sein Tagebuch, er habe seit Jahren wegen der Erinnerung an das Sehnsuchtsbild Italien keinen lateinischen Schriftsteller ansehen können. *Herder scherzte immer mit mir, daß ich alle mein Latein aus dem Spinoza lernte, denn er bemerkte daß es das einzige lateinische Buch war das ich las.* Dieser Beleg wird unschätzbar durch einen anderen aus demselben Jahr. Schon am 20. Februar hatte Goethe an Herder zu dem Streit um Lessings letzte Überzeugung geschrieben, er habe Mendelssohns Streitschrift »An die Freunde Lessings« nicht zuende lesen können und sie an Frau von Stein weitergegeben, die damit vielleicht glücklicher werde. Statt-

25 Nicht genauer datierte Aufzeichnung Riemers aus den Jahren 1803 bis 1814 (Werke XXII 746). Auf Zinkgräf kommt Goethe am 2. Juni 1807 zurück (Werke XXII 458).
26 Maximen und Reflexionen 1039 (Werke IX 631).

dessen, aber nicht ohne Rücksicht auf den zentralen Namen jenes Streits, habe er sich *zum Abendsegen* sogleich den Spinoza aufgeschlagen und einige Seiten darin gelesen, angefangen bei der Proposition: *qui Deum amat, conari non potest, ut Deus ipsum contra amet.*[27] Es handelt sich um den 19. Lehrsatz im fünften Buch der »Ethik«, den Spinoza dadurch beweist, daß er in dem Wunsch des Menschen, Gott möge seine Liebe erwidern, den Widerspruch feststellt, dieser Mensch wünsche mit seiner Liebe zu Gott zugleich, daß Gott nicht Gott sein möge. Das ist metaphysische Tradition: Der Gott kann geliebt werden und dadurch alles bewegen, aber er kann nur sich selbst zum vollkommenen Gegenstand seines Denkens und seiner Liebe haben, nichts und niemand außerdem. Wer ihn dennoch für sich bewegen will, negiert sein Wesen, will ihn nicht als das, was er ist.

Der Beweis mag aus unserer Entfernung spitzfindig erscheinen. Er besteht aber nur in der Feststellung des Widerspruchs, nicht in der Folgerung, wegen des Widerspruchs in der Erwiderung seiner Liebe könne der Mensch nicht fähig sein zu wollen, daß Gott existiere. Im Gegenteil, er wird der ihm dadurch auferlegten Selbstlosigkeit seiner Gottesliebe für fähig gehalten. Das ist die genaue Antithese zu dem zentralen Satz der spätmittelalterlichen und reformatorischen Theologien, der Mensch könne von Natur gar nicht wollen, daß Gott Gott sei. Vielmehr müsse er von Natur schon notwendig wollen, selbst Gott zu sein.[28] Der pantheistische *amor dei* ist gegen den in dieser Maximalformel ausgesprochenen Typus von antinaturalistischer Theologie gerichtet. Damit ist die Lesart des ›ungeheuren Spruchs‹ im Irrealis zu vergleichen: Nicht der Mensch kann sich gegen Gott stellen, dies könnte nur auch ein Gott. Die Dämonisierung des gnadenlosen Willens, die in Luthers These steckt, wird aus den Möglichkeiten des Menschen ausgeschlossen.

Goethe war, vom elterlichen Hausumgang mit der Bibel her, ein Glücksaufschlager. Er öffnete Bücher aufs Geratewohl und fand,

27 An Johann Gottfried Herder, 20. Februar 1786 (Werke XVIII 911): Wer Gott liebt, dem kann es nicht darum gehen, daß Gott ihn wiederum liebt. – Zu Adele Schopenhauer sagt Goethe 1819, er habe *immer das Glück..., in Büchern die bedeutendsten Stellen aufzuschlagen...* (Werke XXIII 44).
28 Luther, Disputatio contra scholasticam theologiam (1517) n. 17: *Non potest homo naturaliter velle deum esse deum, immo vellet se esse deum et deum non esse deum.*

was er suchte. Es bestätigte ihm, daß das Leben in exemplarischer Selbstdarbietung auf ihn zulief und sich seiner Anschauung gewaltlos zeigte. Auch für jenen ›Abendsegen‹ nach dem Überdruß am Spinozastreit dürfen wir annehmen, daß er nach der »Ethik« griff und sie sich zufällig öffnen ließ. So stieß er auf den Lehrsatz von der absoluten Selbstlosigkeit der unerwiderten Gottesliebe. Dieser Satz enthält fast das ganze Wortmaterial dessen, was in seinem eigenen Gottesspruch auftreten wird. Das mag als zu wenig erscheinen, um eine Fortbildung anzunehmen. Aber die Logik des Beweises führt weiter zur Umformung des Satzes.

Von Gott Gegenliebe zu erwarten, würde bedeuten, ihm die Selbstpreisgabe seines Wesens anzusinnen, mit anderen Worten: ihm den Inbegriff von Haß entgegenzubringen. Es ist aber ausnahmslos metaphysische Tradition, daß das Vollkommene nur geliebt und begehrt, seine Existenz nur bejaht werden kann. Deshalb ist es nach Spinozas vorhergehendem Lehrsatz unmöglich, Gottes Nichtsein zugunsten des eigenen Gottseins zu begehren: *Nemo potest Deum odio habere.* Gott nicht zu lieben, ist gleichermaßen gegen das Wesen des Menschen, wie es gegen das Wesen Gottes wäre, den Menschen dafür wiederzulieben. Der Beweis erfolgt aus einer Voraussetzung, die das späte Mittelalter wie der Reformator eben nicht geteilt hätten, aus der Bedingung, daß der Mensch von Gott einen adäquaten Begriff seines Wesens besitzt. Es ist der Gehalt dieser Sätze Spinozas, daß niemand gegen Gott sein kann, der begriffen hat, was er ist; und die Folgerung, daß nur gegen Gott sein könnte, wer selbst ein Gott wäre – was unmöglich sein kann, da der eine schon alles ist. Vom Spinozismus her sagt der ›ungeheure Spruch‹, im sprachlichen Material Spinozas, daß nichts und niemand gegen Gott sein kann, weil dies den Widerspruch eines zweiten Gottes implizierte.

Spinozas Gott ist einer ohne Antithese, ohne Opposition, ein Gott der Einwilligung in das Faktische als das Notwendige: für den Empörer ein Gott der Resignation, für den Liebenden einer der unbedrohten Einheit. Es gibt keinen möglichen Gegenpart der Gottheit, sie müßte sich schon selbst zuwider werden, in der Tiefe ihres eigenen Grundes sich spalten nach Böhmescher Art, was in der Beweisform Spinozas die pure Absurdität bedeutet. Für Goethe ist das eine Position gegen das Christentum, gegen Sätze solcher Art wie die antischolastische Disputationsthese Luthers. Das alles wird ausgeschlossen durch den allgemeineren frühen Satz der »Ethik«: *Praeter Deum nulla dari, neque concipi potest substantia.*[29]

Seine Vorliebe für den Herder gegenüber als Zufallsfund herausgehobenen Satz Spinozas wird Goethe im vierzehnten Buch von »Dichtung und Wahrheit« weit zurückdatieren. Dort gibt Spinoza angesichts des Pietismus der Klettenberg, der Frivolitäten Basedows und Lavaters eiferndem Dilemma *Entweder Christ, oder Atheist!* das milde Gegengift eines Gottes, wider den niemand sich stellen kann und in dessen Liebe niemand der Selbstsucht verfällt, Erwiderung oder Belohnung zu erwarten. Dem Jüngling konnte dieser Gott als die Hypostase der reinen Freundschaft erscheinen, dessen, was Goethe so viel später als seine *höchste Lust* beschreiben wird, *uneigennützig zu seyn in allem, am uneigennützigsten in Liebe und Freundschaft.* Da wird dann zu lesen sein, wie im Beziehungsgeflecht zu Lavater, Basedow und Jacobi jener später Herder vorgewiesene Lehrsatz zum Kristallisationskern einer metaphysischen Grundstimmung wird, in der alles zu geben und auf keine Gunst zu rechnen ist.

Der Mittler zu Spinoza war Merck gewesen, und entsprechend vorsichtig war Goethe der Verführung Mephistos gefolgt. Am 7. April 1773 schreibt er an den Gießener Rechtsgelehrten Höpfner: *Ihren Spinoza hat mir Merck geben. Ich darf ihn doch ein wenig behalten? Ich will nur sehn wie weit ich dem Menschen in seinen Schachten und Erzgängen nachkomme.* Ein Jahrzehnt später liest er die »Ethik« mit Charlotte von Stein. *Diesen Abend bin ich bei dir und wir lesen in denen Geheimnissen fort, die mit deinem Gemüt so viele Verwandtschaft haben.*[30] An Knebel berichtet er über diese gemeinsame Lektüre zwei Tage danach: *Ich lese mit der Frau von Stein die Ethik des Spinoza. Ich fühle mich ihm sehr nahe obgleich sein Geist viel tiefer und reiner ist als der meinige.*[31] Die Affektion durch *Jakobis metaphisisches Unwesen über Spinoza, wo er mich leider auch compromittirt,* war in dieser Situation nur beiläufig.[32] Wenn Goethe am 19. November 1784 an Charlotte

29 Spinoza, Ethica ordine geometrico demonstrata I 14.
30 An Charlotte von Stein, 9. November 1784 (Werke XVIII 811).
31 An Carl von Knebel, 11. November 1784 (Werke XVIII 811).
32 An Carl von Knebel, 18. November 1785 (Werke XVIII 889).

schreibt: *Ich bringe den Spinoza lateinisch mit wo alles viel deutlicher und schöner ist*, so war dies wiederum nur ein geliehenes
Exemplar. Erst zum Geburtstag, dem 25. Dezember, schenkt Herder der Frau von Stein das Exemplar der »Ethik«, das er selbst
1776 von Gleim zum Geschenk erhalten hatte. Der Höhepunkt der
Intensität war jene vorgreifende Herausforderung an den Spino-
zismus-Entlarver: *Ich übe mich an Spinoza, ich lese und lese ihn
wieder, und erwarte mit Verlangen biß der Streit über seinen
Leichnam losbrechen wird.*[33]
In der Erinnerung des Lebensberichts wird Goethe nicht mehr
wissen, was er aus der »Ethik« herausgelesen oder was er in sie
hineingelesen haben mag; aber er erinnert sich wieder an die Selbst-
losigkeitsforderung, an die Beruhigung der Leidenschaften, die von
diesem Werk ausgegangen war. *Was mich aber besonders an ihn
fesselte, war die grenzenlose Uneigennützigkeit, die aus jedem
Satze hervorleuchtete. Jenes wunderliche Wort: ›Wer Gott recht
liebt, muß nicht verlangen, daß Gott ihn wieder liebe‹ mit allen
den Vordersätzen worauf es ruht, mit allen den Folgen die daraus
entspringen, erfüllte mein ganzes Nachdenken.* Nehmen wir diese
Aussage beim Wort und dazu die in unserem Zusammenhang nicht
unwichtige Information, daß Goethe die lateinische Ausgabe der
»Ethik« bevorzugte, so liegt es nicht allzu fern, daß er auf para-
doxierende Abwandlungen jenes Lehrsatzes gesonnen und sich dem,
was er am Ende von »Dichtung und Wahrheit« nun nicht mehr
bloß als ›wunderliches Wort‹, sondern gesteigert als ›ungeheuren
Spruch‹ bezeichnen wird, zumindest genähert haben kann. Eine so
tief im Lebensgang verwurzelte Formel nimmt Konturen an, lange
bevor ihre Wörtlichkeit herausspringt.
Solche Weiterarbeit am Satze des Spinoza darf man sich nicht als
freie Variation vorstellen. Es gab dafür schon begrenzende Voraussetzungen. So fällt auf, daß Goethes Bewunderung für das
›wunderliche Wort‹ sich ausschließlich auf den menschlichen *amor
dei* als Prototyp der selbstlosen Liebe und Freundschaft bezieht,
nicht aber auf den göttlichen Partner, der nur eingeführt erscheint,
um jeden Abweg und Ausweg der Selbstbezogenheit abzuschnei-
den, für sich genommen eine kalte und regungslose Figur ist.

33 An Friedrich Heinrich Jacobi, 12. Januar 1785 (Werke XVIII 834).

Goethe hatte für den Gott der Metaphysik, den unbewegten Beweger, der doch noch hinter Spinozas Gottesbegriff steht, kein Sensorium. Das Zentrum der »Ethik« ist ihm nur die Metapher des Menschlichen. Das Göttliche hingegen, das fühlbar und erfahrbar wird, ist der Gott im Plural. Es ist der in der prometheischen Konflikterfahrung gründende Gottesbegriff, der den des Spinoza schon durch die Verwendung des Ausdrucks ›Haß‹ kontriert: *Ich bete die Götter an und fühle mir doch Muth genug ihnen ewigen Hass zu schwören, wenn sie sich gegen uns betragen wollen wie ihr bild die Menschen.*[34]

Kein Wort ließe sich denken, das noch weiter von Spinoza entfernt wäre. Da ist also einer, der von sich selbst weiß und sagt, daß er gegen Gott sein könnte, und der noch nicht ausgeschlossen hat, daß er dies selbst als Gott vermöchte. Denn dies ist seine archaische Prämisse, daß nicht nur Gleiches allein durch Gleiches erkannt werden, sondern auch nur der Gleiche sich Seinesgleichen entgegenstellen kann. Goethe ist ja nicht nur als der abseitige Farbenlehrer gegen Newton, gegen Mikroskope und Fernrohre, sondern er ist ohne historische Selbstklärung gegen den ganzen erkenntnistheoretischen Prozeß, der hinter der neuzeitlichen Wissenschaft steht und in dem die Äquivalenzverhältnisse zwischen Subjekt und Objekt, noch die blasseste Form des aristotelischen *Anima quoddammodo omnia*, aufgegeben waren. Goethes niemals ausgebildete und wohl kaum auszudenkende Erkenntnistheorie wäre nur der Spezialfall des allgemeinen Weltprinzips der Äquivalenz gewesen, daß überhaupt nur Gleiches in Verhältnisse jeder Art, auch die der Konfrontation und Feindschaft, eintreten könne. Wo die Welt nicht durch Äquivalenzen zusammenhängt, da ist sie pure Indifferenz.

Goethe ist von einem mythischen Weltprinzip ausgegangen, dessen positive Formel wäre, daß nur Gleiches sich zu Gleichem verhält, dessen negativer Ausdruck, daß nur Gleiches sich gegen Gleiches erheben kann. Für das Göttliche hatte die Antike es dahin erweitert, daß die Seele die göttlichen Dinge am Himmel und über dem Himmel nur deshalb erkennen könne, weil sie selbst ein göttliches Ding von himmlischer Herkunft sei. Goethe kannte die Verse des Stoikers Manilius und schrieb sie am 4. September 1784 in das Brocken-Buch: *Quis coelum possit nisi coeli nomine nosse / Et*

34 An Charlotte von Stein, 19. Mai 1778 (Werke XVIII 394).

reperire deum, nisi qui pars ipse deorum est? Dieses stoische Äqui-
valenzmoment ist stärker als der genuine Platonismus in dem berühmten Gedicht des Herbstes 1805 nach der Lektüre Plotins: *Wär
nicht das Auge sonnenhaft*... Doch das ist die anschaulichste Formel, die das Äquivalenzprinzip gefunden hat.

Wie man einen Gott nur erkennen kann, wenn man etwas Göttliches einzusetzen hat, kann man einem Gott auch nur widerstehen,
wenn man selbst ein Gott ist. Ein Gott kann man aber nur sein,
wenn Götter möglich sind, viele Götter. Eben das hatte Luther ausgeschaltet und monotheistisch übersetzt: Wer Gott sein wollte –
und es war natürlicherweise für ihn selbstverständlich, daß der
Mensch dies wollen mußte –, konnte es nur sein wollen *anstatt* des
Einen. Wo keine Äquivalenz möglich ist, muß in Vernichtungswün-
schen gedacht werden; der potentielle Gottesmord kann nur durch
Vernichtung der Natur, die ihn wünschen muß, durch ihre gna-
denweise Substitution weggebracht werden. Nur polytheistisch
wird aus dem Irrealis des ›ungeheuren Spruchs‹ ein Potentialis. Das
ist gegenüber Spinoza der mythische Zug an Goethes Umformung,
sein vorchristlicher, faszinierender, aber geschichtlich eben ganz
unerreichbarer Anachronismus.

Das Äquivalenzprinzip nimmt der Widersetzlichkeit ihren moralischen Ernst: Der Gott Spinozas kann den *amor dei* nicht erwidern,
aber dafür spielt er auch nicht mit uns. Jean Paul hat die kürzeste
Prägung für die Differenzqualität des Mythischen gefunden: *Götter können spielen; aber Gott ist ernst.*[35] So hatte Goethe, in einer
ganz anderen unmittelbaren Betroffenheit, schon 1773 in einem
Brief an Kestner, als Stoßseufzer des Gebeutelten, gesprochen:
Gott verzeihs den Göttern die so mit uns spielen.[36] Aber er hatte
auch, gegen Lavaters Eifer, wenig später einen anderen Vergleich
gezogen: *Dein Durst nach Cristus hat mich gejammert. Du bist
übler dran als wir Heiden uns erscheinen doch in der Noth unsre
Götter.*[37]

35 Vorschule der Ästhetik III 3.
36 An J. C. Kestner, 25. April 1773 (Werke XVIII 196).
37 An Lavater, 8. Januar 1777 Postskriptum (Werke XVIII 356). Später schreibt
Goethe an denselben Adressaten: *Selbst deinen Christus hab ich noch niemals so
gern als in diesen Briefen angesehen und bewundert* ... *Ich gönne dir gern dieses Glück, denn du müßtest, ohne dasselbe elend werden* ... *Nur das kann ich
nicht anders als ungerecht und einen Raub nennen, der sich für deine gute Sache*

Die Menschwerdung des sich vorenthaltenden Gottes gilt nichts gegen die Ubiquität der paganen Götter, gegen den kleinen Trost ihrer Fähigkeit zu erscheinen, den die Metamorphose in ihrem Unernst gegenüber allem Ernst der Inkarnation noch gewährt. Man muß schließlich hinzunehmen die grimmige Ironie, mit der sich Goethe gegen den Vorwurf des Paganismus dadurch gewehrt hat, daß er den über die Schicksale seiner Gestalten waltenden und richtenden Autor gerade nicht als heidnische Gottheit auszulegen erlaubt; nach dem Bericht Varnhagens erwiderte Goethe dem General von Rühle auf einen solchen Vorhalt: *Ich heidnisch? Nun, ich habe doch Gretchen hinrichten und Ottilien verhungern lassen, ist denn das den Leuten nicht christlich genug? was wollen sie noch Christlicheres?*[38] Der Autor im Verhältnis zu seinen Geschöpfen, im bitteren Ernst, mit dem er ihren Notwendigkeiten folgt, ihnen kein ›Spiel‹ läßt, ist für ihre Welt der Eingott, der keine fremden Götter neben sich duldet.

Ich möchte das hier Erreichte nochmals von dem Punkt her betrachten, den Riemers Aufzeichnung über das Gespräch am 1. Februar 1808 definiert. Einstieg ist, daß Goethe davon gehört hat, man habe ihn einen göttlichen Mann genannt. In der Sprache des Sturm und Drang war das geläufig gewesen. Noch Schiller hatte seine frühe Abstoßung an Goethes Person und Gehaben in dieser Sprache beschrieben: *Öfters um Goethe zu sein, würde mich unglücklich machen... Er macht seine Existenz wohltätig kund, aber nur wie ein Gott, ohne sich selbst zu geben – dies scheint mir eine konsequente und planmäßige Handlungsart, die ganz auf den höchsten Genuß der Eigenliebe kalkuliert ist. Ein solches Wesen sollten die Menschen nicht um sich herum aufkommen lassen. Mir ist er dadurch verhaßt, ob ich gleich seinen Geist von ganzem Herzen liebe und groß von ihm denke. Ich betrachte ihn wie eine stolze Prüde, der man ein Kind machen muß, um sie vor der Welt zu demütigen.*[39] Nun, zwanzig Jahre später, auf die eigene Göttlichkeit ange-

nicht ziemt, daß du alle köstlichen Federn, der tausendfachen Geflügel unter dem Himmel, ihnen, als wären sie usurpiert, ausraufst, um deinen Paradiesvogel ausschließlich damit zu schmücken... (22. Juni 1781; Werke XVIII 599).
38 K. A. Varnhagen von Ense, Tagebücher (ed. L. Assing) II 194; 26. Juni 1843: *General von Rühle erzählte mir, Goethe selbst habe ihm einmal gesagt...*
39 Schiller an Körner 1788/89 (Goethe, Werke XXII 178). Als Schiller von Goethes zweitem Prometheus-Plan erfährt, erkennt er offenbar keine Bezie-

sprochen, ist der Widerspruch hart und bewußt paradoxierend: *Ich habe den Teufel vom Göttlichen!* Er mochte nicht einmal ahnen, daß Schiller ihn einst mit dem Gott des Spinoza verglichen hatte, dessen stummer Liebesunfähigkeit er selbst doch eine ganz andere Metapher hatte abgewinnen wollen, nämlich die der selbstlosen Freundschaft.

Jetzt sieht er, daß das Attribut des Göttlichen darauf hinauslaufen kann, sich einen Bezugspunkt des Widerstands, der Selbstbestätigung durch Mißachtung des anderen zu schaffen. Den Leuten heiße göttlich nur, wer sie gewähren lasse in dem, wozu sie Lust hätten. Ein Gott, der das nicht kann, ist ein Stimulans der Aufsässigkeit, einer, der das *contra* provoziert. Nach Riemer hat Goethe dies ein andermal so ausgedrückt: *Man hält niemanden für einen Gott, als daß man gegen seine Gesetze handeln will, weil man ihn zu betrügen hofft; weil er sich was gefallen läßt; weil er entweder von seiner Absolutheit so viel nachläßt, daß man auch absolut sein kann.* Das ist der schon fast verächtliche Rückblick auf den einstigen Prometheus, der gleichsam in die Falle der Göttlichkeit gegangen war. Die Pointe des Mythologems ist die Unausweichlichkeit für den Gott, sich durch den Reiz des Absoluten andere Götter, trotzige Demiurgen, zu erzeugen. Die Schwäche des Zeus, der den Feuerraub und den Opferbetrug nicht hatte verhindern können und sich halbherzig mit einer Strafe begnügen muß, die den Untäter zwar leiden läßt, aber nicht zur Folgenlosigkeit seiner Tat entmachtet, war mehr die Bedingung der Möglichkeit des Prometheus als sein Selbstbewußtsein. Die Formeln, die Goethe gebraucht, sind nur polytheistisch vollziehbar, weil es weder im Spinozismus noch im Monotheismus so etwas wie ein Nachlassen von der Absolutheit geben kann. Goethe schließt die Abwehr des Attributs der Göttlichkeit, indem er die Rollen vertauscht, nicht mehr Prometheus, sondern Zeus ist: *Ich bin Gott darin ähnlich, daß er immer geschehen läßt, was er nicht will.*[40]

Der Gott, der keine fremden Götter neben sich dulden darf, schafft sie sich nur dadurch, daß er ein Gott sein will. Nur *gegen* einen

hung zu dem mehr, was er einmal ganz nahe diesem Selbstbewußtsein an ihm wahrgenommen hatte: *Er ist jetzt mit einem Trauerspiel im altgriechischen Geschmack beschäftigt. Der Inhalt ist die Befreiung des Prometheus.* (An Körner, 1./10. April 1795; Goethe, Werke XXII 223).
40 Goethe zu Riemer, 1. Februar 1808 (Werke XXII 482).

Gott gibt es überhaupt Götter; das ist, was der Pantheismus aus
der Welt haben wollte. Wenn das Gottabwendungsgespräch Anfang 1808 geführt wurde, so lag hinter Goethe auch die Erfahrung
mit einem solchen Gott, der sich gegen ihn definiert hatte. Im Jahr
zuvor, in dem der ›ungeheure Spruch‹ erstmals seine Formel gefunden hatte, war in Dresden Kleists »Amphitryon« erschienen, das
Drama einer Rivalität zwischen dem Gott und dem Mann um die
Frau des Mannes. Kleist läßt Jupiter sich nicht in der Metamorphose vor dem heimkehrenden Feldherrn verstecken. Mag er sich
auch ohne diese des Erfolgs bei Alkmene nicht sicher gewesen sein,
so ist er sich doch nachher der Überlegenheit über den Sieger in der
Schlacht um so sicherer, zynischer bewußt. Die Komödie endet ver-
söhnlich, großzügig von beiden Seiten; schließlich hat Zeus den
Sohn, den sich der Feldherr von dem Gotte wünscht, den Herakles,
den Vollbringer *ungeheurer Werke* und Anwärter auf Apotheose,
schon gezeugt.

Hat Kleist, wie Katharina Mommsen erschlossen hat[41], in der
Komödie sein erbittert rivalisierendes Verhältnis zu Goethe, seine
Selbstkonzeption an Goethe, dargestellt oder mit-gemeint, also
Goethe in der Gestalt des Jupiter, sich in der des Amphitryon vor-
stellig gemacht? Die Entschlüsselung beruht vor allem auf der
Ironie der pantheistischen Sprüche, die dem Jupiter in den Mund
gelegt sind, in formalen Anlehnungen seiner Redeweise an Fausts
Bekenntnis zu Gretchen. Es mußte Goethe *unangenehm berühren,
den spöttisch spielerischen Pantheismus-Versen im Amphitryon zu
begegnen.* Und er begegnete ihnen alsbald nach Erscheinen, wie das
Tagebuch mit einer Notiz in Karlsbad vom 13. Juli 1807 belegt:
*Ich las und verwunderte mich, als über das seltsamste Zeichen der
Zeit* ... Bemerkungen zu Riemer und Reinhard an den folgenden
Tagen bestätigen, wie ihn das Stück beschäftigt und irritiert, schon
deshalb, weil er Romantik in der verfremdeten Christologie der
›Verkündigung‹ wittert: *Dir wird ein Sohn geboren werden, / Deß
Name Herkules* ... Wie der Zeitgeist das Werk zu lesen nahelegte,
hat Adam Müller am 25. Mai 1807 an Gentz geschrieben: es
handle *von der unbefleckten Empfängnis der heiligen Jungfrau.*

41 K. Mommsen, Kleists Kampf mit Goethe. Heidelberg 1974. Man wird bemerken, daß ich diesem Buch mehr schulde, als durch eine Fußnote abgetragen
werden kann.

Was Müller für das Zeugnis eines *neuen Zeitalters der Kunst* ausgibt, erscheint Goethe im Rückblick der »Tag- und Jahreshefte«, 1823 für 1808 geschrieben, als *ein bedeutendes, aber unerfreuliches Meteor eines neuen Literatur-Himmels.* Wenn Adam Müller die Vorrede zum »Amphitryon« geschrieben hatte, wußte Goethe, was das bedeutete; denn erst 1806 hatte Müller in seinen »Vorlesungen über die deutsche Wissenschaft und Literatur« die Erwartung geäußert, es würde Goethe durch einen Größeren, der Antike und Christentum vereinigen könnte, übertroffen werden. Das war das Programm des Widerspruchs, unter dem der »Amphitryon« gelesen sein wollte. In seinem Absagebrief an Müller vom 28. August 1807 stellt Goethe das Prinzip der ›Organisation‹ dem auf Müllers Postulat bezogenen der ›Kontorsion‹ entgegen. Katharina Mommsen vermutet, daß Goethes Erfahrung mit dem Helena-Akt zum »Faust«, an dem er 1800 gescheitert war und dem der »Winckelmann« von 1805 das Programm eines reinen Klassizismus hatte folgen lassen, seine Reizbarkeit für diese Art von Synthese bestimmte. Sollte einer doch und schon gekonnt haben, was ihm erst 1827 mit der *klassisch-romantischen Phantasmagorie* der Helena gelingen sollte?

Der Zuzug von Bedeutsamkeit auf den ›ungeheuren Spruch‹ im Jahr seiner Inkarnation wird in der Verbindung mit dem Gottabwendungsgespräch greifbar. Er bekommt eine Lesart für die Rivalität der Romantik mit dem Gott von gestern. Aus dem »Amphitryon« belegt, heißt das: Stellt nicht der ›ungeheure Spruch‹ zugleich die Resignationsformel des thebanischen Heimkehrers gegenüber dem Gott auf der Lagerstatt seiner Alkmene *und* die für den Zynismus der Selbstbestätigung des Gottes dar, dem sich die Erwartung *solcher* Vaterschaft und Weltruhmerfüllung beugen muß? Amphitryon bescheidet sich, denn nur ein Gott könnte dem Gott unverziehen lassen, was er tat, weil auch nur ein Gott anstelle der Alkmene ihm hätte widerstehen können. Aber Kleist läßt auch diesen für Goethe stehenden Jupiter aussprechen, was sein eigenes Schicksal wird, daß der Rivale um den olympischen Lorbeer im Deutschland der Musen nach Schillers Tod selbst ein Gott sein mußte. Kein Irrealis, denn Kleist schloß eben dies nicht aus. Nach seinem Tod durfte in Gegenwart seiner Schwester Ulrike *der Name dieses Zeus* nicht genannt werden.

Goethe hatte diesen Typus von Erfahrung nicht an einem anderen, sondern an sich selbst gewonnen. Das Prometheus-Programm war gewesen, daß man ein Gott sein *müsse*, als Genie aber auch sein *könne*, um den eigenen Weltwillen durchzusetzen, als gäbe es noch keine Welt, die den Künstler unter die Bedingungen ihrer ›Realität‹ stellte. Die Umkehrung der Prometheus-Konzeption durch den Alternden und Alten wurde, daß man kein Gott sein *dürfe*, wenn man nicht herausfordern wolle, daß alles sich gegen den eigenen Willen stellt – daß schließlich das Universum sich zusammenraufe, um den zum Gott sich reckenden Dämon zu vernichten, wie es Napoleons Ende gezeigt hatte, das eben auch den Selbstvergleich mit ihm nicht ungeschoren ließ. Der Vorzug des Spinoza-Gottes war, daß er selbstlos geliebt werden konnte und den Haß unmöglich machte. Aber er war auch, gerade wegen seiner zur Identität reichenden Nähe, die schiere Gleichgültigkeit, von der sich nichts und niemand betroffen zu fühlen brauchte. Eben das ließ keine Geschichte, kein Bild, keine Bewegung zu. Für den Künstler war dieser Vorzug des Spinozismus der blanke Verlust. Der Polytheismus, der ästhetisch alles möglich macht, das reine Prinzip der Metamorphose, ersetzt die spinozistische Gleichgültigkeit durch die Gewaltenteilung, durch das ständige Aufgebot von Gott gegen Gott. Darf der ›ungeheure Spruch‹ nicht mehr spinozistisch im Irrealis gelesen werden, so ist er die Grundformel des Mythos in allen seinen Figurationen.

Nicht die Entzweiung Gottes mit sich selbst wird als der Grenzwert des Absoluten gedacht – und damit zugleich als Negation jeder anderen Möglichkeit, sich gegen einen Gott zu stellen, der sich nur gegen sich selbst stellen könnte –, sondern das Urschema der Entängstigung des Menschen vor allen ihm unbegreiflichen Gewalten, sofern diese nur gegen den Menschen zu stehen scheinen und daher als aufeinander abgeleitet gedacht werden müssen. Götter, indem es viele sind, haben ihre Zuständigkeiten untereinander, das System ihrer Stärken und Schwächen. Da sie ursprünglich Gewalten und Mächte sind, sind sie wie Gewalten und Mächte ihrer Natur nach unbegrenzt, sofern nicht andere Gewalten und Mächte sie begrenzen. Denn, und das ist eine Begründung für die Eifersucht des herrschenden Gottes, eingeschränkt wird ein Gott immer nur wiederum durch einen Gott.

Listig hat der Humanist Erasmus von Rotterdam dem antiken Vorläufer des Spruchs die Schärfe und Präzision genommen, indem er vieldeutig übersetzte: *Deo nemo potest nocere.*[42] Er gibt das Machtwort des Kreon aus der »Antigone« des Sophokles wieder, die Verweigerung der Totenbestattung könne die Götter nicht verunehren, da überhaupt keiner unter den Menschen Götter zu verunehren die Kraft habe. Erasmus meint, es sei ein frommes Wort, obwohl von dem König Thebens aus unfrommer Gesinnung gesprochen: *Sententia pia est, sed a Creonte impio animo dicta.* Erasmus hat den Plural der Gottheit getilgt und sich die Doppeldeutigkeit zunutze gemacht, die in der lateinischen Artikellosigkeit liegt. Vor allem aber hat er mit dem Verbum ›schaden‹ vermieden, bestreiten zu lassen, daß dem Gott Unehre angetan werden könne, da darauf doch die ganze Lehre von der Sünde und von der nötigen Erlösung in der christlichen Dogmatik beruht.

So läuft schließlich der fromme christliche Sinn des antiken Ausspruchs für Erasmus darauf hinaus, daß er dem göttlichen Wesen bei der Menschwerdung aus dem Schoße der Jungfrau Unversehrtheit attestiert. Wie der Satz schließlich dasteht, ist er auf die monotheistische Trivialität einer Aussage über die Ohnmacht aller anderen gegenüber dem Einen reduziert. Gott ist überhaupt nur dadurch Gott, daß niemand gegen ihn sein kann. Das ist auch der Grundgedanke Spinozas; aber dort in der Begründung aus der Einzigkeit der Substanz alles Seienden, außerhalb deren gar nichts ist, was gegen sie stehen könnte. Das geheime und bei Goethe noch im vierten Teil von »Dichtung und Wahrheit« durchschimmernde Potential des Spinozismus ist, daß er die Rede von Göttern erlaubt, insofern sie ›Erscheinungen‹ sind, wie alles andere im Verhältnis zur Identität der letzten Substanz. Der Polytheismus wäre dann ein perspektivischer, anthropozentrischer Ausdruck für den Pantheismus gewesen und als dessen ›Rhetorik‹ immer noch möglich.

Aber das genügt nicht. Prometheus und Jupiter – sie leiden daran, daß sie einander nicht überwinden, aber auch nicht entbehren können, weil einer die Bedingung für die Möglichkeit des anderen ist. Auf die Jugenderfahrung Goethes angewendet, bedeutet dies, daß das ästhetische Genie nicht absolut und nur gegen seine Verhinderer

---

42 Erasmus, Adagia V 1, 95, aus Sophokles, Antigone, 1044 (Ausgewählte Schriften, ed. W. Welzig, VII 596).

und Begrenzer auf Trotz angewiesen ist, sondern der Empörung
ganz wesentlich bedarf, weil seine Ursprünglichkeit nur eine Gegenposition sein kann. In einer modernisierten Sprachform würde
das heißen: Das Ästhetische ist wesentlich geschichtlich, seine Originarietät erweist sich dem ruhenden Betrachter als ›Umbesetzung‹.
Zugleich liegt darin, daß es im strengen Sinne ›das Schöpferische‹
nicht gibt. Der Historismus hat, eine ihm nie verziehene Schand-
tat, das Selbstbewußtsein des Idealismus als späte Systematik des
Sturm und Drang zerstört.

Daß Goethes ›ungeheurer Spruch‹ ein paganes Apophthegma ist,
wie immer man ihn liest, wird im Hinblick auf Luthers siebzehnte
These gegen die scholastische Theologie wie auch auf des Erasmus
Christianisierung des Sophokles deutlich. Man brauchte das nicht
zu betonen, wenn nicht von Carl Schmitt die christologische Lesart
eingeführt und begründet worden wäre. Sie evoziert den trinitarischen Bezugsrahmen. Man muß sich klarmachen, was das bedeutete,
wenn es sich durchhalten ließe. Es kann ja nicht, wie in dem Monolog der Catharina von Siena im Fragment Lenzens, apotropäische
Beschwörung bedeuten. Unter der christologischen Prämisse kann
ein *Gott gegen Gott* nur die Delegation der Sache der Menschheit
gegenüber dem Vater an den Sohn als Versöhner bezeichnen. Das
schließt den metaphysischen Dualismus gnostischer wie neuplato-
nischer Deszendenz aus.

Das christliche Trinitätsdogma ist in seiner geschichtlichen Funktion
doch gewollt als Aussperrung des Dualismus, indem es die in der
Hervorbringung des Sohnes auftretende Entzweiung der Gottheit
durch eine dritte Instanz aus gemeinsamer Zeugung auffängt und
an den Ursprung bindet, ohne sie zurückzunehmen und ihren Heils-
sinn zu zerstören. Auf diese Weise wird zum Gelingen gebracht,
was dem Neuplatonismus mißlungen war, als er aus dem Urgrund
des Einen nicht anders als durch Aufstand und Abfall, Seinsverlust
und Ursprungsvergessenheit alles andere, am Ende die Mannigfaltigkeit der Erscheinungen der sichtbaren Welt, hervorgehen lassen
konnte – mit der einzig möglichen Empfehlung, das Resultat zu
seinem Ursprung zurückzuführen und in ihm wieder preiszugeben.
In dieser metaphysischen Geschichte der Welt als einer einzigen
Abwendung des Seienden von seinem Ursprung wurzelt alles an
Tradition, was den inneren Zerfall der Gottheit zur Voraussetzung

der Welt des Menschen in ihrer versucherischen Qualität macht. Zaghaft blieb dagegen der Versuch des Emanatismus, den Ursprung als Überfluß der Urquelle zu deuten. Denn diese Konzeption geriet in Konflikt mit dem gleichzeitig entstehenden Versuch, das Eine als das Grenzenlose zu qualifizieren; Metaphorik und Begriff stritten sich hier unausgleichbar. Daher die innere Entzweiung, die alle Verführbarkeit des Vollkommenen von außen vermeidet, es sich selbst zum einzig möglichen Widerstand werden läßt. Dafür beruft sich Carl Schmitt auf den Satz des Gregor von Nazianz, das Eine (*to Hen*) sei immer im Aufruhr (*stasiaston*) gegen sich selbst (*pros heauton*).[43]

Die frühe christliche Dogmenentwicklung hat ihr Leben daran gewonnen, daß sie sich vom Verfallschema des Neuplatonismus befreit und zu irreversiblen, nicht reduktionsbedürftigen Hypostasen gelangt. Von ihnen wird noch in der Weltvernichtung nichts zurückgenommen werden. Die Abwendung aller Doketismen verlangt zudem, daß der Sohn Mensch in alle Ewigkeit bleibt – etwas Unverzeihliches für einen Gott und daher immer mit dem Rest an Schwierigkeiten behaftet, der noch im spekulativen Versuch, eine ewige Prädestination zur Menschwerdung scholastisch auszudenken, greifbar geblieben ist. Da zeigt sich, daß bei aller Beschwörung von Liebe und Einheit in der Trinität Spuren der alten dualistischen Versuchungen unverwischbar geblieben sind. Zumal in der Rollenverteilung: der Schöpfung an den Vater und der Erlösung an den Sohn sowie der nacheschatologischen, sogar gegeneschatologischen Institutionalisierung des Gnadenschatzes an den Geist – den Geist der Enttäuschung. So bleibt, wenn man, statt auf die konzilianten Formeln zu sehen, die Implikationen analysiert, immer ein Stück Gegnerschaft, immer etwas vom Prometheus in der Solidarisierung des Sohnes mit der aus dem Paradies gefallenen Menschheit. Das gilt für die Zumutung, das härteste Opfer als Angebot des Lösegelds an den Vater sehen zu sollen, aber auch für die theologische Rivalität um die Übernahme des Richteramtes am Ende der Zeiten. Eine gnostische Auslegung des Neuen Testaments, wie die Markions, hätte nicht entstehen können, wenn nicht der Heilbringer schon seiner Funktion nach Vorwurf und Wider-

<hr />

43 Carl Schmitt, Politische Theologie II. Berlin 1970, 116 (zitiert: Gregor von Nazianz, Oratio Theologica III 2).

spruch gegen den Weltschöpfer und seine Menschenliebe gewesen wäre. Man wird das im Auge behalten müssen, wenn man die Möglichkeit einer christologischen Lesung des ›ungeheuren Spruchs‹ bedenkt. Der Vorschlag rührt an die elementaren Spannungen im Gefüge unserer Tradition.

Über den Eifer des ›politischen Theologen‹ ist leicht lächeln. Jedoch gibt es unübersehbare Beziehungen der neu herangezogenen Quelle zur mythischen Thematik Goethes. Jenes Fragment der »Catharina« von Lenz ist in der Zeit des Prometheus-Fragments und in der Nähe zu den es tragenden Grundstimmungen des jungen Goethe entstanden. Der Dramenfigur des Malers Correggio, dem vom Vater versagten Rivalen des himmlischen Geliebten, kann Goethe von seinen Zügen geliehen haben. Wichtiger noch ist, daß auch von ihm der Götterkonflikt als Vater-Sohn-Konflikt verstanden wird. Das ist nicht nur Episode bis zum Abgang nach Weimar. Es greift ins Lebensprogramm ein, das sich formiert gegen die nüchterne Skepsis des Vaters, der ihm das Genie nicht als tragfähige Konstante abnimmt. Als Goethe selbst der buchführende, seine Sphäre penibel verwaltende Steifling geworden ist, mag er die Absetzung vom Vater mit unter die Resignationsformel genommen haben, daß er gegen den Gott sich nur hätte behaupten können, wenn er wirklich der Künstler-Gott geworden wäre, als den er sich programmiert hatte. Ein Vorspruch, wie der zum dritten Teil von »Dichtung und Wahrheit«, hätte bruchlos unter den damals spöttisch aufgenommenen Weisheitssprüchen des Vaters gewesen sein können: *Es ist dafür gesorgt, daß die Bäume nicht in den Himmel wachsen.* Der ›ungeheure Spruch‹ ist nicht nur Metaphysik – und wenn diese, dann eine auf dem Grundriß des erfahrenen Lebens. Carl Schmitt hat zu seiner Entdeckung im Dramenfragment von Lenz geschrieben, er sei sicher, *daß das vielbehandelte Rätsel jenes Goetheschen Spruches hier seine Entzifferung findet.* Dürfen wir da mit ihm so sicher sein? Wenn man den Spruch auf das Prometheus-Mythologem in Goethes Aneignung als Vater-Sohn-Konflikt bezieht, ergibt sich so etwas wie ein zur Abstraktion reduziertes Mythogramm. Aber gerade diese Voraussetzung gestattet keine christologische Hermeneutik. Schon für die vermeintliche Quelle, den Aufschrei der Catharina im Fragment von Lenz, geht keine christologische Deutung auf. Catharina wird eine Heilige, weil ihr

der Sohn zum Gott wird. Den leiblichen Vater trifft nur die Metapher des ›liebenden gekränkten Gottes‹. Catharina kann von seiner
Tyrannei nicht eingeholt werden, weil sie den Gott auf ihrer Seite
hat, dem das Genie nur metaphorisch und episodisch seinen Namen
entleiht. Der Gottessohn, dem sie sich mit dem Kuß anverlobt und
dessen Bild sie gegen den Vater gerichtet hält, wäre in der rückho-
lenden und den Weg der Heiligkeit abbrechenden Umarmung der
Todfeind an der Brust des Vater-Gottes gewesen. Christologisch
kann nicht sein, was den Sohn zum endgültigen Heiligkeitsbruch
mit dem Vater beschwörend aufbietet.

Carl Schmitts Lesung des ›Gott gegen Gott‹ würde den ›ungeheuren
Spruch‹ in die Nähe von Schellings Mythologie des Prometheus
rücken. Dieser hat die äußerste Konsequenz aus der Anlage gezogen, die in der Nebenüberlieferung vorgegeben war, Prometheus sei
Sohn des Zeus. Dem Mythos kann das, was *auch* göttlich ist, immer
nur zum Gegengöttlichen auswachsen; die Sohnschaft wird, unter
dem idealistischen Postulat der Autonomie, unausweichlich zur
Feindschaft. Daher ist der Geist als das, was im Menschen vom
Ursprung her göttlich ist, seiner Autonomie wegen potentiell das,
was gegen die Götter aufzustehen treibt. *Ich rede nämlich von*
Prometheus, der von der einen Seite nur das Princip des Zeus selbst
und gegen den Menschen ein Göttliches ist, ein Göttliches, das ihm
Ursache des Verstandes wird, ihm etwas ertheilt, das durch die
vorhergegangene Weltordnung ihm nicht verliehen war ... Aber
dem Göttlichen gegenüber ist Prometheus Wille, unüberwindlicher,
für Zeus selbst untödtlicher, der darum dem Gott zu widerstehen
vermag.[44]

Das Christentum ist, was Schelling nicht zugegeben hätte, allein
deshalb nicht die Konsequenz des Alten Testaments, weil es einen
Bruch mit dem ersten Gebot des Dekalogs impliziert. Schelling
sucht dem in der Umkehrung zu entgehen: Was auch göttlich ist,
gerät dann nicht in die Rivalität hinein, wenn es den trinitarischen
Bedingungen genügt; die mythische Vielheit wird durch die dogmatische Einheit gebannt. Deshalb sei Prometheus *kein Gedanke, den*
ein Mensch erfunden, er ist einer der Urgedanken, die sich selbst
ins Daseyn drängen und folgerecht entwickeln ... In der noch

---

44 Schelling, Philosophie der Mythologie. 1856 (Ndr. Darmstadt 1957) I 481.

mythischen Ausprägung des unerfundenen Urgedankens kann der Götterkonflikt unter der Voraussetzung vermieden werden, daß der episodisch verfeindete Wille seiner genuinen Logik nach identisch ist mit dem von ihm befeindeten Willen. Dabei würde die langfristige, geschichtlich universale Intention des Prometheus mit dem unabhängig von Zeus vorhandenen, *also ursprünglich einer anderen Weltordnung angehörigen Menschengeschlecht*, schließlich konvergieren auf das, was Zeus selbst gewollt hatte, als er *an die Stelle des vorhandenen Menschengeschlechts ein neues zu setzen* beabsichtigte. Der Heilsgott bewirkt *die* Menschheit, die der Naturgott bei seiner Ablehnung der faktisch geschaffenen im Sinn hatte.

Vom Ende seiner und *der* Geschichte her wird Prometheus doch noch zu einer der Hypostasen des Zeus, zur Implikation seines Weltwillens. *Es war also doch etwas in Zeus, wonach er, was Prometheus gethan, nicht schlechterdings nicht wollen konnte.* Nicht mehr nur im Sinne der stoischen Vorsehung, sondern in dem einer idealistischen Gesamtgeschichte des Geistes ist Prometheus der geheime, diesem selbst noch unbekannte Sohn des Zeus. Die Entdeckung seiner Sohnschaft ist die Vollendung des geschichtlichen Sinnes zugunsten des Menschen, die Integration des demiurgischen Geschlechts in ein versöhntes Universum. Der Polytheismus wird nicht ausgelöscht oder auch nur korrigiert durch den trinitarischen Monotheismus, sondern durch ihn dechiffriert. Auch dafür gibt der ›ungeheure Spruch‹ das Diagramm her: Es bezeichnet den Mythos als Episode der Geschichte, deren Möglichkeit selbst als *den* Mythos, der in seiner trinitarischen Aufhebung nur seine verborgene Logik enthüllt.

In der Prometheus-Konfiguration des jungen Goethe fehlt jeder Schlupfwinkel für die Vermutung, der demiurgische Empörer und ästhetische Menschheitsbeglücker könnte bei allem doch die verborgenen Wünsche des Zeus-Vaters zu vollstrecken haben. Die Unsterblichkeit des Titanen ist der felsenharte Rückhalt seines Trotzes, so wie es sich das Kind Johann Wolfgang angesichts des Erdbebens von Lissabon mit der Unsterblichkeit gedacht hatte. Goethe hatte kein Verhältnis zur Theodizee, wie schon die kindliche Variation über die Lissabon-Predigt zeigt; stattdessen wird sein Grundgedanke sein, daß Gott die Einrichtung der Welt anders hätte machen müssen, wenn es ihm auf den Menschen angekommen wäre. Deshalb gibt es in dem ›Gott gegen Gott‹ kein heimliches Einverständnis des Sohnes mit dem Vater.

Daß der ›ungeheure Spruch‹ nicht nur, nach Riemers Ahnung, *grenzenlose Anwendung* haben würde, sondern auch genaue Passungen seiner Lesarten auf Goethes Auseinandersetzung mit sich selbst, mit seiner Selbsterfindung, bereitet die Enttäuschung, daß sein metaphysischer Gestus uns nicht eine nach ferner Quelle oder einmaliger Aufstellung erschließbare Eindeutigkeit verheißt. Doch versöhnt mit seiner Vieldeutigkeit, daß er nur dadurch den Kräften gewachsen bleibt, die dieses Leben selbst verformen. So führt er uns auch nahe an die limitative Gefährdung heran, die sich in der Vorliebe für Paradoxa verborgen hatte, an den Zerfall mit der Wirklichkeit. Nach »Des Epimenides Erwachen« – im Juli 1814, Zelter ist zu Besuch, der Zar wird erwartet –, sieht ihn Charlotte von Schiller in einem Zustand, *wie wenn er sich in dem Elemente der Welt nicht heimisch fände* – eben als erwache er, wie der Tempelpriester, aus dem gnädigen Geschichtsschlaf. Was er hören läßt, gleicht der ins Grenzenlose übergesprungenen Vieldeutigkeit, vor der er seine Paradoxa zu bewahren hatte: *so sprach er in lauter Sätzen, die einen Widerspruch auch in sich hatten, daß man alles deuten konnte, wie man es wollte.*[45] Hätte darunter nicht der ›ungeheure Spruch‹ sein können?

---

45 Charlotte von Schiller an Erbprinzessin Karoline von Mecklenburg, Weimar 2. Juli 1814 (Charlotte von Schiller und ihre Freunde. Stuttgart 1860/62, I 691).

Fünfter Teil

Der Titan in seinem Jahrhundert

I
Durchgang durch die Geschichtsphilosophie

*... das Unzerstörbare zeigt sich nur
um so fester, je stärker die Schläge
sind, die es treffen.*
Karl August Varnhagen von Ense

Das neunzehnte Jahrhundert hat sich durch Goethes Prometheus-
Identifikation nicht warnen lassen. Wie mit keiner anderen Epoche
zuvor vergleichbar, hatte es sich im Titanen und an ihm verstanden – und nicht nur an seiner ästhetischen Allegorese. Erst als
Nietzsche in Prometheus die Zentralfigur der antiken Tragödie
wiederentdeckt, in ihr den schlechthin gegensokratischen Typus
findet, wird deutlich, daß das Jahrhundert auf den sieghaften
Überwinder zugunsten der Menschheit, den erfinderischen Gott
gegen das Schicksalsspiel der Götter, den Patriarchen der geschichtlichen Selbstfindung, gesetzt hatte. Nicht zufällig erscheint fast
genau zur Jahrhundertwende Burckhardts postume »Griechische
Kulturgeschichte« mit ihrer über Nietzsche noch hinausgehenden
Behauptung, in dem Gefesselten auf dem Kaukasus habe sich der
pessimistische Seinsbefund der Griechen reflektiert. Den großen
Gestus der Feuerstiftung des Titanen hatte das Jahrhundert zwar
auf sich übertragen, aber den nach Burckhardt seinen Mythos
durchdringenden Götterneid gegen jedes Erdenglück hatte es nicht
bedenken können und wollen. Den mythischen Gedanken, die
irdische Vollendung könne immer nur *Eingriff in das Glücksprivilegium und in die Vollkommenheit der Götter* sein, hatte es nicht
mit der Vermutung oder gar Furcht verbunden, bei der Besorgung
seines Behagens in der Welt müsse der Mensch auf Widerstand,
auf Grenzen, gar auf übermächtigen Einspruch gefaßt sein. Burckhardts Beschreibung der griechischen Kultur traf mit dem eschatologischen Stimmungsumschlag des Fin de Siècle zusammen. Gerade weil die Assoziation des Selbstbewußtseins der Epoche auf

die Promethie so fest gebahnt war, mußte sich jede neue Sichtbarmachung, wie die Nietzsches und dann Burckhardts, der schon
erworbenen Bedeutsamkeit bemächtigen, durch sie zur eindring-
lichsten Sinnfälligkeit verstärken.

Unwillkürlichkeit der Assoziation ist im Jahrzehnt ihrer psychoanalytischen Entdeckung das zeitgemäße Symptom für die Affinität
des Jahrhunderts zur Titanenfigur. Franziska Reventlow, die spätere Bohémienne der Schwabinger Kosmiker, erzählt in einem
ihrer Jugendbriefe an Emanuel Fehling, was ihr im Unterricht des
Lehrerinnenseminars, das sie besucht, passiert ist: *Wir lesen heute
in »Childe Harold«, daß es für jemand, dessen Brust von den nie
ruhenden Geiern zerfleischt wurde (der Reue), gut täte, am Rhein
zu weilen. Dr. Ernst fragte mich, wen der Dichter damit meinte;
ich war mit den Gedanken weit weg und schrie freudestrahlend
»Prometheus«. Die ganze Klasse, sogar Ernst selbst, brach in ein
homerisches Gelächter aus und ich war tief beschämt (?).*[1] In der
Verserzählung Byrons findet sich der Zusammenhang von Reue,
Geiern und Rhein im dritten Gesang. Stanze 59 besingt den Abschied vom Rhein, den der Wanderer nur ungern verläßt und
dessen Lieblichkeit er durch den Kontrast beschreibt, daß sogar der
von äußerster Selbstpeinigung Gequälte hier Ruhe und Linderung
seiner Pein finden könnte. Zwar ist der tatsächliche Abschied des
Pilgers geschildert, aber in der nur zu denkenden Steigerung dessen,
was die Landschaft für einen Ungenannten in äußerster Selbstqual
bewirken könnte. Die Antwort der jungen Gräfin war also keineswegs töricht; der Dichter spielt auf Prometheus an, ohne seinen Pil-
ger ihm zu vergleichen.

Dieses Epos, dessen dritter Gesang 1816 in der Schweiz entstanden
war, machte Byron nicht nur zum romantischen Tageshelden in den
literarischen Salons von London, sondern repräsentierte die Romantik für das Jahrhundert in der wirksamsten Weise, der der
Schullektüre. Namentlich wird die Anspielung bestätigt durch
Stanze 163 des vierten Gesangs: Prometheus hat den Blitzstrahl
unterschlagen, aber der Künstler, der den Menschen erhöhte durch
die Darstellung des Gottes in seiner Gestalt: der des Apollo von
Belvedere, hat die Schuld abgetragen, den Feuerspender gerecht-

1 Franziska Gräfin zu Reventlow, Briefe. 2Frankfurt 1977, 217 (Lübeck, 30. Januar 1891).

fertigt. Nicht sein Leiden, sondern daß der Gott in der Gestalt des Menschen vergegenwärtigt werden kann, ist die Theodizee des Titanen. Die Hand, die das Kunstwerk schuf, war beseelt von dem Feuer des Blitzes. Da dieser Gedankengang für das Gedicht zentral ist, kann ausgeschlossen werden, daß die romantische Rheinlandschaft in ihrer Wirkung dem Dichter anders beschreibbar erschien als dadurch, selbst einem leidenden Prometheus Linderung verschaffen zu können. Aber dieser Leidende selbst hat nur metaphorisches Interesse. Nicht mehr die trotzige Gebärde des weltensetzenden Künstlers, wie im Sturm und Drang, macht den Kaukasus vergessen, sondern die Aura seines Werkes. In ihr verschwindet die Tragik, um im Versinken der Romantik neu entdeckt werden zu können.

Nicht die Überfülle der Belege macht die Affinität des Jahrhunderts zur Gestalt des Prometheus so eindrucksvoll, sondern die gesteigerte Intensität der Arbeit an seinem Mythologem, die sich am Grad der Verformungen, der Revisionen, der Gattungswechsel, des gewaltsamen Drängens auf endgültige Ununterbietbarkeit ablesen läßt. Auch gibt es, als Nachweis für die in der Beziehung steckende Energie, so etwas wie Besetzungszwang: wer sich nicht selbst Prometheus nannte, überließ es einem anderen, dies zu tun. Die Zeitschrift, der Goethe 1807 seine »Pandora« zugesagt hatte, eröffnet eine gewaltige Schausammlung, als deren verspätetes Prunkstück es auch den ›Australopithecus prometheus‹ gibt, dem der von seinem Entdecker Dart 1948 behauptete Feuerbesitz ironischerweise wieder aberkannt werden mußte, da sich die schwarze Färbung an der Fundstelle der Höhle von Makapansgat anders erklären ließ.

Im Geltungsschwund der allegorischen und emblematischen Verfahren, aber auch einer ätiologischen Prähistorisierung, war die Stelle der Promethie vakant, unbestimmter in der Funktion und vielfältiger besetzbar geworden. Vielleicht ist der Schlüssel zu dieser Vieldeutigkeit die Entdeckung, die Diderot schon in seiner Widerlegung der Anthropologie des Helvétius 1774 gemacht hat.[2] Sie besteht in der schlichten Feststellung, es habe von der Art des Ixion oder des Prometheus viele Menschen gegeben und ebenso viele Geier, die sie zerfleischt hätten. Im Kontext besagt das, die

---

2 Réfutation suivie de l'ouvrage d'Helvétius intitulé L'homme (éd. Assezat, II 275-456). Philosophische Schriften, dt. v. Th. Lücke, II 7-193.

einen Prometheus ernötigende Situation wiederhole sich ständig, sei geradezu konstitutiv für die Geschichte der Menschheit als einen Arbeitszusammenhang, der durch einmalige Gaben nicht in Gang gehalten werden könne. Das sei Sache derer, die sich auf das Ixion-Rad der angespanntesten Aufmerksamkeit flechten ließen, denen unaufhörlich der Geier des einmal erkannten Mangels zusetzt. Die Pluralisierung des Prometheus ist geschichtsphilosophisch: Der Fortschritt verändert nicht die Lage des einzelnen, der ihn tätig voranzutreiben bereit ist, denn sein Geier ist die Plage der Idee und der Anstrengung zum jeweils nächsten Schritt. Bei Helvétius glaubt Diderot die Unterstellung vorzufinden, die fruchtbare Idee gleiche in ihrer Zufälligkeit dem Ziegel, der sich vom Dach löst und auf einen Kopf fällt. Es ist der Rest der Inspiration, auch wenn sie unter schlichterem Namen auftritt, während Diderot die Allgegenwärtigkeit des Prometheus und seines Geiers in der menschlichen Geschichte als Ausschluß ihrer Zufälle sieht. Daß die Geschichte den Menschen plagt, rechtfertigt ihm freilich nicht Rousseaus Kritik, er hätte sie vermeiden können und müssen.

Rousseau habe den ursprünglichen Zustand der Wildheit nur schlecht gegen den gesellschaftlichen verteidigt. Es sei ihm entgangen, daß es die Angst ist, die wie der Geier des Prometheus die Arbeit an der Kultur vorantreibt. Hätte sich Rousseau dazu verstanden, sich eine Art von Gesellschaft auszudenken, die noch halb wild und schon halb gesittet aussah, so hätte es mehr Schwierigkeiten gemacht, ihm zu entgegnen. Die Menschen haben sich zusammengeschlossen, um ihre ständige Feindin, die Natur, zu bekämpfen. Es habe ihnen nicht genügt, sie zu besiegen – sie wollten dazu noch über sie triumphieren. Sie fanden die Hütte bequemer als die Höhle, und als sie die Hütte hatten, strebten sie nach dem Schloß. Diderot glaubt, daß es für die Zivilisierung eine Grenze gebe, die dem Glück des Menschen entspricht und vom Zustand der Wildheit durchaus nicht so weit entfernt ist, wie man es sich vorstelle.

Die Frage sei nur, wie man zu dieser Grenze zurückkehren könne, wenn man sie überschritten, und wie man darauf stehenbleiben könne, sobald man sie erreicht habe. Man wird sich die große Bestandsaufnahme der »Enzyklopädie« als ein Stück der Antwort auf diese Frage zu denken haben. Doch läßt sie kaum noch die Utopie der Hypothese zu: Könnte man irgendwo auf der Erde von vorn anfangen, wäre es vielleicht möglich, *eine Grenze, eine Mitte zu finden, die die Fortschritte des Sohnes des Prometheus verzögern, ihn vor dem Geier schützen und die Stufe des zivilisierten Menschen zwischen der Kindheit des Wilden und unserer Altersschwäche festlegen würde.* Nicht vor Prometheus und seinen Söhnen, sondern vor den Geiern, die sie antreiben, müsse die Menschheit geschützt werden. Das ist eine raffinierte Verlagerung des Akzents in der Konfiguration von den Promethiden auf die Geier, von der das folgende Jahrhundert nicht Notiz nehmen sollte, so nahe es auch bei Diderots Pluralisierung der Promethie bleiben wird.

Bedenkt man, daß der Begründer der »Enzyklopädie« dies nahezu gleichzeitig mit dem Prometheus-Artikel ihres dreizehnten Bandes von 1765 geschrieben hat, wird der Druck der geschichtsphilosophischen Konzeption auf die Preisgabe der ästhetischen Züge an der mythischen Figur faßbar. Nicht zufällig hat der Historiker Frankreichs ein Jahrhundert später in Diderot selbst den wahren Prometheus gesehen, der mehr als Werke, der Menschen geschaffen und seinen beseelenden Atem über Frankreich und über Deutschland – durch Goethe wirksamer in diesem als in jenem – geblasen habe.[3] Goethe kann freilich den Titanen der geschichtlichen Arbeit nicht gekannt haben, als er den Prometheus seiner frühen Ode aus der Künstlerwerkstatt unter freiem Himmel in die Schmiedehöhlen der »Pandora« verschob, denn der Text der Helvétius-Widerlegung ist ihm und den Zeitgenossen für den größten Teil des Jahrhunderts nicht zugänglich gewesen. Er erschien zum ersten Mal 1875 in der Diderot-Edition von Assézat.

Zu diesem Zeitpunkt hatte Nietzsche eine neue ästhetische Funktion für Prometheus gefunden, die des Gegentyps zur sokratischen Abweichung von der Wahrhaftigkeit des tragischen Bewußtseins, damit zugleich auch die des Gegentyps zum Geist des sich neigenden Jahrhunderts. Was bei Diderot unverkennbar an der Leidensfigur des geschichtlichen Täters gewesen war: der immerwährende mythische Hintergedanke, daß für jeden Gewinn und

3 Jules Michelet, Histoire de France. Vol. XVII, Paris 1866, 437 f.: *C'est le vrai Prométhée. Il fit plus que des œuvres. Il fit surtout des hommes. Il souffla sur la France, souffla sur l'Allemagne. Celle-ci l'adopta plus que la France encore, par la voix solennelle de Goethe.*

jede Errungenschaft ein Preis zu erlegen ist, wird unvereinbar mit
dem Wiedergewinn der tragischen Authentizität, der unvergleichlichen Immanenz der mythischen Figur. Diderot hatte zwar auf die
Triebkraft hinter der Geschichte hingewiesen, deren Wirkung Rousseau ins Unrecht setze: die Angst vertreibe den Menschen aus dem
vermeintlichen Paradies seiner ersten Natürlichkeit; aber er hätte
hinzufügen können: auch aus dem Gegenparadies der tragischen
Selbstauffassung als des Unwillens zur Geschichte.

Die Verwandlung des leidenden zum triumphierenden Prometheus,
des Titanen zum Olympier, vollzieht sich gleichsam unter der
Hand. Als Max Klinger sein polychromes Beethoven-Denkmal mit
den Zügen eines Prometheus konzipiert, gerät ihm dies über die
Entstehungszeit hinweg schließlich zu einem Zeus auf dem Fels-
sockel, zu dessen Füßen sich sein Adler niedergelassen hat, der mit
Bernsteinaugen zu dem Genius aufblickt. Dieses zunächst viel
bewunderte, dann sehr schnell als ›Konglomerat‹ verachtete Monument – nicht nur von der Kraft des Genies handelnd, sondern
selbst ein ›Kraftakt‹ – war das Ergebnis von Vorarbeiten durch
siebzehn Jahre hindurch. Das 1885 in Paris entstandene Gipsmo-
dell läßt noch die Gleichsetzung des Komponisten mit Prometheus
als Konzeption erkennen, die schon das Wiener Denkmal von
Kaspar Clemens von Zumbusch aus dem Jahre 1880 kanonisiert
hatte. Klingers erstes Modell hat der Verein Beethovenhaus in
Bonn 1937 erworben und in dem eigens dafür errichteten Garten-
häuschen im Hof der namengebenden Gedenkstätte ausgestellt.
Wie die Zeiten und der Wandel des Geschmacks so liefen, wurde
das Modell schließlich nur noch auf besonderes Verlangen gezeigt,
da sich das Interesse der Besucher von derartigem längst entfernt
hatte oder sogar über derartiges erhoben glaubte. Wie die Zeiten
und der Wandel des Geschmacks dann weiter laufen, kann 1977
das Leipziger Museum der bildenden Künste erstmals nach dem
Zweiten Weltkrieg das Denkmal in seiner Schausammlung wieder
vorzeigen. Die großen Museen Europas reißen sich um das Recht,
in ihren nun fällig gewordenen Klinger-Ausstellungen dieses eben
noch verachtete Werk esoterischer Ästhetik und überanstrengten
Geniekults zeigen zu können.

Der Blick auf die sich gern apokalyptisch färbende Krise dieser
Jahrhundertwende muß immer wieder von den Entwürfen her

aufgenommen werden, die an seinem Ursprung für das Jahrhundert bereitgestellt worden waren. Ich habe dazu noch, wegen der Allmählichkeit ihrer Ausbreitung, die Französische Enzyklopädie und ihren eigentümlichen ›Realismus‹ gerechnet, der das Werk weiter geführt hat als die philosophischen Programme seiner Urheber je hätten absehen können. Um das wahrzunehmen, muß man weniger die Textartikel als vielmehr die Tafelbände studieren, die eine neue Intensität und Extensität der Aufmerksamkeit dokumentieren und Deutlichkeiten vor Augen brachten, die die perfektionierte Illustrationswelt moderner Lexika wieder verfließen läßt. Die Parade der Kulturgewinne im Bildteil der »Enzyklopädie«, die mit ihrem alphabetisch erzwungenen Ineinander von Instrumentarien der Selbsterhaltung und Requisiten der Selbstdarstellung das Rousseau-Problem der Brandwirkung des Himmelsfeuers vergessen läßt, legitimiert das, was ist, durch das, was noch werden kann. Dabei läßt sie als gleichgültig erscheinen, was diesen unveräußerlichen Bestand im Ursprung fragwürdig machen könnte. Die Erinnerung, daß das geraubte Himmelsfeuer nicht rein sein möchte, gehört schon zu der Selbstüberschreitung der Aufklärung, die Rousseau und Kant verbindet. Rousseau hat keine Theorie dafür geliefert, weshalb die Menschheit beim mäßigen Licht der Vernunft an ihrer nackten Selbsterhaltung nicht genug hatte; aber Kant sollte zeigen, daß im Prinzip der Selbsterhaltung auch schon das der Selbstüberschreitung, in der Vernunft die Möglichkeit ihres ›reinen‹ Gebrauchs, steckt. Es gibt so etwas wie den Rousseauismus der Vernunft, und Kants Kritik ist nicht nur Höhepunkt der Aufklärung, sondern auch deren Selbstbegrenzung gegen Überschwang und Überfluß, gegen den aus ihrem Erfolgsbewußtsein genährten Anspruch auf Totalität.

Noch eine seiner letzten Veröffentlichungen in der »Berlinischen Monatsschrift« 1796 verwahrt sich nicht so sehr gegen *einen neuerdings erhobenen vornehmen Ton in der Philosophie*, wie es im Titel heißt, als vielmehr gegen die Raubmäßigkeit der Vernunft, sobald sie mit ihrem Licht mehr sehen lassen will oder sehen zu können vorgibt als ihrer Lebensnotwendigkeit unerläßlich ist. Es scheint nötig geworden zu sein, daß die Kritik der Vernunft das Amt einer *Polizei im Reiche der Wissenschaften* wahrnimmt, die nicht dulden darf, unter dem Titel einer Philosophie der unmittelbaren Anschauung und damit der reinen Anmaßung das durch Arbeit Mögliche hintangestellt zu sehen. Alles sei zulässig, so konzediert Kant, um die karge Formalität einer Philosophie des Gesetzes anzureichern mit stärkenden Gefühlen, doch dies nur *hinten nach*, wenn die *eherne Stimme de*r Pflicht erst einmal gehört worden ist. Hier begegnet wieder Jacobi. Was er angeboten hatte, eine Philosophie der Begründung von Moralität auf Gefühl, müsse zurückgewiesen werden, so erwünscht die Belebung des einmal Begründeten auf alle Weise auch sein möge. Es sei *der Tod aller Philosophie*, wenn sie mehr tue, als das Gesetz auf seine begriffliche Deutlichkeit zu bringen, und in *schwärmerischer Vision* die ästhetische Vorstellungsart der Personifikation und Mythisierung suche, um *aus der moralisch gebietenden Vernunft eine verschleierte Isis zu machen*, aus der logisch explizierbaren *Ahnung eines Gesetzes* die vieldeutige *Stimme eines Orakels*. Diese Metapher erlaubt Kant einen Rückgriff auf den die Aufklärung eröffnenden Traktat Fontenelles über das Verstummen der Orakel.

Den neuen Platonikern, Schlosser, Jacobi und Stolberg, legt Kant den Anspruch bei, ihr Licht der Aufklärung bei Plato selbst angezündet zu haben, der doch seinerseits nicht anzugeben wisse, worin sein Licht bestehe und *was dadurch aufgeklärt werde*. Indem der Ursprung des neuen Lichts der Vernunft auf diese Weise zum Geheimnis werde, erlaube Plato seinen Anhängern die unwidersprechliche Behauptung, es sei ein Licht höheren Ursprungs. Genau da springt der Gedanke von Plato auf Prometheus über. *Aber desto besser!*, läßt Kant seine neuen Platoniker ausrufen: *Denn da versteht es sich von selbst, daß er, ein anderer Prometheus, den Funken dazu unmittelbar dem Himmel entwandt habe.*[4] Entwunden oder entwendet? Wenn der Lichtbringer, jener *vorgebliche Plato*, die aufklärende Wirkung seines Lichts nicht bestimmen kann, legt sich der Verdacht nahe, seine Herkunft sei nicht das höhere Geheimnis, sondern das Unrecht einer ›Unmittelbarkeit‹, die nur den Göttern zustehe.

Selbstredend ist dies, in einem der letzten Jahre des Jahrhunderts der Aufklärung, ein Text der Resignation. Daß mehr als ein Jahrzehnt nach der Kritik der Vernunft eine Philosophie des

---

4 Von einem neuerdings erhobenen vornehmen Ton in der Philosophie (Akademie-Ausgabe VIII 406).

Gefühls noch oder wieder möglich war, mußte sich dem Begreifen dessen entziehen, der den Erfolg der Aufklärung durch Bestimmung ihrer Grenzen endgültig gemacht zu haben glaubte. Dafür steht, am Ende von Kants Erfahrung mit den Wirkungen der Vernunft, Prometheus als eine problematische Heilsfigur.

Der Name, mit dem Kant auf diese Weise seine späte Enttäuschung belegt, verweist über fast ein halbes Jahrhundert zurück auf seine früheste Auseinandersetzung mit den ganz großen Erwartungen, die sich an die wissenschaftliche Vernunft in der menschheitlichen Auseinandersetzung mit der Natur geknüpft und im Erdbeben von Lissabon ihre Krise erfahren hatten. Kant hat dreimal in der »Königsberger Wochenzeitung« zu diesem Naturereignis Stellung genommen, das die ›Theodizee‹ des sechsjährigen Goethe aufgeregt hatte. In der *Zerbrechlichkeit unseres Fußbodens*, wie Kant es nennt, war die äußerste Verunsicherung der einen lebensweltlichen Konstante von Selbstverständlichkeit, des tragenden Grundes unter unseren Füßen, plötzlich offenbar geworden. Wie nicht anders zu erwarten, rief die große Beunruhigung die Heilbringer auf den Plan; darunter den Göttinger Professor Hollmann, Mitglied der dortigen Akademie, der mit Bohrungen in die Erdrinde den unterirdischen Kräften ein Ventil zu schaffen vorschlug.

Kant vertraut in dieser Sache auf einen *gewissen richtigen Geschmack in der Naturwissenschaft*, der bei ihm geleitet ist von dem Glauben an das *Unvermögen der Menschen* gegenüber den elementaren Gewalten der Natur. Selbst dem gerade erfundenen und alsbald zum Symbol für den Triumph der Aufklärung auf der Jacobikirche in Hamburg vom Reimarus-Sohn errichteten Blitzableiter traut Kant nicht durchaus. Die Angebote, das Erdbeben wie den Blitz zu entmächtigen, treten für ihn unter den Namen des Titanen, auf den als erster in der Reihe der großen Erfinder und Überwinder der Furcht vor unbekannten Mächten Benjamin Franklin bezogen worden war, obwohl er noch kaum die Ahnung von der künftigen Dienstbarkeit dieser gezähmten Naturkraft besaß: *Von dem Prometheus der neuern Zeiten, dem Hrn. Franklin, an, der den Donner entwaffnen wollte, bis zu demjenigen, welcher das Feuer in der Werkstatt des Vulkans auslöschen will, sind alle solche Bestrebungen Beweisthümer von der Kühnheit des Menschen, die mit einem Vermögen verbunden ist, welches in gar geringem*

Verhältniß dazu steht, und führen ihn zuletzt auf die demüthigende Erinnerung, wobei er billig anfangen sollte, daß er doch niemals etwas mehr als ein Mensch sei.[5] Die Vernunft wird in ihrer menschlichen Verfassung nicht zufriedengestellt. Sie zerrt an ihrer Beschränkung – noch nicht, wie in der Vernunftkritik der achtziger Jahre, insofern sie die ›reine‹ sein will und gar nichts anderes ohne Verlustgefühl wollen kann, sondern noch als Machtinstanz gegenüber der Natur, als Sicherung des Lebensganges, als das cartesische *marcher avec assurance en cette vie.* Ehe er der Reinheitsarroganz der Vernunft widersprach, hatte Kant ihrem Epochenprogramm, den Titanen zu reinkarnieren, Zweifel entgegengesetzt.

Geschichtliche Zäsuren, Neuanfänge können nicht gesetzt werden, ohne daß der behauptete Unwert dessen, was dem beanspruchten Bruch vorausgegangen war, dem Subjekt des Neubeginns selbst zur Last fällt. Schreibt sich die Vernunft die Notwendigkeit des neuen Anfangs selbst zu, muß sie sich fragen lassen, was denn sonst und anderes für die vorhergehende Unerträglichkeit verantwortlich sein könnte. Wo Subjekt und Vernunft sich als identisch behaupten, muß das Verlangen nach Gerechtigkeit für die Totalität der Geschichte übermächtig werden. Sobald die Unbefangenheit des Nullpunkts gewichen ist, verdichtet sich die Frage, was die Menschheit denn zuvor getan und wie sie sich etwa um die Begünstigung ihrer vernünftigen Ausstattung gebracht hätte, um der Emanzipationen so bedürftig geworden zu sein. Romantik und Historismus sind unter diesem Aspekt nicht Erscheinungen der bloßen Reaktion gegen Ungemütlichkeit, sondern Antworten auf die durch das Jahrhundert der Vernunft verschärften Kontingenzbedrängnisse der Neuzeit, die ohnehin genug zu tun hatte, das Mittelalter zu verfinstern und die *Querelle* mit der Antike zu gewinnen. Insofern schließlich die Französische Revolution den Anspruch der Epoche nur phänotypisch performierte, brachte sie das fällige Komplement aus der Kulisse heraus: ihren Romantiker Napoleon wie die gegen ihn aufstehende Romantik.

Es gehört zu der von der Romantik gestellten Frage nach der Einheit des geschichtlichen Subjekts, das noch nicht die Konsistenz des

---

5 Fortgesetzte Betrachtung der seit einiger Zeit wahrgenommenen Erderschütterungen. 1756 (Akademie-Ausgabe I 472).

›Weltgeistes‹ angenommen hat, ob die ältesten poetischen Stoffe
nicht nur beibehalten, sondern unter gewandelten Bedingungen
erneuert werden könnten. Unausbleiblich wird dies auch zu einem
weiteren Experiment auf die Konstanz und Strapazierfähigkeit der
antiken Mythologeme. Friedrich Schlegels Programm der Romantik im »Gespräch über die Poesie« stellt sich die Frage, ob jemals
wieder etwas wie die antike Tragödie entstehen könnte. Gegen
Ende der ersten Fassung von 1800 lautet die Antwort, wenn erst
die Mysterien und die Mythologie *durch den Geist der Physik
verjüngt* sein würden, könne es möglich werden, Tragödien zu
dichten, *in denen alles antik, und die dennoch gewiß wären durch
die Bedeutung den Sinn des Zeitalters zu fesseln.*[6]
Verjüngung durch den Geist der Physik – das ist nicht die Unterwerfung der Poesie unter den wissenschaftlichen Geist der Neuzeit,
sondern eher die Erwartung einer andersartigen Physik, die gegenseitige Einflußverhältnisse möglich machen könnte und sich in der
Spekulation des Novalis schon angekündigt hatte. Unter den Stoffen des Mythos, die solcher Verjüngung fähig wären, wünscht die
Camilla des Dialogs eine Niobe, der Antonio die Mythe von
Apollo und Marsyas, die ihm *sehr an der Zeit zu sein* scheine, oder
gar *wohl immer an der Zeit in jeder wohl verfaßten Literatur,* der
Marcus entscheidet sich lapidar: *Ich möchte noch lieber um einen
Prometheus bitten.* Begründungen werden nicht gegeben; aber als
gemeinsamer Nenner der gewählten Stoffe ist naheliegend, daß sie
auf ihre Weise dem Schicksal des Künstlers und der Kunst Ausdruck
verschaffen würden, denn das ist es, was allein noch tragisches Format annehmen kann.
In Schlegels Umarbeitung des Gesprächs für die Ausgabe der
Werke von 1823 ist von der Verjüngung des Mythos durch den

---

6 Gespräch über die Poesie. Athenäum 1800 (Kritische Ausgabe, ed. E. Behler,
II 350 f.). Dem Romantik-Programm war, im März 1799, die Abwendung von
Schleiermacher vorausgegangen: *Etwas mager dagegen kam mir Dein Gott vor.*
Der abstrakte Unendlichkeitspantheismus der Reden »Über die Religion« könne
das Universum nicht zur ›Fülle‹ zurückbringen. Das Gegengewicht liegt in einer
›poetischen Physik‹, wie er sie in den 1798 in Dresden begonnenen Aufzeichnun-
gen »Zur Physik« entwirft. *Hefte zur Physik habe ich schon, also werde ich wohl
auch bald eine Physik haben,* schreibt er an Schleiermacher; deren symbolisches
Verfahren, in der ›Arabeske‹ Ausdruck suchend, soll *Indicazion auf unendliche
Fülle* leisten (Aus Schleiermachers Leben. In Briefen. Edd. L. Jonas / W. Dilthey,
III 88; 104).

Geist der Physik nicht mehr die Rede. Von Prometheus heißt es jetzt: *Dieser denkende Titane, wie er sich den Göttern zum Trotz seine Menschen bildet, ist recht ein Vorbild für den modernen Künstler und Dichter, im Kampf gegen ein widriges Geschick oder eine feindliche Umgebung.*[7] Der Ludoviko des Dialogs weiß das sofort in eine szenische Allegorie umzusetzen, die das Vorbild in seiner faktischen Lage zeigt: *Statt der kaukasischen Felsen, dürfen Sie den neuen Prometheus dann nur an irgend eine von unsern Theaterbühnen fesseln und anschmieden lassen; da wird ihm der titanische Übermut schon vergehen.* Das erinnert an Karl Moors verächtliches Wort über das Zeitschicksal des Titanischen: *Der lohe Lichtfunke Prometheus' ist ausgebrannt, dafür nimmt man itzt die Flamme von Bärlappmehl – Theaterfeuer, das keine Pfeife Tabak anzündet.*

Für die romantische Integrierbarkeit des Mythologems ist entscheidend, daß ein Stück Wiedergewinnung der Identität des Geschichtssubjekts an ihm zu leisten wäre, die Wiederfindung der einen menschheitlichen Sprache, die sogar über Epochen hinweg gesprochen und verstanden würde. An die Stelle der Verjüngung durch Physik in der ersten Fassung ist die Bedingung einer Philosophie des Lebens getreten: *Wenn erst der innre Natursinn der alten Götter- und Heldensage, als Riesenstimme der Urzeit auf dem Zauberstrome der Phantasie zu uns herübertönend, durch den Geist einer selbst lebendigen und auch das Leben klar verstehenden Philosophie, uns näher enthüllt und auch für uns wieder erneuert und verjüngt sein wird: so kann es möglich sein, Tragödien zu dichten, in denen alles antik, und die dennoch gewiß wären, durch die Bedeutung den Sinn des Zeitalters zu fesseln.* Philosophie ist zum Organ jener gesuchten geschichtlichen Identität geworden; sie ergreift die Möglichkeiten, die präformiert im Strom der Geschichte für jede Zeit herankommen.

Die Erneuerung des Mythos innerhalb des Idealismus hat es nicht leicht, denn der Idealismus selbst ist ein Mythos. Daß vom Geist eine Geschichte erzählt werden muß, die aus der faktischen Geistesgeschichte nur ungenau erahnt werden kann, ist auch ein Stück des Versuchs, die Kontingenzbedrängnis im neuzeitlichen Selbst-

7 Abschluß des Gesprächs über die Poesie. Zweite Fassung (Kritische Ausgabe II 352-362).

bewußtsein zu überwinden. Die philosophischen Ismen treten dabei wie Akteure einer weltübergreifenden Geschichte auf: *Der Idealismus in jeder Form muß auf ein oder die andere Art aus sich herausgehen, um in sich zurückkehren zu können, und zu bleiben was er ist. Deswegen muß und wird sich aus seinem Schoß ein neuer ebenso grenzenloser Realismus erheben; und der Idealismus also nicht bloß in seiner Entstehungsart ein Beispiel für die neue Mythologie, sondern selbst auf indirekte Art Quelle derselben werden.*[8] Das Muster einer solchen Geschichte ist unabhängig davon, daß Friedrich Schlegel den Ausdruck ›Idealismus‹ in einem erkenntnistheoretisch unspezifischen Sinne genommen wissen will, als Charakterisierung des Zeitgeistes und ohne Rücksicht auf den ihm *beigemischten wissenschaftlichen Irrtum.* Als solcher ist er vor allem Selbstschutz gegen den Vorwurf des Spinozismus.

Im Zusammenhang dieser in der zweiten Fassung gestrichenen Passage der Programmschrift ist von Prometheus als dem Idealisten ohne Hybris die Rede: *Ich sehe also für jetzt nicht darauf, daß der Idealist, wie ein neuer Prometheus, die Kraft des Göttlichen allein in sein eigenes Ich legen will, da dieser titanische Übermut und Irrtum unter schwachsinnigen Sterblichen überdem nicht weit um sich greifen kann, und von selbst seinen Gegensatz hervorrufen muß.* Es nimmt sich aus wie das Formular zu der faktischen Geschichte, die sich zwischen Goethes frühem »Prometheus« und der späten »Pandora« – um das Datum des romantischen Programms herum, zwischen 1773 und 1806 – fast schon abgespielt hat und als Symmetrie von Prometheus und Epimetheus alsbald zutage treten wird.

Nicht der Trotz des Prometheus gegen den Olymp scheitert, sondern seine idealistische Selbsterprobung. Was sich immer einmal wieder ›Realismus‹ nennt, erzeugt sich aus den Enttäuschungen seiner Vorläuferprogramme – nicht anders wird noch der von Nietzsche erhobene Nihilismus nur die extreme Enttäuschungsform eines unüberbietbaren Soliditätsverlangens sein. Die ästhetische Selbstdeutung des Idealismus kann man insofern als vorgreifende Umgehung von Enttäuschungen ansehen, als der ästhetische Ausgriff die reinste Form von Unwiderlegbarkeit bildet. Die Ästhetisierung der Welt macht paradoxerweise ihre Realität überflüssig,

8 Rede über die Mythologie (Kritische Ausgabe II 315 f.).

denn immer noch schöner wäre es, sie nur imaginiert zu haben. Wenn die Wahrnehmung selbst die Züge einer ästhetischen Handlung annimmt, verliert sich das genuin Unwahrscheinliche in der Einförmigkeit von allem. In den Jenaer »Vorlesungen über Transzendentalphilosophie« von 1800/01 wird diese Konsequenz nur dadurch aufgefangen, daß die Welt als ›unvollendet‹ vorgestellt wird. Es bleibt Raum für eine Künstlichkeit, die der Natur gleichkommt: *Der Mensch dichtet gleichsam die Welt, nur weiß er es nicht gleich.*[9] Da ihm gar nichts anderes übrigbleibt als sie zu dichten, hört er auf, etwas von einem Prometheus zu haben. Trotz und Leiden haben mit der Leichtigkeit und Straflosigkeit des schöpferischen Gestus keine Funktion mehr. Es ist konsequent, daß die auf ihre bruchlose Identität unter der Gunst aller Götter zurückgebrachte Geschichte mythische Gründungsakte der Empörung und Überlistung sinnwidrig werden läßt.

Folgerichtig sinkt das Mythologem dorthin zurück, wo seine ätiologischen Ursprünge vermutet werden konnten. In den Wiener Vorlesungen zur »Philosophie der Geschichte« von 1828 sieht Friedrich Schlegel die Promethie nur noch als Ursprungsmythos der Griechen, in dem diese ihre Herkunft von einem kaukasischen Völkerstamm, der die pelasgischen Ureinwohner Griechenlands überall verdrängt und unterdrückt, aber niemals ganz ausgerottet hatte, noch erahnen. Der Titan am Kaukasus ist ethnischer Protagonist. Sein Mythos gehört nicht mehr in die Typologie der Aufklärung, für deren Vernunftbegriff eine Herkunfts- und Wanderungsgeschichte dieser Art gleichgültig gewesen wäre. Jetzt bedeutet ›Herkunft‹, daß die Vernunft den Hintergrund ihrer Geschichte, die Quellen des einheitlichen Stroms durch die Zeit, zurückgewinnen will. Philosophie der Geschichte ist Auslegung der Erinnerung, als deren fernste Erschließbarkeit die Figur des kaukasischen Ahnen Prometheus sich abhebt. Er ist nicht nur Stammvater, sondern vor allem Empfänger und Träger einer Uroffenbarung, des geraden Gegenteils eines Feuerraubs. Die archaische Mitgift der Menschheit hat sich auf dem Weg einer ständig durch Unverständnis gefährdeten Tradition und in kryptischen Formen derart erhalten, daß ihre romantische Regeneration eher zur Ahnung als zur Auslegung gerät.

9 Transcendentalphilosophie (Kritische Ausgabe XII 43; 105).

In der ersten der Wiener Vorlesungen wird die Einheit des Menschengeschlechts, als Voraussetzung für diese verborgene Tradition, zur Bedingung der Möglichkeit der Geschichtsphilosophie. Damit in allen Menschen *das verborgene Licht eines ewigen Ursprungs* beschlossen sein kann, darf dem Mythos von Autochthonen, die allerorts aus dem fruchtbaren Erdschlamm emporgestiegen sein sollen, nicht stattgegeben werden. Prometheus ist dazu die Gegenfigur. Er ist der mit Weisheit versorgte Stammvater der Menschen insgesamt, wenn auch der Griechen insbesondere. *Dieser ganz allgemeine Menschenglaube nun an den himmlischen Lichtstrahl des Prometheus, oder wie man es sonst bezeichnen will, in unserer Brust, ist eigentlich das einzige, was man hier voraussetzen darf, und wovon überall ausgegangen werden muß.*[10] Das transzendentale Denkmuster ist greifbar: Bei der entgegenstehenden Ansicht ist *überhaupt keine Geschichte, und keine Wissenschaft derselben möglich.*

Dann konzentriert sich zwangsläufig alles darauf, den Feuerraub des Prometheus als das große Mißverständnis des Mythos, als Unverständnis eines nahezu gnadenhaften Uraktes, darzustellen. Er hatte nicht geraubt, was ihm als Geschichtsbesitz für die Menschheit anvertraut worden war: *Der göttliche Funken des Prometheus in der Menschenbrust beruht also, genauer und schärfer bezeichnet und mehr historisch ausgedrückt, auf dem von Gott dem Menschen ursprünglich verliehenen und eingeborenen und anvertrauten und mitgeteilten Worte, als worin eben sein eigentümliches Wesen, seine geistige Würde und auch seine höhere Bestimmung besteht und daraus hervorgeht.*[11]

Nicht zufällig nennt Schlegel die auf das *Prinzip des göttlichen Ebenbildes* gegründete Philosophie der Geschichte wiederholt die *legitime* Weltansicht. Dabei haben nicht die Aufklärungen die Identität der Tradition zerstört; der Gedanke, die Vernunft müsse sich selbst erst finden, wenn nicht erfinden, war nur durch Identitätsverlust des Geschichtssubjekts möglich geworden, als es sich selbst *eigentlich keinen rechten Anfang* und demgemäß auch *kein rechtes Ende* zu setzen wußte. Es hatte die Bestimmtheit seiner Kontur preisgegeben. Die Romantik projiziert die Legitimitäts-

10 Philosophie der Geschichte I (Kritische Ausgabe IX 15).
11 Philosophie der Geschichte II (Kritische Ausgabe IX 31).

problematik der nachrevolutionären Phase ins Weltgeschichtliche. Anstelle der Pluralität innergeschichtlicher Setzungen von ›Substanz‹ tritt ein einziger archaischer Stiftungsakt, ein Traditionsschatz analog dem theologischen *depositum fidei*, für den der Name eines ›begnadeten‹ statt begnadigten Prometheus das Potential einer ungetauften Bedeutsamkeit mitbringt. In der siebten Vorlesung dient er dazu, die substantielle Gottebenbildlichkeit des Menschen zu unterscheiden von dem, was im Mythos als nur äußerlich naheliegende Formfindung erscheint: *Das göttliche Ebenbild im Menschen besteht aber nicht etwa in einem, gleich dem Blitz vorüberfahrenden Lichtstrahl, und einzelnen Gedanken, als dem zündenden Funken des Prometheus . . .*[12]

Der andere Schlegel, August Wilhelm, hat noch vor dem Romantik-Programm des Bruders eine poetische Erneuerung der Promethie in Schillers Musenalmanach von 1798 erscheinen lassen. Sie ist gewiß das Wortreichste und Langweiligste, was aus dem Blick auf das Mythologem hervorgegangen ist; aber sie gibt Gelegenheit, nebenher noch einmal eine Variante von Goethes Kunst des Schweigens zu studieren. Die Weiträumigkeit des Poems läßt ›Wahrnehmungen‹ am Mythos zu, die als Korrektive gegenüber seiner Okkupation durch den Sturm und Drang gesehen werden müssen. Für August Wilhelm ist, was der Mythos vorgibt, schon die Vorgeschichte eines konsolidierten Idealismus der Freiheit, nicht mehr die eines sich selbst genießenden Trotzes. *O goldne Zeit, auf ewig hingeschwunden! / Wie süß bethört es, deine ferne Spur / In alter Sänger Sprüchen zu erkunden!* Diese Eröffnung muß den romantischen Prometheus zitieren, was auch immer folgen mag, denn um allzu viel an dem vorgegebenen Bild zu verformen, ist der Pflichtbegriff des Philologen schon zu streng geworden. Es ist die Zeit der Titanen selbst, die so golden aus der Ferne schimmert, wie sie keinem Klassizismus schimmern darf; die Herrschaft des väterlichen Kronos ist jäh abgebrochen durch die Machtergreifung des Zeus. Es ist die Kindheit der Menschen, an die der gefesselte Titan im Dialog mit seiner Mutter, die hier bezeichnenderweise Themis heißt, erinnert. Mit dem Sturz der Titanen war es ernst für den Menschen geworden: *Dich aber, Mensch! erheb' ich über dich. / Die goldne Kindheit darf nicht wiederkehren, / Die dir im*

12 Philosophie der Geschichte VII (Kritische Ausgabe IX 157).

weichen Schooß der Lust verstrich. / Drum lerne handeln, schaffen und entbehren![13]

Was Prometheus zu tun hat, ist die ›Anpassung‹ des Menschen an das nachtitanische Zeitalter. Ein neuer Typus der Selbsterhaltung ist erforderlich; ihn im metaphorischen Sinne zu ›bilden‹, ist das Konzept des Prometheus. Seine schöpferische Tätigkeit ist so wenig klar beschrieben wie die des Subjekts in den idealistischen Philosophemen, das kraft seiner Herkunft aus der transzendentalen Deduktion Kants die Beibringung notwendiger Bedingungen vereinigen soll mit denen des freien ästhetischen Entwurfs. Aber wie soll Freiheit bestehen in dem, was doch hinter dem Rücken des sich selbst erfahrenden Subjekts immer schon ausgetragen ist und nie die innere Erfahrung und das Selbstbewußtsein bestimmt? *O Sohn! du bist von Schöpferwahne trunken!* lautet der schwächliche Protest der Mutter Themis gegen die idealistische Zeitgenossenschaft dieses Prometheus von 1798. Doch ist Schöpfungswahn nicht auf die Gestalt der Promethiden eingeschränkt; er erreicht seine Steigerung in der Reflexivität der Schöpfung, in der Selbsterschaffung. In dieser manifestiert sich, was Prometheus als seine ›Thatenlust‹ selbst ausgibt: sein Geschöpf sei, hervortretend *durch des Irrsals Nächte,* das Wesen, das *sich zu schaffen nur geschaffen ist.* Zeus habe sich die Welt, er, Prometheus, den Menschen ›erlesen‹ – das ist die Formel des Konflikts, zugleich die zwischen antiker und neuzeitlicher, zwischen kosmozentrischer und anthropozentrischer Metaphysik.

Damit dies ganz und unverstellt eine Geschichte der Freiheit des Menschen werden kann, muß die Hauptsorge des seiner Strafe entgegensehenden Titanen sein, ob der Mensch mitbetroffen wäre von der Machtdemonstration des Zeus. Der Spruch der Themis zu dieser Frage beruft sich nur darauf, daß selbst die Macht dem Verhängnis unterworfen ist, also Zeus nichts kann, was ihm das Schicksal verwehrt: *Zeus kann die Bildnerei dir bitter lohnen, / Doch hemmen darf er nicht was sie erzielt . . .* Das ist der Kernsatz des Gedichts. Zugleich ist es seine schwache Stelle, weil die Berufung auf das Verhängnis nicht übersetzbar wird in die Sprache der idealistischen Selbsterschaffung. Man könnte sagen, diese poetische Schwäche mache zugleich erkennbar, weshalb der Idealismus

13 August Wilhelm von Schlegel, Sämtliche Werke, ed. E. Böcking, I 49-60.

dieser Art dem anbrechenden Jahrhundert nicht Genüge tun konnte. Er macht den Kern eines Selbstbewußtseins nicht verständlich, das in der Unwiderruflichkeit seiner eigenen Errungenschaften die Garantie seiner geschichtlichen Unanfechtbarkeit sieht. So ist es in Schlegels Poem nur das Vertrauen auf das Wort der Themis, der Macht sei durch das Verhängnis eine Grenze gesetzt, was Prometheus die Strafe zu dulden bereit macht.

Als Schlegel das Gedicht Schillers Musenalmanach überlassen wollte, schickte er es an Goethe, weil Schiller gerade dessen Gast war. Man darf annehmen, daß Schlegel wie Schiller aufs genaueste Goethes Affinität zu diesem Stoff kannten. Schiller hatte im April 1795 an Körner geschrieben, Goethe sei mit einem Trauerspiel im altgriechischen Geschmack beschäftigt, dessen Gegenstand die Befreiung des Prometheus sein solle; und noch am 18. Juni 1797, einen Monat vor dem Besuch in Weimar, bittet er Goethe: *Vergessen Sie doch nicht, mir den Chor aus Prometheus zu schicken.* Übrigens wissen wir mehr als diese Andeutungen von einem solchen Tragödienplan der neunziger Jahre nicht. Man kann sich vorstellen, wie Schiller die Reaktion Goethes auf den »Prometheus« eines anderen gespannt erwartete, wie aber auch Goethe sich solcher Erwartung der anderen bewußt war.

Seine Reaktion ist, wenn nichts anderes, vollendete Untertreibung. Er schreibt an Schlegel in der indifferentesten Weise, so als sei ihm dieser Stoff niemals nahe gewesen: *Sie haben mich, durch Überschickung Ihres Prometheus, in den Stand gesetzt meinen Gast auf eine recht angenehme Weise zu bewirten* ... Sie hätten beide das Gedicht wiederholt und mit Vergnügen gelesen. Es sei Schlegel gelungen, *in die Mythe einen tiefen Sinn zu legen und ihn auf eine ernste und edle Art auszudrucken* ... Überdies seien die Verse sehr glücklich, Stellen von überraschender Hoheit darin enthalten, und das Ganze werde *eine der ersten Zierden des Almanachs* sein.[14] Keine Erinnerung an die eigenen Erfahrungen mit Prometheus, keine Warnung vor der Brisanz des hier zwar harmlos versifizierten, aber in der kreativistischen Ausdeutung doch Goethes Konzeption überbietenden Themas. Die Kälte, die von solchen Konventionalismen ausströmt, darf kaum darauf zurückgeführt werden, daß hier einer, der es durchaus wissen mußte, mit ihm an demselben

14 Goethe an A. W. Schlegel, Weimar 19. Juli 1797 (Werke XIX 285).

Stoff rivalisierte. Eher ist davon auszugehen, daß er, ohne den Zugang zur Neufassung der Promethie gefunden zu haben, wie sie ein Jahrzehnt später in der »Pandora« vorliegen wird, doch schon hier von dem hochgemuten Schöpferschöpfungstum unberührt blieb, der demiurgischen Tonlage nicht mehr traute. Darauf die Probe gemacht zu haben, läßt Schlegels kaum noch erregendes Poem dennoch seinen historischen Platz behalten.

Erst nahe der Mitte des Jahrhunderts wird die Einsetzung des Prometheus zur Figur der Geschichtsphilosophie vollendet. Es geschieht mit Schellings Berliner Vorlesungen zur »Philosophie der Mythologie« in den Jahren 1842 und 1845.

Ausgangspunkt ist die für die christliche Tradition so irritierende Lehre des Aristoteles vom ›tätigen Intellekt‹. Daß dieser das Attribut der Göttlichkeit erhalten hatte, besagte bei Aristoteles so viel und so wenig wie bei den Griechen überhaupt, fesselt aber die Aufmerksamkeit Schellings. Aristoteles sei die Antwort schuldig geblieben, was es bedeute, daß der *Nus poietikos* von außen auf das Erkenntnisvermögen einwirke und woher diese Einwirkung komme. Diese Unklarheit hätte dann den Arabern Gelegenheit geboten, der Einheit des *intellectus agens* Vorrang vor der Beachtung seiner Göttlichkeit zu geben. Daß darin keine Willkür lag, weil die Einheit des tätigen Intellekts nur die Bedingung für seine Funktion der Begründung von Allgemeingültigkeit in individuellen Subjekten darstellte, kann Schelling nicht sehr interessieren. Für seinen Sprachgebrauch ist naheliegend, daß der Geist, wenn er göttlich ist, eben nicht *der* Gott, dann aber ›das Göttliche‹ nur gegen den Gott, sein kann. Da ist es kein großer Schritt mehr zu sagen, es sei *das Gegengöttliche auch das an Gottes Stelle sich setzen Könnende*.[15] Das ist so kaum mit dem Mythos, eher mit Luther gedacht. In der mythischen Polykratie kann der eine Gott gegen den anderen sein, ohne daß dies die tödliche Note hätte, das Göttliche könne als das jeweils Einzige nur durch Vernichtung alles anderen sein, was dies *auch* sein wolle. Im Polytheismus ist, was gegen einen Gott ist, um dies sein zu können, auch ein Gott, aber nicht das Gegengöttliche. Metaphysischer Dualismus ist daher nicht die Drohung, die aus der Reduktion eines Polytheismus erwächst;

15 Schelling, Einleitung in die Philosophie der Mythologie (1856), Zwanzigste Vorlesung (Ndr. Darmstadt 1957, 457-489).

vielmehr entsteht er aus der Selbstzerspaltung eines Monotheismus, der mit dem Problem der Rechtfertigung seines Gottes gegen den Vorwurf der seinem Begriff ungemäßen Welt nicht fertig wird.

Vor dieser Drohung läßt Schelling seinen Aristoteles mit der Lehre vom tätigen Intellekt innehalten: Er sei damit *an eine Grenze gekommen, welche er nicht mehr überschreiten sollte.* Es erscheint Schelling unzweifelhaft, ihn damit auch *an der Grenze des Vermögens der antiken Philosophie selbst angekommen* zu sehen. Daß Aristoteles mit dem Gedanken des wirkenden Intellekts etwas Letztes über die Seele gesagt habe, werde schon daran abhörbar, wie er *von einem ungewohnten Anhauch fast platonischer Begeisterung ergriffen sei.*

Die Philosophie hatte ihren Ursprung in der Abwendung vom Mythos gehabt, und sie tut sich nicht leicht dabei, die Grenze zum Reich möglicher Geschichten wieder zu überschreiten. Viel wichtiger aber ist: Aristoteles hatte keinen Grund, seinen Gott wegen der Welt oder für irgend etwas sonst zu rechtfertigen, denn seine Welt war ewig und hing von diesem Gott nur hinsichtlich ihrer Bewegung ab, die sie sich aber durch ihren Eros selbst verschaffte. Erst wenn ein Schöpfergott, in der letzten Konsequenz seiner Selbstverteidigung, in die Enge getrieben und genötigt wird, es seiner Schöpfung an nichts mangeln zu lassen, wird er schließlich die Welt zu Seinesgleichen machen, wie bei Giordano Bruno. Im selben Atemzuge wird sie ihm zur Feindin, da sie alle Attribute der Göttlichkeit schon an sich gezogen hat und von ihrem transzendenten Ursprung nichts mehr übrigläßt, ihn in ihre eigene Unendlichkeit verschlingt.

Es bedarf schon einer gehörigen Verzerrung der geschichtlichen Perspektive, um in die aristotelische Metaphysik etwas von einem solchen Konflikt hineinzusehen. Erst wenn jener tätige Intellekt, jenseits oder diesseits seiner theoretischen Funktion der Erzeugung von Allgemeingültigkeit, als ein elementares Wollen – nämlich ein Wollen seiner selbst – begriffen wird, entsteht metaphysisches Konfliktpotential.

Schellings ›Wille des Willens‹, dessen knäbische Impertinenz in nichts anderem besteht als darin, *daß er seinen Willen habe,* ist seinerseits nur das Allgemeine in allen Willensakten, die Freiheit in der Kontrolle der Willkür, die den Widerspruch einer Handlung gegen ihre eigene Möglichkeit nicht duldet. Warum aber konnte dieser ›Wille des Willens‹ sich nicht damit begnügen, sich derart selbst zu wollen, wie eben bei Aristoteles der unbewegte Beweger bedürfnislos mit sich einig war, indem er nichts als sich selbst zu denken hatte? Die Frage, die man an dieses Denken des Denkens kaum zu stellen wagte, was es denn eigentlich denke, läßt sich mit geringerem Respekt an den ›Willen des Willens‹ richten, was er denn eigentlich wolle. Der Grund für diese größere Leichtigkeit ist, daß der Wille sich selbst nur wollen kann, wenn er dies implizite darin tut, daß er etwas anderes will, welches potentiell einen Widerspruch dazu enthält, sich selbst wollen zu können – so wie die Rede von Selbsterhaltung nur so lange sinnvoll ist, als es die Möglichkeit von Selbstverlust gibt. Die Welt als der Inbegriff alles dessen, was das Selbst nicht ist, ist zugleich der Inbegriff von allem, was als Gewolltes dem ›Willen des Willens‹ allererst seinen Anlaß durch Ablenkung und Gefährdung bietet. So kommt der Wille, im Gegensatz zu jenem vermeintlichen Denken des Denkens, nur über die Welt zu sich selbst.

Und das ist seine essentiell idealistische Qualität. Die Philosophie des Idealismus ist eine Philosophie der Umwege. Das Absolute kann nicht bei sich selbst bleiben, es muß durch ein anderes als es selbst zu sich selbst kommen. Dies, in geschichtlich irriger Projektion auf den tätigen Intellekt des Aristoteles, heißt in Schellings Worten: *Also muß sich der Geist ins Erkennen begeben, er ist nicht, er wird Verstand...* Dies sei es, was *im Grunde auch Aristoteles andeutet.*

Seinen Hörer, so systematisch vorbereitet, läßt nun Schelling auf Prometheus blicken als die wie verstohlen und zufällig aufkommende Imagination für den schrecklichen Umweg, den das Göttliche über das Gegengöttliche einschlagen muß, um überhaupt und jemals zu sich selbst zu kommen. Die Affinität des idealistischen Umwegs zur Promethie fällt nicht auf den ersten Blick in die Augen, denn sie erfordert, die Konfiguration aus dem Aspekt des Zeus zu betrachten. Die Qualität seiner Herrschaft ist erst, nachdem er sich Prometheus zum gegengöttlichen Prinzip gesetzt und dessen peinigende Entfernung vollzogen wie dessen Befreiung durch den eigenen Sproß zugelassen hat, zu einer gotteswürdigen Endgültigkeit geworden. Was in der Rezeption des Mythos kaum jemals

erheblich geworden ist, daß dieser Vetter des Zeus im Macht-
kampf mit den Titanen dessen Parteigänger gewesen war, gewinnt
unverhofft Aussagekraft in Schellings Allegorese auf die Doppeldeutigkeit des Geistes. Nur indem Prometheus desselben göttlichen
Ursprungs ist, kann er *das Prinzip des Zeus selbst* gegenüber den
Menschen als etwas ihnen Äußerliches und Fremdes, in ihrem Wesen nicht Gelegenes darstellen und, wie der aristotelische *Nus
poietikos,* ›von außen‹ auf sie eindringen lassen. Prometheus vertritt, was nach Schellings Vorhalt Aristoteles entgangen war: Er
hatte *das Göttliche, aber nicht ebenso das Gegengöttliche erkannt,
wiewohl beides nicht zu trennen ist.*

Nicht Zeus, sondern das Prinzip des Zeus vertretend, wird Prometheus der sich dem Göttlichen entgegenstellende und für dieses
unüberwindliche Eigenwille. Als solcher wird er zum *Prinzip der
Menschheit.* Der Grundgedanke ist, daß eine Mittlerfigur zwischen
dem Gott und den Menschen nicht etwas Mittleres sein kann, sondern notwendig Gegengöttlichkeit annimmt.

Man ist zunächst erstaunt, daß diese Funktion nicht eher in der
Figur des Herakles gesehen wird. Als der bis dahin gewaltigste
Sohn des Zeus scheut er dessen Unwillen nicht, wenn er den Adler des Gottes abschießt und der Tortur des Prometheus die Schärfe nimmt. Im antiken Mythologem war mit ihm das Maß möglicher Aufsässigkeit gegen Zeus nicht annähernd ausgeschöpft. Sonst
könnte sich dieser nicht auf dem Weg zu neuer Zeugung befinden,
wenn ihm die mit Loslassung erkaufte Enthüllung des Sträflings,
er werde sich einen diesmal vernichtenden Rivalen schaffen, nicht
Enthaltsamkeit nahelegte. Das anonyme Ungezeugte erst wäre
der Grenzwert des Prinzips der Gegengöttlichkeit, die Figur der
Selbstentmachtung des Gottes gewesen. Wenn es dazu nicht kommt,
so um den Preis nicht nur der endgültigen Freigabe des Prometheus,
sondern auch der Machtbeschränkung des Zeus durch nichts anderes und nichts geringeres als die Geschichte einer ungeliebten
Menschheit. Schelling kann diese Betrachtung des Herakles und
des Ungezeugten nicht mitmachen – denn Herakles *ist* der Sohn,
und als solcher der eine Endgültige und Letzte. Er muß zu Größe-
rem aufgehoben sein als zum Ungehorsam gegen den Vatergott.
Wenn Aristoteles am Geist ›göttlich‹ genannt hatte, was Gegenbild
einer idealistischen ›Geschichte‹ ist – nämlich sein Ausschluß von

jeder Disposition zu einer Geschichte –, dann stellt sich die Frage, wie es dennoch zum Heraustreten aus jener Selbstsättigung kommen konnte. Für Schelling vermag die Philosophie die Grenze, an der Aristoteles stehengeblieben war, aus eigener Nötigung und Dynamik nicht zu überschreiten. Es mußte ihr erst ›von außen‹ vorgesagt werden, daß die Welt nur ein Zustand und nicht ein ›Seyn‹ sei; also nichts *uns unbedingt Entgegenstehendes*, sondern etwas, was dadurch episodisch wird, daß nach dem Wort des Apostels *die Gestalt dieses Kosmos vergeht.* Es ist dann folgerichtig, daß die Welt, sobald sie zum bloßen Interim der göttlichen Selbstbezogenheit wird, ihren sowohl schöpferischen als auch zerstörerischen Gott mehr beansprucht als der ewige Kosmos des Stagiriten, zugleich weniger authentische und autochthone Solidität besitzt als das Ungeschaffene.

Diese Begründung des Idealismus aus dem Neuen Testament ist das tollste Stück von Schellings Mythologie. Sie hält sich an die biblische Redeform, die sichtbare Welt als ›diese Welt‹ zu bezeichnen und dem die deutliche Unterstellung beizulegen, sie sei *die mit dem gegenwärtigen menschlichen Bewußtseyn gesetzte und wie dieses vorübergehende* Welt. Deshalb kann der Idealismus nur ein nachchristliches Konzept sein; er *gehört ganz der neuen Welt an, und braucht es keinen Hehl zu haben, daß ihm das Christentum die zuvor verschlossene Pforte aufgethan.*

Wenn man diese Voraussetzung der Selbstunmächtigkeit des Geistes zum Idealismus akzeptiert und dann auf die Antike anzuwenden genötigt wird, tritt die ganze Fremdartigkeit des Unterfangens hervor, Prometheus als Prototyp des idealistischen Umwegs heranzuziehen. Schellings Umformung des Mythos muß es darauf anlegen, Prometheus seinem Ursprung nach näher an Zeus heranzurücken, ihm die Bündnishandlung gegen die Titanen nicht nur als vorbedachte Klugheit zuzurechnen, sondern als Vollzug einer Bindung, die seiner künftigen Geschichte vorausliegen muß, um ihr die Bestimmtheit des Umwegs zu geben. Soll Prometheus zum Patriarchen des Prinzips der Menschheit werden, muß er ihr als ein fremdes Prinzip entgegentreten; als Figur des von außen in ihre Vernunft eintretenden Prinzips muß er zugleich seinem Ursprung entsagt haben. Er bleibt noch in der vermittelnden Rolle tragische Figur, weil er die Unversöhnlichkeit der nach beiden Seiten unaufhebbaren Rechte bestehen lassen und den Widerspruch voll austragen muß, *den wir nicht aufzuheben, den wir im Gegenteil zu erkennen haben, dem wir nur den rechten Ausdruck suchen müssen.*

Schellings »Philosophie der Mythologie« mythisiert das Christentum – nicht seine Dogmen, nicht seine Urkunden, sondern seine pure nachantike Existenz –, um *einen* Mythos als verwunschene Präformation des vom Idealismus erzählten Totalmythos erkennen zu lassen. Das ist nur möglich, wenn die Geschichte nicht Dimension kontingenter Ereignisse, sondern Vollstreckung einer immanenten Teleologie ist, die aus dem Mythos herauszusehen nur der durch alles Spätere geschärfte Blick der Geschichtsphilosophie befähigt ist. Sie ist spekulativer Rückblick.

Weil der Bestand der Welt nicht selbstverständlich ist, kann Prometheus zur geschichtsphilosophischen Figur werden, indem er seine Gegengöttlichkeit, seinen Widerspruch mit dem Bestand der Welt identifiziert. Gäbe es das prometheische Prinzip ›Gott gegen Gott‹ nicht, wäre ›diese Welt‹ noch nicht oder nicht mehr, jedenfalls nichtig vor der Unwiderstehlichkeit des Göttlichen. Prometheus steht also, in unüberbietbar gesteigerter Funktion, nicht mehr nur für die Menschheit, sondern für das Universum und gegen dessen innerste Nichtigkeit. Es ist die Weltzeit selbst, als Gnadenfrist des Universums, für deren Dauer er jeden Gedanken an Unterwerfung verwirft. Er *will die Jahrtausende lange Zeit durchkämpfen, die Zeit, die nicht anders als mit dem Ende des gegenwärtigen Weltalters aufhören wird, wenn auch die von Urzeiten verstoßenen Titanen wieder aus dem Tartaros befreit sein werden.*

Das welterhaltende Äquilibrium der Götterfeindschaft, der Widerspruch der Gegengöttlichkeit, ist nur auszuhalten, nicht aufzulösen. Lösung kann nur von außen kommen, durch eine neue und nicht mehr vom Widerspruch gezeichnete Weltgeneration. Erst wenn *ein neues Geschlecht Gott und Mensch vermittelnder, weil von Zeus mit sterblichen Müttern erzeugter Göttersöhne entstanden sein wird,* kann einer von diesen Prometheus befreien. Die reelle Gottmenschlichkeit in Herakles steht jenseits des Widerspruchs, ist aber dadurch schon eschatologisch, nicht mehr geschichtlich. Bis dahin ist Prometheus *in seinen Leiden nur das erhabene Vorbild des Menschen-Ichs, das, aus der stillen Gemeinschaft mit*

Gott sich setzend, dasselbe Schicksal erduldet, mit Klammern eiser-
ner Nothwendigkeit an den starren Felsen einer zufälligen aber
unentfliehbaren Wirklichkeit angeschmiedet, und hoffnungslos den
unheilbaren, unmittelbar wenigstens nicht aufzuhebenden Riß be-
trachtet, welcher durch die dem gegenwärtigen Daseyn voraus-
gegangene, darum nimmer zurückzunehmende, unwiderrufliche
That entstanden ist.

Hier wird nicht eine Geschichte erzählt, sondern die Geschichte der
Geschichte. Die Befreiung des Prometheus darf nicht äußere Gewalttat bleiben, die Zeus gleichsam nur passieren läßt. Sie wird
seiner Zustimmung fähig, weil er in ihr seine eigene Möglichkeit
erkennt, die ihm durch den Widerspruch eröffnet wird. Schelling
identifiziert offenkundig die dem Zeus aus der Titanenära hinterlassene und für daseinsunwert erachtete Menschheit nicht mit den
Geschöpfen des Prometheus; sonst könnte bei ihm nicht Zeus am
Ende gerade die Promethiden als die neue Gattung anerkennen,
die er selbst im Sinn gehabt hatte. Diese Erfindung des Philosophen
gestattet ihm zu sagen, es sei schließlich *doch etwas in Zeus, wonach*
er, was Prometheus getan, nicht schlechterdings nicht wollen konn-
te. Nach Schellings Lesart ist die Promethie der Schlüssel zum
Mythos des Zeus: Die Fortexistenz der Geschöpfe des Anderen aus
dem Prinzip seiner selbst schafft ein neues Niveau seiner Anrühr-
barkeit durch eben diese. Darauf beruht die Unausweichlichkeit
der Zeugung von Gottmenschen wie des Herakles, die den Zustand von Widerspruch und Gegnerschaft zwischen Olymp und
Kaukasus in eine konsubstantielle Endgültigkeit überführen. War
Prometheus die Figur der Gegengöttlichkeit, so Herakles die der
Gottmenschlichkeit.

Wenn der Mythos die Geschichte der Geschichte a priori ist, kann
er kein bloßes Produkt der Phantasie, nicht einmal das jahrtau-
sendlanger Auslesung, sein. Die romantische Erneuerung der ›Uroffenbarung‹, diese ostentative Umdrehung des Fortschrittsschemas,
wird unvermeidlich. Ihr Inhalt ist zwar nicht etwas, was sich ein
für allemal jeder Erfahrung entzogen hätte, wohl aber etwas, was
nicht jederzeit erfahrbar sein konnte, weil es erst die Späterfah-
rung der Philosophie von der Geschichte, zumal derjenigen ihrer
selbst, ausmacht. Der Titan wäre die Präfiguration von etwas, was
nach aller gängigen Einschätzung nicht einmal der gleichzeitigen,

sondern erst der nachträglichsten Beschreibung zugänglich wird: *Prometheus ist der Gedanke, in dem das Menschengeschlecht nachdem es die ganze Götterwelt aus seinem Innern hervorgebracht, auf sich selbst zurückkehrend, seiner selbst und des eigenen Schicksals bewußt wurde (das Unselige des Götterglaubens gefühlt hat).*

Dieser Gedanke der Bewußtwerdung ist bei Schelling von geheimnisvoller Herkunft, zwischen Erfindung und Inspiration, wie sich die Romantik den Ursprung anonymer Hervorbringungen zu denken oder unausdenkbar zu machen gestattete: *Prometheus ist kein Gedanke, den ein Mensch erfunden, er ist einer der Urgedanken, die sich selbst ins Daseyn drängen und folgerecht entwickeln, wenn sie, wie Prometheus in Aeschylos, in einem tiefsinnigen Geist die Stätte dazu finden.* Man braucht nur zu verstehen, was zu behaupten vermieden werden soll: Bewußtloses Entstehen schreibt Schelling nicht nur der Götterwelt für die Griechen zu, sondern auch und wieder der ›Natur‹ für die Gegenwärtigen, die ›Idealisten‹.[16]

Das Prometheus-Mythologem, so behandelt, ist nicht mehr ein Element in der Klasse der Mythen, sondern der eine Mythos vom Ende aller Mythen. Daß es an dieser Präfiguration die Geschichte der Geschichte abzulesen gibt, entspricht der Negation zyklischer, aber auch linearer Geschichtsvorstellungen durch eine metaphysisch begründete Gestaltlichkeit der Gesamtgeschichte, die nicht nur den lockenden Reiz der idealistischen Geschichtsphilosophie ausgemacht hat, sondern auch den aller ihrer Wettbewerber einschließlich ihrer Umstürzer. Der Akt des Philosophierens über Geschichte ist selbst in das Geschichte-machen eingegangen.

Nach diesem Muster wird ein Stück des Mythos zur Reflexion aller Mythen, so sehr dem die innere Logik der mythischen Wiederholbarkeit entgegenstehen mag. Die Entdeckung jenes ›Urgedankens‹ in der Rezeption des Mythos muß zwangsläufig der letzte Akt von allem sein, wovon gesprochen zu haben dem Mythos auf diese Weise erst abgelesen werden kann.

Der fünfundzwanzigjährige Goethe identifiziert sich mit Prometheus als dem ästhetischen Demiurgen und Empörer gegen den olympischen Vater; im letzten von ihm noch veröffentlichten Buch

16 Schelling, a. a. O. I 482 Anm. 4: *Was uns (Idealisten) die Natur, ist dem Griechen die eigne Götterwelt, bewußtlos ihnen entstanden, wie uns die Natur.*

von »Dichtung und Wahrheit«, dem fünfzehnten, nennt er Prometheus mit anderen Leidensfiguren des Mythos, Tantalus, Ixion und Sisyphus, *meine Heiligen.* Der fünfundzwanzigjährige Marx nimmt Prometheus im letzten Satz der Vorrede zu seiner Dissertation als *vornehmsten Heiligen und Märtyrer* in einen imaginären *philosophischen Kalender* auf. Wenn es darin wiederum einen Gestus der Empörung gibt, so wäre der Göttervater, gegen den zum Märtyrer zu werden eine philosophische Dissertation am ehesten verhelfen konnte, der seit einem Jahrzehnt tote Hegel gewesen. Doch ist die Erhebung noch umfassender. Es ist die Philosophie selbst, die in einer der dem Autor mühelos gelingenden Hypostasen die Empörung des Prometheus zu ihrer eigenen macht, zu ihrem Bekenntnis und Spruch *gegen alle himmlischen und irdischen Götter, die das menschliche Selbstbewußtsein nicht als die oberste Gottheit anerkennen.*

Dem pedantischen Duktus des Vorspanns zu einer akademischen Abhandlung, der der Verfasser selbst ihre *primitive Bestimmung* als Dissertation bescheinigt, scheint der Prometheus-Abschluß eigenwillig zu entgleiten. Der immer noch spätbürgerliche Leser sieht den Übergang zu dem Aischylos-Zitat und der Kanonisierung des Prometheus schon deshalb nicht klar vor sich, weil ein offenbar gewichtiger Anhang zur Dissertation verloren gegangen ist. In diesem sollte Plutarchs Polemik gegen die Theologie Epikurs untersucht werden, wohl als Exempel für *das Verhältnis des theologisierenden Verstandes zur Philosophie,* damit für jede Situation, in der je *die Philosophie vor das Forum der Religion* gezogen wird. Der delphische Priester sollte als Prototyp einer ganzen historischen Gattung dastehen. Wenn dies jene ›primitive Bestimmung‹ der Dissertation durch eine höhere hätte ersetzen können, so kaum gegenüber der Fakultät in Jena, bei der der Doktorand durch Übersendung der Schrift und der Gebühren im Wege der *actio per distans* promoviert werden wollte. Wenn Marx aus dem Aischylos gerade die Worte zitiert, in denen Prometheus dem Parlamentär Hermes die Absage erteilt, er wolle lieber Knecht am Felsen als solch ein getreuer Sendling beim Vater Zeus sein wie jener, so gibt das keinen Hinweis auf die hintergründige Rolle, die die Gegnerschaft von Plutarch und Epikur für ihn gespielt hätte; vor allem keineswegs *einigen Grund zu der Vermutung ..., Marx habe*

Plutarch unbewußt mit seinem Vater identifiziert.[17] Solche Spekulation wäre hier der Erwähnung nicht wert, da den im verlorenen
Teil einer jugendlichen Dissertation besonders attackierten Autor
insgeheim als Imago vom Autor des Autors sehen zu lassen kaum
noch originell genannt werden wird. Doch dient sie der weiteren
Bohrung der Analyse, im häufigen Auftreten von Affektionen der
Leber, unter vielen späteren Symptomen des einstigen Doktoran-
den, seine Identifizierung mit dem mythischen Dulder auf dem
Kaukasus, an dessen Leber der Adler des Zeus täglich fraß, manifest werden zu lassen.

Sofern dem Unernst noch nicht ganz zum Opfer gefallen, wird
man wenigstens nach dem weiteren Selbstbezug auf Prometheus zu
fragen innerviert. Er hat, wie ich meine, etwas zu tun mit dem im
letzten Satz der Vorrede zur Dissertation erwähnten ›philosophischen Kalender‹, mit anderen Worten: der philosophischen Zeitrechnung. Diese Metapher ist zu erläutern.

Uns fehlt nicht nur der Anhang zur Dissertation mit der Behandlung der Plutarch-Polemik gegen Epikur, sondern auch die in der
Vorrede angekündigte größere Abhandlung über *den Zyklus der
epikureischen, stoischen und skeptischen Philosophie in ihrem Zu-
sammenhange mit der ganzen griechischen Spekulation.* Welcher
Art dieser ›Zusammenhang‹ als aufgezeigter gewesen wäre, läßt
sich nur erraten; versprochen ist dafür viel, wenn die These sein
sollte, die genannten hellenistischen Systeme seien nicht weniger als
der Schlüssel zur wahren Geschichte der griechischen Philosophie.
Wem das so befremdlich oder aufrührerisch nicht erscheinen will,
möge die methodische Implikation bedenken, daß über die beherrschenden Autoren der antiken Philosophie, Plato und Aristoteles,
nichts Abschließendes ausgemacht werden könnte, ohne den Schlüssel der vermeintlichen Epigonen einer immer als Verfallszeit gesehenen Phase zu benutzen. Ein Autor, der mit dieser Versprechung
1841 sein nächstes größeres Werk ankündigte, schrieb so selbst aus
der Situation des Epigonen. Er stand unter der Last einer nicht ab-
zuwendenden Verspätung: der Verspätung nach Hegels Endgültigkeit. Er verteidigte – mit den philosophischen Genossen einer fremden Epoche, die nach der klassischen Unüberbietbarkeit der als
solche gesehenen Antipoden Plato und Aristoteles kaum noch den

17 A. Künzli, Karl Marx. Eine Psychographie. Wien 1966, 396.

großen Gestus der Wahrheitsfindung hatten wagen können – sich selbst und den Horizont der Möglichkeiten seiner Gegenwart.

Darin liegt der Bezug auf Prometheus und die Herausforderung zur prometheischen Gebärde: Die Welt ist schon von einem anderen bewältigt, die Zeit erfüllt, die Geschichte geschlossen – und dennoch möchte der Titan seine Geschöpfe machen und leben lassen. Heiliger und Märtyrer im philosophischen Kalender kann Prometheus für den Promovenden Marx auch und gerade deshalb sein, weil jener ein zu spät gekommener Demiurg gewesen war, der sich sein Werk durch die schon fertige Natur nicht streitig machen ließ; so auch der nach Hegel noch philosophisch Anfangende, der sich nicht bestreiten läßt, daß *überhaupt nach einer totalen Philosophie noch Menschen leben können*. Was sich am Paradigma der nachklassischen griechischen Philosophie ablesen ließ, war Auflehnung gegen den in jeder Klassizität implizierten Ruhestand der Geschichte; aber auch und vor allem die Rückgewinnung des geschichtlichen Blicks auf das vermeintlich Endgültige. Epikur war nicht nur möglich geblieben nach Plato und Aristoteles, sondern diese waren erst durch ihn philosophisch und geschichtlich ›realisiert‹ worden, so wie seine müßig-sorglosen Götter die ›Lebensform‹ des ›unbewegten Bewegers‹ waren, der sich als Inbegriff von Unbetreffbarkeit des Lebens darstellte.

Daß Prometheus nicht nur der Bekenner des Hasses gegen die Götter aus der Tragödie ist, als den ihn Marx in der Vorrede zitiert, wissen wir vor allem aus seinen Vorarbeiten zur Dissertation. Sichtbar vollzieht sich dort die Verschmelzung der mythischen Figur nicht nur mit der Gestalt des Epikur, sondern darüber hinaus mit der jeder Spätphilosophie, sofern sie unter dem Odium der Verspätung steht. Hier kann auf sich beruhen bleiben, wie Marx die philosophische Bewegung von Anaxagoras über die Sophisten zu Sokrates, von Sokrates wiederum über Plato zu Aristoteles auf das hegelianisierende Schema bringt. Beachtenswert ist aber, wie die Philosophie an den von Marx so bezeichneten ›Knotenpunkten‹ zur dramatischen Person wird. So gibt es in dieser Geschichte Momente, *in welchen die Philosophie die Augen in die Außenwelt kehrt, nicht mehr begreifend, sondern als eine praktische Person gleichsam Intriguen mit der Welt spinnt, aus dem durchsichtigen Reiche des Amenthes heraustritt und sich ans Herz*

der weltlichen Sirene wirft.[18] Solche Personifikationen verbinden
sich bei Marx nur zu gern mit der Metaphorik der Verkleidung
und Maskierung, durch die dann nichts anderes näher gelegt wird,
als an Entblößung und Entlarvung zu denken. Auch der Hellenismus wird zur *Fastnachtszeit der Philosophie,* und da ist es ihr
wesentlich, Charaktermasken anzulegen. So werden die Kyniker,
Alexandriner und Epikureer in schulspezifischen Gewandungen
vorgeführt. In diesen Zusammenhang tritt Prometheus ein.

Er steht als Figur für ein solches Sich-Einlassen der Philosophie
auf die Welt, in dem einer ihrer Grundgedanken sich selbst zur
Totalität setzt, also mit der Welt konkurriert. Die mythischen
Doppelgänger Deukalion und Prometheus bilden einen verzwick-
ten allegorischen Kontext: Die Philosophie gleicht der Erschaffung
des Menschen durch die hinterrücks geworfenen Steine insofern,
als sie *ihre Augen hinter sich* wirft, *wenn ihr Herz zur Schaffung
einer Welt erstarkt ist.* Dann aber ist es Prometheus, der *das Feuer
vom Himmel gestohlen, Häuser zu bauen und auf der Erde sich
anzusiedeln anfängt;* wie dieser nun *wendet sich die Philosophie,
die zur Welt sich erweitert hat, sich gegen die erscheinende Welt.*
Dem ist mit einem unverhofften Sprung aus dem antiken in den
modernen Hellenismus der winzige Satz unmittelbar und lapidar
angeschlossen: *So jetzt die Hegelsche.*

Erst wenn die Philosophie in dieser Weise *zu einer vollendeten, totalen Welt sich abgeschlossen hat,* erfüllt sie die Bedingung für *ihr
Umschlagen in ein praktisches Verhältnis zur Wirklichkeit.* Wer
dies dem antiken philosophischen Prozeß nicht als seine ›geschichtliche Notwendigkeit‹ ablesen kann, der kommt um die Konsequenz
nicht herum zu leugnen, daß überhaupt nach einer totalen Philosophie noch zu leben sei. Da Menschen, und philosophierende dazu,
so offenkundig weiter leben, muß es den Ausbruch aus der Totalität, das Posthistoire der vollendeten Weltphilosophie, geben.
Was für die Gegenwart noch nachzuweisen ist, wäre in Gestalt der
hellenistischen Philosophie des Epikur vorzuführen gewesen. Nicht
nur und mehr Epigone zu sein, ist die fällige Anstrengung, die
das Format des Titanen erfordert. Ohne den Namen nochmals
zu nennen, wohl aber an den des Zeus unmittelbar anschließend,

18 Marx, Aus den Vorarbeiten zur Dissertation. Heft VI (Frühe Schriften, edd.
H. J. Lieber / P. Furth, I 102-105).

apostrophiert Marx Prometheus: *Titanenartig sind aber diese Zeiten, die einer in sich totalen Philosophie und ihren subjektiven Entwicklungsformen folgen, denn riesenhaft ist der Zwiespalt, der ihre Einheit ist. So folgt Rom auf die stoische, skeptische und epikureische Philosophie.*

Die Hypostase der Philosophie als historisch handelnder Person erreicht ihren Höhepunkt mit der Konstruktion eines typischen *Curriculum vitae*, das sowohl Male ihrer Geburt kennt als auch die ihrer Spät- und Endphasen trägt: so wie man *aus dem Tode eines Helden auf seine Lebensgeschichte schließen kann.* Die Möglichkeit der Rückwendung ist so etwas wie die Kompensation der Verspätung für den, der nicht mehr die Chance der klassischen Totalität hat. Indem der Autor Epikur nicht als das Resultat einer philosophischen Vergangenheit, sondern als den möglichen Umschlagspunkt ihrer *Transsubstantiation in Fleisch und Blut* erfaßt, begreift er die titanische Chance, die dem Spätling in einer schon besetzten und verteilten Welt bleibt.

So kündigt sich, in der Tiefe der Vorarbeiten, die Kanonisierung des Prometheus am Schluß der Vorrede der Dissertation an. Denn zweifellos ist diese das späteste Stück in der Folge der erhaltenen Texte. Wenn das Fazit der Gedankenentwicklung dabei in die Verengung einer ganz religionskritisch gefärbten Passage eintritt, so verschmilzt Epikurs Aufbegehren gegen die Götter doch nur mit dem Trotz des Angeschmiedeten der Tragödie zu dem, was Marx das *Bekenntnis des Prometheus* nennt und nur griechisch zitiert: *Mit einem Wort, ich hasse alle Götter.* Wenn dies der Philosophie eigenes und spätes Bekenntnis sein soll, so ist es Ausdruck ihrer Eifersucht, es könnten andere, himmlische oder irdische Götter, *das menschliche Selbstbewußtsein nicht als die oberste Gottheit anerkennen.* Alttestamentarisch ist die Schlußformel dieser Eifersucht: *Es soll keiner neben ihm sein.* So spricht nicht der mythische Prometheus, dessen Trotz doch nur dagegen steht, daß ein anderer ihn nicht neben sich sein lassen will, sondern der aus der Gewaltenteilung herausgetretene, auf den dogmatischen Absolutismus hindrängende und die Philosophie unter den Einzigkeitsanspruch stellende Götterfeind aus Göttlichkeit.

Wenn dieser mit den Worten der Tragödie den Boten des olympischen Gottes zurückweist, soll er an dieser Stelle nicht nur denen widersprechen, die *über die anscheinend verschlechterte bürgerliche Stellung der Philosophie* frohlocken, sondern auch das Selbstbewußtsein seines mütterlichen Erbwissens bekunden, daß mit der Herrschaft des Zeus der Ruhestand der Geschichte nicht eingetreten ist, es vielmehr ein Verhängnis über der Zukunft dieses Despoten gibt: die Bedrohung durch die nächste Generation in Gestalt eines Sohnes, den zu zeugen er noch nicht gewarnt worden ist. *Lang ist er Herr der Götter nicht*, ist aus dem Lösungswort der Tragödie zum geschichtsphilosophischen Trostwort des Totalitätsüberdrusses geworden. Als Figur der Gesamtgeschichte, die die Vergangenheit des Kampfes um die Herrschaft gegen die Titanen mit der Bedrohung derselben Herrschaft durch ihre eigene Petulanz verbindet, steht Prometheus für das, was der Philosophie an ihrer Zukunft noch verborgen ist, aber alsbald enthüllt werden sollte – vom Autor der Dissertation.

Der Name des Titanen, ein Jahrzehnt nach Hegels Tod zur Versicherung dessen genannt, daß Menschenleben als Philosophie wieder möglich werden könnte, ist in Hegels Berliner Vorlesungen über Religionsphilosophie, die zu einem guten Teil die Mächtigkeit seiner Wirkung begründet hatten, eine schwächlich beleuchtete Allegorie: eine *wichtige, interessante Figur*, eine *Naturmacht*, ein *Wohltäter der Menschen*, der sie die ersten Künste gelehrt und ihnen das Feuer vom Himmel geholt habe. Zum Feueranzünden bedurfte es *schon einer gewissen Bildung*, folglich war es nicht die früheste Frühe und nicht die Bedingung aller menschlichen Kultur; vielmehr war da *der Mensch schon aus der ersten Roheit herausgetreten.* Vom Schöpfungsakt ist Prometheus deutlich weggerückt und in die Geschichte, als eine ihrer denkwürdigen Episoden, nicht als Akt ihrer Urstiftung, aufgenommen. Das Mythologem ist nivelliert, steht im panoramatischen Komplex mit anderem, was der Würdigung durch Vergegenwärtigung bedarf und in der Mythologie dafür bereitgehalten wird: *Die ersten Anfänge der Bildung sind so in den Mythen in dankbarem Andenken aufbewahrt worden.*[19]

Sobald Prometheus nicht mehr der Vermittler der elementaren Bedingungen nackter Daseinsfristung ist, sondern bereits der Ent-

19 Hegel, Vorlesungen über die Philosophie der Religion (Werke, Jubiläumsausgabe, XVI 107).

rohung dienstbar geworden, rückt er in die Reichweite der Verwerfung durch jede Art von Rousseauismus. Steht sein Himmelsfeuer schon für die erste Verfeinerung der Nahrung, für die Beleuchtung der Höhlen, für die Verformung der Metalle, so steht es
im Kontext der unaufhaltsamen Steigerung der Bedürfnisse. Denn
seit Rousseau hatte sich der Verdacht noch verfeinert, mit der einmal überschrittenen Grenze der minimalen Selbsterhaltung werde
nur diejenige Schwäche erzeugt, deren Abschirmung in die Erzeugung neuer Schwächen hineinführt, für die sich ständig weitere
Bediener und Wohltäter anbieten. Prometheus konnte das Feuer
nicht in die Höhlen bringen, ohne mit der Abhängigkeit von dem
neuen Element auch die von den Kennern seiner ständigen Erzeugung und den Hütern seiner Versorgung zu schaffen.

Jedenfalls gilt dies, wenn die Voraussetzungen zutreffen, unter
denen Marx in den Pariser ökonomisch-philosophischen Manu-
skripten von 1844 die Funktion der redundanten Bedürfnisse für
Entstehung und Auswirkung des Eigentums beschreibt: *Jeder
Mensch spekuliert darauf, dem anderen ein neues Bedürfnis zu
schaffen, um ihn zu einem neuen Opfer zu zwingen, um ihn in eine
neue Abhängigkeit zu versetzen und ihn zu einer neuen Weise des
Genusses und damit des ökonomischen Ruins zu verleiten. Jeder
sucht eine fremde Wesenskraft über den anderen zu schaffen, um
darin die Befriedigung seines eigenen eigennützigen Bedürfnisses
zu finden.*[20] Hatte Rousseau den Kulturprozeß noch nach dem
schon antiken Schema der ›Verweichlichung‹ und der daraus sich
potenzierenden Schutzbedürfnisse abgeleitet, so wird hier die Bosheit insinuiert, das Bedürfnis des anderen sei der Hebelpunkt der
Macht des einen über ihn. Abgelesen ist das nicht an der Hypothese
des frühen Feuergewinns, doch enthält es anthropologische Genera-
lisierungen, die sich unschwer in die fiktive Situation der archaischen Höhle und Hütte projizieren lassen, wenn einmal die Bedürf-
nislosigkeit des Rousseau-Stadiums verlassen worden war: *Mit der
Masse der Gegenstände wächst daher das Reich der fremden Wesen,
denen der Mensch unterjocht ist, und jedes neue Produkt ist eine
neue Potenz des wechselseitigen Betruges und der wechselseitigen
Ausplünderung.* Die Menschenfreundlichkeit des Prometheus ist
problematisch geworden.

20 Marx, Frühe Schriften I 608-611.

Aus der weiten zeitlichen Distanz, vom Ende der Geschichte her, nimmt er sich eher wie ein hinterhältiger Dämon aus, der eine Gabe unter die Menschen geworfen hatte, an der sie sich nicht nur wie die Satyrn, an die Rousseau erinnert, die Bärte verbrennen, sondern zum ersten Mal der Fremdheit des Sachzwangs unterworfen und in das Netz des Eigentums verstrickt werden. Mit der Stiftung des Feuers läuft eine Kettenreaktion ab, die jeden zum potentiellen Potentaten jedes anderen macht, weil das Bedürfnis und die Mittel zu seiner Befriedigung auseinandergerissen werden. Rückblickend, vom Zeitalter der Maschinen her, wird deutlich, daß mit der ersten Produktivkraft der Prozeß der Assimilation des Subjekts an die Objekte begonnen hatte: *Die Maschine bequemt sich der Schwäche des Menschen, um den schwachen Menschen zur Maschine zu machen.* Soll ein Urbedürfnis namhaft gemacht werden, das keine Abhängigkeit unter den Menschen erzeugt, so muß eher an die Atemluft als an das Feuer gedacht werden. Sie ist denn auch das äußerste und unveräußerliche Bedürfnis, das in der Beschreibung der Verelendung als Kriterium der Rückkehr in die Höhle auftritt: *Selbst das Bedürfnis der freien Luft hört bei dem Arbeiter auf, ein Bedürfnis zu sein, der Mensch kehrt in die Höhlenwohnung zurück, die aber nun von dem mephytischen Pesthauch der Zivilisation verpestet ist* ... Hier nun, wo die Urzeithöhle in der immanenten Konsequenz des Feuerraubs pervertiert erscheint, taucht der Name des Prometheus als der einer fernen und verklärten Erinnerung – in der von Hegel bezeichneten Weise, wenn auch nicht ›in dankbarem Andenken‹ – wieder auf: *Die Lichtwohnung, welche Prometheus bei Äschylus als eines der großen Geschenke, wodurch er den Wilden zum Menschen gemacht, bezeichnet, hört auf, für den Arbeiter zu sein.*
Der rhetorische Kunstgriff bezieht die Menschwerdung durch Beleuchtung der Höhle symmetrisch auf die Entmenschung am Ende der Geschichte des Eigentums: als Unerträglichkeit der archaischen Zuflucht in der Höhle. Er vermeidet es, von der Rolle des Feuers im Prozeß der Entfremdung zu sprechen, und läßt Prometheus als Bringer eines Lichts unangetastet, das nur seither nicht mehr allen leuchtet. Dieser bleibt eine geschichtsphilosophische Figur, ein Merkposten der Menschheit bis in ihre Entwesentlichung hinein und durch ihre Identitätsverluste hindurch. Daß auf ihn angespielt wer-

den kann, ist selbst noch das Minimum einer Identität, ein romantisches Aufleuchten in einer fernen Vergangenheit, das nicht auf irgendeine Figur des Jahrhunderts bezogen werden kann, dem diese Erinnerung vorgestellt wird.

Schließlich, auf dem Höhepunkt des »Kapital«, im Zusammenhang mit nichts Geringerem als dem ›absoluten allgemeinen Gesetz der kapitalistischen Akkumulation‹ im dreiundzwanzigsten Kapitel, noch einmal die Figur des Prometheus, im beiläufigsten und gerade deshalb bedeutungsvollen Daranstreifen: Endlich ist sie die Präfiguration des Proletariats in seiner naturgesetzhaften Anschmiedung an den nackten Felsen der kapitalistischen Produktion geworden. Diese Identifizierung hat Marx nicht erfunden. Er erwähnt schon 1846 in dem »Zirkular gegen Kriege«, dieser habe das mythologische Bild vom gefesselten Prometheus auf das Proletariat angewendet. Er selbst war auf einem (1972 in Berlin wieder ausgestellten) Düsseldorfer Flugblatt gegen das Verbot der »Rheinischen Zeitung« als gefesselter Prometheus dargestellt worden: Der verfolgte Chefredakteur, angeschmiedet an den Kaukasus der Druckerpresse, und der preußische Adler, der ihm auf der anatomisch falschen Seite die Leber (vielleicht war das Herz gemeint) aushackt, und über allem im Wolkenhimmel schwebend ein Eichhorn anstelle des Zeus, gleichnamig mit dem Kultusminister und Pressezensor für Preußen; unterhalb der beherrschenden Konfiguration, zur Erde niedergestreckt und nur mühsam sich von ihr erhebend, die üblichen Figurinen nackter weiblicher Gestalten, die Geschöpfe des Prometheus, in diesem Fall die von seinem Licht erleuchteten Abonnenten der verbotenen Zeitung, in Klagehaltung gegen den Verlust ihrer Aufklärung demonstrierend. Was damals der Chefredakteur nicht hatte wissen können, war, daß fast zur selben Zeit ein Lehrling in Bremen einen anderen zum Prometheus erhoben und in einem Fragment gebliebenen Gedicht, betitelt »Sanct Helena«, als den Heiligen und Märtyrer der Epoche besungen hatte: Friedrich Engels den Korsen mit dem ›größten Felsenherzen‹, auf das sich sowohl ›des Prometheus Schmerzen‹ als auch die ›ausgeglühten Kerzen‹ reimen ließen: *Die Gott, als er die Welt gesetzt zusammen, / Entbrannt, um Licht zu seinem Werk zu flammen.*[21]
Unter dem Aspekt der ›kapitalistischen Akkumulation‹ ist Pro-

21 Engels, Schriften der Frühzeit. Berlin 1920, 131 f.

metheus auf dem Kaukasus nicht mehr das Opfer tyrannischer
Willkür des Göttervaters, sondern der Unerbittlichkeit jenes ›absoluten allgemeinen Gesetzes‹, das Unterdrücker und Unterdrückten
zu *einer* Geschichtsaktion zusammenzwingt – freilich aus der
Hinterlist der Vernunft dieser Geschichte nur, um sie dem unvermeidlichen Divergenzpunkt ihres Geschicks zuzutreiben.
Das neue Gesetz ist zwar von der Stringenz des Naturgesetzes,
aber von der Qualität eines Gesetzes der Geschichte. Denn es geht
aus gerade von dem Widerspruch gegen die Naturgesetzlichkeit des
Verhältnisses von Bevölkerungsgröße und Nahrungsgröße, wie es
Malthus geregelt gesehen hatte. Die Entwicklung der Bevölkerungsgröße wird jetzt abhängig von der absoluten Variablen der
Akkumulation des Kapitals. Es war einer der Triumphe der Wis-
senschaftsförmigkeit des neuzeitlichen Denkens gewesen, als Malthus eine der vermeintlich rein historischen Größen unter ein ma-
thematisch formulierbares Naturgesetz gebracht hatte. Die Würde
der Determination wechselte nun bei Marx über auf die Seite der
Geschichte kraft ihres ökonomischen Motors. Es gibt immer nur
eine relative Übervölkerung, abhängig von dem immanenten Bedürfnis des Kapitals, sich zur Regulierung des Arbeitspreises ein
Reservoir an Arbeitskraft zu halten. Das ist die Ankettung des
Menschen an eine gesichtslos-graue Substanz, die das Bild des Gefesselten am Fels des Kaukasus heraufruft.
Ganz ohne einen Blick auf den Göttervater, der im Prometheus-
Bild der Dissertationsvorrede der Abgewiesene der epikureischen
Religionskritik gewesen war, geht es nicht ab. Nur wird die Religionskritik jetzt zum Nebenprodukt der demiurgischen Selbst-
unterwerfung, der sich der Mensch in der Geschichte seiner Bedürfnisse zugeführt haben sollte. Nicht der Gott ist die Wurzel der
Gewalt; nach der identischen Gesetzlichkeit, mit der sich der
Mensch dem Götzen seines Produkts unterwirft, erliegt er der
Fiktion seiner Götter: *Wie der Mensch in der Religion vom Machwerk seines eigenen Kopfes, so wird er in der kapitalistischen Produktion vom Machwerk seiner eigenen Hand beherrscht.*[22] Daraus
wird man folgern dürfen, daß Prometheus auch deshalb hier genannt werden mußte, weil er nicht mehr nur wegen seines ›reli-
gionskritischen‹ Konflikts mit Zeus durch Fesselung an den Felsen

22 Marx, Ökonomische Schriften, edd. H. J. Lieber / B. Kautsky, I 744.

gestraft wurde, sondern auch die ›ökonomische‹ Konsequenz seiner eigenen Handlung, sich Menschen zu schaffen, ihn an das Massiv ihrer Bedürfnisse fesselte, ohne daß es dazu eines zürnenden Obergottes bedurft hätte.

Wenn es richtig ist, daß die *Reproduktion der Arbeitskraft* nichts anderes ist als ein *Moment der Reproduktion des Kapitals selbst,* dann führt zum Anschluß des Gesetzes von der gemeinsamen Ursächlichkeit der disponiblen Arbeitskraft wie der Expansivkraft des Kapitals an die mythische Konfiguration der Promethie die Metapher der Kette. Sie verweist auf die Keile des olympischen Schmiedegottes, mit denen Prometheus an den Fels geheftet worden war. Steigt der Preis der Arbeit infolge Akkumulation des Kapitals, so besagt das im theoretischen Verbund von Marx nur, daß *der Umfang und die Wucht der goldenen Kette, die der Lohnarbeiter sich selbst bereits geschmiedet hat, ihre losere Spannung erlauben . . .*[23] Es ist dann der kommunizierende Verbund der beiden Größen, Kapital und Bevölkerung, was den Vergleich aufgehen läßt, dieses Gesetz schmiede *den Arbeiter fester an das Kapital als den Prometheus die Keile des Hephaestos an den Felsen.*[24]

23 Marx, a. a. O. I 740.
24 Marx, a. a. O. I 779.

II
Wieder am Felsen der stummen Einsamkeit

> *Allein es wäre ein Unglück, sollte die*
> *schwäbische Lyrik zur Mode werden . . .*
> *Wo ist Prometheus?*
> Karl Gutzkow, Beiträge zur Geschichte
> der neuesten Literatur. 1836

Wenn die Aufklärung im Feuerraub des Prometheus ihr geschichtliches Amt präfiguriert sah, der Menschheit gegen Wesen und Willen ihrer alten Götter Licht zu verschaffen, mußte sich auch das Scheitern der Aufklärung bis hinein in ihre Rückläufigkeit mit der Sprache des Prometheus-Mythologems Ausdruck geben können. Der Lichtbringer gerät ins Zwielicht.

Heine ist es nicht wie Goethe gelungen, nach dem Scheitern die Selbstkonzeption als Prometheus an einen anderen zu delegieren. Auch er hat auf den Napoleon der Felseninsel im Atlantik hingesehen und in ihm den gefesselten Prometheus erkannt; aber das hat ihn nicht davor bewahren können, selbst das Promethidenlos zu erleiden. Napoleon, der Erbe der Revolution, wird zur Leitfigur der scheiternden Aufklärung; und als Heine seine Zweifel zu datieren beginnt, hört der Lichtbringer mit dem 18. Brumaire auf, seinem Jahrhundert zu genügen.

Obwohl Napoleon an einem Novembertag des Jahres 1811 in Düsseldorf eingezogen war, verwandelt sich für Heines Erinnerung 1827 die Szenerie in einen lichten Sommertag. Der Aufritt des Kaisers in der Allee des Hofgartens ist in der blasphemisch säkularisierten Sprache der Epiphanie beschrieben. Die Erscheinung ist von momentaner Evidenz: *. . . auf diesem Gesichte stand geschrieben: Du sollst keine Götter haben außer mir.* Nun, im Augenblick der Erinnerung, ist der Kaiser tot, und seine Felseninsel im Ozean sieht der Dichter als *das heilige Grab, wohin die Völker des Orients und Okzidents wallfahrten in buntbewimpelten Schiffen,* *und ihr Herz stärken durch große Erinnerung an die Taten des weltlichen Heilands, der gelitten unter Hudson Lowe, wie es geschrieben steht in den Evangelien Las Cases, O'Meara und Antommarchi.*[25]

Und dann ist da auch der erste flüchtige Selbstvergleich, das Eintreten in das Bezugsdreieck mit Napoleon und Prometheus, niedergeschrieben 1826 auf der Insel Norderney: *Es ist aber jetzt so öde auf der Insel, daß ich mir vorkomme wie Napoleon auf St. Helena.*[26]

Dann wird die Begeisterung für Napoleon, wohl unter dem skeptischen Einfluß Varnhagens, terminiert auf den Tag des Staatsstreichs. Es ist die Schwierigkeit, die allen entsteht, wenn sie es mit Göttern zu tun haben, die Einzigkeit einer solchen Natur – *jeder Zoll ein Gott!* – zu vereinbaren mit dem schnellen Verfall ihrer Göttlichkeit. Wie aber konnte der Mann im Düsseldorfer Hofgarten 1811 noch der erscheinende Gott sein, wenn er 1799 aufgehört hatte, die Werke des Gottes, die Lichtbringerschaft der Aufklärung, zu vollstrecken? Schon 1830, im vierten Teil der »Reisebilder«, ist das Erinnerte getrübt von dem, was damals bevorgestanden hatte: *Nie schwindet dieses Bild aus meinem Gedächtnisse. Ich sehe ihn immer noch hoch zu Roß, mit den ewigen Augen in dem marmornen Imperatorgesichte, schicksalruhig hinabblickend auf die vorbeidefilierenden Guarden – er schickte sie damals nach Rußland, und die alten Grenadiere schauten zu ihm hinauf, so schauerlich ergeben, so mitwissend ernst, so todesstolz – ...*[27] Zwei Jahre zuvor, in der »Reise von München nach Genua«, hatte sich Heine noch so aus der Affäre gezogen: *Ich bitte Dich, lieber Leser, halte mich nicht für einen unbedingten Bonapartisten; meine Huldigung gilt nicht den Handlungen, sondern nur dem Genius des Mannes. Unbedingt liebe ich ihn nur bis zum achtzehnten Brumaire – da verriet er die Freiheit.*[28] Die Tat sei immer nur das Gewand des menschlichen Geistes, und die Geschichte dann auch nichts anderes als seine *alte*

25 Heine, Reisebilder II: Ideen. Das Buch Le Grand, Kap. IX (Sämtliche Schriften, ed. K. Briegleb, II 276).
26 Reisebilder II: Die Nordsee. Dritte Abteilung (Schriften, II 232).
27 Reisebilder IV: Englische Fragmente X. Wellington (Schriften, II 593).
28 Reisebilder III: Italien I. Reise von München nach Genua. Kap. XXIX (Schriften, II 374 f.).

Garderobe. Alle, die dieses Stück Geschichte miterlebt hätten, seien mitberauscht worden von dem, der sich am Kelch des Ruhmes berauschte und *sich erst zu St. Helena ernüchtern konnte.*

Zweifel an der Realität der Erfahrung und Mythisierung des Bildes greifen ineinander, sind zwei Seiten ein und desselben Vorgangs. *Manchmal überschleicht mich geheimer Zweifel, ob ich ihn wirklich selbst gesehen, ob wir wirklich seine Zeitgenossen waren, und es ist mir dann als ob sein Bild, losgerissen aus dem kleinen Rahmen der Gegenwart, immer stolzer und herrischer zurückweiche in vergangenheitliche Dämmerung.*[29] Die Zeit sei unfähig, ein solches Bild zu zerstören; sie wird es in sagenhafte Nebel hüllen, *und seine ungeheure Geschichte wird endlich ein Mythos.* Die Mythisierung läßt Fakten und Identitäten der Geschichte nicht sowohl vergessen, als vielmehr im Typischen und Bildhaften eins werden und aufgehen. Da ist dann Prometheus nicht mehr der Name, mit dem die Übergröße des Gescheiterten auf St. Helena benannt und erfaßt, weil nicht begriffen werden kann. Aus der Sicht einer fernen Zukunft, die nur zu vollstrecken scheint, was dem Dichter schon in der Nähe der Erinnerung passiert, werden Napoleon und Prometheus ununterscheidbar. Es bedarf der Pedanterie, um daraus dann noch eine Frage aufzuwerfen und sie durch eine These zu beantworten: *Vielleicht, nach Jahrtausenden, wird ein spitzfindiger Schulmeister, in einer grundgelehrten Dissertation, unumstößlich beweisen: daß der Napoleon Bonaparte ganz identisch sei mit jenem andern Titane, der den Göttern das Licht raubte und für dieses Vergehen auf einem einsamen Felsen, mitten im Meere, angeschmiedet wurde, preisgegeben einem Geier, der täglich sein Herz zerfleischte.*[30]

Das ist die Ironie einer perspektivischen Täuschung, wie sie der Gegenwart und näheren Zukunft, ihrer Erinnerung oder Erforschung der Geschichte, noch nicht zugetraut werden kann. Aber schon jetzt, da er noch der große Leidende ist, hört er auf, der Lichtbringer Prometheus zu sein, *dem es gelungen ist, die erste Fackel der Erleuchtung in das Dunkel des Mittelalters und der religiösen Dämonen zu werfen, und so einen Weltbrand zu ent-*

29 Reisebilder IV: Englische Fragmente X (Schriften, II 593).
30 Reisebilder III: Italien I. Reise von München nach Genua. Kap. XXVIII (Schriften, II 374).

fachen, in dem alles Erstarrte und Verkrustete zu neuer Menschlichkeit geläutert wird.[31] Nein, Heine ist bei dem Gott zu Pferde im Hofgarten, bei der Eindeutigkeit der eigenen Erinnerung nicht stehen geblieben. Er projiziert die Mythisierung in die Ferne von Jahrtausenden. Es muß erst genügend des Faktischen vergessen worden sein, damit der Umriß des Bildhaften allein Gültigkeit zu bekommen vermag. Mythisierung ist nicht die Sache einer nahen Gegenwart. Heines Verfahren ist das einer Umkehrung: Nachdem Napoleon Prometheus geworden war, wird schließlich Prometheus Napoleon werden. Es ist, als sei dies gegen Goethes Verfahren mit dem Mythos erfunden.

Die zweite Umkehrung der Promethie bezieht sich auf das Regime des Louis Philippe. Perversion des Lichtraubs schreibt Heine als unglaubliches Vergehen dem Minister des Bürgerkönigs, Casimir Périer, zu. Dieser Mann sei in der Periode der Restauration Sprecher der Opposition und als solcher ein Muster von Haltung und Würde, mit strengster Logik und starren Vernunftgründen, gewesen. Plötzlich aber habe er seine Kräfte verkannt und sich vor den Mächtigen gebeugt, die er hätte vernichten können; sich von ihnen den Frieden erbettelt, den er nur als Gnade hätte gewähren dürfen. Jetzt werde er ›Herkules der Juste Milieu-Zeit‹ genannt. Dieser Depravation im Wesen des Mannes, der *viel von schöner Ausbildung der Bürgerlichkeit* gehabt habe, gibt Heine ihre Entsprechung in der Umkehrung des mythischen Vorgangs: ... *ein verkehrter Prometheus, stiehlt er den Menschen das Licht, um es den Göttern wiederzugeben.*[32]

Noch mußte Heine auf den Tod des Olympiers in Weimar warten, der die ästhetische Identifizierung mit Prometheus okkupiert und in die Resignation der Selbsterfahrung geführt hatte. Der frischfröhliche Ton von Trotz und Übermut war nicht mehr möglich. Schon 1825/26 hatte Heine im »Gesang der Okeaniden« des zweiten Nordsee-Zyklus im »Buch der Lieder« die Identifikation zu erneuern versucht. Die Differenz ist bildhaft faßbar. Die Okeaniden, Töchter des Okeanos und der Thetis, waren in der Tragödie des Aischylos der Chor gewesen, der das Leid des Prometheus,

---

31 J. Hermand, Napoleon im Biedermeier. In: Von Mainz nach Weimar. Studien zur deutschen Literatur. Stuttgart 1969, 113.
32 Heine, Französische Zustände IV. 1832 (Schriften, III 145).

aber auch seinen Göttertrotz zu beklagen hatte. Jetzt sitzt der Dichter am Strand, verspottet die Vögel des Meeres und rühmt sich prahlend des eigenen Glücks, der in der Ferne von ihm träumenden Geliebten. Er versucht noch einmal die große Illusion des Dichters, die vom Genieheroentum des Sturm und Drang, vom »Prometheus« Goethes herüberkommt. Der Chor der Okeaniden zerstört die Täuschung, durchschaut die hohle Selbstsicherheit des Epigonen. Auf dem Grunde seiner Prahlerei sehen sie den Schmerz.

Da erinnern sie sich des Prometheus, den sie einst zu trösten hatten, und mahnen zur neuen Vernunft, die Götter zu ehren, bis der andere Titan, Atlas, *die Geduld verliert, / Und die schwere Welt von den Schultern abwirft / In die ewige Nacht.* Er aber, der Mann am Meeresstrand, sei halsstarrig wie sein Ahnherr, *der himmlisches Feuer / Den Göttern stahl und den Menschen gab, / Und geiergequälet, felsengefesselt, / Olympauftrotzte* ... Erst in der letzten Zeile des Gedichts gibt Heine zu erkennen, wer vom Chor der Okeaniden angesprochen war, indem er die dritte Person aufgibt und in der ersten schließt: *Und ich saß noch lange im Dunkeln und weinte.* Der Dichter ist nicht mehr der Menschentöpfer in seiner Werkstatt, der Zeus den Konflikt anbietet. Er ist der im Rückblick auf die Selbsterhöhung des ästhetischen Subjekts Ernüchterte, dem nur noch bitterer Spott auf die Natur gelingt und der sein Bild von der Wirklichkeit gegen die dunkle Drohung und Mahnung der Okeaniden nicht behaupten kann.

Dann ist Goethe tot, und sein Prometheus erscheint im Rückblick als redselig, noch im Trotz als allzu begründungshungrig. Heine kommt 1833/34 auf Prometheus zurück, als er der Aufforderung des Führers der Saint-Simonisten in Paris, Prosper Enfantin, folgt, dem französischen Publikum die Ideenentwicklung im zeitgenössischen Deutschland darzustellen. Heine schildert, wie die Philosophie in Gestalt der Metaphysik Christian Wolffs in die Streitigkeiten der protestantischen Theologie hineingezogen wurde, von den Orthodoxen gegen die Pietisten zu Hilfe gerufen. Dieser Hilferuf der Religion an die Philosophie habe ihren Untergang unabwendbar gemacht; indem sie sich verteidigte, redete sie sich ins Verderben. Das läßt der Stummheit des Mythos und seiner Gewalten gedenken: *Die Religion, wie jeder Absolutismus, darf sich nicht justifizieren. Prometheus wird an den Felsen gefesselt von der*

*schweigenden Gewalt. Ja, Äschylos läßt die personifizierte Gewalt
kein einziges Wort reden. Sie muß stumm sein . . .*[33]
Die archaische Unwiederholbarkeit der Felsanschmiedung liegt in
ihrer Sprachlosigkeit, die Klaglosigkeit und Grundlosigkeit zugleich ist. Der Mythos ist eben keine Theologie, weil der strafende
Gott sich nicht erklärt und weil er jede Gelegenheit zur Theodizee
ausschlägt. Der Mythos erweist sich als Distanz zur Bündnisbereit-
schaft, zu jeder dialogischen Sprachsuche als einem Merkmal bloßer
Schwäche. Prometheus ist der Zeuge desjenigen *tremendum,* das
stumm schlägt und stumm ertragen wird und über das der erste
Triumph schon im Aufbrechen von Beredsamkeit errungen ist. Die
politische Analogie liegt Heine nahe: Was der Religion ein *räsonie-
render Katechismus* ist, wird dem politischen Absolutismus der
Augenblick, in dem er sich zur Herausgabe einer *offiziellen Staatszeitung* veranlaßt sieht. *Es ist für den Philosophen, hier wie dort,
unser Triumph, wir haben unsere Gegner zum Sprechen gebracht.*
Der Mythos ist nicht die Vorstufe des Logos, als dessen Noch-
nicht-Können, sondern dessen unduldsamster Ausschluß. Rhetorik,
wie verachtet auch immer und wie weit entfernt von den Beweislasten des Dialogs, bedeutet doch die Anerkennung der Zumutung,
sich zu stellen und sich darzustellen, sich ›physiognomisch‹ zu
präsentieren.
Wenn Heines Blick unverwandt auf der stummen Szene der Fesselung des Titanen ruht, also auf dem archaischen Kern des Schrek-
kens schlechthinniger Abhängigkeit, so ist diese Verengung zugleich
der Ausschluß jeder geschichtsphilosophischen Allegorese. Wie Goethe das statische Bild des Menschentöpfers in seiner Werkstatt gesucht hatte, nicht die mythische Handlung, wählt Heine den Blick
auf den leidenden Prometheus, wiederum als geschichtslose Szene.
Von hier aus ist der entfaltete, erzählende, der schwatzhaft gewordene Mythos schon die Theodizee *in nuce.* Sie drängt aus der
Sphäre der stummen Gewalt heraus.
Bevor ich mich der neuen Identifikation des Dichters mit Prometheus als dem Leidenden im »Wintermärchen« nähere, muß ich den
Blick lenken auf die zeitlich unmittelbar vorangehende polemisch-
satirische Verwendung des Mythologems, die jene in den »Französi-

33 Zur Geschichte der Religion und Philosophie in Deutschland II. Von Luther
bis Kant (Schriften, III 578).

schen Zuständen« abwandelt. Der »Kirchenrat Prometheus«, später in den »Neuen Gedichten«, ist zuerst am 22. Juni 1844 im »Vorwärts!« erschienen. Wie konnte sich ein Kirchenrat den Titel des Titanen verdient haben?

Heinrich Eberhard Gottlob Paulus veröffentlichte unter dem Titel »Die endlich offenbar gewordene positive Philosophie der Offenbarung – der allgemeinen Prüfung dargelegt« 1843 die kritisch bis polemisch kommentierte und achthundert Seiten dicke Nachschrift von Schellings Vorlesung »Philosophie der Offenbarung«. Aber es hätte nicht genügt, Schelling vom Standpunkt eines protestantischen Rationalismus her darzustellen, um für Heine ein Prometheus sein zu dürfen. Daß sich von dieser Quelle auch mit der Hinterlist einer Vorlesungsnachschrift kein Licht rauben ließ, verstand sich nahezu von selbst. So ist die Pointe des Spottgedichts, daß der *Ritter Paulus, edler Räuber,* sich das *höchste Zürnen* des Olymps nur dafür einhandelt, daß er *Schellings Hefte* stahl und, statt die *Menschheit zu erleuchten,* ihr nur das *Gegenteil des Lichtes, Finsternis, die man betastet,* verschafft. Weshalb sollte dieser düpierte Räuber das Schicksal des Prometheus fürchten, wie Heine ihm rät?

Der Hintergrund dazu ist, daß Schelling als Nachfolger Hegels in Berlin der preußische Staatsphilosoph geworden war, den Heine den ›Hofweltweisen‹ nennt und gegen den zu Felde zu ziehen die allerhöchste Rache provozieren muß. Die preußische »Staatszeitung« war wiederholt für Schellings Eigentumsrecht an seinen Vorlesungen gegen Paulus eingetreten. Dies sei allerdings gar nicht die Frage, schreibt Varnhagen von Ense am 9. Oktober 1843 in sein Tagebuch, sondern vielmehr, *ob Schelling ein Windmacher und Lügner, ein bankrotter Philosoph ist, der sich fremde Gedanken anmaßt, und denen, die ihm die Entlehnung nachweisen, Schuld giebt, sie hätten sie ihm gestohlen!*[34] Natürlich konnte Varnhagen sich einen Besuch beim Kirchenrat Paulus in Heidelberg nicht verkneifen. Er fand statt eines Prometheus ein *uraltes, magres Männchen mit noch scharfen Sinnen, forschendem Blick, leichter Sprache.* Über das Verbot seines Buches und den Zorn des Philosophen habe er gelacht. Er würde jeden Augenblick dasselbe tun, *und wenn ihm gelänge, eine zuverlässige Nachschrift der Schelling'schen Philo-*

34 K. A. Varnhagen von Ense, Tagebücher, ed. L. Assing, II 220.

sophie der Mythologie zu bekommen, so würde er sie ohne Beden-
ken dem Druck übergeben. Er glaubt übrigens, Schelling sei mit
Bewußtsein ein Schelm, er habe immer dreist gelogen und ge-
prahlt...[35]
Heine hatte den Heidelberger Kirchenrat vor dem Schicksal des
Prometheus nicht aus der unangefochtenen Position des Zuschauers
heraus gewarnt. Er sah sich selbst diesem Schicksal nahe. So träumt
er sich jedenfalls auf der Wintermärchenreise bei der Übernachtung
in der preußischen Festung Minden. Da war zuvor die nachge-
spielte mythische Bezugsszene auf Odysseus in der Höhle des
Polyphem mit dem vor den Eingang gewälzten Felsblock. Wie
Odysseus dem Kyklopen, hatte der reisende Dichter dem Korporal
am Stadttor als seinen Namen ›Niemand‹ genannt und als Beruf
den eines Augenarztes, der den Riesen den Star steche. Nach so viel
Unverfrorenheit gegen das Übermächtige bedrücken den Träumer
seine Gestalten: der Zensor und die Gendarmen. Sie schleppen ihn
in Ketten fort an die Felsenwand, an der er sich, ohne daß ein
Name fallen muß, als Prometheus erkennt. Denn da ist der Geier,
der mit seinen Krallen und seinem schwarzen Gefieder dem preußischen Adler gleicht und ihm die Leber aus dem Leib frißt.
Es ist Heines Traum, der Prometheus des preußischen Adlers
geworden zu sein. Sicher ein Stück Koketterie mit einer zu großen
Rolle, aber doch nicht mehr mit der des blasphemischen Menschentöpfers. Schließlich war die Auslösung für den Traum nur
der schmutzige Quast am Betthimmel in der Mindener Herberge
gewesen, wie der Morgen zeigt: *Ich lag zu Minden im schwitzenden*
Bett, / Der Adler ward wieder zum Quaste.[36]
Prometheus im Traum, im Alptraum dazu, diese Verbindung war
schon 1824 in der »Harzreise« mit anderer, damals obligater Be-
zugsrichtung vorformuliert. *In pechdunkler Nacht kam ich an zu*
Osterode. Es fehlte mir der Appetit zum Essen und ich legte mich
gleich zu Bette. Ich war müde wie ein Hund und schlief wie ein
Gott. Im Traume kam ich wieder nach Göttingen zurück... Im

35 Heidelberg, 5. August 1845; Tagebücher, III 152 f.
36 Deutschland. Ein Wintermärchen. Caput XVIII. Heine hat wohl wirklich vom
preußischen schwarzen Geier geträumt, der ihm die Leber fraß, denn so auch in
den »Geständnissen« (Schriften VI/1, 459), in »Die Nordsee« II Gedicht V
(Schriften, I 202 ff.) und in der Vorrede zu den »Französischen Zuständen«
(Schriften, III 95).

Traum also mißlingt die Flucht vor Studium und Büchern; der Träumer findet sich in der Bibliothek des juristischen Saals, alte Dissertationen durchstöbernd. Mit dem Glockenschlag Mitternacht erscheint ihm die Titanin Themis mit einem juristischen Gefolge, das sogleich mit pedantischen Disputationen und Deklamationen beginnt. Bis die Göttin die Geduld verliert und *in einem Tone des entsetzlichsten Riesenschmerzes* aufschreit, sie höre *die Stimme des teuren Prometheus*. Offenbar hat der Vergleich des Schwalls der disputierenden Juristen mit der Meeresbrandung die Assoziation zur Szene des Aischylos mit dem Chor der Okeaniden geweckt und zum Bild der Resignation werden lassen. All diese kunstvolle Gerechtigkeit müsse hilflos vor dem wirklichen Schmerz bleiben, denn *die höhnende Kraft und die stumme Gewalt schmieden den Schuldlosen an den Marterfelsen, und all Euer Geschwätz und Gezänke kann nicht seine Wunden kühlen und seine Fesseln zerbrechen!*[37] Hier wird der Traum zur eschatologischen Szene für die verhaßte Jurisprudenz. Die Göttin bricht in Tränen aus, und die ganze Versammlung heult mit ihr, wie von Todesangst ergriffen; die Decke des Saales kracht, die Bücher stürzen von den Brettern – ein Weltuntergang im Saale. Der Träumer flüchtet sich in einen anderen Raum, in die Antikensammlung, zu den Bildern des Apollo und der Venus. Es ist das geträumte Libretto der Verwandlung des Juristen in den Dichter.

Wenn jedoch in der zweiten französischen Ausgabe der »Harzreise« 1858 schon der Prometheus dieses Traums auf Napoleon bezogen wird, indem durch eine winzige Erweiterung der deutsche ›Marterfelsen‹ verwandelt wird in einen für jeden französischen Leser unzweifelhaften *rocher dans l'océan*, so ist das eine gunstbewerbende Verfälschung des ursprünglichen Zusammenhangs, in welchem die Disproportion zwischen der pedantischen Jurisprudenz und der Übergewalt des vom Titanen zu erleidenden Unrechts die Figur ausgemacht hatte.

Die Traumstelle für Prometheus im »Wintermärchen« war also zwei Jahrzehnte lang vorbereitet. Inzwischen hatte der Dichter selbst, in einem unauflöslichen Komplex von Wunschtraum und Alptraum, den Felsen des Titanen erklommen. Den Zeitgenossen

---

37 Reisebilder I: Die Harzreise (Schriften, II 108-110).

blieb dies als Attitüde nicht verborgen und nicht unzweifelhaft. Ludwig Wihl schrieb im »Telegraph für Deutschland« 1838 über Heine in Paris: *Der tiefe Weltschmerz, den er sich aneignet, scheint mir eine dichterische Erfindung; ich habe davon bei Heine nicht viel verspürt. Wenn Prometheus klagt, daß ihm ein Geier die Brust ausweide, dann hat Heine den Geier an sich gelockt, um interessant klagen zu können.* Was Heine streitig gemacht wird, wird Börne zugestanden: *In Börne brannte prometheusscher Schmerz ...*[38]

Aber auch im Wachen und in der schrecklichsten Realität blieb Heine die Identifizierung mit Prometheus nicht erspart, als er wieder einen Gott hatte, um sich *im Übermaß des Schmerzes einige fluchende Gotteslästerungen (zu) erlauben.*[39] Es war nun nicht mehr der Zeus des Mythos, und schon gar nicht jener *gutmütige und liebenswürdige Gott,* als den Heine sich in seiner Jugend *durch Hegels Gnade* selbst gesehen hatte. Es war der Gott, von dem er das furchtbare Wort an Laube schrieb: *Die Hand dieses großen Tierquälers liegt schwer auf mir.*[40] Da schlägt die Vorstellung wie von selbst um in die Ikone des Mythos, der Heine wie eine undurchschaute und nun sich enthüllende Prophetie lebenslang so nahegelegen hatte: *Ich leide außerordentlich viel, ich erdulde wahrhaft prometheische Schmerzen, durch Ranküne der Götter, die mir grollen, weil ich den Menschen einige Nachtlämpchen, einige Pfennigslichtchen mitgetheilt. Ich sage: die Götter, weil ich mich über den lieben Gott nicht äußern will. Ich kenne jetzt seine Geier und habe allen Respekt vor ihnen.*[41]

Der Sprachwechsel in diesen Sätzen ist aufregend. Heine idyllisiert sich als Aufklärer, als Lichtbringer: So wenig an Aufklärung genügt, um so hart niedergeschlagen zu werden. Aber es sollen die mythischen Götter sein, über die er spricht – um gleich darauf mit dem Singular auf ›seine Geier‹ zurückzukommen und so eben doch den neuen Gott zum alten Zeus zu machen, indem er nur ihm die

---

38 M. Werner, H. H. Houben (edd.), Begegnungen mit Heine. Berichte der Zeitgenossen. Hamburg 1973, I 353 ff.
39 Heine an Heinrich Laube, 7. Februar 1850 (Briefe, ed. F. Hirth, III 197 f.).
40 Heine an Laube, 12. Oktober 1850 (Briefe, III 232).
41 Heine an Julius Campe, 21. August 1851 (Briefe, III 296). Aber Goethe hatte er vorgeworfen, er sei die Flamme, die nicht verbrennen wolle; er, Heine, *beneide nicht die stillen Nachtlichtchen, die so bescheiden ihr Dasein fristen* (Schriften, VI/1, 628).

peinigenden Sendboten zuschreibt. In Minden war es noch der
Adler des preußischen Staates gewesen; für die letzte Verwendung
des Mythologems zum Bilde der schäbigen Erniedrigung des todes-
nah Leidenden tut es der Aasvogel. Die Ohnmacht gegenüber dem
Schmerz ist der Gegenschlag auf die Selbstermächtigung der Aufklärung, das individuelle Leiden ein Martyrium für deren Scheitern. Deshalb ließ sich das Mythologem aus der Identifizierung des
Dichters ganz wieder herauslösen und auf die geschichtlich für ihr
Aufbegehren am Felsen ihres Planeten gestrafte Menschheit projizieren[42]: *Die Erde der große Felsen, woran die Menschheit, der*
eigentliche Prometheus, gefesselt ist und vom Geier (des Zweifels)
zerfleischt wird – Sie hat das Licht gestohlen und leidet Mar-
ter –
Heine hat sich, wenn man so sagen darf, frivol singend Mut
gemacht, am alten Problem der Rechtfertigung Gottes vorbeizu-
gehen. Nietzsche sucht vor ihm stehen zu bleiben, um es nicht zu
Gesicht zu bekommen. In der Frühzeit hat er es wahrgenommen
und bewältigt wie Kant die Dialektik der reinen Vernunft durch
den Begriff der Erscheinung: Was als Wirklichkeit nicht zu rechtfertigen war, konnte doch als schöner Schein *mit dem Künstler-*
Sinn und -Hintersinn hinter allem Geschehen leichthin erträglich
werden. So hat er es selbst im Rückblick gesehen, als er 1886 das
Vorwort zur Neuauflage der »Geburt der Tragödie« schrieb. Als
Gesamtkunstwerk ließ sich die Welt verteidigen. Der ultimative
Ernst, der einmal mit allem, was Realität sein sollte, verbunden
gewesen war, konnte auf sich beruhen bleiben. Das war die letzte
Gestalt der Theodizee vor dem Tode Gottes.
Aus dem Scheitern des Descartes an der Überwindung seines ab-
gründigsten Zweifels, alle Erkenntnis könne einem übermächtigen
Betrüger zum Opfer fallen, zog Nietzsche eine neue Folgerung:
War der *Dieu trompeur* nicht zu widerlegen, so konnte er zum
Gott einer Artisten-Metaphysik werden. Wäre die Wahrhaftigkeit
des Weltgrundes zu retten gewesen, so hätte die Kunst weiterhin
und endgültig Lüge bleiben müssen.[43] Der Mißerfolg der cartesi-

---

42 Aufzeichnungen (Prosa-Nachlaß, ed. E. Loewenthal, 135 ff., unter dem Titel
»Aphorismen und Fragmente«); Schriften, ed. K. Briegleb, VI/1 640.
43 Nietzsche, Versuch einer Selbstkritik. Zur Neu-Auflage der »Geburt der Tragödie« 1886 (Gesammelte Werke, Musarion-Ausgabe XXI 111-124).

schen Erkenntnistheorie und ihrer Nachfolger erlaubte ihre Umwertung zu einer Ästhetik der Welt, die wegen ihrer Bezuglosig-
keit zur Wahrheit allererst dem Genuß zugänglich geworden ist.
Die Attitüde des Zuschauers ermöglicht Heiterkeit, selbst vor der
tragischen Szene – oder gerade vor ihr.

Diese Art von Gott jedoch, der kein Betrüger mehr, aber ein
leichtfertiger Artist ist, verdient das Wagner-Schicksal der Götterdämmerung. Es erweist sich, daß der ›Tod Gottes‹ in der Prokla-
mation Nietzsches nichts anderes ist als Ereignis in einer Tragödie,
zu der die Geschichte selbst geworden ist. Schon 1870 hatte Nietzsche in den Vorarbeiten zur »Geburt der Tragödie« geschrieben:
*Ich glaube an das urgermanische Wort: alle Götter müssen ster-
ben.*[44] In den Entwürfen zum Drama »Empedokles« aus derselben
Zeit steht *Der große Pan ist tot!* für das, was im fünften Akt Werk
des Philosophen sein soll. Der dynastisch gebaute griechische Mythos hat immer Schwierigkeiten, seine verfallenen Götter verschwinden zu lassen; sterben dürfen sie nicht, weil die Griechen mit
dem Begriff des Gottes nichts Besseres zu verbinden wußten als
Unsterblichkeit. Aber der Generationsgedanke widerspricht diesem
Attribut. Die Unsterblichkeit ist ursprünglich nicht im Mythos zu
Hause, eher die Wiederherstellung des Zerrissenen oder des Phoe-
nix aus der Asche. Es ist ganz konsequent, wenn eine Mythisierung
der Geschichte den Tod der Götter kennt, die ihre Epochen beherrscht haben. Nietzsche wird versuchen, das in seiner ›Berichtigung‹ der Promethie gegen die Überlieferung durchzusetzen.

Daß Prometheus sich selbst nur zu retten vermag, indem er die
Weissagung von einem kommenden mächtigeren Sohn des Zeus zur
Pressung des schon auf Thetis versessenen Liebhabers verwendet,
muß in Nietzsches Konzept fehl am Platze gewesen sein. Denn
eben im Untergang der Götter liegt die endgültige Chance des
Menschen. Er kann, weil er ebenso gut wie dumm ist, glücklich
erst werden, wenn die Götter *in ihre endliche Dämmerung einge-
gangen sind.* So jedenfalls ist am Ende der siebziger Jahre der an
Wagners Kunst gegenwärtig gewordene *Weg zu einem deutschen
Heidenthum* gesichtet.[45] Prometheus muß, wenn er vom Unter-

44 Gedanken zu »Die Tragödie und die Freigeister« (Werke, III 259).
45 Kritische persönliche Bemerkungen zu den eigenen Schriften der Frühzeit
(Werke, XXI 68).

gang der Götter weiß, dieses Wissen hüten, damit Zeus vor dem Gang zur Zeugung seines Überwinders *nicht* gewarnt wird. Der Niedergang des Gottes ist die Bedingung der Möglichkeit für den Aufgang des Menschen.

Nietzsches Sicht auf den Mythos macht allererst zwingend, daß die Rivalität zwischen Zeus und Prometheus nicht eine dynastische Angelegenheit ist. Zeus ist tödlich gereizt, weil die Welt als Gesamtkunstwerk nur geraten kann, wenn an ihr nur *eine* Hand am Werk ist. Der Teilnahme Nietzsches an diesem Mythos fehlt jeder moralisierende Zug; er hat vor sich die Rivalität zweier Gesamtkunstwerker, zweier ›Betrüger‹ im Sinne jenes *unmoralischen Künstler-Gotts,* der seine totale Weltvorstellung in Szene setzt. Wenn alle Sympathie bei Prometheus liegt, dann, weil er schon beim Opferbetrug vorgeführt hatte, welcher Kunstgriffe er fähig sei.

Was das Auge Richard Wagners erblicken würde, hatte Nietzsche im Sinn, als er auf das Titelblatt der »Geburt der Tragödie« die Vignette des Bildhauers Rau mit dem befreiten Prometheus setzen ließ, der einen Fuß auf den vom Pfeil des Herakles getroffenen Adler setzt und an den Armen mit der Gebärde des Trotzes noch die gesprengten Fesseln trägt. Im Vorwort vergegenwärtigt sich der Autor den Augenblick, in dem der Adressat der Widmung dieser Bezüglichkeit ansichtig werden würde, um mit dem Namen des Verfassers zu verbinden, daß er bei allem, was er in diesem Buch geschrieben hatte, sich seines Gegenüber als der Verkörperung *der höchsten Aufgabe* und der *eigentlich metaphysischen Tätigkeit dieses Lebens,* der Kunst, bewußt gewesen war.

Die Theorie vom Ursprung der Tragödie beruht auf einer allgemeineren These vom Wesen der Kultur, nach der die Höhe ihrer Leistungen die Tiefe ihres Untergrundes an Menschenfeindlichkeit voraussetzt, über dem sie sich erhebt. Die Promethie wird dabei zum Mythos weniger von der Überwindung der Menschenfeindschaft des Zeus durch den Leidenden auf dem Kaukasus als vielmehr von ihrer Niederhaltung und Gegengewichtung. Die Griechen hätten das, worauf die phänomenale Helligkeit und Heiterkeit ihrer Kultur aufruhte, nie ganz zur Vergessenheit gebracht: *Die Bildung, die vornehmlich wahrhaftes Kunstbedürfnis ist, ruht auf einem erschrecklichen Grunde: dieser aber gibt sich in der dämmernden Empfindung der Scham zu erkennen.*[46] In diesen Grundgedanken fügt sich das vertraute Prometheus-Bild. Die grausam klingende Wahrheit vom Nexus zwischen Kultur und Leiden läßt über den Wert des Daseins keinen Zweifel aufkommen, sie ist *der Geier, der dem prometheischen Förderer der Kultur an der Leber nagt.*

Fragt man nach dem konkreten Gehalt dieses Bildes, so verbindet sich das Leiden des Prometheus mit der Tat, deren Strafe es ist: Indem er das Feuer brachte, schuf er die Bedingungen für die menschliche Arbeit, auch zumal für deren sklavische Formen, die die Masse dem Dienst an der Lebensform der Wenigen unterwirft. Denn Nietzsches Grundschema legt sich aus an der bei den Griechen abgelesenen Behauptung, zum Wesen einer Kultur gehöre das Sklaventum. Das *Elend der mühsam lebenden Menschen* müsse sogar noch gesteigert werden, um der *geringen Anzahl olympischer Menschen die Production der Kunstwelt zu ermöglichen.* Auch wenn Nietzsche diese Festschreibung der historischen Tatsache zur Norm aus dem Entwurf nicht in die Publikation übernommen hat, erlaubt sie doch *die* Reflexion auf die Promethie, daß es in ihr nicht auf die Entfesselung abgestellt sein kann, wie sie die Titelvignette des Buches zeigt. Die immanente Tendenz des Mythos wird darin gesehen, daß er das Leid des Menschenfreundes an seiner Kulturstiftung noch verschärft. Davon spricht ein Entwurf zum zweiten Teil des Tragödienbuches, der *die Mittel des hellenischen Willens, um sein Ziel, den Genius, zu erreichen,* behandeln sollte.

Nietzsche gibt zu, daß in seinem Postulat vom Untergrund der Kultur der *Quell jenes Ingrimms* liegt, den Kommunisten, Sozialisten und Liberale zu jeder Zeit gegen die Künste wie auch gegen das klassische Altertum genährt hätten. Sie könnten nur hoffen, durch *die bilderstürmerische Vernichtung der Kunstansprüche* jenes Mißverhältnis zu beheben. Nicht beantworten kann er damit die Frage, weshalb dann Verachtung der Kultur und *Verherrlichung der Armut des Geistes* nicht obsiegen konnten. Er beruft sich vage auf *unentrinnbare Mächte..., die dem Einzelnen Gesetz und*

---

46 Ursprung und Ziel der Tragödie. Nachträge aus einer »erweiterten Form der Geburt der Tragödie«. Ausführung des zweiten Theils der ursprünglichen Disposition § 9 (Werke, III 280 f.). Was Nietzsche »erweiterte Form« nennt, waren in das fertige Buch nicht aufgenommene Teile.

Schranke sind, die so das Vorrecht der Kultur mit Sanktionen abschirmen. Sonst wäre es *der Schrei des Mitleidens, der die Mauern der Cultur umrisse.* Prometheus mag ein Name für jene Mächte sein, wenn er nicht nur die der Kultur immanente Disproportion zwischen ihrer Größe und ihrer Menschlichkeit verbildlicht, sondern auch ihre verbürgende Instanz: Solange er an den kaukasischen Felsen geschmiedet bleibt, ist die Umfriedung des heiligen Bezirks nicht zu erstürmen. Zugleich bleibt er jedoch das verkörperte Bewußtsein von jener Implikation der Kultur, läßt nicht vergessen, womit die Griechen den Druck der Notwendigkeiten des Daseins und ihrer Bewältigung sich fernhielten. Zum Sklaven als dem *blinden Maulwurf der Cultur*[47] ist Prometheus der Gegentyp; er erleidet ihre Bedingungen wissend.

Solches Wissen um den menschenwidrigen Grund der Kultur ist potentiell Gefährdung ihres Bestands. Nietzsche macht daher den Staat zu ihrem Garanten; er ist der realisierte Wille derer, denen durch Enthebung von der Sklavenarbeit und durch deren Nutznießung die Schaffung und der Genuß von Kunst ermöglicht werden. Dabei ist dieser Staat nicht nur Inbegriff von Ausübungen des Zwanges, sondern auch der Erzeugung von Wahngebilden, die die Bloßlegung seiner Funktion verhindern und *bei weitem mächtiger sind als selbst die verständige Einsicht, daß man getäuscht ist.*[48] Man sieht, Nietzsche hat von Plato gelernt, was Sophistik ist, deren Abwertung er nicht mitmacht. Eher möchte er der neue Gorgias sein, das verkörperte gute Gewissen im Willen zur Täuschung. Darauf beruht genuin seine Feindschaft gegen den sophistischen Apostaten Sokrates und gegen den Systematiker dieser Apostasie Plato. Nietzsche hat die Sophistik nicht als Verfallserscheinung gesehen. Sie ist für ihn der Kraftakt, der durch den Verfall der Polis möglich und nötig geworden war, also durch den Verschleiß dessen, was Plato in die Transzendenz der Ideen ›rettete‹. War der böswillige Dämon des Descartes nicht zu widerlegen, so gab es nur das einzige Mittel, dieser Dämon selbst zu werden – durch den ›Willen zur Macht‹.

Was Nietzsche dem Selbstverständnis der Antike nicht abgenommen hat, ist die Verbindung von Erkenntnis und Eudämonie. Er

---

47 A. a. O. § 10 (Werke, III 283).
48 A. a. O. § 11 (Werke, III 287).

nennt es sein ›Glaubensbekenntnis‹, daß *jede tiefere Erkenntnis schrecklich ist*.[49] Nichts von dem, was sich als annehmlich darstellt, kann der gründlichen Nachschau auf Wahrhaftigkeit standhalten; nur dadurch, daß Schrecken und Schmerz entstehen, macht sich Erkenntnis bemerkbar. Dieser Befund ergibt kein kontingentes Begleitstück der menschlichen Konstitution, vielmehr ist die Natur selbst, *wo sie das Schönste zu erschaffen angestrengt ist, etwas Entsetzliches*.[50] Das ist nur eine andere Formulierung des Satzes, für den Menschen wäre es besser, nicht geboren zu sein; dadurch, daß er Kultur zu schaffen vermag, rechtfertigt er, daß er faktisch dennoch geboren ist. Nietzsche spricht es mit dem Rahmenthema der »Ilias« aus: Für die Schönheit der Helena wird der schreckliche Menschenaufwand des ganzen Krieges um Troja erbracht.[51] Das Schöne ist nicht das Wahre, aber es rechtfertigt, daß der Mensch sich dem Schrecken der Wahrheit entzieht, um seine Schmerzen wenigstens für das zu erleiden, was sie verlohnt.

So öffnet sich *gleichsam der olympische Zauberberg und zeigt uns seine Wurzel*. Gerade weil durch die Tragödie die Seinsgrundfrage negativ beantwortet ist, bedarf es des Unselbstverständlichen, *um überhaupt leben zu können*. Was sich vor den Abgrund der Grundlosigkeit stellt, das mythische Geflecht des Miteinander und Gegeneinander der Götter, ist von Nietzsche auf die Formel der *glänzenden Traumgeburt der Olympischen* gebracht. Alles beherrscht auch hier die Vorstellung, daß im Mythos das Alte zwar gestürzt sei, aber überlebt werde von dem *ungeheuren Mißtrauen gegen die titanischen Mächte der Natur*.[52] Obwohl Prometheus selbst Titan ist, wird nicht er zur Benennung dieses Mißtrauens herangezogen, sondern *jener Geier des großen Menschenfreundes*, zusammen mit dem Schreckenslos des Ödipus, dem Fluch der Atriden und der ganzen ›Philosophie des Waldgottes‹. Es gibt Heiterkeit nur diesseits der Schrecknisse. Aber wie versichert sich das Bewußtsein

---

49 Vorwort an Richard Wagner. Fassung vom 22. Februar 1871 (Werke, III 273). Die publizierte Fassung ist *Ende des Jahres 1871* datiert und enthält *mein Glaubensbekenntnis* nicht.
50 Ursprung und Ziel der Tragödie (vgl. Anm. 46) § 8 (Werke, III 277). Man mag sich hier erinnern, daß dieses Buch anfänglich »Griechische Heiterkeit« heißen sollte.
51 A. a. O. § 11 (Werke, III 288).
52 Die Geburt der Tragödie aus dem Geiste der Musik § 3 (Werke, III 32 f.).

seines Diesseits-seins? Alles drängt darauf, der Mythos möge seine
Geschichte als die einer endgültigen Vergangenheit erzählen. Aber:
Erinnert er nicht vielmehr an sie als an das Noch-Gegenwärtige?
Was dynastische Sukzession und Verdrängung in der Zeit, wenn
auch einer ganz unbestimmten, gewesen war, schichtet sich übereinander als System des Niederhaltens und Vergessenmachens. Die
Kultur, die Nietzsche ›apollinisch‹ nennt, hat *immer erst ein Tita-
nenreich zu stürzen und Ungethüme zu tödten.*
Die »Geburt der Tragödie« ist ein utopisches Buch. Es handelt nicht
von der Vergangenheit, sondern von der Zukunft. Dies geschieht
mit einem Argument, das Nietzsche aus seinem Vortrag über das
»Griechische Musikdrama« vom Januar 1870 nicht in das Buch
übernahm, aber dort an den Schluß gestellt hatte: Was wirklich
war, ist künftig möglich. Es ist noch nicht die Wiederkunft des
Gleichen, aber doch eine ihrer Vorprägungen. Die Bürgschaft für
das noch oder wieder Mögliche ist selbst mythisch, gegen einen
linearen Geschichtsbegriff der Sequenz von Singularitäten, von
unwiederholbar nur der Erinnerung Gebliebenem. Die metahisto-
rische Fracht des ›fragwürdigen Buches‹ konzentriert sich in dem
Satz jenes Vortrags: *was wir von der Zukunft erhoffen, das war
schon einmal Wirklichkeit . . .*[53]
»Griechenthum und Pessimismus« hätte der Titel des Frühwerks
heißen können, befand Nietzsche am Ende seines geistigen Weges im »Ecce Homo«. Dann wäre die *Nutzanwendung auf die
Wagnerei* weniger mit der Suggestion verbunden gewesen, diese
sei ein *Aufgangs-Symptom.*[54] Da ist alles Berichtigung: Die Tragödie sei gerade kein Beweis dafür, daß die Griechen Pessimisten
gewesen wären. Schopenhauer habe sich hier wie in allem vergrif-
fen. Aber die Retraktation des Vordergründigen gerät selbst vordergründig; indem er die *Hoffnungen bei dem Namen Wagner*
aus dem Werk herausoperiert und vergessen sehen möchte, steigert
Nietzsche die utopische Rechtfertigung der Zukunft durch Vorvergangenheit ins ebenso Übergroße wie Unbestimmte. *Aus dieser
Schrift redet eine ungeheure Hoffnung* – aber auf welche *dionysische Zukunft der Musik* kann sie sich nun noch richten? Wohl auf
keine andere als auf die ungeschriebene der Oper »Zarathustra«.

53 Das griechische Musikdrama (Werke, III 187).
54 Ecce homo. Wie man wird, was man ist. 1888 (Werke, XXI 223).

Man dürfe rücksichtslos seinen Namen oder das Wort ›Zarathustra‹ hinstellen, wo die »Geburt der Tragödie« den Namen Wagners stehen habe: *Das ganze Bild des dithyrambischen Künstlers
ist das Bild des präexistenten Dichters des Zarathustra ... Wagner
selbst hatte einen Begriff davon; er erkannte sich in der Schrift
nicht wieder.*[55]

Nietzsches Konzeption des Mythos ist in einer spektakulären
Polemik der junge Wilamowitz entgegengetreten. Er leugne ein
Reich der Titanen, ihre bestimmende Bedeutung für ein ganzes
Zeitalter, *wo die finstern Naturgewalten vor dem Auftreten ihrer
Besieger, der menschenfreundlichen Naturmächte, regieren.*[56] Das
lehre der gesunde Menschenverstand und natürlich auch die My-
thenforschung. Aber was auch immer jener und diese lehren mögen,
erkennbar ist der Wille des Philologen, den Gedanken an eine
ursprüngliche Finsternis herrschender Gewalten zu verwerfen, die
erst im Fortschreiten der Entängstigung durch eine Dynastie mit
freundlicheren Physiognomien abgelöst worden wären. Er bangt
um das Gesicht derer, die sich die ›Geschichten‹ des Mythos erfunden hatten, wenn das Ganze dieser Geschichten auch ›die Geschichte‹ des Mythos selbst verriete.

Es ist keine Frage der Wertung. Auch bei Nietzsche war der Vorrang des Dionysischen nicht damit begründet, daß es das schlechthin Archaische gewesen wäre. Sonst könnte an ihm nichts Zu-
künftiges abgelesen werden. Was sich aber nach Nietzsches These
nicht mehr halten ließ, war die wohltuende Vormeinung, die
Anlage zu Heiterkeit und schöner Größe sei von vornherein und
konstitutiv mit dem Naturell der Griechen verbunden gewesen.
Vielmehr mußte solche Wesensart nun wie ein kurzes Nachspiel

55 A. a. O. XXI 228. Der Schluß des »Zarathustra« wurde 1883 zu genau der
Stunde fertig – Nietzsche nennt sie die *heilige Stunde* –, zu der Richard Wagner
in Venedig starb. Da ist mythische ›Bedeutsamkeit‹ hineingesehen, denn man
dürfe *vielleicht den ganzen Zarathustra unter die Musik rechnen* ... (A. a. O.
XXI 247).
56 U. v. Wilamowitz-Möllendorff, Zukunftsphilologie! Zweites Stück. Eine Erwiderung. Berlin 1873 (ed. K. Gründer, Der Streit um Nietzsches »Geburt der
Tragödie«. Hildesheim 1969, 113–135). In einem Punkt ist Wilamowitz – was in
der Philologie selten vorkommt – endgültig gegen Nietzsche ins Unrecht gesetzt
worden: Dionysos ist nicht erst *frühestens im 8. Jahrhundert* nach Hellas gekommen und folglich kein urgriechischer Gott, sondern durch den Nachweis seines
Kults wie der zugehörigen Namen nach Entzifferung der kretischen Linear B-
Schrift bereits für das 13. Jahrhundert selbst für den Peloponnes bestätigt worden.

nach der langwierigen Aufhellung eines düsteren Erbes erscheinen, eine Episode, kurz vor dem Verfall der Götter in die Allegorie oder an die Philosophie oder gar an die Satire.

Hier ging es nicht um Nebensächliches für den Philologen. Die Grundfrage des jungen Wilamowitz mußte sein, aus welchen Vorgegebenheiten die Griechen ihre Götter genommen oder geschaffen hätten. War das ein allmählicher Prozeß der Umbildung aus Scheußlichkeiten tierischer, dämonischer, jedenfalls inhumaner Fratzen? Was der christliche Gott nach ihnen und das ästhetische Genie nach diesem können würden, nämlich aus nichts oder fast aus nichts etwas zu schaffen, das sollten die Griechen nicht vermocht haben? Wilamowitz jedenfalls traute dem griechischen Geist zu, aus formlosen Naturmächten, wie sie die Hellenen von ihren Stammsitzen mitgebracht hätten, menschengestaltige und menschlich empfindende Götter unmittelbar entstehen zu lassen. Das wäre dann ein künstlerischer Akt der übergangslosen Verbildlichung des bis dahin Bildlosen gewesen. Nur so sei auch die griechische Kunst zum *reinen Ausfluß des hellenischen Geistes* geworden, der sich keine indischen oder ägyptischen Ungeheuer, keine semitischen Fetische erschuf, sondern *den Bildern der überirdischen Wesen die Göttlichkeit nur durch eine zur ewigen Schönheit gesteigerte Menschlichkeit verlieh: der auch wir nur anbetend uns nahen können.*

Die genuine Formlosigkeit jener alten Naturmächte, mit denen es die Hellenen in ihrem Ursprungsgebiet zu tun gehabt haben sollten, erlaubte ihnen, den Transport ihrer Götter auf der Wanderung getreulich vorzunehmen. Sie verhielten sich wie gute Philologen und brachten es fertig, dennoch oder gerade daraufhin schöpferisch zu werden. Also haben die Genealogien der Götter im Mythos nichts zu tun mit ihrem wirklichen Ursprung. Sie sind letztlich eine systematisch-harmonisierende Kompilation des Hesiod. Der Mythos erzählt nicht seine eigene Geschichte. In ihm wird nicht die Mühsal erkennbar, mit der er sich von der rituellen zur rhapsodischen Form gewandelt und bis hin zu einer frivolen Leichtigkeit durchgearbeitet hatte. Die Menschwerdung der Götter ist für Wilamowitz kein Thema der Religionsgeschichte. Wäre sie es, so hätte die griechische Kunst in Praxiteles nicht das Werk der Bildgebung gegen die Bildlosigkeit des vorerst nur Namenhaften vollbringen können.

Nietzsche hatte nichts geringeres getan, als das Erbe der deutschen Klassik in der von ihr gezeugten Klassischen Philologie in Frage zu stellen. Dem gilt Wilamowitz' ganze Empörung: ... *hier sah ich die Entwickelung der Jahrtausende geleugnet; hier löschte man die Offenbarungen der Philosophie und Religion aus, damit ein verwaschener Pessimismus in der Öde seine sauersüße Fratze schneide; hier schlug man die Götterbilder in Trümmer, mit denen Poesie und bildende Kunst unsern Himmel bevölkert, um das Götzenbild Richard Wagner in ihrem Staube anzubeten; hier riß man den Bau tausendfachen Fleißes, glänzenden Genies um, damit ein trunkener Träumer einen befremdlich tiefen Blick in die dionysischen Abgründe tue: das ertrug ich nicht ...* Erträglich ist dem Philologen eher, wenn sich zwar in homerischer Frühe die reine Ausprägung jener schönsten Anlagen der Griechen findet, diese aber später und sehr spät zu niederen Formen des Unerfreulichen und Uninteressanten verfällt. Was an den Griechen fasziniert, soll Ausdruck ihrer Ursprünglichkeit, nicht Resultat ihrer Selbstbemächtigung und distanzierenden Anstrengung gewesen sein. Das Ursprüngliche allein kann für das Gültige stehen.

Übrigens ist die akademisch beglaubigte Klassische Philologie nicht einhellig mit Wilamowitz gegen Nietzsches Tragödienbuch eingestellt gewesen. Zu wenig beachtet ist vielleicht, daß gerade ein für die Theorie der antiken Tragödie bestimmend gewordener Mann wie Jacob Bernays erklärt hatte, Nietzsche vertrete Anschauungen, die er selbst in der Abhandlung über die Tragödientheorie des Aristoteles entwickelt habe, jedoch in übertriebener Weise. Bernays hatte seine »Grundzüge der verlorenen Abhandlung des Aristoteles über Wirkung der Tragödie« 1857 veröffentlicht. Cosima Wagner berichtet die Äußerung an Nietzsche in ihrem Brief vom 4. Dezember 1872; Nietzsche erwidert, dies sei *göttlich frech von diesem gebildeten und klugen Juden*, zugleich aber *ein lustiges Zeichen, daß die ›Schlauen im Lande‹ doch bereits etwas Witterung haben*.[57] Nietzsche hat auch später die Richtigkeit der These von Bernays über Aristoteles nicht bestritten, wohl aber sich gegen die Richtigkeit der Theorie des Aristoteles selbst ge-

---

[57] Nietzsches Briefe. Historisch-kritische Ausgabe, Weimar 1940, III 328. Die Abhandlung von Bernays liegt wieder vor in dem von K. Gründer eingeleiteten Neudruck Hildesheim 1970.

wandt: *Nicht um von Schrecken und Mitleiden loszukommen,
nicht um sich von einem gefährlichen Affekt durch eine vehemente
Entladung zu reinigen – so mißverstand es Aristoteles –: sondern
um, über Schrecken und Mitleiden hinaus, die ewige Lust des
Werdens selbst zu sein, – jene Lust, die auch noch die Lust am
Vernichten in sich schließt* ...[58]

Der Seitenblick auf eine der großen Polemiken des Jahrhunderts
macht verständlicher, was für Nietzsche die Einsamkeit des Prometheus – nicht nur unter Göttern, sondern zwischen Götterwelten –
bedeutet hatte. Prometheus rettet die Affinität zwischen Titanen
und Menschen herüber in die Epoche der Olympier mit ihrer
Indifferenz gegenüber dem Menschen, der schon dagewesen war,
als sie kamen, und dessen Daseinsrecht mit dem dynastischen Wechsel fraglich geworden war. Wie Nietzsche den Titanen sehen will,
ist seine Zuneigung zu den Menschen barbarisch und seine kultur-
stiftende Milderung ihrer Lebenssituation nicht eindeutig, nämlich
kraftsteigernd, eine Gunst. Nietzsche legt dem Titanen noch mehr
für die Menschen auf als der überlieferte Mythos: *Wegen seiner
titanenhaften Liebe zu den Menschen mußte Prometheus von den
Geiern zerrissen werden* ...[59] Schon wie er sprachlich auf den Zerrissenen anspielt, den von Titanen zerstückelten Knaben Dionysos,
verrät in der Übertreibung die Enttäuschung des Mythologen an
der verblassenden Vergangenheit des Schreckens. Jedenfalls genügt
Nietzsche an der Prometheus-Tragödie des Aischylos die Vor-
welthaftigkeit der titanischen Figur nicht. Daran ändert nichts,
daß ohnehin Dionysisches und Apollinisches für ihn nicht in einem
einmaligen und endgültigen Ablösungsverhältnis stehen, sondern
*in immer neuen auf einander folgenden Geburten, und sich gegen-
seitig steigernd, das hellenische Wesen beherrscht haben.*

Aischylos kommt dem von Nietzsche als ursprünglich angenommenen Schema der Tragödie allerdings am nächsten: der Chor sollte
die Erscheinung des Gottes begleiten und instrumentieren, und
wie er zunächst die Vision des leidenden und erneuerten Dionysos
kommentiert hatte, so nun die des gefesselten und schließlich

---

58 In »Ecce homo« ist das bereits Zitat zur Psychologie der Tragödie aus »Götzen-Dämmerung« 1888 (Werke, XVII 159).
59 Die Geburt der Tragödie § 4 (Werke, III 37-39).

befreiten Prometheus. Nur daß der leidende Held nicht mehr nur *vorgestellt*, sondern *dargestellt* ist, mit dem Chor auf einer Ebene der Realität durch den als sokratisch suspekten Dialog.

Für Nietzsches Konzeption ist aufschlußreich, daß und wie er die Prometheus-Ode Goethes zitiert, ohne ihre epochale Distanz zum Mythos zu vermerken, weil es ihm wichtig ist, nicht ständig daran denken zu lassen, der leidende Gott sei eben nicht der *Mensch, in's Titanische sich steigernd*, der seine Kultur selbst erkämpft und die Götter zwingt, *sich mit ihm zu verbinden*. Wenn dies der *eigentliche Hymnus der Unfrömmigkeit* sein sollte, ist jedenfalls von ihm in der Tragödie keine Rede. Ihr Hintergrund ist die Jämmerlichkeit des auf sich selbst gestellten Menschen, der einen Gott braucht – und eben nicht einen olympischen, der seine Existenz für verfehlt hält.

Die Tragödie hat dem Mythos seine *erstaunliche Schreckenstiefe nicht ausgemessen,* auch und gerade nicht durch die – von Goethe her nur zurückgeworfene – *jedem Unheil trotzende Heiterkeit des künstlerischen Schaffens.*[60] Nietzsche hat dafür eine Kontrastfolie bereit. Übergeht man das zugehörige Stückchen Rassenmetaphysik, das den Abgrund zwischen Bibel und Mythos vertieft, so bleibt die Typik der Unterscheidung von Sünde und Frevel. Sie soll jede Ähnlichkeit der antiken Hybris mit dem biblischen Sündenfall ausschließen. Der Feuerraub des Prometheus sei ein Frevel, durch den der Mensch nicht ›fällt‹, sondern erst zur Gewißheit seiner selbst sich erhebt. Aber, wo bleibt die Vergleichbarkeit mit dem Sündenfall? Frevelt denn der Mensch? Wird nicht für ihn gefrevelt? Deshalb schwankt Nietzsche, ob nur Dionysos und Prometheus an ihrer Stelle in der Tragödie oder auch der Titan und der Mensch auswechselbar seien; das aber entfernt ihn von jedem Anspruch darauf, noch etwas an Aischylos zu erfassen, der die Geschichte eines Gottes wegen der Menschen und nicht die der Menschen mit sich selbst darstellt. Die Geschichte eines Frevels in dem gewollten stolzen Sinn kann die Tragödie nur enthalten, wenn Prometheus in die Genealogie der Götter gehört, auch eine Maske des Dionysos sein mag, aber nicht die Allegorie des Menschen ist.

60 A. a. O. § 9 (Werke, III 68).

Denn bei Aischylos ist die Promethie ein Drama unter Göttern; einzig ausgenommen die Gestalt der Io, die nun aber gerade nicht den Frevel gegen die Götter verkörpert, sondern das erbarmungswürdige Ertragen ihrer Willkür und Verfolgung. Die *dem titanisch strebenden Individuum gebotene Notwendigkeit des Frevels* wird eben nur dadurch zum *innersten Kern der Prometheus-Sage*, daß der Frevelnde unsterblich ist und die Herausforderung des neuen Gottes durch Begünstigung der Menschen wagen kann. Dann muß mit der gehörigsten Einschränkung gelesen werden, daß die Tragödie von den Griechen überhaupt nur erfunden sei *in ihrem Bedürfnis, dem Frevel Würde anzudichten und einzuverleiben.*[61]

Nietzsche hat den Kern der Differenz zwischen Frevel und Sünde verfehlt. Im Gegensatz zur Beleidigung der absoluten Majestät, wie sie die christliche Theologie der Sünde unterstellt, hat der Frevel seine Größe und seine Dauer nur darin, daß der betroffene Gott nicht unbedingt im Recht ist und, noch wichtiger, nicht alles kann. Im System der Gewaltenteilung entsteht nicht der Gedanke, daß nur die volle Entwürdigung des Sünders der verletzten Majestät Genüge tut. Die Fesselung des Prometheus auf dem Kaukasus und die Niederhaltung seiner Lebenskraft durch den leberfressenden Adler sind nicht zuerst Demütigung, sondern Entmachtung. Wirkungslosigkeit wird dem aufgezwungen, der die Menschen von der Gunst der neuen Götter unabhängig, sie sogar von ihnen abwendig machen könnte. Es ist die Klugheit des Machtträgers, nicht die Inkonsequenz der beleidigten Majestät. Zeus macht in dem Augenblick seine Wendung, in dem ihm die Gefahr aus einer anderen Ecke erkennbar wird. Anders als der mythische Frevler ist der Sünder verloren, der einem Gott gegenübersteht, dem nichts angetan werden kann als die Kränkung seiner Ehre, weil alles andere seiner Macht unterliegt. Die geballte Theologenphantasie von Jahrhunderten war erforderlich, um als Genugtuung auszudenken, was sich ihr Gott nur selbst sollte verschaffen können.

Der biblische Sündenfall ist Nietzsche zu feminin. Nur das lukrative Versprechen des Verführers bewirke den Verstoß gegen das göttliche Gebot. Aber auch in der Promethie führt nicht das freie

61 Die fröhliche Wissenschaft III 135 (Werke, XII 163).

Heraustreten aus dem Stand in die stolze Selbstvergleichung mit dem olympischen Herrscher. Der frevelnde Titan ist provoziert durch die Verachtung des Zeus für seine Geschöpfe, durch die tyrannische Vorenthaltung ihres elementaren Lebensbedarfs. Man kann Nietzsches Bewertung sogar umkehren. In der biblischen Sündenfallgeschichte ist alles, womit der Versucher lockt, die unbekannte Größe eines Überschusses über das Lebensdienliche, die blendende Gottgleichheit, während Zeus den Menschen nicht die Götternahrung Nektar und Ambrosia vorenthält, sondern das Kochfeuer, das Schmiedefeuer, das Ofenfeuer, das Töpferfeuer. Der biblische Gott enthält den paradiesischen Menschen zwar auch etwas vor, aber es ist eine für sie zweifelhafte, unter den Umständen des Paradieses auch überflüssige Erkenntnis. Nichts läßt darauf schließen, daß der Herr des Gartens ein Tyrann sei. Die Spontaneität der Neugierde auf das gar nicht Lebensdienliche liegt ganz beim Menschen. Insofern ist nichts Exklusives an der *Glorie der Aktivität* des prometheischen Frevels; dazu ist zu viel Nothilfe an der Geschichte. Und schließlich hat Nietzsche Art und Erfolg der prometheischen Hilfe für die Menschheit nicht allzu hoch eingeschätzt: *Der Mensch ist kein Fortschritt gegen das Thier: der Cultur-Zärtling ist eine Mißgeburt* ...[62]

Daran ist die metaphysisch falsche Befreiung des Prometheus schuld. Sie zerstört den Verbund von Schmerz und Lust als tragende Struktur der menschlichen Geschichte. In Nietzsches Sicht auf den Mythos ist entscheidend, daß die Überwindung oder wenigstens Verwindung des Untergrundes der Schrecknisse und Leiden ebenso notwendig ist, um überhaupt existieren zu können, wie niemals endgültig sein darf, um den Menschen noch für die Gewalt des Lebens empfindungsfähig bleiben zu lassen. Die Welt der Olympier ist deshalb nur eine *künstlerische Mittelwelt*; es reicht ihr nicht einmal zu jener Oberwelt und Überwelt, die mit dem Platonismus aufkommt und deren verhängnisvoll konsequente Gestalt das Christentum sein wird. Prometheus soll keine Mittlerfigur sein. Er gehört selbst – und nicht nur seine Geier – zu jenem Untergrund der *Schrecken und Entsetzlichkeiten des Daseins*. Auch seine *titanenhafte Liebe zu den Menschen* verstößt gegen

62 (Der Wille zur Macht) Pläne und Entwürfe I 90 »Fortschritt« (Werke, XVIII 68).

das apollinische Maß, verkörpert *Selbstüberhebung und Übermaß als die eigentlich feindseligen Dämonen der nicht-apollinischen Sphäre.* Er ist in allem die Gegenfigur zum *Sokratismus der Moral,* zur *Genügsamkeit und Heiterkeit des theoretischen Menschen,* mit einem Wort: zu allem, *woran die Tragödie starb.*[63]

Im Grunde steht Nietzsche, was die Menschheit angeht, auf der Seite des Zeus, wenn er ihre Lebenswürdigkeit verneint. Sie dennoch leben zu lassen, ist nicht die Beantwortung der Frage nach ihrem Seinsgrund, sondern eine Art illegitimer Begünstigung. Letztlich ist sie Ohnmacht gegenüber einer Verschwörung der Outcasts. Man hat es deshalb nicht nur auf das tragische Subjekt zu beziehen, sondern auf die Seinsberechtigung der Gattung, wenn Nietzsche die alte Sage von der Jagd des Königs Midas nach dem weisen Kentauren Silen nacherzählt, den der König, als er ihn gefangen hat, nach der Weisheit befragt, die er im Gefolge des Dionysos erfahren habe. Midas will wissen, was für den Menschen gut sei. Zuerst schweigt der Dionysier, um schließlich unter dem Zwang des Jägers in Gelächter über das Menschengeschlecht auszubrechen. Da man ihn zwinge zu sagen, was nicht zu hören für jeden besser wäre, gebe er preis, was doch unerreichbar sei: Inbegriff alles Wünschbaren wäre der Vorzug, nicht geboren zu sein, nicht zu sein, nichts zu sein.[64]

Dieses von seinem Autor selbst *bilderwütig und bilderwirrig* genannte Buch sieht die Tragödie in rückwärtiger Extrapolation von ihrem Niedergang her, den Euripides besiegelt. Dabei stammt das meiste, was Nietzsche zum Dionysischen zu sagen hat, aus dessen »Bakchen«. Aber das hat nur die Überdeutlichkeit des Verspäteten. In Euripides erscheint Sokrates zum Dramatiker verkleidet, als Dichter des auf die Szene gebrachten Epos, des dialogisierten Romans. Es beendet die Verblendung als Prinzip der Tragödie, die nicht wissen läßt, was Handlungen bedeuten und wofür der Leidende leidet, wenn Sokrates Tugend als Wissen definiert, durch und durch zu kennen für möglich hält, was man tut und weshalb man es tut. Deshalb sei Sokrates der Held im platonischen Dialogdrama, worin es um Siege der Argumentation statt um die Über-

---

63 Versuch einer Selbstkritik. Zur Neuauflage der »Geburt der Tragödie« 1886 (Werke, III 4).
64 Die Geburt der Tragödie § 3 (Werke, III 32).

macht des Schicksals geht. Die dramatische Form, in der die Tragödie endet, kennzeichnet der Primat des Dialogs über den Chor
und damit das Vordringen einer optimistischen Dialektik, die die
Einsamkeit des Leidenden durchbricht. Redseligkeit, im wörtlichen
Sinn, tritt anstelle der solitären Stummheit des Einzigen.

Nietzsches *fragwürdiges Buch* ist getragen von antibürgerlichem
Affekt. Es richtet sich gegen einen ›gemütlichen‹ Daseinsduktus,
für den das Tragische als exotische Extravaganz erscheint. Deshalb
muß Prometheus der übermütige und traumtänzerische Frevler
sein, der barbarische Liebhaber ohne Sinn und Verstand. Übersehen bleibt dabei, daß er den anderen, für die er einsteht,
durch Opferbetrug und Feuerraub gerade nur die Normalität der
Existenz an ihrer unteren Grenze verschafft und verbürgt. Der
Ausnahmezustand sichert nur den Normalzustand, erlaubt und
erzwingt geradezu die verachtete *Sehnsucht zum Idyll*.[65] Der anti-
bürgerliche Affekt schafft die bürgerliche Lebensform. Der Titan
zwingt die anderen zu sein, was er großmütig verachtet – nicht
nur der Zeus im Blickfeld Nietzsches, sondern auch sein Prometheus hat für die Menschen kaum mehr als Nachsicht unter dem
Prinzip des unzureichenden Grundes ihrer Existenz. Die Menschen
sind, genau besehen, nur das theatralische Stichwort für den Auftritt des Prometheus im Personal der Tragödie. Hätte er schweigen
dürfen, wie im Mythos, wäre alles auf die Gebärde seines Schmerzes konzentriert geblieben.

Nietzsches Geschichte der Tragödie ist eine Verfallsgeschichte, aber
keineswegs eine resignative, in der Erbitterung auswegloser Vergeblichkeit geschriebene. Denn die Geschichte ist umkehrbar: von
Alexandria über Sokrates zu Aischylos.[66] Ihre Umkehrung ist die
Oper ohne Rezitativ, als Verachtung aller Ansprüche auf ›Verständlichkeit‹: die Oper als Statthalterschaft des Unerträglichen.
Die »Geburt der Tragödie« ist nur das Vorspiel zur Wiedergeburt
des Tragischen, zum ästhetischen Ausnahmezustand, zur Verachtung der Tugend als Wissen, des Bewußtseins als Moralität. Richard
Wagner wiederholt, was Herakles für Prometheus getan hatte, und
erfüllt darin den Mythos *mit neuer tiefsinnigster Bedeutsamkeit*.[67]

65 A. a. O. § 19 (Werke, III 128).
66 A. a. O. § 19 (Werke, III 133-135).
67 A. a. O. § 10 (Werke, III 74 f.).

Er beantwortet die Frage, wie Prometheus befreit werden konnte, ohne ihn in eine billige Lösung, der bürgerlichen Zufriedenheit seiner Geschöpfe nahe, zu überführen. *Welche Kraft war dies, die den Prometheus von seinen Geiern befreite und den Mythus zum Vehikel dionysischer Weisheit umwandelte? Dies ist die herakles-mäßige Kraft der Musik* ... Nietzsche wird daran gedacht haben, daß Herakles den Todesvogel abschießt, aber nicht die Fesseln löst, nicht den tieferen Schmerz der Todessehnsucht eines Unsterblichen mildert – im Widerspruch zur Vignette auf dem Titelblatt für Wagners Auge? Die Musik bewahrt den Mythos vor der Allegorisierung, vor der Verfreundlichung dessen, was doch ein *Jugendtraum* der Griechen gewesen war, zu einer *historisch-pragmatischen Jugendgeschichte.* Gab es eine der Musik Wagners vergleichbare Macht, Prometheus an der Heimkehr in die Behaglichkeit des attischen Töpfergottes im Hain des akademischen Apollo zu hindern?

Aber die Umkehrbarkeit der Geschichte führt nicht zur bloßen Symmetrie ihres ganz frühen und ihres ganz späten Teils. Die Eschatologie der Oper hat das Zeug, die Protologie der Tragödie zu überbieten. Aischylos sei dem Mythos noch nicht auf den Grund gegangen. Dann lag es nahe, daß Nietzsche selbst dies tat.[68] Dem Mythos nicht auf den Grund gegangen zu sein – das hieß etwa 1874 bei Nietzsche: den Mythos nicht zu Ende erzählt zu haben. Die Befreiung des Prometheus durch Herakles stand im Verdacht der Liebäugelei mit dem *deus ex machina* aus der Dekadenz der Tragödie. Ihn vermeidet Nietzsche in seinem eigenen Entwurf, den er mit der Eröffnung beginnt, Prometheus und sein Geier seien ›vergessen‹ worden, als die antike Welt der Götter zugrunde ging. Vergessenwerden – das war eine letzte Möglichkeit der Tragik des Unsterblichen, da doch erst Nietzsche selbst den Göttern die Gnade erweisen wird, ihre Geschichtsdämmerung nicht überleben zu müssen.

Der Entwurf hat also den literarischen Typus der Mythenberichtigung: Prometheus hat das Geheimnis seiner Mutter über den Wechsel im Weltregiment dem Zeus nicht preisgegeben, und dieser war dem Verhängnis in die Falle und *an seinem Sohne zu Grunde gegangen.* Der Kunstmythos wird insofern zur Geschichte des

68 Prometheus. Entwurf (Werke, VII 386–389).

Mythos, als man nicht daran zweifeln kann, daß der Sohn, an dem der alte höchste Gott scheitert, Christus ist. Prometheus hat dem Verhängnis seinen Lauf gelassen; aber auch er selbst ist durch den Untergang des Zeus in die Vorvergangenheit gerückt, am Ende der Antike mit allen Göttern vergessen worden. Es gibt keinen Herakles mehr, der kommen könnte, ihn zu befreien. Nur die Menschen könnten es, denn sie machen inzwischen die Geschichte.

Sie hat der neue Sohn des Gottes auf eine andere Weise vor der Vernichtung gerettet, als Prometheus es gewollt hatte. Zeus hatte die Menschen vernichten wollen durch die griechische Kultur selbst. Sie sollte allen Späteren durch Nachahmungslast und Neid das Leben verleiden. Der Sohn schützt sie davor durch *Haß gegen das Hellenische*, durch Dummheit und Todesfurcht, mit einem Wort: durchs Mittelalter. Vom Grundbestand der Promethie her gesehen ist diese Epoche Wiederholung: Was nach der Vernichtung der Götter und unter der neuen Herrschaft des Sohnes für die Menschen herauskommt, ist nur wieder *zu vergleichen den Zuständen vor der That des Prometheus, wie er ihnen das Feuer gab*. Aber auch der neue Herr will die Menschen zerstören; es wird nicht gesagt, wodurch – aber doch wohl durch Unlust am Leben.

Lange bevor die Idee der ewigen Wiederkunft am See von Silvaplana Nietzsche überkam, entwirft er ihre mythische Grundfigur. Die Generationenfolge der Götter ist nicht vorgeschichtlich, sondern manifestiert sich in den Epochen der Geschichte als eine Ablösung der herrschenden Götter, die immer zu Lasten der Menschen geht. So wird auch die Renaissance zum mythischen Ereignis: Prometheus schickt seinen Bruder Epimetheus, der durch die immer doppeldeutige Pandora Geschichte und Erinnerung an die Griechen erneuert. *Und wirklich lebt die Menschheit wieder auf und Zeus mit ihr, letzterer aus einer Fabel im Mythus.* Aber dieses durch Philologie erneuerte Griechentum gaukelt falsche Lebensfreundlichkeit vor, bis einer kommt und auf den Untergrund hinweist: *sein Fundament wird als schrecklich und unnachahmlich erkannt.*

Das ist erkennbar die Selbsteinführung des Autors in seinen Mythos. Nietzsche hat sich zur Gegenfigur des Titanen gemacht, denn Prometheus hatte *den Menschen den Blick auf den Tod entzogen*. Der Entwurf läßt Epimetheus dies dem Bruder vorhalten und ihn damit zur Billigung seiner Bestrafung bringen: er habe vor den

Menschen den Tod unter dem Schleier der Kultur unsichtbar gemacht. So wird zur theatralischen Gerechtigkeit, Prometheus eben daran leiden zu lassen, ein Unsterblicher zu sein. Selbst der Geier bekommt Überdruß an der Unerschöpflichkeit; die Leber seines Opfers wächst ihm zu schnell nach. Auch das wäre ein mögliches Ende des Mythos: Übersättigung des Peinigers, der bei Nietzsche immer Geier, nie Adler ist. Nun frißt selbst der Gierigste nicht mehr und läßt ›das Leben‹ wuchern. Welche ausgesuchte Tortur für den, der sich mit dem Abgrund hatte messen wollen.

Für seine Prometheus-Vision hat Nietzsche die Abneigung gegen bürgerliche Lösungen in der kurzen Zeit seit dem Tragödienbuch abgelegt. Alles endet mit dem von ihm vormals so verachteten Dialog. Zeus, der namenlose Sohn und Prometheus sprechen miteinander. Sie schließen sogar einen jener abscheulichen Kompromisse, die an der Wurzel des Sokratismus gesessen hatten. Er lautet: Der neue Zeus macht Prometheus frei, Prometheus stampft seine Tongebilde ein, um sie aufs neue herzustellen. Damit diese Geschöpfe nicht merken, wie sie zum Material für das *Individuum der Zukunft* gemacht werden, verleiht der Sohn des Zeus den metaphysischen Trost der Musik. So erfüllt sich der Wille beider Seiten, der des Prometheus, daß die Menschen ihre Existenz behalten, und der des Zeus, daß sie zuvor zugrunde gehen müssen. Sogar der Geier darf etwas sagen: *Ach ich Unglücksvogel, ein Mythus bin ich geworden.*

Was wir nicht mehr erfahren, ist, ob ihm die Neubildung des Menschen gelingt. Sie müßte den Widerspruch der ersten prometheischen Generation vermeiden, daß *Kraft und Erfahrung des Menschen zeitlich auseinanderliegen*, alle Weisheit an Altersschwäche gekoppelt ist, Tat und Einsicht an den entgegengesetzten Enden der Lebensstrecke liegen. Könnte er diesen Antagonismus ausschalten, käme er dem Übermenschen nahe. Auf ihn ist es abgesehen, aber die Rechtfertigung der zugestandenen Vernichtung der ersten Menschheit bleibt so ungewiß, wie die ›neuen Menschen‹ seit eh und je. Der Entwurf endet denn auch mit dem Satzfragment: *Prometheus verzweifelt* ...

Weshalb hatte er dann in den Kompromiß mit Zeus und dem Sohne eingewilligt, wenn nicht erkennbar war, wie die Neuschöpfung den uranfänglichen Geburtsfehler beheben konnte? Die Antwort ist, meine ich, im Blick auf das ästhetische Genie der deutschen Klassik gegeben: Prometheus erweist sich als verführbar durch die Chance, die sich ihm bietet, die schöpferische Ursituation nochmals herzustellen. Der Typus des Barbaren verfließt mit dem des Künstlers. Prometheus ist eine jener *Naturen, welche nach einem Stoffe suchen, den sie gestalten können.*[69] Zeus verführt ihn mit der Idee, die Menschen zum Urbrei zurückzustampfen, und Christus-Dionysos macht es ihm leicht, sich verführen zu lassen, indem er die Musik dazugibt, die den Untergang ekstatisch erträglich macht. Dieser »Prometheus« rivalisiert mit dem ›Gesamtkunstwerk‹. Von Wagner hatte Nietzsche etwa gleichzeitig gesagt, er sei *der tragische Dichter am Schluß aller Religionen, der ›Götterdämmerung‹,* und er habe *die ganze Geschichte sich dienstbar gemacht.*[70] Das ist auch die Idee in Nietzsches Fragment einer Promethie, mit der Evidenz der Unüberbietbarkeit den Mythos vom Ende zu erzählen, ihn selbst das Letzte sein zu lassen, wovon er spricht.

Hier ergibt sich leicht die Verbindung zu einem Gedanken, den Nietzsche erst Jahre später in der »Fröhlichen Wissenschaft« mit dem Namen des Prometheus in Verbindung gebracht hat: Der Titan ist die prototypische Figur für die Selbstentdeckung der Göttlichkeit des Menschen. Alle Religion war danach nur Übung und Vorspiel im Hinblick darauf, daß *einmal einzelne Menschen die ganze Selbstgenügsamkeit eines Gottes und alle seine Kraft der Selbsterlösung genießen können.* Nichts hätte der Mensch davon gewußt, daß dies sein kann. Daraus fließt die neue Eindeutung des Prometheus: *Mußte Prometheus erst wähnen, das Licht gestohlen zu haben, und dafür büßen — um endlich zu entdecken, daß er das Licht geschaffen habe, indem er nach dem Lichte begehrte, und daß nicht nur der Mensch, sondern auch der Gott das Werk seiner Hände und Thon in seinen Händen gewesen sei? Alles nur Bilder des Bildners? — ebenso wie der Wahn, der Diebstahl, der Kaukasus, der Geier und die ganze tragische Prometheia aller Erkennenden?*[71] Am Ende wird Nietzsches tragischer Held zum *Ideal des übermüthigsten, lebendigsten und weltbejahendsten Menschen, der*

69 Der Wille zur Macht. Pläne und Entwürfe IV 900 (Werke, XIX 285).
70 Vorarbeiten zu »Richard Wagner in Bayreuth« (Werke, VII 366).
71 Die fröhliche Wissenschaft IV 300 »Vorspiele der Wissenschaft« (Werke, XII 220).

sich nicht nur mit dem, was war und ist, abgefunden und vertragen
gelernt hat, sondern es, so wie es war und ist, wieder haben will,
in alle Ewigkeit hinaus, unersättlich da capo rufend, nicht nur zu
sich, sondern zum ganzen Stücke und Schauspiele, und nicht nur zu
einem Schauspiele, sondern im Grunde zu Dem, der gerade dies
Schauspiel nöthig hat – und nöthig macht: weil er immer wieder
sich nöthig hat – und nöthig macht – – Wie? Und dies wäre
nicht – circulus vitiosus deus?[72]

Diese ›Umbesetzung‹ macht die einstige Grundfigur des Mythos
selbst zum Promotor der ewigen Wiederkunft. Aber entspricht sie
noch der Gestalt, die für Nietzsche Repräsentant des Mythos gewesen war? Kann Prometheus vorgestellt werden als einer, der jemals
da capo ruft? Die Idee der ewigen Wiederkunft ist zwar *ein* Mythos
als Form *des* Mythos; aber gerade wegen der Heraushebung der
bloßen Form aus der mythischen Materie verliert er seine genuine
Fähigkeit, Namen zu tragen und statt der einzigen Geschichte Geschichten zu haben. Zwar steckt die Idee der ewigen Wiederkunft in
Nietzsches Promethie darin; aber im Augenblick ihrer Artikulation
zerstört sie jeden Mythos, aus dem sie herkommen konnte. Es
versinken die Mythen endgültig zugunsten des einen Mythos von
der ewigen Wiederkunft des Gleichen. Aus den Jahren der Um-
wertungsentwürfe stammt Nietzsches Notiz: *Man darf hoffen,*
daß der Mensch sich so hoch erhebt, daß ihm die bisherigen höch-
sten Dinge, z. B. der Gottesglaube, kindlich-kindisch und rührend
erscheinen, ja daß er noch einmal es macht, wie er es mit allen
Mythen gemacht hat, nämlich sie in Kindergeschichten und Mär-
chen verwandelt.[73] Doch gerade das sollte einmal der griechischen
Aufklärung nicht erlaubt gewesen sein und die Leichtfertigkeit
jeder späteren ausgemacht haben.

Den Philosophen, dessen *Ahnungen und Einsichten sich oft in der*
erstaunlichsten Weise mit den mühsamen Ergebnissen der Psycho-
analyse decken, hat Freud nach seiner »Selbstdarstellung« von
1925 gerade darum lange gemieden. Der Name Nietzsches fällt
nicht, wo er nahezu überfällig wird. Aber auch Nietzsches Iden-
titätsmythologem, das des Prometheus, wird gerade dort hartnäckig

---

72 Jenseits von Gut und Böse III 56 (Werke, XV 75 f.).
73 Aus dem Nachlaß 1882-1888 (Werke, XVI 337).

von Freud verschwiegen, wo es zu nennen unvermeidbar naheliegt: in seiner Exemplifizierung des Kulturentstehungstheorems an
der Institutionalisierung des Feuerbesitzes. Was Freud hier gibt
und verschweigt, ist geradezu eine Gegenmythe zu Prometheus.
Die Reste von Feuerstellen gelten als zuverlässige Anzeichen für
die Menschenförmigkeit der mit ihnen auftretenden fossilen Funde.
Das Feuer ist der Definition des Menschen als eines Werkzeugma-
chers zugeordnet. Feuerstellen sind schon Stätten des Umgangs mit
dem domestizierten Element. Es ist ein Unterschied zu den Spuren
der ersten handlich vorgefundenen oder roh behauenen Faustkeile.
Der Stein ist ein passives Substrat der Kultur, als Werkzeug entdeckt in der Ausübung des Wurfes. Das Feuer ist eine Naturge-
walt, eine der Bedrohungen der frühen menschlichen Existenz.
Zähmung und Hegung des Feuers sind Stufen eines ursprünglich
nicht gerichteten Prozesses.

Dieser Sachverhalt hat Freud wohl davon zurückgehalten, den
Namen des Prometheus auch in den Heiligenkalender der Psychoanalyse aufzunehmen. Das Feuer, das Prometheus dem Himmel
entreißt, ist ein Kulturfeuer: das Feuer des Herdes und der Esse.
Die Vorgeschichte dieses Feuers, eine Geschichte der Angst und
der Abwehr, ist dabei ausgelassen. Prometheus bringt dem Menschen die Kultur, indem er ihnen einen schrecklichen Mangel be-
hebt, nicht indem er sie gegen verheerende Naturgewalten schützt.
Auch nicht gegen die in der eigenen Natur.

Freud hat in seinem späten Traktat von 1930 »Das Unbehagen in
der Kultur« die hypothetische Mythe von der Entstehung der Kultur als einen Vorgang des Verzichts imaginiert. Kultur bedeutet
nach seiner Definition *die ganze Summe der Leistungen und Ein-
richtungen..., in denen sich unser Leben von dem unserer tierischen Ahnen entfernt und die zwei Zwecken dienen: dem Schutz
des Menschen gegen die Natur und der Regelung der Beziehungen
der Menschen untereinander.* Unter den gegen die Natur gerichteten Leistungen ragt die Zähmung des Feuers hervor *als eine ganz
außerordentliche, vorbildlose Leistung.*

In den mythischen Horizont des Ursprungs tritt nur anmerkungs-
weise an dieser Stelle eine *Vermutung über den Ursprung dieser
menschlichen Großtat*, in der ein unvollständiges und nicht sicher
deutbares analytisches Material ausgewertet wird. Die Grund-

leistung der Kulturentstehung kann nur eine solche des Verzichts sein, Lust zu gewinnen. Um den Verzicht einführen zu können, bedarf es der Lustbesetzung einer ursprünglicheren Abwehrhandlung. Diese sieht Freud im Löschen des naturwüchsigen Feuers durch den Harnstrahl. Der damit verbundene Lustgewinn erklärt sich, wie aus dem mythischen Material als zweifellos vorausgesetzt wird, durch die autochthone Auffassung der Flamme als phallischer Figur. Läßt man diese Erklärung des Lustgewinns in der Abwehrhandlung einmal gelten, so wird die Verschonung des Feuers zu einer Kollision von Lustprinzip und Realitätsprinzip, die zur Selbstbeschränkung auf Hegung und Indienstnahme des Feuers führt. *Wer zuerst auf diese Lust verzichtete, das Feuer verschonte, konnte es mit sich forttragen und in seinen Dienst zwingen. Dadurch, daß er das Feuer seiner eigenen sexuellen Erregung dämpfte, hatte er die Naturkraft des Feuers gezähmt.* Der unbenannte Prometheus Freuds ist keine Figur des trotzigen Anspruchs, sondern des schonenden Verzichts. Das in der Entstehung der neuzeitlichen Wissenschaft so überdeutliche Verhältnis von Anspruch und Verzicht würde bis an die Wurzeln der menschlichen Zivilisation zurückreichen.

Der nächste Schritt ist dann zu erklären, daß der anatomische Geschlechtsunterschied die Eignung der Frau als Hüterin des Herdfeuers und des kultischen Tempelfeuers programmiert. Für sie gibt es die Versuchung nicht, den gefährdeten Prozeß der Menschwerdung rückgängig zu machen, den Kulturgewinn wieder für den Lustgewinn preiszugeben. Der Mann kann die Irreversibilität des Prozesses nicht garantieren. Worauf er sich verpflichten müßte, unzuverlässigerweise, das kann sie gar nicht, zuverlässigerweise.

Das mag noch nicht genügt haben. Mit jenen frühen Verzichten stehen die Götter in dem Zusammenhang, die Verletzung des Verzichts zu strafen, seine Einhaltung zu begünstigen. Die mythischen Götter, vielleicht aus der Angst vor dem Unbekannten und aus seiner Benennung entsprungen, werden Schutzgötter der Zivilisation, die nur aus dem Bekannten, weil Selbstgemachten, besteht. Sie sind es so lange, wie der Mensch nicht fähig wird, die Totalität seiner ursprünglichen Verzichte durch Institutionen und Sanktionen zu sichern. Dadurch, daß er diese delegierte Fähigkeit an sich gerissen hat, ist er *beinahe selbst ein Gott geworden.* Diese Formel hat fast

Alles von ihrer einstigen Großartigkeit verloren, wenn Freud hin-
zufügt, der Mensch sei dabei *sozusagen eine Art Prothesengott*.

Die Selbstausübung der Wahrung des aller Kultur zugrunde
liegenden Verzichts macht diesen, wie Freuds Lästerformel für
den Menschen nahelegt, zu einer anfechtbaren, revozierbaren
Handlung. Einen bis dahin unerkannten Verzicht zu benennen,
heißt schon potentiell, mit ihm zu brechen. Das mag, das kann
nicht bedacht gewesen sein, als Freud trotz der Enthüllung und
Herabsetzung des ›Prothesengottes‹ eine phantastische Zukunfts-
perspektive für den erfolgreichen Feuerhüter entwarf: *Ferne Zeiten werden neue, wahrscheinlich unvorstellbar große Fortschritte
auf diesem Gebiet der Kultur mit sich bringen, die Gottähnlichkeit noch weiter steigern* – obwohl nicht verschwiegen wird,
daß *der heutige Mensch sich in seiner Gottähnlichkeit nicht glücklich fühlt.*

Ein Gott zu sein, das ist noch immer gekennzeichnet durch das
Attribut der Autarkie; aber es ist eine mit der in der Antike
noch ungekannten Strenge des Verzichts auf Eudämonie unlöslich
gekoppelte Autarkie. Prometheus konnte als Kulturstifter der
Glücksbringer sein, dem nur Pandora das Konzept verdarb; das ist
unmöglich geworden, wenn die menschliche Kultur unter die Bedingung der unglaublichsten Zumutungen des Verzichts gestellt
ist. Jung will Freud vorgehalten haben, diese Hypothese führe,
zu Ende gedacht, zu einem vernichtenden Urteil über die Kultur,
die *als bloße Farce, als morbides Ergebnis verdrängter Sexualität*
zum Vorschein komme. Freud habe zugestimmt: *... so ist es. Das
ist ein Schicksalsfluch, gegen den wir machtlos sind.*[74]

Es wird schlagartig deutlich, weshalb in Freuds Text vom Ursprung
der Kultur Prometheus nur insofern vorkommt, als man zu begreifen angewiesen wird, daß der Name des Titanen nicht fallen darf.
Das Feuer konnte dem Menschen nicht gebracht werden; der Fluch
des Gottes, der mit dem Feuerraub verbunden gewesen war, kann
nicht fern im Kaukasus abgetragen und ausgestanden werden. Er
ist in jedem Akt der Kultur gegenwärtig. Die Voraussetzungen
einer blasphemischen Handlung sind beseitigt. Die interimistische
Funktion der Götter kann nur der Schutz des Feuers sein; mit

---

74 C. G. Jung, Erinnerungen – Träume – Gedanken. Ed. A. Jaffé. Zürich 1962,
154.

seiner Löschung als der Rückkehr zum Lustgewinn wären sie sogleich ihrer Existenzberechtigung beraubt.

Schritt für Schritt ist Freuds Imagination die Gegenmythe zum
Mythologem des Prometheus. Wenn der Verzicht die Wurzel der
Kultur ist, läßt sich eine solche Mythe nur erzählen, indem sie von
der Negation einer Handlung berichtet. Prometheus hatte das Feuer
den Göttern geraubt; Freuds Urmensch muß nur darauf verzichten,
in das Feuer zu pissen. Die Rolle der Frau im Prozeß der Entrohung des Menschen beruht auf einer ihrer beiläufigsten biologischen Unfähigkeiten. Aber der Natur, wenn denn diese als ab-
straktes Subjekt fungiert, ist es immer noch sicherer, daß etwas
nicht *gekonnt* wird, als daß es nur nicht *gewollt* wird.

Als eine der letzten Umformungen des Mythos erweist sich seine
unverkennbare Verschweigung. Er wird zu Ende gebracht, indem
noch seine unbenannten Umrisse als Deckerinnerung für einen
unverwindbaren Verzicht ausgegeben werden. Als Freud zwei
Jahre nach dem »Unbehagen in der Kultur« über eben jene
beiläufige Anmerkung in eine Kontroverse verwickelt wird, muß
er den Titanen doch noch beim Namen nennen.

In der Replik »Zur Gewinnung des Feuers« nimmt er zwar Hilfe
in Gestalt des *mongolischen Verbots, auf Asche zu pissen*, dankbar
zur Kenntnis, windet sich aber denkwürdig, in der Prometheus-
mythe Bestätigung für seine Verzichtsvariante zu finden. Da hat
offenkundig ›Widerstand‹ am Mythos gearbeitet und *die zu er-
wartenden Entstellungen von der Tatsache bis zum Inhalt des
Mythus* bewirkt. Sie seien dem Analytiker vertraut, *von derselben
Art und nicht ärger als jene, die wir alltäglich anerkennen*, wie sie
sich auf dem Weg von Kindheitserlebnis zum Traum ergeben
haben.

Wenn nicht *den* Mythos,
dann wenigstens *einen* zu Ende bringen

Es ist schrecklich, daß man selber Adler
und Prometheus ist; beides in einer Person,
derjenige, der zerfleischt,
wie der andere, der zerfleischt wird.

Picasso

Das neunzehnte Jahrhundert, das sich so vielfältig in Prometheus erkannt haben wollte, ging nicht von ungefähr mit einer Verformung des Mythologems zur Groteske zu Ende. André Gides »Prométhée mal enchaîné« erscheint 1899. Er gibt der Konfiguration eine gewalttätige Steigerung ins Absurde, wie man sie sich nur herausnehmen kann, wenn Vertrautheit mit dem eidetischen Bestand noch verbürgt ist, aber nicht mehr ernst genommen zu werden braucht. Wer auf Nietzsches Pathos für das dionysische Emblem, kaum drei Jahrzehnte zuvor, eingegangen war, mußte sich verhöhnt fühlen – und sollte es. Es wird ein Ende mit dieser Figur gesucht, das ein anderes Ende zu markieren hat. Denn dieses Jahrhundert willigte in das Faktum seiner Auszählung so emphatisch ein, als würden allein dadurch unbekannte und unbegrenzte Möglichkeiten von Neuanfängen erschlossen.

Noch bevor Freud den Zeitgenossen eröffnen wird, was alles das bedeutet, läßt Gide den Mythos mit einer Totemmahlzeit enden: Prometheus gibt zum Schluß für seine Freunde ein Gastmahl, bei dem er den vom Aasgeier zum Adler aufgepäppelten, an seiner *conscience* gemästeten kannibalischen Vogel als Braten vorsetzt. Die seit Urzeiten andauernde Peinigung der Auszehrung geht auf in dem winzigen Augenblick eines kulinarischen Gegengenusses. Die Pointe, daß nur das Ästhetische die Essenz aller Qualen sein kann, wird noch einen Schritt weiter getrieben: Mit den Federn des verspeisten Adlers, der zum Gewissen und Bewußtsein des

Prometheus geworden war, ist das Buch geschrieben, das beider Geschichte bewahrt. Der Mythos ist nicht nur vollends in Poesie aufgegangen, er wirkt an ihrer Herstellung auf die banalste Weise technisch mit.

Es ist unvermeidlich, daß Prometheus zu seiner Groteske nach Paris gekommen ist. Er ist nicht der ›Befreite‹ in irgendeinem gehobenen Sinne dieses Wortes, keiner, der sich als Garant der den Menschen frevelhaft zugespielten Erwärmung und Erleuchtung dem zornigen Zugriff eines anderen hätte entwinden müssen. Als sei das Verdikt längst hinfällig und vergessen gewesen, hat sich die Entfesselung in beiläufigster Selbstverständlichkeit vollzogen. *Als von der Höhe des Kaukasus Prometheus festgestellt hatte, daß Ketten, Fesseln, Zwangsjacken, Brustwehren und andere Skrupel ihn alles in allem nur lähmten, stemmte er sich, um die Lage zu wechseln, auf der linken Seite hoch, streckte den rechten Arm aus und ging, zwischen vier und fünf Uhr eines Herbsttages den Boulevard hinunter, der von der Madeleine zur Oper führt...*[75] Es ist die Reindarstellung der ästhetischen Zentralidee Gides, des *acte gratuit*, deszendent vom theologischen Begriff des unverdienbar-unbegründeten Gnadenhandelns Gottes, hier das Strukturprinzip der Groteske (*sotie*), ihrer ständigen Demonstration gegen jede Rückfrage nach Motiv und ›Handlung‹. Man mag sagen, dies sei keine Erschöpfung des mythischen Potentials, sondern im Gegenteil die letzte Herausforderung des Mythos, wenn keine ›Taten‹ mehr zu geschehen brauchen, zu denen ein Herakles erforderlich wäre. Aber die Beiläufigkeit, mit der sich Prometheus losmacht, hat doch den penetranten Sinn anzuzeigen: Man weiß gar nicht mehr, worum es ging.

Dazu gehört, daß Zeus seines Amtes längst ledig ist. Er übt Herrschaft zeitgemäß aus, als Bankier, und das gibt ihm erst recht die Mittel, den *acte gratuit* seines Autors ins Werk zu setzen. Was im Mythos die große Doppeldeutigkeit der Vorenthaltung des Feuers gewesen war – Mißgunst gegenüber den verachteten Geschöpfen eines anderen oder Bewahrung der himmlischen Güter vor dem Zugriff der Unwürdigen –, ist zur bloßen Karikatur des grundlosen Willens geworden. Zeus verwickelt die Menschen in eine für sie

75 Gide, Le Prométhée mal enchaîné (Romans, Récits et Soties. Bibl. de la Pléiade), dt. v. Franz Blei. Leipzig 1919; ill. v. Pierre Bonnard.

undurchsichtige, auf dem Niveau einer Laune spielende Geschichte, deren unbegründeter Anfang sich in unbegründeten Handlungen und unverdienten Folgen dieser Handlungen fortspinnt. Es ist die frühe Realisierung dessen, was Gide nahezu drei Jahrzehnte später in den »Faux-Monnayeurs« Edouard als Ausspruch des alten La Pérouse in sein Tagebuch einschreiben läßt: *Dieu se moque de moi. Il s'amuse. Je crois qu'il joue avec nous comme un chat avec une souris.* Denn das ist schließlich nichts anderes, als daß der Außenaspekt des *acte gratuit* ästhetisch nicht akzeptiert, weil moralisch nicht ertragen werden kann. Auch für die ästhetische Einstellung versteht sich das Moralische von selbst, weil es sie unmöglich machen würde, wenn es so nicht wäre. Nur wo gar nicht gehandelt zu werden braucht oder die Handlung Travestie des Naturereignisses ist, gibt es nichts, was sich von selbst zu verstehen hätte.

Den Mythos zu Ende zu bringen, das soll einmal die Arbeit des Logos gewesen sein. Diesem Selbstbewußtsein der Philosophie – oder besser: der Historiker der Philosophie – widerspricht, daß sich die Arbeit an der Endigung des Mythos immer wieder selbst als Metapher des Mythos vollzieht. Das Prinzip des unzureichenden Grundes im *acte gratuit* zur zentralen Idee der Ästhetik zu machen, heißt genauso, sie zu mythisieren, wie es etwa durch das ›Genie‹ gemacht worden war. Die Welt selbst muß zur unbegründetsten Sache von der Welt werden, damit sie unbegründbare Welten neben sich, in sich, gegen sich duldet. Nur im Universum der reinen Unverbindlichkeit kommt der ästhetische Gegenstand gegen alles andere auf.

Die nackte Kontingenz der Welt, ihre letzte Unbegründbarkeit, macht unerwartet vor dem Anspruch auf Genuß alles gleich. Wenn so wenig gefehlt hatte, daß gar nichts wäre, dann ist es immerhin schon etwas, wenn nicht nichts ist. An einer anderen Stelle der »Faux-Monnayeurs« läßt Gide seinen Armand sagen: *Un tout petit peu moins: le non-être. Dieu n'aurait pas créé le monde. Rien n'eût été ...* Das ›Schöne‹, was jeweils auch als solches ausgegeben werden mag, ist nicht erst das Unwahrscheinliche im Mechanismus der Natur, sondern schon die Unwahrscheinlichkeit selbst, daß es überhaupt etwas gibt und daß überhaupt etwas geschieht. Deshalb darf untertrieben werden: Das schiere Minimum von Überhaupt-

Etwas selbst muß in Erscheinung treten. Ein klein wenig die Lage wechseln muß Prometheus...

Nur bei mangelnder Suffizienz gibt es den Punkt, an dem das Noch-zu-wenig überspringt in das Gerade-genug. Auf dieser Grenzlinie ist die Groteske angesiedelt; sie macht die Absurdität zur Untertreibung. Der Mythos kann nicht mehr stattfinden, weil ›zu wenig‹ geschieht, obwohl nicht nichts geschieht. Die Groteske zeigt, wieviel nötig ist, damit das Ende stattfinden kann, die Ereignislosigkeit Ereignis wird. Die Form, die Gide dem Mythologem von Prometheus gegeben hat, um sein Ende anzuzeigen, ist die des *roman pur*, auch wenn zur ersten Ausgabe von 1899 noch keine Gattungsangabe gemacht ist. Der Kellner des Pariser Restaurants stellt Prometheus den Herren Kokles und Damokles vor, die in die von Zeus ausgelöste Ereigniskette verwickelt sind. *Prometheus, wiederholte Damokles. – Entschuldigen Sie, Monsieur, aber es kommt mir vor, als hätte ich den Namen schon mal ... Oh! unterbrach Prometheus ihn sofort, das ist ganz und gar unwichtig...*

Aber weshalb gerade Prometheus? Man könnte sagen, das Verschwinden der mythischen Figur in der modernen Großstadt als Eschaton des Mythos könne nur am Beispiel seiner höchsten Intensität gezeigt werden und man habe, um dieses zu ermitteln, nur Nietzsche zu fragen brauchen, den Gide in diesen Jahren aufzunehmen beginnt. Vielleicht kann man die Antwort doch anheben: Wenn der Mythos etwas mit der Namengebung für das Namenlose, der Gestaltwerdung des Ungestalten, der Menschwerdung des Bestiarium, der Vermenschlichung noch der schon Menschengestaltigen zu tun hat, dann muß das Zentrum des Pantheon genau dort liegen, wo es um Ursprung und Bestand der Menschengestalt selbst geht. Noch im Verlöschen dieses Focus müßte etwas von den Gefährdungen des Anfangs zu spüren sein.

Prometheus, der Menschentöpfer, ist auch an diesem Ende seines Mythos, das Gide ihm zugedacht hat, nochmals an der Menschwerdung des Menschen beteiligt. Denn die Beiläufigkeit des *acte gratuit* ist auch ein anthropologisches Faktoid: Er macht aus dem Wesen, das nichts ›umsonst‹ zu tun gesonnen ist, das menschliche Wesen. Das Attribut des Gottes der verborgenen Gnadenentscheide, des Schreckens der Rechtfertigung, wird unversehens zur

Präsenz der Selbstentledigung von zwischenmenschlicher Kalkulation, von Nutzbezogenheit und Effektivitätsernst. Der Bankier Zeus, der das Spiel mit der Fünfhundertfrancsnote ablaufen läßt, ist nicht im Rückstand gegenüber dem Humanisierungsprozeß, sondern in seiner Hypertrophie – er ist die Karikatur von Nietzsches Übermenschen.

Das Spiel des Zeus ist nicht nur Spiel der Macht; es setzt voraus, daß die sich darin Verstrickenden mit sich spielen lassen. Der *acte gratuit* lebt davon, daß die anderen auf den Zufall warten, den er für sie darstellt. Prometheus ist auch hier noch Antipode des Zeus, denn diese Involvierbarkeit ist für ihn erst der Ausgangszustand der Menschwerdung. Selbst des *acte gratuit* fähig zu werden, befreit davon, ihn nur aus dem Außenaspekt als Laune eines anderen zu sehen. Der Kellner bestätigt es Prometheus; er habe lange gedacht, es sei dies, was den Menschen vom Tier unterscheide. Seine Erfahrung habe ihn das Gegenteil gelehrt. Er sei das einzige Wesen, das unfähig ist, etwas gratis zu tun. Prometheus wird zum Hermeneuten seiner eigenen Geschichte, wenn er sie als die des Selbstbewußtseins versteht. Die grundlose Aktion ist die Probe darauf: die reine Fähigkeit des Subjekts, nicht in seiner Handlung aufzugehen, sondern ihr Zuschauer zu sein. In der Sprache des Mythologems heißt, Bewußtsein zu gewinnen, seinen Adler zu erkennen und in das Entweder-Oder von Gefressenwerden oder Fressen einzutreten. Die von Prometheus veranstaltete Totemmahlzeit ist das Sakrament des Nicht-mehr-gefressen-Werdens.

Die Geschichte der beiden Personen, die Zeus in seine ›Aktion‹ verwickelt, ist wie ein Gedankenexperiment darauf, daß die Grundlosigkeit des Aktes und die Unwahrscheinlichkeit der Betroffenheit durch ihn, also Distanz zum Moralischen und Nähe zum Ästhetischen, konvergieren. Kokles, der das Taschentuch des Zeus von der Straße aufhebt, weiß nichts von seinen Eltern, nichts vom Grund seines Daseins, und hat nach nichts anderem gesucht als nach einem *Grund zum Weiterleben*. Er sei auf die Straße gegangen, sagt er, um da irgendeine Bestimmung zu finden. *Ich suchte den Zufall, irgend etwas, das ich tun müßte und das dann die Richtung meiner Existenz bestimmen sollte; denn ich habe mich nicht selber gemacht* ... Sich nicht selbst gemacht zu haben, definiert den Mangel des Selbstbewußtseins, der sich immer noch aus

dem erkenntnistheoretischen Axiom herleitet, Einsicht besäßen wir
letztlich nur in das, was wir selbst gemacht haben. Die Idee der
Selbstschöpfung der *essentia* durch die *existentia* liegt hier noch
fern; sie läßt Orest und Zeus in Sartres Drama die völlige Indifferenz gegeneinander erreichen. Was Kokles an Zeus bindet, ist der
winzige Ausschlag des Zufalls, den die Unbestimmtheit seines
Daseins benötigt, um es sich abnehmen zu lassen, nach seiner
Rechtfertigung weiter zu suchen.

Die Verlegenheit, sich nicht selbst gemacht haben zu können, die
die Menschen in die Fallen des Zeus treibt, gibt den Sinn dessen
vor, was Prometheus als der mythische Menschenmacher mit dem
Angebot an seine Geschöpfe meinen kann, ›Menschen‹ aus ihnen zu
machen. Erst nach dem Martyrium auf dem Kaukasus ist er fähig
geworden, nicht nur aus Lehm menschengestaltige Kreaturen zu
machen, sondern aus diesen ›Menschen‹. Die Konsequenz dessen,
was er im Mythos begonnen hatte, fällt zusammen mit dem Ritual
der Beendigung des Mythos: die Totemmahlzeit wird zur Bündnishandlung derer, die nur durch das Ende des Mythos ihrer
Grundlosigkeit ein Selbstbewußtsein geben können, das nicht mehr
auf der Suche nach dem *acte gratuit* des Zeus, sondern dessen selbst
fähig geworden ist.

So wird aus dem Menschentöpfer Prometheus der Bewußtseins-
erwecker seiner Geschöpfe, der dem Mythos das Gedächtnismahl
stiftet. Erst dieser Zug erhellt die subtile Wendung des Schlusses,
daß Prometheus seine Geschichte als eine abgeschlossene mit der
Feder seines Adlers niederschreibt. Der Mythos ist erst vollends
ästhetisch dadurch, daß aus ihm, auf eine hinterhältige Weise
›realistisch‹, ein Kunstwerk hervorgeht. Der ästhetische Genuß besteht in der ausgespielten Distanz zu dem, was als unmöglich
Gewordenes hinter ihm liegt.

Ist der Mythos zu Ende gebracht, wenn er und indem er zur Burleske gemacht, besser: als solche möglich geworden ist? Daß etwas
zu Ende gegangen sei, hat seine drohende oder tröstende Bedeutung
ausschließlich von dem her, was diesem Vollzug erlag. Die Evidenz,
daß das Ende schon eingetreten sei, ist nicht immer durch Nachweis
der vakanten Stelle zu erbringen, an der das Gewesene zu zeigen
war. Die Arbeit am Mythos enthält den Verdacht, daß ihr Erfolg
zugleich den Verlust einer Gewißheit impliziert. Es gibt keine

andere Modalität der Erinnerung an den Mythos als die Arbeit an
ihm; aber auch keinen anderen Erfolg dieser Arbeit als die Vor-
weisung der letzten Möglichkeit, mit ihm umzugehen – auf die
unausschließbare Gefahr hin, durch die erneut letzte Möglichkeit
widerlegt, der Konsequenz des noch nicht eingelösten Anspruchs
überführt zu werden.

Im Gegensatz zu aller Geschichte, in der die Epochen sich mit dem
Bewußtsein ablösen, jetzt endlich würde es ernst, nach so viel
Leichtfertigkeit im Vertun der besten Möglichkeiten des Menschen
ginge es jetzt und endlich ums Ganze, ist jeder Schritt der Arbeit
am Mythos Abtragung des alten Ernstes – selbst die Kunstmythen
vom Ende der Kunst oder vom Tode Gottes sind so gemacht. Was
nach solchem Ende und Tod kommt, verspricht der Mythos nicht
mehr. Überläßt er es den Philosophen, die darauf vertrauen, erst
dann würde ihnen schon etwas Besseres einfallen? Die Arbeit am
Mythos kennt den Sabbat der rückblickenden Feststellung nicht,
der Gott der Mythen sei tot. Sie weiß, daß der christianisierte Ausruf, der große Pan sei tot, selbst ein Mythos gewesen war, ein
Stück der Arbeit am Mythos, die Herbeischaffung der mythischen
Entsprechung zu einem Dogma des Anspruchs auf absoluten Realismus, wie das Verstummen der alten Orakel. Es gibt kein Ende des
Mythos, obwohl es die ästhetischen Kraftakte des Zuendebringens
immer wieder gibt. Wir haben Vergleichbares als ästhetisches Ereignis, wenn es sich um ein vorgegebenes Formular handelt: Eine
Inszenierung wage ein Äußerstes, liefere ein ›Endspiel‹, das ist
uns geläufige Phrase geworden. Es gehört zum Erlebnis selbst des
Zuschauers, sich fragen zu müssen: Was wäre nach diesem noch
möglich?

Kafkas ›Berichtigungen‹ des Prometheus-Mythologems[76] aus dem
Jahr 1918 gehören in dessen Eschatologie. Daran liegt es, daß
der betroffene Leser dieses kurzen, nicht einmal eine Seite füllenden
Textes sich fragt und fragen soll: Was wäre jetzt noch zu tun?
Es ist fast selbstverständlich, daß er sich als bei einer Handlung
anwesend empfindet. Diese alte Phrase, daß es nicht nur um Worte
geht, findet einen Beleg an dem, was nicht nur ein Text unter
anderen, sondern in bezug auf seinen Archetyp das Letzte sein
will. Denkt man an Nietzsches ›Berichtigung‹ zurück, so macht sie

76 Kafka, Prometheus (Gesammelte Schriften, ed. Max Brod, V 99).

den Mythos zur Nachbildung der Geschichte und damit zugleich
zu dem, was Geschichte zu seiner eigenen Episode integriert. Kafka
macht den Pluralismus der Interpretationen, als Simulation des
Historismus und seiner Relativierung dessen, wie es denn wirklich
gewesen sei, zur ironischen Form der ›Berichtigung‹. Die Retrak-
tationen scheinen nur nebeneinander zu stehen, wie im Angebot
zur Auswahl, wie zur Erprobung der Affinität des Lesers zur jeweiligen Variante. Aber die Ironie der Pluralität legt ihrerseits den
Relativismus ab, übersteigt ihn durch die Evidenz der Vollständigkeit: Was ließe sich außerdem noch sagen, diesen ›Fassungen‹ hinzufügen?
Wenn Kafka beginnt, von Prometheus berichteten vier Sagen, so
sind diese nicht beliebig auswechselbar, sondern eine den Prozeß
zum Ende hin formal darstellende Sequenz. Die Auslegungen stehen nicht nebeneinander, sondern überbieten einander. Nicht zufällig endet alles mit dem Wort ›enden‹. Einerseits gehört Simulation philologischer Akribie zur offen vorgelegten, sich historistisch
gebenden Vieldeutigkeit; andererseits soll keine Version die Herkunft aus einem ›Wahrheitsgrund‹ verleugnen oder verloren haben.
Die vier Sagen ›berichten‹ von Prometheus, und dieses am Anfang
stehende Wort erfährt keinerlei Einschränkung. Die Wirklichkeit
wird nicht durch Übereinstimmung derer, die über sie berichten,
durch Aussperrung ihrer Subjektivität, gesichert, sondern gerade
dadurch, daß noch so weit differierende Berichte unleugbar dasselbe
meinen, ohne das Gleiche zu sagen. Es ist eine gegen das Ideal der
wissenschaftlichen Objektivität gerichtete, das Zwingende der Realität diesseits ihrer zu protokollierenden Inhalte belassende Vieldeutigkeit.
Die erste der vier Sagen entspricht etwa dem traditionellen Mythologem, mit der Verschärfung allerdings, Prometheus sei am Kaukasus festgeschmiedet worden, *weil er die Götter an die Menschen
verraten hatte.* Kein einzelner Gott ist als der in Sonderheit ver-
ratene genannt, und schon gar nicht scheint mitgesehen zu sein, daß
Prometheus selbst Gott ist. So sind es denn auch die anonymen
Götter, die Adler – in diesem Plural – schicken, damit diese von
der Leber des Prometheus fressen.
In der zweiten Version sind es diese Vögel, die allein noch auf der
Szene bleiben und Prometheus so bedrängen, daß er sich vor ihren

zuhackenden Schnäbeln immer tiefer in den Felsen drückt, *bis er mit ihm eins wurde.* Die letzte Unbetroffenheit, die nicht mehr durch die Unsterblichkeit eines Gottes gesichert erscheint, besteht noch darin, mit dem Gestein zu verschmelzen, das von keinem Schmerz berührt werden kann, das wieder die reine Empfindungslosigkeit der Natur ist.

In der dritten Version steckt ein Stück aus jenem Fragment Nietzsches, in welchem der Götterwechsel vom Vater zum Sohn den Kulturstifter auf dem Kaukasus vergessen werden ließ. Auch Kafka läßt Prometheus vergessen werden, in einer die Vergessenheit derart steigernden Sequenz, daß am Ende der Zeit, durch den bloßen Verlauf der Zeit, wieder eine Form der absoluten Unbetroffenheit steht. Vergessen wurde zuerst seine Tat, jener Verrat, und dann: *die Götter vergaßen, die Adler, er selbst.* Nicht-Identität als Autoamnesie ist die Reindarstellung der Unverfolgbarkeit.

Die vierte Version ähnelt der dritten, aber statt des Vergessens verwendet sie die Ermüdung. Sie wird begründet mit Grundlosigkeit: Was grundlos wird, hält sich nicht im Bewußtsein. Und wieder die Steigerung von den strafenden Göttern zur Figur des Gestraften: *Die Götter wurden müde, die Adler wurden müde, die Wunde schloß sich müde.* Was bleibt, ist auch hier das Gestein, weil es Grund ist und deshalb keines Grundes bedarf: Erklärungsunbedürftigkeit als Grund seiner Unanfechtbarkeit. Von Goethes ›Granit‹ bis zu Kafkas ›unerklärlichem Felsgebirge‹ reicht die Metapher einer Urschicht aller Ereignisse, die selbst der Rechtfertigung, der Theodizee, nicht mehr bedarf. Kafkas Mythenberichtigung schließt mit zwei Sätzen, die nachträglich den Anfang insofern erweitern, als sie die bloße Feststellung des Faktums von den vier Sagen zum Ausdruck einer Anstrengung machen, die ausdrücklich als erklärende bezeichnet und deren Schwierigkeit als Erklärung des Unerklärlichen bestimmt wird: *Die Sage versucht das Unerklärliche zu erklären. Da sie aus einem Wahrheitsgrund kommt, muß sie wieder im Unerklärlichen enden.*

Man kann Kafkas fiktive Fassungen einer Überlieferung als formale Parodie einer philologischen Kollation ansehen. Aber inhaltlich stehen sie doch dem nahe, was Nietzsche mit der Erweiterung des Prometheus-Mythologems versucht hatte: die Geschichte in das Nicht-Geschichtliche einzubetten, in ihm aufgehen zu lassen. Kafka

läßt die ›Handlung‹ verschwinden in der Natur, in ihrer schlechthin unbewegten, unzerstörbaren, ungeschichtlichen Form des Fels-
gebirges. Da für die dritte Fassung kaum Abhängigkeit von
Nietzsches Entwurf anzunehmen ist, wird sie noch aufschlußreicher
für das, was als Arbeit an diesem Mythos übrigbleibt: nicht die
Antithese von Mythos und Logos, von Vorgeschichte und Geschichte, von Barbarei und Kultur, sondern die Rückkehr einer
einmaligen, vergeblichen und gleichsam verlegenen Bewegung der
Natur zu ihrer Erstarrung, zum hieratischen Gestus der endgültigen Verweigerung. Das Anorganische allein überdauert die Geschichte. Dafür ist es das Unerklärliche, für das freilich niemand
mehr da ist, die Erklärung zu fordern.

Sucht man nach analogen Aussagen abseits dieser großartigen und
rücksichtslosen Imagination, so stößt man auf die Auseinandersetzung des Fortschrittsoptimismus in der zweiten Hälfte des 19. Jahrhunderts mit dem physikalischen Gegenprinzip des Wärmetods,
auf den zweiten Hauptsatz der Thermodynamik, als das große
Modell, dem noch Sigmund Freud das Organische und Psychische
eingeordnet und unterworfen hat, als er in sein dem Mythischen
sich immer mehr näherndes System 1920 den Todestrieb ein-
fügte.

Kafkas Text ist nicht *eine* Rezeption des Mythos, auch nicht das
Resultat seiner Rezeptionen durch eine verfolgbare Zeitstrecke
hindurch, sondern die Mythisierung dieser Rezeptionsgeschichte
selbst, und darin wiederum ganz nahe dem, was schon Nietzsche
versucht hatte. Wir erfahren nicht mehr, was der statuarischen
Szene im Kaukasus vorausgeht. Alles Vorherige ist, mit dem
bloßen Stichwort des Verrats der Götter an die Menschen, darin
aufgegangen. Die Rezeption hat die Geschichte aufgearbeitet, als
wäre sie nie gewesen. Sie ist der Inbegriff der mythischen Umständlichkeit selbst, einer Umständlichkeit, die nicht im Mythos
erzählt, sondern an diesem vollstreckt wird. Nichts mehr soll
spürbar sein von der formalen Freiheit zur Variation des Mythologems, von der Umgänglichkeit des Stoffes, die eine sich als frei und
schöpferisch gebende Attitüde zulassen würde. Die Evidenz der
spielraumlosen Dichte, wie sie das Felsgestein hat, wird erzeugt.
Nur die zeitliche Umkehrung wäre noch denkbar: Prometheus
tritt aus dem Felsen wieder hervor, stellt sich erneut seinen Peini-

gern. Sich dieser imaginativen Lizenz auch nur einen Augenblick zu überlassen, verbietet die eschatologische Melancholie, die über dem Ganzen liegt. Weshalb sollte die Welt fortbestehen müssen, wenn nichts mehr zu sagen ist?

Wie aber, wenn doch noch etwas zu sagen wäre?

Namenregister